2025 年版

エネルギー管理士
電気分野
模範解答集

電気書院 編

電気書院

[本書の正誤に関するお問い合せ方法は，最終ページをご覧ください]

はじめに

平成18年4月1日に施行された改正省エネ法により，これまで別々の管理対象であった熱・電気を一体して管理することになった．これに伴い，今まで別の資格であった電気管理士と熱管理士が，新しいエネルギー管理士として一本化されることになり，試験制度も変更されることになった．

新しいエネルギー管理士は，省エネ法施行令によって，第1種エネルギー管理指定工場において業種および熱・電気を合算したエネルギーの使用量の水準により，1～4人選任されることになっている．

新しい試験制度と従来の電気管理士試験を比較してみると，課目Ⅰ「電気管理概論及び法規」が，熱・電気共通の「エネルギー総合管理及び法規」という新課目になったが，そのほかの課目Ⅱ・Ⅲ・Ⅳについては大きな変更はない．

平成18年の変更により，「電気管理概論及び法規」が「エネルギー総合管理及び法規」となり，出題が法令と電気管理についてのみであった従来の試験に加え，基礎的な熱・電気分野の学習が必要となる小問が一つ増えた．

このようなことから，以前にもまして出題傾向，出題範囲に即した学習を心がけないと，短期間での合格は難しくなっている．

また，法令については平成20年5月(平成22年4月施行)に大幅に改正され，産業用部門だけでなく，民生部門においてもエネルギーの使用の合理化を一層進めることとなった．その後，法律・政令・省令は何度か改正されている．今年の試験は令和6年4月1日時点の法律に基づいて試験が行われた．本書に収録している令和5年度以前の法令の問題は，すべて新しい法令に合わせて問題・解答を改定してある．

課目Ⅱの「電気の基礎」では平成17年以前は選択問題であった“自動制御”と“情報処理”が，平成18年度より必須問題の“自動制御及び情報処理”となったので，忘れずにどちらも学習しなければならない．

試験が実施されるのは毎年8月(2024年は8月4日)で，電気主任技術者試験(以下，電験）と試験日が異なるので，能率よく勉強をすれば，1年で電験とエネルギー管理士の二つの資格を得ることも可能である．試験のレベルは電験3種と2種の間くらいといわれ，エネルギー管理士の主たる職務がエネルギー使用の合理化，平たくいえば電力節減であるから，電力を大量消費する負荷設備に重点がおかれており，ここが電験と大きく異なっている点で，当然，これに応じた学習法が必要になってくる．

しかし，基礎知識は電験とほとんど共通であり，電験の“機械”が拡大されていること，電気関係の法規の代わりに“省エネルギー関係の法・命令”が出題されることなどが電験との違いである．電験の学習範囲をわずかに拡げて学べば，電験と同時にエネルギー管理士の受験準備もできることになる．

孫子の兵法にも“敵を知り己を知らば，百戦危うからず”とある．受験勉強に入る前に，まずこの書で，従来の試験問題を調べ，出題の範囲・傾向をしっかり把握し，能率のよい学習スケジュールを立てていただきたい．

2024 年 9 月

著者しるす

目　　次

≪ 2024 年度≫

≪ 2023 年度≫

≪ 2022 年度≫

≪ 2021 年度≫

≪ 2020 年度≫

≪ 2019 年度≫

≪ 2018 年度≫

≪ 2017 年度≫

≪ 2016 年度≫

≪ 2015 年度≫

≪ 2014 年度≫

≪ 2013 年度≫

■法令について

2024 年度の問題は，出題のままとなっております．2023 年以前の問題については，2024 年 9 月 1 日現在において施行されている

「エネルギーの使用の合理化及び非化石エネルギーへの転換等に関する法律」

（昭和 54 年法律第 49 号，最終改正令和 4 年 6 月 17 日）

「エネルギーの使用の合理化及び非化石エネルギーへの転換等に関する法律施行令」

（昭和 54 年政令第 267 号，最終改正令和 5 年 3 月 23 日）

「エネルギーの使用の合理化及び非化石エネルギーへの転換等に関する法律施行規則」

（昭和 54 年通商産業省令第 74 号，最終改正令和 5 年 3 月 28 日）

に適合するように，試験後法改正があった箇所の問題を改定しています．

また，平成 30 年 11 月 30 日に改正されました

「エネルギーの使用の合理化等に関する基本方針」

（平成 25 年経済産業省告示第 268 号），

令和 3 年 3 月 31 日に一部改正されました

「工場等におけるエネルギーの使用の合理化に関する事業者の判断基準」

（平成 21 年経済産業省告示第 66 号）

に適合するように，問題の一部を改定しました．

2024 年度の問題の講評と学習ポイント

エネルギー総合管理及び法規

法：エネルギーの使用の合理化及び非化石エネルギーへの変換等に関する法律及び命令
政令：エネルギーの使用の合理化等に関する法律施行令
省令：エネルギーの使用の合理化等に関する法律施行規則
方針：エネルギーの使用の合理化等に関する基本方針
基準：工場等におけるエネルギーの使用の合理化に関する事業者の判断の基準
とする．

問題 1　エネルギーの使用の合理化等に関する法律及び命令

エネルギーの使用の合理化等に関する法律（以下，省エネ法）は，2008 年（平成 20 年）に改正され，それまで重点的に省エネルギーを進めてきた産業用部門に加えて，民生部門においてもエネルギーの使用の合理化を一層進めることとなった．その後，部分的な改正が適宜行われてきたが，2050 年カーボンニュートラル目標や 2030 年の野心的な温室効果ガス削減目標の達成に向けて大幅に改正されることとなった．これまでの化石エネルギーの使用の合理化に加えて，非化石エネルギーも含めたエネルギーの使用の合理化および非化石エネルギーへの転換を求めるとともに電気の需要の最適化を促す「エネルギーの使用の合理化及び非化石エネルギーへの変換等に関する法律（以下，改正省エネ法）」に改正され，令和 5 年 4 月 1 日に施行されるとともに，関連する政令・省令も合わせて改正された．

試験は 2024 年（令和 6 年）4 月 1 日時点で施行されているものによるため，2023 年（令和 5 年）4 月 1 日に施行（令和 4 年 5 月 20 日公布）された改正省エネ法，2024 年（令和 6 年）4 月 1 日（令和 6 年 3 月 29 日公布）に施行された政令，2024 年（令和 6 年）4 月 1 日（令和 6 年 3 月 15 日公布）に施行された省令に基づいて試験が行われたことになる．

どのような試験においても法律が改正されると改正された箇所は高い確率で出題される傾向があり，特に，令和 5 年に「エネルギーの使用の合理化及び非化石エネルギーへの変換等に関する法律」に大幅に改正されてから 2 年目の試験であるが，昨年に引き続き法律の目的と定義などの基本的な条文に加えて，過去に繰り返し出題されている問題が多かった．平成 23 年度からの出題パターンはほぼ一定しており，過去問をベースにした学習を実施することで受験対策は十分であると考える．つまり,「新傾向の問題は捨てる問題」としてある程度割り切ることも，合格点をとるためには重要なポイントである．

(1)　定義に関する問題である．1）法第 2 条（定義）は法律の基本となる事項であり，過去にも繰り返し出題されているため,確実に得点できるようにしておきたい条文である．2) DR（デマンドレスポンス）の種類と「電気の需要の最適化」との関係については常識の範囲内と思われる．

(2)　エネルギー管理統括者とエネルギー管理企画推進者の選任に関する問題である．1）法

第8条（エネルギー管理統括者），省令第8条（エネルギー管理統括者の選任）および2）法第9条（エネルギー管理企画推進者），省令第13条（エネルギー管理企画推進者の選任）は，出題頻度の高い条文であり，至近では令和3年度に出題されている．

⑶　報告及び立入検査に関する問題である．1）法第166条（報告及び立入検査）は令和2年度にも同じ条文から出題されており，これも出題頻度の高い条文であることから，確実に得点できるようにしておきたい項目である．

⑷　事業者のエネルギー使用量に関する問題である．1）法第2条（定義）のエネルギーに該当するものの選定，2）省令第4条（換算の方法）の熱の量と電気の量を原油の数量に換算する際の考え方と換算方法も頻度の高い条文である．

⑸　本題は年度の原油換算エネルギー使用量の問題であるが，これは平成17年の省エネ法改正以降，熱電一体化の管理が行われるようになってから同様の問題が毎年出題されている．法令の対象となるエネルギーを判別してから，エネルギー使用量を計算するという出題パターンであり,改正省エネ法に基づく「エネルギーの対象となるか否かを判断する」ことと合わせて，「原油換算エネルギー使用量の計算方法」を熟知しておくことが重要である．今回は，原油換算エネルギー使用量の算出は求められていないが，第1種・第2種エネルギー管理指定工場等の該当有無と種別の判断に加えて，エネルギー管理者またはエネルギー管理員の選任要否と選任すべき人数を求める問題であり，改正省エネ法に基づく「エネルギーの対象となるか否かを判断する」ことは求められていないため難易度は低かった．なお，今回出題のなかったエネルギー管理者またはエネルギー管理員を新たに選任するまでの期間についても抑えておくことが重要である．

学習ポイント　**法第1条，法第2条，政令第1条，省令第2，3条，法第3条，法第5条，法第7条，政令第2条，省令第4条，法第8，20，32条，省令第8条，省令第9条，法第9，21，33条，省令第13条，法第10条，政令第3条，法第11，23，35条，政令第4条，省令第17条，政令第5条，省令第18条，法第12，14，24，36条，省令第23条，省令第24条，法第13条，政令第6条，法第15，27，39条，法第16，28，40条，省令第36，37条，法第17，29，41条，法第18条，法第19条，法第31条，法第32条，法第48条，法第50条，法第51条，法第149条，政令第18条，法第154条，政令第21条，法第156条，法第159条，法第166条，基準・工場等におけるエネルギーの使用の合理化に関する事業者の判断の基準**

問題2　エネルギー情勢・政策，エネルギー概論

エネルギー概論の問題は，SI単位の基本単位・組立単位と基礎的な計算の組合せが定着している．

⑴　組立単位であるジュールとクーロンを基本単位のみで表す方法，エントロピーと電圧をジュール[J]を用いた場合の表し方に関する基礎的な問題であったため，基礎がマスターできていれば簡単に解けたと思われる．

⑵　水を氷に相変化させるときの潜熱と水の顕熱との関係，大規模電力貯蔵用電池の種類と作動温度，エネルギー密度から位置エネルギーへの換算に関する計算問題であり，こちらも基礎的な問題であった．

(3)　エネルギー情勢・政策に関する問題は，東日本大震災以降しばらく出題されていなかったが，平成26年度から出題されるようになった．

東日本大震災による福島第一原子力発電所の事故をきっかけにした国レベルでのエネルギー政策の見直し論議が行われていたため，しばらく出題されていなかったが，平成26年度に「エネルギー基本計画」が閣議決定され，国の方向性が明確になったことから出題されるようになったものと思われる．来年度以降も引き続いて出題される可能性が高いため，エネルギーの世界情勢や国内の動向を注視しておくことが重要である．なかでも国内に関する問題は，基本計画や白書から出題されることが多いため，最低でも概要程度はつかんでおきたい．なお，「エネルギー基本計画」は令和6年度に見直しが行われているため，来年受験される方は最新版を確認するようにしてほしい．

今回はCOP21で採択されたパリ協定とIPCCの日本語訳を問う基本的な問題であり，これらはあらためて学習するほどのものでなく，日頃から報道等に関心をもっていれば問題ないレベルと思われる．

また，地球温暖化に関するテーマは必須の課題であり，今回出題された問題もまさしく該当し，エネルギー情勢と合わせて学習しておく必要がある．これらに加えて，近年注目されている分散型電源に関する問題も重要なテーマであり，太陽光発電，燃料電池発電はすでに出題されており，今後は風力発電システムや地熱発電等についても出題される可能性が高いことから対策をとっておく必要がある．

学習ポイント　組立単位から基本単位への変換，新エネルギーの構成と原理，冷凍機・ヒートポンプの基本原理と成績係数，日本のエネルギー情勢とエネルギー政策，地球環境問題，エネルギー変換効率，エネルギー形態間の変換，エネルギーの貯蔵，電気使用の合理化策（電力管理，設備管理，保全管理，安全管理）

問題3　エネルギー管理技術の基礎

出題範囲は，工場等におけるエネルギーの使用の合理化に関する事業者の判断の基準（以下，工場等判断基準）のうち，なかでも製造業を中心とする工場関係の基準部分の6分野，目標，措置部分について，その内容と背景にある技術的意味を問う問題である．

工場等判断基準(平成21年経済産業省告示第66号(制定))は，平成22年4月の改正に伴って，工場又は事業場が工場等に変更となり，事務所関係の判断基準が独立して設けられたが，工場関係の判断基準の改正は小幅にとどまっており，内容的には大きな変更はなかった．

昨年の改正省エネ法施行に伴い，「令和5年3月31日内閣府，文部科学省，厚生労働省，農林水産省，経済産業省，国土交通省告示第1号」に改正された．このほかに事業者が遵守すべき判断基準･指針は，「工場等における非化石エネルギーへの転換に関する事業者の判断の基準」と「工場等における電気の需要の最適化に資する措置に関する指針」があるが，エネルギー管理技術の基礎からは出題されていない．

工場等判断基準に記載されている六つの合理化項目は平成20年度から毎年のように出題されており，必須テーマの一つである．

工場等判断基準の全般の熱・電気両分野から幅広く出題されており，今回は告示本文から5

問，関連技術に関する問題が 14 問の計 19 問と昨年と同数であり，令和元年度以降は 17 問だったため 2 問増加している．ただ，配分は令和元年度からほぼ同一であり，それ以前は約半々であることからすると関連技術に関する割合が多くなっていることになる．

計算問題は 19 問中 8 問出題されており，平成 28 年度までは全体の 3 〜 4 割程度であったが，平成 29 年度から 5 割程度に定着していた．令和になってからの計算問題は，17 問中 7 〜 8 問出題されていることから割合の変化はほとんどない．計算問題は基礎的なものであり，これまではほとんどが計算結果の数値を答える（選択式でない）問題であったが，今回はすべて選択問題であった．出題テーマのうち，熱量，伝熱，理論空気量･酸素量，空気比（今回は出題なし），火力発電所の熱効率・発生電力量・燃料消費量，単相・三相交流回路，力率改善の計算は毎年のように出題されているため必須の課題といえる．

今回はすべて基礎的な問題であったため全体として正解率は高いと思われる．

学習ポイント　工場等判断基準の概要，判断基準に関する管理技術，省エネルギーの判断基準･実践，エネルギーの基礎計算，燃料の燃焼に必要な理論空気量と空気比の計算，伝熱計算，火力発電所の熱効率の計算，力率改善の計算，交流回路の基礎計算，ステファン・ボルツマンの法則を用いた放射エネルギーの計算，エネルギー原単位（燃料原単位，電力原単位）の計算，エネルギー管理，電動機の基礎計算，ポンプ･送風機の基礎計算，電気加熱の種類と基本原理，ピークシフト対策，負荷調整

電気の基礎

問題 4　電気及び電子理論

これまでの出題傾向のとおり，交流回路と三相交流回路の計算問題が出題された．交流回路は RLC ブリッジ回路の平衡条件を求める計算問題で，小問に示された手順に沿って合成インピーダンスと平衡条件を求めていけば正解にたどり着けるというサービス問題に近いものであり全体として正解率は高いと思われる．三相交流回路は平衡回路と不平衡回路の問題であったため昨年より難易度は高いものの，これも問題に示された手順に沿って解いていけば正解にたどり着けるので正解率は高いと思われる．

三相不平衡回路の問題は平成 20 年度から 22 年度にかけて毎年出題され，平成 27，30 年度，令和 4 年度にも出題されているため，三相不平衡回路の対策は重要である．平成 23 年度から 26 年度までと，平成 28，29 年度，令和元，2，3，5 年度は三相平衡回路の問題（灯動共用三相回路を含む）が出題されている．三相交流回路の問題は毎年出題されるので，平衡回路だけにとどまらず不平衡回路の問題も出題される可能性が高いものと考えて対策をしておくべきである．このほかに電磁気の計算問題も出題されているので，これらと合わせて学習しておく必要がある．

当然のことながら，これらのことは単相交流回路がマスターできているという前提での話であるため，いきなり三相不平衡回路の学習をするのではなく，交流回路の問題を順序立てて学習していくことが重要である．なお，単相交流回路の問題は複雑で難易度が高いものが出題されても解答できるようにしてほしい．

なお，電子理論については，平成11年度の制度改正以降まだ一度も出題されたことがないため，当面は対策不要と考える．

学習ポイント 単相交流回路の計算，三相平衡回路の計算，三相不平衡回路の計算，磁気回路の計算，導体間に作用する電流力の計算，相互インダクタンスを有する回路の計算，電荷と電界，クーロンの法則，ガウスの定理，電流による磁界の強さ，電磁誘導

問題5　自動制御及び情報処理

小問の数は，平成25年度から一つ増加して四つになっていたものが，令和2，3年度は三つに減少し，令和4年度は四つに戻り，令和5年度は五つに増加し，今年は四つに戻っている．全体量に大きな違いはないと思うが，受験者側からするとある程度一定に保ってほしいというのが本音と思われる．

自動制御の問題は，フィードバック制御系の伝達関数と定常値の計算というごく基礎的な問題に加えて，線形システムの極と応答に関して安定であるための条件，システムの応答速度，ステップ応答という難易度の高い問題の組合せであった．自動制御の問題は，用語の定義などの基礎的な内容に加えて，ラプラス変換，伝達関数，ステップ応答，フィードバック制御は毎年出題されており，これらは必須テーマとして必ず理解しておく必要がある．

情報処理の問題は，磁気ディスクの構成ならびにデータ通信ネットワークの不正アクセス対策，無線LANの基地局機能と通信規格に関する問題であった．不正アクセス対策については結構ホットな問題であるため今後も出題される可能性が高いと思われる．

情報処理の出題傾向をみると，全般からまんべんなく出題される傾向があり，的が絞りにくいのが難点である．いずれも基礎的知識が要求される問題であり，それらを幅広く身につけることがポイントである．

また，近年は出題されることが少なくなった省エネルギーシステムについても過去に出題されていることから，最近，報道等で話題になっていることについては一通りの知識を身につけておくことをお勧めする．

学習ポイント 伝達関数の計算，ブロック線図の等価変換，ステップ応答に関する計算，定常偏差に関する計算，フィードバック制御，**2**進数と**10**進数の関係，制御系の基本構成，データ通信ネットワークの不正アクセス対策，データベースモデル，コンピュータの構成，各種要素（比例・微分・積分，一次・二次遅れ要素の名称・特徴），**LAN**，**WAN**，インターネットに関する用語，周波数伝達関数の計算，周波数応答，制御系の安定判別，データ通信，パーソナルコンピュータ（(a)　インタフェースの種類　(b)　補助記憶装置），基本ソフトウェア，システムの信頼性（(a)　**MTBF**　(b)　**MTTR**　(c)　稼働率）

問題6　電気計測

1問目のアナログ－ディジタル変換に関する問題は，原理，雑音振幅，量子化雑音の大きさを問う問題であり，出題実績がほとんどなく難問であった．また，量子化雑音という用語そのものも初めて聞いたという方が多かったと推測する．

2問目の接続方法による消費電力の誤差の問題は，内容的には直流回路の問題であり，正解率は高いと思われる．

3問目のVTの一次電圧と二次電圧の関係，三相負荷電力の測定原理と三相電力の計算問題も基礎的な内容であり，こちらも正解率は高いと思われる．

以上のように，今年の電気計測は全般的に難易度が低く受験者にとってありがたかった．

電気計測の出題範囲も，電気計測全般にわたっているため的が絞りにくいのが難点であるが，情報処理と同じようにいずれも基礎的知識が要求されることから，それらを幅広く身につけることがポイントである．ただ，過去問だけを学習していたのでは解くことができない問題が数年おきに出題されるため，過去問を参考にもう一歩踏み込んだテーマについて学習しておくことが重要である．

課目Ⅱ「電気の基礎」は，比較的出題範囲が絞りやすい問題4の「電気及び電子理論」で50点満点を狙い，問題5・6の「自動制御及び情報処理」と「電気計測」で残りの点数を稼ぐのが戦略と思われる．

学習ポイント　指示電気計器の原理・用途，電力の測定（三電流計法，三電圧計法，三相電力の測定），接地抵抗の測定，精度と誤差，ブリッジ回路の平衡条件，電流の測定（変流器，分流器），電圧の測定，応用計測（ホール効果，圧電効果，温度センサ，光センサ，流量センサ，機械量センサ，トルクセンサ，熱電対，サーミスタ測温体），周波数の測定，位相の測定，積算電気計器

電気設備及び機器

問題7，8　工場配電

工場配電の小問数は，昨年10問に急増したが，今年は7問とそれ以前の状態に戻った．問題を解く時間配分に影響するため，問題数はある程度一定に保ってほしいものである．

工場配電は毎年ほぼ同じような出題傾向であり，電気設備の予防保全・保護協調・受電設備のリレー整定時間・地絡保護リレーの原理，系統連系時の基準とガイドライン・不平衡率，需要率・負荷率・不等率の定義，フリッカの原因と対策，雷サージ対策と避雷器の素子，遮断器の種類と特徴，調相設備の種類などの配電線に関する一般的な知識に関する問題が文章問題として出題された．ただ，電圧不平衡率の簡易式という用語は初耳という方も結構おられるのではないかと推測する．

このうちフリッカ対策，需要率・負荷率・不等率の定義に関する問題は繰り返し出題されており，これらに加えて，電圧管理，電力量管理，デマンド制御，電力量低減方策，負荷平準化対策，太陽光発電の原理，高調波対策，配電線路と変圧器などの電力損失低減対策，最大需要電力低減対策，力率改善方策なども重要なテーマであるため確実に理解しておく必要がある．

計算問題は，進相コンデンサ接続前の線路電流と電圧降下・進相用コンデンサ接続後の力率・電圧降下・線路損失を求める問題および変圧器2台を単独で運転した場合と並行運転した場合の損失電力・インピーダンス・総合皮相電力を求める問題が出題された．

文章問題，計算問題ともごく基礎的な内容が繰り返し出題されているため，比較的高得点が得られたのではないかと推測する．

このように工場配電は出題される範囲が限定されているため，過去問をベースに学習するこ

とで高得点がねらえる分野であり，受験者にとっては非常にありがたい．

学習ポイント　配電線路の電圧降下・電力損失の計算，配電線路の力率改善と力率改善コンデンサに関する計算，負荷設備の負荷率・需要率・平均電力の計算，変圧器の効率が最大になるときの変圧器の出力・効率の計算，電圧フリッカとその対策，高調波とその対策

問題9，10　電気機器

文章問題は，昨年と同様に変圧器，同期機，誘導器，電力変換装置の主要テーマが均等に出題された．

内容は，励磁突入電流のメカニズムと抑制対策，同期発電機の並列運転条件および並行運転時に界磁電流を変化させたときと内部相差角変化時の様相，かご形誘導電動機全電圧始動時の特徴と特殊かご形誘導電動機の始動特性，特殊かご形誘導電動機の速度特性，PWM制御方式の基本原理と特徴に関する問題が出題され，いずれも電気機器のごく基礎的なものであり，かつ繰り返し出題されている問題であった．このうち問題10小問(1)のかご形誘導電動機の運転特性のうち特殊かご形誘導電動機の速度特性については，平成27年度と30年度にも類似問題が出題されている．

計算問題は，変圧器の負荷損，無負荷損，百分率抵抗降下，百分率リアクタンス降下，電圧変動率を求める問題と，三相かご形誘導電動機の滑り，二次入力，トルク，インバータ出力周波数を求める問題であり，基礎的かつ繰り返し出題されている問題であったため，正解率は高いと思われる．

このように電気機器はオーソドックスでごく基本的な問題が多く，全体として難易度は低く，高得点がねらえる分野であり，工場配電と同様に受験者にとっては非常にありがたい．

これまでの出題傾向をみてわかるとおり，誘導電動機と変圧器に関する問題が多いことから，これらの分野を中心に的を絞った学習をお勧めする．

学習ポイント　誘導電動機の原理と特性，誘導電動機の回転速度とトルクの式，誘導電動機の速度制御方式，変圧器の原理，変圧器の損失と効率計算，変圧器の無負荷試験と短絡試験の結果から全損失・短絡インピーダンス・巻線抵抗・電圧変動率の計算，サイリスタを用いた整流回路の直流電圧（PWM整流回路）の計算，電気機器の損失の種類と効率の計算，誘導電動機の簡易等価回路と特性式，変圧器の誘導機電力と周波数・最大磁束密度の関係，鉄損の内訳，ヒステリシス損・渦電流損と印加電圧・周波数・最大磁束密度の関係，変圧器の等価回路から無負荷損・効率・百分率抵抗・百分率リアクタンス・電圧変動率の計算，同期発電機の無負荷飽和曲線，三相短絡曲線の定義および短絡比の定義と同期インピーダンスとの関係，電気機器の温度上昇，許容最高温度の区分，誘導電動機の始動，変圧器の冷却方式，変圧器の結線および並行運転と負荷分担，同期機の原理と特性および電機子電流，誘導起電力の計算，同期電動機の始動，直流電動機の速度・トルク特性・始動・速度制御・制動，電力用半導体素子の種類と特徴，電力変換装置の構成

電力応用

電力応用の問題11および問題12の電動力応用は必須問題である．問題13から問題16まで

の電気加熱，電気化学，照明，空気調和から2問題を選択して解答する必要がある．選択問題は自分の得意分野を選ぶのはもちろんであるが，出題傾向が変わっていないことと難易度から判断して電気加熱を選択するのが賢明であると考える．

問題11，12　電動力応用

問題11小問(1)は，誘導電動機のベクトル制御の原理と制御方式に関する問題であるが，基礎的でかつ繰り返し出題されている問題であったため，正解率は高いと思われる．

次の小問(2)は，L形等価回路を用いた電流や滑り周波数を求める式を算出する問題であり，これも基礎的でかつ繰り返し出題されている問題であったため，正解率は高いと思われる．

次の小問(3)は，つるべ式平衡ケージ巻上機に関する問題で，速度パターンから上昇距離，積荷の位置エネルギー，綱車に作用するトルク，電動機の所要入力，加速時の綱車の角速度，合成慣性モーメント，電動機の全期間における最大所要入力を求める計算問題であり，考え方はエレベータと同様で，過去に類似問題が繰り返し出題されている．至近では平成30年度に類似問題が出題されていることと数値を答えるのではなく選択式であったため難易度は低く過去問対策をしっかりされた方は完答できたと思われる．

エレベータや水平走行搬送車の運転パターンから加速度，距離，時間，入力，出力，エネルギーを求める問題は繰り返し出題されており，是非マスターしてほしい課題である．

問12小問(1)は，電気自動車の運動方程式から下り坂での惰行速度，水平道路での走行距離を求める式，下り坂の終点での速度，速度パターンから消費エネルギーを求める式と値を求める計算問題で，電気自動車の運動方程式が関係する問題は令和4年度にも出題されており，難易度は少し上がっているものの，正解率は高いと思われる．

単位の換算を間違えないことと，問題をよく読んで理解することがポイントで，過去に出題された電気自動車の運動方程式が示された問題と同様，与えられた式に数値を代入するだけで答えが求められるという簡単なものであったことから，過去問対策をしっかりされた方は比較的冷静に解答できたものと思われる．いずれにしても問題文が長いことや，微分・積分を用いた計算式に惑わされることなく，冷静に対応するように心がけてほしい．

次の小問(2)は，電動機の省エネルギー運転に関する問題で，ポンプ特性曲線と管路抵抗曲線から軸動力・全揚程，インバータを用いた回転速制御による流量制御を採用した場合の全揚程・回転速度・軸動力，弁の開度調整による流量制御とインバータを用いた回転速度制御による流量制御における消費電力量を求める計算問題で，令和4年度にほぼ同様の問題が出題されているため正解率も高いものと思われる．全揚程と流量，ポンプ効率と流量の関係および管路抵抗特性の式は与えられているため，回転速度制御するときの回転速度と流量の関係を求めることがポイントである．

この分野の出題傾向としては，電動力応用の基本である負荷の駆動と運動方程式が多く出題され，次いで速度制御方式，始動方式・制動方式となっている．個別機器では巻上機に関するものが圧倒的に多いが，最近になってポンプや送風機などの流体機械の動力，走行装置，速度制御に関する問題が出題されている．このような出題傾向を踏まえつつ，より多くの演習問題をこなしておくことが試験対策として大切である．

学習ポイント 電動力応用の基礎（仕事と動力, 速度, トルク, 慣性モーメント, 運動エネルギーの計算）, 電動機軸換算の全慣性モーメントの計算, 電動機の所要出力と電動機容量の計算, 電動機の始動・速度制御, 直流電動機の発生トルク・負荷トルク・加速トルク・回転角速度等の計算, 減速機を介して巻胴で負荷を巻き上げているときの上昇速度・回転速度・回転角速度・トルク・機械的出力・慣性モーメント等の計算, インバータによる速度制御方法（ベクトル制御, V/f 制御）, エレベータや搬送車の運転パターンから加速度・距離・時間・入力・出力・エネルギーの計算, 回転体の運動方程式の計算, 各種電動機の可変速制御による省エネルギー運転, ポンプの揚程, 軸出力の計算, 送風機の風量・圧力制御, 誘導電動機の二次回路で生じるエネルギー損失, 誘導電動機の制動と滑りの関係, 送風機・圧縮機・エレベータ・クレーン用電動機の所要動力, 流量－揚程特性曲線を用いた全揚程, 軸動力の計算

問題 13　電気加熱（選択問題）

各種電気加熱方式のうち，抵抗加熱全般，間接抵抗加熱・直接抵抗加熱の原理と特徴，電気加熱の温度管理，熱電温度計の原理，放射温度計の原理に関する文章問題，ならびに加熱設備のエネルギー原単位，正味熱量，被加熱物の比熱，エネルギー原単位削減による熱損失低減量の計算問題が出題されたが，どれも電気加熱の基礎的な内容に関するものであった．

電気加熱の問題は，各種電気加熱方式に関する文章問題と物体の加熱に要する熱量や電力原単位等を求める計算問題との組合せの出題パターンであり，これは 10 年以上にわたって一定しているため受験対策も立てやすく正解率は高いものと思われる．

この分野の出題傾向としては，1 問目は電気加熱方式の特徴と応用例，2 問目は加熱炉の電力，損失熱量，効率，力率，電力原単位，電源容量等の計算問題であり，的を絞った学習ができるとともに，高得点がねらえる分野の一つである．

電気加熱，電気化学，照明，空気調和から 2 問題を選択して解答する必要があるが，このうちの 1 問は，出題傾向と難易度から判断して電気加熱を選択するのが賢明であると考える．

学習ポイント 伝熱と熱計算（伝導, 対流, 放射）, 加熱に要する熱量・電力・電流・電圧・電気効率・力率・電力原単位等の計算, 電気炉における熱抵抗・熱損失・熱流・熱伝達係数・電力原単位・加熱時間の計算, 各種加熱方式の原理と特徴（抵抗加熱, 誘導加熱, アーク加熱, プラズマ加熱, 誘電加熱, マイクロ波加熱, 赤外加熱, 電子ビーム加熱）, 電気加熱の特徴, 加熱に関する省エネルギー対策, 工業炉で使用される温度計の種類と原理, 金属発熱体の種類と特徴, 金属溶接の種類

問題 14　電気化学

1 問目の電気化学の基礎に関する文章問題は，電解精製の基本原理を問うもので，2 問目の電池に関する文章問題は，電池の出力を求める式，最大出力となる条件，最大出力を求める式，エネルギー変換効率を問うものであった．いずれも基礎的な内容に関する問題であるため正解率は高いと思われる．

3 問目の鉛蓄電池に関する計算問題は，全反応モル質量，全反応 1 mol 当たりの容量，全反応ギブスエネルギー変化量を求めるものであり，こちらは出題例がほとんどないため正解率は低いと思われる．

昨今のエネルギー事情等を考えると，従来の一次電池，二次電池に加えて燃料電池の原理と種類・特徴も理解しておく必要がある．一方で水の電気分解に代表される電気化学システムに関する計算は，電気化学のごく基礎的な事項であるため確実にマスターしておく必要がある．

この分野の出題傾向としては，大きく分類すると電気化学の基礎か電気分解，残りが電池か工業電解に関する問題である．

計算問題は，今回のように例外もたまにあるが，電気分解，電池いずれもファラデーの法則を用いた計算がほとんどであることから，的を絞った学習が可能である．また，出題傾向からみてわかるとおり，各種電池の基本原理に加えて，水溶液電解，溶融塩電解，金属電解採取，電解精製などの電解工業の基本原理は最低限理解しておくことが重要である．

学習ポイント　電気化学システムの基本構成と原理，ファラデーの法則，電解における電極反応・電子数・理論電気量・電流効率・電圧効率の計算，電池の充放電時の電気化学反応式，ファラデー定数，理論電気量・理論電気エネルギー・エネルギー密度の計算，二次電池の公称電圧・活物質・電解質・充電放電反応式・エネルギー密度（鉛蓄電池，アルカリ蓄電池，ニッケル－カドミウム電池，ニッケル－水素電池，リチウムイオン電池），電気分解の効率（電流効率，電圧効率，電力効率），一次電池の公称電圧・活物質・電解質（マンガン乾電池，アルカリマンガン乾電池，酸化銀電池，リチウム電池），電解工業（水溶液電解，溶融塩電解，金属電解採取，電解精製）の原理，燃料電池の原理と種類・特徴，燃料電池の化学反応式，正・負極で反応する物質，理論電気量・理論電気エネルギーの計算

問題 15　照明

1 問目の光源の特性に関する文章問題は，光源の種類と性能，消費電力削減量，平均演色評価数の意味を問うものであった．LED に関する文章問題は平成 28 年度以降毎年出題されていることと，照明計算も複雑なものは出題されず過去に出題されたものの繰り返しであるため，正解率は高いと思われる．

2 問目の照明の計算問題は，均等拡散面をもつ光源の輝度の計算と円光源を点光源とみなす場合の照度誤差が 1 % 以内となる円光源の直径と距離との関係，ならびにすべての方向に同一光度をもつ光源の照度から光度，紙面の照度，安定器の損失電力，光束法を用いた平均照度から室指数と照明器具必要台数を求めるものであった．

この分野の出題傾向としては，小問数は増減しているものの令和 2 年度から光源の特性に関する文章問題と照明計算の組合せとなっている．

文章問題は光源の特徴のほか，照明用語も十分学習しておく必要がある．LED に関する問題は昨今の需要の高まりから引き続き出題される可能性が高く，基本原理と特徴だけにとどまらず用語の定義もしっかりと抑えておくことが重要である．また，有機 EL パネルの特徴も抑えておきたい．計算問題は，点光源，完全拡散面による照明計算，光束法を用いた照明計算に関する問題が多いことから，的を絞った学習ができると思われる．

学習ポイント　照明用語（照明率，保守率，ランプ効率，光色，演色性，色温度，平均演色評価数，寿命，始動，光束，輝度，光度，完全拡散面，ランドルト環，配光特性，分光分布，始動特性）と単位，各種光源の発光原理と特性（**LED**，有機 **EL** パネル含む），光度・輝度・

照度・光束発散度の関係，点光源による照度・光度・光束等の計算，完全拡散面による照明計算（光度，輝度，光束，光束発散度），光束法を用いた照明計算（室内照明に要する器具台数，室指数，照明率，消費電力量），配光と光束計算，配光特性が与えられた場合の水平面照度・法線照度・鉛直面照度の計算，円板光源による光度計算，蛍光ランプの発光原理，ランプ効率と特性，照明設計，点灯装置（安定器の損失等），照明器具が備えるべき機能，タスク・アンビエント照明

問題 16　空気調和

1 問目はヒートポンプの構成・原理・性能に関する文章問題で，基礎的な内容に関するものであったが，年間を通じた評価指標である APF という用語は初耳という方も結構おられるのではないかと推測する．

2 問目は室内の良好な空気質の維持に関する文章問題で，室内の汚染質の濃度計算式，大気中の世界平均 CO_2 の濃度，居室の CO_2 濃度を一定値以下にするための必要換気量を問う問題で，これまでほとんど出題実績がないため全体として難易度が高く，正解率は低いと思われる．

この分野の出題傾向としては，文章問題が中心であるが，計算問題もたまに出題されており，特に熱負荷の計算が多いという特徴がある．文章問題は，広範囲から出題されており，最近の傾向として空調全般について専門的な知識が求められるケースが見受けられる．従来は一通り空調システムについて学習しておけば比較的得点しやすい分野であったが，最近の出題傾向からすると選択問題のなかでは空気調和が最もとっつきにくい分野であると個人的には感じている．

学習ポイント　ヒートポンプの役割と成績係数，全熱交換器の特徴と効率計算，空調システムの室内環境基準，空調の熱負荷の種類，室内に流入する負荷，吹き出し空気量，空気線図の読み方と計算，室内空気の汚染濃度，1 人当たりの必要換気量の計算，日射熱取得率，熱貫流率の計算，空調システムの省エネルギー対策（断熱性能向上策，未利用エネルギー活用策など），BEMS の基本機能，変風量単一ダクト方式の特徴，空調システムの構成，蓄熱システム，トータルエネルギーシステム，熱源システム

2024 年度（第 46 回）

エネルギー総合管理及び法規（80 分）

問題 1　エネルギーの使用の合理化及び非化石エネルギーへの転換等に関する法律及び命令
問題 2　エネルギー情勢・政策，エネルギー概論
問題 3　エネルギー管理技術の基礎

問題 1（エネルギーの使用の合理化及び非化石エネルギーへの転換等に関する法律及び命令）

次の各文章は，「エネルギーの使用の合理化及び非化石エネルギーへの転換等に関する法律」（以下，『法』と略記）及び『法』に関連した命令について述べたものである．ここで，これらの法令は，令和 **6** 年 **4** 月 **1** 日時点で施行されているものである．

なお，各文章において，「『法』施行令（政令）」を『令』，「『法』施行規則（経済産業省令）」を『則』と略記する．

[1] ～ [12] の中に入れるべき最も適切な字句等をそれぞれの解答群から選び，その記号を答えよ．（配点計 **50** 点）

(1) 『法』の目的及び定義に関する事項

令和 **4** 年の改正で，非化石エネルギーが『法』で扱うエネルギーの対象に加えられており，第 **1** 条では『法』の目的について次のように規定している．

「この法律は，（中略）工場等，輸送，建築物及び機械器具等についてのエネルギーの使用の合理化及び非化石エネルギーへの転換に関する所要の措置，電気の需要の最適化に関する所要の措置その他エネルギーの使用の合理化及び非化石エネルギーへの転換等を総合的に進めるために必要な措置等を講ずることとし，もつて国民経済の健全な発展に寄与することを目的とする．」

1) 『法』における「非化石エネルギーへの転換」とは，使用されるエネルギーのうちに占める非化石エネルギーの割合を向上させることである．ここで，割合を向上させる対象となる非化石エネルギーは，［ 1 ］である．

2）電気の需要に関するDR（ディマンドリスポンス）の実施において，上げDRとは需要創出，下げDRとは需要抑制を指す．『法』における「電気の需要の最適化」には，［ 2 ］が該当する．ただし，電気の需給状況の変動に応じて時間帯等の適切な実施条件のもとで行う必要がある．

〈［ 1 ］及び［ 2 ］の解答群〉

ア 上げDRのみ　**イ** 下げDRのみ　**ウ** 上げDR及び下げDRのいずれも

エ 非化石燃料のみ　**オ** 非化石燃料を除く非化石熱及び非化石電気

カ 非化石燃料並びに非化石熱及び非化石電気

⑵「エネルギー管理統括者」及び「エネルギー管理企画推進者」に関する事項

1）特定事業者は『法』第8条により，エネルギー管理統括者を選任しなければならない．

エネルギー管理統括者に関する次の①～④のうちから，『法』及び関連する『則』に照らして適切な記述を二つ挙げると，［ 3 ］である．

① エネルギー管理統括者として，特定事業者が行う事業の実施の統括管理に直接関与しない者を選任しなければならない．

② エネルギー管理統括者の選任は，選任すべき事由が生じた日以後遅滞なく行わなければならない．

③ エネルギー管理統括者はエネルギー管理士免状の交付を受けている者のうちから選任しなければならない．

④ エネルギー管理統括者の業務は，『法』第15条で定める中長期的な計画の作成事務の統括管理を含む．

2）特定事業者は『法』第9条により，エネルギー管理企画推進者を選任しなければならない．

エネルギー管理企画推進者に関する次の①～④のうちから，『法』及び関連する『則』に照らして適切な記述を二つ挙げると，［ 4 ］である．

① エネルギー管理企画推進者の業務は，『法』が規定するエネルギー管理統括者の業務に関して，その一部を除きエネルギー管理統括者を補佐することである．

② エネルギー管理企画推進者の選任は，第一種エネルギー管理指定工場等又は第二種エネルギー管理指定工場等ごとに行う．

③ エネルギー管理企画推進者の選任は，選任すべき事由が生じた日以後遅滞なく行わなければならない．

④ エネルギー管理企画推進者として，エネルギー管理者又はエネルギー管理員に選任された経験のない者を選任してもよい.

〈 3 及び 4 の解答群〉

ア ①と② **イ** ①と③ **ウ** ①と④

エ ②と③ **オ** ②と④ **カ** ③と④

(3) 報告及び立入検査に関連する事項

『法』第**166**条は報告及び立入検査についての規定であり，第**166**条が対象とする『法』の規定の施行に必要な限度において，事業者が設置している工場等について，報告及び立入検査をさせることができるとするものである．このうち，工場等に係る措置に関しては，第**1**項～第**3**項に規定されており，第**1**項は特定事業者等の指定等に関するもの，第**2**項は特定事業者等が選任しなければならない者に関するもの，第**3**項はそれ以外に関するものとなっている.

1) これら第**1**項～第**3**項における規定内容から判断して，次の①～③のうちから下線部分が正しいものを一つ挙げると， 5 である.

① 第**1**項において，報告及び立入検査の対象となるのは，<u>特定事業者等の指定を受けた事業者のみ</u>である.

② 第**2**項において，特定事業者等に対して報告及び立入検査をさせることができるのは，<u>経済産業大臣</u>である.

③ 第**3**項の措置の実施において，特定連鎖化事業者や連鎖化事業の加盟者に対して立入検査を行うとき，<u>あらかじめ連鎖化事業の加盟者に承諾を得る必要はない</u>.

2) 第**3**項において，報告及び立入検査の対象となる規定を，次の①～③のうちから全て挙げると， 6 である.

① 指導及び助言（『法』第**6**条）

② 定期の報告（『法』第**16**条）

③ 一般消費者への情報の提供（『法』第**165**条）

〈 5 及び 6 の解答群〉

ア ① **イ** ② **ウ** ③

エ ①と② **オ** ①と③ **カ** ②と③ **キ** ①と②と③

(4) 事業者のエネルギー使用量に関連する事項

1) 特定事業者が，次の①～③の熱及び電気を使用しており，それらの量を測定している．この場合，『法』で定めるエネルギーに該当するものを全て挙げると， 7 である.

① バイオマスの燃焼による熱

② 太陽光発電による電気

③ 太陽熱で加熱された温水の熱

2) 『則』第**4**条は，「他人から供給された熱の量」及び「電気の量」について，原油の数量への換算を，「発熱量**1**ギガジュール（**GJ**）を原油**0.025 8**キロリットルとして換算する」と定めている．

i）他人から供給された熱の量について，原油の数量への換算に用いる熱量の考え方として正しいのは，［ 8 ］である．

① 実際に他人から供給された熱の量

② 実際に他人から供給された熱の量に**0.8**を乗じた熱量

③ 実際に他人から供給された熱の量に対し，熱の種別ごとに，それらを発生させるために使用された燃料への換算係数を乗じた熱量

ii）電気の量については，項目によって「電気の量千キロワット時」を，熱量**8.64 GJ**に換算するものと熱量**3.60 GJ**に換算するものとがある．次の①～③のうちから，「電気の量千キロワット時」の熱量への換算方法として正しいものを全て挙げると，［ 9 ］である．

① 風力発電による自家使用の電気を**3.60 GJ**に換算

② 太陽光発電による自家使用の電気を**8.64 GJ**に換算

③ 電気事業者からの買電を**3.60 GJ**に換算

〈［ 7 ］～［ 9 ］の解答群〉

ア ①　**イ** ②　**ウ** ③

エ ①と②　**オ** ①と③　**カ** ②と③　**キ** ①と②と③

⑸ エネルギーを使用する工場等における『法』の適用に関する事項について

（『法』第**7**条～第**14**条及び関連する『令』，『則』の規定）

ある事業者が鋳造工場，加工工場，及び専ら事務所として使用している本社を，それぞれ別の工場等として保有しており，これらがこの事業者の設置している施設の全てである．また，この事業者は連鎖化事業者，認定管理統括事業者又は管理関係事業者のいずれにも該当していない．

ここで，各施設の法令で定める原油換算のエネルギーの令和**5**年度の使用量は次のとおりであった．

① 鋳造工場：**12 000**キロリットル

② 加工工場：**2 300** キロリットル

③ 本　社：**1 200** キロリットル

この事業者のエネルギー使用量は，①～③のエネルギー使用量の合計であり，その使用量から判断して，この事業者は特定事業者に指定される．それにより，事業者としてエネルギー管理統括者及びエネルギー管理企画推進者を選任する法的義務が生じる．

一方，各工場等については，エネルギー管理指定工場等に指定されるか否か，及び指定される場合の種別は，それぞれの工場等のエネルギー使用量によって判断され，表の（**A**）欄に示すとおりとなる．さらに，エネルギー管理指定工場等に指定された場合，各工場等が選任すべきエネルギー管理者（選任数を含む）又はエネルギー管理員は，表の（**B**）欄に示すとおりとなる．

表

工場等の名称	(A) エネルギー管理指定工場等としての指定の種別	(B) 選任すべきエネルギー管理者又はエネルギー管理員
鋳造工場	(記載を省略)	11
加工工場	10	12
本　社	(記載を省略)	(記載を省略)

〈 10 ～ 12 の解答群〉

ア 第一種エネルギー管理指定工場等　**イ** 第二種エネルギー管理指定工場等

ウ エネルギー管理指定工場等に該当しない

エ エネルギー管理者 **1** 名　**オ** エネルギー管理者 **2** 名

カ エネルギー管理者 **3** 名　**キ** エネルギー管理員

ク どちらも選任不要

問題 2（エネルギー情勢・政策，エネルギー概論）

次の各文章の 1 ～ 9 の中に入れるべき最も適切な字句等をそれぞれの解答群から選び，その記号を答えよ．

また， **A** **a.b × 10^c** に当てはまる数値を計算し，その結果を答えよ．ただし，解答は解答すべき数値の最小位の一つ下の位で四捨五入すること．（配点計 **50** 点）

(1) 国際単位系（**SI**）では，長さ（メートル [**m**]），質量（キログラム [**kg**]），時間（秒 [**s**]），電流（アンペア [**A**]），熱力学温度（ケルビン [**K**]），光度（カンデラ [**cd**]）及び物質量（モル [**mol**]）の七つを基本単位としている．力やエネルギーなどの単位は基本単位にはなく，前述の七つの基本単位を組み合わせて表されるので，組立単位と呼ばれている．

組立単位の中には固有の名称を持つ単位もあり，例えば，エネルギーを表す組立単位の一つであるジュール [J] は，ある物を，ある力でその方向に，ある距離を動かしたときの仕事に相当するので，基本単位のみを用いると [1] と表される．

熱力学において，ある温度で物質に熱が加えられた場合，あるいは物質から熱が奪われた場合に，必ず変化する状態量の一つにエントロピーがある．その単位は，ジュール [J] を用いると [2] と表される．

また，帯電した物質が持つ電荷を表すクーロン [C] も固有の名称を持つ組立単位であり，電荷の移動が電流であるので，基本単位のみを用いると [3] と表される．さらに，電圧 [V] については，**1 A** の電流が流れる導体の **2** 点間において消費される電力が **1 J/s** である場合に，**2** 点間の電圧を **1 V** と定義するので，その単位はジュール [J] を用いると [4] と表される．

〈[1]～[4] の解答群〉

ア A·s　　**イ** A/s　　**ウ** J·K　　**エ** J/C　　**オ** J/K

カ J·s　　**キ** kg·m/s　　**ク** kg·m/s^2　　**ケ** kg·m^2/s^2

(2) 熱を蓄える際に水は優れた媒体である．これは，冷熱を蓄熱する場合を考えたとき，液体の水を氷に相変化させるときの潜熱が「液体の水の温度変化 **1 °C** 当たりに要する顕熱」の約 [5] 倍であることが理由の一つである．

一方，電気を蓄える二次電池については，ナトリウム硫黄電池，ニッケル水素電池，リチウムイオン電池，レドックス・フロー電池などが主なものである．これらの二次電池のうち，現在，我が国で大規模な電力貯蔵用としてリチウムイオン電池と共にこれまでに実績があるのは，動作温度が約 **300 °C** である [6] である．

二次電池では，エネルギー密度として **W·h/kg** という単位が用いられ，例えば，質量 **1 kg** でエネルギー密度が **50 W·h/kg** の二次電池があった場合，その電気エネルギーを自身の位置エネルギーに換算すると，[**A** a.b × 10^c] [m] の高さ分に相当する．ただし，重力の加速度を **9.8 m/s^2** とする．

〈[5] 及び [6] の解答群〉

ア 20　　**イ** 40　　**ウ** 80

エ ナトリウム硫黄電池　　**オ** ニッケル水素電池　　**カ** レドックス・フロー電池

(3) **2015** 年の国連気候変動枠組条約締約国会議（**COP21**）において採択されたパリ協定では，世界の平均気温上昇を [7] に比べて [8] に抑える長期の努力目標を掲げており，

2023年のCOP28ではその進捗状況が評価された．なお，この世界の平均気温上昇に関して，定期的に報告書を公表している世界的な組織IPCCは，「気候変動に関する[9]」の略称である．

〈[7]～[9]の解答群〉

ア 1900年　**イ** 1950年　**ウ** 産業革命以前　**エ** 政府間パネル
オ 国際連携機構　**カ** 締約国会議　**キ** 2 °Cより十分低く保ち，1.5 °C
ク 2.5 °Cより十分低く保ち，2 °C　**ケ** 3 °Cより十分低く保ち，2.5 °C

問題3（エネルギー管理技術の基礎）

次の各文章は，「工場等におけるエネルギーの使用の合理化に関する事業者の判断の基準」（以下，『工場等判断基準』と略記）の内容及びそれに関連した管理技術の基礎について述べたものである．ここで，『工場等判断基準』は，令和6年4月1日時点で施行されているものである．

また，各文章の『工場等判断基準』の本文に関連する事項については，その引用部の項目を示す上で，「Ⅰ　エネルギーの使用の合理化の基準」の部分を『基準部分』，「Ⅱ　エネルギーの使用の合理化の目標及び計画的に取り組むべき措置」の部分を『目標及び措置部分』と略記する．

特に，工場等（専ら事務所その他これに類する用途に供する工場等を除く）においては，『基準部分』を『基準部分（工場）』，『目標及び措置部分』を『目標及び措置部分（工場）』と略記する．

[1]～[20]の中に入れるべき最も適切な字句等をそれぞれの解答群から選び，その記号を答えよ．（配点計100点）

(1) 令和4年の省エネ法改正に伴い，『工場等判断基準』は改正され，また，新たに「工場等における非化石エネルギーへの転換に関する事業者の判断の基準」が制定された．全ての事業者が工場全体を俯瞰（ふかん）して取り組むべき共通事項として，次に示す7項目が挙げられている．

1. 取組方針の策定
2. [1]
3. 省エネ並びに非化石転換に必要な資金・人材の確保
4. 取組方針及び遵守状況を確認・評価・改善指示
5. 取組方針及び遵守状況の評価手法の定期的な[2]

6. 取組方針や管理体制等の文書管理による状況把握

7. 省エネ並びに非化石転換に資する取組に関する情報の開示

〈[1]及び[2]の解答群〉

ア 改正　**イ** 精査・変更　**ウ** 管理体制の整備

エ 管理標準の整備　**オ** 従業員に対する周知・教育

カ 責任者の配置等

⑵ 再生可能エネルギーによる発電の一つとして風力発電がある．風力発電システムは，風の運動エネルギーを電気エネルギーに変換するシステムであり，その発電電力は，原理的には風速の[3]乗に比例する．

〈[3]の解答群〉

ア $\frac{1}{2}$　**イ** **2**　**ウ** **3**

⑶ 物体の比熱を扱うとき，気体は熱膨張が大きいことから，定圧比熱と定容比熱を区別して使い分けている．定圧比熱を定容比熱で除した値を比熱比と呼び，この値はすべての気体で[4]．

〈[4]の解答群〉

ア **1** となる　**イ** **1** より大きくなる　**ウ** **1** より小さくなる

⑷ 熱交換器の熱媒体として，空気と水は広く使用される．この空気と水の流体としての特性を比較すると，温度の上昇と共に粘性が高まる性質を持つのは，[5]である．

〈[5]の解答群〉

ア 空気　**イ** 水　**ウ** 空気と水の両方

⑸ 炭化水素系の燃料が完全燃焼しているとき，供給された空気中の酸素と反応して，炭素からは二酸化炭素（CO_2），水素からは水（H_2O）が生成される．**1 mol** のブタン（C_4H_{10}）を完全燃焼させるのに必要な理論酸素量を求めると，[6] **[mol]** である．

〈[6]の解答群〉

ア **5.0**　**イ** **6.5**　**ウ** **9.0**　**エ** **31.0**

⑹ 加熱炉の平板炉壁の熱伝導について考える．厚さ **30 cm** の断熱レンガを用い，炉内側の壁面温度が **660 °C**，外面温度が **60 °C** で，このときの通過熱流束が **400 W/m²** であった．この断熱レンガの熱伝導率は[7] **[W/(m·K)]** である．

〈[7]の解答群〉

ア **0.1**　**イ** **0.15**　**ウ** **0.2**　**エ** **0.3**

(7) 炉壁外面の温度が **90 °C** で，周囲空気の温度が **30 °C** であるとき，炉壁外面における対流熱伝達率を **5 W/(m²·K)** とすると，この炉壁外面の対流伝熱による単位面積，単位時間当たりの損失熱量は，[8] × 10^2 [W/m²] である．

〈[8] の解答群〉

ア 1.5　イ 3.0　ウ 4.5　エ 6.0

(8) 質量 **50 kg**，温度 **30 °C** の水を圧力一定で加熱し，温度 **120 °C** の乾き飽和蒸気とするのに必要な熱量は，[9] × 10^5 [kJ] である．ここで，**30 °C** の水の比エンタルピーを **125.8 kJ/kg**，**120 °C** における飽和水の比エンタルピーを **503.8 kJ/kg**，蒸発潜熱を **2 202 kJ/kg** とする．

〈[9] の解答群〉

ア 1.0　イ 1.1　ウ 1.2　エ 1.3

(9) 『目標及び措置部分』の「その他エネルギーの使用の合理化に関する事項」の(1)項は，「熱の効率的利用を図るためには，有効エネルギー（エクセルギー）の観点からの総合的なエネルギー使用状況のデータを整備するとともに，熱利用の [10] 的な整合性改善についても検討すること．」を求めている．

〈[10] の解答群〉

ア 温度　イ 経済　ウ 時間

(10) 空気調和設備の省エネルギーでは，空調負荷の低減が大きな要素となる．この負荷の低減に関して，『基準部分（工場）』は，「工場内にある事務所等の空気調和の管理は，空気調和を施す区画を限定し，ブラインドの管理等による負荷の軽減及び区画の使用状況等に応じた設備の運転時間，室内温度，換気回数，湿度，[11] の有効利用等についての管理標準を設定して行うこと．」を求めている．

〈[11] の解答群〉

ア 外気　イ 高効率ポンプ　ウ 変流量システム

(11) ある火力発電所の **1** 時間当たりの発生電力量が **240 000 kW·h**，燃料である天然ガスの高発熱量が **45 MJ/**m^3_N，この時間での使用量が **50 000** m^3_N であった．このときの火力発電所の高発熱量基準の発電端平均熱効率は [12] [%] である．なお，m^3_N は標準状態（**0 °C**，**1** 気圧）の気体の体積を表す．

〈[12] の解答群〉

ア 36.8　イ 37.2　ウ 38.4　エ 40.1

⑿ 三相交流は，一般に単相交流に比べて使用電力量当たりの送配電損失が少なく，また，回転機において回転磁界が作りやすい等優れた特徴を持っており，発電，送配電，需要設備のいずれにおいても広く採用されている．この三相交流の電圧は線間電圧又は相電圧で表されるが，一般に，線間電圧で扱うことが多い．星形結線（**Y** 結線）の対称三相交流回路において，線間電圧は相電圧の［ 13 ］倍である．

〈［ 13 ］の解答群〉

ア $\sqrt{2}$　イ $\sqrt{3}$　ウ **2**　エ **3**

⒀ ある平衡三相負荷において，線間電圧が **400 V**，線電流が **60 A** で力率が **80 %** であった．この負荷に並列にコンデンサを接続して，力率を **100 %** にするときのコンデンサ容量は，［ 14 ］[**kvar**] である．ただし，$\sqrt{3}=1.73$ とする．

〈［ 14 ］の解答群〉

ア **13.6**　イ **16.2**　ウ **18.3**　エ **24.9**

⒁ 工場の受変電設備及び配電設備においては，線路抵抗の低減や線路電流の低減により配電損失を低減することが望まれる．これに関して『基準部分（工場）』は，「受変電設備の配置の適正化及び配電方式の変更による配電線路の短縮，［ 15 ］等について管理標準を設定し，配電損失を低減すること．」を求めている．

〈［ 15 ］の解答群〉

ア 稼働台数の調整　イ 電圧不平衡の防止　ウ 配電電圧の適正化

⒂ ある工場で，**14** 時から **14** 時 **30** 分の間の需要電力の抑制のために，その間の平均電力を **4 000 kW** 以下に抑えることにした．**14** 時から **14** 時 **15** 分までの使用電力量が **1 100 kW·h** であったとすると，残りの **14** 時 **30** 分までの **15** 分間の平均電力は，［ 16 ］[**kW**] 以下にする必要がある．

〈［ 16 ］の解答群〉

ア **2 000**　イ **2 800**　ウ **3 600**　エ **4 000**

⒃ 三相誘導電動機が，軸トルク $T = 1$ **kN·m**，回転速度 $n = 720\ \mathrm{min}^{-1}$ で運転されている．電動機の出力は，軸トルクと回転角速度 ω に比例し，また，$\omega = \dfrac{2\pi n}{60}$ [**rad/s**] で表されることから，この電動機の効率を **90 %** とすると，所要入力は［ 17 ］[**kW**] である．ただし，円周率 π は **3.14** とする．

〈［ 17 ］の解答群〉

ア **75.0**　イ **83.7**　ウ **91.2**　エ **98.5**

⒄ 流体機械の省エネルギーを行うとき，電動機の負荷を低減することが重要である．これに関して『基準部分（工場）』は，「ポンプ，ファン，ブロワー，コンプレッサー等の流体機械については，使用端圧力及び吐出量の見直しを行い，負荷に応じた運転台数の選択，[18]等に関する管理標準を設定し，電動機の負荷を低減すること．」を求めている．

〈[18]の解答群〉

ア 回転数の変更　**イ** 機械効率の見直し　**ウ** 配管やダクトの小口径化

⒅ 電気加熱では，被加熱材自身が発熱して材料内部から加熱ができるものがある．内部からの加熱では，被加熱材が電気的絶縁物の場合と導電性物体の場合で異なる加熱方式がとられる．後者の例である誘導加熱は，コイルの交番磁束により被加熱材に誘導される渦電流による[19]を利用する加熱方式である．

〈[19]の解答群〉

ア ジュール熱　**イ** 放射熱　**ウ** 放電

⒆ 照明設備における対象部分の照度等について，『基準部分（工場）』では，日本産業規格 **Z 9110**（照明基準総則）又は **Z 9125**（屋内照明基準）及びこれらに準ずる規格に規定するところにより管理標準を設定して使用することや，調光による減光又は消灯についての管理標準を設定し，過剰又は不要な照明をなくすことを求めている．照明基準総則では，事務所ビルにおける事務室の推奨照度範囲を[20][lx] としている．

〈[20]の解答群〉

ア 150 ～ 300　**イ** 500 ～ 1 000　**ウ** 1 500 ～ 2 000　**エ** 2 500 ～ 5 000

電気の基礎（80分）

問題4　電気及び電子理論

問題5　自動制御及び情報処理

問題6　電気計測

問題4（電気及び電子理論）

次の各文章の $\boxed{1}$ ～ $\boxed{10}$ の中に入れるべき最も適切な字句等をそれぞれの解答群から選び，その記号を答えよ．（配点計 **50** 点）

(1)　図 **1** に示すように，角周波数 $\boldsymbol{\omega}$ [**rad/s**] の交流電源に，$\boldsymbol{R_1}$ [**Ω**]，$\boldsymbol{R_2}$ [**Ω**]，$\boldsymbol{R_L}$ [**Ω**] 及び $\boldsymbol{R_C}$ [**Ω**] の抵抗，インダクタンス $\boldsymbol{L}$ [**H**] のリアクトル，静電容量 $\boldsymbol{C}$ [**F**] のコンデンサが接続されているブリッジ回路について，これらの値の関係を求めることを考える．

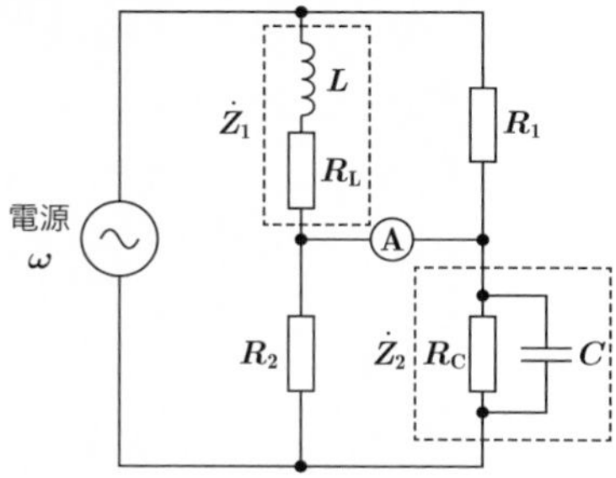

図 **1**

1)　図 **1** において，$\boldsymbol{R_L}$ と $\boldsymbol{L}$ の合成インピーダンス $\boldsymbol{\dot{Z}_1}$，及び $\boldsymbol{R_C}$ と $\boldsymbol{C}$ の合成インピーダンス $\boldsymbol{\dot{Z}_2}$ は次式のように表される．

$$\dot{Z}_1 = \boxed{1}\ [\Omega] \qquad \cdots\cdots ①$$

$$\dot{Z}_2 = \boxed{2}\ [\Omega] \qquad \cdots\cdots ②$$

〈 $\boxed{1}$ 及び $\boxed{2}$ の解答群〉

ア　$R_C + j\omega C$　　イ　$R_C + \dfrac{1}{j\omega C}$　　ウ　$\dfrac{R_C}{1 + j\omega C R_C}$

エ　$R_L + j\omega L$　　オ　$R_L + \dfrac{1}{j\omega L}$　　カ　$\dfrac{j\omega L R_L}{R_L + j\omega L}$

2）　ブリッジ回路の平衡条件（電流計 **A** に電流が流れない条件）は次式のように表される．

[3]　……………………………③

〈[3]の解答群〉

ア　$\dot{Z}_1 + R_2 = \dot{Z}_2 + R_1$　　イ　$R_1 R_2 = \dot{Z}_1 \dot{Z}_2$　　ウ　$R_1 \dot{Z}_1 = R_2 \dot{Z}_2$

3）　2）において，式③に式①及び式②を代入して R_C と C について解くと，次式のように表される．

$R_C =$ [4] [Ω]　……………………④

$C =$ [5] [F]　……………………⑤

〈[4]及び[5]の解答群〉

ア　$\dfrac{L}{R_1 R_2}$　　イ　$\dfrac{R_1 R_2}{R_L}$　　ウ　$\dfrac{R_2 R_L}{R_1}$　　エ　$\dfrac{R_1 R_L}{R_2}$

オ　$\dfrac{R_1}{R_2 R_L}(R_L{}^2 + \omega^2 L^2)$　　カ　$\dfrac{R_2 L}{R_1 (R_L{}^2 + \omega^2 L^2)}$

⑵　図 **2** に示すような三相 **3** 線式の回路がある．対称三相交流電源の **a** 相電圧を $\dot{E}_a$，**b** 相電圧を $\dot{E}_b$，**c** 相電圧を $\dot{E}_c$ とし，各相電圧の大きさ（実効値）を E，相順は **a** → **b** → **c** 相とし，各相の線電流をそれぞれ $\dot{I}_a$，$\dot{I}_b$，$\dot{I}_c$ とする．

ここでは，$\dot{I}_a$ の大きさ（実効値）を I_a と表し，他の電流や電圧についても同様とする．また，負荷以外のインピーダンスは無視するものとする．

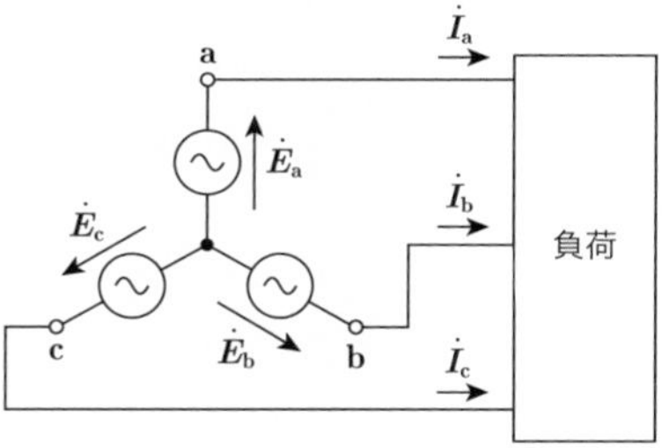

図 **2**

1）　負荷として平衡三相負荷を接続した場合の回路の複素電力を求める．

図 **3** に示すように，負荷は R [Ω] の抵抗と L [H] のリアクトルが対称に △ 結線されているものとする．この負荷回路を **Y** 結線に変換すると，**1** 相当たりの負荷インピーダンスは[6]と表され，結果として三相負荷全体の複素電力は[7]と表される．

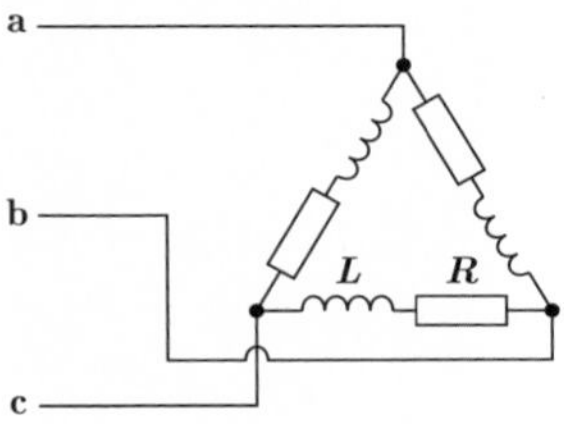

図3

〈[6]及び[7]の解答群〉

ア　$R+\mathrm{j}\omega L$　　イ　$3(R+\mathrm{j}\omega L)$　　ウ　$\dfrac{R+\mathrm{j}\omega L}{3}$

エ　$\dfrac{E^2}{R^2+\omega^2L^2}(R+\mathrm{j}\omega L)$　　オ　$\dfrac{3E^2}{R^2+\omega^2L^2}(R+\mathrm{j}\omega L)$

カ　$\dfrac{9E^2}{R^2+\omega^2L^2}(R+\mathrm{j}\omega L)$

2)　次に，負荷として図**4**に示す不平衡負荷を接続した場合を考える．図**5**に対称三相電源の電圧のフェーザを表す．

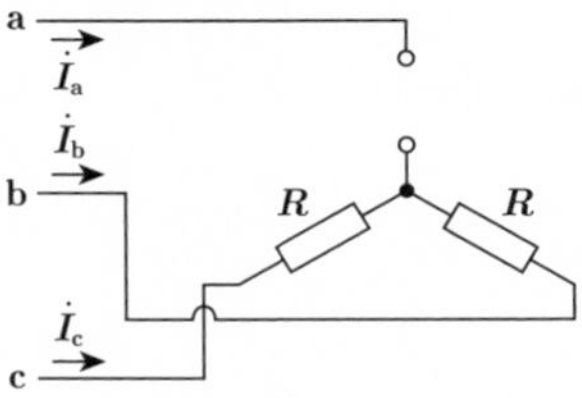

図4

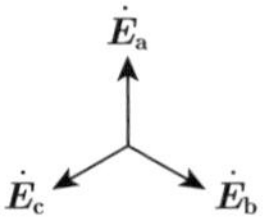

図5

ⅰ）　このとき，$\dot{I}_b$の大きさI_bは[8]と表され，負荷で消費される電力は[9]と表される．

ⅱ）　このとき，電流のフェーザとして，最も適切なものは，図**6**に示す(**A**)～(**C**)のうち[10]である．

(**A**)　(**B**)　(**C**)

図6

II

〈 8 〜 10 の解答群〉

ア $\dfrac{E}{R}$　イ $\dfrac{E}{2\sqrt{3}R}$　ウ $\dfrac{\sqrt{3}E}{2R}$　エ $\dfrac{E^2}{6R}$　オ $\dfrac{2E^2}{R}$

カ $\dfrac{3E^2}{2R}$　キ (A)　ク (B)　ケ (C)

問題 5（自動制御及び情報処理）

次の各文章の 1 〜 14 の中に入れるべき最も適切な字句等をそれぞれの解答群から選び，その記号を答えよ．なお， 8 ， 9 ， 11 及び 12 は複数箇所あるが，それぞれ同じ記号が入る．（配点計 **50** 点）

(1) 図に示すようなブロック線図で表したフィードバック制御系を考える．ここで，$P(s)$ は制御対象，$K(s)$ は制御器であり，その伝達関数が式①で与えられるとする．

$$P(s)=\frac{1}{s+4},\quad K(s)=\frac{1}{2s} \qquad \cdots\cdots\cdots\cdots ①$$

また，目標値を $r(t)$，外乱を $d(t)$，制御量を $y(t)$，偏差を $e(t)$ とし，$R(s)$ は $r(t)$ を，$D(s)$ は $d(t)$ を，$Y(s)$ は $y(t)$ を，$E(s)$ は $e(t)$ をそれぞれラプラス変換したものとする．

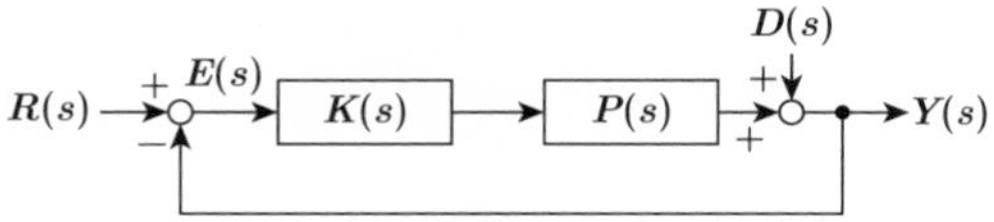

図

1) 外乱 $D(s)$ を $\mathbf{0}$ として，目標値 $R(s)$ から制御量 $Y(s)$ までの伝達関数を求めると，式 1 となる．同様に目標値 $R(s)$ を $\mathbf{0}$ として，外乱 $D(s)$ から制御量 $Y(s)$ までの伝達関数を求めると，式 2 となる．

〈 1 及び 2 の解答群〉

ア $\dfrac{1}{2s^2+8s}$　イ $\dfrac{1}{2s^2+8s+1}$　ウ $\dfrac{2s}{2s^2+8s+1}$

エ $\dfrac{s+4}{2s^2+8s+1}$　オ $\dfrac{2s^2+8s}{2s^2+8s+1}$

2) いま，図に示す制御系が安定で収束するという条件を満たしている前提で，外乱を $d(t)=0$ と設定したときに，目標値が加えられた状況を考える．もし目標値が $r(t)=1$（$t \geqq 0$）であるとすると，偏差 $e(t)$ の定常値 $\lim_{t\to\infty} e(t)$ は 3 となり，もし目標

値が $r(t) = t$（$t \geqq 0$）であるとすると，偏差 $e(t)$ の定常値 $\lim_{t\to\infty} e(t)$ は [4] となる．

〈[3] 及び [4] の解答群〉

ア 0　**イ** 1　**ウ** 2　**エ** 8

(2) 伝達関数で表現される線形システムの極と応答について考える．

1) もし，すべての極が複素平面の [5] に存在するとき，そのシステムは安定である．

〈[5] の解答群〉

ア 実軸上　**イ** 左半面　**ウ** 右半面

2) 次に極が1)と同じ条件であり，制御系設計により，極を移動することができる状況を考える．ここで，システムは二次遅れ系で極が共役複素根であるとする．

i）極の位置を原点方向に近づけると，システムの応答は [6] ．

〈[6] の解答群〉

ア 遅くなる　**イ** 速くなる　**ウ** 変わらない

ii）極の位置を実軸に垂直に近づけると，システムのステップ応答のオーバシュートは [7] ．

〈[7] の解答群〉

ア 大きくなる　**イ** 小さくなる　**ウ** 変わらない

(3) ハードディスクドライブ装置は，高速回転する複数枚の磁気ディスクにより構成されている．

その **1** 枚のディスクは同心円状の [8] から構成され，その一つの [8] は複数の [9] により構成される．[9] は物理的な最小書き込み単位であり，この一つあるいは複数を使用して，論理的な最小書き込み単位である [10] が構成される．

〈[8] ～ [10] の解答群〉

ア クラスタ　**イ** コンパクト　**ウ** シリンダ　**エ** セクタ

オ ディレクトリ　**カ** トラック　**キ** パーティション　**ク** ファイル

(4) データ通信ネットワークについて考える．

1) 企業などの内部ネットワークをインターネットに接続する場合は，不正アクセス対策として内部ネットワークとインターネットの間に [11] と呼ばれるシステムを置き，[11] を通してのみインターネットとの通信を許可する場合が多い．インターネットに公開するサーバを設置する場合は，内部ネットワークとインターネットの両方からアクセスできる [12] と呼ばれるセグメントを設け，公開用サーバは [12] に設置する方法が採用されることが多い.

〈[11]及び[12]の解答群〉

ア DCE　**イ** DMZ　**ウ** VPN　**エ** ファイアウォール

オ モデム　**カ** リピータ

2) 現場環境や構造により有線 LAN の敷設が困難な工場などでは，無線 LAN の導入が進められている．コンピュータなどの機器を無線 LAN に接続する際は，[13]という基地局機能を経由する．無線 LAN の一つで，一般に Wi-Fi と呼ばれているのは，国際的に広く普及している通信規格の[14]で定める品質に適合したもののことである．

〈[13]及び[14]の解答群〉

ア IEEE1394　**イ** IEEE802.11　**ウ** RS-422

エ アクセスポイント　**オ** ゲートウェイ　**カ** スイッチングハブ

問題 6（電気計測）

次の各文章の[1]～[10]の中に入れるべき最も適切な字句等をそれぞれの解答群から選び，その記号を答えよ．（配点計 50 点）

(1) 現代の計測の多くの場面では，測定対象の電気的なアナログ値をディジタル値に変換することが多い．アナログ - ディジタル変換は，[1]に変換するものであり，この変換を量子化とも呼ぶ．変換された値は，アナログ - ディジタル変換のビット数により有効桁が制限される．変換する際のそのような制限によって信号に生じるノイズを量子化雑音と呼ぶ．

いま，電圧をアナログ - ディジタル変換するときに発生するその量子化雑音の大きさに着目してみる．ここでは，被測定の電圧領域を n ビットで 2^n 個の領域に線形分割する方法を考える．

分割された各電圧領域の幅を ΔV とすると，各電圧領域内の雑音の振幅は $\dfrac{-\Delta V}{2}$ から $\dfrac{+\Delta V}{2}$ の範囲に[2]分布すると仮定できる．この間の電圧変化が直線的であるとすると，量子化雑音の電圧二乗平均（雑音パワー）を W で表せば，$W =$ [3]と計算できる．ビット数（深度）が大きくなった場合，量子化雑音の大きさは[4]．

〈 1 ～ 4 の解答群〉

ア $\dfrac{(\Delta V)^2}{2}$　　イ $\dfrac{(\Delta V)^2}{6}$　　ウ $\dfrac{(\Delta V)^2}{12}$

エ ガウス　　オ ポアソン　　カ 一様　　キ 電圧値を電流値

ク 離散量を連続量　　ケ 連続量を離散量　　コ 大きくなる

サ 小さくなる　　シ 変化しない

(2) データセンター等で利用が多い直流電力の測定について考える.

直流電力の測定では，負荷に印加されている電圧を電圧計，流れる電流を電流計により測定し，基本的にはその積から電力を算出する．ただし，実際の測定においては電圧計，電流計の内部抵抗により誤差が発生する.

いま, 図**1**及び図**2**に示す接続方法における消費電力 P の計測について考える．ここで，それぞれの接続方法において，V が電圧計の測定値，I が電流計の測定値，r_V は電圧計の内部抵抗，r_A は電流計の 内部抵抗である.

1) 電圧計，電流計の内部抵抗による誤差を考慮すると，負荷の真の消費電力 P は，図**1**の接続方法では式 5 ，図**2**の接続方法では式 6 となる.

この結果から，より正確な測定のためには電圧計の内部抵抗はできるだけ高いものを，電流計の内部抵抗はできるだけ低いものを選ぶ必要があることがわかる.

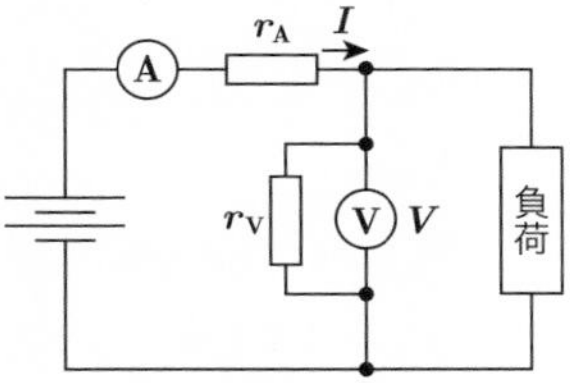

図**1**

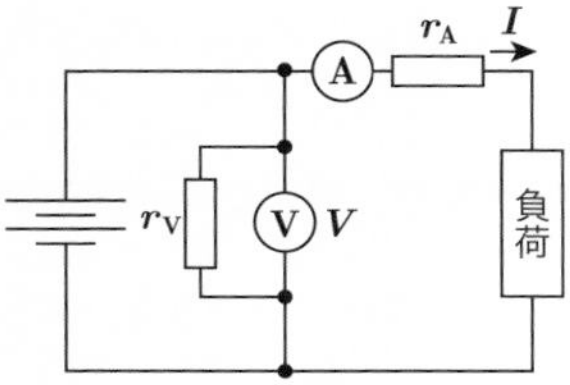

図**2**

〈 5 及び 6 の解答群〉

ア $VI - r_A I^2$　　イ $VI - r_V I^2$　　ウ $VI - (r_A + r_V) I^2$

エ $VI-\dfrac{V^2}{r_A}$　　オ $VI-\dfrac{V^2}{r_V}$　　カ $VI-\dfrac{V^2}{r_A+r_V}$

2) 内部抵抗 **10 kΩ** の電圧計と内部抵抗 **50 mΩ** の電流計を用いて，図 **1** 及び図 **2** のそれぞれの接続方法で電圧と電流を測定したところ，$V=15$ V，$I=0.5$ A であった．図 **1** と図 **2** の接続を比べると，真の消費電力に対する誤差の大きさは [7] なる．

〈[7] の解答群〉

ア 図 1 の方が大きく　イ 図 2 の方が大きく　ウ 両者等しく

(3) 工場等において多く用いられる三相電力機器を測定対象とする場合について考える．

1) 工場等の三相電力機器は，高電圧・大電流を扱う場合が多い．一般に，電圧や電流の測定において，計測機器の定格値よりも大きい値を計測するときは，計器用変成器を介して行う．例えば電圧を測定する場合には，計器用変圧器（**VT**）が用いられ，**VT** の一次コイルの巻き数を n_1，二次コイルの巻き数を n_2 とすると，その巻数比から，求める測定対象の電圧 v_1 と電圧計の指示電圧 v_2 との関係は，理論的には次式で表すことができる．

$v_1=$ [8]

〈[8] の解答群〉

ア $\dfrac{n_1}{n_2}v_2$　イ $\dfrac{n_2}{n_1}v_2$　ウ $\dfrac{n_1}{n_2}\dfrac{1}{v_2}$　エ $\dfrac{n_2}{n_1}\dfrac{1}{v_2}$

2) 三相 **3** 線式の負荷の電力測定には [9] 法の原理が用いられることが多く，非有効接地系であれば，負荷が平衡三相であるか否かにかかわらず計測が可能である．ちなみに，平衡三相負荷の場合の電力 $P_{3\phi}$ は，線間電圧が V，線電流が I，力率が $\cos\varphi$ のとき，**Y** 結線であるか △ 結線であるかには関係なく，$P_{3\phi}=$ [10] となる．

〈[9] 及び [10] の解答群〉

ア $3VI\cos\varphi$　イ $\sqrt{3}VI\cos\varphi$　ウ $\dfrac{1}{\sqrt{2}}VI\cos\varphi$

エ 一電力計　オ 二電力計　カ 三電力計

電気設備及び機器（110分）

問題7，8　工場配電

問題9，10　電気機器

問題7（工場配電）

次の各文章の［1］～［8］の中に入れるべき最も適切な字句等をそれぞれの解答群から選び，その記号を答えよ．なお，［6］は複数箇所あるが，同じ記号が入る．

また，［A abc］～［E a.b］に当てはまる数値を計算し，その結果を答えよ．ただし，解答は解答すべき数値の最小位の一つ下の位で四捨五入すること．（配点計**50**点）

(1)　電気設備の事故と保全について考える．

1)　電気設備の事故は，設計ミス，製作・施工の不良，保守の不備，機器や部品の経年劣化，誤操作，及び落雷や風雨などの自然災害が原因となり発生する．主に，機器や部品の経年劣化によって起こる事故に対しては，それらを未然に防止する目的で，計画的に機器の手当てをしておく［1］保全が効果的である．

〈［1］の解答群〉

ア　事後　　**イ**　生産　　**ウ**　予防

2)　不意の停電は生産停止，製品不良など，生産活動に多大な影響を及ぼす．回路に事故が発生したとき，その部分だけ素早く遮断し他への波及を回避するため，［2］協調をとることが重要となる．一般的に，受電設備の保護リレーには時限差継電方式が採用され，一般送配電事業者の送配電系統のリレーと比べて［3］時限で遮断するよう整定する必要がある．

〈［2］及び［3］の解答群〉

ア　絶縁　　**イ**　電圧　　**ウ**　保護　　**エ**　長い　　**オ**　短い　　**カ**　同一の

3)　地絡事故時には配電線に地絡故障電流が流れる．この地絡故障電流は，故障回路と健全回路では流れの方向が異なるので，非有効接地系で多回線引き出しの地絡故障保護には，［4］電圧に対する零相電流の向きによって動作する地絡方向リレーが使用されることが多い．

〈[4]の解答群〉

ア 正相　**イ** 逆相　**ウ** 零相

(2) 工場配電の系統への連系や電圧不平衡について考える.

1) ディーゼル機関, ガスタービン機関, 太陽光などによる自家用発電設備を, 電気事業法で定める一般送配電事業者の配電系統に連系する場合には, 次の基準及びガイドラインに従って進めることが必要である.

① 公衆や作業者などの人命に対する安全確保面, 及び配電系統の供給設備や系統に接続された需要家設備などの保全面に対して, 連系することが影響を及ぼさないように, その技術的な内容を「[5]の技術基準の解釈」で示している.

② 電圧, 周波数などの[6]の確保に関しては, 「[6]の確保に係る系統連系技術要件ガイドライン」に定められている.

〈[5]及び[6]の解答群〉

ア 安定性　**イ** 供給信頼度　**ウ** 電力品質

エ 自家用設備　**オ** 電気設備　**カ** 分散型電源

2) 三相交流の電圧で, 各相の電圧の大きさが等しく, 位相差が **120°** ずつであるものを, 電圧が平衡であるといい, そうでないものを不平衡であるという.

電圧不平衡率は, [7] × **100** [%] で表されるが, 計算が複雑になるため, 簡易式として次式で計算しても実用上差し支えない. ここで, 平均電圧とは各線間電圧の平均値とする.

$$\frac{\text{各線間電圧と平均電圧の差の絶対値の}\boxed{\ 8\ }}{\text{平均電圧}} \times 100\ [\%]$$

〈[7]及び[8]の解答群〉

ア $\dfrac{\text{正相電圧}}{\text{逆相電圧}}$　**イ** $\dfrac{\text{逆相電圧}}{\text{正相電圧}}$　**ウ** $\dfrac{\text{零相電圧}}{\text{正相電圧}}$

エ 最大値　**オ** 最小値　**カ** 平均値

(3) 図に示すように, **1** 線当たりの抵抗 $\boldsymbol{R}$ が **0.3 Ω**, リアクタンス $\boldsymbol{X}$ が **0.6 Ω** の高圧三相 **3** 線式配電線に平衡三相負荷と進相コンデンサを接続することを考える. この平衡三相負荷は, 負荷電力が **1 100 kW** で力率が **80 %**（遅れ）であり, 進相コンデンサの容量は **500 kvar** である. また, 受電点の電圧は, 進相コンデンサの接続の有無によらず, 常に **6.6 kV** で一定に制御されるものとする.

なお, 三相 **3** 線式配電線の線路インピーダンスによる線間電圧降下 $\boldsymbol{\Delta V}$ [V] は, 負荷

の力率角を φ，線路電流を I [A]，線路抵抗を R [Ω]，線路リアクタンスを X [Ω] としたとき，次の近似式で表されるものとする．

$$\Delta V = \sqrt{3}I(R\cos\varphi + X\sin\varphi)$$

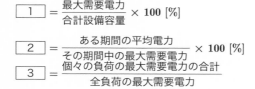

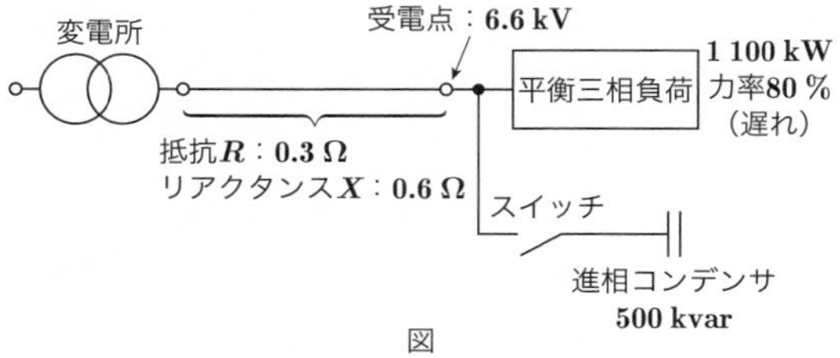

図

1）　進相コンデンサのスイッチを開いた状態で平衡三相負荷へ電力を供給したとき，受電点を流れる電流は［A abc］[A] となる．このとき，変電所から受電点までの電圧降下は［B abc］[V] となる．

2）　ここで，力率改善のためにスイッチを閉じ進相コンデンサを接続したところ，受電点における力率は［C ab］[%] に改善された．このとき，受電点を流れる電流の低減により，変電所から受電点までの電圧降下は，［D ab］[V] となる．また，配電線での電力損失（三相分）は［E a.b］[kW] となる．

問題 8（工場配電）

次の各文章の［1］～［9］の中に入れるべき最も適切な字句等をそれぞれの解答群から選び，その記号を答えよ．なお，［1］，［2］及び［9］は複数箇所あるが，それぞれ同じ記号が入る．

また，［A ab.c］～［E ab.c］に当てはまる数値を計算し，その結果を答えよ．ただし，解答は解答すべき数値の最小位の一つ下の位で四捨五入すること．（配点計 50 点）

(1)　工場や事業場の負荷には，電動機負荷，電熱負荷，空調負荷，照明負荷などがあり，業種の違いや規模の大小などにより，負荷の使用状況は異なっている．このような多様な負荷形態に対し，電力の使用状況を表す負荷諸係数として，次のものが利用されている．

$$\boxed{\ 1\ } = \frac{\text{最大需要電力}}{\text{合計設備容量}} \times 100\ [\%]$$

$$\boxed{\ 2\ } = \frac{\text{ある期間の平均電力}}{\text{その期間中の最大需要電力}} \times 100\ [\%]$$

$$\boxed{\ 3\ } = \frac{\text{個々の負荷の最大需要電力の合計}}{\text{全負荷の最大需要電力}}$$

[1] は変圧器などの設備容量が適正かどうかの評価にも使用され，[2] は電力需要の最適化の計画や最大需要電力の算出などに使用される．これらの負荷諸係数を活用して，負荷の管理や使用の合理化を行うことが重要である．

〈[1]～[3] の解答群〉

ア 需要率　**イ** 総合効率　**ウ** 負荷率　**エ** 不等率　**オ** 不平衡率

(2) 配電線路にアーク炉や溶接機などの負荷変動の大きい機器が接続されると，その変動する負荷電流によって配電線路の電圧が変動する．この電圧変動が短時間に頻繁に繰り返されると，白熱電球や蛍光ランプの明るさにちらつきが生じる．これは [4] と呼ばれ，ちらつきが著しい場合には人に不快感を与えてしまう．

これらの抑制対策として，発生源であるアーク炉や溶接機側に補償装置を設置することや，一般負荷への影響を抑制するために，発生源への供給回線を [5] とするなどの方法がある．

〈[4] 及び [5] の解答群〉

ア コロナ放電　**イ** フェランチ　**ウ** フリッカ

エ 専用供給線　**オ** 直接接地方式

(3) 工場配電で使用される設備には，次のようなものがある．

1) 雷サージによる過電圧から受電設備を保護する目的で設置される避雷器は，例えば特別高圧受電の場合では，受電設備の電源側に施設される．その際には，避雷器の [6] と保護対象機器の絶縁強度との間に **20 %** 以上の裕度を持たせることで絶縁協調を図るのが一般的である．最近では，高性能な [7] 素子を用いたギャップレス避雷器が広く使われている．

〈[6] 及び [7] の解答群〉

ア 公称放電電流　**イ** 制限電圧　**ウ** 放電耐量

エ 酸化亜鉛　**オ** 酸化アルミニウム　**カ** 炭化けい素

2) 開閉装置は電気回路を開閉する機器の総称である．そのうち，遮断器は負荷電流あるいは故障電流を迅速に遮断し，電路を切り離すために施設されるものであり，高圧以上では [8] 遮断器や SF_6 ガス遮断器が現在の主流となっている．また，断路器は，点検や修理などのための回路の切離しや接続変更，充電された電路の開放のために用いられる装置であり，一般に負荷電流の開閉はできない．

3) 調相設備には，進相用の電力用コンデンサ，遅相用の分路リアクトル，及び進相・遅相の双方に連続的に使用できるものとして同期調相機や [9] がある．[9] は，静止型調相設備の一種であり，一般には，分路リアクトル，進相コンデンサ及びサイリスタで構成され，応答速度の速い無効電力補償を行うことができる．

〈 8 及び 9 の解答群〉

ア LRT　　**イ** SVC　　**ウ** UPS　　**エ** 真空　　**オ** 油入

⑷ 図に示す結線で，**A**，**B 2** 台の変圧器が負荷 **A** と負荷 **B** に電力を供給している．

負荷 **A** は負荷電力が **7 200 kW** で力率が **90 %**（遅れ），負荷 **B** は負荷電力が **4 500 kW** で力率が進相コンデンサを含め **80 %**（進み）となっている．変圧器 **A** と変圧器 **B** の諸元は表に示すとおりとし，電力損失の計算に当たっては，変圧器の無負荷損と負荷損以外の損失は考えないものとする．

表 変圧器の諸元

	定格容量 [kV·A]	短絡インピーダンス [%]（各変圧器の定格容量基準）	無負荷損 [kW]	定格時の負荷損 [kW]
変圧器 **A**	**10 000**	**6.5**	**13**	**63**
変圧器 **B**	**6 000**	**7.5**	**7**	**44**

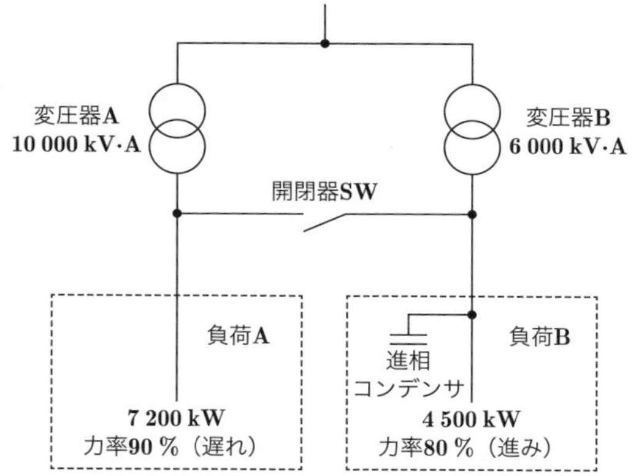

図

1) 開閉器 **SW** を開放して運転した場合，変圧器 **A** と変圧器 **B** で発生する電力損失は，合計で **A ab.c** [kW] となる．

2) 次に，開閉器 **SW** が投入された状態での変圧器 **A** と変圧器 **B** の並行運転について考える．

負荷 **A** と負荷 **B** を合計した皮相電力は **B a.bc** $\times 10^4$ [kV·A] であり，また変圧器 **B** の短絡インピーダンスは，変圧器 **A** の定格容量基準では **C ab.c** [%] であるから，変圧器Bが分担する負荷の皮相電力は D a.bc × 10^3 [kV·A] となる．

このため，変圧器Aと変圧器Bで発生する電力損失の合計は E ab.c [kW] となり，開閉器SWを開放してそれぞれを単独で運転したときよりも小さくなる．

III

問題 9（電気機器）

次の各文章の 1 ～ 10 の中に入れるべき最も適切な字句等をそれぞれの解答群から選び，その記号を答えよ．

また， A a.b ～ E a.bc に当てはまる数値を計算し，その結果を答えよ．ただし，解答は解答すべき数値の最小位の一つ下の位で四捨五入すること．（配点計 50 点）

(1) 変圧器を電源に接続するとき，遮断器投入時の電圧位相や変圧器の残留磁束などの影響を受けて，著しく大きな励磁電流が流入することがある．

1) 変圧器鉄心内の磁束の時間的な変化は，印加される瞬時電圧の 1 値で表される．ここで，鉄心中に残留磁束が無く，電源電圧の瞬時値が 0 V のときを基準として 2 [rad] の位相となる瞬間に遮断器が投入されたとすると，磁束は零から出発して正弦波を描き，常規運転状態と同様となるので，励磁電流は常規の小さな値となる．

〈 1 及び 2 の解答群〉

ア $\frac{\pi}{4}$　イ $\frac{\pi}{3}$　ウ $\frac{\pi}{2}$　エ 時間積分　オ 時間微分　カ 絶対

2) しかし，電源電圧位相が 3 [rad] となる瞬間に遮断器が投入されると，磁束は定常状態の磁束最大値の 2 倍に達し，鉄心の 4 磁束密度を超えるので，電圧を印加された巻線は空芯状態となり，励磁インダクタンスが急減して，大きな電流となる．この過大な励磁電流を励磁突入電流という．

3) 励磁突入電流によって誘起される電源回路の 5 を抑制するため，投入前の残留磁束の消磁や，抵抗投入，遮断器の投入位相制御などを行うこともある．

〈 3 ～ 5 の解答群〉

ア 0　イ $\frac{\pi}{6}$　ウ $\frac{\pi}{2}$　エ 空隙　オ 残留

カ 飽和　キ 絶縁破壊　ク 電圧変動　ケ 誘導障害

(2) 複数台の三相同期発電機の並行運転について考える．

1) 複数台の三相同期発電機を，一つの母線に接続して並行運転するには，新たに並列投入しようとする発電機の 6 方向，起電力の周波数を母線に一致させ，発電機端子電圧と母線電圧の大きさ及び位相を確認し，それらが一致した瞬間に開閉器を投入（同期投入）すれば，円滑に並行運転を開始できる．電圧の調整は励磁電流により，位相の調整は原動機の速度調整により行う．

〈 6 の解答群〉

ア 角変位　**イ** 極座標　**ウ** 相回転

2）**2** 台の三相同期発電機（**A** 機及び **B** 機）が並行運転状態にあるとき，両機の誘導起電力は平衡状態にある．このとき，**A** 機の界磁電流を増加すると，その誘導起電力が増加し，両機の誘導起電力の平衡状態が崩れ，これによって両機の間に 7 電流が流れる．この電流は，誘導起電力の大きい **A** 機では遅れ電流であるので，界磁を 8 ように作用し，誘導起電力の小さい **B** 機では進み電流であるので，界磁を 9 ように作用する．

〈 7 ～ 9 の解答群〉

ア 直流過　**イ** 無効循環　**ウ** 零相循環　**エ** 強める

オ 弱める　**カ** 維持させる　**キ** 飽和させる

3）**2** 台の三相同期発電機が並行運転状態にあるとき，両機の内部相差角は平衡状態にある．このとき，何らかの原因で両機の内部相差角間の平衡状態が崩れると，両機の間には 10 電流が流れる．この電流により，両発電機間に有効電力の授受が生じ，内部相差角が平衡状態に戻る．

〈 10 の解答群〉

ア 脱調　**イ** 同期化　**ウ** 無効循環

(3) 定格容量 **750 kV·A**，定格周波数 **50 Hz**，定格運転時の全損失が **6 kW** で短絡インピーダンスが **4.4 %** の三相変圧器があり，負荷率 m が **50 %** のとき最高効率 η_{max} が得られる．なお，変圧器の電圧変動率 ε の計算には，百分率抵抗降下 p，百分率リアクタンス降下 q 及び力率角 φ を用いた近似式 $\varepsilon = p\cos\varphi + q\sin\varphi$ を用いるものとする．

1）この変圧器の定格運転時の負荷損は **A a.b** [kW] であり，無負荷損は **B a.b** [kW] である．

2）この変圧器の百分率抵抗降下 p は **C a.b** $\times 10^{-1}$ [%] であり，百分率リアクタンス降下 q は **D a.bc** [%] である．

3）従って，この変圧器に定格容量で力率 **0.8** の負荷を接続したときの電圧変動率は **E a.bc** [%] である．

問題 10（電気機器）

次の各文章の［ 1 ］～［ 16 ］の中に入れるべき最も適切な字句等をそれぞれの解答群から選び，その記号を答えよ．（配点計 **50** 点）

(1) かご形誘導電動機の運転特性について考える．

1) 普通かご形誘導電動機を全電圧始動すると，電源電圧を印加された瞬時には回転子が停止状態なので，二次側（回転子）では抵抗に比べて相対的に［ 1 ］が大きくなる．このため，力率が悪く，大電流の割には［ 2 ］を発生させる有効電流成分が少ない．

このかご形誘導電動機の始動特性を改良するために考案された特殊かご形誘導電動機は，二次導体の［ 3 ］が始動時には自動的に大きくなり，定格運転時には小さくなるような構造となっており，定格出力 **5.5 kW** 以上の誘導電動機に採用されている．

〈［ 1 ］～［ 3 ］の解答群〉

ア トルク　**イ** パーミアンス　**ウ** 交流実効抵抗　**エ** 漏れ抵抗
オ 固定損失　**カ** 磁束密度　**キ** 主リアクタンス　**ク** 漏れリアクタンス
ケ 漂遊負荷損

2) 特殊かご形誘導電動機は，回転速度の変化に伴って，二次回路である回転子の誘導起電力周波数（二次周波数）が変化する現象に着目したものである．

i ）誘導電動機一次回路の電源周波数を f とすると，滑り s は運転速度上昇にしたがって小さくなる．したがって，式［ 4 ］で表される二次周波数は停止状態から定格運転速度までの間で大きく変化する．特殊かご形誘導電動機は，この始動時の周波数変化を利用して始動電流を制限し，始動を確実にするために二次巻線を特殊な配置とするもので，次の二つの代表的な方式がある．

〈［ 4 ］の解答群〉

ア sf　**イ** $\dfrac{s}{f}$　**ウ** $\dfrac{s}{1-s}f$

ii ）一つは，回転子の表面に近い外側導体に高抵抗材料を用い，中心に近い内側導体に低抵抗材料を用いている［ 5 ］かご形誘導電動機である．二次回路に電流が流れると，漏れ磁束の分布は，内側の導体ほど多くの磁束と鎖交するので，内側のかご形導体は外側のかご形導体に比べて，［ 6 ］が相当大きくなる．始動瞬時には回転子が停止状態にあり，滑り s が大きいので，回転子に誘導される起電力の周波数も高くなる．このため，始動時の二次周波数が高い間は，大部分の二次電流は高抵抗の外側導体を流れる．速度が上昇し，二次周波数が低くなると，大部分の二次電流は低抵抗の内側導体を流れるようになる．

iii）もう一つは，回転子のスロットの形が半径方向に細長い構造となっている 7 かご形誘導電動機である．このような構造のため，始動時の二次周波数が高い間は，表皮効果により導体内の電流密度分布が回転子表面に近いほど大きくなって不均一となり，あたかも導体の断面積が小さくなったのと同様の作用をして，始動電流が制限される．しかし，速度が上昇するにしたがって，二次周波数は低くなり，電流分布は次第に底部へ広がる．

〈 5 ～ 7 の解答群〉

ア 浅みぞ　**イ** 深みぞ　**ウ** 細みぞ　**エ** 円筒　**オ** 多層
カ 二重　**キ** 磁束分布　**ク** 漏れリアクタンス
ケ 漏れ電流

(2) 汎用インバータの逆変換回路には，三相ブリッジ結線の電圧形インバータが一般的に使用される．出力電圧及び周波数の制御はパルス幅変調（**PWM**）方式が一般的である．

1) **PWM** 制御方式では，通常は正弦波状の波形で出力電圧の指令となる 8 と，通常は三角状の波形をした 9 を比較して，両者の大小関係でスイッチング素子のオン / オフを決定する．このときの出力電圧波形は高調波成分を多く含んでいるが，誘導電動機では漏れインダクタンスのフィルタ作用により，電動機にはほぼ 10 波に近い波形の電流が流れる．

〈 8 ～ 10 の解答群〉

ア インパルス　**イ** 高調波　**ウ** 信号波　**エ** 側帯波
オ 搬送波　**カ** 正弦　**キ** 台形　**ク** 方形

2) いま，ある定格容量のインバータが出力電圧及び負荷力率が一定という条件で運転している．ここで，負荷電流が定格値からその **25 %** の間を変動したとき，インバータの効率は一般的には 11 ．

〈 11 の解答群〉

ア 負荷電流に比例して変化する　**イ** 負荷電流の **2** 乗に比例して変化する
ウ ほとんど変化しない

(3) 定格電圧 **200 V**，定格周波数 **50 Hz**，**4** 極の三相かご形誘導電動機があり，図の **L** 形等価回路において，定格運転時の星形一相一次換算の抵抗及びリアクタンスは次のとおりである．なお，ここでは励磁電流 $\dot{I}_n$ の影響は無視する．

一次抵抗：$r_1 = 70.7\ [\mathrm{m\Omega}]$

III

一次漏れリアクタンス：$x_1 = 172$ [mΩ]

二次抵抗：$r_2' = 71.0$ [mΩ]

二次漏れリアクタンス：$x_2' = 267$ [mΩ]

この電動機に，回転速度の **2** 乗に比例するトルクを要求する負荷をかけ，一次周波数制御を行って運転するものとする．ただし，電動機のすべりは，トルクが一定ならば一次周波数にかかわらず一定とし，また電動機のすべりとトルクの関係は直線で表せる比例関係範囲にあるものとする．なお，円周率 π は **3.14** とする．

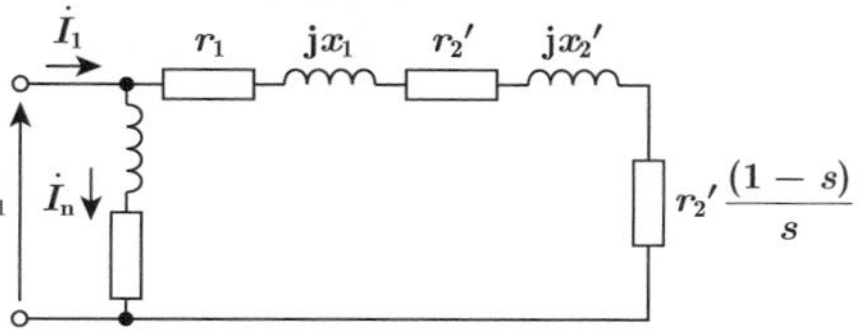

図　三相かご形誘導電動機のL形等価回路

1)　この電動機を，定格電圧及び定格周波数で運転したときの回転速度は **1 440** min^{-1} であった．したがって，このときの電動機のすべり s_1 は [12] [%] である．

また，一次負荷電流 I_1 は **60.86 A** と計算されるので，二次入力 P_2 は [13] [kW] となり，トルク T は [14] [N·m] となる．

2)　この電動機を，回転速度 **1 200** min^{-1} で運転すると，負荷が要求するトルク T_L は [15] 倍となる．題意より，トルクとすべりは比例関係にあることから，このときのすべり s_2 は **2.78** % となるので，インバータの出力周波数は [16] [Hz] となる．

〈[12]～[16] の解答群〉

ア **0.694**	イ **0.800**	ウ **0.833**	エ **2.00**	オ **3.00**	カ **4.00**
キ **6.57**	ク **19.7**	ケ **21.1**	コ **40.0**	サ **41.1**	シ **41.7**
ス **41.9**	セ **126**	ソ **134**			

電力応用（110分）

必須　問題11，12　電動力応用
選択　問題13　電気加熱
選択　問題14　電気化学
選択　問題15　照　　明
選択　問題16　空気調和
（問題13～16から）**2問題を選択**

問題11（電動力応用）

次の各文章の［ 1 ］～［ 16 ］の中に入れるべき最も適切な字句等をそれぞれの解答群から選び，その記号を答えよ．（配点計 **50** 点）

(1)　誘導電動機におけるベクトル制御とは，電動機に供給する一次電流が電動機内部で設定値どおりの［ 1 ］電流とトルク電流に分配されるように，一次電流の大きさ，周波数及び［ 2 ］を制御することである．

誘導電動機のベクトル制御には，誘導電動機の磁束を検出する方式の磁界オリエンテーション方式と，検出した速度を基準として制御する方式の［ 3 ］方式がある．実用化されているシステムのほとんどが後者の方式である．

〈［ 1 ］～［ 3 ］の解答群〉

ア　2倍の高調波　**イ**　位相　**ウ**　零相　**エ**　V/f制御
オ　一次電圧制御　**カ**　すべり周波数制御　**キ**　二次　**ク**　有効　**ケ**　励磁

(2)　図1に誘導電動機の一次換算等価回路を示す．ここで，$\dot{I}_1$は一次電流，$\dot{I}_2$は二次電流，$\dot{I}_m$は励磁電流，r_1は一次抵抗，r_2は二次抵抗，lは漏れインダクタンス，Mは励磁インダクタンス，sはすべりである．また，$\dot{I}_1$の大きさをI_1，$\dot{I}_2$の大きさをI_2，$\dot{I}_m$の大きさをI_mとする．

この一次換算等価回路において，I_1は式$I_1=$［ 4 ］で表され，I_mとI_2の関係は，一次電流の周波数（電気角換算）をf_1とすれば，式［ 5 ］で表される．したがって，すべり周波数f_sは式$f_s=$［ 6 ］となり，電動機の回転周波数（電気角換算）をf_nとすれば，f_1は式$f_1=$［ 7 ］となる．実際の制御では，f_1を決めるために［ 8 ］を検出する．

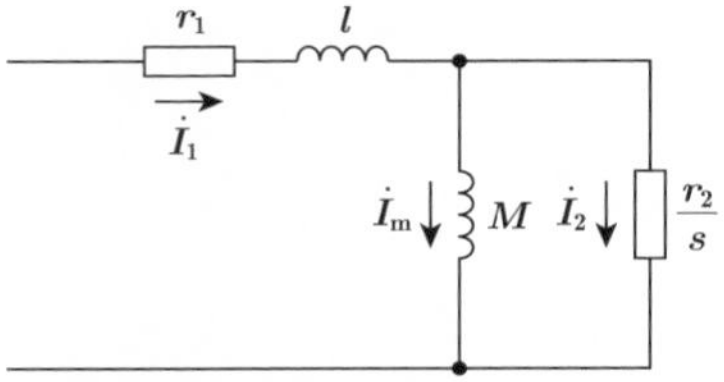

図1　誘導電動機の一次換算等価回路

〈 4 〜 8 の解答群〉

ア　f_{n}　　イ　$2f_{\mathrm{s}}$　　ウ　$f_{\mathrm{n}}+f_{\mathrm{s}}$　　エ　$f_{\mathrm{n}}-f_{\mathrm{s}}$

オ　$\sqrt{I_{\mathrm{m}}{}^2+I_2{}^2}$　　カ　$\sqrt{I_2{}^2-I_{\mathrm{m}}{}^2}$　　キ　$\dfrac{r_2}{2\pi M}\cdot\dfrac{I_2}{I_{\mathrm{m}}}$

ク　$\dfrac{r_2}{2\pi(l+M)}\cdot\dfrac{I_2}{I_1}$　　ケ　$2\pi f_1 M I_{\mathrm{m}}=I_2\dfrac{r_2}{s}$　　コ　$2\pi f_1(l+M)I_{\mathrm{m}}=I_2\dfrac{r_2}{s}$

(3)　図**2**に示す平衡ケージ巻上機の運転について考える．巻上機は，運搬車を搭載した**2**つのケージが**1**本のロープで綱車の左右に吊されている．吊されたロープは綱車の外縁で半径**0.5 m**の円周に沿っており，綱車とロープの間に滑りは生じないものとする．綱車に接続された電動機を制御して綱車を回転させることでケージが上下動する．

電動機の効率は**80 %**であり，綱車から見た綱車と電動機の合計等価慣性モーメントJ_0は**20 kg·m²**である．また，左右のケージの質量はそれぞれ**900 kg**，運搬車の質量はそれぞれ**100 kg**であり，ロープの質量は考えないものとする．積荷**400 kg**は片方の運搬車にのみ積載されている．

また，図**3**は積荷を載せた側のケージを上昇させるときの上昇速度のパターンを表している．このときの電動機の所要入力を求めたい．なお，重力の加速度は**9.8 m/s²**とする．

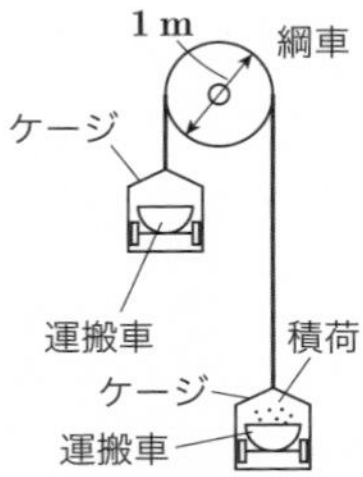

図2　平衡ケージ巻上機

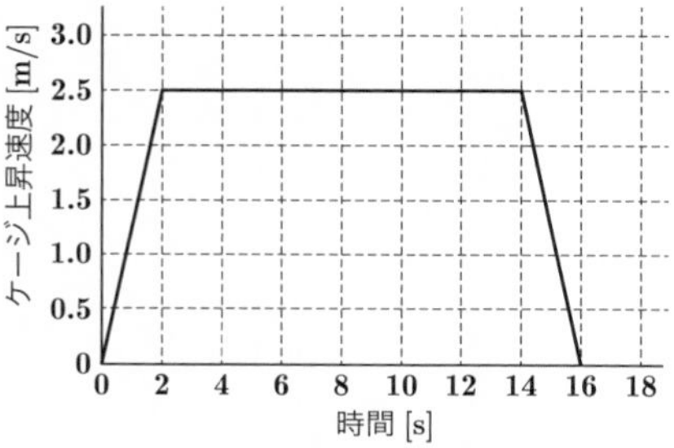

図3　平衡ケージ巻上機の運転速度パターン

1)　等速上昇期間（始動後2秒から14秒まで）での運転について考える.

①　この期間に積荷が上昇する距離は［ 9 ］[m] であり，この期間において積荷は［ 10 ］[kJ] の位置エネルギーを獲得する.

②　綱車の左右両側ではケージと運搬車の質量が均衡しているので，等速上昇期間に綱車に作用するトルクを考える場合は，積荷に働く重力の影響のみを考慮すれば良い．綱車の半径が 0.5 m であるから，このとき綱車に作用するトルク T_1 は［ 11 ］[kN·m] となる．よって，等速上昇期間での電動機の所要入力は，電動機の効率を考慮して［ 12 ］[kW] と求められる.

〈［ 9 ］～［ 12 ］の解答群〉

ア	0.2	イ	0.7	ウ	2.0	エ	6.9	オ	7.8	カ	12
キ	16	ク	24	ケ	30	コ	40	サ	60	シ	70
ス	118	セ	157	ソ	235	タ	274				

2)　等速上昇期間以外での運転について考える.

A. 加速上昇期間（始動から2秒まで）

①　始動後2秒での綱車の角速度は［ 13 ］[rad/s] である.

②　綱車を加速回転させる場合は，J_0 に加えて，ケージ，運搬車及び積荷を合計した質量に基づく慣性モーメントを合わせて考える必要がある．ケージ2台，運搬車2台，及び積荷の合計質量が綱車から 0.5 m の距離に位置するとみなしたときの慣性モーメント J_W [kg·m²] と J_0 を加えると，合計の慣性モーメント J_T は［ 14 ］[kg·m²] となる.

③　加速上昇期間に綱車に作用するトルクの値 T_2 [kN·m] は，合計の慣性モーメント J_T と角加速度の積から求められるトルク T_T [kN·m] と，積荷に働く重力によって生じるトルク T_1 の和として求められ，［ 15 ］[kN·m] となる.

④　加速上昇期間の電動機の最大所要出力は，加速の終了直前の瞬間に生じる．

B．減速上昇期間（始動後**14**秒から**16**秒まで）

①　この期間では，加速上昇期間よりも少ない出力で運転される．

3)　この巻上機に用いる電動機の，図**3**の運転速度パターンの全期間における最大所要入力を求める．

1)及び2)より，電動機の所要入力が最大となるのは，加速上昇期間における始動後**2**秒の時点であり，その時点で加速中であるとみなすと，電動機の所要入力は，加速中のトルク T_2 と始動後**2**秒での角速度との積に電動機の効率を考慮して求めることができ，[16] [kW] となる．

〈[13]～[16]の解答群〉

ア　2.5	イ　3.5	ウ　4.0	エ　5.0	オ　6.4	カ　10	キ　20
ク　22	ケ　24	コ　600	サ　620	シ　1 200	ス　1 220	

問題 12（電動力応用）

次の各文章の[1]～[13]の中に入れるべき最も適切な字句等をそれぞれの解答群から選び，その記号を答えよ．（配点計**50**点）

(1)　電気自動車の運動方程式は次式で与えられる．

$$\left(m+\frac{J_0}{r^2}\right)\frac{\mathrm{d}v}{\mathrm{d}t}=\frac{T_\mathrm{d}}{r}-\left(mg\sin\theta+C_\mathrm{r}mg\cos\theta-\frac{1}{2}C_\mathrm{d}\rho Av^2\right) \quad \cdots\cdots①$$

ここで，v [m/s] は路面に沿った走行速度，m [kg] は乗員も含めた車両の質量，J_0 [kg·m^2] は電動機やタイヤなど回転運動部分の慣性モーメント（タイヤ回転軸に換算），r [m] はタイヤの半径，T_d [N·m] は駆動系が供給するトルク，θ [rad] は水平面を基準とした路面の角度（上りを正），C_r はタイヤの転がり抵抗係数，C_d は空気抵抗係数，ρ [kg/m^3] は空気の密度，A [m^2] は前面投影面積，g [m/s^2] は重力の加速度である．

1)　連続した下り坂での惰行速度について

式①より，下り坂（$\sin\theta$ が負）で駆動トルク T_d を零としたときに加速度 $\frac{\mathrm{d}v}{\mathrm{d}t}$ が零となる条件を求めると，次式が得られる．なお，角度 θ は十分小さく，$\cos\theta \cong 1$ と近似できるものとする．

$$C_\mathrm{r}mg+\frac{1}{2}C_\mathrm{d}A\rho v^2=-mg\sin\theta \quad \cdots\cdots②$$

式②の関係より，連続した下り坂で駆動トルクを零とした場合の最終的な惰行速度を求めることができる．

ここで，転がり抵抗や空気抵抗が小さな省エネルギーの車を考え，$C_r = 0.006$，$C_d = 0.25$，$m = 1\,500$ [kg]，$A = 2.0$ [m^2]，$\rho = 1.3$ [kg/m^3]，$g = 9.8$ [m/s^2] とし，勾配が $\sin\theta = -0.01$ の下り坂での惰行速度を求め，時速に換算すると [1] [km/h] となる．このように，比較的緩やかな下り坂でもブレーキを使わず駆動トルクを零とすると，惰行速度がかなり高速となることが分かる．

〈[1] の解答群〉

ア 47.4　**イ** 48.4　**ウ** 49.4　**エ** 50.4

2）　下り坂の長さが短い場合

1）と同様に駆動力が零の状態を考える．下り坂で速度が零から上昇するが，転がり抵抗に比べ空気抵抗が十分小さい状態で下り坂が終わり，水平な道路となる場合を考える．

下り坂の距離が x [m] で，水平な道路の高さを基準とした起点の高さを h [m] とすると，距離 x を移動したときの転がり抵抗により消費するエネルギーは $C_r mgx$ であり，位置エネルギーの減少分がこのエネルギーと運動エネルギーに分配され，下り坂の終点での速度を v_{max} [m/s] とすると，$\frac{1}{2}\left(m + \frac{J_0}{r^2}\right){v_{max}}^2$ の運動エネルギーを持つ．

水平な道路に入ると，高さの変化はないため，転がり抵抗による消費エネルギーが運動エネルギーから供給され，水平な道路をさらに y [m] 移動して停止することになる．

以上のことから，位置エネルギー，運動エネルギー及び転がり抵抗により消費されたエネルギーの和を三つの位置について求め，これらが等しいとすると，次式が成り立つ．

$$mgh = \frac{1}{2}\left(m + \frac{J_0}{r^2}\right){v_{max}}^2 + C_r mgx = C_r mg(x + y) \quad \cdots\cdots\cdots\cdots ③$$

式③より，システムのパラメータ，h 及び x が与えられた場合の v_{max}，y を求めると，次の結果が得られる．

$$v_{max} = \sqrt{2\frac{m}{m + \frac{J_0}{r^2}}g(h - C_r x)} \quad \cdots\cdots\cdots\cdots ④$$

$$y = \boxed{\ 2\ } \quad \cdots\cdots\cdots\cdots ⑤$$

式④及び⑤から，$h=2$ [m]，$x=200$ [m]，$\dfrac{m}{m+\dfrac{J_0}{r^2}}=0.9$，$g=9.8$ [m/s^2]，$C_r=0.006$として，v_{max}，yを求めると，$v_{max}=$ 3 [m/s]，$y=133$[m]となる．また，v_{max}の値での空気抵抗による抗力は，転がり抵抗による抗力の5％程度と小さく，空気抵抗を無視した計算の妥当性が確認できる．

〈 2 及び 3 の解答群〉

ア　3.56　　イ　3.76　　ウ　3.86　　エ　3.96

オ　$\dfrac{h}{C_r}+x$　　カ　$\dfrac{h}{C_r}-x$　　キ　$\dfrac{1}{hC_r}-x$　　ク　$\dfrac{gh}{C_r}-x$

3)　走行における消費エネルギーについて

図1の速度パターンで走行する場合の消費エネルギーについて考える．ここで，走行するコースとして，図2に示すように，加減速区間に傾斜を持つ二つの直線コースを考える．なお，角度θは十分小さく，$\cos\theta \cong 1$と近似できるものとする．

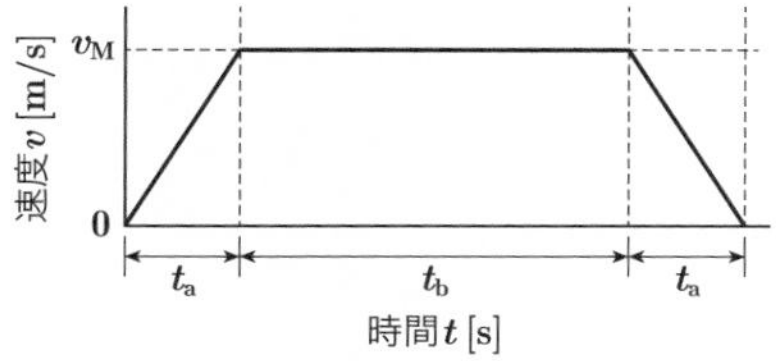

図1　速度パターン

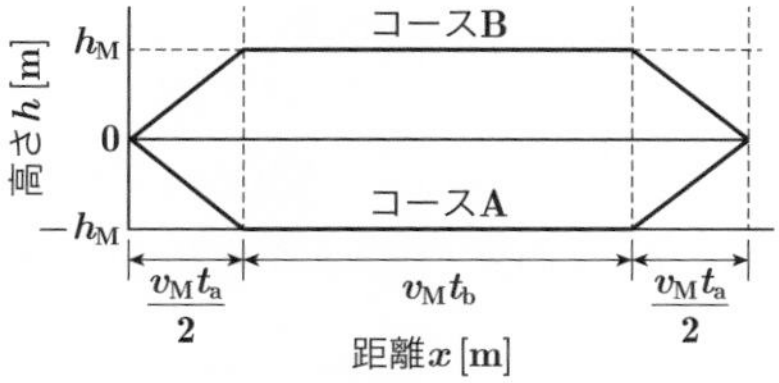

図2　走行コースの高さ

式①より，駆動系が供給する動力P_dは，$\cos\theta \cong 1$，$\sin\theta=\dfrac{dh}{dx}$とすると次式で与えられる．

$$P_d=\left[\left(m+\frac{J_0}{r^2}\right)\frac{dv}{dt}+mg\frac{dh}{dx}+C_r mg+\frac{1}{2}C_d\rho A v^2\right]v \quad \cdots\cdots\cdots\cdots ⑥$$

従って，走行全体での供給エネルギー E_{total} は，これを全区間で積分することにより次式となる．

$$E_{\mathrm{total}} = \int_0^{2t_a+t_b} P_d \, dt = \left[\frac{1}{2}\left(m + \frac{J_0}{r^2}\right)v^2 + mgh + C_r mgx\right]_0^{2t_a+t_b} + \int_0^{2t_a+t_b} \frac{1}{2} C_d \rho A v^3 \, dt \quad \cdots\cdots\cdots\cdots ⑦$$

A，B いずれのコースも，起点と終点では速度，高さ共に零である．従って，全走行距離を $x_M = v_M(t_a + t_b)$ とし，図1の速度パターンを考慮すると次式を得る．

$$E_{\mathrm{total}} = C_r mgx_M + \frac{1}{2} C_d \rho A v_M{}^3 \left\{t_b + 2\int_0^{t_a}\left(\frac{t}{t_a}\right)^3 dt\right\}$$
$$= C_r mgx_M + \frac{1}{2} C_d \rho A v_M{}^3 \times \boxed{(4)} \quad \cdots\cdots\cdots\cdots ⑧$$

このように，E_{total} は二つのコースで差を生じない．なお，下り坂で加速，上り坂で減速するコース A が上り坂で加速，下り坂で減速するコース B に比べ，駆動系の損失は小さくなる．

式 ⑧ より，$C_r = 0.006$，$C_d = 0.25$，$m = 1\ 500$ [kg]，$A = 2.0$ [m^2]，$\rho = 1.3$ [kg/m^3]，$g = 9.8$ [m/s^2]，$v_M = 20$ [m/s]，$t_a = 20$ [s]，$t_b = 80$ [s] として，E_{total} を計算すると，$\boxed{5}$ [kJ] となる．

〈$\boxed{4}$ 及び $\boxed{5}$ の解答群〉

ア 390　　イ 410　　ウ 430　　エ 450　　オ $(t_b + t_a)$

カ $\left(t_b + \frac{1}{2}t_a\right)$　　キ $\left(t_b + \frac{1}{3}t_a\right)$　　ク $\left(t_b + \frac{1}{4}t_a\right)$

⑵ 定格点において，流量 Q_N が 10 m^3/min，全揚程 H_N が 30 m，ポンプ効率 η_N が 70 %，回転速度 n_N が 1 500 min^{-1} の送水ポンプを考える．ポンプと管路抵抗の特性を定格点での諸量の値で正規化したところ，次式が得られた．

$$h = 1.25n^2 - 0.25q^2$$

$$\eta^* = 2\left(\frac{q}{n}\right) - \left(\frac{q}{n}\right)^2$$

$$r = 0.4 + 0.6q^2$$

ただし，流量 q [p.u.]，全揚程 h [p.u.]，ポンプ効率 η^* [p.u.]，回転速度 n [p.u.] 及び管路抵抗 r [p.u.] はポンプの定格点において正規化された変数である．これらの関係を図

示すると次の図 **3** のようになる．

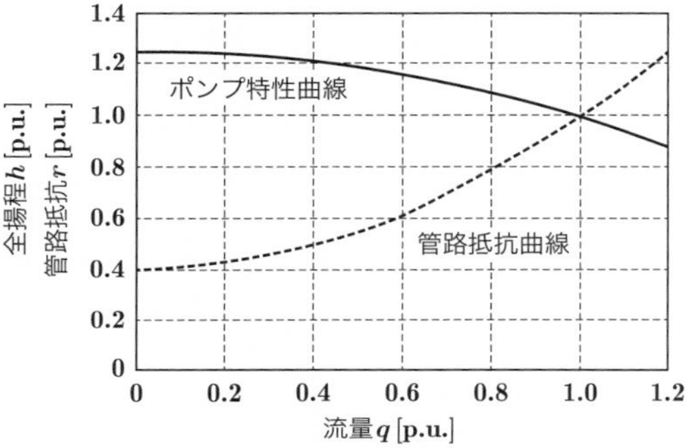

図3　ポンプ特性曲線と管路抵抗曲線

ここで，運転パターンとして 1 日 24 時間のうち，16 時間は流量 10 m³/min で運転し，それ以外の 8 時間は流量 6 m³/min で運転するとしたとき，弁の開度調整により流量を制御する方式を採用した場合と，インバータを用いて電動機の回転速度制御により流量を制御する方式を採用した場合のそれぞれの消費電力量を求める．ただし，水の密度を 1 000 kg/m³，重力の加速度を 9.8 m/s² とする．

1)　ポンプを流量 **10 m³/min** で運転するときの軸動力は［6］[kW] である．弁の開度調整により，ポンプを流量 **6 m³/min** で運転するときの全揚程は［7］[m]，軸動力は［8］[kW] である．

〈［6］～［8］の解答群〉

ア 20.0　**イ** 34.1　**ウ** 34.8　**エ** 49.0　**オ** 58.0

カ 64.4　**キ** 70.0　**ク** 77.7　**ケ** 81.9

2)　インバータを用いた電動機の回転速度制御により，ポンプを流量 **6 m³/min** で運転するときの全揚程は［9］[m]，回転速度は［10］[min⁻¹]，軸動力は［11］[kW] である．

3)　電動機の効率を **90 %**，インバータ効率を **95 %** とすると，弁の開度調整による流量制御及びインバータを用いた電動機の回転速度制御による流量制御の **1** 日当たりの消費電力量は，それぞれ次のようになる．ただし，インバータ制御方式ではインバータは **24** 時間使用するものとする．

・弁の開度調整による流量制御：［12］[kW·h]

・インバータを用いた電動機の回転速度制御による流量制御：［13］[kW·h]

〈 9 ～ 13 の解答群〉

ア **10.8**　**イ** **18.5**　**ウ** **25.9**　**エ** **27.0**　**オ** **30.0**　**カ** **31.5**
キ **900**　**ク** **1 127**　**ケ** **1 336**　**コ** **1 406**　**サ** **1 500**　**シ** **1 552**
ス **1 562**　**セ** **1 584**　**ソ** **1 760**

問題 13（電気加熱—選択問題）

次の各文章の 1 ～ 14 の中に入れるべき最も適切な字句等をそれぞれの解答群から選び，その記号を答えよ．なお， 1 及び 8 は複数箇所あるが，それぞれ同じ記号が入る．（配点計 **50** 点）

(1) 抵抗加熱の原理，特徴及び応用分野について考える．

1) 抵抗加熱には，間接抵抗加熱方式と直接抵抗加熱方式があり，いずれの方式も抵抗に電流が流れることによって生じる 1 を加熱に利用するものである．間接抵抗加熱方式は，熱源となる抵抗を介して間接的に被加熱物を加熱する形態をとり，直接抵抗加熱方式は，被加熱物自体を抵抗として，そこに直接電流を流して内部から加熱する形態をとる．

2) 間接抵抗加熱は， 2 と呼ばれる熱源に電流を流すことによって生じる 1 を利用するもので，熱せられた熱源から主に放射や対流による伝熱によって被加熱物を加熱する方式である．この加熱方式による抵抗炉は，燃焼炉に比べて 3 が容易であるなどの利点があり，各方面で広く使用されている．

〈 1 ～ 3 の解答群〉

ア アプリケータ　**イ** 発熱体　**ウ** 誘導コイル
エ ジュール熱　**オ** 交番磁界　**カ** 誘電損失
キ 加熱雰囲気の温度管理　**ク** 溶射　**ケ** 溶融

3) 直接抵抗加熱は，被加熱物内部を直接加熱できるため間接抵抗加熱に比べて 4 に適しており，加熱効率も高い方式である．この加熱方式は溶接の分野でも広く利用されており， 5 溶接などの重ね抵抗溶接とアプセット溶接などの突合せ抵抗溶接がある．

〈 4 及び 5 の解答群〉

ア スポット　**イ** ティグ　**ウ** フラッシュ
エ 急速加熱　**オ** 微細加工　**カ** 表面改質

(2) 電気加熱の温度管理にとって必要不可欠な温度計について考える．

1) 省エネルギーのためには，加熱温度を正確に管理して [6] をできる限り少なくする必要がある．そのためには，適切な温度計を用いると共に精度管理も重要である．物体の温度を計測する温度計は，接触式と非接触式に大別されるが，それぞれの方式における代表的な温度計の原理及び特徴については，次の2)及び3)のとおりである．

〈[6] の解答群〉

ア 過熱　**イ** 熱抵抗　**ウ** 熱容量

2) 接触式には，[7] 効果を利用した熱電温度計がある．これは，**2** 種類の異なる金属線を組み合わせた熱電対の [8] 力により温度を計測するものである．熱電対には多くの種類があるが，使用温度範囲が広く，[8] 力の特性が直線性に優れた **K** 熱電対が，工業分野では広く用いられる．

〈[7] 及び [8] の解答群〉

ア ゼーベック　**イ** ピンチ　**ウ** ペルチエ　**エ** 起磁　**オ** 起電　**カ** 電磁

3) 非接触式である放射温度計は，被測温体から温度に応じて表面から放出されるエネルギーを利用する方式である．この温度計は高温物体を高い応答性で計測できるが，被測定物の特性及び測定環境の影響を受ける．そのため，測定対象に応じた [9] の調整が必要になる．一般的な放射温度計は [10] 域の波長を利用しており，低温域では **10 μm** 付近，高温域では **1 μm** 付近の波長が測定に用いられる．

〈[9] 及び [10] の解答群〉

ア 可視光　**イ** 紫外　**ウ** 赤外　**エ** 熱伝達率　**オ** 表面改質　**カ** 放射率

(3) 質量 **450 kg** の金属を **25 °C** から **1 100 °C** まで **45** 分で均一な温度に加熱する加熱設備がある．この加熱設備は熱的に安定した状態であり，設備の電源入力端における電力を測定したところ **165 kW** で一定であった．

1) この加熱におけるエネルギー原単位は [11] **[kW·h/kg]** である．

2) この加熱装置の熱損失及び電気効率は既知であり，それぞれ **15.4 kW** と **79.8 %** とすれば，加熱正味熱量は [12] **[kW·h]** である．このとき，被加熱物である金属の比熱は温度によらず一定であるとすれば，[13] **[kJ/(kg·K)]** と求めることができる．

3) 省エネルギー対策として加熱設備の断熱強化を図って改造を実施した．その結果，従来と同様の加熱時間及び昇温条件で加熱した場合のエネルギー原単位を **3.4 %** 削減することができた．これは，熱損失が改造前に対して [14] **[kW]** 分が低減されたことを意味する．なお，断熱強化の改造に伴う電気効率の変化はないものとする．

〈 11 〜 14 の解答群〉

ア 0.275　**イ** 0.367　**ウ** 0.489　**エ** 0.524　**オ** 0.649　**カ** 0.735
キ 4.48　**ク** 7.69　**ケ** 11.9　**コ** 87.2　**サ** 98.8　**シ** 116.3

問題14（電気化学—選択問題）

次の各文章の 1 〜 10 の中に入れるべき最も適切な字句等をそれぞれの解答群から選び，その記号を答えよ．なお， 5 は複数箇所あるが，同じ記号が入る．

また， **A a.b** 〜 **C a.b** に当てはまる数値を計算し，その結果を答えよ．ただし，解答は解答すべき数値の最小位の一つ下の位で四捨五入すること．（配点計 **50** 点）

(1) 工業電解プロセスとは，電気化学システムを用いてより質の高い物質の製造や材料の表面処理などを行うプロセスである．金属の電解採取や電解精製も工業電解プロセスの例である．電解精製では，乾式精錬で得た不純物を含む目的金属（粗金属）を成型して 1 とし，目的金属と同一の金属塩を含む浴を電解液として用いて電解し，対の電極上に純度の高い目的金属を析出させる．粗金属に含まれる不純物が溶出する平衡電位が，目的金属よりも 2 ものはそのまま残るか沈殿物となる．銅の電解精製の沈殿物には 3 などが含まれる．電解精製で製造される目的金属の生成速度は電解槽に供給する 4 に比例する．

〈 1 〜 4 の解答群〉

ア アノード　**イ** カソード　**ウ** 電解液　**エ** マンガン　**オ** 金　**カ** 鉛
キ 電圧　**ク** 電流　**ケ** 電気量　**コ** 高い　**サ** 低い

(2) 化学電池は化学反応で生じるエネルギーを電気エネルギーに直接変換する装置である．

1) ある電池の端子電圧 U_t が，次式で表せるものとする．

$$U_t = \alpha - \beta I$$

ここで，α は見かけの開路電圧，β は見かけの内部抵抗，I は電流である．

i) この電池の出力は，電流 I を用いて式 5 で表すことができる．

ii) この電池が最大出力となるのは，式 5 の電流 6 が零となるときである．このときの電流は式 7 で表すことができ，最大出力は式 8 で表すことができる．

〈 5 〜 8 の解答群〉

ア $\dfrac{\alpha}{\beta}$　**イ** $\dfrac{\alpha}{2\beta}$　**ウ** $\dfrac{2\alpha}{3\beta}$　**エ** $\dfrac{\alpha^2}{2\beta}$　**オ** $\dfrac{\alpha^2}{4\beta}$　**カ** $\dfrac{2\alpha^2}{9\beta}$

キ $I^2\beta$　　**ク** $I(\alpha - \beta I)$　　**ケ** $I^2(\alpha - \beta I)$

コ 積分値　　**サ** 微分値　　**シ** 定数

2) 電池のエネルギー変換効率は，反応に関与する物質の量に関係する項と，反応速度により決まる［9］の項に分けて考えることができる．両者共に式［10］で表すことができ，両者の積がエネルギー変換効率となる．

〈［9］及び［10］の解答群〉

ア 出力　　**イ** 電圧　　**ウ** 電流

エ $\dfrac{\text{実際の値}}{\text{理論値}}$　　**オ** $\dfrac{\text{理論値}}{\text{実際の値}}$　　**カ** $\sqrt{\text{実際の値} \times \text{理論値}}$

(3) 鉛蓄電池について考える．

鉛蓄電池の正極及び負極における放電反応等は次に示すとおりである．

負　極：$\mathbf{Pb + SO_4{}^{2-} \rightarrow PbSO_4 + 2e^-}$

正　極：$\mathbf{PbO_2 + 4H^+ + SO_4{}^{2-} + 2e^- \rightarrow PbSO_4 + 2H_2O}$

全反応：$\mathbf{Pb + 2H_2SO_4 + PbO_2 \rightarrow 2PbSO_4 + 2H_2O}$

なお，反応に関与する原子の原子量については，**H**：**1.008**，**O**：**16.00**，**S**：**32.07**，**Pb**：**207.2** とし，ファラデー定数は **96 485 C/mol** とする．

1) 全反応のモル質量は［**A** a.b］× $\mathbf{10^2}$ **[g/mol]** である．

2) 全反応 **1 mol** 当たりの容量は［**B** ab］**[A·h/mol]** であり，1)の結果と合わせれば単位質量当たりの容量を求めることができる．

3) 開路電圧が **2.07 V** であるとすると，全反応のギブズエネルギー変化 $\mathbf{\Delta G}$ は次の値となる．

$$\Delta G = \boxed{\mathbf{C}\ \text{a.b}} \times 10^2\ [\text{kJ/mol}]$$

問題 15（照明―選択問題）

次の各文章及び表の［1］～［7］の中に入れるべき最も適切な字句等をそれぞれの解答群から選び，その記号を答えよ．なお，［1］は複数箇所あるが，同じ記号が入る．

また，［**A** abc］～［**E** ab］に当てはまる数値を計算し，その結果を答えよ．ただし，解答は解答すべき数値の最小位の一つ下の位で四捨五入すること．（配点計 **50** 点）

(1) 表 **1** に示す **3** 種類の光源は，いずれも商用電源に直結した白熱電球用のソケットに装着できるランプである．最も発光効率の低い白熱電球から，最も発光効率の高い［1］ランプに置き換えることで，ランプ **1** 個当たり［2］**[W]** の消費電力を削減することができる．

白熱電球の特長として演色性の高いことが挙げられる．表中の平均演色評価数は演色性を示すものであり，［3］が等しい基準光源との比較において，被照射物体の色の［4］を評価する指標のことである．

表1　光源の種類と性能

光源の種類	ランプ効率	全光束	平均演色評価数	光束立ち上がり特性
白熱電球	**15 lm/W**	**810 lm**	**100**	非常に速い
［1］ランプ	**115 lm/W**	**810 lm**	**80**	非常に速い
［5］ランプ	**68 lm/W**	**810 lm**	**80**	比較的遅い

〈［1］～［5］の解答群〉

ア　**20**　　**イ**　**47**　　**ウ**　**100**　　**エ**　片口金形ハロゲン
オ　蛍光水銀　　**カ**　直管 **LED**　　**キ**　電球形 **LED**　　**ク**　電球形蛍光
ケ　両口金形ハロゲン　　**コ**　光束発散度　　**サ**　彩度　　**シ**　相関色温度
ス　忠実性　　**セ**　直下光度　　**ソ**　明度

(2)　直径 **20 cm** の円形の均等拡散面を持ち，その片側のみに発光する光源を考える．この光源の全光束が **1 200 lm** であるとすると，この光源の輝度は約［6］**[cd/m²]** となる．ただし，円周率を **3.14** とする．

この光源から任意の距離の直下照度を求める場合には，光源の光度値と照度の距離の逆二乗法則を利用して算出することが可能である．ただし，厳密には円光源を点光源とみなすことによる誤差が生じるが，光源から照度算出位置までの距離が円光源の直径の最低でも［7］倍以上あれば，誤差は **1 %** 以内に収まる．

〈［6］及び［7］の解答群〉

ア　**1.5**　　**イ**　**2**　　**ウ**　**5**　　**エ**　**380**　　**オ**　**12 000**　　**カ**　**38 000**

(3)　次の照明計算を行う．

1)　あらゆる方向への光度が等しい光源が，机上面からの高さ **1 m** に設置されている．このとき，この光源の直下の机上面上の点 **P** の照度が **200 lx** であった．この光源の光度は［**A** **abc**］**[cd]** である．この机上面で水平面より **60°** 傾けて読書をするとき，紙面の中心の照度は［**B** **abc**］**[lx]** となる．ただし，紙面の中心は点 **P** の直上 **10 cm** の高さにあるものとする．

2)　直管蛍光ランプのランプ効率が **84 lm/W**，全光束が **3 100 lm**，総合効率が **70 lm/W** であるときの，安定器の損失電力は［**C** **a.b**］**[W]** となる．

3) 間口 **10 m**, 奥行き **15 m**, 高さ **3.8 m** の作業部屋の天井面に，埋込形ルーバ蛍光ランプ **40 W 2** 灯用（**1** 灯のランプ光束 **4 000 lm**）の器具を設置して，床面からの高さ **0.8 m** の作業面での平均照度を **500 lx** にしたい．光束法による照度計算を用いると，このときの室指数は［**D** a.b］であり，照明器具の必要台数は［**E** ab］[台] となる．ただし，この部屋の反射率は天井 **70 %**，壁 **50 %**，床 **30 %** として，照明率は表 **2** の照明率表より求めること．また，照明器具の保守率は **0.64** とする．

表 2 照明率表

反射率	天井	70 %		
	壁	70 %	50 %	30 %
	床	30 %		
室指数		照明率		
0.6		0.32	0.28	0.24
0.8		0.40	0.36	0.32
1.0		0.45	0.41	0.37
1.25		0.49	0.45	0.41
1.5		0.53	0.49	0.45
2.0		0.56	0.53	0.50
2.5		0.59	0.56	0.53
3.0		0.60	0.57	0.54
4.0		0.63	0.60	0.57
5.0		0.64	0.62	0.60

問題 16（空気調和—選択問題）

次の各文章の［1］～［14］の中に入れるべき最も適切な字句等をそれぞれの解答群から選び，その記号を答えよ．なお，［3］及び［13］は複数箇所あるが，それぞれ同じ記号が入る．（配点計 **50** 点）

(1) 空調熱源に用いる蒸気圧縮式のヒートポンプの構成及び性能について考える．

1) ヒートポンプは，圧縮機，蒸発器，凝縮器などで構成される．冷房運転時には，［1］で冷却した熱を利用し，暖房運転時には，［2］で加熱した熱を利用する．主に動力を必要とするのは［3］であり，［3］などに投入した消費電力の熱量換算値に対する冷房，暖房での利用熱量の比を成績係数（**COP**）という．

〈［1］～［3］の解答群〉

ア 圧縮機　　**イ** 凝縮器　　**ウ** 蒸発器

2) 成績係数の値は運転条件により変化し，冷媒の［4］温度が高いほど大きくなり，一方，[5] 温度が低いほど大きくなる．したがって，暖房時のヒートポンプの温水出口温度が [6] なれば省エネルギーになる．

〈[4]～[6] の解答群〉

ア 圧縮　**イ** 凝縮　**ウ** 蒸発　**エ** 高く　**オ** 低く

3) **JIS** で定める運転条件によるヒートポンプの定格時の成績係数は，機種などにより異なる．身近な設備を例にとると，暖房時における家庭用エアコンで概ね **3** ～ **6** となる．身近な暖房器具として，電気ストーブもあるが，これの成績係数が概ね [7] なので，ヒートポンプの成績係数が高いことがわかる．

4) 成績係数の値は運転条件や外気条件などにより変動するため，実際のエネルギー消費量を把握するためには年間を通じた性能評価が必要となり，その評価指標として [8] が用いられる．これは，ヒートポンプを **1** 年間運転した場合の「冷房期間総合負荷及び暖房期間総合負荷の和」を「冷房期間消費電力量と暖房期間消費電力量との和」で除した値である．

〈[7] 及び [8] の解答群〉

ア 0.5　**イ 1**　**ウ 1.5**　**エ 2**　**オ APF**　**カ CEC**　**キ IPLV**

(2) 空気調和において，新鮮な外気の取り入れによる換気は，室内の良好な空気質の維持のためには必要不可欠であるが，一方で，外気の導入は大きな空調負荷となることから，空気質の維持と省エネルギーの両立を図るためには，適正な換気量を維持することが極めて重要である．

ここで，室内における適正な換気量について考える．

1) 室内に汚染質の発生があり，換気のために導入している外気中にも一定の汚染質が含まれているとき，定常状態における室内の汚染質の濃度 C は，拡散の形態が [9] と仮定すると，次の式で表される．ただし，単位は汚染質が気体の場合の例とする．

$$C = C_0 + \frac{M}{Q}\,[\mathrm{m^3/m^3}] \qquad \cdots\cdots\cdots\cdots\cdots\cdots\cdots ①$$

ここで，C_0 [$\mathrm{m^3/m^3}$] は [10]，M [$\mathrm{m^3/h}$] は [11]，Q [$\mathrm{m^3/h}$] は [12] を示す．

〈[9]～[12] の解答群〉

ア 汚染質発生量　**イ** 換気量　**ウ** 外気汚染質濃度

エ 室内初期濃度　**オ** 完全拡散　**カ** 不完全拡散

2) 一般に，事務所ビルなどの居室の必要換気量は，居住者から呼吸により排出される CO_2 を汚染質の対象として，その濃度が法で定める基準値以下となるように決められる．CO_2 濃度に関する居室の室内環境基準値は，「建築基準法」や「建築物における衛生的環境の確保に関する法律」によって，**1 000 ppm** 以下と定められている．

必要換気量は，1) の式①において，環境基準値を満たす室内 CO_2 濃度の許容値，室内の CO_2 発生量，及び外気の CO_2 濃度を設定することにより算出できる．ここで，外気の CO_2 濃度について，従来は，一般に **300 ppm** 程度として算出していた．しかしながら，近年，大気中の CO_2 濃度は世界平均で約 [13] **[ppm]** にまで上昇しているのが実態である．

3) 外気の CO_2 濃度が 2) で示した現状の値 [13] **[ppm]** まで上昇した場合，居室の CO_2 濃度を法で定める **1 000 ppm** 以下とするための必要換気量は，外気の CO_2 濃度が **300 ppm** のときと比べて，約 [14] 倍になる．ただし，算出は外気の濃度変化だけの単純計算による．

〈[13] 及び [14] の解答群〉

ア **1.1**　イ **1.2**　ウ **1.5**　エ **2**
オ **400**　カ **500**　キ **600**　ク **700**

解答・指導

問題1 ⑴　1 ―カ，2 ―ウ

⑵　3 ―オ，4 ―ウ

⑶　5 ―イ，6 ―エ

⑷　7 ―キ，8 ―ウ，9 ―ア

⑸　10 ―イ，11 ―エ，12 ―キ

【指導】

⑴　1)　法第 5 条（事業者の判断の基準となるべき事項等）第 2 項第二号では次のように規定している．

二　工場等（前号に該当するものを除く．）における非化石エネルギーへの転換に関する事項であつて次に掲げるもの

イ　燃焼における**非化石燃料の使用**

ロ　加熱及び冷却における**非化石熱の使用**

ハ　**非化石熱を使用**した動力等の使用

ニ　**非化石電気を使用**した動力，熱等の使用

前記より，非化石燃料並びに非化石熱及び非化石電気が該当する．

2)　法第 2 条（定義）第 6 項では次のように規定している．

この法律において「電気の需要の最適化」とは，季節又は時間帯による電気の需給の状況の変動に応じて**電気の需要量の増加又は減少をさせること**をいう．

前記より，上げ DR 及び下げ DR のいずれもが該当する．

⑵　1)　法第 8 条（エネルギー管理統括者）では次のように規定している．

特定事業者は，経済産業省令で定めるところにより，**第 15 条第 1 項又は第 2 項の中長期的な計画の作成事務**並びにその設置している工場等におけるエネルギーの使用の合理化に関し，エネルギーを消費する設備の維持，エネルギーの使用の方法の改善及び監視その他経済産業省令で定める業務を統括管理する者（以下この条及び次条第 1 項において「エネルギー管理統括者」という．）を選任しなければならない．

2　エネルギー管理統括者は，特定事業者が行う事業の実施を統括管理する者をもつて充

てなければならない．

則第8条（エネルギー管理統括者の選任）では次のように規定している．

一　**エネルギー管理統括者を選任すべき事由が生じた日以後遅滞なく選任すること．**

二　エネルギー管理統括者若しくはエネルギー管理企画推進者又はエネルギー管理者若しくはエネルギー管理員に選任されている者以外の者から選任すること．

前記より，②と④が適切となる．

2)　法第9条（エネルギー管理企画推進者）では次のように規定している．

特定事業者は，経済産業省令で定めるところにより，次に掲げる者のうちから，前条第1項に規定する業務に関し，**エネルギー管理統括者を補佐する者を選任**しなければならない．

則第13条（エネルギー管理企画推進者の選任）では次のように規定している．

一　エネルギー管理企画推進者を選任すべき事由が生じた日から6カ月以内に選任すること．

二　エネルギー管理統括者若しくはエネルギー管理企画推進者又は**エネルギー管理者若しくはエネルギー管理員に選任されている者以外の者から選任**すること．

選任に当たって，指定工場等ごととの記載はなく，特定事業者単位で選任する．

前記より，①と④が適切である．

⑶　1)　法第166条（報告及び立入検査）では次のように規定している．

経済産業大臣は，政令で定めるところにより，工場等においてエネルギーを使用して事業を行う者に対し，その設置している工場等における業務の状況に関し報告……

2　**経済産業大臣は，政令で定めるところにより，特定事業者等に対し，その設置している工場等における業務の状況に関し報告させ，又はその職員に，工場等に立ち入り，エネルギーを消費する設備，帳簿，書類その他の物件を検査させる**ことができる．

3　主務大臣は，あらかじめ，当該加盟者の承諾を得なければならない．

前記より，②が正しい．

2)　法第166条，令第23条などを踏まえる．

報告及び立入検査の対象となる規定は，**指導及び助言，定期の報告**が当てはまる．

前記より，③以外が正しい．

⑷　1)　法第2条（定義）では次のように規定している．

この法律において「エネルギー」とは，化石燃料及び非化石燃料並びに熱（政令で定めるものを除く．以下同じ．）及び電気をいう．

前記より，①，②，③すべて当てはまる．

2)　ⅰ）則第4条（換算の方法）では次のように規定している．

令第2条第2項に規定する使用した化石燃料及び非化石燃料（以下この条において「燃料」という．）の量の原油の数量への換算は，次のとおりとする．

2　令第2条第2項に規定する熱の量の原油の数量への換算は，次のとおりとする．

一　他人から供給された熱にあつては，別表第二の上欄に掲げる熱の種類ごとの熱量に，それぞれ同表の下欄に掲げる当該熱を発生させるために使用された燃料の発熱量に換算する係数を乗じた後，発熱量1 GJを原油0.025 8 kLとして換算すること．

前記より，③が正しい．

ⅱ）則第4条（換算の方法）第3項では次のように規定している．

3　令第2条第2項に規定する電気の量の原油の数量への換算は，次のとおりとする．

一　燃料を熱源とする熱を変換して得られる動力を変換して得られる電気に代えて使用される電気であつて，事業者自らが使用するため又は特定の需要家の需要に応じて発電されたものにあつては，電気の量1 000 kW時を熱量3.60 GJとして換算した後，熱量1 GJを原油0.025 8 kLとして換算すること．

二　前号に規定する電気以外の電気にあつては，電気の量1 000 kW時に8.64 GJとして換算した後，熱量1 GJを原油0.025 8 kLとして換算すること．

前記より，①が正しい．

⑸　法律施行令第3条，第4条や第6条を表にまとめると，**第1表**および**第2表**のようになる．

第2表のコークス製造業以外又は鉱業に属する特定事業者と考えられる．

第1表　エネルギー管理指定工場等の義務

<table>
<tr><td>年度間エネルギー使用量
（原油換算値kL）</td><td colspan="2">3 000 kL/年度以上</td><td>1 500 kL/年度以上
～3 000 kL/年度未満</td><td>1 500 kL/年度未満</td></tr>
<tr><td>指定区分</td><td colspan="2">第一種
エネルギー管理指定工場等</td><td>第二種
エネルギー管理指定工場等</td><td>指定なし</td></tr>
<tr><td rowspan="2">事業者の区分</td><td colspan="2">第一種特定事業者</td><td rowspan="2">第二種特定事業者</td><td rowspan="2">—</td></tr>
<tr><td></td><td>第一種指定事業者</td></tr>
<tr><td>業種</td><td>製造業等5業種
（鉱業，製造業，電気供給業，ガス供給業，熱供給業）
※事務所を除く</td><td>左記業種の事務所
左記以外の業種
（ホテル，病院，学校等）</td><td>全ての業種</td><td>全ての業種</td></tr>
<tr><td>選任すべき者</td><td>エネルギー管理者</td><td>エネルギー管理員</td><td>エネルギー管理員</td><td>—</td></tr>
<tr><td>提出すべき書類</td><td colspan="3">定期報告書（指定表に記入が必要）</td><td>—</td></tr>
</table>

これを踏まえて第1表および第2表より以下のことがわかる．

第 2 表　エネルギー管理者の選任基準

コークス製造業，電気供給業，ガス供給業又は熱供給業に属する第一種エネルギー管理指定工場等		コークス製造業以外の製造業又は鉱業に属する第一種エネルギー管理指定工場等	
10 万キロリットル未満	1 人	2 万キロリットル未満	1 人
10 万キロリットル以上	2 人	2 万キロリットル以上 5 万キロリットル未満	2 人
		5 万キロリットル以上 10 万キロリットル未満	3 人
		10 万キロリットル以上	4 人

加工工場は 2 300 kL なので，**第二種エネルギー管理指定工場等**に該当し，**エネルギー管理員**を選任する必要がある．

鋳造工場は 12 000 kL なので第一種エネルギー管理指定工場等に該当し，**エネルギー管理者 1 名**を選任する必要がある．

問題2

(1)　1 ― ケ，2 ― オ，3 ― ア，4 ― エ

(2)　5 ― ウ，6 ― エ，A ― 1.8×10^4

(3)　7 ― ウ，8 ― キ，9 ― エ

【指導】

(1)　ジュールの単位は，1 N の力で 1 m の長さを移動するのに必要なエネルギー（$1\ \mathrm{J} = 1\ \mathrm{N} \times 1\ \mathrm{m}$）として定義される．また，力の単位 [N] は，ニュートンの第二法則（$F = m\alpha$）より，質量 [kg] と加速度 [m/s^2] の積であることがわかる．したがって，単位 [J] は，力と長さの積であり，$[\mathrm{kg}] \times [\mathrm{m/s^2}] \times [\mathrm{m}] = [\mathbf{kg{\cdot}m^2/s^2}]$ と表される．

エントロピーの単位は，以下の定義より表すことができる．ただし，エントロピーの変化：ΔS，熱の移動量：ΔQ [J] および，絶対温度：T [K] とする．

$$\Delta S = \frac{\Delta Q}{T}\,[\mathbf{J\,/\,K}]$$

電荷の単位クーロン [C] は，基本単位である電流 [A] と時間 [s] の積から求めることができるため，[**A·s**] と表される．

電圧は，1 A の電流が流れる 2 点間の消費電力が 1 W = [J/s] である場合，2 点間の電圧を 1 V と定義する．したがって，電圧の単位 [V] は，[W/A] = [J/A·s] = [**J/C**] と表される．

(2)　液体の水 1 kg を氷に相変化させるときの潜熱は，約 334 kJ/kg（約 80 kcal/kg）である．液体の水 1 kg の温度を 1 °C 変化させるときに必要な顕熱は，約 4.2 kJ/kg（約 1 kcal/kg）である．したがって，氷の相変化に必要な潜熱は顕熱の $334/4.2 \fallingdotseq 79.524 \rightarrow$ **80**

倍である．

リチウムイオン電池と同様に大規模電力貯蔵用として実績があり，動作温度が約 300 °C である蓄電池は**ナトリウム硫黄電池**である．

質量 1 kg，エネルギー密度 50 W·h/kg の蓄電池のもつエネルギーと，その蓄電池が高さ h [m] にあるときのエネルギーを等しいとすれば，h は以下で求められる．ただし，重力加速度 9.8 m/s^2 とする．

$$1 \times 9.8h = 50 \times 3\,600 \text{ J}$$

$$\therefore \quad h = \frac{50 \times 3\,600}{9.8} \fallingdotseq 1.836\,7 \times 10^4$$

$\rightarrow$**1.8 × 10⁴** m

⑶ 2015年パリで開催されたCOP21の合意協定によると，「世界の平均気温上昇を**産業革命以前**に比べて **2 °C より十分低く保ち**，**1.5 °C** に抑える努力をする」とある．また，IPCC は「気候変動に関する**政府間パネル**」の略である．

問題3 ⑴ 1—ウ，2—イ ⑵ 3—ウ ⑶ 4—イ ⑷ 5—ア ⑸ 6—イ ⑹ 7—ウ ⑺ 8—イ ⑻ 9—エ ⑼ 10—ア ⑽ 11—ア ⑾ 12—ウ ⑿ 13—イ ⒀ 14—エ ⒁ 15—ウ ⒂ 16—ウ ⒃ 17—イ ⒄ 18—ア⒅ 19—ア ⒆ 20—イ

【指導】

⑴ すべての事業場が工場全体を俯瞰して取り組むべき共通事項として，次の7項目が挙げられる．

Ⅰ エネルギーの使用の合理化の基準

Ⅰ—1 全ての事業者が取り組むべき事項

1．取組方針の策定

2．**管理体制の整備**

3．省エネ並びに非化石転換に必要な資金・人材の確保

4．取組方針及び遵守状況の確認・評価・改善指示

5．取組方針及び遵守状況の評価手法の定期的な**精査・変更**

6．取組方針や管理体制等の文書管理による状況把握

7．省エネ並びに非化石転換に資する取組に関する情報の開示

⑵ 風力発電の発電電力は風速の **3** 乗に比例する．

受風面積を S [m^2]，風速を v [m/s]，空気密度をρ [kg/m^3] とすると，単位時間当たりの質量 m は $Sv\rho$ [kg/s] と表される．運動エネルギー W は，

$$W=\frac{1}{2}mv^2=\frac{1}{2}Sv\rho v^2$$

となるから，発電電力 P は，

$$P=\frac{W}{t}=\frac{1}{2}\rho Sv^3\ [\mathrm{W}]$$

となる．

⑶　比熱比とは，比熱比 $=\dfrac{\text{定圧比熱}}{\text{定容比熱}}$で表され，すべての気体で**1より大きくなる**.

⑷　熱交換器の熱媒体として使用される**空気**は，水と比較すると，温度上昇とともに粘性が高まる性質をもつ．

⑸　ブタンの完全燃焼の化学反応式は，$2C_4H_{10}+13O_2\rightarrow 8CO_2+10H_2O$ と表される．

つまり，1 mol のブタンを完全燃焼させるのに必要な理論酸素量 O_2 は，

$$C_4H_{10}\Rightarrow\frac{13}{2}O_2=\mathbf{6.5}\ \mathrm{mol}$$

となる．

⑹　題意の条件を図にしたものを**第 1 図**に示す．

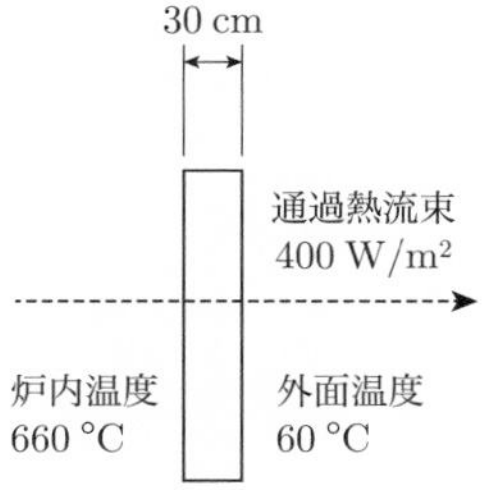

第 1 図

第 1 図より，断熱レンガの熱伝導率γは，

$$\gamma=400\times0.3\times\frac{1}{660-60}=\mathbf{0.2}\ \mathrm{W/(m\cdot K)}$$

と表される．

⑺　題意の条件を図にしたものを**第2図**に示す.

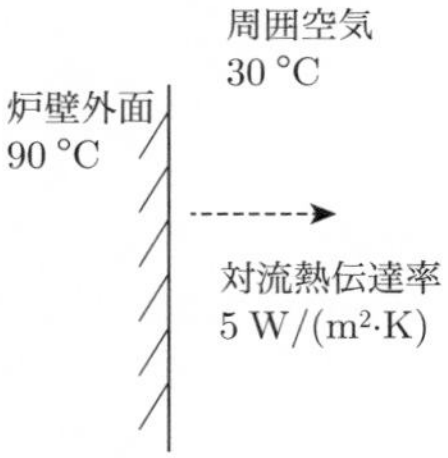

第2図

第2図より，単位時間当たりの損失熱量 Q は，

$$Q = 5 \times (90 - 30) = 300 = \mathbf{3.0} \times 10^2 \text{ W/m}^2$$

となる.

⑻　乾き飽和蒸気とするのに必要な熱量 Q は以下のようになる.

$$Q = (503.8 - 125.8) \times 50 + 2\,202 \times 50$$
$$= 129\,000 \fallingdotseq \mathbf{1.3} \times 10^5 \text{ kJ}$$

⑼　『目標及び措置部分』について

2　その他エネルギーの使用の合理化に関する事項

⑴　熱エネルギーの効率的利用のための検討

熱の効率的利用を図るためには，有効エネルギー（エクセルギー）の観点からの総合的なエネルギー使用状況のデータを整備するとともに，熱利用の**温度**的な整合性改善についても検討すること.

⑽　『基準部分（工場）』について

工場内にある事務所等の空気調和の管理は，空気調和を施す区画を限定し，ブラインドの管理等による負荷の軽減及び区画の使用状況等に応じた設備の運転時間，室内温度，換気回数，湿度，**外気**の有効利用等についての管理標準を設定して行うこと．なお，冷暖房温度については，政府の推奨する設定温度を勘案した管理標準とすること.

⑾　題意の条件を図にしたものを**第3図**に示す.

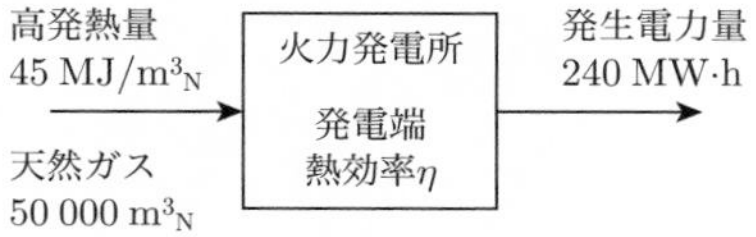

第3図

第3図より，発電端熱効率ηは，

$$\eta = \frac{240 \times 3\,600}{45 \times 50\,000} \times 100 = \mathbf{38.4}\ \%$$

⑿ 題意の線間電圧と相電圧の関係図を**第4図**に示す．

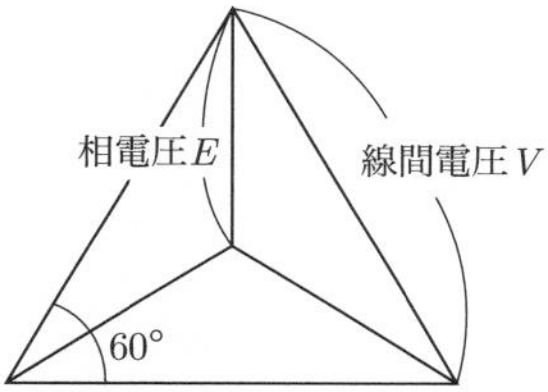

第4図

第4図より，三角形に着目すると，

$$\sqrt{3} : \frac{V}{2} = 2 : E$$

$$\therefore \quad V = \sqrt{3} \times E$$

つまり，線間電圧 V は相電圧 E の$\mathbf{\sqrt{3}}$倍である．

⒀ 題意の条件をもとにベクトル図にしたものを**第5図**に示す．

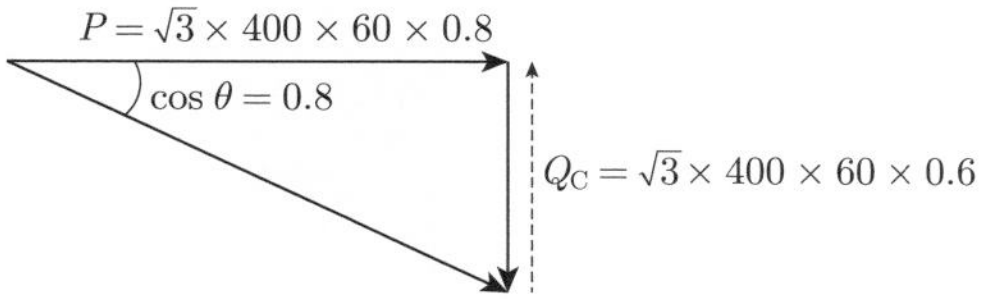

第5図

第5図より，力率100 %にするためには三相負荷の無効電力分をコンデンサ容量で補えばいいから，コンデンサ容量 Q_C は，

$$Q_C = \sqrt{3} \times 400 \times 60 \times 0.6 = 1.73 \times 400 \times 60 \times 0.6 = 24\,912\ \text{var} \fallingdotseq \mathbf{24.9}\ \text{kvar}$$

⒁ 『基準部分（工場）』について

受変電設備の配置の適正化及び配電方式の変更による配電線路の短縮，**配電電圧の適正化**等について管理標準を設定し，配電損失を低減すること．

⒂ 14時から14時15分までの平均電力 P_1 は，

$$P_1 = \frac{1\,100}{\frac{15}{60}} = 4\,400\ \text{kW}$$

となる．

14時15分から14時30分までの平均電力 P_2 は，平均電力4 000 kW以下に抑制するため次式が成立する．

$$\frac{4\,400+P_2}{2}=4\,000$$

$$\therefore\quad P_2=\mathbf{3\,600}\ \mathrm{kW}$$

⒃ 題意の条件を図にしたものを**第6図**に示す．

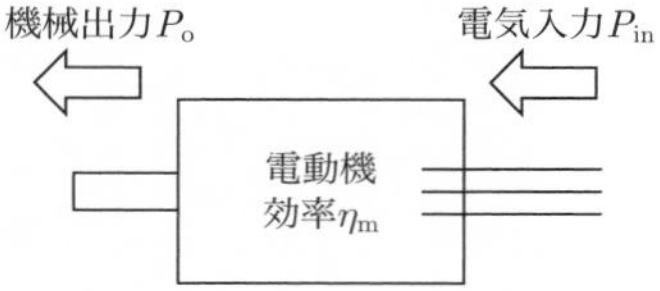

第6図

第6図より次式が成り立つ．

$$P_{in}=\frac{P_o}{\eta_m}=\frac{2\pi\times\dfrac{720}{60}\times1\,000}{0.9}=\frac{2\times3.14\times\dfrac{720}{60}\times1\,000}{0.9}\fallingdotseq 83\,733\ \mathrm{W}\Rightarrow\mathbf{83.7}\ \mathrm{kW}$$

⒄ 『基準部分（工場）』について

ポンプ，ファン，ブロワー，コンプレッサー等の流体機械については，使用端圧力及び吐出量の見直しを行い，負荷に応じた運転台数の選択，**回転数の変更**等に関する管理標準を設定し，電動機の負荷を低減すること．なお，負荷変動幅が定常的な場合には，配管やダクトの変更，インペラカット等の対策を実施すること．

⒅ 誘導加熱は，コイルの交番磁束により被加熱材に誘導される渦電流による**ジュール熱**を利用する加熱方式である．

⒆ JISが定めた推奨照度は事務所は750 lxと定められている．照明基準総則では，領域，作業または活動の種類により定められており，おおむね**500～1 000** lxの範囲としている．

問題4
(1) 1―エ，2―ウ，3―イ，4―イ，5―ア
(2) 6―ウ，7―カ，8―ウ，9―カ，10―ク

【指導】

(1) 1) 問題図1において，R_L と L の直列回路および，R_C と C の並列回路の合成インピーダンス $\dot{Z}_1$ および，$\dot{Z}_2$ は以下で求められる．ただし，電源の角周波数を ω [rad/s] とする．

$$\dot{Z}_1 = \boldsymbol{R_L + j\omega L}\ [\Omega] \qquad ①$$

$$\dot{Z}_2 = \frac{R_C(1/j\omega C)}{R_C + (1/j\omega C)} = \frac{\boldsymbol{R_C}}{\boldsymbol{1 + j\omega C R_C}}[\Omega] \qquad ②$$

2)　ブリッジ回路の平衡条件は対辺のインピーダンス同士の積が等しいことであり，以下で表される．

$$\boldsymbol{R_1 R_2 = \dot{Z}_1 \dot{Z}_2} \qquad ③$$

3)　題意より，③式に①，②式を代入して，R_L と L を既知とする．未知数である R_C と C は，複素数の両辺が等しいとき，以下で求められる．

$$R_1R_2 = (R_L + j\omega L)\frac{R_C}{1 + j\omega C R_C}$$
$$\to R_1R_2(1 + j\omega C R_C) = R_1R_2 + j\omega C R_C R_1 R_2 = R_L R_C + j\omega L R_C$$

$$R_L R_C = R_1 R_2 \to R_C = \frac{\boldsymbol{R_1 R_2}}{\boldsymbol{R_L}}[\Omega] \qquad ④$$

$$\omega C R_C R_1 R_2 = \omega L R_C \to C = \frac{L R_C}{R_C R_1 R_2} = \frac{\boldsymbol{L}}{\boldsymbol{R_1 R_2}}[\mathrm{F}] \qquad ⑤$$

(2)　1)　問題図 3 の平衡三相負荷回路を △ 結線から Y 結線に変更した場合，1 相当たりの負荷インピーダンス $\dot{Z}_Y$ は 1/3 になり，以下で表される．

$$\dot{Z}_Y = \frac{\boldsymbol{R + j\omega L}}{\boldsymbol{3}}[\Omega] \qquad ⑥$$

Y 結線負荷に流れる電流 $\dot{I}_a$ は，相電圧 $\dot{E}_a = E$ として $\dot{Z}_Y$ から以下で表される．

$$\dot{I}_a = \frac{\dot{E}_a}{\dot{Z}_Y} = \frac{E}{\dfrac{R + j\omega L}{3}} = \frac{3E}{R + j\omega L} = \frac{3E(R - j\omega L)}{R^2 + \omega^2 L^2}[\mathrm{A}] \qquad ⑦$$

題意および⑦式より，三相負荷全体の複素電力 $\dot{S}$ は，以下で表される．

$$\dot{S} = 3E\overline{\dot{I}_a} = 3E\frac{3E(R + j\omega L)}{R^2 + \omega^2 L^2} = \frac{\boldsymbol{9E^2}}{\boldsymbol{R^2 + \omega^2 L^2}}\boldsymbol{(R + j\omega L)}[\mathrm{V{\cdot}A}] \qquad ⑧$$

2)　i) ii) 問題図 4，5 において，二つの直列抵抗 $2R$ に加わる電圧は，bc 線間電圧の $\dot{V}_{bc}$ [V] である．問題図 4 の b 点から $2R$ に向かって流れる電流 $\dot{I}_b$ は，$\dot{V}_{bc}$ と同相，同図 c 点から $2R$ に向かって流れる電流 $\dot{I}_c$ は $-\dot{I}_b$ であることがわかる（**第 1 図**）．

したがって，電流のフェーザ図として最も適切なものは問題図 6 の **(B)** であることがわかる．

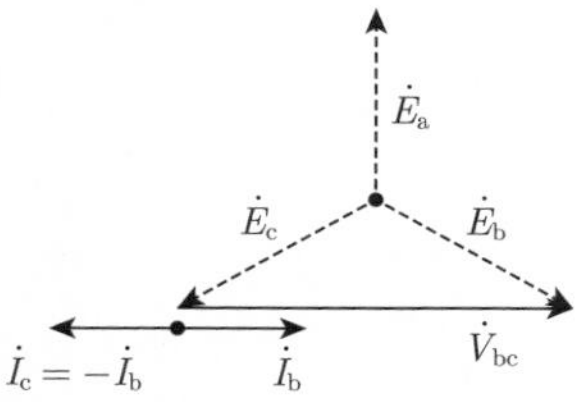

第1図　電圧と電流フェーザ

問題5

(1)　1—イ，2—オ，3—ア，4—エ

(2)　5—イ，6—ア，7—イ

(3)　8—カ，9—エ，10—ア

(4)　11—エ，12—イ，13—エ，14—イ

【指導】

(1)　1)　外乱 $D(s)=0$ の場合，外乱を考慮しなくてもよいためブロック線図は**第1図**のようになる．

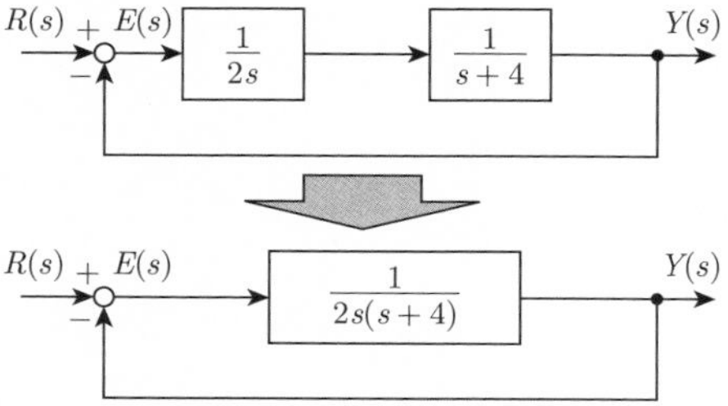

第1図

第1図より，目標値 $R(s)$ から制御量 $Y(s)$ までの伝達関数 $G_{\mathrm{RY(s)}}$ は，

$$G_{\mathrm{RY(s)}}=\frac{Y(s)}{R(s)}=\frac{\dfrac{1}{2s(s+4)}}{1+\dfrac{1}{2s(s+4)}}=\frac{1}{2s(s+4)+1}$$

$$\therefore\quad G_{\mathrm{RY(s)}}=\boldsymbol{\frac{1}{2s^2+8s+1}}$$

目標値 $R(s)=0$ のブロック線図を**第2図**に示す．

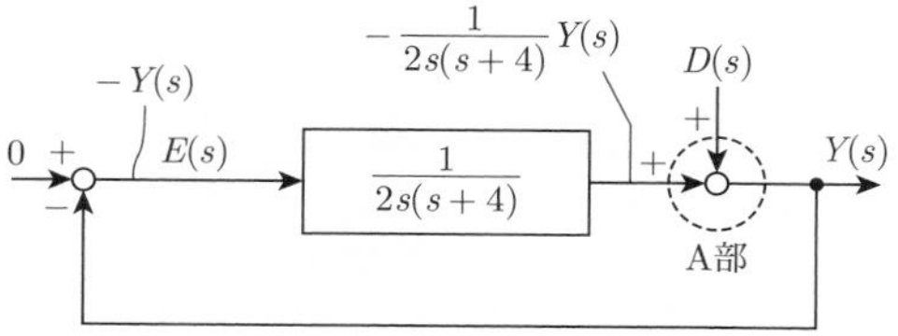

第 2 図

第 2 図の A 部について式を組み立てると，

$$D(s) - \frac{Y(s)}{2s(s+4)} = Y(s)$$

$$(2s^2 + 8s)D(s) = (2s^2 + 8s + 1)\,Y(s)$$

したがって，外乱 $D(s)$ から制御量 $Y(s)$ までの伝達関数 $G_{\mathrm{DY(s)}}$ は，

$$G_{\mathrm{DY(s)}} = \frac{Y(s)}{D(s)} = \boldsymbol{\frac{2s^2 + 8s}{2s^2 + 8s + 1}}$$

2)　第 1 図を偏差 $E(s)$ および目標値 $R(s)$ について図を描き直すと**第 3 図**のようになる．

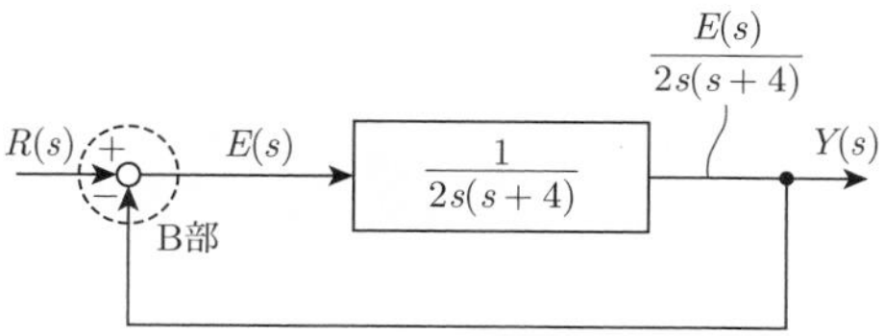

第 3 図

第 3 図の B 部について式を組み立てると，

$$E(s) = R(s) - \frac{E(s)}{2s(s+4)}$$

$$\frac{2s(s+4)+1}{2s(s+4)}E(s) = R(s)$$

$$\therefore \quad E(s) = \frac{2s(s+4)}{2s^2 + 8s + 1}R(s) \qquad ①$$

目標値 $r(t) = 1$ をラプラス変換した $R(s) = \frac{1}{s}$ を①式に代入し定常値 $\lim_{t \to \infty} e(t)$ を求める．

$$\lim_{t\to\infty} e(t) = \lim_{s\to 0} sE(s) = \lim_{s\to 0} s \times \frac{2s(s+4)}{2s^2+8s+1} \times \frac{1}{s} = \mathbf{0}$$

目標値 $r(t) = t$ をラプラス変換した $R(s) = \dfrac{1}{s^2}$ を①式に代入し定常値 $\lim_{t\to\infty} e(t)$ を求める．

$$\lim_{t\to\infty} e(t) = \lim_{s\to 0} sE(s) = \lim_{s\to 0} s \times \frac{s(2s+8)}{2s^2+8s+1} \times \frac{1}{s^2} = \frac{8}{1} = \mathbf{8}$$

(2) 1) システムが安定である条件は，伝達関数のすべての極の実数が負であることである．よって，すべての極が複素平面の**左半面**に存在するとき，そのシステムは安定である．

2) 二次遅れ系は一般的に次式で表される．

$$G(s) = \frac{{\omega_\mathrm{n}}^2}{s^2 + 2\zeta\omega_\mathrm{n} + {\omega_\mathrm{n}}^2} \quad ②$$

②式の特性方程式は，

$$s^2 + 2\,\zeta\omega_\mathrm{n} + {\omega_\mathrm{n}}^2 = 0 \quad ③$$

となる．

次に応答時間 t の一般式は，

$$t = \frac{\pi}{\omega_\mathrm{n}\sqrt{1-\zeta^2}}\,[\mathrm{s}] \quad ④$$

となる．

また，最大行き過ぎ量 p の一般式は，

$$p = e^{-\frac{\zeta}{\sqrt{1-\zeta^2}}\pi} \quad ⑤$$

となる．

ⅰ）極が共役複素数である場合，極の位置を原点方向に近づけるには，③式の ζ と ω_n を小さくする必要がある．

このとき，④式の応答時間は大きくなるためシステムの応答は**遅くなる**．

ⅱ）極が共役複素数である場合，極の位置を実軸に垂直に近づけるには固有角周波数を一定とし減衰係数を大きくする必要がある．

したがって，⑤式の最大行き過ぎ量は小さくなるため，システムのオーバシュートは**小さくなる**．

(3) ハードディスクドライブ装置は，高速回転する複数枚の磁気ディスクにより構成されている．その1枚のディスクは同心円状の**トラック**から構成され，その一つの**トラック**は複

数の**セクタ**により構成される．**セクタ**は物理的な最小書き込み単位であり，この一つあるいは複数を使用して，論理的な最小書き込み単位である**クラスタ**が構成される．

それぞれ図に表すと**第4図**のようになる．あくまでもセクタは物理的な最小書き込み単位であり，実際にパソコン上ではクラスタ単位で書き込みが行われている．

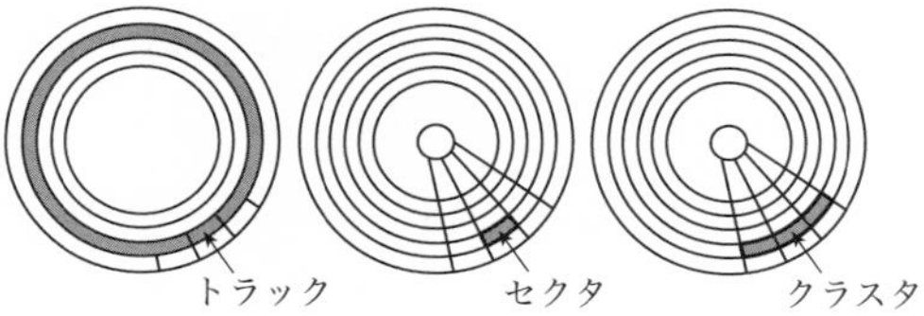

第4図

⑷ 1) 企業などの内部ネットワークをインターネットに接続する場合は，不正アクセス対策として内部ネットワークとインターネットの間に**ファイアウォール**と呼ばれるシステムを置き，**ファイアウォール**を通してのみインターネットとの通信を許可する場合が多い．インターネットに公開するサーバを設置する場合は，内部ネットワークとインターネットの両方からアクセスできる**DMZ**と呼ばれるセグメントを設け，公開用サーバは**DMZ**に設置する方法が採用されることが多い．

DMZ（DeMilitarized Zone：非武装地帯）とは，インターネットと内部ネットワークの間に設置される保護層のことで外部不正アクセスを防御しつつ，必要な通信を許可するためのセキュリティの仕組みのことである．また，ファイアウォールも内部ファイアウォールや外部ファイアウォールがありセキュリティリスクを最小限に抑えている．

2) 現場環境や構造により有線LANの敷設が困難な工場などでは，無線LANの導入が進められている．コンピュータなどの機器を無線LANに接続する際は，**アクセスポイント**という基地局機能を経由する．無線LANの一つで，一般にWi-Fiと呼ばれているのは，国際的に広く普及している通信規格の**IEEE802.11**で定める品質に適合したもののことである．

IEEE802.11（アイトリプルイー802.11）は，無線LAN規格の一つであり，無線局免許不要で使用できる範囲のものである．

IEEE802.11ax(Wi-Fi6)では，周波数帯域2.4 GHz帯/5 GHz帯/6 GHz帯を使用し最大通信速度9.6 Gbpsで使用可能であり，さらに高速化，省電力化，セキュリティ強化など技術革新が進められている．

解答
指導

問題6

(1) 1—ケ，2—カ，3—ウ，4—サ

(2) 5—オ，6—ア，7—ア

(3) 8—ア，9—オ，10—イ

【指導】

(1) 現代の計測の多くの場面では，測定対象の電気的なアナログ値をディジタル値に変換することが多い．アナログ—ディジタル変換は，**連続量を離散量**に変換するものであり，この変換を量子化とも呼ぶ．変換された値は，アナログ—ディジタル変換のビット数により有効桁が制限される．変換する際のそのような制限によって信号に生じるノイズを量子化雑音と呼ぶ．

いま，電圧をアナログ—ディジタル変換するときに発生するその量子化雑音の大きさに着目してみる．ここでは，被測定の電圧領域を n ビットで 2^n 個の領域に線形分割する方法を考える．

分割された各電圧領域の幅を ΔV とすると，各電圧領域の雑音の振幅は $\frac{-\Delta V}{2}$ から $\frac{+\Delta V}{2}$ の範囲に**一様**分布すると仮定できる．この間の電圧変化が直線的であるとすると，量子化雑音の電圧二乗平均（雑音パワー）を W で表せば，

$$W=\boldsymbol{\frac{(\Delta V)^2}{12}}$$

と計算できる．ビット数（深度）が大きくなった場合，量子化雑音の大きさは**小さくなる**．

上記の条件で式を組み立てると，

電圧2乗平均

$$W=\frac{1}{\Delta V}\int_{-\frac{\Delta V}{2}}^{+\frac{\Delta V}{2}} v^2\,\mathrm{d}v=\frac{1}{\Delta V}\left[\frac{v^3}{3}\right]_{-\frac{\Delta V}{2}}^{+\frac{\Delta V}{2}}=\frac{1}{\Delta V}\left(\frac{\frac{\Delta V^3}{8}+\frac{\Delta V^3}{8}}{3}\right)$$

$$=\frac{1}{\Delta V}\left(\frac{\frac{2\Delta V^3}{8}}{3}\right)=\frac{(\Delta V)^2}{12}$$

$$\therefore\ W=\frac{(\Delta V)^2}{12}$$

(2) 1) 題意の図に数値を代入したものを**第1図**に示す．

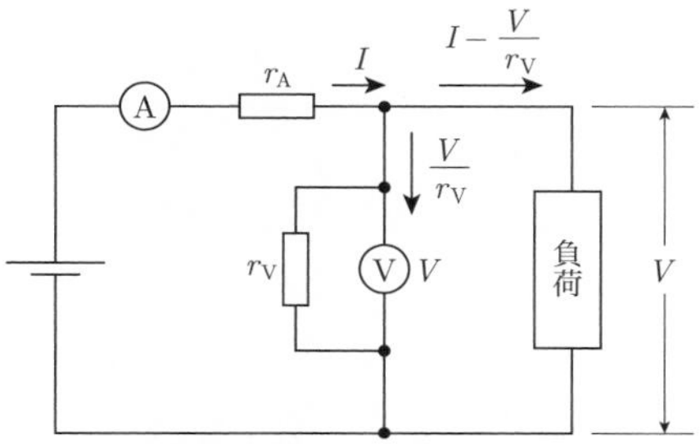

第 1 図

第 1 図より，負荷の消費電力 P_1 は，

$$P_1 = V\left(I - \frac{V}{r_V}\right) = \boldsymbol{VI - \frac{V^2}{r_V}} \qquad ①$$

題意の図に数値を代入したものを**第 2 図**に示す．

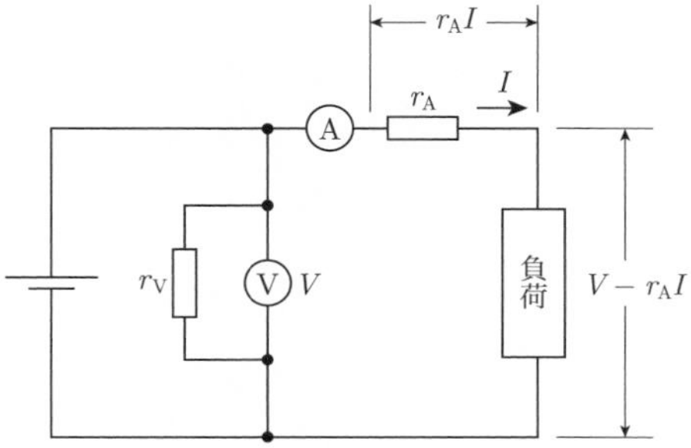

第 2 図

第 2 図より，負荷の消費電力 P_2 は，

$$P_2 = (V - r_A I)I = \boldsymbol{VI - r_A I^2} \qquad ②$$

2)　①式および②式に題意の数値を代入すると，

$$P_1 = 15 \times 0.5 - \frac{15^2}{10 \times 10^3} = 7.477\,5\ \mathrm{W}$$

$$P_2 = 15 \times 0.5 - 50 \times 10^{-3} \times 0.5^2 = 7.487\,5\ \mathrm{W}$$

となる．真値の消費電力を $P = 15 \times 0.5 = 7.5$ W とした場合，誤差は以下のとおりとなる．

$$p_1 = P - P_1 = 7.5 - 7.477\,5 = 0.022\,5\ \mathrm{W}$$

$$p_2 = P - P_2 = 7.5 - 7.487\,5 = 0.012\,5\ \mathrm{W}$$

したがって，誤差の大きさは**図 1 の方が大きく**なる．

(3)　1)　計器用変圧器（VT）を**第 3 図**に示す．第 3 図より，測定対象の電圧 v_1 は以下のように表される．

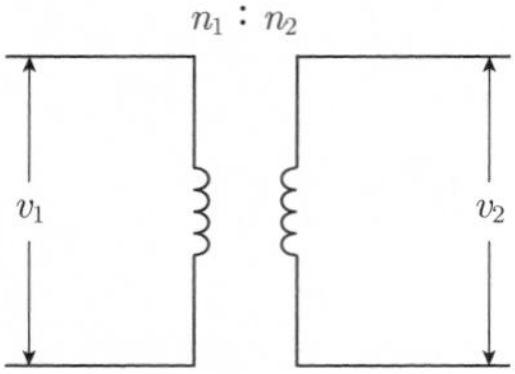

第3図

$$v_1 : v_2 = n_1 : n_2$$

$$v_1 n_2 = v_2 n_1$$

$$v_1 = \boldsymbol{\frac{n_1}{n_2} v_2}$$

2)　三相3線式の負荷の電力測定には**二電力計**法の原理が用いられることが多く，非有効接地系であれば，負荷が平衡三相であるか否かにかかわらず計測が可能である．ちなみに，平衡三相負荷の場合の電力 $P_{3\phi}$は，線間電圧が V，線電流が I，力率が $\cos\varphi$ のとき，Y 結線であるか △ 結線であるかには関係なく，$P_{3\phi} = \boldsymbol{\sqrt{3} VI \cos\varphi}$ となる．

二電力計法（例）を**第4図**に示す．

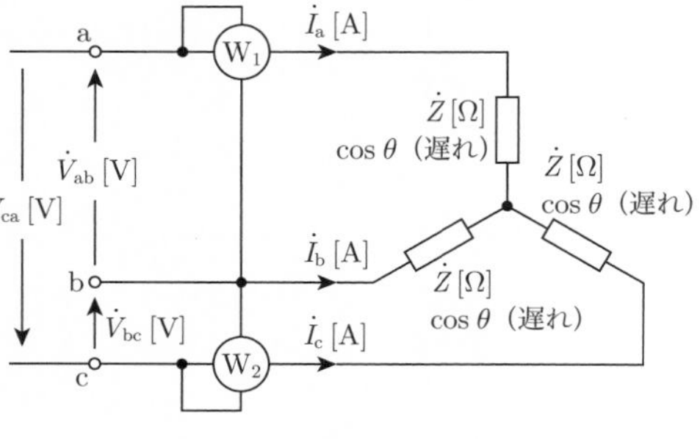

第4図

第4図の W_1 と W_2 を計測することで三相電力がわかる．三相電力 P は，

$$P = W_1 + W_2 = \sqrt{3} VI \cos\theta$$

問題7

(1)　1—ウ，2—ウ，3—オ，4—ウ

(2)　5—オ，6—ウ，7—イ，8—エ

(3)　A—120，B—125，C—96，D—80，E—9.1

【指導】

(1) 1) 電気設備の機器や部品の経年劣化によって発生する事故を防止する効果的な対策の一つとして，計画的に点検を行うことを**予防**保全という．

2) 電気設備のある部分で故障が発生したとき，故障設備を電源から素早く遮断して他の健全な設備に電気を供給できるようにする目的で**保護**協調をとる．一般的に受電設備の保護リレーは時限差継電方式が採用され，前記により一般送配電事業者の送配電系統に比べて**短い**時限で遮断するように整定される．

3) わが国の配電線は非接地方式が一般的であり，これを非有効接地系という．非有効接地系において多回線引き出しの地絡故障保護には，**零相**電圧に対する零相電流の向きによって動作する地絡方向継電器が使用されることが多い．

(2) 1) 太陽光発電などの自家用発電設備を一般用送配電事業者の配電系統に連系する場合を考える．公衆や作業者の安全，配電系統や需要家の電気設備の保全を確保するための技術的な基準として，「**電気設備**の技術基準の解釈」がある．電圧，周波数などを**電力品質**といい，その確保に関しては，「電力品質の確保に係る系統連系技術要件ガイドライン」が定められている．

2) 電圧不平衡率は(**逆相電圧 / 正相電圧**) × 100 [%] で表される．一方，簡易式として，(各線間電圧と平均電圧の差の絶対値の**最大値** / 平均電圧) × 100 [%] で計算してもよい．

(3) 1) 題意および問題図より，受電点を流れる電流 I は，以下で求められる．ただし，負荷電力 $P = 1\,100$ kW，力率 $\cos\varphi = 0.8$（遅れ），受電点の線間電圧 $V_r = 6.6$ kV（一定）である．

$$I = \frac{P}{\sqrt{3}V_r \cos\varphi} = \frac{1100\times10^3}{\sqrt{3}\times6.6\times10^3\times0.8} \fallingdotseq 120.28 \fallingdotseq \mathbf{120}\ \mathrm{A} \quad ①$$

変電所から受電点までの電圧降下 ΔV は，問題文の式を使い，以下で求められる．ただし，配電線の抵抗 $R = 0.3\ \Omega$，リアクタンス $X = 0.6\ \Omega$，$\sin\varphi = \sqrt{1-0.8^2} = 0.6$ とし，その他の条件は無視できるとする．

$$\Delta V = \sqrt{3}I(R\cos\varphi + X\sin\varphi) = \sqrt{3}\times120.28\times(0.3\times0.8+0.6\times0.6)$$
$$\fallingdotseq 125.00 \fallingdotseq \mathbf{125}\ \mathrm{V} \quad ②$$

2) 力率改善のため，進相コンデンサ $Q_C = 500$ kvar を接続したあと，受電端の無効電力 Q' [kvar] は，負荷の遅れ無効電力 Q [kvar] から Q_C を引いて計算できる．

$$Q' = Q - Q_C = \frac{\sin\varphi}{\cos\varphi}P - Q_C = \frac{0.6}{0.8}\times1100 - 500 = 325\ \mathrm{kvar} \quad ③$$

第1図から，力率 $\cos\varphi'$ は，以下で求められる．

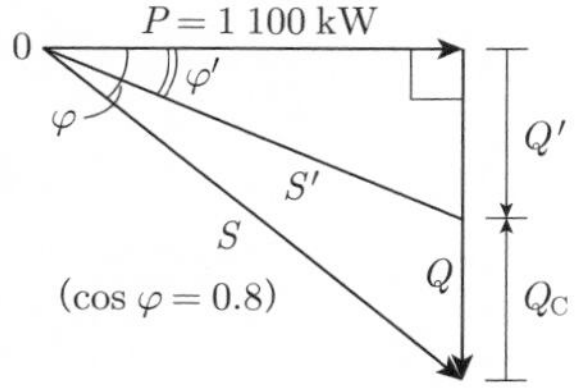

第1図　力率改善

$$\cos\varphi' = \frac{P}{\sqrt{P^2+Q'^2}} = \frac{1100}{\sqrt{1\,100^2+325^2}} \fallingdotseq 0.959\,02 \fallingdotseq \mathbf{96}\ \%$$　④

電圧は一定のため，受電点を流れる電流 I' は，以下で計算できる．

$$I' = \frac{P}{\sqrt{3}V_{\mathrm{r}}\cos\varphi'} = \frac{1\,100\times10^3}{\sqrt{3}\times6.6\times10^3\times0.959\,02}$$
$$\fallingdotseq 100.34\ \mathrm{A}$$　⑤

④，⑤式より，変電所から受電点までの電圧降下 $\Delta V'$ は，以下で求められる．

$$\Delta V' = \sqrt{3}I'(R\cos\varphi' + X\sin\varphi')$$
$$= \sqrt{3}\times100.34\times(0.3\times0.959\,02+0.6\times\sqrt{1-0.959\,02^2}$$
$$\fallingdotseq 79.547 \fallingdotseq \mathbf{80}\ \mathrm{V}$$　⑥

⑤式より配電線での電力損失（三相分）$p_3{}'$ は，以下で求められる．

$$p_3{}' = 3RI'^2 = 3\times0.3\times100.34^2 \fallingdotseq 9\,061.3\ \mathrm{W} \fallingdotseq \mathbf{9.1}\ \mathrm{kW}$$　⑦

問題8

(1)　1—ア，2—ウ，3—エ

(2)　4—ウ，5—エ

(3)　6—イ，7—エ，8—エ，9—イ

(4)　A—99.0，B—1.17，C—12.5，D—4.00，E—76.9

【指導】

(1)　$\textbf{需要率} = \dfrac{\text{最大需要電力}}{\text{合計設備容量}}\times 100\ \%$

$\textbf{負荷率} = \dfrac{\text{ある期間の平均電力}}{\text{その期間中の最大需要電力}}\times 100\ \%$

$\textbf{不等率} = \dfrac{\text{個々の負荷の最大需要電力の合計}}{\text{全負荷の最大需要電力}}$

需要率は変圧器などの設備容量が適正かどうかの評価にも使用され，**負荷率**は電力需要の最適化の計画や最大需要電力の算出などに使用される．これらの負荷諸係数を活用して，負荷の管理や使用の合理化を行うことが重要である．

(2) 配電線路にアーク炉や溶接機などの負荷変動の大きい機器が接続されると，その変動する負荷電流によって配電線路の電圧が変動する．この電圧変動が短時間に頻繁に繰り返されると，白熱電球や蛍光ランプの明るさにちらつきが生じる．これは**フリッカ**と呼ばれ，ちらつきが著しい場合には人に不快感を与えてしまう．

これらの抑制対策として，発生源であるアーク炉や溶接機側に補償装置を設置することや，一般負荷への影響を抑制するために，発生源への供給回線を**専用供給線**とするなどの方法がある．

(3) 1) 雷サージによる過電圧から受電設備を保護する目的で設置される避雷器は，例えば特別高圧受電の場合では，受電設備の電源側に施設される．その際には，避雷器の**制限電圧**と保護対象機器の絶縁強度との間に 20 % 以上の裕度をもたせることで絶縁協調を図るのが一般的である．最近では，高性能な**酸化亜鉛**素子を用いたギャップレス避雷器が広く使われている．

2) 開閉装置は電気回路を開閉する機器の総称である．そのうち，遮断器は負荷電流あるいは故障電流を迅速に遮断し，電路を切り離すために施設されるものであり，高圧以上では**真空**遮断器や SF_6 ガス遮断器が現在の主流となっている．また，断路器は，点検や修理などのための回路の切離しや接続変更，充電された電路の開放のために用いられる装置であり，一般に負荷電流の開閉はできない．

新設の電気設備では，断路器で負荷電流を開閉しないために遮断器とインタロックをとり事故防止を考慮した設計となっている．

3) 調相設備には，進相用の電力用コンデンサ，遅相用の分路リアクトル，及び進相・遅相の双方に連続的に使用できるものとして同期調相機や **SVC** がある．SVC は，静止型調相設備の一種であり，一般には，分路リアクトル，進相コンデンサ及びサイリスタで構成され，応答速度の速い無効電力補償を行うことができる．

SVC は，受電端電圧の安定化，系統安定度向上，負荷変動による電圧フリッカ補償などの目的で使用され，構成はサイリスタの位相制御や自励式変換装置を用いて無効電力を制御する方式がある．

(4) 題意の図に数値を代入したものを**第 1 図**に示す．

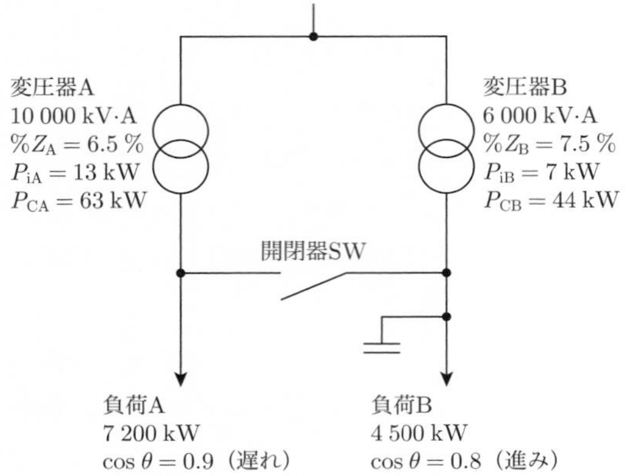

第1図

1）　開閉器SWを開放状態での変圧器Aの電力損失 P_{lA} と変圧器Bの電力損失 P_{lB} の合計 P_l は以下のように求めることができる．

$$P_{lA} = 13 + \left(\frac{\dfrac{7\,200}{0.9}}{10\,000}\right)^2 \times 63 = 53.32\ \text{kW}$$

$$P_{lB} = 7 + \left(\frac{\dfrac{4\,500}{0.8}}{6\,000}\right)^2 \times 44 \fallingdotseq 45.67\ \text{kW}$$

$$\therefore\ P_l = P_{lA} + P_{lB} = 53.32 + 45.67 = 98.99 \fallingdotseq \mathbf{99.0}\ \text{kW}$$

2）　開閉器SWが投入後の並行運転について考える．負荷Aおよび負荷Bについて有効電力と無効電力に分け表すと以下のようになる（遅れを＋とする）．

・負荷A（$P_A + \text{j}Q_A$）

$$P_A + \text{j}Q_A = 7\,200 + \text{j}\frac{7\,200}{0.9} \times \sqrt{1-(0.9)^2} \fallingdotseq 7\,200 + \text{j}7\,200 \times 0.484\,322$$

$$= 7\,200 + \text{j}3\,487.12 \qquad ①$$

・負荷B（$P_B - \text{j}Q_B$）

$$P_B - \text{j}Q_B = 4\,500 - \text{j}\frac{4\,500}{0.8} \times \sqrt{1-(0.8)^2} = 4\,500 - \text{j}4\,500 \times 0.75$$

$$= 4\,500 - \mathrm{j}3\,375 \qquad ②$$

負荷 A と負荷 B の合計（$P_{\mathrm{AB}} + \mathrm{j}Q_{\mathrm{AB}}$）は，①式＋②式であるから，

$$P_{\mathrm{AB}} + \mathrm{j}Q_{\mathrm{AB}} = 7\,200 + \mathrm{j}3\,487.12 + 4\,500 - \mathrm{j}3\,375 = 11\,700 + \mathrm{j}112.12$$

となる．

よって，皮相電力 S_{AB} は，

$$S_{\mathrm{AB}} = \sqrt{11\,700^2 + 112.12^2} \fallingdotseq 11\,700.5\,\mathrm{kV{\cdot}A} \rightarrow \mathbf{1.17} \times 10^4\ \mathrm{kV{\cdot}A}$$

10 000 kV·A を基準とした場合の変圧器 B の短絡インピーダンス $\%Z_{\mathrm{B}}'$ は，

$$\%Z_{\mathrm{B}}' = \frac{10\,000}{6\,000} \times 7.5 = \mathbf{12.5}\,\%$$

したがって，変圧器 B が負担する皮相電力 S_{B}' は，

$$S_{\mathrm{B}}' = S_{\mathrm{AB}} \times \frac{\%Z_{\mathrm{A}}}{\%Z_{\mathrm{A}} + \%Z_{\mathrm{B}}'} = 11\,700.5 \times \frac{6.5}{6.5 + 12.5} \fallingdotseq 4\,002.8 \fallingdotseq \mathbf{4.00} \times 10^3\ \mathrm{kV{\cdot}A}$$

また，変圧器 A が負担する皮相電力 S_{A}' は，

$$S_{\mathrm{A}}' = 11\,700.5 - 4\,002.8 = 7\,697.7\ \mathrm{kV{\cdot}A}$$

となる．

電力損失 P_{lA}' と変圧器 B の電力損失 P_{lB}' の合計 $\mathrm{P_l}'$ は以下のように求めることができる．

$$P_{\mathrm{lA}}' = 13 + \left(\frac{7\,697.7}{10\,000}\right)^2 \times 63 \fallingdotseq 50.33\ \mathrm{kW}$$

$$P_{\mathrm{lB}}' = 7 + \left(\frac{4\,002.8}{6\,000}\right)^2 \times 44 \fallingdotseq 26.58\ \mathrm{kW}$$

$$\therefore\ P_{\mathrm{l}}' = P_{\mathrm{lA}}' + P_{\mathrm{lB}}' = 50.33 + 26.58 = 76.91 \fallingdotseq \mathbf{76.9}\ \mathrm{kW}$$

問題9

(1)　1 ― エ，2 ― ウ，3 ― ア，4 ― カ，5 ― ク

(2)　6 ― ウ，7 ― イ，8 ― オ，9 ― エ，10 ― イ

(3)　A ― 4.8，B ― 1.2，C ― 6.4，D ― 4.35，E ― 3.12

【指導】

(1)　1)　変圧器を電源に接続する際，磁気飽和を原因とする大きな励磁突入電流が流れることがある．励磁突入電流の大きさは，遮断器投入時の電圧位相，変圧器の残留磁束によっても変わるものの，どちらも磁気飽和の度合いに関係している．変圧器に印加される電圧の瞬時値を v，鉄心内磁束の瞬時値を ϕ とすれば，両者の関係は以下で表される．

$$v = \frac{\mathrm{d}\phi}{\mathrm{d}t}\,[\mathrm{V}] \rightarrow \mathrm{d}\phi = v\mathrm{d}t \quad ①$$

$$\therefore \quad \phi = \int v\mathrm{d}t\,[\mathrm{Wb}]$$

したがって，磁束ϕは，電圧 v の**時間積分**値で表される．ここで，鉄心中に残留磁束がなく，電源電圧の $v = 0$ V の時間を基準として，**π/2** [rad] の位相で遮断器が投入された場合を考える（**第 1 図**）．変圧器を問わず鉄心は大きさ，コスト等の制約から最大磁束密度を超えた付近で磁気飽和が起きる．電圧 v を最大値 E_{m} 角速度ω [rad/s] の正弦波とすれば磁束ϕは第 1 図中①のように磁気飽和せずに正弦波を描き定常運転となる．

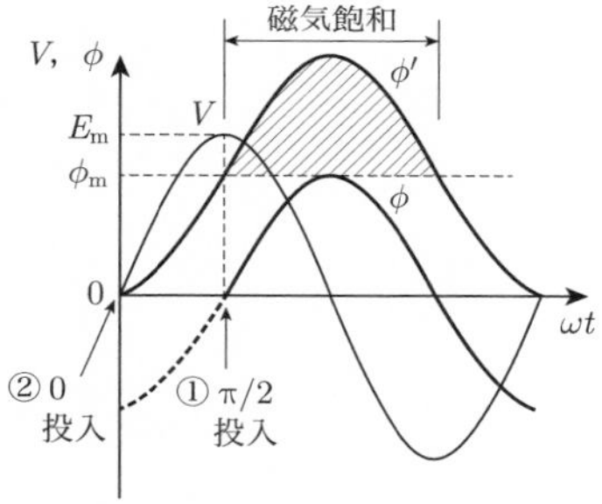

第 1 図 電源電圧と鉄心磁束

2) 一方，電源位相が **0** rad の位相で遮断器が投入された場合，第 1 図中②のようにϕは零から出発するが，最大磁束は定常運転時の 2 倍となり，鉄心の**飽和**磁束密度を超える．この状態の鉄心と励磁回路は，励磁電流を制限する励磁インダクタンスが ≒ 0 となり，大きな励磁電流が流れ，これを励磁突入電流という．

3) 励磁突入電流によって誘起される電源回路の**電圧変動**を抑制するため，投入前の残留磁束の消磁，投入時のみ遮断器に抵抗器を挿入する，前記1)のような位相とする投入位相制御などが行われる．

(2) 1) 複数台の三相同期発電機を一つの母線に接続して運転する条件として，並列投入しようとする同期発電機の**相回転**方向，起電力の周波数を母線に一致させる．その後，発電機電圧と母線電圧の大きさおよび，位相が一致したとき発電機遮断器を投入することで円滑な並行運転が開始できる．

2) 2 台の三相同期発電機が並行運転状態にあり，両機の誘導起電力が平衡状態にあるものとする．このとき A 機の界磁電流を増加させると，A 機の誘導起電力は増加し，両機の間に**無効循環**電流が流れる．この電流はA機からみると遅れ無効電流であり，界磁を**弱める**ように作用する．一方，B機からみると進み無効電流であり，界磁を**強める**ように作用する．なお，同期発電機の無効電流による影響を忘れた場合，進み電流の多い深夜・休日等で発電機の界磁電流を小さくする弱め界磁運転を行うことから，進み電流に界磁を強める効果があることを連想されるとよい．

3)　2台の三相同期発電機が並行運転状態にあり，両機の内部相差角の平衡状態が崩れた場合，両機の間に**同期化**電流が流れ，2台の発電機間に有効電力の授受が生じ，内部相差角の平衡状態が戻る．

(3)　1)　題意の三相変圧器において，負荷率 $m = 0.5$（50 %）のとき最高効率が得られるとする．また，定格運転時の損失 6 kW より，定格運転時の負荷損 p_{cn} [kW]，無負荷損 p_{i} [kW] は，以下で求められる．

$$0.5^2 p_{\mathrm{cn}} = p_{\mathrm{i}} \quad ②$$

$$p_{\mathrm{cn}} + p_{\mathrm{i}} = 6\ \mathrm{kW} \quad ③$$

$$\rightarrow p_{\mathrm{cn}} + 0.25 p_{\mathrm{cn}} = 6$$

$$\therefore\ p_{\mathrm{cn}} = \frac{6}{1+0.25} = \mathbf{4.8}\ \mathrm{kW} \quad ④$$

$$\therefore\ p_{\mathrm{i}} = 0.25 \times 4.8 = \mathbf{1.2}\ \mathrm{kW} \quad ⑤$$

2)　この変圧器の百分率抵抗降下 p，百分率リアクタンス降下 q は，以下で求められる．ただし，三相変圧器の抵抗を r [Ω]，リアクタンスを x [Ω]，定格電圧を V_{n} [V]，定格電流を I_{n} [A]，定格容量を S_{n} [V·A] および短絡インピーダンスを $\%Z = 4.4\ \%$ とする．

$$p = \frac{I_{\mathrm{n}} r}{V_{\mathrm{n}}/\sqrt{3}} \times 100 = \frac{3I_{\mathrm{n}}}{3I_{\mathrm{n}}}\frac{rI_{\mathrm{n}}}{V_{\mathrm{n}}/\sqrt{3}} \times 100 = \frac{3rI_{\mathrm{n}}{}^2}{\sqrt{3}V_{\mathrm{n}}I_{\mathrm{n}}} \times 100 = \frac{p_{\mathrm{cn}}}{S_{\mathrm{n}}} \times 100 = \frac{4.8}{750} \times 100$$

$$= 0.64 = \mathbf{6.4} \times 10^{-1}\ \% \quad ⑥$$

$$q = \sqrt{\%Z^2 - p^2} = \sqrt{4.4^2 - 0.64^2} \fallingdotseq 4.353\,2 \rightarrow \mathbf{4.35}\ \% \quad ⑦$$

3)　問題文の近似式により定格容量で力率0.8の負荷を接続したときの電圧変動率ε_1は，以下で求められる．

$$\varepsilon_1 = p\cos\varphi + q\sin\varphi = 0.64 \times 0.8 + 4.353\,2 \times \sqrt{1-0.8^2} \fallingdotseq 3.123\,9 \fallingdotseq \mathbf{3.12}\ \% \quad ⑧$$

問題10

(1)　1—ク，2—ア，3—ウ，4—ア，5—カ，6—ク，7—イ

(2)　8—ウ，9—オ，10—カ，11—ウ

(3)　12—カ，13—ク，14—セ，15—ア，16—サ

【指導】

(1) 1) 普通かご形誘導電動機の等価回路を**第1図**に示す．始動時の滑り s は最大値の1となり，二次回路の抵抗分（一次換算）r_2'/s は最小となる．したがって，始動時の二次回路は**漏れリアクタンス** x_2' が抵抗分に対して相対的に大きくなる．このため，大電流が流れても**トルク**を発生させる有効電流成分が少ない．

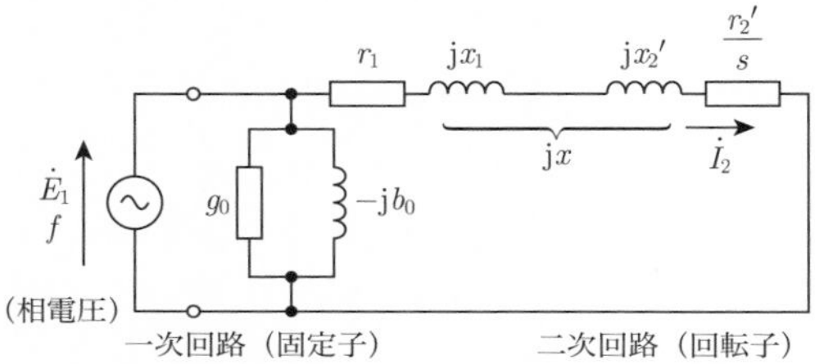

第1図 誘導電動機のL形等価回路

かご形誘導電動機の始動特性を改良するため，二次導体の**交流実効抵抗**が始動時に大きく，定格運転時に小さくなる特殊かご形誘導電動機が考案された．

2) ⅰ）誘導電動機の電源周波数を f とすると滑り s は，回転数の上昇によって小さくなり，二次周波数 $\boldsymbol{sf}$ は，停止から定格回転数までの間で大きく変化する．

ⅱ）特殊かご形誘導電動機の代表的な種類の一つである**二重**かご形誘導電動機は，二次導体を外側と内側の二つに分け，外側導体を高抵抗，内側導体を低抵抗にする（**第2図**(b)）．始動時の二次周波数が高く，内側導体の**漏れリアクタンス**は外側に比べて相当大きくなり，外側導体に電流が集中することで，二次抵抗が高くなり始動電流を抑える．一方，定格運転時は二次周波数が低く，抵抗の低い内側導体に大部分の電流が流れることで二次抵抗が低くなり，始動特性の改善を図っている．

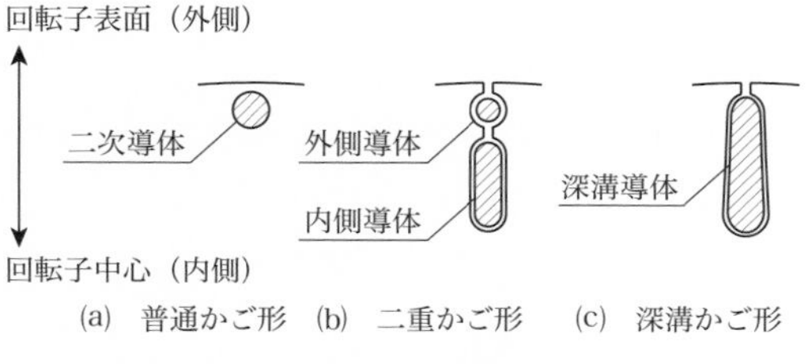

第2図 かご形誘導電動機の回転子導体

ⅲ）もう一つの**深溝**かご形誘導電動機は，二次導体が回転子の半径方向に長い形状である（第2図(c)）．始動時，回転子表面側に電流が集中することで二次抵抗が高くなり，始動電流を抑える．一方，定格運転時は導体全体に電流が流れることで，二次抵抗が低くなり，始動特性の改善を図る．

(2) 1) 汎用インバータの出力電圧，周波数制御法の一つにパルス幅変調（PWM：Pulse Width Modulation）がある．PWM は正弦波状の波形で出力電圧の指令となる**信号波**と三角状の形状をした**搬送波**を比較して，両者の大小関係で IGBT などのスイッチング素子にオン / オフ信号を出す．このときの出力電圧は高調波成分を多く含んだ方形波状であるが，誘導電動機では漏れリアクタンスのフィルタ作用により**正弦**波に近い電流が流れる．

2) ある定格容量のインバータが出力電圧および負荷力率一定の条件で運転している．その後，負荷電流が定格値からその 25 % の間を変動したとき，インバータの効率は一般的に**ほとんど変化しない**．

(3) 1) 題意より，三相かご形誘導電動機の同期回転速度 N_s は，以下で計算できる．ただし，定格周波数 $f = 50$ Hz，極数 $p = 4$ である．

$$N_s = \frac{120f}{p} = \frac{120 \times 50}{4} = 1\,500\ \mathrm{min}^{-1} \qquad ①$$

したがって，定格回転時の滑り s_1 は，以下で求められる．ただし，定格回転速度 $N_n = 1\,440\ \mathrm{min}^{-1}$ である．

$$s_1 = \frac{N_s - N_n}{N_s} = \frac{1\,500 - 1\,440}{1\,500} = 0.04 = \mathbf{4.00}\ \% \qquad ②$$

題意より，励磁電流 I_n を無視できるので，問題文中の一次負荷電流 $I_1 = 60.86$ A，二次抵抗 $r_2' = 71.0 \times 10^{-3} = 0.071\,0\ \Omega$，および①，②式より，二次入力 P_2 およびトルク T は，以下で求められる．ただし，同期回転角速度 ω_s [rad/s]，円周率 $\pi = 3.14$ とする．

$$P_2 = 3\frac{r_2'}{s}I_1^2 = 3 \times \frac{0.071\,0}{0.04} \times 60.86^2 \fallingdotseq 19.723 \times 10^3 \fallingdotseq \mathbf{19.7}\ \mathrm{kW} \qquad ③$$

$$T = \frac{P_2}{\omega_s} = \frac{19.723 \times 10^3}{2\pi \times (1\,500/60)} \fallingdotseq 125.62 \fallingdotseq \mathbf{126}\ \mathrm{N{\cdot}m} \qquad ④$$

2) 電動機を回転速度 $N_2 = 1\,200\ \mathrm{min}^{-1}$ としたとき，題意より，負荷トルク T_L の T に対する倍数 n および，インバータの出力周波数 f_2 は，以下で求められる．ただし，電動機の出力トルク＝負荷トルクとし，また，このときの滑り $s_2 = 0.027\,8$ とする．

$$T_L = \left(\frac{N_2}{N_n}\right)^2 T\ [\mathrm{N{\cdot}m}]$$

解答
指導

$$\therefore\quad n=\frac{T_{\mathrm{L}}}{T}=\left(\frac{N_2}{N_{\mathrm{n}}}\right)^2=\left(\frac{1\,200}{1\,440}\right)^2 \fallingdotseq 0.694\,44 \fallingdotseq \mathbf{0.694} \qquad ⑤$$

$$N_2=\frac{120f_2}{p}(1-s_2)\,[\mathrm{min}^{-1}]$$

$$\therefore\quad f_2=\frac{N_2 p}{120(1-s_2)}=\frac{1\,200\times 4}{120(1-0.027\,8)}=41.144 \fallingdotseq \mathbf{41.1}\,\mathrm{Hz} \qquad ⑥$$

問題11

(1)　1―ケ，2―イ，3―カ

(2)　4―オ，5―ケ，6―キ，7―ウ，8―ア

(3)　9―ケ，10―ス，11―ウ，12―カ，13―エ，14―サ，15―イ，16―ク

【指導】

(1)　1)　誘導電動機のベクトル制御とは，電動機に供給する一次電流を**励磁**電流とトルクを発生させるトルク電流に分けて制御する方法である．具体的には，一次電流の大きさ，周波数および，**位相**を制御する．

誘導電動機のベクトル制御には，問題文にある，電動機の磁束を検出する磁界オリエンテーション方式と，検出した速度を基準として制御する**滑り周波数制御**方式がある．

(2)　問題図1において，電流 I_1 は以下で求められる．ただし，励磁電流 $\dot{I}_{\mathrm{m}}=-\mathrm{j}I_{\mathrm{m}}$ [A]，二次電流 $\dot{I}_2=I_2$ [A] である．

$$I_1=\sqrt{\boldsymbol{I_{\mathrm{m}}}^2+\boldsymbol{I_2}^2}\,[\mathrm{A}] \qquad ①$$

問題図1の右側に注目すると，励磁インダクタンス M [H] と二次抵抗 r_2/s の並列回路に加わる電圧は同じである．したがって，電流（大きさ）I_{m} と I_2 の関係は，以下で求められる．ただし，周波数 f_1 [Hz] である．

$$\boldsymbol{2\pi f_1 M I_{\mathrm{m}}=I_2\frac{r_2}{s}}\,[\mathrm{V}] \qquad ②$$

②式より，滑り周波数 $f_{\mathrm{s}}=sf_1$ は，以下で求められる．

$$f_{\mathrm{s}}=sf_1=\boldsymbol{\frac{r_2}{2\pi M}\cdot\frac{I_2}{I_{\mathrm{m}}}}\,[\mathrm{Hz}] \qquad ③$$

電動機の回転周波数 $f_{\mathrm{n}}=(1-s)f_1$ [Hz] なので，インバータの出力する周波数 f_1 は，以下で求められる．

$$f_1=\boldsymbol{f_{\mathrm{n}}+f_{\mathrm{s}}}\,[\mathrm{Hz}] \qquad ④$$

実際の制御では f_1 を決めるために電動機の回転速度すなわち，$\boldsymbol{f_n}$ を検出する．

(3) 1) ① 問題図2，3より，等速上昇期間中に積荷が上昇する距離 H_1 および，積荷が得られる位置エネルギー W_1 は，以下で求められる．ただし，積荷の質量 $m_L = 400$ kg，等速上昇期間 t_1 [s]，上昇速度 $v_1 = 2.5$ m/s および，重力加速度 $g = 9.8$ m/s^2 である．

$$H_1 = v_1 t_1 = 2.5 \times (14 - 2) = \mathbf{30}\ \mathrm{m} \quad ⑤$$

$$W_1 = m_L g H_1 = 400 \times 9.8 \times 30 = 117.60 \times 10^3\ \mathrm{J} \fallingdotseq \mathbf{118}\ \mathrm{kJ} \quad ⑥$$

② 等速上昇期間中，綱車に作用するトルク T_1 および，電動機の所要入力 P_1 は，以下で求められる．ただし，綱車の回転角速度 $\omega = v/r$ [rad/s]，半径 $r = 0.5$ m，電動機効率 $\eta_m = 0.8$ である．

$$T_1 = Fr = m_L g r = 400 \times 9.8 \times 0.5 = 1.96 \times 10^3 \fallingdotseq \mathbf{2.0}\ \mathrm{kN{\cdot}m} \quad ⑦$$

$$P_1 = \frac{\omega T_1}{\eta_m} = \frac{v T_1}{r \eta_m} = \frac{2.5 \times 1.96}{0.5 \times 0.8} = 12.25 \fallingdotseq \mathbf{12}\ \mathrm{kW} \quad ⑧$$

2) ① 始動後2秒での綱車の（回転）角速度 ω は，以下で求められる．

$$\omega = \frac{v}{r} = \frac{2.5}{0.5} = \mathbf{5.0}\ \mathrm{rad/s} \quad ⑨$$

② 積荷の合計質量が，綱車の中心から $r = 0.5$ m の位置にあるときの慣性モーメント J_W は，以下で計算できる．ただし，ケージ，運搬車の合計質量 $m_c = 900 + 900 = 1\,800$ kg，$m_t = 100 + 100 = 200$ kg である．

$$J_W = (m_c + m_t + m_L) r^2 = (1\,800 + 200 + 400) \times 0.5^2 = 600\ \mathrm{kg{\cdot}m^2} \quad ⑩$$

したがって，回転体（電動機，綱車）慣性モーメント $J_0 = 20$ kg·m^2 を加えた全体の慣性モーメント J_T は，以下で求められる．

$$J_T = J_W + J_0 = 600 + 20 = \mathbf{620}\ \mathrm{kg{\cdot}m^2} \quad ⑪$$

J_T を加速するために必要なトルク T_T は，以下で計算できる．ただし，加速期間中の加速度（$\mathrm{d}v/\mathrm{d}t$）は，$2.5/2 = 1.25$ m/s^2（一定）である．

$$T_T = J_T \frac{\mathrm{d}\omega}{\mathrm{d}t} = \frac{J_T}{r} \frac{\mathrm{d}v}{\mathrm{d}t} = \frac{620}{0.5} \times 1.25 = 1.55 \times 10^3 \fallingdotseq 1.55\ \mathrm{kN{\cdot}m} \quad ⑫$$

したがって，加速期間中に綱車に作用するトルク T_2 は，T_T と T_1 の和であり，以下で求められる．

$$T_2 = T_T + T_1 = 1.55 \times 10^3 + 1.96 \times 10^3 = 3.51 \times 10^3 \fallingdotseq \mathbf{3.5}\ \mathrm{kN{\cdot}m} \quad ⑬$$

3) この巻上機に用いる電動機の所要入力が最大となるのは，加速上昇期間の始動後2秒の時点である．このときのトルクを加速中の T_2 とすれば，電動機の所要入力は，以下で求められる．

$$P_2=\frac{\omega T_2}{\eta_m}=\frac{vT_2}{r\eta_m}=\frac{2.5\times3.51}{0.5\times0.8}\fallingdotseq21.938\fallingdotseq\mathbf{22}\ \mathrm{kW}\qquad⑭$$

問題12

(1)　1—イ，2—カ，3—イ，4—カ，5—イ

(2)　6—キ，7—ウ，8—オ，9—イ，10—ク，11—エ，12—ソ，13—ス

【指導】

(1)　1)　題意の②式に数値を代入すると，

$$C_r mg+\frac{1}{2}C_d A\rho v^2=-mg\sin\theta$$

$$0.006\times1\,500\times9.8+\frac{1}{2}\times0.25\times2\times1.3\times v^2=-1\,500\times9.8\times(-0.01)=147$$

$$88.2+0.325v^2=147$$

$$\therefore\quad v\fallingdotseq13.450\,76\ \mathrm{m/s}$$

時速に単位換算すると，

$$V=v\times\frac{3\,600}{1\,000}=13.450\,76\times3.6\fallingdotseq48.423\fallingdotseq\mathbf{48.4}\ \mathrm{km/h}$$

2)　題意の③式を変形すると，

$$mgh=C_r mg(x+y)$$

$$h=C_r x+C_r y$$

$$\therefore\quad y=\frac{h-C_r x}{C_r}=\frac{\boldsymbol{h}}{\boldsymbol{C_r}}-\boldsymbol{x}$$

題意の④式に数値を代入すると，

$$v_{\max}=\sqrt{2\frac{m}{m+\frac{J_0}{r^2}}g(h-C_r x)}=\sqrt{2\times0.9\times9.8\times(2-0.006\times200)1}$$

$$\fallingdotseq3.756\,59\fallingdotseq\mathbf{3.76}$$

3)　題意の⑧式の｛　｝内を解く．

$$\left\{t_b+2\int_0^{t_a}\left(\frac{t}{t_a}\right)^3\mathrm{d}t\right\}=\left\{t_b+\frac{2}{{t_a}^3}\left[\frac{t^4}{4}\right]_0^{t_a}\right\}=\left\{\boldsymbol{t_b}+\frac{\mathbf{1}}{\mathbf{2}}\boldsymbol{t_a}\right\}$$

次に題意の数値をもとに全走行距離 x_M を算出する．

$$x_M = v_M(t_a + t_b) = 20(20 + 80) = 2\,000\ \text{m}$$

題意の⑧式に数値を代入すると，

$$\begin{aligned}E_{\text{total}} &= C_r mgx_M + \frac{1}{2}C_d\rho A{v_M}^3 \times \left(t_b + \frac{t_a}{2}\right)\\ &= 0.006\times1\,500\times9.8\times2\,000 + \frac{1}{2}\times0.25\times1.3\times2.0\times20^3\times\left(80+\frac{20}{2}\right)\\ &= 176\,400 + 234\,000 = 410\,400\ \text{J} \fallingdotseq \mathbf{410}\ \text{kJ}\end{aligned}$$

⑵ 題意の条件をもとに図を描くと**第 1 図**のようになる．

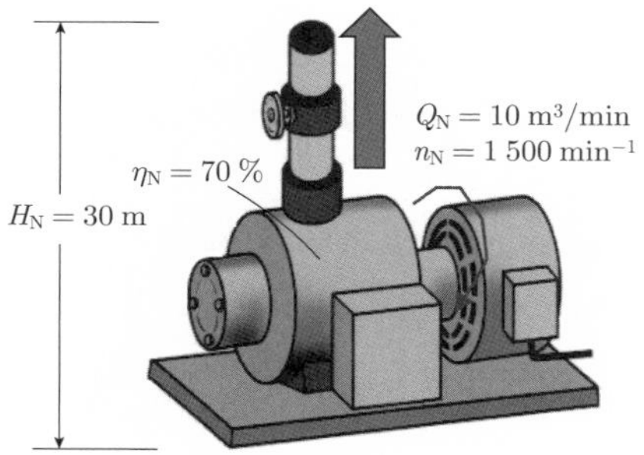

第 1 図

1) ポンプ流量 10 m^3/min 運転時の軸動力 P_{100} は，

$$P_{100} = \frac{9.8Q_N H_N}{\eta_N} = \frac{9.8\times10\times\dfrac{1}{60}\times30}{\dfrac{70}{100}} = \mathbf{70.0}\ \text{kW}$$

次にポンプ流量 6 m^3/min を q_{60} [p.u.] で表すと，

$$q_{60} = \frac{6}{10} = 0.6\ \text{p.u.}$$

全揚程 h_{60} およびポンプ効率 $\eta_{60}{}^*$ は，

$$h_{60} = 1.25 \times 1^2 - 0.25 \times 0.6^2 = 1.16\ \text{p.u.}$$

$$\eta_{60}{}^* = 2\times\left(\frac{0.6}{1}\right) - \left(\frac{0.6}{1}\right)^2 = 0.84\ \text{p.u.}$$

となる．

正規化された変数を使い実全揚程 H_{60} および実ポンプ効率 η_{60} を求める．

$$H_{60} = 30 \times h_{60} = 30 \times 1.16 = \mathbf{34.8}\ \text{m}$$

$\eta_{60} = 70 \times 0.84 = 58.8\ \%$

よって，ポンプ流量 6 m^3/min 運転時の軸動力 P_{60} は，

$$P_{60} = \frac{9.8 \times 6 \times \dfrac{1}{60} \times 34.8}{\dfrac{58.8}{100}} = \mathbf{58.0}\ \mathrm{kW}$$

となる．

2)　インバータを用いた回転速度制御によりポンプ流量 6 m^3/min で運転した場合，弁を使用しないため，管路抵抗 r = 全揚程 h となる．

$r = h_{\mathrm{INV60}} = 0.4 + 0.6q^2 = 0.4 + 0.6 \times 0.6^2 = 0.616$ p.u.

全揚程 h_{INV60} [p.u.] の式に数値を代入し回転速度 n_{INV60} [p.u.] を算出すると，

$h_{\mathrm{INV60}} = 1.25{n_{\mathrm{INV60}}}^2 - 0.25{q_{60}}^2$

$0.616 = 1.25{n_{\mathrm{INV60}}}^2 - 0.25 \times 0.6^2 = 1.25{n_{\mathrm{INV60}}}^2 - 0.09$

$\therefore\ \ n_{\mathrm{INV60}} \fallingdotseq 0.751\ 53$ p.u.

次にポンプ効率$\eta_{\mathrm{INV60}}{}^*$を求めると，

$$\eta_{\mathrm{INV60}}{}^* = 2 \times \left(\frac{0.6}{0.751\,53}\right) - \left(\frac{0.6}{0.751\,53}\right)^2 \fallingdotseq 0.959\,346\ \mathrm{p.u.}$$

となる．

正規化された変数を使い実全揚程 H_{INV60}，実回転速度 N_{INV60} および実ポンプ効率η_{INV60} を求める．

$H_{\mathrm{INV60}} = 0.616 \times 30 = 18.48\ \mathrm{m} \fallingdotseq \mathbf{18.5}\ \mathrm{m}$

$N_{\mathrm{INV60}} = 0.751\ 53 \times 1\ 500 \fallingdotseq 1\ 127.3 \fallingdotseq \mathbf{1\ 127}\ \mathrm{min}^{-1}$

$\eta_{\mathrm{INV60}} = 0.959\ 346 \times 70 = 67.154\ \%$

よって，インバータを用いた回転速度制御によりポンプ流量 6 m^3/min 運転時の軸動力 P_{INV60} は，

$$P_{\mathrm{INV60}} = \frac{9.8 \times 6 \times \dfrac{1}{60} \times 18.48}{\dfrac{67.154}{100}} \fallingdotseq 26.968 \fallingdotseq \mathbf{27.0}\ \mathrm{kW}$$

3)　前記において軸動力まで算出しているため消費電力量を算出するには電動機効率やインバータ効率および運転時間を考慮し算出すればよいことがわかる．

(a)　弁開度調整（**第 2 図**参照）

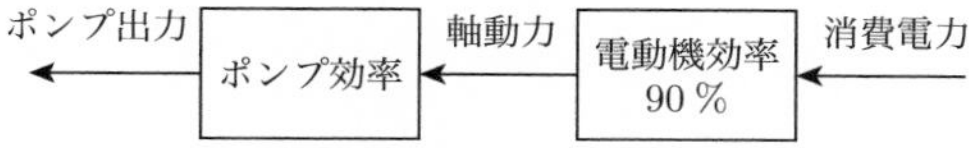

第 2 図

・16 時間（ポンプ流量 10 m^3/min）

$$W_{100}' = \frac{70}{0.9} \times 16 \fallingdotseq 1\,244.44\ \mathrm{kW \cdot h}$$

・ 8 時間（ポンプ流量 6 m^3/min）

$$W_{60}' = \frac{58}{0.9} \times 8 \fallingdotseq 515.56\ \mathrm{kW \cdot h}$$

よって，弁開度調整時の消費電力量 W' は，

$$W' = 1\,244.44 + 515.56 = \mathbf{1\,760}\ \mathrm{kW \cdot h}$$

(b) 回転速度調整（**第 3 図**参照）

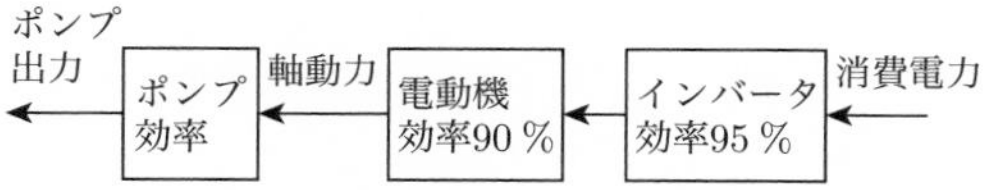

第 3 図

・16 時間（ポンプ流量 10 m^3/min）

$$P_{\mathrm{INV100}} = \frac{9.8 \times 10 \times \dfrac{1}{60} \times 30}{\dfrac{70}{100}} = 70\ \mathrm{kW}$$

$$W_{\mathrm{INV100}}' = \frac{70}{0.9 \times 0.95} \times 16 \fallingdotseq 1\,309.94\ \mathrm{kW \cdot h}$$

・8 時間（ポンプ流量 6 m^3/min）

$$W_{\mathrm{INV60}}' = \frac{26.968}{0.9 \times 0.95} \times 8 \fallingdotseq 252.33\ \mathrm{kW \cdot h}$$

よって，回転速度制御時の消費電力量 W_{INV}' は以下のようになる．

$$W' = 1\,309.94 + 252.33 = 1\,562.27 \fallingdotseq \mathbf{1\,562}\ \mathrm{kW \cdot h}$$

問題13 (1) 1―エ，2―イ，3―キ，4―エ，5―ア

(2) 6―ア，7―ア，8―オ，9―カ，10―ウ

(3) 11―ア，12―コ，13―オ，14―キ

【指導】

(1) 1) 抵抗加熱には，間接抵抗加熱方式と直接抵抗加熱方式があり，いずれの方式も抵抗に電流が流れることによって生じる**ジュール熱**を加熱に利用するものである．間接抵抗加熱方式は，熱源となる抵抗を介して間接的に被加熱物を加熱する形態をとり，直接抵抗加熱方式は，被加熱物自体を抵抗として，そこに直接電流を流して内部から加熱する形態をとる．

2) 間接抵抗加熱は，**発熱体**と呼ばれる熱源に電流を流すことによって生じる**ジュール熱**を利用するもので，熱せられた熱源から主に放射や対流による伝熱によって被加熱物を加熱する方式である．この加熱方式による抵抗炉は，燃焼炉に比べて**加熱雰囲気の温度管理**が容易であるなどの利点があり，各方面で広く使用されている．

間接抵抗加熱方式には，発熱体を用いる炉と塩浴炉などがある．

3) 直接抵抗加熱は，被加熱物内部を直接加熱できるため間接抵抗加熱に比べて**急速加熱**に適しており，加熱効率も高い方式である．この加熱方式は溶接の分野でも広く利用されており，**スポット**溶接などの重ね抵抗溶接とアプセット溶接などの突合せ抵抗溶接がある．

直接抵抗加熱方式には，被熱物に直接電流を流し加熱する黒鉛化炉などがある．

(2) 1) 省エネルギーのためには，加熱温度を正確に管理して**過熱**をできる限り少なくする必要がある．そのためには，適切な温度計を用いるとともに精度管理も重要である．物体の温度を計測する温度計は，接触式と非接触式に大別されるが，それぞれの方式における代表的な温度計の原理および特徴について次の2）および3）のとおりである．

2) 接触式には，**ゼーベック**効果を利用した熱電温度計がある．これは，2種類の異なる金属線を組み合わせた熱電対の**起電**力により温度を計測するものである．熱電対には多くの種類があるが，使用温度範囲が広く，**起電**力の特性が直線性に優れたK熱電対が，工業分野では広く用いられる．

また，温度を測定するものとして「測温抵抗体」などがある．温度が変化すると電気抵抗値が変化するのを利用し測温することができる．

3) 非接触式である放射温度計は，被測温体から温度に応じて表面から放出されるエネルギーを利用する方式である．この温度計は高温物体を高い応答性で計測できるが，被測定物の特性および測定環境の影響を受ける．そのため，測定対象に応じた**放射率**の調整が必要になる．一般的な放射温度計は**赤外**域の波長を利用しており，低温域では10 μm付近，高温

域では 1 μm 付近の波長が測定に用いられる．

放射温度計は，物質によっては熱放射の放射率が異なるため放射率の補正を考慮しないと正しく計測することができない．

放射率は，黒体は 1 であるがゴムやセラミックが 0.95 程度，金属等が 0.9 未満になる傾向がある．

⑶ 題意の条件を図に表すと**第 1 図**のようになる．

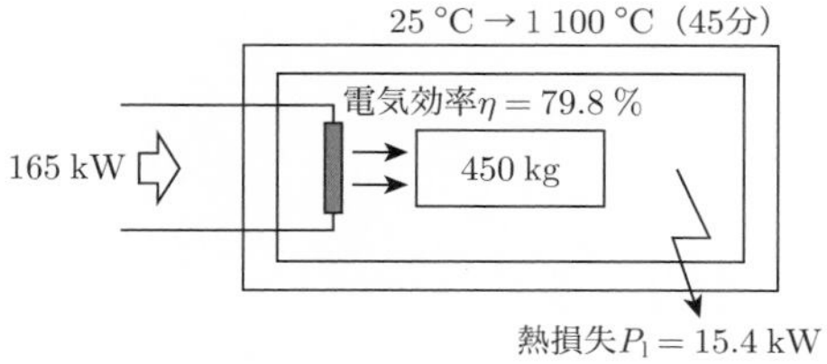

第 1 図

1) この設備の電源入力端におけるエネルギー原単位は以下のようになる．

$$\text{原単位} = \frac{165 \times \dfrac{45}{60}}{450} = \mathbf{0.275}\,(\text{kW·h})/\text{kg}$$

2) 第 1 図より，電気効率 η は加熱正味電力を P_o [kW] とおくと次式が成り立つ．

$$\eta = \frac{P_o + 15.4}{165} \times 100 = 79.8\,\%$$

$$\therefore\quad P_o = 116.27\ \text{kW}$$

加熱正味熱量 Q_o [kW·h] は，

$$Q_o = 116.27 \times \frac{45}{60} = 87.202\,5 \fallingdotseq \mathbf{87.2}\ \text{kW·h}$$

となる．

よって，比熱 c [kJ/(kg·K)] は，

$$c = \frac{87.202\,5 \times 3\,600}{450(1\,100 - 25)} \fallingdotseq 0.648\,95 \fallingdotseq \mathbf{0.649}\ \text{kJ/(kg·K)}$$

3) 加熱設備への電力を P_{in}' とすると，加熱時間が変わらないことを考慮すると省エネルギー対策後の原単位は次式のようになる．

解答指導

$$省エネ後原単位 = \frac{P_{in}' \times \frac{45}{60}}{450} = 0.275 \times \left(1 - \frac{3.4}{100}\right)$$
$$= 0.265\,65$$

$\therefore \quad P_{in}' = 159.39\ \mathrm{kW}$

また，昇温条件および電気効率 η は変化しないから，熱損失 P_l' とすると電気効率 η は次式が成り立つ．

$$\eta = \frac{116.27 + P_l'}{159.39} \times 100 = 79.8\ \%$$

$\therefore \quad P_l' = 10.923\ 22\ \mathrm{kW}$

したがって，改造後の低減熱損失 ΔP_l は，

$$\Delta P_l = P_l - P_l' = 15.4 - 10.923\ 22 \fallingdotseq 4.477 \fallingdotseq \mathbf{4.48}\ \mathrm{kW}$$

問題14
(1) 1―ア，2―コ，3―オ，4―ク
(2) 5―ク，6―サ，7―イ，8―オ，9―イ，10―エ
(3) A―6.4，B―54，C―4.0

【指導】

(1) 工業電解プロセスとは，電気化学システムを用いてより質の高い物質の製造や材料の表面処理などを行うプロセスである．金属の電解精製も工業電解プロセスの例である．電解精製では，乾式精錬で得た不純物を含む目的金属（粗金属）を成型して**アノード**とし，目的金属と同一の金属塩を含む浴を電解液として用いて電解し，対の電極上に純度の高い目的金属を析出させる．粗金属に含まれる不純物が溶出する平衡電位が，目的金属よりも**高い**ものはそのまま残るか沈殿物となる．銅の電解精製の沈殿物には**金**などが含まれる．電解精製で製造される目的金属の生成速度は電解槽に供給する**電流**に比例する．

現在，電解精製は主に銅の精製で用いられる．粗銅を純銅（純度99.99 %以上）にすることができる．金鉱石を融剤として用いると含まれた金は粗銅地金に移るため，銅精製と金の回収の一石二鳥の精製が可能である．

(2) i）電池の出力 P は次式で表される．

$$P = U_t I = \boldsymbol{I(\alpha - \beta I)} \qquad ①$$

ii）電池の最大出力は①式の電流**微分値**＝0となるときである．

つまり以下の微分について解く．

$$\frac{\mathrm{d}}{\mathrm{d}I}I(\alpha-\beta I)=\frac{\mathrm{d}}{\mathrm{d}I}(\alpha I-\beta I^2)=0 \text{ とおく．}$$

$$\alpha - 2\beta I = 0$$

$$\therefore \quad I = \frac{\boldsymbol{\alpha}}{\boldsymbol{2\beta}} \qquad ②$$

②式を①式に代入し最大出力 $P_{\max}$ を求める．

$$P_{\max} = \frac{\alpha}{2\beta}\left(\alpha - \beta \times \frac{\alpha}{2\beta}\right) = \frac{\alpha^2}{2\beta} - \frac{\alpha^2}{4\beta} = \frac{2\alpha^2 - \alpha^2}{4\beta} = \frac{\boldsymbol{\alpha^2}}{\boldsymbol{4\beta}}$$

2)　電池のエネルギー変換効率は，反応に関与する物質の量に関係する項と，反応速度により決まる**電圧**の項に分けて考えることができる．両者ともに式$\dfrac{\textbf{実際の値}}{\textbf{理論値}}$で表すことができ，両者の積がエネルギー変換効率となる．

(3)　1)　全反応のモル質量とは全反応時の原子量 m に等しくなる．

全反応式の原子量 m は以下のようになる．

$$m = 2PbSO_4 + 2H_2O = 2\times(207.2 + 32.07 + 16\times 4) + 2\times(1\times 2 + 16)$$
$$= 606.54 + 36 = 642.54 \fallingdotseq \mathbf{6.4}\times 10^2 \text{ g/mol}$$

2)　全反応 1 mol 当たりの容量 A·h は，反応式より 2 電子反応であるから，

$$\text{A·h} = 96\,485 \times \frac{1}{3\,600} \times 2 \fallingdotseq 53.603 \fallingdotseq \mathbf{54}\ (\text{A·h})/\text{mol}$$

となる．

3)　全反応のギブズエネルギー変化 ΔG は，開路電圧を V とすると次式で表される．

$$\Delta G = \text{A·h} \times 3\,600 \times V \times 10^{-3} \text{ kJ/mol}$$

$$\Delta G = 53.603 \times 3\,600 \times 2.07 \times 10^{-3} \text{ kJ/mol}$$

$$\therefore \quad \Delta G \fallingdotseq 399.449\,6 \fallingdotseq \mathbf{4.0} \times 10^2 \text{ kJ/mol}$$

問題15

(1)　1 ― キ，2 ― イ，3 ― シ，4 ― ス，5 ― ク

(2)　6 ― オ，7 ― ウ

(3)　A ― 200，B ― 123，C ― 7.4，D ― 2.0，E ― 28

【指導】

(1)　白熱電球用のソケットに装着できるランプのうち，最も発光効率の高いものは**電球形 LED** である．問題文の表 1 中，白熱電球の消費電力 P_{wL} と電球形 LED の消費電力 P_{LED}

の差が，削減できる消費電力 ΔP であり，以下で求められる．

$$\Delta P = P_{\mathrm{wL}} - P_{\mathrm{LED}} = \frac{810}{15} - \frac{810}{115} \fallingdotseq 46.957 \fallingdotseq \mathbf{47}\ \mathrm{W} \qquad ①$$

白熱電球の特徴として演色性が高いことが挙げられ，製品の検査，撮影等の用途に用いられている．問題文表1中の平均演色評価数は**相関色温度**が等しい基準光源との比較において，被照射物体の色の**忠実性**を評価する指標である．

⑵　題意より，直径 $D = 20$ cm の円形均等拡散面をもつ光源の輝度 L は以下で求められる．ただし，光源の全光束 $F = 1\,200$ lm，光束発散度 M である．

$$M = \frac{F}{\pi D^2/4} = \frac{1\,200 \times 4}{3.14 \times 0.2^2} \fallingdotseq 38\,217\ \mathrm{lm/m^2} \qquad ②$$

$$\therefore\ L = \frac{M}{\pi} = \frac{38\,217}{3.14} \fallingdotseq 12\,171 \fallingdotseq \mathbf{12\,000}\ \mathrm{cd/m^2} \qquad ③$$

中心をO点とする円形光源から任意の距離 h [m] の直下にあるP点の水平面照度 E_{h} は，立体角投射の法則により，以下で計算できる（**第1図**）．ただし，光源は完全拡散面（均等拡散面）とし，その半径 r [m]，（直径 $D = 2r$）光源の光束発散度 M [lm/m^2]，輝度 L [cd/m^2] とする．また，S_0 はP点を中心とした半径1 mの半球に円形光源の円周とP点を結ぶ線でつくる円錐体によりつくられる投影面積である．

$$E_{\mathrm{h}} = LS_0 = \frac{M}{\pi}\pi\sin^2\theta = \frac{r^2 M}{h^2 + r^2}\ [\mathrm{lx}] \qquad ④$$

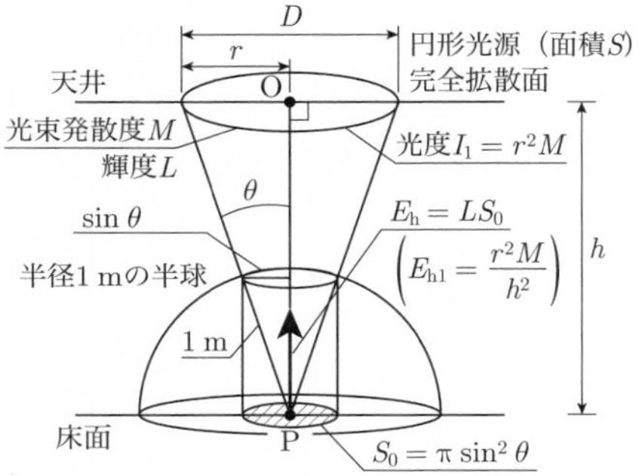

第1図　円光源直下の照度

一方，円形光源を点光源とみなしたときの光度 I_1 [cd] は，L，M および，円形光源の面積 S [m^2] から以下で表される．したがって，第1図および，⑤式より，P点の水平面照度 E_{h1} は，以下で表される．

$$I_1 = SL = \pi r^2 \frac{M}{\pi} = r^2 M \,[\mathrm{cd}] \qquad ⑤$$

$$E_{h1} = \frac{r^2 M}{h^2} \,[\mathrm{lx}] \qquad ⑥$$

④，⑥式を比べると，E_h と E_{h1} がほぼ等しいとしてみなせる条件は，h と r が以下の関係であればよい．

$$h^2 + r^2 \leqq 1.01h^2 \rightarrow r \leqq 0.1h,\ \ D \leqq 0.2h \rightarrow h \geqq 5D$$

∴ **直径の 5 倍以上** ⑦

(3) 1) 題意および，**第 2 図**(a)より，光源から $h = 1$ m 離れた机上面 P 点の照度 $E_{hp} = 200$ lx であった．光源の光度 I は以下で求められる．

$$E_{hp} = \frac{I}{h^2}$$

$$\therefore\ \ I = E_{hp} h^2 = 200 \times 1^2 = \mathbf{200}\ \mathrm{cd} \qquad ⑧$$

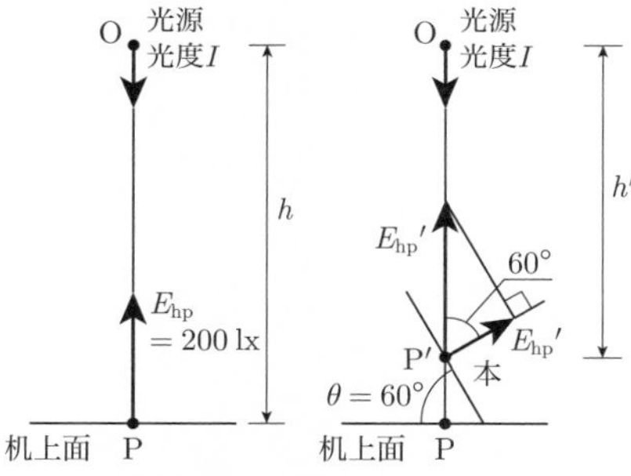

(a) 照度が既知　(b) 本の水平面照度

第 2 図 光源の光度と傾いた面の照度

この机上面で $\theta = 60°$ 傾けた本の紙面の水平面照度 $E_{hp}{}'$ は，第 2 図(b)および，⑧式から以下で求められる．ただし，光源 O から紙面の中心 P′ 点間の距離 $h' = 1.0 - 0.1 = 0.9$ m である．

$$E_{hp}{}' = \frac{I}{h'^2}\cos\theta = \frac{200}{0.9^2} \times \cos 60° ≒ 123.46 ≒ \mathbf{123}\ \mathrm{lx} \qquad ⑨$$

2) 題意より，全光束 $F = 3\,100$ lm のランプ効率 $\eta_1 = 84$ lm/W，総合効率 $\eta_c = 70$ lm/W であるとき，安定器の電力損失 p_b は，以下で求められる．

$$p_b = \frac{F}{\eta_c} - \frac{F}{\eta_1} = 3\,100 \times \left(\frac{1}{70} - \frac{1}{84}\right) \fallingdotseq 7.381\,0 \fallingdotseq \mathbf{7.4}\ \mathrm{W} \qquad ⑩$$

3)　題意および**第3図**より，作業部屋の室指数 K は，以下で求められる．ただし，作業部屋の間口 $W = 10$ m，奥行き $L = 15$ m，天井から作業面までの高さ $h = 3.8 - 0.8 = 3.0$ m である．

$$K = \frac{LW}{h(L+W)} = \frac{15 \times 10}{3.0 \times (15+10)} = \mathbf{2.0} \qquad ⑪$$

この作業部屋の照明率 U を題意の条件から問題文中の表2より選択すると0.53である．したがって，照明器具の必要台数 N は，以下で求められる．ただし，必要な平均照度 $E = 500$ lx，蛍光ランプ2灯用照明器具の光束 $F = 4\,000 \times 2 = 8\,000$ lm，保守率 $M = 0.64$ である．

$$E = \frac{FUNM}{LW} \geqq 500\ \mathrm{lx}$$

$$N \geqq \frac{500 \times 15 \times 10}{8\,000 \times 0.53 \times 0.64} \fallingdotseq 27.639 \to \mathbf{28}\ 台 \qquad ⑫$$

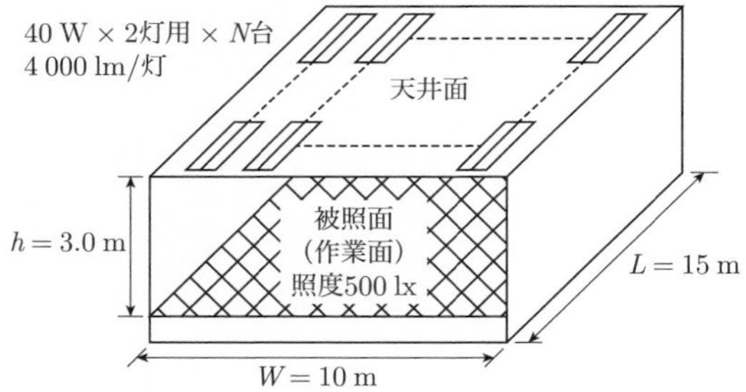

第3図　作業部屋と作業面照度

問題16
(1)　1―ウ，2―イ，3―ア，4―ウ，5―イ，6―オ，7―イ，8―オ
(2)　9―オ，10―ウ，11―ア，12―イ，13―オ，14―イ

【指導】

(1)　1)　ヒートポンプは，圧縮機，凝縮器，膨張弁，蒸発器から構成される蒸気圧縮冷凍サイクルを利用している．**第1図**に冷媒の P-h 線図（モリエ線図）を示す．横軸が冷媒の比エンタルピー，縦軸が冷媒の圧力である．冷房運転時は**蒸発器**で液冷媒が蒸発するときの

気化熱を利用して水や空気を冷却する．暖房運転時は，**凝縮器**の排熱を利用して水や空気を加熱する．動力を使用するのは，冷凍サイクルのうち**圧縮機**のみである．冷房で利用した熱量（h_1-h_4），暖房で利用した熱量（h_2-h_3）（出力）と圧縮機で消費した動力の熱量換算値（h_2-h_1）（入力）の比（＝出力 / 入力）を成績係数（COP：Coefficient Of Performance）という．

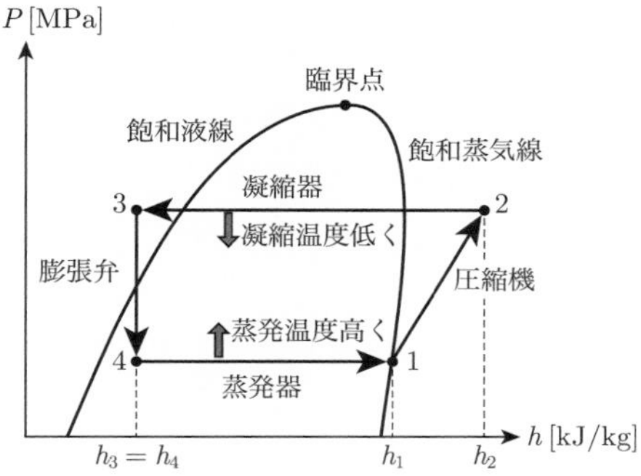

第 1 図　冷媒の P-h 線図（モリエ線図）

2)　第 1 図に示すように冷媒の**蒸発**温度が高くなるほど，**凝縮**温度が低くなるほど圧縮機の動力が小さくなることから，成績係数は向上する．加熱量や冷却熱量も減るが，圧縮機の動力の減少の方がはるかに大きい．そのため，凝縮温度を低くして，温水出口温度を**低く**した方が成績係数が高くなり，省エネルギーになる．

3)　電気ストーブは電熱線のジュール熱を利用したものであり，電気エネルギーを直接熱エネルギーに変換するので，成績係数は **1** になる．

4)　ヒートポンプの成績係数は，運転条件や外気条件などによって変化する．そこで，実際のヒートポンプのエネルギー性能を評価するために，通年エネルギー消費効率（**APF**：Annual Performance Factor）を使用する．APF は，（冷房期間＋暖房期間）の通年総合負荷の和（kW·h）を（冷房期間＋暖房期間）の通年消費電力量の和（kW·h）で除した値である．

(2)　1)　室内で汚染質が発生しているとき，外気を導入して換気を行うが，外気にも汚染質が含まれているとき，**完全拡散**（瞬時一様拡散）を仮定すると，室内の汚染質の定常濃度は以下のザイデルの式で表される．

$$C = C_O + \frac{M}{Q}\,[\mathrm{m^3/m^3}]$$

ここで，C は汚染質の定常濃度 [m^3/m^3]，C_O は**外気汚染質濃度** [m^3/m^3]，M は**汚染質発**

生量 $[\mathrm{m^3/h}]$, Q は**換気量**（外気導入量）$[\mathrm{m^3/h}]$ である．ただし，ここでは汚染質は気体とする．一般には，気体の体積濃度は [%] または [ppm] で表される．

2）　建築基準法および建築物における衛生的環境の確保に関する法律（建築物衛生法）では，室内環境基準として二酸化炭素濃度を 1 000 ppm 以下と定めている．外気に含まれる二酸化炭素濃度を産業革命前の 300 ppm として，一人当たりの換気量は 20 $\mathrm{m^3/h}$ と規定されている．ところが，近年外気の二酸化炭素濃度は **400** ppm 以上に上昇している．

3）　ザイデルの式から，C を二酸化炭素の室内環境基準濃度 [ppm]，M を室内二酸化炭素発生量 $[\mathrm{m^3/h}]$ とすると，必要換気量は以下のようになる．

$$Q = \frac{M}{C - C_{\mathrm{O}}}\,[\mathrm{m^3/h}]$$

ここで，$C = 1\,000$ ppm，$C_{\mathrm{O}} = 300$ ppm とすると，必要換気量 Q_1 は，

$$Q_1 = \frac{M}{(1\,000 - 300) \times 10^{-6}} \fallingdotseq 1\,429M\,[\mathrm{m^3/h}]$$

となる．一方，$C_{\mathrm{O}} = 400$ ppm とすると，必要換気量 Q_2 は，

$$Q_2 = \frac{M}{(1\,000 - 400) \times 10^{-6}} \fallingdotseq 1\,667M\,[\mathrm{m^3/h}]$$

となる．したがって，外気の二酸化炭素濃度を 400 ppm とした場合，必要換気量は

$\dfrac{1\,667M}{1\,429M}$ = 約 **1.2** 倍になる．

2023年度（第45回）

エネルギー総合管理及び法規（80分）

問題1　エネルギーの使用の合理化及び非化石エネルギーへの転換等に関する法律及び命令
問題2　エネルギー情勢・政策，エネルギー概論
問題3　エネルギー管理技術の基礎

問題1（エネルギーの使用の合理化及び非化石エネルギーへの転換等に関する法律及び命令）

次の各文章は，「エネルギーの使用の合理化及び非化石エネルギーへの転換等に関する法律」（以下，『法』と略記）及び『法』に関連した命令について述べたものである．ここで，これらの法令は令和4年以降に改正され，令和6年9月1日時点で施行されているものである．

なお，各文章において，「『法』施行令（政令）」を『令』「『法』施行規則（経済産業省令）」を『則』と略記する．

［ 1 ］～［ 11 ］の中に入れるべき最も適切な字句等をそれぞれの解答群から選び，その記号を答えよ．（配点計50点）

(1)　『法』の目的に関連する事項

改正された『法』では，非化石エネルギーが『法』の対象となるエネルギーに加えられている．また，電気に関する規定も改正されている．

第1条は『法』の目的について次のように規定している．

「この法律は，我が国で使用されるエネルギーの相当部分を化石燃料が占めていること，非化石エネルギーの利用の必要性が増大していることその他の内外におけるエネルギーをめぐる経済的社会的環境に応じたエネルギーの有効な利用の確保に資するため，工場等，輸送，建築物及び機械器具等についてのエネルギーの使用の合理化及び非化石エネルギーへの転換に関する所要の措置，電気の［ 1 ］に関する所要の措置その他エネルギーの使

用の合理化及び非化石エネルギーへの転換等を総合的に進めるために必要な措置等を講ずることとし，もつて国民経済の健全な発展に寄与することを目的とする.」

〈 1 の解答群〉

ア 供給方法　**イ** 需要の最適化　**ウ** 貯蔵　**エ** 取引価格

(2) エネルギーの定義に関する事項

『法』第**2**条では，第**1**項において「エネルギー」，第**2**項において「化石燃料」，第**3**項において「非化石燃料」，そして第**4**項において「非化石エネルギー」について定義している．次の①～③のうち，『法』に記述されている定義として正しいものを全て挙げると 2 である.

① 「エネルギー」とは，化石燃料及び非化石燃料をいう.

② 「非化石エネルギー」とは，非化石燃料並びに「非化石熱」及び「非化石電気」をいう.

③ 熱のうちで，化石燃料を熱源とする熱に代えて使用される熱のことを「非化石熱」という.

〈 2 の解答群〉

ア ①　**イ** ②　**ウ** ③

エ ①と②　**オ** ①と③　**カ** ②と③　**キ** ①と②と③

(3) 事業者の指定及び認定に関する事項

1) エネルギー使用者に対して法令で定める措置を講じるよう努めさせるため，『法』は，エネルギーを使用する事業者のうち，一定のエネルギーの使用条件に達した者を，エネルギーの使用の合理化又は非化石エネルギーへの転換を特に推進する必要がある者として指定する，としている．また，申請によって認定される場合もある．次の①～③は，工場等を設置している事業者が，一定のエネルギーの使用条件に達している場合に，いずれかが適用される.

① 特定事業者

② 3

③ 認定管理統括事業者及び管理関係事業者（事業者の申請で認定された場合）

〈 3 の解答群〉

ア 特定エネルギー消費機器小売事業者

イ 特定エネルギー消費機器製造事業者

ウ 特定熱供給事業者あるいは特定発電事業者

エ 特定連鎖化事業者

2) 『法』には，エネルギー使用者が定められた条件を満たす場合に，エネルギーの使用の合理化又は非化石エネルギーへの転換を推進しやすいように認定を行う制度がある.

そのうちの一つとして『法』第 **50** 条では，工場等を設置している者が他の工場等を設置している者と共同で [4] 計画を作成し，その計画が適当である旨の認定を受けることができる，という認定制度がある.

〈[4] の解答群〉

ア 設備投資　**イ** 中長期的な　**ウ** 登録調査　**エ** 連携省エネルギー

(4) エネルギーを使用する工場等における『法』の適用に関する事項について
(『法』第 **7** 条～第 **14** 条及び関連する『令』の規定)

ある事業者が化学工場，原料工場，及び専ら事務所として使用されている本社を，それぞれ別の工場等として有しており，これらがこの事業者の設置している施設の全てである.

ここで，各工場等における前年度の，法令で定める原油換算のエネルギー使用量は，次のようになっていた.

① 化学工場：**35 000** キロリットル

② 原料工場：**4 500** キロリットル

③ 本　　社：**3 500** キロリットル

この事業者のエネルギー使用量は，①～③のエネルギー使用量の合計であり，その使用量と業態から判断して，この事業者は特定事業者に指定されることとなった．それにより，事業者としてエネルギー管理統括者及びエネルギー管理企画推進者を選任する法的義務が生じた.

一方，各工場等については，エネルギー管理指定工場等に指定されるか否か，及び指定される場合の種別は，それぞれの工場等のエネルギー使用量によって判断され，表の（**A**）欄に示すとおりとなる．さらに，エネルギー管理指定工場等に指定された場合，各工場等が選任すべきエネルギー管理者又はエネルギー管理員は，表の（**B**）欄に示すとおりとなる.

表

工場等の名称	(**A**) エネルギー管理指定工場等としての指定の種別	(**B**) 選任すべきエネルギー管理者又はエネルギー管理員
化学工場	第一種エネルギー管理指定工場等	[6]
原料工場	第一種エネルギー管理指定工場等	エネルギー管理者 **1** 名
本　　社	[5]	[7]

〈 5 ～ 7 の解答群〉

ア 第一種エネルギー管理指定工場等　**イ** 第二種エネルギー管理指定工場等

ウ 第一種と第二種エネルギー管理指定工場等のいずれにも該当しない

エ エネルギー管理者 **1** 名　**オ** エネルギー管理者 **2** 名

カ エネルギー管理者 **3** 名　**キ** エネルギー管理員

ク エネルギー管理者とエネルギー管理員のいずれも選任は不要

⑸ エネルギー管理者とエネルギー管理員に関する事項

1） 次の①～③は，エネルギー管理者とエネルギー管理員のそれぞれあるいは両者共通の選任に関連する記述である．これらのうち，『法』及び関連の『則』に基づいた適切な記述を全て挙げると 8 である．

① エネルギー管理者として選任できるのは，エネルギー管理士の免状を受けている者のみである．

② エネルギー管理員として選任できるのは，必要な知識及び技能に関する講習の課程を修了した者のみである．

③ エネルギー管理者とエネルギー管理員の選任は，いずれも選任すべき事由が生じた日以降遅滞なく行わなければならない．

2） 次の①～③は，エネルギー管理者とエネルギー管理員の業務に関連する記述である．これらのうち，『法』及び関連の『則』に基づく業務として適切な記述を全て挙げると 9 である．

① エネルギー管理者とエネルギー管理員の業務には，いずれにもエネルギーを消費する設備の維持が含まれる．

② エネルギーの使用の方法の改善は，エネルギー管理者の業務であるが，エネルギー管理員の業務ではない．

③ エネルギー管理者とエネルギー管理員の業務には，いずれにも定期の報告に係る書類を作成することが含まれる．

〈 8 及び 9 の解答群〉

ア ①　**イ** ②　**ウ** ③

エ ①と②　**オ** ①と③　**カ** ②と③　**キ** ①と②と③

⑹ 「機械器具に係る措置」及び「熱損失防止建築材料に係る措置」に関連する事項

1） 『法』第 **148** 条によると，エネルギー消費性能とはエネルギー消費機器の一定の条件での使用に際し 10 を基礎として評価される性能をいう．

『法』第 **149** 条では，経済産業大臣（自動車及びこれに係る特定関係機器にあっては，経済産業大臣及び国土交通大臣）は，特定エネルギー消費機器等ごとに，そのエネルギー消費性能又はエネルギー消費関係性能の向上に関しエネルギー消費機器等製造事業者等の判断の基準となるべき事項を定めてこれを公表するものとする，としている．

また，『法』第 **154** 条では，特定熱損失防止建築材料について経済産業大臣は，特定熱損失防止建築材料ごとに，『法』に規定する性能の向上に関し熱損失防止建築材料製造事業者等の判断の基準となるべき事項を定めて公表するものとする，としている．

〈 10 の解答群〉

ア 機器製造を含む全費用　**イ** 消費されるエネルギーの量

ウ 投入される電力の量　**エ** 発生する熱の量

2) これら特定エネルギー消費機器等及び特定熱損失防止建築材料として，『令』が規定している機器等（建築材料を含む）を，次の①～④のうちから二つ挙げると 11 である．

① 交流電動機

② エスカレータ

③ サッシ

④ 木製パネル

〈 11 の解答群〉

ア ①と②　**イ** ①と③　**ウ** ①と④

エ ②と③　**オ** ②と④　**カ** ③と④

問題 2（エネルギー情勢・政策，エネルギー概論）

次の各文章の 1 ～ 9 の中に入れるべき最も適切な字句等をそれぞれの解答群から選び，その記号を答えよ．

また，**A** $\mathbf{a.b \times 10^c}$ に当てはまる数値を計算し，その結果を答えよ．ただし，解答は解答すべき数値の最小位の一つ下の位で四捨五入すること．（配点計 **50** 点）

(1) 国際単位系（**SI**）では，長さ（メートル [**m**]），質量（キログラム [**kg**]），時間（秒 [**s**]），電流（アンペア [**A**]），熱力学温度（ケルビン [**K**]），光度（カンデラ [**cd**]）及び物質量（モル [**mol**]）の **7** つを基本単位としている．

照明器具などの明るさを表すために用いられる光束（ルーメン [**lm**]）は組立単位であり，立体角（ステラジアン [**sr**]）を用いて，「すべての方向に対して **1 cd** の光度を持つ点光源が立体角 **1 sr** の中に放出する光束が **1 lm** である」と定義される．したがって，**1 cd** の点光源からすべての方向（全球方向）に一様に放出された光束の総和は[1] [lm] である．

また，この光束に関わる組立単位としては照度（ルクス [lx]）も用いられる．例えば，**3 000 lm** の液晶プロジェクターの全光束が，高さ **1.5 m** で幅 **2.0 m** のスクリーン全面に均等に照射されたときの照度は[**A** | **a.b × 10^c**] [lx] となる．

〈[1]の解答群〉

ア π　　**イ** 2π　　**ウ** 4π

⑵　大気中の水蒸気や二酸化炭素による地球の温室効果を考えるためには，黒体放射に関する物理法則が重要である．その一つに，黒体からの単色放射のピーク波長はその熱力学温度に[2]，という法則がある．これを[3]と呼んでいる．

太陽の表面や地球の表面を黒体とみなせると仮定してこの法則に基づくと，太陽の表面温度を **6 000 K** とする場合の単色放射のピーク波長は約 **0.5 μm**，地球の表面温度を **300 K** とする場合の単色放射のピーク波長は約[4] [μm] となる．

〈[2]～[4]の解答群〉

ア 0.025　　**イ** 0.5　　**ウ** 10　　**エ** 30

オ ウィーンの変位則　　**カ** ステファン・ボルツマンの法則

キ プランクの法則　　**ク** 比例する

ケ 反比例する　　**コ** よらず一定となる

⑶　資源エネルギー庁の電力調査統計による **2021** 年度の発電実績によると，我が国における水力を除く再生可能エネルギーによる発電量比率については，バイオマス，太陽光，地熱及び風力の中では，[5]と[6]が他と比べて大きい．

〈[5]及び[6]の解答群〉

ア バイオマス　　**イ** 太陽光　　**ウ** 地熱　　**エ** 風力

⑷　エネルギー源としての水素の利用は脱炭素社会への有効手段として開発が進められている．ここでは，常温・常圧では気体状態である水素の輸送・貯蔵の手段について考える．

現在，水素の輸送手段としてよく用いられているのは，加圧して圧縮する方法である．例えば，常温・常圧の水素を温度一定で体積を **700** 分の **1** にするためには，約[7] [MPa] に加圧する必要がある．

また，水素を大量に輸送・貯蔵する手段の一つとして，冷却による液化が用いられる．気体の液化については，天然ガスの大気圧下での液化温度は約 **−160 °C** であるが，水素の場合は約[8] [°C] で液化し，体積は約 **800** 分の **1** となる．

その他に，水素を他の物質と化学反応させることにより，常温の液体状態にして輸送・

貯蔵し，利用時に気体の水素に戻す方法も考えられている．水素と化学反応させる物質の候補の一つとされているのがトルエンであり，これに気体の水素を反応させて液体の［9］に変換して輸送・貯蔵するシステムの開発が進んでいる．

〈［7］～［9］の解答群〉

ア −250　イ −150　ウ −50　エ 0.7　オ 7　カ 70
キ 700　ク アンモニア　ケ メチルアルコール
コ メチルシクロヘキサン

問題 3（エネルギー管理技術の基礎）

次の各文章は，「工場等におけるエネルギーの使用の合理化に関する事業者の判断の基準」（以下，『工場等判断基準』と略記）の内容及びそれに関連した管理技術の基礎について述べたものである．ここで，『工場等判断基準』は令和 5 年 4 月 1 日時点で施行されているものである．

また，各文章の『工場等判断基準』の本文に関連する事項については，その引用部の項目を示す上で，「I　エネルギーの使用の合理化の基準」の部分を『基準部分』，「II　エネルギーの使用の合理化の目標及び計画的に取り組むべき措置」の部分を『目標及び措置部分』と略記する．特に工場等（専ら事務所その他これに類する用途に供する工場等を除く）においては，『基準部分』を『基準部分（工場）』，『目標及び措置部分』を『目標及び措置部分（工場）』と略記する．

［1］～［14］の中に入れるべき最も適切な字句等をそれぞれの解答群から選び，その記号を答えよ．なお，［2］及び［14］は複数箇所あるが，それぞれ同じ記号が入る．

また，［A a.b］～［F a.b］に当てはまる数値を計算し，その結果を答えよ．ただし，解答は解答すべき数値の最小位の一つ下の位で四捨五入すること．なお，$m^3{}_N$ は標準状態の気体の体積を表す．（配点計 100 点）

(1) 『目標及び措置部分』では，事業者はエネルギーの使用の合理化の目標及び計画的に取り組むべき措置を最大限より効果的に講じていくことを目指して，中長期的視点に立った計画的な取組に努めなければならない，と定められている．

『目標及び措置部分（工場）』において，この措置を講ずべきエネルギー消費設備等の対象となるのは，燃焼設備，熱利用設備，廃熱回収設備，コージェネレーション設備，［1］設備，空気調和設備・給湯設備・換気設備・昇降機等，照明設備及び FEMS である．

廃熱回収設備に対して講ずべき措置としては，排ガスの廃熱の回収利用について，別表

（省略）に掲げる［ 2 ］及び廃熱回収率の値を目標として［ 2 ］を低下させ廃熱回収率を高めるよう努めること，が求められている．

〈［ 1 ］及び［ 2 ］の解答群〉

ア 稼働率　**イ** 廃ガス温度　**ウ** 廃ガス量　**エ** 自家発電

オ 蓄電　**カ** 蓄熱　**キ** 電気使用

(2) 伝熱の計算では，電気回路におけるオームの法則による計算を応用できる場合がある．この場合の計算諸量の例として，熱系の温度差は電気系の電位差に相当し，熱系の熱流束は電気系の［ 3 ］に相当する．

〈［ 3 ］の解答群〉

ア 電荷　**イ** 電流　**ウ** 電流密度

(3) 標準状態（温度；**273 K**，圧力；$\mathbf{1.013 \times 10^5}$ **Pa**）で，ある理想気体の体積が $\mathbf{10\ m^3{}_N}$ であるとき，この気体の温度が **400 K**，圧力が $\mathbf{5.1 \times 10^5}$ **Pa** へ変化したときの体積は，［**A** a.b］ $[m^3]$ である．

(4) 通風型の燃焼炉や侵入空気のある燃焼炉では，燃焼時の空気比を管理するため，乾き燃焼排ガス中の酸素濃度を測定して空気比を求める．いま，乾き燃焼排ガス中の酸素濃度が **3.5 %**（体積割合）であったとき，簡易式を用いて計算すると，空気比は［**B** a.b］である．

(5) 流れの方向に対して管内径が徐々に拡大している円管内を，水が定常的に流れている．水の密度が変化しないものとすると，拡大前の管内径に対して，**2** 倍の管内径に拡大した領域における管内平均流速は，拡大前の管内平均流速の［ 4 ］倍となる．

〈［ 4 ］の解答群〉

ア $\frac{1}{4}$　**イ** $\frac{1}{2}$　**ウ** 2

(6) 湿り蒸気では，飽和液と乾き飽和蒸気が共存している．この蒸気の乾き度とは［ 5 ］であり，乾き度が高い蒸気ほど単位質量当たりの凝縮潜熱が大きい．

〈［ 5 ］の解答群〉

ア 湿り蒸気中の乾き飽和蒸気の質量分率　**イ** 湿り蒸気中の乾き飽和蒸気の体積分率

ウ 飽和液と乾き飽和蒸気の質量の比

(7) 一次元定常熱伝導について考える．いま，厚さが **20 mm**，熱伝導率が **25 W/(m·K)** の平板があり，高温側の表面温度が **100 °C** となっている．この平板の厚さ方向に，単位時間，単位面積当たり $\mathbf{40\ kW/m^2}$ の熱が高温側表面から低温側に伝わっているとすると，低温側の表面温度は［**C** ab］ [°C] である．

(8) 外部から物体に放射エネルギーが与えられ熱的平衡状態にあるとき，その物体の反射率，吸収率及び透過率の和は，エネルギーの保存則から 1 である．これらの中で，この熱的平衡状態にある物体表面の放射率に等しいのは，[6] 率である．

〈[6] の解答群〉

ア 吸収　**イ** 透過　**ウ** 反射

(9) 廃熱回収計画を立案する上で，回収熱の効率的利用を図るためには，回収媒体への熱交換における [7] の損失を極力少なくすることが求められる．

〈[7] の解答群〉

ア アネルギー　**イ** エクセルギー　**ウ** エントロピー

(10) 空気調和設備の省エネルギーでは，設備を構成する各機器自身のエネルギー効率の向上だけでなく，他の機器と組み合わせたときの総合的なエネルギー効率を向上させることも求められる．これに関して『基準部分（工場）』は，「空気調和設備を構成する熱源設備，熱搬送設備，空気調和機設備の管理は，外気条件の季節変動等に応じ，[8] ，圧力等の設定により，空気調和設備の総合的なエネルギー効率を向上させるように管理標準を設定して行うこと．」を求めている．

〈[8] の解答群〉

ア 最適湿度　**イ** 二酸化炭素濃度　**ウ** 冷却水温度や冷温水温度

(11) ある火力発電設備が，高発熱量 **45 $\mathbf{MJ/m^3{}_N}$** の天然ガスを燃料として **200 MW** の一定出力で発電している．このときの平均熱効率は高発熱量ベースで **40 %** であった．この場合，この発電設備の 1 時間当たりの天然ガスの平均使用量は [[D | $\mathbf{a.b \times 10^c}$]] $[\mathbf{m^3{}_N/h}]$ である．

(12) 平衡三相負荷である電動機の使用電力が **40 kW**，線間電圧が **200 V**，力率が **82 %** であった．このとき，この電動機に供給される 1 相当たりの電流は [[E | a.b]] $\times \mathbf{10^2}$ [A] である．ただし，$\sqrt{3} = 1.73$ とする．

(13) 工場配電設備の管理に際して，受変電設備又は電気設備における力率を進相コンデンサの設置等により向上させることが求められる．力率は [9] で表され，力率が低くなると，変電設備や配電線において，電力損失が増加したり電圧降下が大きくなったりする．

〈[9] の解答群〉

ア $\dfrac{\text{有効電力}}{\text{皮相電力}}$　**イ** $\dfrac{\text{無効電力}}{\text{皮相電力}}$　**ウ** $\dfrac{\text{有効電力}}{\text{無効電力}}$

(14) ある工場では，最大需要電力を **6 000 kW** 以下に抑えることにしている．ある日の **9**

時から**9**時**30**分までの**30**分間について考える．**9**時から**9**時**25**分までの電力使用量が**2 600 kW·h**であるとすると，**9**時**25**分から**9**時**30**分までの残り**5**分間の平均電力を［F a.b］× 10^3 [kW] 以下とする必要がある．ここで，最大需要電力は使用電力の**30**分ごとの平均値で管理するものとする．

(15) 電動機駆動の送風機を，回転速度を変えて風量制御することを考える．一般に，電動機を含めた慣性モーメントが大きい送風機は，小さい送風機と比較すると，風量変化の応答速度は［10］．ただし，駆動トルクの値と負荷トルクの値の差は同じとして比較する．

〈［10］の解答群〉

ア 遅い　**イ** 速い　**ウ** 変わらない

(16) 電動機は，一般に，中・低負荷域においては負荷が低くなるほど効率が低くなる特性がある．『基準部分（工場）』は，電動力応用設備において，「複数の電動機を使用するときは，それぞれの電動機の部分負荷における効率を考慮して，電動機全体の効率が高くなるように管理標準を設定し，［11］及び負荷の適正配分を行うこと．」を求めている．

〈［11］の解答群〉

ア 稼働台数の調整　**イ** 入力電圧の調整　**ウ** 力率の調整

(17) ポンプやファンなどの電動力応用設備の効率について，固定損は消費電力の数十パーセントを占め，部分負荷での運用時には負荷損を上回ることが多いので，固定損を極力低減することが大きな省エネルギーにつながる．『基準部分（工場）』は，これらの設備の新設・更新に当たって，「電動機については，その特性，種類を勘案し，負荷機械の運転特性及び稼動状況に応じて［12］容量のものを配置すること．」を求めている．

〈［12］の解答群〉

ア 運転頻度に見合った　**イ** 所要出力に見合った　**ウ** 余裕率の高い

(18) 電気化学の応用設備である電気分解システムでは，原理的にファラデーの法則が適用できる．この法則によると，電気分解システムで電極上に析出する物質の質量は，［13］に比例する．

〈［13］の解答群〉

ア 析出する物質の反応電子数　**イ** 通過する電気量　**ウ** 電解質濃度

(19) 照明設備を設置するときに照明器具の必要台数などを決める重要な要素の中で，光源からの光束がどのくらい被照面に到達するかを示す指標として［14］がある．

［14］は，使用する照明器具の配光特性や効率によって影響を受け，また，対象とする部屋の室指数が大きいほど高く，内装材の反射率が高いほど高くなる．

〈 14 の解答群〉

ア ランプ効率　**イ** 照明率　**ウ** 調光効率

電気の基礎（80分）

問題4　電気及び電子理論

問題5　自動制御及び情報処理

問題6　電気計測

問題4（電気及び電子理論）

次の各文章の［ 1 ］～［ 10 ］の中に入れるべき最も適切な字句等をそれぞれの解答群から選び，その記号を答えよ．（配点計**50**点）

(1)　図**1**に示すように，角周波数 ω [rad/s] の交流電源に，二つのインピーダンス $\dot{Z}_1$ [Ω]，$\dot{Z}_2$ [Ω] と二つの抵抗 R_1 [Ω]，R_2 [Ω] が接続されている．

このとき，電源から見た合成インピーダンス $\dot{Z}$ [Ω] の性質を考える．

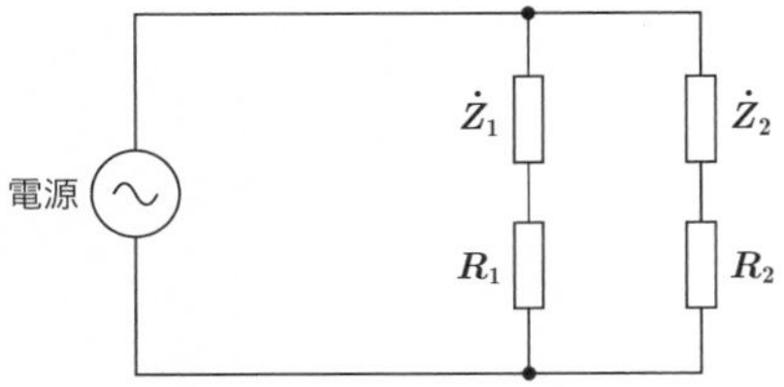

図1

1)　まず，図**1**において電源から見た合成インピーダンス $\dot{Z}$ は次式のように表される．

$\dot{Z} =$ ［ 1 ］ [Ω] …………①

2)　ここで，$R_1 = R_2 = R$，$\dot{Z}_1\dot{Z}_2 = R^2$ という回路定数であるとすると，式①は次式のようになる．

$\dot{Z} =$ ［ 2 ］ [Ω] …………②

このような回路を定抵抗回路と呼び，電源からは純抵抗負荷に見える．

〈［ 1 ］及び［ 2 ］の解答群〉

ア　R　　　イ　R^2

ウ　$\dfrac{1}{R}$　　　エ　$\dfrac{(\dot{Z}_1 + R_1)(\dot{Z}_2 + R_2)}{(\dot{Z}_1 + R_1) + (\dot{Z}_2 + R_2)}$

II

オ $\dfrac{(\dot{Z}_1+\dot{Z}_2)(R_1+R_2)}{(\dot{Z}_1+R_1)+(\dot{Z}_2+R_2)}$　　**カ** $\dfrac{\dot{Z}_1+\dot{Z}_2}{\dot{Z}_1\dot{Z}_2}+\dfrac{R_1+R_2}{R_1R_2}$

3)　2)において，インピーダンス $\dot{Z}_1$ が与えられた次の二つの場合について，図**1**の回路が定抵抗回路となるためのインピーダンス $\dot{Z}_2$ について考えてみる．

i）　インピーダンス $\dot{Z}_1$ が，インダクタンス L [H] の誘導性負荷である場合，インピーダンス $\dot{Z}_2$ はキャパシタンス［ 3 ］[F] の容量性負荷となる．

ii）　インピーダンス $\dot{Z}_1$ が，抵抗 R_0 [Ω]，インダクタンス L_0 [H] を用いて，$\dot{Z}_1=R_0+\mathrm{j}\omega L_0$ [Ω] で表される誘導性負荷である場合，インピーダンス $\dot{Z}_2$ は次式のようになる．

$$\dot{Z}_2=\boxed{\ 4\ }\ [\Omega] \quad\cdots\cdots\cdots\cdots③$$

〈［ 3 ］及び［ 4 ］の解答群〉

ア $\dfrac{R^2}{L}$　　**イ** $\dfrac{L}{R^2}$　　**ウ** $\dfrac{R^2}{\omega L}$　　**エ** $R^2R_0-\mathrm{j}R^2\omega L_0$

オ $\dfrac{R^2R_0}{R_0{}^2+\omega^2L_0{}^2}+\mathrm{j}\dfrac{R^2\omega L_0}{R_0{}^2+\omega^2L_0{}^2}$　　**カ** $\dfrac{R^2R_0}{R_0{}^2+\omega^2L_0{}^2}-\mathrm{j}\dfrac{R^2\omega L_0}{R_0{}^2+\omega^2L_0{}^2}$

(2)　図**2**に示すような三相**3**線式の回路がある．対称三相交流電源の**a**相電圧を $\dot{E}_\mathrm{a}$，**b**相電圧を $\dot{E}_\mathrm{b}$，**c**相電圧を $\dot{E}_\mathrm{c}$ とし，相順は $\mathrm{a}\to\mathrm{b}\to\mathrm{c}$ 相とする．ここで，図のように，各相間の負荷にかかる電圧をそれぞれ $\dot{V}_\mathrm{ab}$，$\dot{V}_\mathrm{bc}$，$\dot{V}_\mathrm{ca}$，各相の線電流をそれぞれ $\dot{I}_\mathrm{a}$，$\dot{I}_\mathrm{b}$，$\dot{I}_\mathrm{c}$ とする．一方，負荷である機器の内部結線は分からないが，負荷は平衡三相負荷であり，**a**相線電流 $\dot{I}_\mathrm{a}$ の位相は $\dot{E}_\mathrm{a}$ に対して φ [rad] だけ遅れている．

この三相負荷の有効電力は，図に示す位置に設置された二つの単相電力計 $\mathrm{W_1}$ 及び $\mathrm{W_2}$ によって測定することができるので，この回路において有効電力を求める過程を考える．

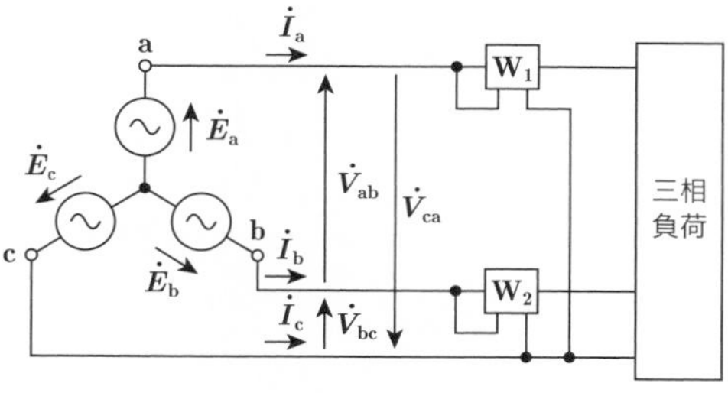

図**2**

ただし，各フェーザについては，$\dot{I}_\mathrm{a}$ の大きさを I_a と表し，他の電流や電圧についても同様とする．また，負荷以外のインピーダンスは無視するものとする．

1)　三相回路の複素電力を求める．

仮に負荷が △ 結線であるものとし，a 相と b 相の間の負荷に a 相から b 相に流れる電流を $\dot{I}_{ab}$，b 相と c 相の間の負荷に b 相から c 相に流れる電流を $\dot{I}_{bc}$，c 相と a 相の間の負荷に c 相から a 相に流れる電流を $\dot{I}_{ca}$ とする．また，$\dot{I}_{ab}$ の共役複素数を $\overline{\dot{I}_{ab}}$ で表し，他の電流についても同様に表すものとすると，三相交流電源の複素電力 $\dot{S}$ は次式のように表される．

$$\dot{S} = \dot{V}_{ab}\overline{\dot{I}_{ab}} + \dot{V}_{bc}\overline{\dot{I}_{bc}} + \dot{V}_{ca}\overline{\dot{I}_{ca}} \qquad \cdots\cdots\cdots\cdots④$$

三相回路における三つの線間電圧には，次式の関係がある．

$$\dot{V}_{ab} + \dot{V}_{bc} + \dot{V}_{ca} = 0 \qquad \cdots\cdots\cdots\cdots⑤$$

式⑤の関係を用いて式④から $\dot{V}_{ab}$ を消去すると，複素電力 $\dot{S}$ は次式のように表される．

$$\dot{S} = \dot{V}_{ca}(\overline{\dot{I}_{ca}} - \overline{\dot{I}_{ab}}) + \boxed{\ 5\ } \qquad \cdots\cdots\cdots\cdots⑥$$

式⑥の右辺第一項の △ 結線における相電流の差 $(\overline{\dot{I}_{ca}} - \overline{\dot{I}_{ab}})$ と線電流には次式の関係がある．

$$\overline{\dot{I}_{ca}} - \overline{\dot{I}_{ab}} = \boxed{\ 6\ } \qquad \cdots\cdots\cdots\cdots⑦$$

式⑥の右辺第二項の電流も式⑦のように線電流に置換することによって，式⑥の複素電力 $\dot{S}$ は次式のように表される．ただし，$\dot{V}_{ac} = -\dot{V}_{ca}$ である．

$$\dot{S} = \boxed{\ 7\ } \qquad \cdots\cdots\cdots\cdots⑧$$

式⑧は，負荷が Y 結線であっても同じ結果を得ることができるので，負荷の結線によらず三相回路の電力を表す式となる．ここで，複素電力 $\dot{S}$ は，有効電力を P，無効電力を Q とし，遅れ無効電力を正とすると，$\dot{S} = P + jQ$ と表される．なお，電力計で表示される電力は有効電力 P である．

〈 5 ～ 7 の解答群〉

ア	$\overline{\dot{I}_a}$	イ	$-\overline{\dot{I}_a}$	ウ	$\overline{\dot{I}_b}$	エ	$-\overline{\dot{I}_b}$
オ	$\dot{V}_{ab}(\overline{\dot{I}_{bc}} - \overline{\dot{I}_{ab}})$	カ	$\dot{V}_{bc}(\overline{\dot{I}_{ab}} - \overline{\dot{I}_{bc}})$			キ	$\dot{V}_{bc}(\overline{\dot{I}_{bc}} - \overline{\dot{I}_{ab}})$
ク	$\dot{V}_{ac}\overline{\dot{I}_a} + \dot{V}_{bc}\overline{\dot{I}_b}$	ケ	$\dot{V}_{ac}\overline{\dot{I}_b} - \dot{V}_{bc}\overline{\dot{I}_a}$			コ	$\dot{V}_{ca}\overline{\dot{I}_a} + \dot{V}_{bc}\overline{\dot{I}_b}$

2)　次に，図 **2** の二つの電力計 W_1 及び W_2 の表示の和が三相電力であることを求める．

図 **3** に，$\dot{E}_a$ を基準ベクトルとして，負荷の力率角が φ である三相回路の電圧，電流に関するフェーザ図を示す．図 **3** に示す φ_a，φ_b 及び各フェーザの大きさ（実効値）を使うと，式⑧における有効電力 P は次式のように表される．

$$P = \boxed{\ 8\ } \qquad \cdots\cdots\cdots\cdots⑨$$

II

ここで，図 **3** から，$\varphi_a = \varphi - \frac{\pi}{6}$[rad]，$\varphi_b =$ [9] [rad] の関係であることが分かる．

式⑨の右辺の第一項は電力計 W_1 の表示 P_1 を示し，第二項は電力計 W_2 の表示 P_2 を示す．さらに，平衡三相回路であることから，三つの等しい線間電圧の実効値を $V_\triangle$ に，三つの等しい線電流の実効値を I_Y に置き換えて $V_\triangle$ 及び I_Y を使うと，式⑨は次式のように表される．ただし，$\cos(A \pm B) = \cos A \cos B \mp \sin A \sin B$ である．

$$P = P_1 + P_2 = \boxed{\ 10\ } \quad \cdots\cdots\cdots\cdots ⑩$$

〈[8]～[10] の解答群〉

ア $\varphi + \frac{\pi}{3}$　イ $\varphi + \frac{\pi}{6}$　ウ $\varphi - \frac{\pi}{6}$　エ $\frac{\sqrt{3}}{2} V_\triangle I_Y \cos\varphi$

オ $\sqrt{3} V_\triangle I_Y \cos\varphi$　カ $3 V_\triangle I_Y \cos\varphi$　キ $V_{ac} I_a \cos\varphi_a + V_{bc} I_b \cos\varphi_b$

ク $V_{ac} I_a \sin\varphi_a + V_{bc} I_b \sin\varphi_b$　ケ $V_{ac} I_b \cos\varphi_b + V_{bc} I_a \cos\varphi_a$

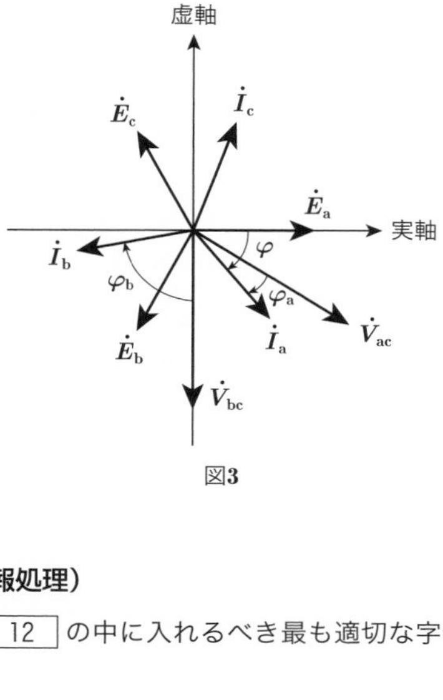

図3

問題 5（自動制御及び情報処理）

次の各文章の [1]～[12] の中に入れるべき最も適切な字句等をそれぞれの解答群から選び，その記号を答えよ．

また，[A ab] に当てはまる数値を計算し，その結果を答えよ．ただし，解答は解答すべき数値の最小位の一つ下の位で四捨五入すること．（配点計 **50** 点）

(1) 図 **1** に示すような一次遅れ系 $\frac{1}{s+1}$ に対するフィードバック制御系の設計問題を考える．

ここで r は目標値，d は外乱，y は制御量である．k_1，k_2 は制御器の制御ゲインである．

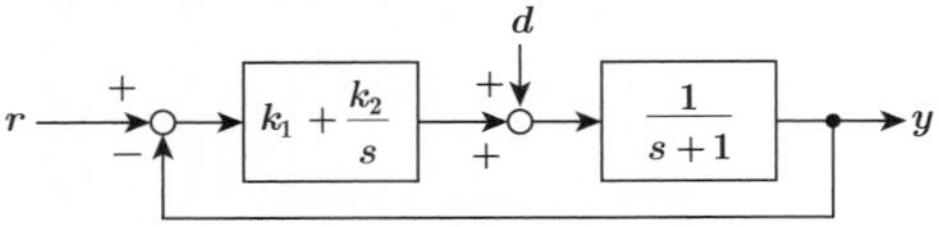

図1

1)　まず，外乱 d を 0 として，目標値 r から制御量 y までの伝達関数を計算すると，[1] を得る．同様に目標値 r を 0 として，外乱 d から制御量 y までの伝達関数を計算すると [2] を得る．

〈[1] 及び [2] の解答群〉

ア　$\dfrac{s}{s^2+(k_1+1)s+k_2}$　　イ　$\dfrac{s}{s^2+(k_2+1)s+k_1}$

ウ　$\dfrac{k_1}{s^2+(k_1+1)s+k_2}$　　エ　$\dfrac{k_1 s+k_2}{s^2+(k_1+1)s+k_2}$

オ　$\dfrac{k_2 s+k_1}{s^2+(k_2+1)s+k_1}$

2)　いま $k_2 > 0$ とすると，フィードバック系が安定であるための必要十分条件は，k_1 に関して [3] であることである．

〈[3] の解答群〉

ア　$k_1 > -1$　　イ　$k_1 > 0$　　ウ　$k_1 > 1$　　エ　$k_1 > k_2$

3)　フィードバック系が安定であるときに，外乱 d が加えられた状況を考える．ただし，ここで目標値を $r(t) = 0$ と設定した．

i）　もし外乱が $d(t) = 1$（$t \geqq 0$）であるとすると，制御量 $y(t)$ の定常値 $\lim_{t\to\infty} y(t)$ は [4] となる．

ii）　もし外乱が $d(t) = t$（$t \geqq 0$）であるとすると，制御量 $y(t)$ の定常値 $\lim_{t\to\infty} y(t)$ は [5] となる．

〈[4] 及び [5] の解答群〉

ア　0　　イ　1　　ウ　k_1

エ　$\dfrac{1}{k_1}$　　オ　$\dfrac{1}{k_2}$

II

⑵ 次の二次遅れ系の過渡応答特性について考える．

$$G(s)=\frac{k_A}{s^2+k_B s+k_A}$$

ここで，k_A，k_B は正の定数である．

1) まず，$k_A=1$，$k_B=0.5$ として，その後 k_B のみを徐々に大きくした．このとき，固有角周波数は一定で，減衰定数が変化し，$G(s)$ のステップ応答は［6］．

〈［6］の解答群〉

ア 徐々に振動的になる　イ 徐々に振動的でなくなる　ウ 変化がない

2) 次に，① $k_A=1$，$k_B=1$ とした場合と，② $k_A=4$，$k_B=2$ に変更した場合を比較すると，②の立上り時間は，［7］時間となる．

〈［7］の解答群〉

ア ①の $\frac{1}{4}$ の　イ ①の $\frac{1}{2}$ の　ウ ①の 2 倍の　エ ①と同じ

⑶ 写真や音声，ビデオ映像などのアナログデータをコンピュータで使用する際には，コンピュータで扱える 2 値データにディジタル変換し，用途ごとに必要なデータフォーマットで保存する．

1) 色に対する人間の目の特性を利用してデータ量を $\frac{1}{10}\sim\frac{1}{100}$ 程度に圧縮する規格であって，圧縮度合いを高めると画質が悪化するカラー静止画像圧縮規格は［8］である．

2) パソコンの高機能化に伴ってビデオ，音声のデータフォーマットとして利用されている規格は［9］であり，符号化ビットレートにより複数に分かれて制定されている．

3) 音声をサンプリング周波数でディジタル化し，2 進数の時系列データとして圧縮しないで保存する，CD などで使用されるデータフォーマットは［10］である．

〈［8］～［10］の解答群〉

ア **AIFF**　イ **BitMap**　ウ **GIF**

エ **JPEG**　オ **MPEG**　カ **WAVE**

⑷ データ通信システムの通信方式はデータ伝送方向により単向式，［11］方式，全二重方式に分けられる．受信側が実装する，データ伝送中に発生したデータ誤りを検出し訂正する機能の中で，垂直パリティチェック方式とは，例えば［12］ごとに検査用のパリティビットを付加して誤りを検出する方式である．

〈 11 及び 12 の解答群〉

ア ファイル　**イ** バイト　**ウ** ビット　**エ** 同期　**オ** 半二重　**カ** 変調

(5) データ通信の伝送時間は，通信データ量と伝送速度（**1** 秒間に送信可能なデータ量），エラーチェックの利用などによる回線利用率で決定される．

伝送速度が **500 kbps** で回線利用率が **50 %** の回線を使用して **1 MB** のデータを転送するときの転送時間は **A ab** [秒] である．このとき，**1 k** は 10^3，**1 M** は 10^6 とする．

問題 6（電気計測）

次の各文章の 1 ～ 10 の中に入れるべき最も適切な字句等をそれぞれの解答群から選び，その記号を答えよ．なお， 1 ， 9 及び 10 は複数箇所あるが，それぞれ同じ記号が入る．（配点計 **50** 点）

(1) 次の各記述は，測定の誤差及び測定計器の特性に関する説明である．

1) 測定値には系統誤差と偶然誤差が含まれる．そのうち偶然誤差における測定値 x のばらつきの程度は，$f(x)=\dfrac{1}{\sqrt{2\pi}\sigma}\exp\left\{-\dfrac{(x-x_{\mathrm{m}})^2}{2\sigma^2}\right\}$ の形の 1 分布で表現されることが多い．ここで，σ は測定のばらつきの標準偏差，x_{m} は測定値の平均値である．

1 分布においては，平均値を中心として $\pm\sigma$ の範囲には **68.3 %** の測定値が含まれ，$\pm 2\sigma$ の範囲には 2 [%] の測定値が含まれる．

〈 1 及び 2 の解答群〉

ア **34.1**　**イ** **95.4**　**ウ** **99.7**　**エ** ポアソン　**オ** 矩形　**カ** 正規

2) **JIS** では，ある測定量において，測定器の示す値から示すべき真の値を引いた値を 3 ，指示量の変化の測定量の変化に対する割合を感度，出力に識別可能な変化を生じさせることができる入力の最小値を 4 といい，計器の特性及び性能はこれらで表される．

〈 3 及び 4 の解答群〉

ア 器差　**イ** 公差　**ウ** 視差　**エ** 識別能　**オ** 分解能　**カ** 不感帯

(2) 日本の電源供給は周波数 **50 Hz** 又は **60 Hz** の正弦波が原則であるが，電源波形がひずむと電気機器の誤作動の原因となるため，ひずみの適切な測定は電源の品質管理の一つとして重要である．

ひずみの主原因は，基本波の整数倍の周波数を持つ正弦波である高調波の電源への混入であり，多くの国で高調波は規制の対象となっている．

1)　図にひずみ波の測定例を示す．(a)と(b)のひずみ波のうち，主として三次高調波を含んでいるのは［ 5 ］の波形である．時間経過に伴い，半周期ごとに同じ波形が正負対称で交互に繰り返される場合，主として［ 6 ］高調波を含んでいる．

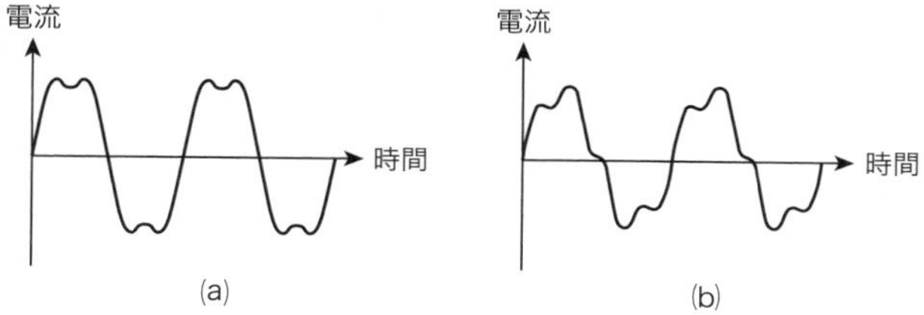

図　ひずみ波の波形

〈［ 5 ］及び［ 6 ］の解答群〉

ア (a)　**イ** (b)　**ウ** (a)，(b)両方　**エ** 奇数次　**オ** 偶数次　**カ** 中間

2)　高調波の測定方法の一つとして，電圧の周期的な変化を波形として画面上に表示するオシロスコープなどを用いて観察することが挙げられる．古くはアナログ式であったが，現在ではディジタルオシロスコープが主流であり，データの蓄積や［ 7 ］変換を用いて周波数分析までできる機能を備えているものが多い．ただし，標本化を行う計測では，標本化周波数が低いときに標本点を結んだ波形が測定対象の信号波形と全く異なるものになってしまう［ 8 ］に注意する必要がある．

〈［ 7 ］及び［ 8 ］の解答群〉

ア エイリアシング　**イ** デッドタイム　**ウ** トリガ

エ ラプラス　**オ** ローレンツ　**カ** 高速フーリエ

(3)　道路，橋梁等の耐用年数の長い各種社会インフラやビル等の劣化，ひずみの診断，対象物の検出には各種の機械量センサが用いられ，機械量を電気量に変換して計測するセンサの種類としては，非接触式である［ 9 ］形センサ，接触式であるひずみゲージ式センサ，圧電形センサなどがある．

［ 9 ］形センサは，被測定物とプローブとの間の［ 9 ］の変化で被測定物の変位量などを検出するものである．

ひずみゲージ式センサは，被測定物に接着された金属の［ 10 ］が，被測定物の伸び縮みなどにより変化する現象を利用したものである．その［ 10 ］の変化を精度よく測定するために，ブリッジ回路を構成して，電圧に変換して測定することが多い．

圧電式センサは，被測定物に接着された圧電体に，被測定物のひずみにより誘起される電荷をチャージアンプで電圧に変換してひずみ量を測定するものである.

〈 9 及び 10 の解答群〉

ア 起電力　**イ** 周波数　**ウ** 静電容量　**エ** 電気抵抗

III

電気設備及び機器（110 分）

問題 7，8　工場配電

問題 9，10　電気機器

問題 7（工場配電）

次の各文章の 1 ～ 9 の中に入れるべき最も適切な字句等をそれぞれの解答群から選び，その記号を答えよ．

また， A ab.c ～ D abc に当てはまる数値を計算し，その結果を答えよ．ただし，解答は解答すべき数値の最小位の一つ下の位で四捨五入すること．（配点計 **50** 点）

(1) 電力系統を構成する送配電線で，短絡などの系統故障が発生すると，故障点を中心に事故電流による電圧低下が広範囲に発生する．電圧低下が発生すると，その大きさや 1 によっては電力を使用する需要家側の機器類に悪影響を与えることになる．

電圧低下が瞬時であっても，需要家側では，使用される電動機の運転・停止に用いられる 2 の開放，**FA** システムなどに使用されるコンピュータのデータ消失，プロセス制御の誤作動，生産ラインの停止などの問題が発生する．

〈 1 及び 2 の解答群〉

ア　ラッチ式電磁接触器　　**イ**　高圧負荷開閉器　　**ウ**　常時励磁式電磁接触器

エ　故障継続時間　　**オ**　残留磁束　　**カ**　絶縁強度

(2) 太陽光発電は，太陽電池の 3 を利用して光エネルギーを直接電気エネルギーに変換する発電方式である．太陽光は再生可能エネルギーであり，温室効果ガスの排出量削減に貢献できるため，太陽光発電設備が普及・拡大している．

太陽光発電設備は，太陽電池，電力変換装置，系統連系保護装置等から構成され，このうち電力変換装置と系統連系保護装置を合わせて 4 と呼んでいる．この装置に要求される機能としては，電力変換や連系保護に加え，装置を日射量に応じて最適の条件で有効利用するための 5 機能，商用電源側の停電時に独立電源として使える自立運転機能などがある．

〈 3 ～ 5 の解答群〉

ア　サイクロコンバータ　　**イ**　パワーコンディショナ　　**ウ**　パワーモジュール

エ 光電効果　**オ** 光磁気効果　**カ** 光触媒作用

キ 最大電力点追従　**ク** 自動負荷分担　**ケ** 電力回生

(3) 工場配電では，工場負荷の力率を所定の値に維持するため進相コンデンサを複数台設置し，負荷の増減により変化する力率に応じて，進相コンデンサを開閉して力率を制御する方法が一般に採用されている.

進相コンデンサによる力率制御の代表的な方式としては，力率の変動パターンが周期的に繰り返される場合に用いられる時間制御方式や，計測した回路の［6］電力とあらかじめ設定した値（整定値）とを比較して，進相コンデンサの開閉を行う制御方式などがある.

なお，後者の制御方式では，進相コンデンサが投入，遮断を繰り返す［7］現象が生じないように，整定値の設定に注意する必要がある.

〈［6］及び［7］の解答群〉

ア ハンチング　**イ** フェランチ　**ウ** フリッカ

エ 平均　**オ** 無効　**カ** 有効

(4) 配電線路に高調波が含まれると，線路に接続された負荷機器に様々な障害が発生する. 変圧器や電動機など鉄心を使用する機器では，［8］の増大による過熱，うなり，振動が発生する. また，進相コンデンサや進相コンデンサ用リアクトルの高調波障害は，主に［9］によることが多い. さらに，計算機や制御装置などの電子機器では，電源電圧の波形ひずみなどが誤作動やノイズの原因となる.

高調波障害を軽減するには，高調波を発生する側に対してはその抑制対策が，影響を受ける側に対しては高調波耐力の向上対策が必要である.

〈［8］及び［9］の解答群〉

ア 回路共振　**イ** 残留電荷　**ウ** 静電誘導

エ 鉄損　**オ** 銅損　**カ** 誘電損

(5) 図**1**に示すように，三相**3**線式の高圧配電線路の負荷端に，常時の電力が**800 kW**で最大電力が**1 300 kW**となる平衡三相負荷が接続されており，負荷の力率は**80 %**（遅れ）一定である. ここで，この負荷と並列に進相コンデンサを接続して力率改善を行うことにした. 力率改善のために接続した進相コンデンサは，負荷が**800 kW**のときに負荷端における力率を**95 %**（遅れ）とするために必要な容量とした. ただし，負荷端電圧及び負荷力率は，負荷の大きさにかかわらず，力率の改善前後において一定とする.

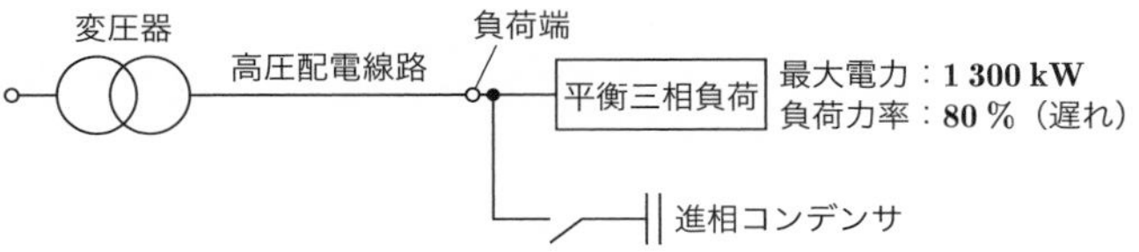

図1　配電系統

1)　負荷が **800 kW** のときの高圧配電線路の電力損失は，進相コンデンサを接続して **95 %**（遅れ）に力率改善することによって，力率改善前に対して **A ab.c** [%] 低減する．

2)　力率改善後，負荷力率が一定のまま負荷が **800 kW** から最大の **1 300 kW** まで増加したとき，負荷端の力率は **95 %**（遅れ）から **B ab.c** [%]（遅れ）に低下する．

(6)　図 **2** は，ある工場において，電力需要の大きい斜線部の時間帯の負荷を，電力需要の少ない時間帯に移行する計画を示した電力日負荷曲線である．ただし，負荷移行の前後で，総消費電力量は変わらないものとする．なお，この工場の合計設備容量は **1 200 kW** である．

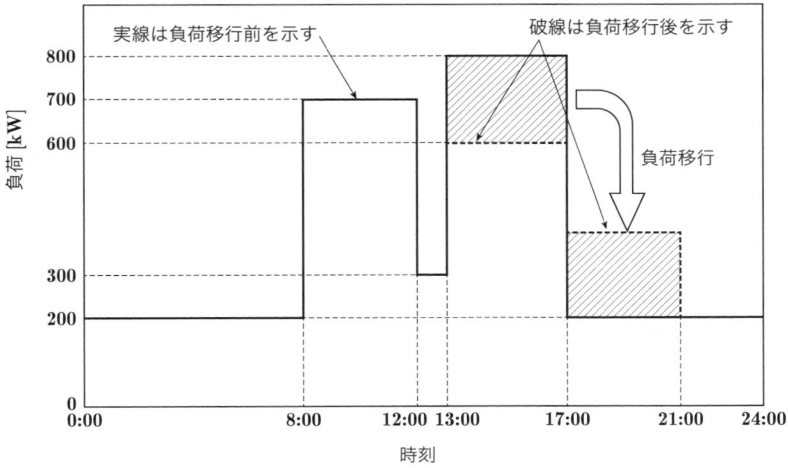

図2　電力日負荷曲線

1)　図 **2** に示すように，**13** 時から **17** 時の時間帯の需要電力が **600 kW** で一定になるよう，**17** 時から **21** 時までの時間帯に各時間均等に負荷移行することとした．この対策により，この工場の負荷移行後の需要率は **C ab.c** [%] となる．

2)　この工場の **1** 日の負荷率を **65 %** 以上とするためには，最大需要電力が **D abc** [kW] 以下となるように，需要電力の大きい時間帯の負荷を他の時間帯に移行する必要がある．

問題8（工場配電）

次の各文章の［ 1 ］～［ 9 ］の中に入れるべき最も適切な字句等をそれぞれの解答群から選び，その記号を答えよ．なお，［ 1 ］及び［ 8 ］は複数箇所あるが，それぞれ同じ記号が入る．

また，［**A** **ab.c**］～［**E** **ab.c**］に当てはまる数値を計算し，その結果を答えよ．ただし，解答は解答すべき数値の最小位の一つ下の位で四捨五入すること．（配点計**50**点）

(1) 工場あるいは事業場の配電設備における電力損失は，配電線路の抵抗による損失と，変圧器で発生する損失とが支配的である．このため，省エネルギーの観点からは，これらの損失を可能な限り低減させることが重要である．

1) 配電線路の電力損失を低減する対策は，［ 1 ］の低減と線路抵抗の低減に大別できる．このうち，［ 1 ］を低減する対策としては，次のようなものがある．

① 負荷に供給する配電線路は，高い供給電圧を選定する．

② 負荷に供給する配電線路の回線数を［ 2 ］させる．

③ 線路の負荷端に力率改善用の進相コンデンサを設置する．

④ **2**台以上の変圧器の低圧配電線を相互に接続する［ 3 ］方式などの配電方式を採用する．

また，線路抵抗を低減する対策としては，次のようなものがある．

① 太い電線に張り替える．

② 負荷の近傍に変圧器を設置して，変圧器二次側線路のこう長を短縮する．

〈［ 1 ］～［ 3 ］の解答群〉

ア	バンキング	**イ**	常用予備切換	**ウ**	放射状	**エ**	減少
オ	増加	**カ**	線路電流	**キ**	励磁電流	**ク**	漏洩電流

2) 変圧器で発生する電力損失の低減策としては，次のようなものがある．

① 「エネルギーの使用の合理化及び非化石エネルギーへの転換等に関する法律」に規定する基準エネルギー消費効率を満足する変圧器を採用する．

② 軽負荷時，変圧器の無負荷損を低減するために負荷を切り替えた上で，一部バンクの［ 4 ］を行う．

〈［ 4 ］の解答群〉

ア 過負荷運転　**イ** 並行運転　**ウ** 停止

(2) 工場や事業場の電力需要は，季節変化，平日と休日，時間帯，設備の運用形態などによって大きく変動する．この変動を抑制して工場の最大需要電力を低減することは，［ 5 ］

を高めることにつながり，電気料金の節減や工場内の受電設備・配電設備の効率的な運用を可能にする重要な取り組みの一つである．電力需要の変動を抑制し，最大需要電力を低減する対策として，次の①〜③のような方法が考えられる．

① 蓄電池や蓄熱システムの活用

② 一つのエネルギー源から電気と熱を取り出して利用する［6］の活用

③ 電気利用の便宜を損なうことなく，最大需要電力を一定の値以下に抑制する［7］制御の実施

〈［5］〜［7］の解答群〉

ア コージェネレーション設備　**イ** セラミックヒータ　**ウ** 電気温水器
エ デマンド　**オ** 位相　**カ** 電圧
キ 需要率　**ク** 負荷率　**ケ** 力率

(3) 平衡な三相交流電圧は，各相の電圧の大きさが等しく位相差が **120°** であるが，実際には各相の電圧の大きさ・位相差にばらつきが生じることがある．これを電圧不平衡と呼ぶ．

三相の電動機の入力電圧が不平衡であると，［8］電圧によって電動機に［8］電流が流れる．これによる回転磁界は回転方向と反対方向であるためブレーキとして作用し，電動機入力が増加して損失が増加すると共に，温度上昇や振動・騒音の増加を招く．

電圧不平衡が発生するのは，三相交流回路の各相に接続する単相負荷が均等でなく電流が不平衡となる場合や，配電線路のインピーダンスが相間で異なる場合などである．電圧不平衡を抑制するためには，発生要因が前者の場合，次の①及び②のような対策などが考えられる．

① 単相負荷を各相にバランスするように配分する．

② 同等容量の二組の単相負荷に電源供給する場合は，三相を二相に変換する［9］結線の変圧器を用いる．

〈［8］及び［9］の解答群〉

ア スコット　**イ** Y-Y　**ウ** △-Y　**エ** 逆相　**オ** 零相　**カ** 直流

(4) ある工場では，図に示すように，三相 **3** 線式 **2** 回線の **6 600 V** 高圧配電線路により，**A** 棟と **B** 棟に配電している．負荷の大きさは，**A** 棟が **2 000 kW**（遅れ力率 **80 %**），**B** 棟が **1 200 kW**（遅れ力率 **95 %**）であり，いずれも平衡三相で定電力負荷である．

ここで，線路 **1** 及び線路 **2** は線路インピーダンスが等しく，**1** 相当たりの抵抗は **0.4 Ω** で，リアクタンス分や線路 **1** 及び線路 **2** 以外のインピーダンスは無視できるものとする．また，開閉器 **S** が閉路のときの負荷接続点の電圧は **6 600 V** で，常に一定に維持されているも

のとし，負荷力率は力率改善前後で変わらないものとする．

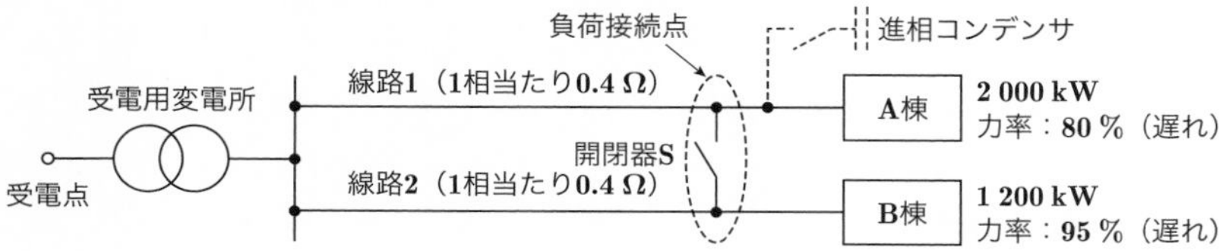

図

1） 開閉器 **S** が開路のとき，線路 **1** 及び線路 **2** の合計の電力損失は，それぞれの線路の電流と抵抗から求めることができる．線路 **1** の負荷接続点の電圧が **6 600 V** 一定に維持されるように送電することとし，その結果，線路 **2** の電圧が **6 650 V** 一定となった．そのとき，両線路の合計の電力損失は **A ab.c** [kW] となる．

2） 開閉器 **S** が閉路のとき，負荷接続点の電圧が **6 600 V** 一定で，両線路の電流は均等となることから，各線路の **1** 相当たりの電流は **B abc** [A] となる．これにより，発生する線路の電力損失は両線路の合計で **C ab.c** [kW] となり，開閉器 **S** が開路のときより低減する．

3） 開閉器 **S** が閉路のとき，負荷接続点における **A** 棟と **B** 棟を合計した負荷の力率を **100 %** に改善するため，図の破線のように進相コンデンサを設置した．

i）設置した進相コンデンサの必要容量は **D** $a.bc \times 10^{d}$ [kvar] である．

ii）進相コンデンサの設置により力率が **100 %** に改善されるため，線路 **1** と線路 **2** で発生する電力損失は合計で **E ab.c** [kW] となり，損失量は低減する．

問題 9（電気機器）

次の各文章の［ 1 ］～［ 11 ］の中に入れるべき最も適切な字句等をそれぞれの解答群から選び，その記号を答えよ．

また，**A abcd** ～ **E ab.c** に当てはまる数値を計算し，その結果を答えよ．ただし，解答は解答すべき数値の最小位の一つ下の位で四捨五入すること．（配点計 **50** 点）

(1) 変圧器の損失と効率について考える．

1） 変圧器の規約効率の算定に用いられる全損失は，無負荷損（鉄損と［ 1 ］及び励磁電流による巻線での銅損の和）と負荷損（銅損と漂遊負荷損の和）から成る．無負荷損の大部分を占める鉄損は，ヒステリシス損と渦電流損に分けられる．ヒステリシス損は，鉄心の磁化ヒステリシス現象により生じる損失で，交番磁界の下では［ 2 ］の **1** 乗と［ 3 ］の **1.6** ～ **2** 乗に比例するものとして表せる．渦電流損は，鉄心中で磁束の変化に起因して発生する抵抗損である.

〈[1]～[3]の解答群〉

ア 抵抗損 **イ** 補機損 **ウ** 誘電体損 **エ** 印加電圧 **オ** 最大磁束密度
カ 電流密度 **キ** 周波数 **ク** 飽和磁束 **ケ** 誘導起電力

2) 最近の変圧器は，損失の少ない鉄心材料を使用しているため無負荷損が減少し，最高効率となる負荷点が[4]側に移行する傾向にある．配電用油入変圧器のエネルギー消費効率の基準値は，日本産業規格 **JIS C 4304** で規定しており，この値を計算するときの基準負荷率は，定格容量によって分類され，**500 kV·A** 超では[5][%]となっている.

〈[4]及び[5]の解答群〉

ア 40 **イ** 50 **ウ** 75 **エ** 高負荷 **オ** 低負荷

(2) 同期電動機の制動巻線は，回転子の[6]に施された一種のかご形巻線である．この巻線は，三相かご形誘導電動機の二次巻線と同じような働きをする.

制動巻線は，運転中に負荷変動等により負荷角が変動し回転速度が動揺しても，制動巻線中を誘導電流が流れることで[7]を抑制するよう作用する.

また，始動巻線としても利用され，制動巻線によって同期速度付近となったところで，回転子に施された界磁巻線に[8]電流を流すことで，回転子は同期速度に引き入れられる．このため，制動巻線を始動巻線ともいい，この始動法を自己始動法という．一般に，この駆動トルクはあまり大きくできないので，始動は軽負荷で行う.

〈[6]～[8]の解答群〉

ア 逆相電流 **イ** 高調波 **ウ** 負荷 **エ** 無負荷 **オ** 乱調
カ 励磁 **キ** 交流励磁機 **ク** 磁極面 **ケ** 電機子巻線

(3) パワー半導体デバイスのオンオフ動作を用いて，交流を介することなく直流電圧を直接制御する回路は，直流チョッパと称される．直流チョッパは，スイッチングバルブデバイス，[9]，リアクトル及びコンデンサなどが主要な回路構成用品である.

スイッチングバルブデバイスがオン状態にある期間を t_{on}，オフ状態にある期間を t_{off}，1 周期を $T = t_{on} + t_{off}$ とするとき，$\alpha = \dfrac{t_{on}}{T}$ は 1 周期中でのオン時間比率であり，[10]率と称される.

昇圧チョッパの出力電圧と電源電圧の関係は，電源電圧を E_s，直流チョッパの平均出力電圧を V_d とすると，式[11]で表される．ただし，バルブデバイスなどの回路の損失はないものとする.

〈[9]〜[11]の解答群〉

ア $V_d = \dfrac{t_{on}}{t_{off}} \times \dfrac{1}{E_s}$　イ $V_d = \dfrac{t_{on} + t_{off}}{t_{off}} \times E_s$　ウ $V_d = \dfrac{t_{off}}{t_{on} + t_{off}} \times E_s$

エ サイリスタ　オ ダイオード　カ ブリッジ回路

キ 制御　ク 通電　ケ 通流

(4) 三相変圧器で，一次電圧 **6 600 V**，二次電圧 **210 V**，定格容量 **1 000 kV·A** の変圧器があり，負荷が定格容量の **50 %** の大きさで力率が **100 %** のとき，最大効率 **99.4 %** が得られた．なお，短絡インピーダンスの抵抗 r とリアクタンス x の比 $\dfrac{x}{r}$ は **7.05** とする.

1) この変圧器の無負荷損は [A abcd] [W] であり，定格容量時の負荷損は [B abcd] [W] となる.

2) この変圧器に定格容量で力率が **80 %**（遅れ）の負荷を接続したときの効率は [C ab.c] [%] となる.

3) この変圧器の短絡インピーダンスは [D a.bc] [%] となるので，高圧側を定格電圧値に維持して低圧側を短絡した場合，二次側の短絡電流は定格電流の [E ab.c] 倍となる.

問題 10（電気機器）

次の文章の [1]〜[10] の中に入れるべき最も適切な字句等をそれぞれの解答群から選び，その記号を答えよ.

また，[A a.b]〜[E abc] に当てはまる数値を計算し，その結果を答えよ．ただし，解答は解答すべき数値の最小位の一つ下の位で四捨五入すること.（配点計 **50** 点）

(1) 三相誘導電動機の運転において，滑りを s とするとき，$s < 0$，$0 \leqq s \leqq 1$，$s > 1$ の三つの運転領域がある．$0 \leqq s \leqq 1$ の領域では，通常の誘導電動機動作であり，回転子は回転磁界と同方向に同期速度以下で回転し，発生トルクは正である.

$0 \leq s \leq 1$ 以外の運転領域における特性については次のようになる.

1) $s < 0$ の領域では，回転子は回転磁界と同方向に同期速度より速い速度で回転する．したがって，入力は負となり，トルクは回転方向と反対方向となるので，電動機運転では [1] トルクとなる．また，この領域では誘導発電機として動作するが，[2] を必要とするため，通常，電源系統から切り離されると単独では発電できない.

III

〈 1 及び 2 の解答群〉

ア 加速　**イ** 駆動　**ウ** 制動

エ 極数切替　**オ** 循環電流　**カ** 励磁電流

2) $s > 1$ の領域では，回転子は回転磁界と反対方向に回転する．発生トルクは正であるが回転子の回転方向と反対であるため，機械的出力は負となる．通常，この領域は制動領域と称され，運転中の電動機で電源の **3** 線中の **2** 線を入れ替える 3 制動では，この領域を利用する．この制動法での電力損失は主に 4 で熱として放出される．

〈 3 及び 4 の解答群〉

ア 一次巻線　**イ** 電源回路　**ウ** 二次抵抗

エ 回生　**オ** 逆相　**カ** 発電

(2) 希土類永久磁石の性能向上と共に，永久磁石形同期電動機が産業分野でも採用されている．回転子側巻線をなくすことで損失を大幅に改善した電動機であり，適用分野が拡大しつつある．

1) 永久磁石形同期電動機は，同期電動機の 5 巻線の代わりに永久磁石を用いた電動機であり，三相誘導電動機と比較して高効率，高力率，低騒音，省スペース，保守の容易さなどの特長を持つことから，多様な用途に用いられるようになってきた．

2) 永久磁石形同期電動機の発生トルクは，永久磁石の磁束（**d** 軸方向）とこれと直交する電流（**q** 軸方向）によって発生し，これらの値の 6 で大きさが定まるマグネットトルクであり，さらに埋込磁石式では，磁気抵抗が回転子の円周上の位置によって不均一になる，いわゆる 7 性によって発生するリラクタンストルクがこれに加わる．

〈 5 ～ 7 の解答群〉

ア 差　**イ** 積　**ウ** 和　**エ** 対称　**オ** 突極

カ 非線形　**キ** 電圧　**ク** 電機子　**ケ** 励磁

3) 永久磁石形同期電動機の駆動には，インバータなどの専用の制御装置が用いられる．回転子の位置情報を元にインバータによって大きさと周波数及び位相が制御された電流によって生じる 8 と，永久磁石の磁力との相互作用により，トルクと回転速度が制御される．

〈 8 の解答群〉

ア 回転磁界　**イ** 飽和磁束　**ウ** 漏れ磁束

4) 永久磁石形同期電動機では，回転速度に比例して誘導起電力が増加するので，高速領域で電動機に加える電圧が誘導起電力より低いと 9 を発生できなくなる．このため，埋込磁石式では電機子電流の誘導起電力に対する位相を進み方向に制御し，電機子反作用により同期電動機の磁束を［10］ことによって，効率をあまり低下させることなく運転範囲の拡大を図っている．

〈［9］及び［10］の解答群〉

ア　トルク　　**イ**　無効電力　　**ウ**　有効電力

エ　強める　　**オ**　弱める　　**カ**　なくす

(3)　定格出力が **15 kW**，定格周波数が **50 Hz** で **4** 極の三相かご形誘導電動機があり，定格回転速度が **1 440 min**$^{-1}$，定格運転時の効率が **88.5 %** である．この電動機の負荷損は全て銅損であるものとし，一次銅損と二次銅損は常に等しいものとする．ただし，円周率 π = **3.14** とする．

1)　この電動機の定格出力時における滑り s は［**A** **a.b**］[%] である．また，このときのトルクは［**B** **ab.c**］[N·m] である．

2)　この電動機の定格出力時の二次銅損は滑りと定格出力から算出でき，［**C** **abc**］[W] となる．

3)　定格負荷時の効率が **88.5 %** なので，固定損と銅損の合計は［**D** **abcd**］[W] となる．

4)　一次銅損と二次銅損は等しいとしているので，固定損は［**E** **abc**］[W] となる．

電力応用（110分）

必須　問題11，12　電動力応用
選択　問題13　電気加熱
選択　問題14　電気化学
選択　問題15　照　明
選択　問題16　空気調和
（問題13～16から）2問題を選択

問題11（電動力応用）

次の各文章の［1］～［14］の中に入れるべき最も適切な字句等をそれぞれの解答群から選び，その記号を答えよ．（配点計**50**点）

(1)　誘導電動機の省エネルギーを実行するためには，エネルギーの過剰供給や供給時の損失を少なくすることが必要である．そのためには，負荷の大きさや負荷特性に適合した機器容量及び運転方式を選定することが求められる．

1)　一般に誘導電動機を商用電源で直接使用する場合，軽負荷で運転するときの効率及び力率に関しては，定格運転時に対して［1］低下する特性を持つので，軽負荷運転は極力避けるべきである．ちなみに，商用電源で直接使用する場合の誘導電動機の最高効率点は［2］が等しくなる点である．

〈［1］及び［2］の解答群〉

ア　負荷損と固定損　　**イ**　負荷損の**2**乗と固定損

ウ　負荷損の平方根と固定損　　**エ**　効率と力率が共に

オ　力率は向上するが効率が　　**カ**　力率は一定であるが効率が

2)　かご形誘導電動機は，商用電源に直接接続して使用する場合は［3］速運転となるが，インバータを用いて電源の電圧及び周波数を制御することで，負荷に見合った［4］速運転を行うことも可能となり，特に［5］時の省エネルギーを図ることができる．さらに，始動時においては，インバータを用いることによって始動電流を低減することができるので，系統に与える影響が軽減されると共に，主に［6］による発熱を少なくすることも可能となり，間欠負荷の場合は停止・再始動を繰り返すことも容易である．

〈 3 ～ 6 の解答群〉

ア 一定　**イ** 可変　**ウ** 過負荷　**エ** 定格負荷
オ 部分負荷　**カ** 抵抗損　**キ** 鉄損　**ク** 固定損

3) 誘導電動機の駆動に用いられる汎用インバータ装置などでは，半導体素子がオンオフ動作することで，電圧又は電流が方形波の組み合わせとなるため高調波を発生させ，その高調波の系統への流出により，電力機器の過熱・損傷や通信線などへの誘導障害を生じる．

半導体電力変換装置の順変換部に 7 などの自己消弧形素子を用い，さらに出力電圧パルス幅を制御する 8 制御を適用すれば，交流電流又は電圧の波形を正弦波に近づけて 9 の高調波の発生を抑制することができる．

〈 7 ～ 9 の解答群〉

ア IGBT　**イ** PCM　**ウ** PWM　**エ** サイリスタ
オ ダイオード整流器　**カ** ベクトル　**キ** 低次　**ク** 高次
ケ 低次から高次まで

(2) 図は，水平な直線軌道上を走行する台車の走行速度（単位は [km/h]）の様子を表している．走行開始の 0 秒から 20 秒までの間は等加速度で加速し，20 秒から 60 秒までは惰性走行し，60 秒以降は等加速度で減速し，80 秒で停止している．台車の質量は 2 000 kg で，走行中は常に軌道との接触によって生じる走行抵抗 $2.83g \times 10^{-3}$ N/kg を受けており，重力の加速度 g は $9.80\ \mathrm{m/s^2}$ とする．この走行抵抗の値は速度によらず一定とし，この走行抵抗以外で台車が受ける抵抗は無視できるものとする．

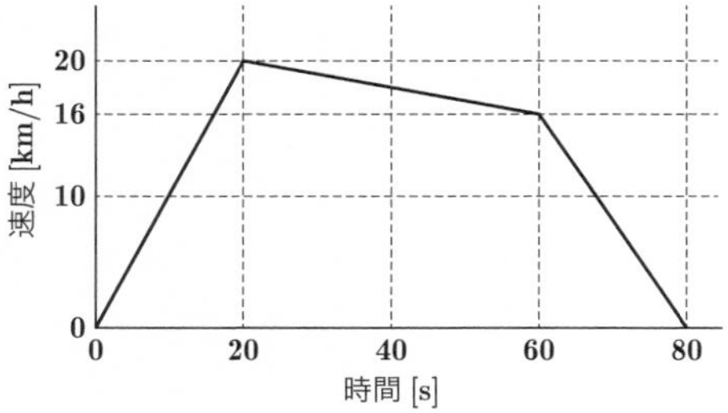

図

走行開始から 20 秒までの加速期間では電源電力を利用して加速運転している．一方，20 秒以降では電源電力を断って惰性走行しており，走行抵抗により速度低下が生じている．なお，走行抵抗は加速期間及び減速期間にも作用しており，走行抵抗によって失われるエネルギーは移動距離に比例する.

さらに，**60** 秒以降の減速期間ではインバータによる回生制動を行い，運動エネルギーは電源に回生されている.

1)　図の走行速度に基づくと，全期間における台車の走行距離は [10] [m] である．また，走行開始から **20** 秒までの加速期間での加速度は [11] [m/s^2] である.

〈[10] 及び [11] の解答群〉

ア　**0.278**	イ　**0.556**	ウ　**2.78**	エ　**5.56**
オ　**300**	カ　**600**	キ　**1 080**	ク　**2 160**

2)　**20** 秒から **60** 秒までの **40** 秒間の惰性走行中に，走行抵抗によって失われる運動エネルギーは [12] [kJ] である.

3)　走行開始の **0** 秒から **20** 秒までの間に要する電力量は，加速によって台車が得る運動エネルギーと走行抵抗によって失われる分のエネルギーを合計して [13] [kJ] となる.

〈[12] 及び [13] の解答群〉

ア　**1.23**	イ　**11.1**	ウ　**14.2**	エ　**22.2**
オ　**27.8**	カ　**33.9**	キ　**40.0**	ク　**47.5**

4)　**60** 秒以降の減速期間での制動力は，走行抵抗により生じる力を含めて [14] [N] である．したがって，この期間の回生制動によって，例えば運動エネルギーが変換効率 **80 %** で電源に回生されているものとすると，回生される電気エネルギーは **13.8 kJ** となる.

〈[14] の解答群〉

ア　**222**	イ　**444**	ウ　**800**	エ　**1 600**

問題 12（電動力応用）

次の各文章及び表の [1] ～ [13] の中に入れるべき最も適切な字句等をそれぞれの解答群から選び，その記号を答えよ.（配点計 **50** 点）

(1)　高層ビル用エレベータの走行について考える．エレベータの運転曲線は，図に示すような，乗り心地が良く，最短時間で走行するための理想形の一つと考えられる正弦波運転曲線であるとする．図で，横軸は時間 t，$v(t)$ は速度，$\alpha(t)$ は加速度，$\dfrac{d\alpha}{dt}$ は加速度変化率を示す.

また，t_1 ～ t_6 は走行開始からの走行経過時間を，t_e は停止までの時間を示す．t_a は加速度が変化している運転の時間幅，t_b は加速度が最大（小）値で一定である運転の時間幅，t_C は加速度が零となる運転の時間幅とする.

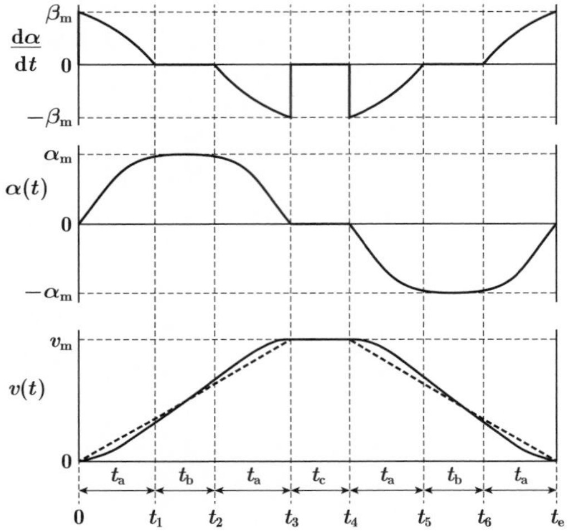

図　エレベータの運転パターン

1）　運転の基本式を導出する．ここで，円周率 $\pi = 3.14$ とする．

i ）図の運転曲線において，$t_b = t_c = 0$ とした等加速度区間がない運転であるとすると，$0 \leqq t \leqq 4t_a = t_e$ であり，加速度は，最大値を α_m [m/s²] とした次式のような正弦波状の変化となることがわかる．ここで，正弦波の角周波数は $\omega = \dfrac{\pi}{2t_a}$ [rad/s] である．

$$\alpha(t) = \alpha_m \sin(\omega t) \qquad \cdots\cdots\cdots\cdots ①$$

このとき，加速度変化率 $\dfrac{d}{dt}\alpha(t)$ の最大値 β_m [m/s³] は次式で与えられる．

$$\beta_m = \left[\frac{d\alpha}{dt}\right]_{t=0} = \left[\frac{d}{dt}\alpha_m \sin(\omega t)\right]_{t=0} = \alpha_m \frac{\pi}{2t_a} \qquad \cdots\cdots\cdots\cdots ②$$

従って，t_a，ω は α_m，β_m を用いて次のように表すことができる．

$$t_a = \frac{\pi}{2}\frac{\alpha_m}{\beta_m}, \quad \omega = \boxed{\;1\;} \qquad \cdots\cdots\cdots\cdots ③$$

なお，走行時間を短縮するためには，α_m 及び β_m は乗り心地が悪化しない範囲で，できるだけ大きい値とする必要がある．

ii ）図の運転曲線において，速度の最大値 v_m は，$\alpha(t)$ の対称性から，

$\int_0^{t_1}\alpha(t)\mathrm{d}t=\int_{t_2}^{t_3}\alpha(t)\mathrm{d}t$ の関係が利用できるので，次のように計算できる．

$$v_m=\int_0^{t_3}\alpha(t)\mathrm{d}t=\alpha_m\left(2\int_0^{t_1}\sin(\omega t)\mathrm{d}t+t_b\right)=\alpha_m\left(2\frac{\alpha_m}{\beta_m}+t_b\right)\quad\cdots\cdots\cdots\cdots④$$

走行開始から停止するまでの経過時間 t_e は，図より次式で与えられる．

$$t_e=4t_a+2t_b+t_c=2\pi\frac{\alpha_m}{\beta_m}+2t_b+t_c\quad\cdots\cdots\cdots\cdots⑤$$

また，この期間での上昇距離 x_e は速度の積分であるが，図中の破線で示した台形の面積に等しいことから，次のように簡単に計算できる．

$$x_e=\int_0^{t_e}v(t)\mathrm{d}t=\boxed{\ 2\ }\quad\cdots\cdots\cdots\cdots⑥$$

〈[1] 及び [2] の解答群〉

ア $\dfrac{\beta_m}{\alpha_m}$　　イ $2\dfrac{\beta_m}{\alpha_m}$　　ウ $\dfrac{1}{2}\dfrac{\beta_m}{\alpha_m}$　　エ $\left(\pi\dfrac{\alpha_m}{\beta_m}+t_b+t_c\right)v_m$

オ $\left(\pi\dfrac{\alpha_m}{\beta_m}+2t_b+t_c\right)v_m$　　カ $\left(2\pi\dfrac{\alpha_m}{\beta_m}+2t_b+t_c\right)v_m$

iii）図の正弦波運転曲線で運転する場合の x_e の最小値 $x_{e_{MIN}}$ は，等加速度区間がないときに出現し，式⑥に式④を代入して $t_b=t_c=0$ とすると，次式で表される．

$$x_{e_{MIN}}=2\pi\frac{{\alpha_m}^3}{{\beta_m}^2}\quad\cdots\cdots\cdots\cdots⑦$$

また，定格速度を v_N とすると，$v_m=v_N$ となる t_b の値 t_{b_N} は，式④より次式で表される．

$$t_{b_N}=\boxed{\ 3\ }\quad\cdots\cdots\cdots\cdots⑧$$

さらに，$t_b=t_{b_N}$ かつ $t_c=0$ の場合の x_e の値 x_{e_N} は，式⑥及び式⑧より次式で表される．

$$x_{e_N}=\boxed{\ 4\ }\quad\cdots\cdots\cdots\cdots⑨$$

上昇距離が $x_{e_{MIN}}\leqq x_e\leqq x_{e_N}$ の場合には $t_c=0$ として，t_b を変化させる．

一方，上昇距離が $x_e\geqq x_{e_N}$ の場合には $t_b=t_{b_N}$，従って $v_m=v_N$ となり，t_c により x_e を制御する．x_e が与えられた場合の t_c は次式で与えられる．

$$t_c=\frac{x_e-x_{e_N}}{v_N}=\frac{x_e}{v_N}-\left\{(\pi-2)\frac{\alpha_m}{\beta_m}+\frac{v_N}{\alpha_m}\right\}\quad\cdots\cdots\cdots⑩$$

〈 3 及び 4 の解答群〉

ア $\dfrac{v_N}{\alpha_m}-\dfrac{\alpha_m}{\beta_m}$　　イ $\dfrac{v_N}{\alpha_m}-2\dfrac{\alpha_m}{\beta_m}$　　ウ $\dfrac{v_N}{\alpha_m}-\dfrac{1}{2}\dfrac{\alpha_m}{\beta_m}$

エ $\left\{\pi\dfrac{\alpha_m}{\beta_m}+\dfrac{v_N}{\alpha_m}\right\}v_N$　　オ $\left\{(\pi-1)\dfrac{\alpha_m}{\beta_m}+\dfrac{v_N}{\alpha_m}\right\}v_N$

カ $\left\{(\pi-2)\dfrac{\alpha_m}{\beta_m}+\dfrac{v_N}{\alpha_m}\right\}v_N$

2) 一例として，44階建ての高層マンションのモデルを考える．各階の階高を3.4 mとし，エレベータの運転パターンは，α_mが0.9 m/s^2，β_mが1.3 m/s^3，v_Nが5 m/s（分速300 m）と設定されている．

i）式⑦より$x_{e_{MIN}}$は， 5 [m]と求められ，式⑨よりx_{e_N}は31.7 mと求められる．

ii）1階から30階に直行する場合には，$x_e=98.6$ mとなり，$x_e > x_{e_N}$である．この場合のt_eを求めると， 6 [s]となる．

〈 5 及び 6 の解答群〉

ア 2.71　イ 3.05　ウ 3.20　エ 26.1　オ 29.7　カ 31.3

(2) 送風機及び圧縮機の種類と特性について考える．

1) 表は送風機及び圧縮機について，JIS B 0132の定めに基づいて分類したものである．

表

分類		吐出し圧力の程度	種類
圧縮機		比較的高い圧力	ターボ型 容積型（回転式，往復式）
	ブロワ	7 [kPa]以下	ターボ型 容積型（回転式）
送風機・ファン		8 [kPa]以下 （標準空気の場合）	ターボ型

〈 7 及び 8 の解答群〉

ア 0.3　イ 3　ウ 30　エ 200　オ 2 000

2) プロペラを高速回転し，翼の揚力によって気体を軸方向に流動させる構造の送風機を 9 式送風機という．送風機や電動機を小型軽量にでき，導管の一部に設置できる利点がある．

3) 羽根により，気体を半径方向に内側から外側に向かって流動させる構造の送風機を 10 式送風機という．構造が簡単で安価であるため，換気や冷暖房の用途に用いられる．

4) シリンダを用いた［ 11 ］式圧縮機は，高い圧力が得られ，最も効率の良い圧縮機として広く用いられている．

〈［ 9 ］～［ 11 ］の解答群〉

ア 遠心　**イ** 渦流　**ウ** 往復　**エ** 回転　**オ** 軸流

(3) 定格出力（圧力 × 流量）が **18 kW** の送風機の運転について考える．送風機の定格点での効率は **50 %**，電動機の効率は **90 %** とする．

送風機の特性と管路の抵抗曲線が次式で近似できるとき，定格流量の **50 %** で運転する場合の消費電力を求める．

$$h = 1.2n^2 + 0.4nq - 0.6q^2$$

$$\eta = 2\left(\frac{q}{n}\right) - \left(\frac{q}{n}\right)^2$$

$$r = q^2$$

ただし，h [p.u.] は風圧，n [p.u.] は回転速度，q [p.u.] は風量，r [p.u.] は管路抵抗，η [p.u.] は送風機効率で，いずれも定格点での値で正規化したものである．

1) ダンパ制御により **50 %** 流量を実現する場合の消費電力は［ 12 ］[kW] となる．

2) 一方，効率 **95 %** のインバータを用いて電動機の速度制御により **50 %** 流量を実現する場合の消費電力は［ 13 ］[kW] となり，省エネルギー効果を定量的に評価することができる．

〈［ 12 ］及び［ 13 ］の解答群〉

ア 5.0　**イ** 5.26　**ウ** 7.02　**エ** 30.0　**オ** 33.3　**カ** 36.0

問題 13（電気加熱―選択問題）

次の各文章の［ 1 ］～［ 14 ］の中に入れるべき最も適切な字句等をそれぞれの解答群から選び，その記号を答えよ．（配点計 **50** 点）

(1) 各種の加熱方式の特徴について考える．

1) 電子ビーム加熱は，［ 1 ］容器中で高速に加速した電子ビームを被加熱物に照射することで加熱する方式であり，［ 2 ］[W/cm^2] 程度の高エネルギー密度が得られ，加熱効率が高いのが特長である．精密な位置制御により，照射部分を局所的に加熱して溶接や切断などの加工を行うことができ，セラミック微細加工などに用いられる．

〈［ 1 ］及び［ 2 ］の解答群〉

ア $10^7 \sim 10^8$　**イ** $10^{10} \sim 10^{11}$　**ウ** $10^{15} \sim 10^{16}$

エ 高圧　　**オ** 真空　　**カ** 不活性ガス

2） 物体は，その性質や温度に応じて表面から [3] としてエネルギーを放射している．この，物体からの放射エネルギーの大きさは，物体の絶対温度の [4] 乗に比例する．これをステファン・ボルツマンの法則という．

〈[3] 及び [4] の解答群〉

ア **2**　　**イ** **3**　　**ウ** **4**　　**エ** イオン　　**オ** 磁気　　**カ** 電磁波

3） アーク加熱は，電極間あるいは電極と被加熱物との間で発生させたアーク放電の [5] で被加熱物を加熱する方式である．アーク加熱を利用した炉には，製鋼用アーク炉や [6] 炉などがある．アーク加熱を用いる炉の電圧，電流は，電流が増大すると電圧が低下するような負特性を持つので，アークの安定と効率を保つため，回路中に適切な [7] を直列に挿入する．

〈[5]～[7] の解答群〉

ア コンデンサ　　**イ** リアクトル　　**ウ** 高抵抗　　**エ** 渦電流　　**オ** 電磁波

カ 熱エネルギー　　**キ** アルミ溶解　　**ク** 黒鉛化　　**ケ** 電気製錬

4） プラズマ加熱を用いたプラズマアーク溶接は，通常，シールドガスに [8] を用いて溶接部を大気から保護し，電極に [9] を用いて，母材との間に拘束ノズルで細く絞られた高密度エネルギーのプラズマ流を形成し，これを溶融熱源として利用する溶接方法である．

〈[8] 及び [9] の解答群〉

ア アルゴン　　**イ** オゾン　　**ウ** 窒素

エ タングステン　　**オ** チタン　　**カ** 炭素

5） 直接抵抗加熱は，被加熱材に配した電極を通して流した電流によって，[10] の内部にジュール熱を発生させて加熱する方法である．

〈[10] の解答群〉

ア 絶縁材　　**イ** 被加熱材　　**ウ** 誘電体

(2) 設備入力が **100 kW** の溶解炉があり，被加熱材 **200 kg** を **25 °C** から **1 500 °C** へ昇温，溶解している．この加熱設備における熱移動及び熱損失について考える．ただし，この被加熱材の加熱時の顕熱は **0.42 kJ/(kg·K)**，溶解潜熱は **320 kJ/kg** とする．

1） 被加熱材の昇温，溶解に要した正味のエネルギーは，[11] **[kW·h]** である．

2） 被加熱材の溶解までに要する時間は [12] **[min]** である．ただし，この溶解炉の熱損失は設備入力の **30 %**，全電気損失は設備入力の **5 %** であり，合計が全損失である．

3) この炉を改造し，全損失が設備入力の **30 %** となるまで改善すると，溶解時間は短縮され，[13] **[min]** となる.

4) この改善後の溶解炉の電力原単位は，[14] **[kW·h/t]** である.

〈[11]～[14]の解答群〉

ア 45	**イ** 48	**ウ** 52	**エ** 64	**オ** 73	**カ** 163
キ 174	**ク** 188	**ケ** 373	**コ** 409	**サ** 500	**シ** 789

問題 14（電気化学―選択問題）

次の各文章の[1]～[10]の中に入れるべき最も適切な字句等をそれぞれの解答群から選び，その記号を答えよ．なお，[5]は複数個所あるが，同じ記号が入る.

また，[A a.b]～[C a.b]に当てはまる数値を計算し，その結果を答えよ．ただし，解答は解答すべき数値の最小位の一つ下の位で四捨五入すること.（配点計 **50** 点）

(1) 電気分解プロセスについて考える.

1) 電気分解とは，外部から電気エネルギーを与えられ，[1]で酸化・還元の化学反応が起こる現象をいう．ここで，酸化反応が起こる電極を[2]と呼ぶ.

〈[1]及び[2]の解答群〉

ア アノード　**イ** カソード　**ウ** 負極

エ 隔膜表面　**オ** 電解質全体　**カ** 電極界面

2) 一方の電極では酸化反応が，もう一方の電極では還元反応が起こるため，生成物の分離が容易である．例えば，ソーダ電解においては陽極側の生成物は[3]であり，隔膜によって陰極生成物との混合を防いでいる.

3) 電気分解は電気エネルギーを[4]していることになる.

〈[3]及び[4]の解答群〉

ア Cl_2　**イ** H_2　**ウ** NaOH　**エ** 化学物質（化学エネルギー）として貯蔵

オ 動力に変換して使用　**カ** 熱エネルギーに変換して使用

(2) 電池について考える.

1) 電池には充電が可能な電池と充電できない電池があり，充電が可能な電池を[5]と呼ぶ.

2) 電池の電圧は，正極と負極の電位の[6]によって決まる．[5]に属する鉛蓄電池，ニッケル・水素電池及びリチウムイオン電池の中で公称電圧が一番高いのは，[7]である．この電池の充電速度は，原理的には[8]に比例する.

〈 5 ～ 8 の解答群〉

ア ニッケル・水素電池	**イ** リチウムイオン電池	**ウ** 鉛蓄電池
エ 一次電池	**オ** 二次電池	**カ** 物理電池
キ 温度	**ク** 電圧	**ケ** 電流
コ 差	**サ** 和	**シ** どちらか一方

3) 電池の構成図（電池図）において，左側に記載するのは 9 とすると定められている．

4) 太陽電池は 10 電池に分類される．

〈 9 及び 10 の解答群〉

ア 化学　**イ** 物理　**ウ** 二次　**エ** 正極　**オ** 負極　**カ** 電解質

(3) 水酸化ナトリウム水溶液を電気分解したところ，**25 °C**，**500 kPa** において，水素ガス **0.108 m³** が生成した．ここで，ファラデー定数を **96 500 C/mol**，気体定数を **8.31 J/(mol·K)** とする．

1) **25 °C**，**500 kPa** では，発生した酸素ガスは **A a.b** $\times 10^{-2}$ [m³] である．

2) 電解槽を通過した電荷は **B a.b** $\times 10^{6}$ [C] である．

3) 通電量 **1.0** $\times$ **10⁶ C** の電気分解を **10** 分間で行ったとすると，平均電流は **C a.b** [**kA**] である．

問題 15（照明―選択問題）

次の各文章の 1 ～ 7 の中に入れるべき最も適切な字句等をそれぞれの解答群から選び，その記号を答えよ．

また，**A a.b** ～ **F ab** に当てはまる数値を計算し，その結果を答えよ．ただし，解答は解答すべき数値の最小位の一つ下の位で四捨五入すること．（配点計 **50** 点）

(1) 照明用の光源として利用される **LED**（**Light Emitting Diode**）について考える．

1) 照明用の光源として利用される **LED** は，発光ダイオードと呼ばれる 1 の一種であり，構成する材料によって発光色が異なる．

〈 1 の解答群〉

ア 熱放射体　**イ** 半導体　**ウ** 放電管

2) 白色 **LED** では，ピーク波長が 2 前後となるように発光層の材料として 3 を用いた青色 **LED** と，その青色光の一部を励起エネルギーとして利用する 4 とを組み合わせるものが一般的に広く使われている．

〈 2 ～ 4 の解答群〉

ア **254 nm**　イ **460 nm**　ウ **3 μm**　エ **GaN**
オ **InGaN**　カ **SiC**　キ **YAG** 蛍光体
ク 金属ハロゲン化物　ケ 電子放射物質

3) **LED** 素子そのものは直流で動作するものなので，商用電源に接続して使われる **LED** ランプは点灯用回路を内蔵しており，回路方式には定電流タイプの 5 が多く採用されている．

〈 5 の解答群〉

ア スイッチング電源　イ 磁気漏れ変圧器　ウ 電子スタータ

4) 現在の白色 **LED** は，発光効率が **150 lm/W** を超えるものが多く普及しており，従来光源の中で最も発光効率が高く，省エネルギー光源であると評価されている．**LED** 以外で比較的発光効率が高いとされている光源には 6 ランプや蛍光ランプなどがあり，白熱電球は光源の中でも最も発光効率が低いとされている．

〈 6 の解答群〉

ア ハロゲン　イ メタルハライド　ウ 水銀

5) **LED** ランプにも様々な発光色のものがあり，昼光色や昼白色のものだけでなく， 7 ことが特徴の電球色のランプも製品化されている．

〈 7 の解答群〉

ア **3** 波長域発光形である　イ 相関色温度が低い
ウ 平均演色評価数が **100** となる

(2) 次に示すような照明設備の更新について考える．ただし，$\sqrt{2} = 1.41$，$\sqrt{5} = 2.24$ とする．

1) 全ての方向に等しく I [cd] の光度を持つ光源が **A** 及び **B** の二つあり，床面からの高さが **2 m** のところで，距離を **2 m** 離して設置したところ，両者の中間地点の直下の床面上の **P** 点の水平面照度 E_h が **500 lx** であった．

i）このときの光源 **A**（= 光源 **B**）の光度 I は，$I =$ [A a.b] $\times 10^3$ [cd] となる．

ii）光源 **B** 直下の床面の水平面照度 E は，$E =$ [B a.bc] $\times 10^2$ [lx] である．

iii）光源 **B** の代わりに，**B** 点の直下 **1 m** の位置に新たな光源 **C** を設置して，**P** 点の水平面照度を変更前と同じ **500 lx** としたい．このときの光源 **C** の光度 I' は，$I' =$ [C a.bc] $\times 10^2$ [cd] となる．

2) 間口 X が **8 m**，奥行き Y が **14 m**，天井高さ H が **2.8 m** の事務室がある．その天井面に設置された光源には，蛍光ランプ **2** 灯用の照明器具（光束 **6 000 lm**，安定器含む

消費電力 **82 W**）が **28** 台使用されている．また，器具の照明率は **0.68**，保守率は **0.75** とする．

ⅰ）この事務室の平均照度 $\boldsymbol{E}$ は，$\boldsymbol{E}$ = **D a.bc** × $\mathbf{10^2}$ [lx] である．

ⅱ）この事務室の光源を，**LED** ランプ **2** 灯用の照明器具（光束 **6 400 lm**，電源ユニット含む消費電力 **40 W**）に更新した．更新した器具の照明率が蛍光ランプに対し **1.1** 倍で，保守率が同じであるとすると，平均照度を更新前と同じに維持するための **LED** 照明器具の必要最小限の台数は **E ab** [台] となり，この台数から，総消費電力は蛍光灯器具の総消費電力の **F ab** [%] になる．

問題 16（空気調和—選択問題）

次の各文章の 1 ～ 17 の中に入れるべき最も適切な字句等をそれぞれの解答群から選び，その記号を答えよ．なお， 9 及び 11 は複数箇所あるが，それぞれ同じ記号が入る．（配点計 **50** 点）

(1)　空調設備の省エネルギーでまず考えなければならないのは，空調負荷の抑制である．

空調負荷は，室内負荷とその他の負荷に大きく分かれる．室内負荷には，建物外皮を通しての負荷と室内から発生する負荷があり，前者には屋根，外壁，窓からの貫流熱負荷，窓からの日射熱負荷，侵入外気の熱負荷，後者には人体発熱負荷，照明発熱負荷，機器発熱負荷などがある．一方，その他の負荷としては取入れ外気負荷などがある．

1)　熱負荷には，顕熱負荷と潜熱負荷があるが，例えば，日射熱負荷，人体発熱負荷，取入れ外気負荷のうち，顕熱負荷と潜熱負荷の両方を持つ負荷は 1 である．

〈 1 の解答群〉

ア　人体発熱負荷と取入れ外気負荷　　**イ**　日射熱負荷と人体発熱負荷

ウ　日射熱負荷と取入れ外気負荷　　**エ**　これらすべての負荷

2)　熱負荷の大きさや室内温熱環境は建物外皮を通しての負荷に左右され，特に 2 ゾーンにおいてその影響は大きくなる．

建物外皮を通しての負荷と室内発生負荷とは，相反する負荷となることもある．例えば，冬期に貫流熱が暖房負荷，室内の発生熱が冷房負荷として同時発生したときなどであるが，その処理をそれぞれ個別に処理するシステムとした場合には，いわゆる 3 損失が生じないような配慮が必要となる．

〈 2 及び 3 の解答群〉

ア　インテリア　　**イ**　ペリメータ　　**ウ**　共用

エ 混合　**オ** 蓄熱　**カ** 搬送

3) 冷暖房時の負荷となる外壁，窓などからの貫流熱負荷について考える．

ⅰ）貫流熱負荷の大きさは外壁や窓の断熱性能によるところが大きく，その断熱性能の指標としては，一般に U 値と呼ばれる熱貫流率（熱通過率）が用いられ，次式で表される．

$$U = \frac{1}{\text{熱貫流抵抗}} = \frac{1}{\text{屋外側表面熱伝達抵抗} + \text{外壁又は窓の熱抵抗} + \text{屋内側表面熱伝達抵抗}}$$

例えば，最も簡単な単板ガラス窓における U 値を求めてみる．屋外側表面熱伝達率 α_o が 23 W/(m^2·K)，屋内側表面熱伝達率 α_i が 9 W/(m^2·K)，ガラスの熱抵抗が 0.01 m^2·K/W であるとすると，$U =$ [4] [W/(m^2·K)] が得られる．

ⅱ）貫流熱負荷は，この U 値に内外の温度差と対象面積を乗じて求められる．ただし，外壁は日射の影響及び壁体の熱容量の影響があることを考慮し，外壁貫流負荷の計算では，[5] 温度差と呼ばれる値が用いられることが多い．

ⅲ）ガラス窓は，ⅰ）における U の試算値が一般の外壁よりはるかに大きいことから分かるように，単板ガラスを用いた場合，断熱性能が外壁より大きく劣る．窓の断熱性向上のためには，ガラスを二重にして中空層を設けるなどの方法があり，例えば，中空層を [6] にすることで，理論的には対流成分を皆無にすることが可能となる．

〈[4]～[6] の解答群〉

ア 2　**イ** 4　**ウ** 6　**エ** 8　**オ** 実効　**カ** 対数平均
キ 日最大　**ク** 高圧　**ケ** 真空　**コ** 通風帯

4) 冷房時の負荷となる窓からの日射熱負荷について考える．従来，日射熱負荷抑制のためにはブラインド設置などの対応が主であったが，窓ガラス自体も，断熱性能の向上と共に日射に対する性能向上が進んでいる．

ⅰ）窓ガラスの日射熱取得性の指標としては，日射熱取得率 η が用いられる．

単板ガラスの場合には，ガラスの透過率を τ，吸収率を a，反射率を ρ とすると，η は屋外側表面熱伝達率 α_o 及び屋内側表面熱伝達率 α_i を用いて次式で表される．

$$\eta = \tau + \boxed{\ 7\ }$$

ⅱ）近年，可視域での日射を透過させつつ近赤外域の透過を抑えることで，窓に求められる採光性，開放感，眺望性を確保しながら日射熱負荷を抑制するガラスも開発されている．その中で，夏期の日射熱取得率が 0.5 未満のものを [8] ガラスと呼んでいる．

〈[7]及び[8]の解答群〉

ア $\dfrac{a\alpha_i}{\alpha_i+\alpha_o}$　イ $\dfrac{a\alpha_o}{\alpha_i+\alpha_o}$　ウ $\dfrac{a(\alpha_i+\alpha_o)}{\alpha_i}$

エ $\dfrac{a(\alpha_i+\alpha_o)}{\alpha_o}$　オ 日射遮蔽型 **Low-E**　カ 日射取得型 **Low-E**

キ 熱線吸収

(2) 空気調和設備の中で，熱源システムが消費するエネルギーは大きく，これを削減することが省エネルギーにつながる．搬送を含めた熱源システムの省エネルギーとしては種々の対策が考えられる．

1) 熱源機器の効率の向上のためには，高効率の熱源を選択するのはもちろんであるが，熱源運用方法としては，例えば冷熱源の場合には，支障のない範囲で冷水温度はできるだけ[9]し，冷却水温度はできるだけ[10]することが冷凍機の **COP** の向上につながる．冷水温度を比較的[9]しても機能しやすい二次側の方式として，[11]方式を取り入れることで省エネルギー化を図る方法などが考えられる．

2) 立地条件にもよるが，可能な場合には未利用エネルギーをシステムとして有効に活用することも重要である．例えば，地中熱を使う方法がある．地中の温度は，一般に大気の温度と比べて夏は低く冬は高いので，条件的に可能であれば，夏には地中熱で冷却された冷水をそのまま[12]に送って冷房することや，前述の[11]方式の熱源として利用することも考えられる．また，冷凍機の[13]として利用して，冷凍機の **COP** の向上を図ることもできる．

〈[9]～[13]の解答群〉

ア 凝縮器　イ 蓄熱コイル　ウ 冷水コイル　エ 大温度差　オ 低温送風
カ 放射冷房　キ 補給水　ク 冷却水　ケ 冷水　コ 高く
サ 低く　シ 一定と

3) 搬送エネルギーの削減のためには，冷水や温水の流量を減らすのが効果的であるが，そのためには，負荷が同じでも冷温水の[14]の差を大きくする方法がある．また，空調負荷は[15]温度や日射の有無によって時間的に大きく変動するので，インバータを用いて空調負荷に合わせて流量を変化させる方法も多く用いられている．

ちなみに，ポンプ特性として理論上では，回転速度制御方式を用いてポンプの回転速度を $\dfrac{1}{2}$ にすると，流量は[16]になり，圧力は[17]になり，軸動力はさらに小さくなるため，大きな省エネルギー化を図れることになるが，実用する系においては，実揚程の有無などを考慮した効果の検証が必要である.

〈 14 ～ 17 の解答群〉

ア $\frac{1}{8}$　**イ** $\frac{1}{6}$　**ウ** $\frac{1}{4}$　**エ** $\frac{1}{2}$　**オ** 外気

カ 室内設定　**キ** 送風　**ク** 往き温度と還り温度

ケ 往き温度と外気温度　**コ** 還り温度と外気温度

解答・指導

問題1

⑴　1―イ

⑵　2―カ

⑶　3―エ，4―エ

⑷　5―ア，6―オ，7―キ

⑸　8―ア，9―オ

⑹　10―イ，11―イ

【指導】

⑴　法第1条では,「……電気の**需要の最適化**に関する所要の措置……」と規定されている.

⑵　法第2条第1項では，「「エネルギー」とは化石燃料及び非化石燃料並びに熱及び電気をいう.」と規定されている．したがって，**①は誤り**となる.

同条第4項では，「「非化石エネルギー」とは，非化石燃料並びに化石燃料を熱源とする熱に代えて使用される熱（「非化石熱」という.）及び化石燃料を熱源とする熱を変換して得られる動力を変換して得られる電気に代えて使用される電気（「非化石電気」という.）をいう.」と規定されている．したがって，**②と③は正しい**.

⑶　1)　法第19条第1項では，「経済産業大臣は，定型的な約款による契約に基づき，特定の商標，商号その他の表示を使用させ，商品の販売又は役務の提供に関する方法を指定し，かつ，継続的に経営に関する指導を行う事業であって，当該約款に，当該事業に加盟する者（以下「加盟者」という.）が設置している工場等におけるエネルギーの使用の条件に関する事項であって経済産業省令で定めるものに係る定めがあるもの（以下「連鎖化事業」という.）を行う者（以下「連鎖化事業者」という.）のうち，当該連鎖化事業者が設置している全ての工場等及び当該加盟者が設置している当該連鎖化事業に係る全ての工場等における第7条第2項の政令で定めるところにより算定したエネルギーの年度の使用量の合計量が同条第1項の政令で定める数値以上であるものをエネルギーの使用の合理化又は非化石エネルギーへの転換を特に推進する必要がある者として指定するものとする.」と規定されている．さらに，同法第2項では，「……前項の規定により指定された者（以下「**特定連鎖化事業者**」という.）……」と規定されている．したがって，②は，**特定連鎖化事業者**である.

2)　法第 50 条第 1 項では,「工場等を設置している者は，他の工場等を設置している者と連携して工場等におけるエネルギーの使用の合理化を推進する場合には，共同で，その連携して行うエネルギーの使用の合理化のための措置 (以下「連携省エネルギー措置」という.) に関する計画（以下「**連携省エネルギー**計画」という.）を作成し……」と規定されている.

(4)　(A）欄における本社は，原油換算エネルギー使用量が 3 000 kL 以上であるため**第一種エネルギー管理指定工場等**に該当する（法第 10 条，令第 3 条参照).

(B）欄における化学工場は，原油換算エネルギー使用量が 2 万 kL 以上 5 万 kL 未満であるため，**エネルギー管理者 2 名**の選任が必要となる（令第 4 条参照).

また，本社は，事務所の用途なので，**エネルギー管理員**の選任が必要となる（法第 11 条，法第 12 条，令第 5 条第 2 項参照).

(5)　1)　法第 11 条では,「……エネルギー管理士免状の交付を受けている者のうちから，第一種エネルギー管理指定工場等におけるエネルギーの使用の合理化に関し，エネルギーを消費する設備の維持，エネルギーの使用の方法の改善及び監視その他経済産業省令で定める業務を管理する者 (次項において「エネルギー管理者」という.) を選任しなければならない.」と規定されている．したがって，**①は正しい**.

則第 23 条では，エネルギー管理員として選任できるのは，講習修了者以外も可能としている．したがって，**②は誤り**となる.

則第 22 条では,「……エネルギー管理者の選任又は解任があった日後の最初の 7 月末日までに……」と規定されている.

また，則第 23 条では,「エネルギー管理員を選任すべき事由が生じた日から 6 月以内に選任すること.」と規定されている．したがって，**③は誤り**となる.

2)　則第 18 条および則第 24 条では,「……エネルギーの使用の合理化に関する設備の維持に関すること．……報告に係る書類の作成.」と規定されている．したがって，**①と③は正しい**．また，エネルギーの使用の方法の改善は，法第 11 条において，エネルギー管理者の業務として明記されている（上記(5) 1）参照）が，法第 12 条においても，エネルギー管理員の業務として明記されているので，**②は誤り**となる.

(6)　1)　法第 148 条では,「……エネルギー消費性能（エネルギー消費機器の一定の条件での使用に際し**消費されるエネルギーの量**を基礎として評価される性能をいう．以下同じ.）……」と規定されている.

2)　令の対象となっているものは，特定エネルギー消費機器等としては，①**交流電動機**（令第 18 条参照)，特定熱損失防止建築材料としては，③**サッシ**（令第 21 条参照）である.

問題2

(1) 1―ウ，A―1.0×10^3

(2) 2―ケ，3―オ，4―ウ

(3) 5―ア，6―イ

(4) 7―カ，8―ア，9―コ

【指導】

(1) 半径1 mの球の中心から面積1 m^2の球帽をみたとき，その立体角は1 srである（**第1図**）．半径1 mの球の中心からすべての方向をみたとき，球帽の面積は，4π m^2であり，その立体角は，4π srである．光度1 cdの光源から，すべての方向に一様に放出された光束の総和は，$1\times4\pi=\mathbf{4\pi}$ lmである．

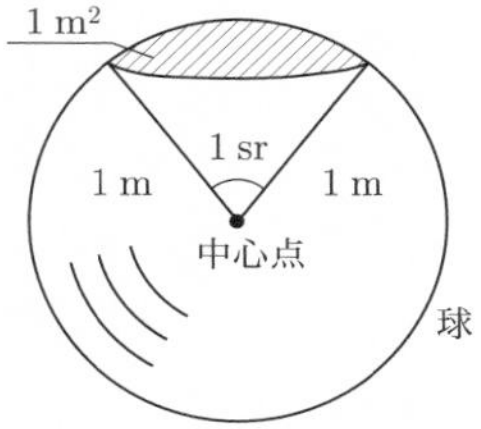

第1図 立体角

光束$F=3\,000$ lm，高さ$h=1.5$ m，幅$w=2.0$ mのスクリーン全面に均等に照射された場合の照度Eは，以下で求められる．

$$E=\frac{F}{hw}=\frac{3\,000}{1.5\times2.0}=1\,000=\mathbf{1.0\times10^3}\ \text{lx}$$

(2) 黒体とは，すべての波長の電磁波を吸収できる仮想の物体のことで，炭やすすなどがこれに近い．黒体からの単色放射のピーク波長λ_mは，黒体の絶対温度T [K]（熱力学温度）に**反比例する**，**ウィーンの変位則**がある．

太陽や地球の表面を黒体と仮定して，太陽の表面温度6 000 Kとする単色放射のピーク波長を0.5 μm，地球の表面温度を300 Kとしたとき，地球の単色放射のピークλ_{ma}は，ウィーンの変位則より以下で求められる．ただし，bは比例定数である．

$$0.5=\frac{b}{6\,000}\rightarrow b=0.5\times6\,000$$

$$\therefore\ \lambda_{ma}=\frac{b}{300}=\frac{0.5\times6\,000}{300}=\mathbf{10}\ \mu\text{m}$$

(3) 資源エネルギー庁の電力調査統計表2021年度によると，全体の発電量約8 638億

kW·hのうち，バイオマス222.5億kW·h（約2.6 %），太陽光190.4億kW·h（約2.2 %），地熱19.7億kW·h（約0.2 %），風力74.4億kW·h（約0.9 %）である．

したがって，解答群中で発電量比率の大きさ順に並べた場合，**バイオマス**，**太陽光**，風力，地熱である．

(4) 水素の輸送・貯蔵手段について，加圧して圧縮する場合，例えば常温常圧の水素を温度一定で体積を700分の1にするには，約**70** Mpaに加圧する必要がある．

次に，LNGのように冷却して液化することを考える．水素は約**−250** °Cで液化し，体積は約1/800となる．

また，有機ハイドライドと呼ばれる，水素と他の有機化合物を反応させる方法があり，トルエンと水素を反応させて，液体の**メチルシクロヘキサン**に変換する．

問題3 (1) 1—キ，2—イ (2) 3—ウ (3) A—2.9 (4) B—1.2 (5) 4—ア (6) 5—ア (7) C—68 (8) 6—ア (9) 7—イ (10) 8—ウ (11) D—4.0×10^4 (12) E—1.4 (13) 9—ア (14) F—4.8 (15) 10—ア (16) 11—ア (17) 12—イ (18) 13—イ (19) 14—イ

【指導】

(1) 『目標及び措置部分（工場）』においては，この措置を講ずべき対象としているエネルギー消費設備等は，「燃焼設備，熱利用設備，廃熱回収設備，コージェネレーション設備，**電気使用**設備，空気調和設備・給湯設備・換気設備・昇降機等，照明設備及びFEMS」としている．

廃熱回収設備に対して講ずべき措置としては，「排ガスの廃熱の回収利用について，別表第2（B）（省略）に掲げる**廃ガス温度**及び廃熱回収率の値を目標として**廃ガス温度**を低下させ廃熱回収率を高めるよう努めること．」が求められている．

(2) 熱流束とは，「単位時間に単位面積を通過する熱量」であるので，電気系の**電流密度**に相当する．

(3) ボイル・シャルルの法則より，温度，圧力，体積の関係が，変化前後で等しいとして，

$$\frac{P_1V_1}{T_1}=\frac{P_2V_2}{T_2}$$

$$\frac{1.013\times10^5\times10}{273}=\frac{5.1\times10^5\times V_2}{400}$$

$\therefore\ V_2 \fallingdotseq \mathbf{2.9}\ \mathrm{m^3}$

(4)　空気比を求める簡易式より，

$$m = \frac{21}{21 - O_2} = \frac{21}{21 - 3.5} = \mathbf{1.2}$$

(5)　拡大前後の径を D_1，D_2 とし，流量が等しいので，

$$\frac{\pi D_1{}^2}{4} \times v_1 = \frac{\pi D_2{}^2}{4} \times v_2$$

ここで，$D_2 = 2D_1$ であるから，

$$\frac{v_2}{v_1} = \frac{D_1{}^2}{D_2{}^2} = \frac{D_1{}^2}{4D_1{}^2} = \mathbf{\frac{1}{4}}$$

(6)　湿り蒸気における乾き度は，「**湿り蒸気中の乾き飽和蒸気の質量分率**」で表される．

(7)　**第1図**に示す平板において，放散熱量 Q [W/m²] は，平板内外の温度差 $\theta_1 - \theta_2$ [°C] に比例し，平板の厚さ d [m] に反比例する．

$$Q = \lambda \frac{\theta_1 - \theta_2}{d}$$

ここで，λは平板の熱伝導率である．

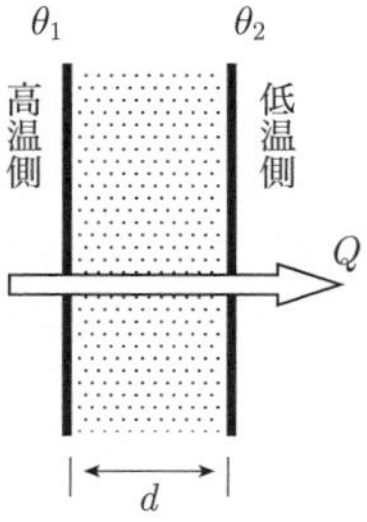

第1図

この式からθ_2について求め，題意の数値を代入すると，

$$\theta_2 = \theta_1 - Q\frac{d}{\lambda} = 100 - 40 \times 10^3 \times \frac{20 \times 10^{-3}}{25} = \mathbf{68}\ ^\circ\mathrm{C}$$

(8)　放射エネルギーにおけるキルヒホッフの法則によれば，（局所）熱平衡状態では放射率と**吸収**率が等しい．

(9)　省エネルギーを念頭において廃熱回収計画を立案する際には，**エクセルギー**（有効エネルギー）の損失を最小限とする考え方が重要となる．

(10)　空気調和設備の省エネルギーにおいて，『基準部分（工場）』では，「空気調和設備を

構成する熱源設備，熱搬送設備，空気調和機設備の管理は，外気条件の季節変動等に応じ，**冷却水温度や冷温水温度**，圧力等の設定により，空気調和設備の総合的なエネルギー効率を向上させるように管理標準を設定して行うこと.」を求めている.

⑾　この火力発電設備において，1時間当たりの天然ガスの平均使用量を Q [$m^3{}_N$/h] として，

$$45 \times Q \times 0.4 = 200 \times 3\,600$$

$$\therefore \quad Q = \frac{200 \times 3\,600}{45 \times 0.4} = 40\,000 = \mathbf{4.0 \times 10^4} \ m^3{}_N/h$$

⑿　この負荷の線間電圧を V [V]，線電流（1 相当たりの電流）を I [A]，力率を $\cos\theta$ とすると，負荷電力 P [W] は次式で表される.

$$P = \sqrt{3} \times V \times I \times \cos\theta$$

この式から，I について求め，題意の数値を代入すると，

$$I = \frac{P}{\sqrt{3} \times V \times \cos\theta} = \frac{40 \times 10^3}{1.73 \times 200 \times 0.82} \fallingdotseq 141 \fallingdotseq \mathbf{1.4} \times 10^2 \ \mathrm{A}$$

⒀　上記⑿において，

$$\cos\theta = \frac{P}{\sqrt{3} \times V \times I} = \frac{P}{S}$$

ここで S は皮相電力，P は有効電力と呼ばれる.

よって，力率 $= \dfrac{\textbf{有効電力}}{\textbf{皮相電力}}$ で表される.

⒁　求める平均電力を P [kW] とすれば，次式が成立する.

$$6\,000 \times \frac{30}{60} = 2\,600 + P \times \frac{5}{60}$$

$$P = (3\,000 - 2\,600) \times \frac{60}{5} = 4\,800 = \mathbf{4.8} \times 10^3 \ \mathrm{kW}$$

⒂　回転体の慣性モーメントが大きいと定常速度までに加速に要する時間（始動時間）が長くなるので，慣性モーメントの大きい送風機は，小さい送風機と比較して，風量変化の応答速度は，**遅い**.

⒃　『基準部分（工場）』では，電動力応用設備において，「複数の電動機を使用するときは，それぞれの電動機の部分負荷における効率を考慮して，電動機全体の効率が高くなるように管理標準を設定し，**稼働台数の調整**及び負荷の適正配分を行うこと.」を求めている.

⒄　『基準部分（工場）』では，電動力応用設備の新設・更新に当たっては，「電動機につ

いては，その特性，種類を勘案し，負荷機械の運転特性及び稼動状況に応じて**所要出力に見合った**容量のものを配置すること.」を求めている.

⒅　ファラデーの法則によれば，電気分解システムで電極上に析出する物質の質量は，**通過する電気量**に比例する.

⒆　被照面の照度設計を行う場合,光源からの発散光束に対する被照面の入射光束の比(**照明率**)が重要である．照明率は，室内の内装材や天井高などに影響される.

問題4　(1)　1—エ，2—ア，3—イ，4—カ

(2)　5—キ，6—イ，7—ク，8—キ，9—イ，10—オ

【指導】

(1)　1)　問題図1において，電源からみた合成インピーダンス $\dot{Z}$ は，以下で求められる.

$$\dot{Z}=\frac{\boldsymbol{(\dot{Z}_1+R_1)(\dot{Z}_2+R_2)}}{\boldsymbol{(\dot{Z}_1+R_1)+(\dot{Z}_2+R_2)}}[\Omega] \qquad ①$$

2)　題意の条件 $R_1=R_2=R$，$\dot{Z}_1\dot{Z}_2=R^2$ を代入すると①式は，以下で表される.

$$\dot{Z}=\frac{(\dot{Z}_1+R)(\dot{Z}_2+R)}{(\dot{Z}_1+R)+(\dot{Z}_2+R)}=\frac{\dot{Z}_1\dot{Z}_2+\dot{Z}_1R+\dot{Z}_2R+R^2}{(\dot{Z}_1+R)+(\dot{Z}_2+R)}$$

$$=\frac{\dot{Z}_1R+\dot{Z}_2R+2R^2}{\dot{Z}_1+\dot{Z}_2+2R}=\frac{R(\dot{Z}_1+\dot{Z}_2+2R)}{\dot{Z}_1+\dot{Z}_2+2R}=\boldsymbol{R}[\Omega] \qquad ②$$

3)　i）問題図1の回路が，2)の条件が成り立ち，$\dot{Z}_1=\mathrm{j}\omega L$ であるとき，容量性負荷となる $\dot{Z}_2=-\mathrm{j}1/\omega C$ の静電容量 C は，以下で求められる.

$$\dot{Z}_1\dot{Z}_2=\mathrm{j}\omega L\left(-\mathrm{j}\frac{1}{\omega C}\right)=\frac{L}{C}=R^2$$

$$\therefore\quad \boldsymbol{C=\frac{L}{R^2}}[\mathrm{F}] \qquad ③$$

ii）問題図1の回路が，2)の条件が成り立ち，$\dot{Z}_1=R_0+\mathrm{j}\omega L_0$ であるとき，$\dot{Z}_2$ は，以下で求められる.

$$\dot{Z}_1\dot{Z}_2=(R_0+\mathrm{j}\omega L_0)\dot{Z}_2=R^2$$

$$\therefore\quad \dot{Z}_2=\frac{R^2}{R_0+\mathrm{j}\omega L_0}=\frac{R^2(R_0-\mathrm{j}\omega L_0)}{(R_0+\mathrm{j}\omega L_0)(R_0-\mathrm{j}\omega L_0)}=\frac{R^2R_0-\mathrm{j}R^2\omega L_0}{{R_0}^2+\omega^2{L_0}^2}$$

$$=\boldsymbol{\frac{R^2R_0}{{R_0}^2+\omega^2{L_0}^2}-\mathrm{j}\frac{R^2\omega L_0}{{R_0}^2+\omega^2{L_0}^2}}[\Omega] \qquad ④$$

(2) 1) 問題図2の三相負荷を△結線として，**第1図**を示す．三相負荷の点 a′ から b′ へ流れる電流 $\dot{I}_{ab}$，b′ から c′ へ流れる電流 $\dot{I}_{bc}$，c′ から a′ へ流れる電流 $\dot{I}_{ca}$ とする．三相電源の ab 線間電圧を $\dot{V}_{ab}$ [V]，bc 線間電圧を $\dot{V}_{bc}$ [V]，ca 線間電圧を $\dot{V}_{ca}$ [V]，相回転を a → b → c とする．

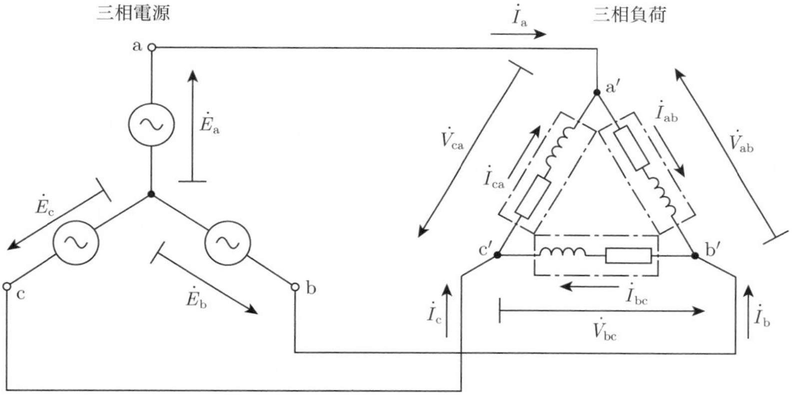

第1図 三相電源と△結線負荷

三つの線間電圧は以下の関係がある．

$$\dot{V}_{ab} + \dot{V}_{bc} + \dot{V}_{ca} = 0$$

$$\dot{V}_{ab} = -\dot{V}_{bc} - \dot{V}_{ca} \text{ [V]} \quad ⑤$$

問題文および⑤式より，複素電力 $\dot{S}$ は，以下で表される．

$$\begin{aligned}\dot{S} &= \dot{V}_{ab}\overline{\dot{I}_{ab}} + \dot{V}_{bc}\overline{\dot{I}_{bc}} + \dot{V}_{ca}\overline{\dot{I}_{ca}} = (-\dot{V}_{bc} - \dot{V}_{ca})\overline{\dot{I}_{ab}} + \dot{V}_{bc}\overline{\dot{I}_{bc}} + \dot{V}_{ca}\overline{\dot{I}_{ca}} \\ &= \dot{V}_{ca}(\overline{\dot{I}_{ca}} - \overline{\dot{I}_{ab}}) + \boldsymbol{\dot{V}_{bc}(\overline{\dot{I}_{bc}} - \overline{\dot{I}_{ab}})} \text{ [V·A]}\end{aligned} \quad ⑥$$

第1図の a′ 点にキルヒホッフの第一法則を適用し，a′ 点に流入する電流を左辺，流出する電流を右辺とすれば，電流の関係は，以下で表される．

$$\dot{I}_a + \dot{I}_{ca} = \dot{I}_{ab} \rightarrow -\dot{I}_a = \dot{I}_{ca} - \dot{I}_{ab}$$

$$\therefore \overline{\dot{I}_{ca}} - \overline{\dot{I}_{ab}} = \boldsymbol{-\overline{\dot{I}_a}} \text{ [A]} \quad ⑦$$

b′ 点に対して同様に電流の関係は，以下で表される．

$$\dot{I}_b + \dot{I}_{ab} = \dot{I}_{bc} \rightarrow \dot{I}_b = \dot{I}_{bc} - \dot{I}_{ab}$$

$$\therefore \overline{\dot{I}_{bc}} - \overline{\dot{I}_{ab}} = \overline{\dot{I}_b} \text{ [A]} \quad ⑧$$

⑥式へ⑦，⑧式を代入すると $\dot{S}$ は，以下で表される．ただし，$\dot{V}_{ac} = -\dot{V}_{ca}$ である．

$$\dot{S} = \dot{V}_{\rm ca}(-\overline{\dot{I}_{\rm a}}) + \dot{V}_{\rm bc}\overline{\dot{I}_{\rm b}} = \boldsymbol{\dot{V}_{\rm ac}\overline{\dot{I}_{\rm a}} + \dot{V}_{\rm bc}\overline{\dot{I}_{\rm b}}}\,[\mathrm{V \cdot A}] \quad ⑨$$

2)　i) 問題図 3 のフェーザ図において，⑨式における有効電力 P は，以下で表される．

$$P = \boldsymbol{V_{\rm ac}I_{\rm a}\cos\varphi_{\rm a} + V_{\rm bc}I_{\rm b}\cos\varphi_{\rm b}}\,[\mathrm{W}] \quad ⑩$$

ここで，問題図 3 より，$\varphi_{\rm a}$，$\varphi_{\rm b}$ は，以下で表される．

$$\varphi_{\rm a} = \varphi - \frac{\pi}{6}\,[\mathrm{rad}],\quad \varphi_{\rm b} = \boldsymbol{\varphi + \frac{\pi}{6}}\,[\mathrm{rad}] \quad ⑪$$

題意より，⑩式の第 1 項を P_1，第 2 項を P_2 とする．また，各線間電圧（大きさ）を $V_\triangle$，各線電流（大きさ）を $I_{\rm Y}$ とすれば，P は，以下で表される．

$$P = V_\triangle I_{\rm Y}\cos\left(\varphi - \frac{\pi}{6}\right) + V_\triangle I_{\rm Y}\cos\left(\varphi + \frac{\pi}{6}\right)$$

$$= V_\triangle I_{\rm Y}\left(\cos\varphi\cos\frac{\pi}{6} + \sin\varphi\sin\frac{\pi}{6}\right) + V_\triangle I_{\rm Y}\left(\cos\varphi\cos\frac{\pi}{6} - \sin\varphi\sin\frac{\pi}{6}\right)$$

$$= 2\frac{\sqrt{3}}{2}V_\triangle I_{\rm Y}\cos\varphi = \boldsymbol{\sqrt{3}V_\triangle I_{\rm Y}\cos\varphi}\,[\mathrm{W}] \quad ⑫$$

ただし，$\cos\pi/6 = \sqrt{3}/2$ である．

問題5

(1)　1 — エ，2 — ア，3 — ア，4 — ア，5 — オ

(2)　6 — イ，7 — イ

(3)　8 — エ，9 — オ，10 — カ

(4)　11 — オ，12 — イ

(5)　A — 32

【指導】

(1)　1)　題意の外乱 $d(s)$ を 0 としたときのブロック図にそれぞれの式を代入したものを**第 1 図**に示す．

第 1 図の A 部で成立する式を以下に示す．

$$\left[\{r(s) - y(s)\}\left(k_1 + \frac{k_2}{s}\right) + 0\right]\left(\frac{1}{s+1}\right) = y(s)$$

$$\{r(s) - y(s)\}\left(k_1 + \frac{k_2}{s}\right) = y(s)(s+1)$$

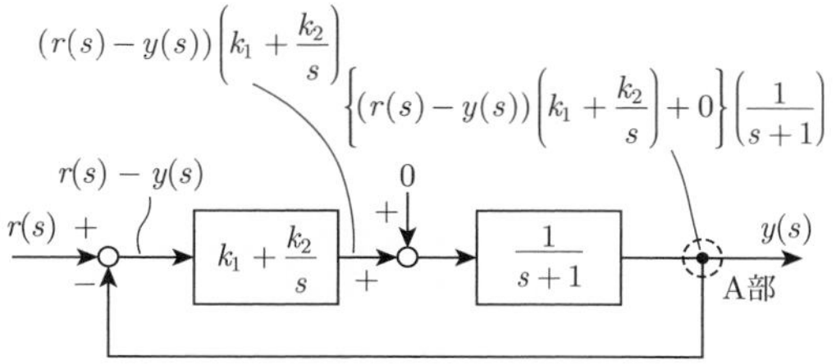

第 1 図　外乱 $d(s)=0$

$$r(s)k_1+r(s)\frac{k_2}{s}-y(s)k_1-y(s)\frac{k_2}{s}=y(s)(s+1)$$

$$r(s)\left(k_1+\frac{k_2}{s}\right)=y(s)\left(s+k_1+1+\frac{k_2}{s}\right)$$

両辺に s を掛けると，

$$r(s)(k_1 s+k_2)=y(s)(s^2+(k_1+1)s+k_2)$$

となる．

よって，目標値 $r(s)$ から制御量 $y(s)$ までの伝達関数 G_1 は以下のようになる．

$$G_1=\frac{y(s)}{r(s)}=\boldsymbol{\frac{k_1 s+k_2}{s^2+(k_1+1)s+k_2}} \qquad ①$$

同様に目標値 $r(s)$ を 0 としたときのブロック図にそれぞれの式を代入したものを**第 2 図**に示す．

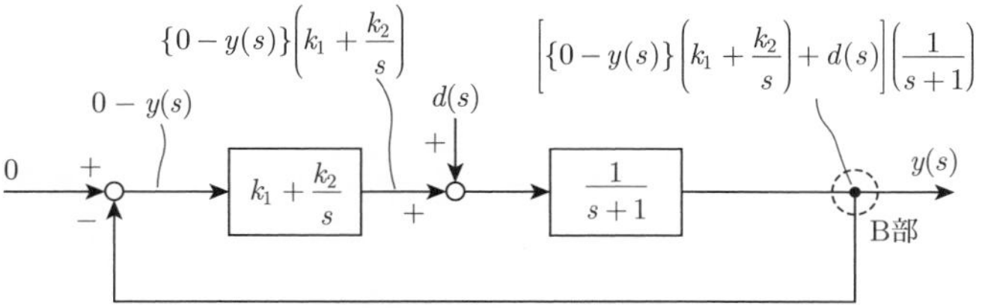

第 2 図　目標値 $r(s)=0$

第 2 図の B 部で成立する式を以下に示す．

$$\left[\{0-y(s)\}\left(k_1+\frac{k_2}{s}\right)+d(s)\right]\left(\frac{1}{s+1}\right)=y(s)$$

$$-y(s)\left(k_1+\frac{k_2}{s}\right)+d(s)=y(s)(s+1)$$

$$d(s) = y(s)\left(s + k_1 + 1 + \frac{k_2}{s}\right)$$

両辺に s を掛けると，

$$sd(s) = y(s)\{s^2 + (k_1 + 1)s + k_2\}$$

よって，外乱 $d(s)$ から制御量 $y(s)$ までの伝達関数 G_2 は以下のようになる．

$$G_2 = \frac{y(s)}{d(s)} = \boldsymbol{\frac{s}{s^2 + (k_1 + 1)s + k_2}} \quad ②$$

2)　フィードバック系の安定判別法としてラウスの安定判別式またはフルビッツの安定判別式がある．どちらの判別法においても特性方程式が次の条件を満たす必要がある．

①　すべての係数が同符号であること

②　すべての係数が存在すること

外乱 0 とした場合の伝達関数 G_1 の特性方程式は次のように表される．

$$s^2 + (k_1 + 1)s + k_2 = 0 \quad ③$$

③式において，条件①および条件②を満足するためには，以下の条件が必要となる．

①　$k_2 > 0$

②　$k_1 + 1 > 0$ より，$k_1 > -1$

上記条件より，

$\therefore$　$\boldsymbol{k_1 > -1}$ が解答となる．

3)　i) ②式は以下のように変形できる．

$$y(s) = \frac{s}{s^2 + (k_1 + 1)s + k_2} \cdot d(s) \quad ④$$

④式に外乱 $d(s) = \frac{1}{s}$ を代入し，定常値 $\lim_{t\to\infty} y(t)$ を算出すると以下のようになる．

$$\lim_{t\to\infty} y(t) = \lim_{s\to 0} sy(s) = \lim_{s\to 0} s \cdot \frac{s}{s^2 + (k_1 + 1)s + k_2} \cdot \frac{1}{s} = \mathbf{0}$$

ii) ④式に外乱 $d(s) = \frac{1}{s^2}$ を代入し，定常値 $\lim_{t\to\infty} y(t)$ を算出すると以下のようになる．

$$\lim_{t\to\infty} y(t) = \lim_{s\to 0} sy(s) = \lim_{s\to 0} s \cdot \frac{s}{s^2 + (k_1 + 1)s + k_2} \cdot \frac{1}{s^2} = \boldsymbol{\frac{1}{k_2}}$$

(2)　1)　二次遅れ系の特性方程式に題意の数値を代入する．

$$s^2 + 0.5s + 1 = 0 \quad ⑤$$

⑤式を s について解くと，

$$s=\frac{-0.5\pm\sqrt{0.5^2-4\times1\times1}}{2} \quad ⑥$$

振動的であるかどうかは⑥式の$\sqrt{\ }$内が 0 以上である必要がある．⑥式の$\sqrt{\ }$内は $0.25-4=-3.75$ でマイナス値であることから振動的となる．

次に k_B をかなり大きくした場合（10 倍）の二次遅れ系の特性方程式は以下のように表される．

$$s^2+5s+1=0 \quad ⑦$$

⑦式を s について解くと，

$$s=\frac{-5\pm\sqrt{5^2-4\times1\times1}}{2} \quad ⑧$$

⑧式の$\sqrt{\ }$内を解くと，$25-4=21$ となり，振動的でないことがわかる．

k_B を徐々に大きくした場合，最終的には**振動的でなくなる**ことがわかる．

2)　題意の二次遅れ伝達関数の特性方程式は，$s^2+k_Bs+k_A=0$ と表され，固有周波数 ω_n は，

$$\omega_n=\sqrt{k_A} \quad ⑨$$

ステップ応答において，出力が最終値の 10 % から 90 % までに要する時間を立上り時間といい，二次遅れ系の立上り時間 T_r は以下の式で近似される．

$$T_r \fallingdotseq \frac{1.76\zeta^3-0.417\zeta^2+1.039\zeta+1}{\omega_n}$$

ω_n：固有角周波数，ζ：減衰比

$\zeta=\dfrac{k_B}{2\omega_n}$ で表され，題意①および題意②とも $\zeta=\dfrac{1}{2}$ となり，T_r の分子を求めると 1.635 25 となる．

題意①および題意②の立上り時間は以下のようになる．

・題意①の立上り時間

$$T_1=\frac{1.635\,25}{\sqrt{1}}=\frac{1.635\,25}{1}=1.635\,25$$

・題意②の立上り時間

$$T_2=\frac{1.635\,25}{\sqrt{4}}=\frac{1.635\,25}{2}=0.817\,625$$

よって，$\dfrac{T_2}{T_1} = \dfrac{0.817\,625}{1.635\,25} = \mathbf{\dfrac{1}{2}}$ となる．

⑶ 1) 色に対する人間の目の特性を利用してデータ量を $\dfrac{1}{10} \sim \dfrac{1}{100}$ 程度に圧縮する規格であって，圧縮度合いを高めると画質が悪化するカラー静止画像圧縮規格は **JPEG** である．

JPEG とは，Joint Photographic Experts Group の略で静止画像データの圧縮技術である．

2) パソコンの高機能化に伴ってビデオ，音声のデータフォーマットとして利用されている規格は **MPEG** であり，符号化ビットレートにより複数に分かれて制定されている．

MPEG とは，Moving Picture Experts Group の略でディジタル動画を圧縮するための技術で，MPEG4 などの規格があり，音声データの圧縮も含まれる．

3) 音声をサンプリング周波数でディジタル化し，2 進数の時系列データとして圧縮しないで保存する，CD などで使用されるデータフォーマットは **WAVE** である．

WAVE とは非圧縮のディジタル音源のフォーマットであり，音を圧縮しないため高音質であるがデータ量が大きい．MP3 とは圧縮されたディジタル音源のフォーマットの一つである．

MP3 は，非可逆圧縮方式を採用しており，音楽 CD 並みの音質を保ったままデータ量を約 1/11 に圧縮することが可能である．

⑷ データ通信システムの通信方式はデータ伝送方向により単向式，**半二重**方式，全二重方式に分けられる．受信側が実装する，データ伝送中に発生したデータ誤りを検出し訂正する機能のなかで，垂直パリティチェック方式とは，例えば**バイト**ごとに検査用のパリティビットを付加して誤りを検出する方式である．

半二重方式とは，双方向通信が可能となるが，送受信を同時に行うことができない．

送受信を同時に行わなければならない場合は全二重方式を採用する．

⑸ 伝送速度 500 kbps は 1 秒間に 500 kbit（ビット）を送信できる速度である．つまり，500 kbit/s とも表される．また，1 B（バイト）とは 8 bit のことである．

題意の条件である回線利用率 50 % における転送時間 t [s] は以下のように表される．

$$0.5 \times (500 \times 10^3 \times t) = 1 \times 10^6 \times 8$$

$$\therefore \quad t = \mathbf{32}\ \mathrm{s}$$

問題6 (1) 1―カ，2―イ，3―ア，4―オ

(2) 5―ア，6―エ，7―カ，8―ア

(3) 9―ウ，10―エ

【指導】

(1) 1) 題意で与えられている関数は，**正規**分布の表現形である．**第1図**の標準正規分布によれば，平均値を中心として，±σの範囲には，

$$0.341\,3\times 2=0.682\,6\fallingdotseq 68.3\ \%$$

±2 σの範囲には，

$$0.477\,2\times 2=0.954\,4\fallingdotseq \mathbf{95.4}\ \%$$

±3 σの範囲には，

$$0.498\,65\times 2=0.997\,3\fallingdotseq 99.7\ \%$$

の測定値が含まれる．

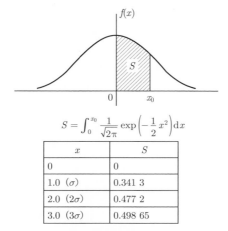

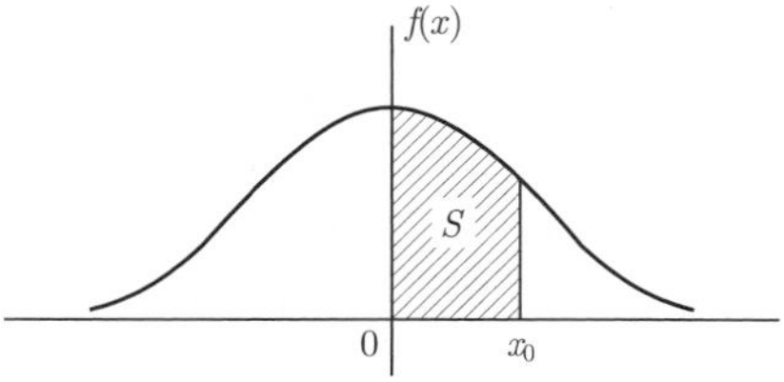

$$S=\int_0^{x_0}\frac{1}{\sqrt{2\pi}}\exp\left(-\frac{1}{2}x^2\right)\mathrm{d}x$$

x	S
0	0
1.0 (σ)	0.341 3
2.0 (2σ)	0.477 2
3.0 (3σ)	0.498 65

第1図 標準正規分布

2) JISでは，「測定器の示す値から示すべき真の値を引いた値を**器差**」と定義している．また，「計測可能な最小値を**分解能**」と呼んでいる．

(2) 1) 題意で示されている波形において，主として第3調波を含んでいるのは，(a)の波形である（**第2図**参照）．

また，時間経過に伴い，半周期ごとに，同じ波形が，正負対称で交互に繰り返される場合，**奇数次**高調波を含んでいる場合となる（第2図（第3調波）・**第3図**（第5調波）参照）．

2) ディジタルオシロスコープは，観測信号をディジタル化してメモリに蓄積することや

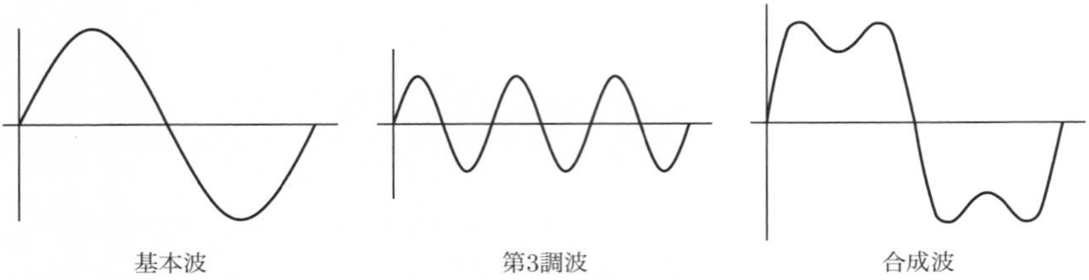

第2図 第3調波

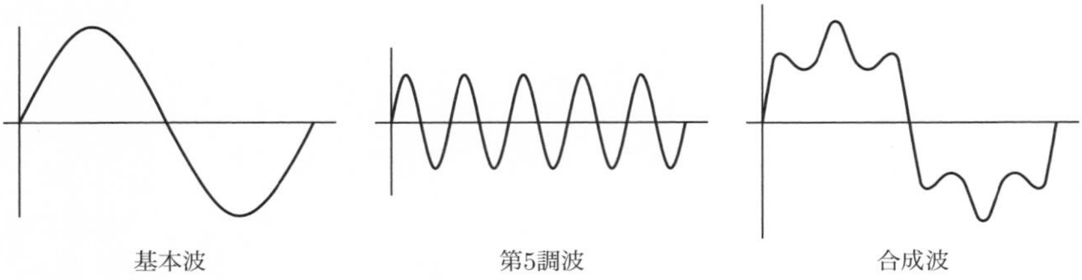

第3図 第5調波

時間波形（時間関数）を周波数関数に変換「**高速フーリエ**変換（フーリエ変換の計算速度の高速化手法）」して周波数分析できる機能を具備している．

また，高調波の信号を低い周期で標本化すると，本来存在しないはずの信号が擬似的に生成されてしまう現象（**エイリアシング**）が発生するので注意することが重要となる．

(3) 機械量を電気量に変換して計測するセンサの種類としては，非接触式である**静電容量**形センサが挙げられる．静電容量形センサは，物体が電界に入った際の静電容量の変化により，被測定物の変位量などの検知が可能となる．

また，ひずみゲージ式センサは，被測定物に接着された金属の**電気抵抗**が，被測定物の伸縮などで変化することを利用している．電気抵抗の変化の測定にはブリッジ回路を構成して，小さな抵抗の変化量を拡大された電圧の変化量にして測定することが多い．

問題7

(1) 1―エ，2―ウ

(2) 3―エ，4―イ，5―キ

(3) 6―オ，7―ア

(4) 8―エ，9―ア

(5) A―29.1，B―89.8

(6) C―58.3，D―596

【指導】

(1) 電力系統を構成する送配電線で，短絡・地絡などの故障が発生すると，故障点を中心に事故電流による電圧低下が広範囲に発生する．この電圧低下が発生すると，その大きさや**故障継続時間**によっては電力を使用する需要家に悪影響を与える．

瞬時であっても電圧低下により，需要家負荷の電動機の運転・停止に用いられる**常時励磁式電磁接触器**の開放，FA システムなどに使用されるコンピュータのデータ消失，プロセス制御の誤動作，生産ラインの停止などの問題が発生する．

(2) 太陽光発電は，太陽電池の**光電効果**を利用して光エネルギーを直接電気エネルギーに変換する発電方式である．太陽光は再生可能エネルギーであり，温室効果ガスの排出量削減に貢献できることから，太陽光発電設備が普及・拡大している．

太陽光発電は，太陽電池のほかに電力変換装置と系統連系保護装置を組み合わせた**パワーコンディショナ**で構成される．

パワーコンディショナの機能として，太陽光発電電力を日射量に応じて最適の条件で有効利用するための**最大電力点追従**機能，商用電源停電時に独立電源として使用できる自立運転機能などがある．

(3) 進相コンデンサによる力率制御の代表的な方式として，時間制御方式や，計測した回路の**無効**電力とあらかじめ設定した値（整定値）とを比較して，進相コンデンサの開閉を行う制御方式などがある．

なお，後者の方式では，進相コンデンサが投入，遮断を繰り返す**ハンチング**現象が生じないよう，整定値の設定に注意する必要がある．

(4) 配電線路に高調波が含まれると，線路に接続された負荷機器にさまざまな障害が発生する．変圧器や電動機などの鉄心を使用する機器では**鉄損**の増加による過熱，うなり，振動などが発生する．進相コンデンサや進相コンデンサ用リアクトルの高調波障害は，主に**回路共振**による過電流が問題となることが多い．

(5) 1) 題意より，負荷端からみた力率 $\cos\theta_1 = 0.8$ 遅れ（改善前）の高圧配電線路に流れる負荷電流 I_1 および，線路損失 p_1 は，以下で表される．ただし，負荷電力 $P_1 = 800$ kW，負荷端電圧 V_r [kV]（一定），1 線当たりの線路抵抗 r [Ω] とする．

$$I_1 = \frac{P_1}{\sqrt{3}V_r \cos\theta_1} \text{[A]} \qquad ①$$

$$p_1 = 3rI_1{}^2 \text{ [W]} \qquad ②$$

次に負荷端からみた力率 $\cos\theta_2 = 0.95$ 遅れ（改善後）の高圧配電線路に流れる負荷電流

I_2および，線路損失 p_2 は，以下で表される．

$$I_2 = \frac{P_1}{\sqrt{3}V_\mathrm{r}\cos\theta_2}\,[\mathrm{A}] \qquad ③$$

$$p_2 = 3rI_2{}^2\,[\mathrm{W}] \qquad ④$$

上記より p_2 と p_1 の比は，以下で表される．

$$\frac{p_2}{p_1} = \frac{3rI_2{}^2}{3rI_1{}^2} = \frac{I_2{}^2}{I_1{}^2} = \left(\frac{P_1}{\sqrt{3}V_\mathrm{r}\cos\theta_2}\right)^2 \div \left(\frac{P_1}{\sqrt{3}V_\mathrm{r}\cos\theta_1}\right)^2 = \left(\frac{P_1}{\sqrt{3}V_\mathrm{r}\cos\theta_2}\frac{\sqrt{3}V_\mathrm{r}\cos\theta_1}{P_1}\right)^2$$

$$= \left(\frac{\cos\theta_1}{\cos\theta_2}\right)^2 = \left(\frac{0.8}{0.95}\right)^2 \qquad ⑤$$

したがって，高圧配電線路の電力損失の低減率 α_1 は以下で求められる．

$$\alpha_1 = 1 - \left(\frac{0.8}{0.95}\right)^2 \fallingdotseq 0.290\,86 \fallingdotseq \mathbf{29.1}\,\% \qquad ⑥$$

2)　力率改善後，負荷力率一定のまま負荷が $P_1 = 800$ kW から $P_3 = 1\,300$ kW まで増加したとき，負荷の無効電力 Q_3 および皮相電力 S_3 は以下で計算できる．

$$Q_3 = \frac{P_1\sin\theta_2}{\cos\theta_2} + \frac{(P_3 - P_1)\sin\theta_1}{\cos\theta_1} = \frac{800}{0.95}\times\sqrt{1-0.95^2} + \frac{500}{0.8}\times\sqrt{1-0.8^2}$$

$$\fallingdotseq 637.95\,\mathrm{kvar} \qquad ⑦$$

$$S_3 = \sqrt{P_3{}^2 + Q_3{}^2} = \sqrt{1\,300^2 + 637.95^2} \fallingdotseq 1\,448.1\,\mathrm{kV{\cdot}A} \qquad ⑧$$

したがって，力率 $\cos\theta_3$ は以下で求められる．

$$\cos\theta_3 = \frac{P_3}{S_3} = \frac{1\,300}{1\,448.1} \fallingdotseq 0.897\,73 \fallingdotseq \mathbf{89.8}\,\% \qquad ⑨$$

(6)　1)　問題図2の負荷移行後における工場の1日最大負荷（最大需要電力）700 kW，合計設備容量1 200 kWである．したがって，需要率は以下で求められる．

$$\text{需要率} = \frac{\text{最大需要電力}}{\text{合計設備容量}} = \frac{700}{1\,200} \fallingdotseq 0.583\,33 \fallingdotseq \mathbf{58.3}\,\% \qquad ⑩$$

2)　この工場の1日平均需要電力 P_av は，問題図2より以下で計算できる．

$$P_\mathrm{av} = \frac{200\times\{8+(24-17)\} + 700\times(12-8) + 300\times(13-12) + 800\times(17-13)}{24}$$

$$= 387.5\,\mathrm{kW} \qquad ⑪$$

⑪式および負荷率の定義より，最大需要電力 P_max は，以下で求められる．

$$負荷率 = \frac{P_{\mathrm{av}}}{P_{\mathrm{max}}} = 65\,\%$$

$$\therefore\ P_{\mathrm{max}} = P_{\mathrm{av}}\frac{100}{65} = 387.5 \times \frac{100}{65} \fallingdotseq 596.15 \fallingdotseq \mathbf{596}\,\mathrm{kW}$$ ⑫

問題8

(1) 1―カ，2―オ，3―ア，4―ウ

(2) 5―ク，6―ア，7―エ

(3) 8―エ，9―ア

(4) A―71.8，B―163，C―63.5，D―1.89×10^3，E―47.0

【指導】

(1) 1) 配電線路の電力損失を低減する対策は，**線路電流**の低減と線路抵抗の低減に大別される．このうち，**線路電流**を低減する対策としては，次のようなものがある．

① 負荷に供給する配電線路は，高い供給電圧を選定する．

② 負荷に供給する配電線路の回線数を**増加**させる．

③ 線路の負荷端に力率改善用の進相コンデンサを設置する．

④ 2台以上の変圧器の低圧配電線を相互に接続する**バンキング**方式などの配電方式を採用する．

また，線路抵抗を低減する対策としては，次のようなものがある．

① 太い電線に張り替える．

② 負荷の近傍に変圧器を設置して，変圧器二次側線路のこう長を短縮する．

電力損失の式 $P_1 = RI^2$ から考察してほしい（抵抗を小さくするためには，太い電線に張り替えることや損失低減にはこう長を短縮することなどがわかる）．

2) 変圧器で発生する電力損失の低減策としては，次のようなものがある．

① 「エネルギーの使用の合理化及び非化石エネルギーへの転換等に関する法律」に規定する基準エネルギー消費効率を満足する変圧器を採用する．

② 軽負荷時，変圧器の無負荷損を低減するために負荷を切り替えたうえで，一部バンクの**停止**を行う．

(2) 工場や事業場の電力需要は，季節変化，平日と休日，時間帯，設備の運用形態などによって大きく変動する．この変動を抑制して工場の最大需要電力を低減することは，**負荷率**を高めることにつながり，電気料金の節減や工場内の受変設備・配電設備の効率的な運用を可能にする重要な取り組みの一つである．電力需要の変動を抑制し，最大需要電力を低減する対策として，次の①〜③のような方法が考えられる．

① 蓄電池や蓄熱システムの活用

② 一つのエネルギー源から電気と熱を取り出して利用する**コージェネレーション設備**の活用

③ 電気利用の便宜を損なうことなく，最大需要電力を一定の値以下に抑制する**デマンド**制御の実施

負荷率の式$\alpha = \dfrac{\text{平均電力 } P_a}{\text{最大需要電力 } P_m}$から簡単に導くことができる．また，デマンド制御（30分間の平均使用電力）を行い目標値に抑えることで電気料金を抑えることが可能となる（高圧需要家など）．

(3) 平衡な三相交流電圧は，各相の電圧の大きさが等しい位相差が120°であるが，実際には各相の電圧の大きさ・位相差にばらつきが生じることがある．これを電圧不平衡と呼ぶ．

三相の電動機の入力電圧が不平衡であると，**逆相**電圧によって電動機に**逆相**電流が流れる．これによる回転磁界は回転方向と反対方向であるためブレーキとして作用し，電動機入力が増加して損失が増加するとともに，温度上昇や振動・異音の増加を招く．

電圧不平衡が発生するのは，三相交流回路の各相に接続する単相負荷が均等でなく電流が不平衡となる場合や，配電線路のインピーダンスが相間で異なる場合などである．電圧不平衡を抑制するためには，発生原因が前者の場合，次の①および②のような対策などが考えられる．

① 単相負荷を各相にバランスするように配分する．

② 同等容量の二組の単相負荷に電源供給する場合は，三相を二相に変換する**スコット**結線の変圧器を用いる．

三相非常用発電装置の非常用回路の場合などにスコット変圧器を使用することで電灯負荷なども安定して供給することができる．

(4) 1) 題意の図に条件を記載したものを**第1図**に示す．

第1図より，A棟およびB棟の線路電流I_A [A]およびI_B [A]は，

$$I_A = \frac{2\,000}{\sqrt{3}\times 6.6\times 0.8} \fallingdotseq 218.693\text{ A}$$

$$I_B = \frac{1\,200}{\sqrt{3}\times 6.65\times 0.95} \fallingdotseq 109.667\text{ A}$$

となる．

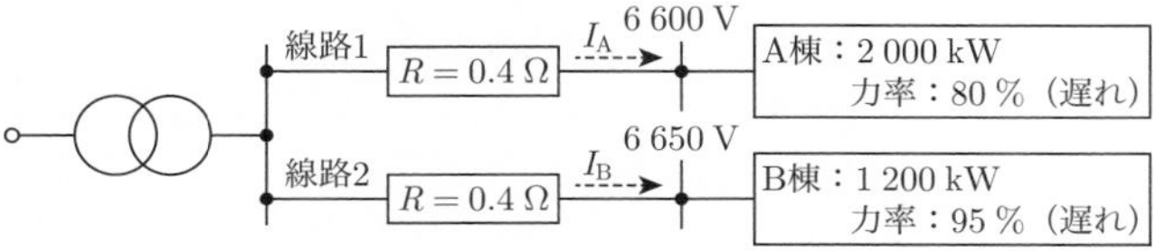

第1図　開閉器Sを開放状態

線路1の電力損失を P_{l1} [W] および線路2の電力損失を P_{l2} [W] とすると，

$$P_{l1} = 3RI_{\mathrm{A}}{}^2 = 3 \times 0.4 \times 218.693^2 \fallingdotseq 57\,391.954\ \mathrm{W}$$

$$P_{l2} = 3RI_{\mathrm{B}}{}^2 = 3 \times 0.4 \times 109.667^2 \fallingdotseq 14\,432.221\ \mathrm{W}$$

となる．

したがって，両線路の合計の電力損失 P_l [W] は以下のようになる．

$$P_l = 57\,391.954 + 14\,432.221 = 71\,824.175\ \mathrm{W} \fallingdotseq \mathbf{71.8}\ \mathrm{kW}$$

2)　A棟およびB棟の負荷を有効電力と無効電力の複素数で表すと次のようになる（遅れを＋とする）．

$$\dot{P}_{\mathrm{A}} = \sqrt{3}\dot{V}\overline{\dot{I}}_{\mathrm{AB}} = P_{\mathrm{A}} + \mathrm{j}Q_{\mathrm{A}} \qquad ①$$

$$= 2\,000 + \mathrm{j}\frac{2\,000}{0.8} \times \sqrt{1^2 - 0.8^2} = 2\,000\ \mathrm{kW} + \mathrm{j}1\,500\ \mathrm{kvar}$$

$$\dot{P}_{\mathrm{B}} = \sqrt{3}\dot{V}\overline{\dot{I}}_{\mathrm{AB}} = P_{\mathrm{B}} + \mathrm{j}Q_{\mathrm{B}} \qquad ②$$

$$= 1\,200 + \mathrm{j}\frac{1\,200}{0.95} \times \sqrt{1^2 - 0.95^2} \fallingdotseq 1\,200\ \mathrm{kW} + \mathrm{j}394.42\ \mathrm{kvar}$$

題意より，両線路の電流は均等となることを考慮し，図を描くと**第2図**のようになる．

第2図および①式，②式より，各線路電流 $\left|\dot{I}_{\mathrm{AB}}\right|$ は，次のように求められる．

$$\dot{I} = 2\dot{I}_{\mathrm{AB}} = 2\overline{\dot{I}}_{\mathrm{AB}} = \overline{\frac{\dot{P}_{\mathrm{A}} + \dot{P}_{\mathrm{B}}}{\sqrt{3}V}} = \frac{\overline{(2\,000 + \mathrm{j}1\,500) + (1\,200 + \mathrm{j}394.42)}}{\sqrt{3} \times 6.6}$$

$$= \frac{3\,200 - \mathrm{j}1\,894.42}{\sqrt{3} \times 6.6} \fallingdotseq 279.927 - \mathrm{j}165.719 \qquad ③$$

したがって，各線路の電流 I_{AB} は，

$$2I_{\mathrm{AB}} = 2 \times \left|\dot{I}_{\mathrm{AB}}\right| = \sqrt{279.927^2 + 165.719^2} \fallingdotseq 325.302\,8$$

$$\therefore\ \ I_{\mathrm{AB}} = \frac{325.302\,8}{2} = 162.651\,4 \fallingdotseq \mathbf{163}\ \mathrm{A}$$

となる．

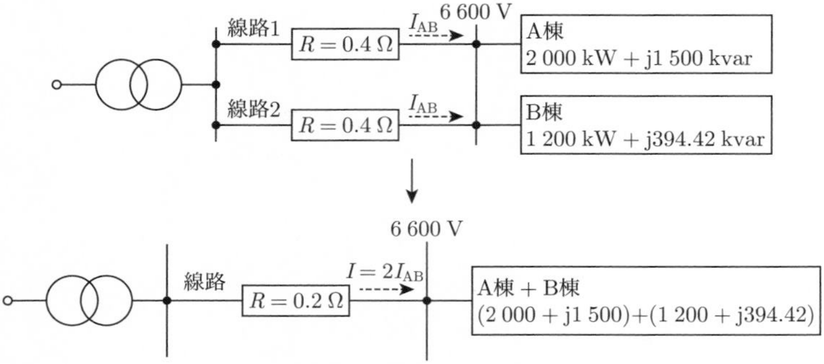

第 2 図　開閉器 S を閉路状態

3)　i ）題意の条件と進相コンデンサを設置した図を**第 3 図**に示す．

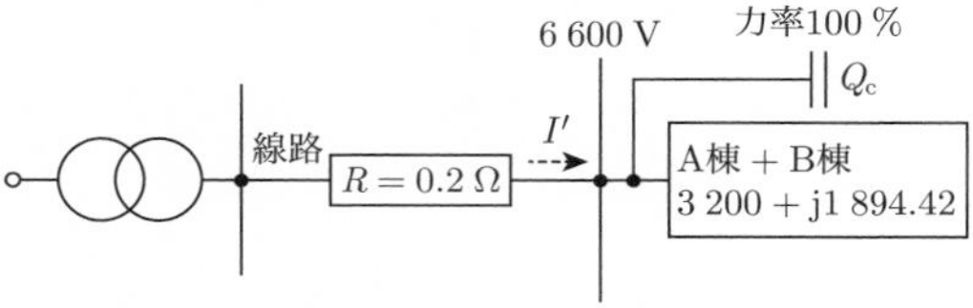

第 3 図　開閉器 S を閉路状態
進相コンデンサ設置

第 3 図より力率 100 % に改善するためには，③式の虚数部を打ち消す電流が必要であることがわかる．

したがって，設置した進相コンデンサの必要容量 Q_C [kvar] は，

$$Q_C = \sqrt{3} \times 6.6 \times 165.719 \fallingdotseq 1\,894.422\,5 \fallingdotseq \mathbf{1.89 \times 10^3}\ \text{kvar}$$

となる．

ii ）上記 i ）より，線路（線路 1 および線路 2）に流れる電流は③式の実数部のみとなるから，電力損失 P_l' [W] は，

$$P_l' = 3 \times 0.2 \times 279.927^2 \fallingdotseq 47\ 015.475\ \text{W} \fallingdotseq \mathbf{47.0}\ \text{kW}$$

問題9

(1)　1 ―ウ，2 ―キ，3 ―オ，4 ―オ，5 ―イ

(2)　6 ―ク，7 ―オ，8 ―カ

(3)　9 ―オ，10 ―ケ，11 ―イ

(4)　A ― 1 509，B ― 6 036，C ― 99.1，D ― 4.30，E ― 23.3

【指導】

(1)　1)　変圧器の効率は入力と出力を実測した値を使用する実測効率と，規格に定められ

た方法によって算出される規約効率がある．

$$規約効率 = \frac{出力}{出力 + 全損失} = \frac{出力}{出力 + 無負荷損 + 負荷損}\ [\%] \qquad ①$$

無負荷損は，鉄損と巻線の絶縁物中に生じる誘電損（**誘電体損**）および励磁電流による一次巻線抵抗で発生する銅損に分けられる．このうち，誘電損および励磁電流による一次銅損は，鉄損に比べて小さい値であるため，通常は無視できる．

交番磁界下の鉄損は，ヒステリシス損 W_h と渦電流損 W_e に分けられる．

$$W_h = K_h f B_m{}^a\ [\mathrm{W/kg}]$$

$$(a = 1.6 : B_m \leqq 1.0,\ a = 2.0 : B_m > 1.0) \qquad ②$$

$$W_e = K_e (t f B_m)^2\ [\mathrm{W/kg}] \qquad ③$$

ただし，鉄心材料によって決まる定数 K_h，K_e，周波数 f [Hz]，鉄心中の最大磁束密度 B_m [T]，積層鉄心の板厚 t [m] とする．

②式より，ヒステリシス損は，**周波数**の 1 乗と**最大磁束密度**の 1.6 ～ 2 乗に比例する．

2) 最近の変圧器は鉄損の少ない材料を使用しているため，無負荷損が減少し，最高効率となる負荷点が**低負荷**側へ移動する傾向にある．

トップランナー制度における変圧器は，一次電圧が 600 V 超，7 000 V 以下のものであって，油入変圧器，モールド変圧器が対象である．配電用油入変圧器のエネルギー消費効率基準値を計算するときの基準負荷率は，JIS C 4304 より，500 kV·A 超で **50** %，以下で 40 % となっている．

⑵ 同期電動機の制動巻線は，回転子の**磁極面**に施された一種のかご形巻線である（**第 1 図**）．この制動巻線は，三相かご形誘導電動機の二次巻線と同様な働きをする．

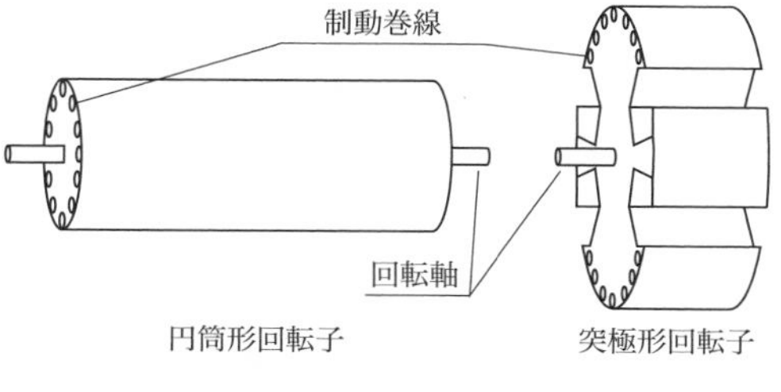

第 1 図　同期電動機の回転子と制動巻線

制動巻線は，同期電動機の運転中に負荷トルクの変動による負荷角・回転速度の動揺に対して，制動巻線中を誘導電流が流れることにより，**乱調**を抑制する作用をすることから，ダンパ巻線とも呼ばれる．

制動巻線により，始動時に始動トルクが発生するため，同期速度付近で回転子の励磁（界磁）巻線に**励磁**電流を流すことで，回転子に同期引入れトルクが発生し同期速度で運転する．この始動法を自己始動法といい，始動トルクはあまり大きくできず，始動は軽負荷または無負荷で行う．

(3) パワー半導体デバイスのオンオフ動作を用いて，交流を介さず，直流電圧の大きさを可変する回路を直流チョッパと呼び，電車などに用いられている．直流チョッパの主な構成部品は，**第2図**より，スイッチングバルブデバイス（S），**ダイオード**（D），リアクトル（L）およびコンデンサ（C）などである．

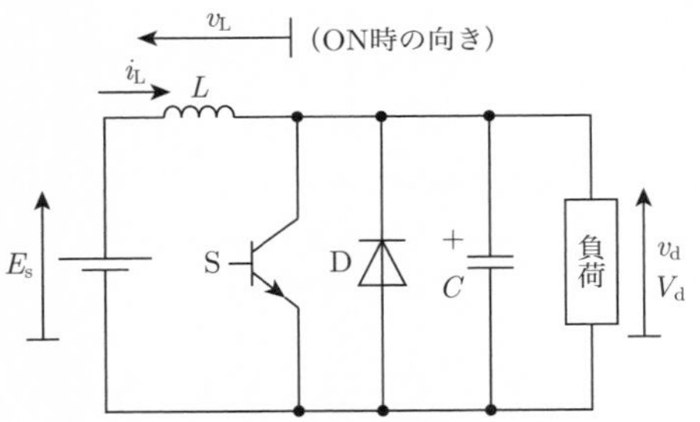

(a) 回路図

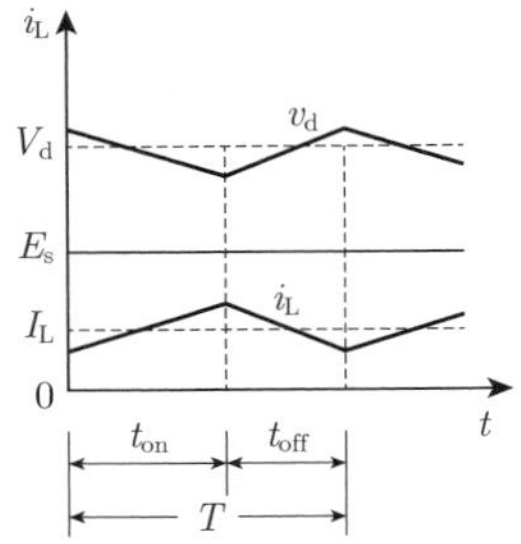

(b) 電圧，電流グラフ

第2図 昇圧チョッパ

第2図において，Sがオン状態にある期間を t_{on}，オフ状態にある期間を t_{off}，1周期を，

$$T = t_{on} + t_{off}$$

とする．

1周期のオン時間比率αは，以下で表される．

$$\alpha = \frac{t_{on}}{T} \quad ④$$

なお，αは，**通流**率と称される．

第2図において，Lが十分大きく，その電流 i_L は，一定の平均値 I_L をもち，Cが十分大きく，出力電圧 v_d は，一定の平均値 V_d をもつとする．t_{on} 中，L に蓄えられるエネルギー W_1 と，t_{off} 中，L が放出するエネルギー W_2 は等しく，以下で表される．

$$W_1 = E_s I_L t_{on} \text{ [J]} \quad ⑤$$

$$W_2 = (V_d - E_s) I_L t_{off} \text{ [J]} \quad ⑥$$

したがって，昇圧チョッパの出力電圧 V_d と電源電圧 E_s の関係は，以下で表される．

$$W_1 = W_2 \rightarrow E_s t_{on} = V_d t_{off} - E_s t_{off}$$

$$\therefore \quad \boldsymbol{V_d} = \frac{\boldsymbol{t_{on}} + \boldsymbol{t_{off}}}{\boldsymbol{t_{off}}} \times \boldsymbol{E_s}\ [\mathrm{V}] \qquad ⑦$$

(4) 1) 題意の変圧器において，最大効率η_{max}は，以下で表される．ただし，定格容量$S_n = 1\,000$ kV·A, 力率$\cos\theta = 1.0$, 定格容量に対する最大効率時の負荷率$\alpha_1 = 0.5$であり，また最大効率時は，$p_i = {\alpha_1}^2 p_{cn}$が成り立つ．

$$\eta_{max} = \frac{\alpha_1 S_n \cos\theta}{\alpha_1 S_n \cos\theta + p_i + {\alpha_1}^2 p_{cn}} = \frac{500}{500 + 2p_i} = 99.4\,\% \qquad ⑧$$

⑧式より，無負荷損p_iおよび定格容量時の負荷損p_{cn}は以下で計算できる．

$$\frac{500}{0.994} = 500 + 2p_i$$

$$\therefore \quad p_i = \frac{500(1/0.994 - 1)}{2} \fallingdotseq 1.509\,1\ \mathrm{kW} \fallingdotseq \mathbf{1\,509}\ \mathrm{W} \qquad ⑨$$

$$p_i = {\alpha_1}^2 p_{cn}$$

$$\therefore \quad p_{cn} = \frac{p_i}{{\alpha_1}^2} = \frac{1.509\,1}{0.5^2} = 6.036\,4\ \mathrm{kW} \fallingdotseq \mathbf{6\,036}\ \mathrm{W} \qquad ⑩$$

2) 求めたp_iおよびp_{cn}より，定格容量S_n（負荷率1.0）で，力率$\cos\theta = 0.8$（遅れ）の負荷を接続したときの効率η_2は，以下で計算できる．

$$\eta_2 = \frac{1.0 \times 1\,000 \times 0.8}{1.0 \times 1\,000 \times 0.8 + 1.509\,1 + 1.0^2 \times 6.036\,4} \fallingdotseq 0.990\,66 \fallingdotseq \mathbf{99.1}\,\% \qquad ⑪$$

3) この変圧器の短絡インピーダンスの抵抗$\%r$は，以下で求められる．ただし，定格二次電流I_{2n} [A]，定格二次電圧$V_{2n} = 210$ V，二次側に換算した巻線抵抗r [Ω] および，$p_{cn} = 3rI_{2n}{}^2$とする．

$$\%r = \frac{rI_{2n}}{V_{2n}/\sqrt{3}} \times 100 = \frac{\sqrt{3}I_{2n}}{\sqrt{3}I_{2n}} \frac{\sqrt{3}rI_{2n}}{V_{2n}} \times 100 = \frac{3rI_{2n}{}^2}{S_n} \times 100 = \frac{6.036\,4}{1\,000} \times 100$$

$$= 0.603\,64\,\% \qquad ⑫$$

題意（$x = 7.05r$）および⑫式より，短絡インピーダンスのリアクタンス$\%x$は，以下で求められる．

$$\%x = 7.05\%r = 7.05 \times 0.603\,64 \fallingdotseq 4.255\,7\,\% \qquad ⑬$$

⑫，⑬式より，短絡インピーダンス$\%z$は，以下で求められる．

$$\%z = \sqrt{(0.603\,64)^2 + (4.255\,7)^2} \fallingdotseq 4.298\,3 \fallingdotseq \mathbf{4.30}\,\% \qquad ⑭$$

高圧側を定格電圧値に維持して，低圧側を短絡した場合，二次側の短絡電流 I_{2s} の I_{2n} に対する倍数，すなわち短絡比 K_s は，以下で求められる．

$$K_s=\frac{I_{2s}}{I_{2n}}=\frac{100}{\%z}=\frac{100}{4.298\,3}\fallingdotseq 23.265\fallingdotseq \mathbf{23.3}\text{倍} \qquad ⑮$$

問題10

(1)　1 ― ウ，2 ― カ，3 ― オ，4 ― ウ

(2)　5 ― ケ，6 ― イ，7 ― オ，8 ― ア，9 ― ア，10 ― オ

(3)　A ― 4.0，B ― 99.5，C ― 625，D ― 1 949，E ― 699

【指導】

(1)　1)　三相誘導電動機の三つの運転領域を示した，**第1図**において，右側にある $s<0$（滑り負）の領域では，回転子は回転磁界と同方向に同期速度より速い速度で回転する．同期速度より速い速度で回転させるには，回転軸へ機械入力を加える必要があり，電動機運転では**制動**トルクとなり，電動機として発生する駆動トルクの反対方向となる．また，この領域は，誘導発電機となるが，外部電源からの**励磁電流**を必要とするため，単独運転はできない．

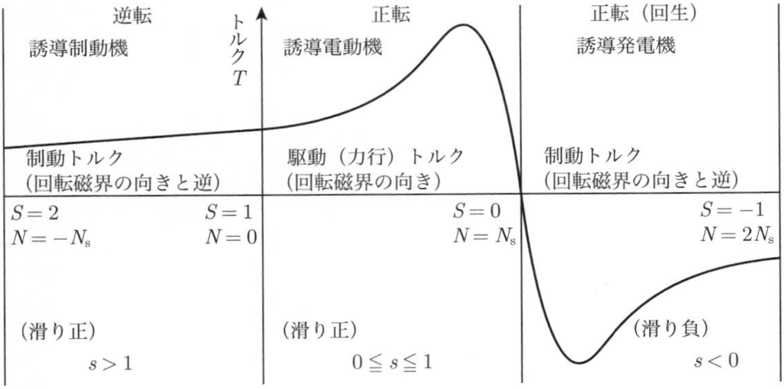

第1図　三相誘導電動機　三つの運転領域

2)　$s>1$ は，第1図の左側の領域で，回転子は回転磁界と反対方向に回転する．運転中の電動機で3線のうち，2線を入れ替える**逆相**制動に使用する．この制動法では電力損失は主に**二次抵抗**で熱として放出される．

(2)　1)　永久磁石形同期電動機は，同期電動機の**励磁**巻線の代わりに永久磁石を用いた電動機であり，三相誘導電動機と比較して高効率，高力率，低騒音，省スペース，保守の容易さなどの特長をもつことから，サーボモータ，ハイブリッド車など，多様な用途に用いられている．

2)　永久磁石形同期電動機の発生トルクは，永久磁石の磁束（d 軸方向）とこれと直交する電流（q 軸方向）によって発生し，これらの磁束の**積**で大きさが定まるマグネットトルクであり，さらに埋込磁石式では，磁気抵抗が回転子の円周上の位置によって不均一になる，いわゆる**突極**性によって発生するリラクタンストルクがこれに加わる．

3)　永久磁石形同期電動機の駆動にインバータなどが用いられる．制御法の一つとして，磁極位置センサにより回転子の位置を検出し，これを元に大きさと周波数および位相が制御された電流によって**回転磁界**を生じる．この回転磁界と永久磁石の磁力との相互作用により，トルクと回転速度が制御される．

4)　永久磁石形同期電動機では，回転速度に比例して誘導起電力が増加するので，高速領域で，電動機に加える電圧が誘導起電力よりも低いと**トルク**を発生できなくなる．このため，埋込磁石式では電機子電流の誘導起電力に対する位相を進み方向に制御し，電機子反作用により同期電動機の磁束を**弱める**ことによって，効率をあまり低下させることなく，運転範囲の拡大を図っている．

(3)　1)　題意より，三相かご形誘導電動機の同期回転速度 N_s は，以下で計算できる．ただし，定格出力 $P_n = 15$ kW，定格周波数 $f = 50$ Hz，極数 $p = 4$，定格回転速度 $N_n = 1\,440$ min^{-1}，定格運転時の効率 $\eta_n = 88.5$ %，円周率 $\pi = 3.14$ とする．

$$N_s = \frac{120f}{p} = \frac{120 \times 50}{4} = 1\,500\ \mathrm{min^{-1}} \quad ①$$

したがって，定格回転時の滑り s および，定格トルク T_n は，以下で求められる．ただし，回転角速度 ω_n [rad/s] とする．

$$s = \frac{N_s - N_n}{N_s} = \frac{1\,500 - 1\,440}{1\,500} = 0.04 \fallingdotseq \mathbf{4.0}\ \% \quad ②$$

$$T_n = \frac{P_n}{\omega_n} = \frac{15 \times 10^3}{2\pi \times (1\,440/60)} \fallingdotseq 99.522 \fallingdotseq \mathbf{99.5}\ \mathrm{N{\cdot}m} \quad ③$$

2)　電動機の二次銅損 p_{c2} は，以下で求められる．ただし，機械出力 $P_0 = P_n$ とする．

$p_{c2} : P_0 = 1 - s$

$$\therefore\ p_{c2} = \frac{s}{1-s} P_0 = \frac{0.04}{1-0.04} \times 15 \times 10^3 = \mathbf{625}\ \mathrm{W} \quad ④$$

3)　固定損 p_i と銅損 $p_c = p_{c1} + p_{c2}$ の合計は，以下で求められる．

$$\eta_n = \frac{P_n}{P_n + p_i + p_c} = 0.885$$

$$\therefore \quad p_{\mathrm{i}} + p_{\mathrm{c}} = \left(\frac{1}{\eta_{\mathrm{n}}} - 1\right) P_{\mathrm{n}} = \left(\frac{1}{0.885} - 1\right) \times 15 \times 10^3 \fallingdotseq 1\,949.2 \fallingdotseq \mathbf{1\,949}\ \mathrm{W} \qquad ⑤$$

4)　題意より，$p_{c1} = p_{c2}$ とすれば，$p_c = 2p_{c2}$ となり，p_i は以下で求められる．

$$p_{\mathrm{i}} = p_{\mathrm{i}} + p_{\mathrm{c}} - 2p_{c2} = 1\,949.2 - 2 \times 625 = 699.2 \fallingdotseq \mathbf{699}\ \mathrm{W} \qquad ⑥$$

問題11　(1)　1—エ，2—ア，3—ア，4—イ，5—オ，6—カ，7—ア，8—ウ，9—キ
(2)　10—オ，11—ア，12—イ，13—カ，14—イ

【指導】

(1)　1)　誘導電動機を商用電源で直接使用する場合，軽負荷で運転するときの効率および力率を考える．効率ηは，①式より軽負荷（出力 P_o が小）になると分母の固定損失 p_i の比率が大きくなり低下する．ただし，負荷損 p_c とする．また，力率 $\cos\theta$は，②式より軽負荷になると，有効電力 P_1 が小さくなり，分母の無効電力 Q_1 の比率が大きくなり低下する．したがって，軽負荷になると，**効率と力率が共に**低下する．

$$\eta = \frac{P_o}{P_o + p_i + p_c} [\%] \qquad ①$$

$$\cos\theta = \frac{P_1}{\sqrt{{P_1}^2 + {Q_1}^2}} \qquad ②$$

なお，誘導電動機を商用電源で直接使用する場合，最高効率点は①式の**負荷損と固定損**が等しくなる点である．

2)　かご形誘導電動機は，商用電源で直接使用する場合，**一定**速運転となる．インバータを用いて電源電圧および周波数を制御する場合，負荷に見合った**可変**速運転を行うことも可能となり，特に**部分負荷**時の省エネルギーを図ることができる．

さらに，インバータを用いることで，始動時の省エネルギーを図ることができる．一般的に商用電源で定格電圧を加えた誘導電動機の始動電流は定格電流の5～7倍程度といわれている．インバータにより，始動時の電圧を低周波数から定格周波数に可変することで，始動電流は定格電流以下に抑えることが可能となる．したがって，始動時の**抵抗損**による発熱を抑えることも可能となり，さらに，間欠負荷の停止・再始動を繰り返すことも容易となる．

3)　一般的に誘導電動機に使用される汎用インバータ装置の順変換部に **IGBT** などの自己消弧形素子を用い，さらに出力電圧パルス幅を変換する **PWM** 制御を適用することで，交流電流または電圧の波形を正弦波に近づけて，**低次**の高調波の発生を抑制することができる．

(2) 1) 問題図および追記した**第 1 図**より，全期間における台車の走行距離 L は，第 1 図に示す網掛け部であり，以下で求められる．ただし，距離 l_1，l_2，および l_3 は，各期間 t_1，t_2，および t_3 におけるそれぞれの走行距離である．

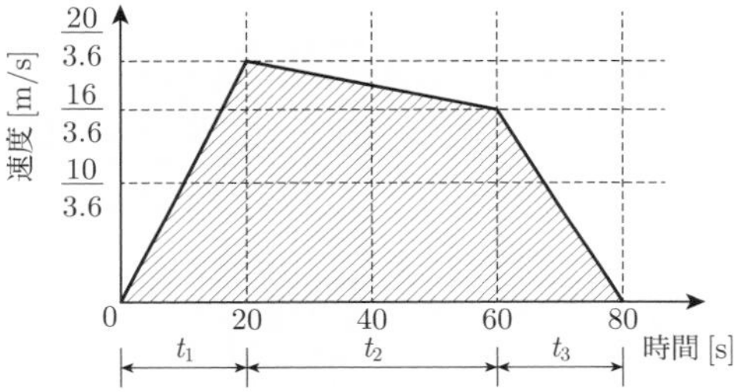

第 1 図 問題図に追記

$$L = l_1 + l_2 + l_3$$

$$= \frac{1}{2} \times \frac{20 \times 10^3}{3\,600} \times t_1 + \frac{1}{2} \times \left(\frac{20 \times 10^3}{3\,600} + \frac{16 \times 10^3}{3\,600} \right) \times t_2 + \frac{1}{2} \times \frac{16 \times 10^3}{3\,600} \times t_3$$

$$= \frac{1}{2} \times \frac{20}{3.6} \times 20 + \frac{1}{2} \times \left(\frac{20}{3.6} + \frac{16}{3.6} \right) \times (60 - 20) + \frac{1}{2} \times \frac{16}{3.6} \times (80 - 60)$$

$$= \frac{1}{2 \times 3.6} (20 \times 20 + 36 \times 40 + 16 \times 20) \fallingdotseq 55.556 + 200 + 44.444 = \mathbf{300}\ \mathrm{m} \quad ③$$

題意より，$t_1 = 20$ s の加速期間で，速度 0 から $v_1 = 20/3.6$ m/s に加速するので加速度 α_1 は，以下で計算できる．

$$\alpha_1 = \frac{20/3.6 - 0}{t_1} = \frac{20/3.6 - 0}{20} \fallingdotseq 0.277\,78 \fallingdotseq \mathbf{0.278}\ \mathrm{m/s^2} \quad ④$$

2) 惰性走行中の $t_2 = 60 - 20 = 40$ s に，走行抵抗によって失われる運動エネルギー W_{l2} は，③式および以下で計算できる．ただし，台車の質量 $m = 2\,000$ kg，走行抵抗 $f_r = 2.83g \times 10^{-3}$ N/kg，$g = 9.80$ m/s^2 とする．

$$W_{l2} = f_r m l_2 = 2.83 \times 9.80 \times 10^{-3} \times 2\,000 \times 200$$

$$\fallingdotseq 11\,094\ \mathrm{J} \fallingdotseq \mathbf{11.1}\ \mathrm{kJ} \quad ⑤$$

3) 加速走行中の $t_1 = 20 - 0 = 20$ s に，加速によって台車が得る運動エネルギー W_{a1} と走行抵抗によって失われる運動エネルギー W_{l1} の合計は，前記と同様に以下で求められる．

解答指導

$$W_{\rm a1}+W_{\rm l1}=\frac{1}{2}m\left\{\left(\frac{20}{3.6}\right)^2-0^2\right\}+f_{\rm r}ml_1$$

$$=\frac{1}{2}\times2\,000\times\left(\frac{20}{3.6}\right)^2+2.83\times9.80\times10^{-3}\times2\,000\times55.556$$

$$\fallingdotseq 30\,864+3\,081.6\fallingdotseq 33\,946\ \mathrm{J}\fallingdotseq \mathbf{33.9}\ \mathrm{kJ} \qquad ⑥$$

3) 減速走行中の $t_3=80-60=20$ s の制動力 $F_{\rm d3}$ は，以下で求められる．

$$F_{\rm d3}\cdot l_3=\frac{1}{2}m\left\{\left(\frac{16}{3.6}\right)^2-0^2\right\}=\frac{1}{2}\times2\,000\times\left(\frac{16}{3.6}\right)^2$$

$$\therefore\quad F_{\rm d3}=\frac{1}{44.444}\times\frac{1}{2}\times2\,000\times\left(\frac{16}{3.6}\right)^2\fallingdotseq 444.45\fallingdotseq \mathbf{444}\ \mathrm{N} \qquad ⑦$$

問題12

(1) 1—ア，2—エ，3—イ，4—カ，5—ア，6—エ

(2) 7—エ，8—ウ，9—オ，10—ア，11—ウ

(3) 12—オ，13—イ

【指導】

(1) 1) i）題意より角周波数ωは，

$$\omega=\frac{\pi}{2t_{\rm a}} \qquad ①$$

である．①式の時間 $t_{\rm a}$ は，

$$t_{\rm a}=\frac{\pi\alpha_{\rm m}}{2\beta_{\rm m}} \qquad ②$$

であるから，②式を①式に代入すると，

$$\omega=\frac{\pi}{2t_{\rm a}}=\frac{\pi}{2\times\dfrac{\pi\alpha_{\rm m}}{2\beta_{\rm m}}}=\frac{\boldsymbol{\beta_{\rm m}}}{\boldsymbol{\alpha_{\rm m}}} \qquad ③$$

と表される．

ii）題意の図の破線で示した台形の面積 S を求めると以下のようになる．

$$S=\frac{1}{2}(2t_{\rm a}+t_{\rm b})v_{\rm m}+t_{\rm c}v_{\rm m}+\frac{1}{2}(2t_{\rm a}+t_{\rm b})v_{\rm m}=(2t_{\rm a}+t_{\rm b}+t_{\rm c})v_{\rm m} \qquad ④$$

④式は，上昇距離と等しいから，

$$x_e = S = (2t_a + t_b + t_c)v_m = \left(2 \times \frac{\pi\alpha_m}{2\beta_m} + t_b + t_c\right)v_m$$

$$= \left(\boldsymbol{\pi}\frac{\boldsymbol{\alpha_m}}{\boldsymbol{\beta_m}} + \boldsymbol{t_b} + \boldsymbol{t_c}\right)\boldsymbol{v_m} \quad ⑤$$

と表される．

iii）題意の v_m は，

$$v_m = \alpha_m\left(2 \times \frac{\alpha_m}{\beta_m} + t_b\right) \quad ⑥$$

と与えられている．

⑥式に $v_m = v_N$，$t_b = t_{b_N}$ を代入し，式を変形すると，

$$v_N = \alpha_m\left(2 \times \frac{\alpha_m}{\beta_m} + t_{b_N}\right) \quad ⑦$$

$$\frac{v_N}{\alpha_m} = 2 \times \frac{\alpha_m}{\beta_m} + t_{b_N}$$

$$\therefore\ t_{b_N} = \frac{\boldsymbol{v_N}}{\boldsymbol{\alpha_m}} - \boldsymbol{2}\frac{\boldsymbol{\alpha_m}}{\boldsymbol{\beta_m}} \quad ⑧$$

と表される．

⑤式に $x_e = x_{e_N}$，$t_c = 0$，$t_b = t_{b_N}$ および $v_m = v_N$ を代入すると次のようになる．

$$x_{e_N} = \left(\frac{\pi\alpha_m}{\beta_m} + t_{b_N}\right)v_N \quad ⑨$$

⑨式に⑧式を代入すると，

$$x_{e_N} = \left(\frac{\pi\alpha_m}{\beta_m} + t_{b_N}\right)v_N = \left\{\left(\frac{\pi\alpha_m}{\beta_m} + \frac{v_N}{\alpha_m} - 2 \times \frac{\alpha_m}{\beta_m}\right)\right\}v_N$$

$$= \left\{(\boldsymbol{\pi} - \boldsymbol{2}) \times \frac{\boldsymbol{\alpha_m}}{\boldsymbol{\beta_m}} + \frac{\boldsymbol{v_N}}{\boldsymbol{\alpha_m}}\right\}\boldsymbol{v_N} \quad ⑩$$

となる．

2)　i）題意の式 $x_{e_{MIN}} = 2\pi \times \frac{{\alpha_m}^3}{{\beta_m}^2}$ に数値を代入すると，

$$x_{e_{MIN}} = 2\pi \times \frac{{\alpha_m}^3}{{\beta_m}^2} = 2\pi \times \frac{0.9^3}{1.3^2} \fallingdotseq 2.710\,3\ \mathrm{m} \fallingdotseq \mathbf{2.71}\ \mathrm{m}$$

となる．

ii）$x_e \geqq x_{e_N}$ の場合には，$t_b = t_{b_N}$，$v_m = v_N$ と与えられる．

また，t_c は次の式で与えられ各数値を代入すると，

$$t_c = \frac{x_e - x_{e_N}}{v_N} = \frac{98.6 - 31.7}{5} = 13.38\,\mathrm{s}$$

となる．

次に t_b は⑧式に各数値を代入すると，

$$t_b = t_{b_N} = \frac{v_N}{\alpha_m} - 2 \times \frac{\alpha_m}{\beta_m} = \frac{5}{0.9} - 2 \times \frac{0.9}{1.3} \fallingdotseq 4.170\,94\,\mathrm{s}$$

となる．

走行開始から停止するまでの経過時間 t_e は，題意の与えられた式に $t_b = t_{bN}$ を代入すると次のようになる．

$$t_e = 2\pi \times \frac{\alpha_m}{\beta_m} + 2t_{b_N} + t_c \qquad ⑪$$

⑪式に題意および上記の数値を代入すると，

$$t_e = 2\pi \times \frac{0.9}{1.3} + 2 \times 4.170\,94 + 13.38 \fallingdotseq 26.072 \fallingdotseq \mathbf{26.1}\,\mathrm{s}$$

となる．

⑵　1)　送風機および圧縮機について**第 1 図**のように分類される（JIS B 0132）．

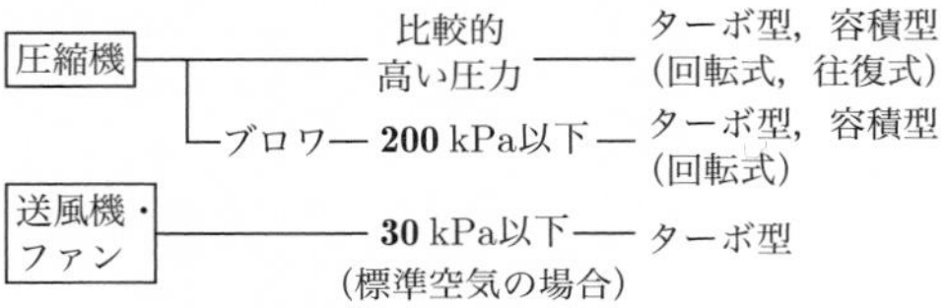

第 1 図　送風機および圧縮機の分類

ブロワとは，気体にエネルギーを与えて圧力を上げ，速度を増加させて送り出す装置である．

2)　プロペラを高速回転し，翼の揚力によって気体を軸方向に流動させる構造の送風機を**軸流**式送風機という．送風機や電動機を小型軽量にでき，導管の一部に設置できる利点がある．

プロペラファンとも呼ばれ大量の気体を効率的に動かし，大スペースの冷却も可能である．

3)　羽根により，気体を半径方向に内側から外側に向かって流動させる構造の送風機を**遠心**式送風機という．構造が簡単で安価であるため，換気や冷暖房の用途に用いられる．

遠心ブロワとも呼ばれる．軸流ファンと比較すると安定高圧気流を生成するが，空気の移動量は少ない．

4)　シリンダを用いた**往復**式圧縮機は，高い圧力が得られ，最も効率の良い圧縮機として広く用いられている．レシプロコンプレッサとも呼ばれている．

(3)　題意の式を以下に列挙する．

$$h = 1.2n^2 + 0.4nq - 0.6q^2 \quad ①$$

$$\eta = 2\times\left(\frac{q}{n}\right)-\left(\frac{q}{n}\right)^2 \quad ②$$

$$r = q^2 \quad ③$$

電動機および送風機の図に題意の条件を代入すると**第 2 図**のようになる．

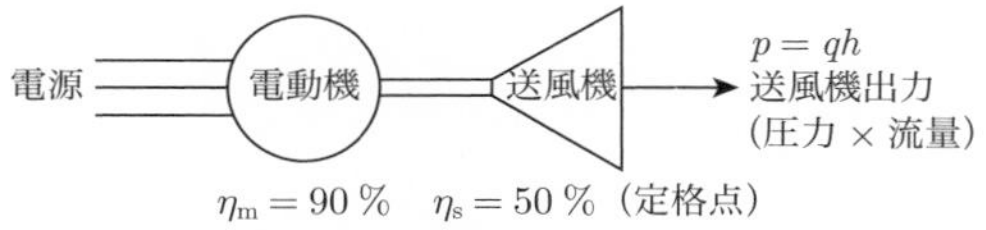

第 2 図　送風機および電動機

1)　ダンパ制御により流量 50 % を実施したときの図を**第 3 図**に示す．

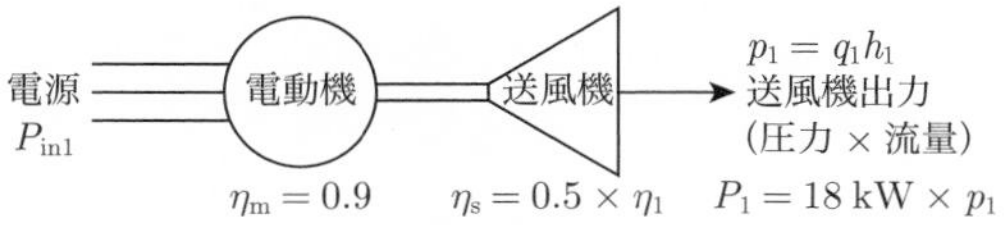

第 3 図　ダンパ制御

ダンパ制御であるから $q = 0.5$，$n = 1$ を①式および②式に代入すると次のようになる．

$$h_1 = 1.2 \times 1^2 + 0.4 \times 1 \times 0.5 - 0.6 \times 0.5^2 = 1.25 \text{ p.u.}$$

$$\eta_1 = 2\times\left(\frac{0.5}{1}\right)-\left(\frac{0.5}{1}\right)^2 = 1 - 0.25 = 0.75 \text{ p.u.}$$

第 3 図より，送風機出力は圧力 × 流量であるから，次のようになる．

$$p_1 = q_1h_1 = 0.5 \times 1.25 = 0.625 \text{ p.u.}$$

送風機出力を kW 表記にすると，

$$P_1 = 18 \times p_1 = 18 \times 0.625 = 11.25 \text{ kW}$$

となる．

したがって，電源側の消費電力 P_{in1} は，

$$P_{\text{in1}} = \frac{P_1}{\eta_{\text{m}} \times \eta_{\text{s}}} = \frac{11.25}{0.9\times0.5\times0.75} \fallingdotseq 33.333 \fallingdotseq \mathbf{33.3}\text{ kW}$$

となる．

2）　インバータ制御により流量50 %を実施したときの図を**第4図**に示す．

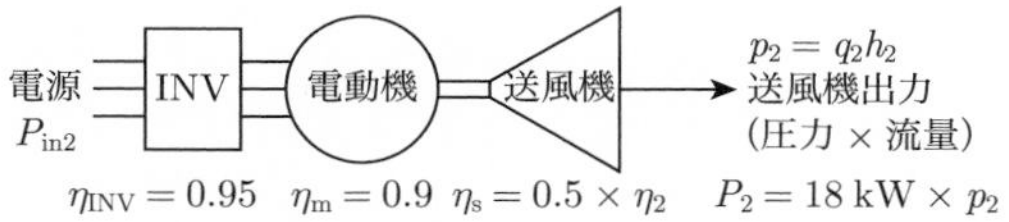

第4図　インバータ制御

インバータ制御では，回転数を変化させ風量を制御する．題意の条件では，管路抵抗≒風圧と考える．

よって，③式は次のようになる．

$$h \fallingdotseq r = 0.5^2 = 0.25\ \mathrm{p.u.}$$

③式≒①式であるから，回転数 n は以下のようになる．

$$h_2 \fallingdotseq 0.25 = 1.2n^2 + 0.4n \times 0.5 - 0.6 \times 0.5^2$$

$$n^2 + 0.166\,7n - 0.333\,3 = 0$$

$$\therefore\quad n = \frac{-0.166\,7 \pm \sqrt{0.166\,7^2 + 4 \times 0.333\,3}}{2} \fallingdotseq 0.499\,96,\ -0.666\,66$$

$$\rightarrow 0.499\,96\ (+\text{側採用})$$

次に送風機効率 η_2 は②式より以下のようになる．

$$\eta_2 = 2\left(\frac{0.5}{0.499\,96}\right) - \left(\frac{0.5}{0.499\,96}\right)^2 = 2.000\,16 - 1.000\,16 = 1\ \mathrm{p.u.}$$

第4図より，送風機出力は圧力 × 流量であるから，次のようになる．

$$p_2 = q_2 h_2 = 0.5 \times 0.25 = 0.125\ \mathrm{p.u.}$$

送風機出力をkW表記にすると，

$$P_2 = 18 \times p_2 = 18 \times 0.125 = 2.25\ \mathrm{kW}$$

となる．

したがって，電源側の消費電力 P_{in2} は，

$$P_{in2} = \frac{P_2}{\eta_{INV} \times \eta_m \times \eta_s} = \frac{2.25}{0.95 \times 0.9 \times 0.5 \times 1} \fallingdotseq 5.263 \fallingdotseq \mathbf{5.26}\ \mathrm{kW}$$

となる．

問題13 (1) 1—オ，2—ア，3—カ，4—ウ，5—カ，6—ケ，7—イ，8—ア，9—エ，10—イ

(2) 11—ウ，12—イ，13—ア，14—ケ

【指導】

(1) 1) 電子ビーム加熱は，**真空**容器中で高速に加速した電子ビームを被加熱物に照射することで加熱する方式であり，$\mathbf{10^7 \sim 10^8}$ W/cm^2 程度の高エネルギー密度が得られ，加熱効率が高いのが特長である．精密な位置制御により，照射部分を局部的に加熱して溶接や切断などの加工を行うことができ，セラミック微細加工などに用いられる．

電子ビーム溶接は電子ビーム加熱を応用した溶接法である．以前は高真空度を求められたが，近年は完全な真空中でなくても溶接が可能な低真空型や電子銃移動型も開発されている．

2) 物体は，その性質や温度に応じて表面から**電磁波**としてエネルギーを放射している．この，物体からの放射エネルギーの大きさは，物体の絶対温度の **4** 乗に比例する．これをステファン・ボルツマンの法則という．

放射発散度を I, 熱力学温度を T および比例係数 σ（ステファン・ボルツマン定数）とすれば，$I = \sigma T^4$ という関係式が成り立つ．

3) アーク加熱は，電極間あるいは電極と被加熱物との間で発生させたアーク放電の**熱エネルギー**で被加熱物を加熱する方式である．アーク加熱を利用した炉には，製鋼用アーク炉や**電気製錬**炉などがある．アーク加熱を用いる炉の電圧，電流は，電流が増大すると電圧が低下するような負特性をもつので，アークの安定と効率を保つため，回路中に適切な**リアクトル**を直列に挿入する．

4) プラズマ加熱を用いたプラズマアーク溶接は，通常，シールドガスに**アルゴン**を用いて溶接部を大気から保護し，電極に**タングステン**を用いて，母材との間に拘束ノズルで細く絞られた高密度エネルギーのプラズマ流を形成し，これを溶融熱源として利用する溶接方法である．

プラズマアーク溶接は，非消耗電極式に分類され，TIG 溶接と同様に電極にタングステン棒を使用するが，アークが広がらない構造となっており，ひずみのない溶接が可能である．

5) 直接抵抗加熱は，被加熱材に配した電極を通して流した電流によって，**被加熱材**の内部にジュール熱を発生させて加熱する方法である．

ニクロムや炭化ケイ素などでつくられたヒータに通電し発生するジュール熱を利用して非加熱物を間接的に加熱する方式を間接抵抗加熱と呼ぶ．

(2) 1) 題意の条件を図にまとめると**第 1 図**のようになる．

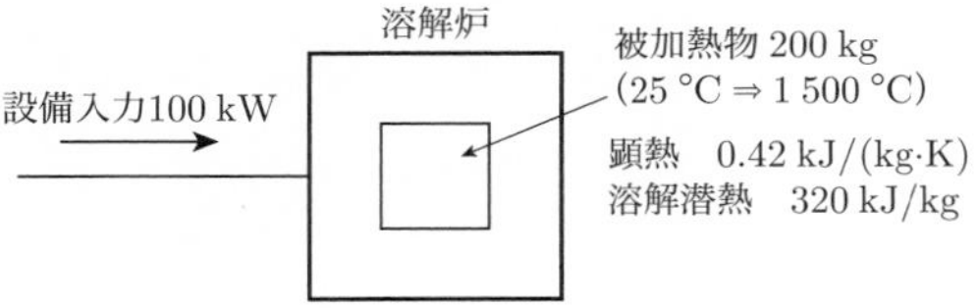

第 1 図　溶解炉

{(顕熱 × 温度差) + 溶解潜熱} × 質量

$$\{0.42 \times (1\,500 - 25) + 320\} \times 200 = 187\,900\ \mathrm{kJ} \quad ①$$

単位換算を以下に示す．

$$\mathrm{kJ} = \mathrm{kW} \times \mathrm{s}$$

$$\frac{\mathrm{kJ}}{3\,600} = \mathrm{kW} \times \frac{\mathrm{s}}{3\,600} = \mathrm{kW{\cdot}h}$$

したがって，①式は次のようになる．

$$187\,900 \times \frac{1}{3\,600} = 52.194\,44\ \mathrm{kW{\cdot}h} \fallingdotseq \mathbf{52}\ \mathrm{kW{\cdot}h} \quad ②$$

2)　溶解時間 t [min] のとき，正味エネルギーは次のように表される．

$$\text{正味エネルギー [kW·h]} = (\text{設備入力} - \text{熱損失} - \text{全電気損失}) \times \frac{t}{60}\,[\mathrm{h}] \quad ③$$

③式に，設備入力 100 kW，熱損失 30 kW（設備入力 30 %），全電気損失 5 kW（設備入力 5 %）を代入し溶解時間 t を算出する．

$$52.194\,44 = (100 - 30 - 5) \times \frac{t}{60} \quad ④$$

$$\therefore\quad t' = 48.179 \fallingdotseq \mathbf{48}\ \mathrm{min}$$

3)　④式の全損失を 30 kW とした場合の溶解時間 t' [min] は以下のようになる．

$$52.194\,44 = (100 - 30) \times \frac{t'}{60}$$

$$\therefore\quad t' = 44.738 \fallingdotseq \mathbf{45}\ \mathrm{min}$$

4)　改造後の電力原単位は，単位に注目し式を立てると以下のようになる．

$$\frac{100\ \mathrm{kW} \times \dfrac{44.738}{60}\ \mathrm{h}}{\dfrac{200}{1\,000}\ \mathrm{t}} \fallingdotseq 372.817 \fallingdotseq \mathbf{373}\ (\mathrm{kW{\cdot}h})/\mathrm{t}$$

問題14　(1)　1―カ，2―ア，3―ア，4―エ

(2)　5―オ，6―コ，7―イ，8―ケ，9―オ，10―イ

(3)　A―5.4，B―4.2，C―1.7

【指導】

(1)　1)　電気分解とは，外部から電気エネルギーを与えられ，**電極界面**で酸化・還元の化学反応が起こる現象をいう．ここで，酸化反応が起こる電極を**アノード**と呼ぶ．

反対に還元反応が生じる電極をカソードと呼ぶ．

2)　一方の電極では酸化反応が，もう一方の電極では還元反応が起こるため，生成物の分離が容易である．例えば，ソーダ電解においては陽極側の生成物は $\mathbf{Cl_2}$（塩素）であり，隔膜によって陰極生成物との混合を防いでいる．

反対に陰極では，水素ガスが発生する．

3)　電気分解は電気エネルギーを**化学物質（化学エネルギー）として貯蔵**していることになる．

(2)　1)　電池には充電が可能な電池と充電できない電池があり，充電が可能な電池を**二次電池**と呼ぶ．充電が不可で放電のみの電池を一次電池という（使い切りの電池）．

2)　電池の電圧は，正極と負極の電位の**差**によって決まる．**二次電池**に属する鉛蓄電池，ニッケル・水素電池およびリチウムイオン電池の中で公称電圧が一番高いのは，**リチウムイオン電池**である．この電池の充電速度は，原理的には**電流**に比例する．

リチウムイオン電池は，主に①正極と負極②正極と負極を分けるセパレータ③その間をうめる電解液で構成されており，正極負極に使用する素材の違いで特長が異なる．

3)　電池の構成図（電池図）において，左側に記載するのは**負極**とすると定められている．

4)　太陽電池は**物理**電池に分類される．

物理電池とは，物理現象を利用して，光や熱などのエネルギーを電気エネルギーへ変換させる電池である．主に自然界に存在するエネルギー源を利用した電池である．

(3)　水酸化ナトリウムは次の反応式となる．

アノード反応式：$2Cl \rightarrow Cl_2 + 2e^-$

カソード反応式：$2H_2O + 2e^- \rightarrow H_2 + 2OH^-$

全体反応式：$2N_aCl + 2H_2O \rightarrow Cl_2 + H_2 + 2N_aOH$

1)　水酸化ナトリウムを電気分解すると，陽極で酸素，陰極で水素が発生する．

その体積比は，酸素：水素 = 1：2 となる．したがって，酸素ガスは，

$$0.108 \times \frac{1}{2} = 0.054 = \mathbf{5.4} \times 10^{-2}\ \mathrm{m^3}$$

2)　理想気体の状態方程式を以下に示す．

$$PV = nRT \qquad ①$$

P：圧力 [Pa]，V：体積 [m^3]，n：物質量 [mol]

R：気体定数 [J/(mol·K)]，T：絶対温度 [K]

①式をもとに水素ガスについて物質量 n [mol] を算出すると以下のようになる．

$$n = \frac{PV}{RT} = \frac{500 \times 10^3 \times 0.108}{8.31 \times (273 + 25)} \fallingdotseq 21.806\ \mathrm{mol}$$

水酸化ナトリウムの反応式より，水素ガスは2電子反応であることがわかる．電解槽を通過した電荷 Q [C] は以下のように表される．

$$\text{物質量}\ n\,[\mathrm{mol}] = \frac{1}{96\,500} \times \frac{1}{2} \times \text{電荷}\ Q$$

$$\text{電荷}\ Q = 96\ 500 \times 2 \times 21.806 = 4\ 208\ 558 \fallingdotseq \mathbf{4.2} \times 10^6\ \mathrm{C}$$

3)　電荷 [C]，電流 [A] および時間 [s] の間には次式が成立する．

電流 [A]× 時間 [s]= 電荷 [C]

$$\text{電流 [A]} = \frac{\text{電荷 [C]}}{\text{時間 [s]}} \qquad ②$$

②式に題意の数値を代入すると以下のようになる．

$$\text{電流 [A]} = \frac{1.0 \times 10^6}{10 \times 60} \fallingdotseq 1\,666.67\ \mathrm{A} \fallingdotseq \mathbf{1.7}\ \mathrm{kA}$$

問題15

(1)　1 ― イ，2 ― イ，3 ― オ，4 ― キ，5 ― ア，6 ― イ，7 ― イ

(2)　A ― 1.4，B ― 4.74，C ― 7.05，D ― 7.65，E ― 24，F ― 42

【指導】

(1)　1)　照明用光源として利用されるLEDは，発光ダイオードとも呼ばれる**半導体**の一種であり，構成する材料によって赤，青，緑の発光色がある．

2)　発光ダイオードを用いて白色光源を得るには，赤，緑，青色LEDの3種類を組み合わせる方法と，青色LEDと黄色蛍光体を使う方法とがある．後者の場合，青色LEDは，ピークが青色光の波長**460 nm**前後となるように，発光層の材料として窒化インジウムガリウム**InGaN**を用いる．黄色蛍光体は，**YAG蛍光体**（イットリウム，アルミニウム，ガー

ネット）がある．最近ではYAG蛍光体にセリウムを添加した蛍光体が高出力，高発光効率を実現しており，高輝度照明，車のヘッドライトなどに採用されている．

3）商用電源に接続して使用するLEDランプは点灯用回路を内蔵しており，回路方式には定電流タイプの**スイッチング電源**が多く採用される．

4）現在の白色LEDは発光効率が150 lm/Wを超えるものが多く普及している．LED以外の光源の発光効率は，蛍光灯：約110 lm/W（インバータ40 W），**メタルハライド**ランプ：約90 lm/W（400 W），白熱電球：約15 lm/W（100 W）などである．

5）LEDランプを含め，照明には相関色温度（色温度）があり，電球色LEDは，白熱電球や夕焼けに近い光色（2 700～3 000 K）で，**相関色温度が低い**．ほかに，昼間の太陽光に近い昼白色（約5 000 K），快晴の正午の太陽光に近い昼光色（約6 500 K），電球色よりも少し高く夕日や朝焼けに近い温白色（約3 500 K）などがある．

(2) 1） i ）題意および**第1図**より，光源A（およびB）の光度は以下で求められる．ただし，P点の水平面照度 $E_h = 500$ lx，光源AからP点の直線距離 l_1，∠PAaの余弦 $\cos\theta_1$ とする．

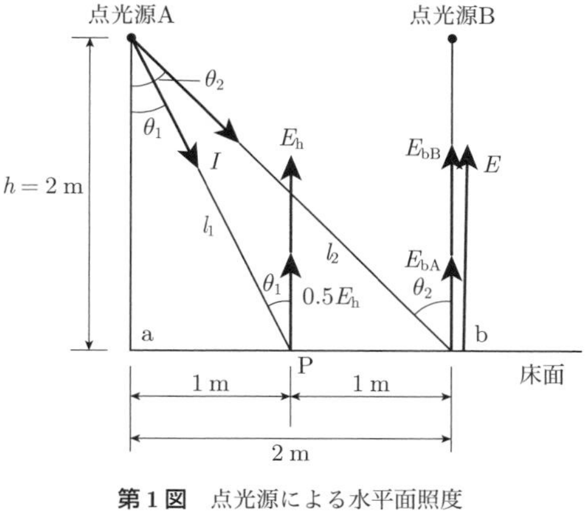

第1図　点光源による水平面照度

$$E_h = 500 = 2\frac{I}{l_1^2}\cos\theta_1 = 2\frac{I}{(\sqrt{2^2+1^2})^2}\frac{2}{\sqrt{2^2+1^2}} = \frac{4I}{5\sqrt{5}}$$

$$\therefore\ I = \frac{500\times5\times2.24}{4} = 1\,400 = \mathbf{1.4}\times10^3\ \text{cd}$$ ①

ii）同様に光源B直下の床面b点の水平面照度 E は，以下で求められる．ただし，光源Aからb点の直線距離 l_2，∠bAaの余弦 $\cos\theta_2$ とする．

$$E = E_{\rm bA} + E_{\rm bB} = \frac{I}{{l_2}^2}\cos\theta_2 + \frac{I}{2^2} = \frac{1\,400}{(\sqrt{2^2+2^2})^2}\frac{2}{\sqrt{2^2+2^2}} + \frac{1\,400}{2^2}$$

$$= \frac{1\,400}{8}\frac{1}{1.41} + \frac{1\,400}{2^2} \fallingdotseq 474.11 \fallingdotseq \mathbf{4.74}\times10^2\ \mathrm{lx} \qquad ②$$

iii）題意および，**第2図**より，光源Bを光源Cに変えて，P点の水平面照度が変わらない光源Cの光度 I' は，以下で求められる．ただし，光源CからP点の直線距離 l_3，∠bCPの余弦 $\cos\theta_3$ とする．なお，光源Aの光度および，P点に対する位置は同じであるため，光源Aによる水平面照度は，$0.5E_{\rm h}$ である．

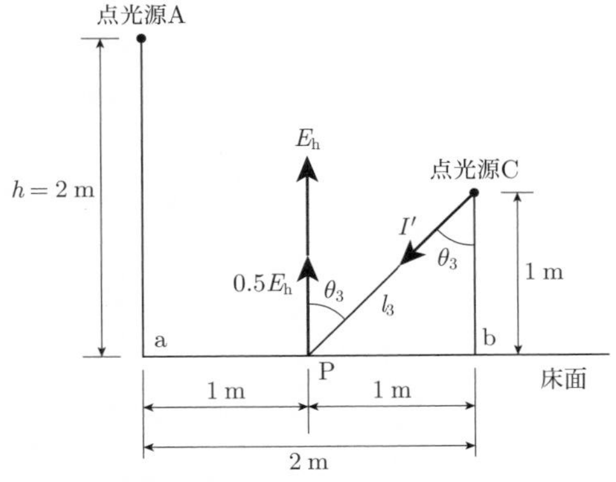

第2図　点光源Cに変更

$$0.5E_{\rm h} = 250 = \frac{I'}{{l_3}^2}\cos\theta_3 = \frac{I'}{(\sqrt{1^2+1^2})^2}\frac{1}{\sqrt{1^2+1^2}} = \frac{I'}{2\times1.41}$$

$$\therefore\quad I' = 2\times1.41\times250 = 705 \fallingdotseq \mathbf{7.05}\times10^2\ \mathrm{cd} \qquad ③$$

2)　i）題意および**第3図**より，事務室の平均照度 E は，以下で求められる．ただし，事務室の間口 $X=8$ m，奥行き $Y=14$ m，天井高さ $H=2.8$ m，蛍光ランプ2灯用照明器具の光束 $F=6\,000$ lm，安定器含む消費電力 $p_{\rm fl}=82$ W，器具数 $N=28$ 台，器具の照明率 $U=0.68$，保守率 $M=0.75$ とする．

$$E = \frac{FUNM}{XY} = \frac{6\,000\times0.68\times28\times0.75}{8\times14} = 765 = \mathbf{7.65}\times10^2\ \mathrm{lx} \qquad ④$$

ii）上記の事務室の照明をLEDランプ2灯用の照明器具（光束 $F'=6\,400$ lm，電源ユニット含む消費電力 $p_{\rm led}=40$ W）に更新した．更新した器具の照明率は，蛍光灯の照明率に対して1.1倍，保守率が同じとすると，蛍光灯と同じ平均照度とするのに必要なLED照

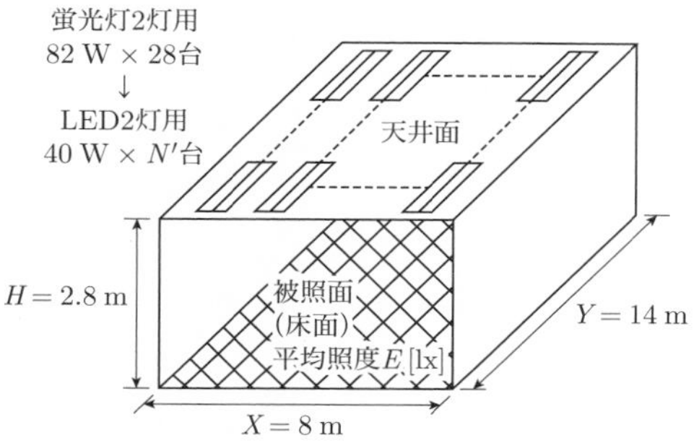

第 3 図　事務室と被照面照度

明器具の台数 N' は以下で求められる．

$$E=\frac{F'\times 1.1UN'M}{XY}\geqq 765$$

$$\therefore\quad N'\geqq\frac{765\times 8\times 14}{6\,400\times 1.1\times 0.68\times 0.75}\fallingdotseq 23.864$$

$\rightarrow$ **24 台**　⑤

題意および，⑤式より，蛍光ランプ 2 灯用照明器具における総消費電力 P_{fl}，LED ランプ 2 灯用照明器具における総消費電力 P_{led} は，以下で計算できる．

$$P_{\mathrm{fl}}=p_{\mathrm{fl}}N=82\times 28=2\,296\ \mathrm{W}\quad ⑥$$

$$P_{\mathrm{led}}=p_{\mathrm{led}}N'=40\times 24=960\ \mathrm{W}\quad ⑦$$

⑥式および⑦式より，P_{led} の P_{fl} に対する比率は以下で求められる．

$$\frac{P_{\mathrm{led}}}{P_{\mathrm{fl}}}=\frac{960}{2\,296}\fallingdotseq 0.418\,12\fallingdotseq \mathbf{42\ \%}\quad ⑧$$

問題16　(1)　1 ―ア，2 ―イ，3 ―エ，4 ―ウ，5 ―オ，6 ―ケ，7 ―ア，8 ―オ

(2)　9 ―コ，10 ―サ，11 ―カ，12 ―ウ，13 ―ク，14 ―ク，15 ―オ，16 ―エ，17 ―ウ

【指導】

(1)　1)　日射熱負荷は日射による顕熱負荷のみだが，**人体発熱負荷**は，人体表面温度と周囲の空気温度の差による対流熱伝達および放射から生じる顕熱負荷と呼気および皮膚表面からの水蒸気の排出による潜熱負荷の両方を有する．また，**取入れ外気負荷**も室内外温度差による顕熱負荷と室内外空気の絶対湿度差による潜熱負荷の両方を有する．

2)　建物外皮から5 m程度の幅の室内側部分を**ペリメータ**ゾーンという．ペリメータゾーンでは，外気温度や日射による熱的な影響が外壁を貫流して直接伝わる．ペリメータゾーンではない内部空間をインテリアゾーンという．インテリアゾーンでは，外気温度や日射による熱的な影響がほとんどなく，室内発生熱のみが空調熱負荷になる．そのため，各ゾーンを別系統で処理する場合，冬期において，ペリメータゾーンでは暖房運転，インテリアゾーンでは冷房運転になることがあり，両者の境界部分では暖房と冷房の空気が混合することによって**混合**損失が生じることがある．この対策として，ペリメータゾーンの熱処理を外壁に近い部分のみに限定したり，設定温度を調節したりするなどの方法がある．

3)　i）単板ガラス窓の熱貫流抵抗 R は，ガラスの熱抵抗を r_G とすると，

$$R = 1/\alpha_O + r_G + 1/\alpha_i = 1/23 + 0.01 + 1/9 \fallingdotseq 0.164\,6\ \mathrm{m^2 \cdot K/W}$$

となる．したがって，熱貫流率 U は，

$$U = 1/R = 1/0.164\,6 \fallingdotseq 6.08\ \mathrm{W/(m^2 \cdot K)} \rightarrow \mathbf{6}\ \mathrm{W/(m^2 \cdot K)}$$

となる．

ii）外壁の貫流熱負荷は，熱貫流率 U に室内外温度差と対象面積を乗じることによって求められる．しかし，不透明外壁（ガラス窓ではない外壁）では日射が外壁に当たって吸収され，外壁の熱容量の蓄熱による時間遅れを伴って室内に貫流されるので，外壁貫流負荷の計算では，日射と時間遅れを考慮した室内外温度差を使用する必要がある．これを**実効**温度差という．

iii）単板ガラス窓は熱貫流率 U が大きく，断熱性が悪い．そこで，二重ガラスを用いて，中空層を**真空**にして中空層の対流成分を消去することで断熱性能を高めることができる．

4)　i）単板ガラス窓（透明外壁）の日射熱取得率 η は，ガラスの日射透過率 τ にガラスの日射吸収成分の室内流入分を加えたものになる．したがって，

$$\eta = \tau + \frac{\boldsymbol{a\alpha_i}}{\boldsymbol{\alpha_i + \alpha_o}}$$

となる．

ii）夏期の日射熱取得率が0.5未満のガラスを**日射遮蔽型 Low-E** ガラスといい，0.5以上のガラスを日射取得型 Low-E ガラスという．

(2)　1)　冷熱源では，蒸発温度を上げて冷水温度を**高く**し，冷却水温度を**低く**して凝縮温度を下げる方がCOPは高くなる．**放射冷房**方式では，強制対流による冷房と比較して高温の冷水を利用できるので省エネルギーを図ることができる．

2)　浅い地中の温度は年間を通じて14～15 ℃程度なので，顕熱のみの（除湿をしない）

冷却でよければ，地中熱で冷却した冷水を**冷水コイル**に送って冷房を行うことができる．あるいは，**放射冷房**方式の冷水として利用することもできる．通常，冷凍機の凝縮器の冷却水入口温度は 32 °C であるが，地中熱で冷却した低温の**冷却水**を使用すれば，冷凍機の COP を大きく向上させることができる．

3) 空調熱負荷は，冷温水流量と冷温水往還温度差（**往き温度と還り温度**の差）の積によって処理される．そのため，同一の空調熱負荷では冷温水往還温度差を大きくできれば，冷温水流量は小さくなり，搬送エネルギーが低減される．また，空調熱負荷は，室内温度と**外気**温度の差および日射量に依存するので，外気温度と日射量の時間変化により，変動する．インバータで冷温水流量を変化させることで，このような空調熱負荷の変動に対応でき，ポンプの搬送エネルギーを削減することができる．

ポンプの相似則によると，流量は回転速度に比例し，圧力（揚程）は回転速度の 2 乗に比例し，軸動力は回転速度の 3 乗に比例する．したがって，ポンプの回転速度を 1/2 にすると，理論的には流量は **1/2** に，圧力（揚程）は **1/4** に，軸動力は 1/8 になる．

2022 年度（第 44 回）

エネルギー総合管理及び法規（80 分）

問題 1　エネルギーの使用の合理化等に関する法律及び命令

問題 2　エネルギー情勢・政策，エネルギー概論

問題 3　エネルギー管理技術の基礎

問題 1（エネルギーの使用の合理化等に関する法律及び命令）

次の各文章は，「エネルギーの使用の合理化及び非化石エネルギーへの転換等に関する法律」及びそれに関連した命令について述べたものである．ここで，法令は令和 **6** 年 **9** 月 **1** 日時点で施行されているものである．

これらの文章において，

エネルギーの使用の合理化及び非化石エネルギーへの転換等に関する法律を『法』

エネルギーの使用の合理化及び非化石エネルギーへの転換等に関する法律施行令を『令』

エネルギーの使用の合理化及び非化石エネルギーへの転換等に関する法律施行規則を『則』

と略記する．

[1] ～ [10] の中に入れるべき最も適切な字句等をそれぞれの解答群から選び，その記号を答えよ．

また，[**A** abcde] 及び [**B** abcd] に当てはまる数値を計算し，その結果を答えよ．ただし，解答は解答すべき数値の最小位の一つ下の位で四捨五入すること．（配点計 **50** 点）

(1) 『法』の目的に関連する事項について

『法』第 **1** 条は，『法』の目的について定めている．そこでは「我が国で使用されるエネルギーの相当部分を化石燃料が占めていること，非化石エネルギーの利用の必要性が増大していることその他の [1] に応じたエネルギーの有効な利用の確保に資するため，（中略）エネルギーの使用の合理化及び非化石エネルギーへの転換等を総合的に進めるために必要な措置等を講ずることとし，もつて国民経済の健全な発展に寄与することを目的とする.」と明記されている.

〈 1 の解答群〉

ア エネルギー価格の動向　**イ** 化石燃料資源の輸入と貯蔵の状況

ウ 産業構造の変化　**エ** 内外におけるエネルギーをめぐる経済的社会的環境

(2) 『基本方針』に関連する事項について

1) 『法』第**3**条第**1**項は,「経済産業大臣は, 工場又は事務所その他の事業場（以下「工場等」という.）, 輸送, 建築物, 機械器具等に係るエネルギーの使用の合理化及び非化石エネルギーへの転換並びに 2 を総合的に進める見地から, エネルギーの使用の合理化及び非化石エネルギーへの転換等に関する基本方針（以下「基本方針」という.）を定め, これを公表しなければならない.」と定めている.

〈 2 の解答群〉

ア エネルギー供給システムの合理化　**イ** エネルギー費用負担の削減

ウ 生産性の向上　**エ** 電気の需要の最適化

2) 『法』第**3**条第**4**項は,「経済産業大臣は, 基本方針を定めようとするときは, あらかじめ, 輸送に係る部分, 建築物に係る部分（(略)）及び 3 に係る部分については国土交通大臣に協議しなければならない.」と定めている.

〈 3 の解答群〉

ア エネルギー供給施設　**イ** 工場等の立地

ウ 自動車の性能　**エ** 地球環境

3) 『基本方針』では, 工場等においてエネルギーを使用して事業を行う者が講ずべき措置として**9**項目の実施事項を挙げている. また, エネルギーの供給の事業を行う者については, その各項目の実施を通じエネルギーの転換における効率の向上を図るとともに, エネルギーの供給のための施設全体としてのエネルギー消費効率が需要の変動に応じて最良となるような効率的な施設の運用及び 4 における損失の低減を図るものとする, としている.

〈 4 の解答群〉

ア エネルギー供給の停止及び再開　**イ** エネルギーの輸送

ウ 災害への対応　**エ** 再生可能エネルギーシステムの導入

(3) エネルギーを使用する工場等における『法』の適用に関する事項について（『法』第**2**条, 第**7**条～第**14**条及び関連する『令』,『則』の規定）

ある事業者が「化学工場」及び「別の事業所である本社事務所（専ら事務所として使用）」

を有しており，これらがこの事業者の設置している施設の全てである．ここで，前年度の燃料, 電気などの使用量を法令で定めるところにより発熱量又は熱量として換算した量は，化学工場では次の **a** 〜 **e**，本社事務所では次の **f** 〜 **h** のとおりであり，この事業者はこれら以外のエネルギーは使用していなかった．

なお，この事業者は連鎖化事業者，認定管理統括事業者又は管理関係事業者のいずれにも該当していない．

[化学工場]

a：ボイラの燃料として **20** 万ギガジュールの都市ガスを使用した．

b：電気事業者から **35** 万ギガジュールの電気を購入して使用した．購入先の電気事業者の販売する電気は，化石燃料で発電したものである．

c：ガスタービンコージェネレーションの燃料として **25** 万ギガジュールの都市ガスを使用した．このコージェネレーション設備によって発電した電気は **5** 万 **5** 千ギガジュール，発生させた蒸気は **13** 万 **3** 千ギガジュールであり，いずれも工場内で使用している．

d：**a** のボイラ及び **c** のコージェネレーション設備で発生させ使用した蒸気の凝縮水の一部 **3** 千ギガジュールを回収してボイラの給水として使用した．

e：工場内の設備で冷却水を使用している．冷却水は循環使用されており，冷却熱量 **5** 万ギガジュールが冷却塔から放熱されている．また，冷却水用の補給水には工業用水を用いている．

[本社事務所]

f：電気事業者から **3** 万 **8** 千ギガジュールの電気を購入して使用した．購入先の電気事業者の販売する電気は，化石燃料で発電したものである．

g：給湯には，**f** の電気の一部を使用して加熱ヒータとヒートポンプを稼働している．ヒートポンプにより，空気中から **2** 千ギガジュールの熱が利用された．

h：空調のために，外部の熱供給事業者から **1** 万 **2 700** ギガジュールの冷水及び **1** 万 **500** ギガジュールの温水の供給を受けて使用した．熱供給事業者は都市ガスを使用して冷水及び温水を製造している．

1） 前年度に使用した，法令で定めるエネルギーの使用量を原油の数量に換算した量は，化学工場では **A abcde** キロリットル，本社事務所では **B abcd** キロリットルである．この事業者のエネルギー使用量は，化学工場と本社事務所のエネルギー使用量の合計であり，その量から判断して，この事業者は特定事業者に該当する．

なお，『則』によれば，発熱量又は熱量**1**ギガジュールは原油**0.025 8**キロリットルとして換算することとされている.

2)　1)で求めた「前年度に使用した，法令で定めるエネルギーの使用量」から判断して，この化学工場は，第一種エネルギー管理指定工場等に該当する．また，本社事務所は，［ 5 ］.

〈［ 5 ］の解答群〉

ア　第一種エネルギー管理指定工場等に該当する

イ　第二種エネルギー管理指定工場等に該当する

ウ　化学工場と合わせて，第一種エネルギー管理指定工場等に該当する

エ　エネルギー管理指定工場等に該当しない

3)　1)及び2)で当該の指定を受けた後，この事業者が事業者の単位で選任しなければならないのは，エネルギー管理統括者及びエネルギー管理企画推進者である．一方，化学工場について，選任しなければならないエネルギー管理者の数は［ 6 ］名である．なお，エネルギー管理者の選任は，選任すべき事由が生じた日から［ 7 ］以内に行なわなければならない.

〈［ 6 ］及び［ 7 ］の解答群〉

ア　**1**　　**イ**　**2**　　**ウ**　**3**　　**エ**　**4**

オ　**10**日　　**カ**　**3**ヶ月　　**キ**　**6**ヶ月　　**ク**　**1**年

⑷　定期の報告に関連する事項

『法』第**16**条及び関連する『則』は，定期の報告について規定しており，毎年度**7**月末日までに行うことが義務付けられている．次の①～④のうち，それらの規定に基づいて適切なものは［ 8 ］である.

①　前年度にベンチマーク指標を達成している場合には，ベンチマークに基づき算出される値以外の項目の報告は免除される.

②　定期の報告の項目には，エネルギーを消費する設備の新設，改造又は撤去の状況及び稼働状況が含まれる.

③　定期の報告の項目には，エネルギーの使用の効率が含まれる.

④　定期の報告の項目には，温室効果ガスであるフロンガスの排出量が含まれる.

〈［ 8 ］の解答群〉

ア　①と②　　**イ**　①と③　　**ウ**　①と④

エ　②と③　　**オ**　②と④　　**カ**　③と④

(5) 「合理化計画」に関連する事項について

『法』第 **17** 条は，エネルギーの使用の合理化に関する計画（以下「合理化計画」という．）に係る指示及び命令についての規定であり，主務大臣は，特定事業者のエネルギーの使用の合理化の状況が判断の基準となるべき事項に照らして著しく不十分であると認めるときは，その判断の根拠を示して，当該特定事業者に対して合理化計画を作成し，これを提出すべき旨の指示をすることができる，としている．

1) 次の①～④のうち『法』第 **17** 条の規定の解釈として不適切なものは， 9 である．

① 主務大臣は，特定事業者が定期報告書又は中長期計画書を提出しない場合，当該特定事業者に対し，合理化計画を作成してこれを提出すべき旨の指示をすることができる．

② 主務大臣は，特定事業者が作成した合理化計画が適切でないと認めるときは，当該特定事業者に対し，合理化計画を変更すべき旨の指示をすることができる．

③ 主務大臣は，特定事業者が合理化計画を実施していないと認めるときは，当該特定事業者に対し，合理化計画を適切に実施すべき旨の指示をすることができる．

④ 主務大臣は，特定事業者が正当な理由がないにもかかわらず合理化計画を実施すべき旨の指示に係る措置をとらなかったときは，政令で定める審議会等の意見を聴いて，当該特定事業者に対し，その指示に係る措置をとるべきことを命ずることができる．

〈 9 の解答群〉

ア ①　**イ** ②　**ウ** ③　**エ** ④

2) 『法』第 **17** 条第 **4** 項は，当該特定事業者が合理化計画に係る指示に従わなかった場合，主務大臣は， 10 することができるという規定である．

〈 10 の解答群〉

ア エネルギー使用量削減を指示　**イ** エネルギーの供給を制限

ウ 是正を勧告　**エ** その旨を公表

問題 2（エネルギー情勢・政策，エネルギー概論）

次の各文章の 1 ～ 9 の中に入れるべき最も適切な字句等をそれぞれの解答群から選び，その記号を答えよ．

また， **A** **a.b × 10^c** に当てはまる数値を計算し，その結果を答えよ．ただし，解答は解答すべき数値の最小位の一つ下の位で四捨五入すること．（配点計 **50** 点）

(1) 国際単位系（**SI**）では，長さ（メートル [**m**]），質量（キログラム [**kg**]），時間（秒 [**s**]），電流（アンペア [**A**]），熱力学温度（ケルビン [**K**]），光度（カンデラ [**cd**]）及び物質量（モル [**mol**]）の **7** つを基本単位としている．

これに対し，例えば単位時間当たりの仕事すなわち仕事率の単位であるワット [**W**] は，前述の **7** つの基本単位のうちのいくつかを組み合わせて [1] と表されるので，組立単位と呼ばれる．

また，電圧，起電力などを表す単位であるボルト [**V**] は，基本単位のアンペア [**A**] と組立単位のワット [**W**] を用いて **W/A** と表されるが，組立単位のクーロン [**C**] とジュール [**J**] を用いて [2] と表すこともできる．これらの関係に基づくと，単 **3** 形のアルカリ乾電池が，起電力を **1.5 V** 一定として **1 000 mA** の電流を **1** 時間供給した場合，そのエネルギー量をジュール [**J**] に換算すると [**A** $a.b \times 10^{c}$] [**J**] となる．

〈[1] 及び [2] の解答群〉

ア $kg \cdot m/s^2$　**イ** $kg \cdot m^2/s^2$　**ウ** $kg \cdot m^2/s^3$

エ $J \cdot C$　**オ** C/J　**カ** J/C

(2) 経済産業省のエネルギー白書 **2021** によると，我が国の **2019** 年度における最終エネルギー消費では，産業部門と運輸部門の合計で，全体の約 [3] [%] に達している．一方，エネルギー供給における化石エネルギーの輸入先を見ると，石油は圧倒的に中東に依存しており，サウジアラビアと [4] が大きな割合を占めている．また，天然ガスの輸入先で最も大きな割合を占めているのは [5] であり，次いでマレーシア，カタールの順である．

〈[3] ～ [5] の解答群〉

ア 55　**イ** 70　**ウ** 85　**エ** アラブ首長国連邦

オ オーストラリア　**カ** クウェート　**キ** バーレーン　**ク** 米国

(3) 脱炭素技術の一つとして最近メタネーションが注目されている．この技術は，さまざまな排出源から回収した二酸化炭素に水素を触媒反応させてメタン（CH_4）を合成するもので，このメタンは，既存の天然ガスのインフラストラクチャーを活用して輸送・貯蔵・利用できる．メタネーションで **1** モルの二酸化炭素を全てメタンと水にするには，理論的に [6] モルの水素分子が必要になるので，この水素をどのように供給するかが鍵となり，再生可能エネルギー由来のいわゆる [7] 水素を主に供給することが前提となる．

ちなみに，化石燃料由来の水素であっても，水素を生成したときに発生した二酸化炭素の大気中への排出を抑える方法の一つである [8] を適用する場合は [9] 水素と呼ばれる.

〈 6 ～ 9 の解答群〉

ア 2　**イ** 3　**ウ** 4　**エ** CCUS　**オ** IGCC
カ IPCC　**キ** イエロー　**ク** グリーン　**ケ** グレー　**コ** ブルー

問題 3（エネルギー管理技術の基礎）

次の各文章は,「工場等におけるエネルギーの使用の合理化に関する事業者の判断の基準」（以下,『工場等判断基準』と略記）の内容及びそれに関連した管理技術の基礎について述べたものである. ここで,『工場等判断基準』は令和 5 年 9 月 1 日時点で施行されているものである.

これらの文章において,『工場等判断基準』の本文に関連する事項については, その引用部を示す上で,

「I　エネルギーの使用の合理化の基準」の部分は,『基準部分』と略記する. 特に「工場等（専ら事務所その他これに類する用途に供する工場等を除く）」における『基準部分』を『基準部分（工場）』と略記する.

1 ～ 12 の中に入れるべき最も適切な字句等をそれぞれの解答群から選び, その記号を答えよ.

また, A ab ～ H a.b に当てはまる数値を計算し, その結果を答えよ. ただし, 解答は解答すべき数値の最小位の一つ下の位で四捨五入すること. なお, 単位の m^3_N は標準状態（0 ℃, 1 気圧）における気体の体積を表す.（配点計 100 点）

(1)『基準部分』の「I-1 全ての事業者が取り組むべき事項」では, エネルギーを使用して事業を行う全ての事業者が取り組むべき事項として, 次の 9 項目が定められている. 事業者は設置している工場等全体を俯瞰（ふかん）し, これらの取組を行うことにより, 適切なエネルギー管理を行うことが求められている.

① 取組方針の策定　② 1 の整備
③ 責任者等の配置等　④ 資金・人材の確保
⑤ 従業員への周知・教育　⑥ 取組方針の 2 状況の確認等
⑦ 取組方針の精査等　⑧ 3 による状況把握
⑨ エネルギーの使用の合理化に資する取組に関する情報の開示

〈 1 ～ 3 の解答群〉

ア FEMS　**イ** エネルギー使用設備　**ウ** 管理体制　**エ** 管理標準
オ 内部監査　**カ** 文書管理　**キ** 遵守　**ク** 進捗　**ケ** 理解

⑵　熱と仕事は共にエネルギーの一形態であって互いに変換することができる．熱力学の第一法則は，閉じた系においては，系に外部から熱と仕事が加えられると，その総和は [4] の増加分となることを示すものである．

〈[4] の解答群〉

ア　エンタルピー　　**イ**　エントロピー　　**ウ**　内部エネルギー

⑶　**1** $\mathbf{m^3_N}$ のプロパン（$\mathbf{C_3H_8}$）を，完全燃焼させるのに必要な理論空気量は，[A ab] [$\mathbf{m^3_N}$] である．ただし，空気中の酸素濃度（体積割合）を **21 %** とする．

⑷　炉壁内面温度が **800 °C** の炉で，炉壁外面温度を **80 °C** として側壁外面から周囲への放散熱量を **600 W/m²** 以下とするためには，熱伝導率が **0.25 W/(m·K)** の炉壁材料を用いた場合，炉壁の厚さを [B ab] [cm] 以上とする必要がある．

⑸　表面の放射率が **0.8** 一定で，温度が **1 000 K** 一定に保たれている球体がある．この球体表面から放散される単位面積当たりの放射エネルギーは，[C ab] [kW/m²] である．ここで，ステファン・ボルツマン定数は，$\mathbf{5.67 \times 10^{-8}}$ **W/(m²·K⁴)** とする．

⑹　高温の加熱炉の炉壁材として，耐火れんが，耐火断熱れんが，ファイバ系断熱材等が使用される．熱の供給停止に伴う炉内温度の急激な低下を抑止したい場合には，これらの炉壁材の中で，蓄熱性が最も高い [5] を炉内側に使用し，炉外側に高断熱性の炉壁材を使用して炉全体の断熱性を高めることが有効である．

〈[5] の解答群〉

ア　ファイバ系断熱材　　**イ**　耐火れんが　　**ウ**　耐火断熱れんが

⑺　ある温度及び圧力で，乾き度が **0.8** の湿り蒸気がある．その温度及び圧力のときの飽和水の比エンタルピーが **420 kJ/kg**，乾き飽和蒸気の比エンタルピーが **2 670 kJ/kg** であるとき，この湿り蒸気の比エンタルピーは，[D a.b] $\times \mathbf{10^3}$ [kJ/kg] である．

⑻　加熱等を行う設備の新設・更新に当たっての措置の一つとして『基準部分（工場）』は，「ボイラー，冷凍機，ヒートポンプ等の熱利用設備を設置する場合には，[6] すること又は蓄熱設備を設けることによりエネルギーの使用の合理化が図れるときは，その方法を採用すること」を求めている．

〈[6] の解答群〉

ア　大型化し集約配置　　**イ**　小型化し分散配置　　**ウ**　多段化しカスケード運用

⑼　空気調和設備の冷熱源のエネルギー性能を表す指標の一つとして成績係数が用いられる．

いま，一次エネルギーである燃料を熱源とする高発熱量基準の成績係数が **1.1** の吸収冷凍機と，電気使用量基準の成績係数が **3.4** の蒸気圧縮冷凍機がある．この **2** 種類の冷凍機が同じ負荷で稼動したときのエネルギー使用量を一次エネルギー換算値で比較すると，吸収冷凍機は蒸気圧縮冷凍機の［**E** a.b］倍使用していることになる．ただし，電気の高発熱量基準の受電端発電効率を **37** % とし，補機電力は考えないものとする．

⑽ ある火力発電所が，高発熱量 **40 MJ/L** の **A** 重油を燃料として発電している．ある期間に使用した **A** 重油の量が **50 kL** で，このときの高発熱量基準の発電端熱効率は **39.6** % であった．この場合，この期間の発生電力量は［**F** abc］[MW·h] である．

⑾ ある平衡三相負荷の消費電力を求める．この負荷の線間電圧が **200 V**，線電流が **60 A** で力率が **80** % であった．このとき，この負荷の電力は［**G** ab］[kW] である．ここで，$\sqrt{3} = 1.73$ とする．

⑿ 工場の受変電設備及び配電設備においては，線路抵抗の低減や線路電流の低減により配電損失を低減することが望まれる．『基準部分（工場）』は，「受変電設備の配置の適正化及び配電方式の変更による［ 7 ］，配電電圧の適正化等について管理標準を設定し，配電損失を低減すること．」を求めている．

〈［ 7 ］の解答群〉

ア 電圧不平衡の防止　**イ** 配電線路の細分化　**ウ** 配電線路の短縮

⒀ 受変電設備及び配電設備に関して，『基準部分（工場）』は，「電気を使用する設備の稼働について管理標準を設定し，調整することにより，工場における電気の使用を平準化して最大電流を低減すること．」を求めている．電気の使用の平準化を行うための代表的な方法として，最大需要電力の低減がある．

1) 最大需要電力を低減するために，一般に［ 8 ］装置が用いられる．また，電気の使用の平準化を目的として蓄熱設備，蓄電設備なども用いられる．

〈［ 8 ］の解答群〉

ア デマンド監視制御　**イ** 電圧調整　**ウ** 無効電力調整

2) ある工場では，最大需要電力を **6 000 kW** 以下に抑えることにしている．ある日の **9** 時から **9** 時 **30** 分までの **30** 分間について考える．**9** 時から **9** 時 **20** 分までに使用した電力量が **2 200 kW·h** であるとすると，**9** 時 **20** 分から **9** 時 **30** 分までの残り **10** 分間の平均電力を［**H** a.b］$\times$ **10**^{3} [kW] 以下とする必要がある．ここで，最大需要電力は使用電力を **30** 分ごとに区切ってその **30** 分間の平均値で管理するものとする．

⒁ 電動機では，回転運動によって電動機軸に負荷に応じたトルクが発生する．回転速度が n [min^{-1}] で回転している電動機の軸動力が P [W] であるとき，発生するトルクは

[9] [N·m] である.

〈[9] の解答群〉

ア $\dfrac{60P}{2\pi n}$ **イ** $\dfrac{Pn}{60}$ **ウ** $\dfrac{60P}{n}$

⒂ ポンプやファンなどの電動力応用設備は，負荷の大きさによらず発生する固定損が消費電力の数 **10 %** に達するものが多い.『基準部分（工場)』は,「電動力応用設備については，電動機の空転による電気の損失を低減するよう，始動電力量との関係を勘案して管理標準を設定し，[10] を行うこと.」を求めている.

〈[10] の解答群〉

ア 最低負荷の維持 **イ** 始動方法の改善 **ウ** 不要時の停止

⒃ 電気加熱設備及び電解設備は一般に低電圧，大電流で運用されることが多い．そのために,『基準部分（工場)』は,「電気加熱設備及び電解設備は，配線の接続部分，開閉器の接触部分等における [11] を低減するように保守及び点検に関する管理標準を設定し，これに基づき定期的に保守及び点検を行うこと.」を求めている.

〈[11] の解答群〉

ア 周囲温度 **イ** 抵抗損失 **ウ** 漏れ磁束

⒄ 室内の照明設備において,「作業を行う領域には所要の照度を与え，その他の領域には，これより低い照度を与える照明方式」を [12] 照明という．この照明方式は，工場や業務用ビルの事務室など広い空間での省エネルギーに有効である.

〈[12] の解答群〉

ア タスク・アンビエント **イ** バランス **ウ** 間接

電気の基礎（80 分）

問題 4　電気及び電子理論

問題 5　自動制御及び情報処理

問題 6　電気計測

問題 4（電気及び電子理論）

次の各文章の $\boxed{1}$ ～ $\boxed{13}$ の中に入れるべき最も適切な字句等をそれぞれの解答群から選び，その記号を答えよ．（配点計 **50** 点）

(1)　図 **1** に示すように，電圧 $\dot{V}$，角周波数 ω の交流電源に，静電容量 C のコンデンサと可変抵抗が接続され，電流 $\dot{I}$ が流れている．このとき，可変抵抗の抵抗値 R を調整して，消費される電力を最大にする手順を考える．ここで，電圧 $\dot{V}$ の大きさを V，電流 $\dot{I}$ の大きさを I とする．

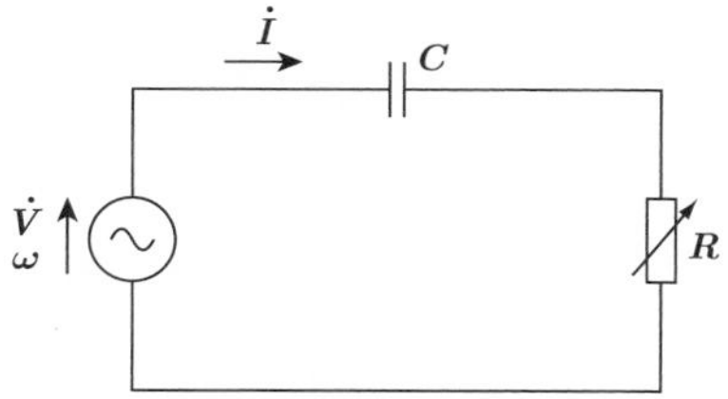

図 **1**

1)　まず，図 **1** においてコンデンサと可変抵抗の合成インピーダンス $\dot{Z}$ の大きさ Z は次式のように表される．

$$Z = \boxed{1} \qquad \cdots\cdots\cdots\cdots\cdots ①$$

したがって，可変抵抗で消費される電力 P は，電流 I を求めて，次式のように表される．

$$P = I^2 R = \frac{(\omega C)^2 V^2}{\boxed{2}} \qquad \cdots\cdots\cdots\cdots\cdots ②$$

〈 $\boxed{1}$ 及び $\boxed{2}$ の解答群〉

ア　$\sqrt{R^2 + (\omega C)^2}$　　イ　$\sqrt{R^2 + \dfrac{1}{(\omega C)^2}}$　　ウ　$\sqrt{\dfrac{1}{R^2} + (\omega C)^2}$

エ　$1+(\omega CR)^2$　オ　$\dfrac{1}{R}+(\omega C)^2 R$　カ　$\dfrac{1}{R^2}+(\omega C)^2$

2)　次に式②の最大値 $P_{\max}$ を考える．

i)　式②において，変数を R とし，式の分子 $(\omega C)^2 V^2$ を A，分母を $B(R)$ と置くと，$\dfrac{A}{B(R)}$ が最大になるためには分母の $B(R)$ が最小になればよい．この例では，$B(R)$ の変化を考慮すると，$B(R)$ が最小となるのは R が $\dfrac{\mathrm{d}}{\mathrm{d}R}B(R)=0$ を満たすときである．ここで，$\dfrac{\mathrm{d}}{\mathrm{d}R}B(R)$ は次式のように表される．

$$\frac{\mathrm{d}}{\mathrm{d}R}B(R)=\boxed{\ 3\ } \qquad \cdots\cdots\cdots③$$

ii)　式③が零になる変数 R（正の実数）を選ぶことにより，消費電力が最大となるときの抵抗値 R が求まる．これを式②に代入することにより，$P_{\max}$ は次式のように求められる．

$$P_{\max}=\boxed{\ 4\ } \qquad \cdots\cdots\cdots④$$

〈 3 及び 4 の解答群〉

ア　$-\dfrac{2}{R^3}$　イ　$2(\omega C)^2 R$　ウ　$-\dfrac{1}{R^2}+(\omega C)^2$

エ　$\dfrac{\omega C}{2}V^2$　オ　$\dfrac{(\omega C)^2}{2}V^2$　カ　$\dfrac{1}{2(\omega C)}V^2$

(2)　図**2**に示すように，対称三相交流電源に接続された負荷がある．ここで，電源の相電圧を $\dot{E}_a$，$\dot{E}_b$，$\dot{E}_c$，線間電圧を $\dot{E}_{ab}$，$\dot{E}_{bc}$，$\dot{E}_{ca}$，線電流を $\dot{I}_a$，$\dot{I}_b$，$\dot{I}_c$ とする．一方，負荷**1**はインピーダンス $\dot{Z}_0$ を**Y**結線した平衡三相負荷であり，**a**相線電流 $\dot{I}_{a1}$ の位相は $\dot{E}_a$ に対して φ [rad] だけ遅れている．また，負荷**2**は**a**相と**b**相の間に接続された抵抗 R であり，この電流を $\dot{I}_{a2}$ とする．

この回路において，有効電力及び無効電力を求める二つの方法を考える．ただし，負荷以外のインピーダンスは無視するものとする．また，無効電力は遅れを正とする．

1)　第一の方法：負荷**1**と負荷**2**が相互に影響しないことから，別々の負荷として考えて，その結果を合算する．

i)　負荷**1**のみを考える．

三相交流の電源は対称で負荷は平衡であるので，線電流 $\dot{I}_{a1}$ は次式のように表される．

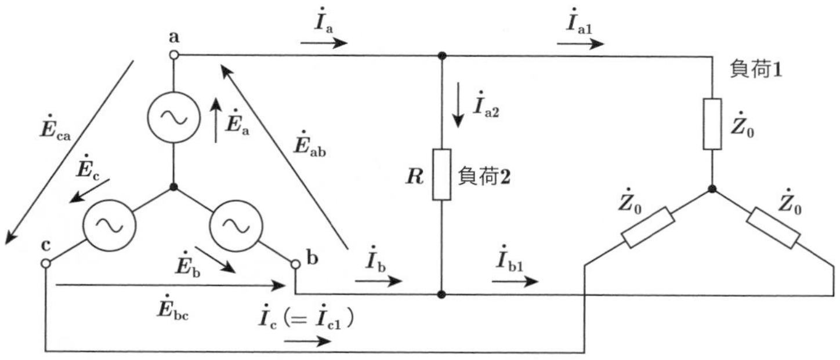

図2

$\dot{I}_{a1} =$ [5] ……………⑤

また，電圧 $\dot{E}_a$ の大きさを E_a，$\dot{E}_b$ の大きさを E_b，$\dot{E}_c$ の大きさを E_c，$\dot{E}_{ab}$ の大きさを E_{ab}，電流 $\dot{I}_{a1}$ の大きさを I_{a1}，$\dot{I}_{b1}$ の大きさを I_{b1}，$\dot{I}_{c1}$ の大きさを I_{c1} とすると，$E_a = E_b = E_c$，$I_{a1} = I_{b1} = I_{c1}$ であるので，負荷1の三相の有効電力 P_{L1}，無効電力 Q_{L1} は次式のように表される．

$P_{L1} =$ [6] ……………⑥

$Q_{L1} =$ [7] ……………⑦

〈[5]～[7] の解答群〉

ア	$\dfrac{\dot{E}_a}{\dot{Z}_0}$	イ	$\dfrac{\dot{E}_{ab}}{2\dot{Z}_0}$	ウ	$\dfrac{\dot{E}_{ab}}{\sqrt{3}\dot{Z}_0}$
エ	$3E_aI_{a1}\cos\varphi$	オ	$3E_aI_{a1}\sin\varphi$	カ	$3E_{ab}I_{a1}\cos\varphi$
キ	$3E_{ab}I_{a1}\sin\varphi$	ク	$\sqrt{3}E_aI_{a1}\cos\varphi$	ケ	$\sqrt{3}E_aI_{a1}\sin\varphi$

ii) 負荷2のみを考える．

a相とb相の間に抵抗 R が接続されるので，電流 $\dot{I}_{a2}$ は次式のように表される．

$\dot{I}_{a2} =$ [8] ……………⑧

iii) i) 及び ii) をふまえ，三相全体を考える．

三相交流電源から見ると，抵抗 R で消費される有効電力が増加することになるので，三相の有効電力 P_3，無効電力 Q_3 は次式のように表される．

$P_3 =$ [9] ……………⑨

$Q_3 = Q_{L1}$ ……………⑩

このとき，交流電源のa相線電流 $\dot{I}_a$ は，$\dot{I}_{a1} + \dot{I}_{a2}$ となっている．

〈 8 及び 9 の解答群〉

ア $\dfrac{\dot{E}_a}{R}$　　イ $\dfrac{\dot{E}_{ab}}{R}$　　ウ $\dfrac{\dot{E}_a + \dot{E}_b}{R}$

エ $P_{L1} + \dfrac{E_a{}^2}{R}$　　オ $P_{L1} + \dfrac{3E_a{}^2}{R}$　　カ $P_{L1} + \dfrac{4E_a{}^2}{R}$

2) 第二の方法：負荷 **1** と負荷 **2** を合成した不平衡三相負荷として三相回路を考える．

i) 負荷 **1** と負荷 **2** を合成する．

負荷 **1** と負荷 **2** を合成した △ 結線不平衡三相負荷回路は図 **3** のように示される．ここで，線電流を $\dot{I}_a'$，$\dot{I}_b'$ 及び $\dot{I}_c'$ とする．この回路において，**b** 相と **c** 相の間の負荷及び **c** 相と **a** 相の間のインピーダンス $\dot{Z}_1$，**a** 相と **b** 相の間のインピーダンス $\dot{Z}_2$ は，それぞれ次式のように表される．

$\dot{Z}_1 =$ 10 ……………⑪

$\dot{Z}_2 =$ 11 ……………⑫

〈 10 及び 11 の解答群〉

ア $3\dot{Z}_0$　　イ $\dfrac{1}{3}\dot{Z}_0$　　ウ $\dfrac{1}{\sqrt{3}}\dot{Z}_0$

エ $\dot{Z}_1 + R$　　オ $\dfrac{\dot{Z}_0 R}{\dot{Z}_0 + R}$　　カ $\dfrac{\dot{Z}_1 R}{\dot{Z}_1 + R}$

ii) 不平衡三相負荷に流れ込む線電流を求めることで，有効電力及び無効電力が分かる．図 **3** に示すように，**a** 相と **b** 相の間のインピーダンス $\dot{Z}_2$ に流れる電流を $\dot{I}_{ab}$，**c** 相と **a** 相の間のインピーダンス $\dot{Z}_1$ に流れる電流を $\dot{I}_{ca}$ とすると，**a** 相線電流 $\dot{I}_a'$ は次式のように表される．

$\dot{I}_a' = \dot{I}_{ab} - \dot{I}_{ca} =$ 12 ……………⑬

対称三相の線間電圧と相電圧の関係式として，次式のようになる．

$\dot{E}_{ab} - \dot{E}_{ca} =$ 13 ……………⑭

式⑪，式⑫及び式⑭の結果を使って式⑬を計算し，式⑤と式⑧の結果を代入すると，$\dot{I}_a'$ は次式のように表され，$\dot{I}_a' = \dot{I}_a$ であることが示される．

$\dot{I}_a' = \dot{I}_{a1} + \dot{I}_{a2}$ ……………⑮

同様の手順で $\dot{I}_b' = \dot{I}_b$，$\dot{I}_c' = \dot{I}_c$ となるので，有効電力及び無効電力については，第一の方法と同じ結果となることが分かる．

〈 12 及び 13 の解答群〉

ア $\dot{E}_a$　　**イ** $2\dot{E}_a$　　**ウ** $3\dot{E}_a$

エ $\dfrac{\dot{E}_{ab}}{\dot{Z}_2}+\dfrac{\dot{E}_{ca}}{\dot{Z}_1}$　　**オ** $\dfrac{\dot{E}_{ab}}{\dot{Z}_2}-\dfrac{\dot{E}_{ca}}{\dot{Z}_1}$　　**カ** $-\dfrac{\dot{E}_{ab}}{\dot{Z}_2}+\dfrac{\dot{E}_{ca}}{\dot{Z}_1}$

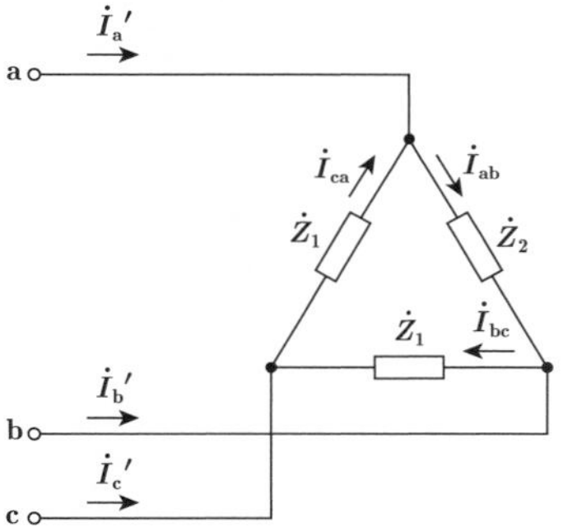

図 3

問題 5（自動制御及び情報処理）

次の各文章の 1 ～ 14 の中に入れるべき最も適切な字句等をそれぞれの解答群から選び，その記号を答えよ．（配点計 **50** 点）

(1)　図 **1** に示すようなフィードバック制御系を考える．ここで r は目標値，u は操作量，y は制御量であり，K は実数のスカラーとする．制御対象の伝達関数はブロック内に記載されている．

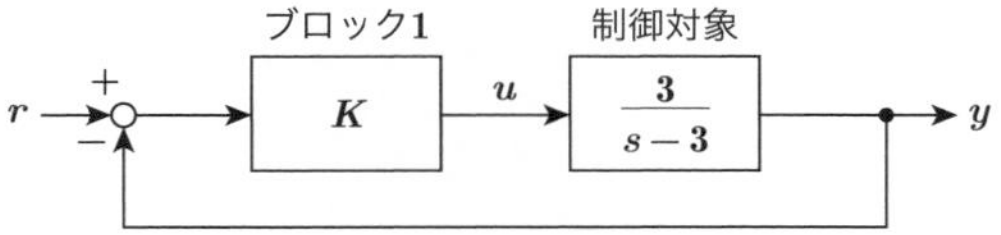

図 1

1)　ブロック **1** の説明として，適切なものは 1 である．

〈 1 の解答群〉

ア 検出器　　**イ** 信号発生器　　**ウ** 制御器　　**エ** 伝送器

2)　制御対象の伝達関数より，制御対象の安定性を判別すると 2 である．

〈 2 の解答群〉

ア 安定　　**イ** 安定限界　　**ウ** 不安定

3）　目標値 r から制御量 y への閉ループ伝達関数を計算すると，［ 3 ］を得る．

〈［ 3 ］の解答群〉

ア　$\dfrac{3K}{s+3K}$　　イ　$\dfrac{3K}{s+3K-3}$　　ウ　$\dfrac{3K-3}{s+3K-3}$　　エ　$\dfrac{s-3}{s+3K-3}$

4）　フィードバック制御系を安定にするためには，K の値を［ 4 ］と選ぶ必要がある．

〈［ 4 ］の解答群〉

ア　$K<0$　　イ　$K>0$　　ウ　$K>1$　　エ　$K>3$

5）　フィードバック制御系が安定となるような K の値を選び，目標値を $r(t)=1$（$t>0$）と設定すると，制御量 $y(t)$ の定常値 $\lim_{t\to\infty} y(t)$ は［ 5 ］となる．

〈［ 5 ］の解答群〉

ア　0　　イ　1　　ウ　$\dfrac{1}{1-K}$　　エ　$\dfrac{K}{K-1}$

⑵　ゲイン線図を描いて周波数解析を行う．ゲイン線図は，角周波数を ω，周波数伝達関数を $G(\mathrm{j}\omega)$ として，横軸に $\log_{10}\omega$，縦軸にゲインのデシベル値 $20\log_{10}|G(\mathrm{j}\omega)|$ をとって表すグラフである．

一例として，二次遅れ系 $P(s)=\dfrac{10}{(s+1)(s+10)}$ について考えてみる．このときのゲイン線図では，直流ゲインの値は［ 6 ］[dB] であり，高周波帯域では傾きが［ 7 ］[dB/dec] のグラフになる．ここで，dec は対数スケールで 10 倍比を表す単位である．

〈［ 6 ］及び［ 7 ］の解答群〉

ア　−40　　イ　−20　　ウ　0　　エ　20　　オ　40

⑶　コンピュータの IP アドレスについて考える．

1）　IP アドレスとは［ 8 ］アドレスであり，データを送受信する際に相手を識別する手段として使用される．

〈［ 8 ］の解答群〉

ア　コンピュータが通信に使用するプログラムを識別するための

イ　ネットワークに繋がる機器や装置に割り当てられる論理的な

ウ　機器のネットワークインタフェースが持つハードウェア固有の

2）　IP アドレスは，通常用いられる IPv4 の形式では［ 9 ］の整数である．

〈［ 9 ］の解答群〉

ア　0 から 65 535 までの 16 ビット　　イ　192.168.0.1 のように表現される 32 ビット

ウ　04-A3-43-5F-43-23 のように表現される **48** ビット

3)　**IP** アドレスの指定方法には，システム設計時に固定アドレスとして設定する方法と，［10］プロトコルを用いてネットワーク接続時に指定された範囲内で動的に割り当てる方法がある．

〈［10］の解答群〉

ア　DHCP　　**イ　FTP**　　**ウ　HTTP**

(4)　コンピュータによる情報は次のように表現される．

1)　数値は **2** 進数で表現され，例えば **10** 進数の **10** は **8** ビット **2** 進数では，$(00001010)_2$ のように表すことができ，**10** 進数の **−3** を **8** ビット **2** 進数の **2** の補数で表現すると［11］となる．

〈［11］の解答群〉

ア　$(00000011)_2$　　**イ**　$(10000011)_2$　　**ウ**　$(11111101)_2$

2)　文字情報については **2** 進数の **0** と **1** で符号化した文字コードを用いて表現する．

1 文字を **7** ビットで表現しアルファベットや数字，記号や制御コードを示すものが［12］である．**JIS** では日本語を表現するために，初期にはこれを **1** 文字 **1** バイトに拡張して［13］などを追加し，その後 **1** 文字 **2** バイトにするなどの拡張が行われている．

また，世界各国のすべての文字を統一的に扱い，現在広く使われているコードが［14］である．

〈［12］～［14］の解答群〉

ア　ASCII　　**イ　EBCDIC**　　**ウ　EUC**　　**エ　Unicode**

オ　カタカナ　　**カ**　漢字　　**キ**　カタカナ及び漢字

問題 6（電気計測）

次の各文章の［1］～［10］の中に入れるべき最も適切な字句等をそれぞれの解答群から選び，その記号を答えよ．なお，［9］は複数箇所あるが，それぞれ同じ記号が入る．（配点計 **50** 点）

(1)　交流回路，部品の評価ではインピーダンス計測が重要であり，様々な計測手段，装置が利用可能である．

1)　インピーダンスを精密に計測する手段として，図 **1** に示す交流 **4** 辺ブリッジがある．このブリッジは，電圧 $\dot{E}$，角周波数 ω の交流電源，検流計 **G**，及び **4** 辺を構成するインピーダンス $\dot{Z}_1$，$\dot{Z}_2$，$\dot{Z}_3$，$\dot{Z}_4$ から構成されている．

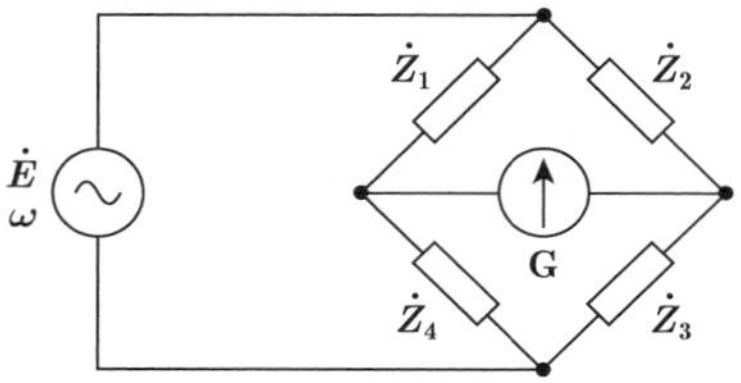

図 1

i) 一般のインピーダンスは $\dot{Z} = R + \mathrm{j}X$ という複素数で表される．ここで，j は虚数単位である．この複素数の実数部はレジスタンス，虚数部は [1] と呼ばれる．X の値については，誘導性のときを正，容量性のときを負とする．

〈[1] の解答群〉

ア アドミタンス　**イ** コンダクタンス　**ウ** リアクタンス

ii) 検流計の指示が零となるようにブリッジを平衡させた状態では，$\dot{Z}_1\dot{Z}_3 = \dot{Z}_2\dot{Z}_4$ の関係式が成り立つ．インピーダンスは複素数であるので，この関係式の実部及び虚部についての正しい記述は，次の①～④のうち [2] である．

① $\dot{Z}_1\dot{Z}_3$ の実部は $\dot{Z}_2\dot{Z}_4$ の実部と等しく，かつ $\dot{Z}_1\dot{Z}_3$ の虚部は $\dot{Z}_2\dot{Z}_4$ の虚部と等しくなる必要がある．

② $\dot{Z}_1\dot{Z}_3$ の絶対値が $\dot{Z}_2\dot{Z}_4$ の絶対値と等しければ，それらの実部及び虚部は一致しなくてもよい．

③ $\dot{Z}_1\dot{Z}_3$ と $\dot{Z}_2\dot{Z}_4$ の実部が共に零になる必要がある．

④ $\dot{Z}_1\dot{Z}_3$ と $\dot{Z}_2\dot{Z}_4$ の虚部が共に零になる必要がある．

iii) $\dot{Z}_1$ がキャパシタンス C_1 と抵抗 R_1 の並列回路，$\dot{Z}_2$ が抵抗 R_2，$\dot{Z}_4$ が抵抗 R_4 であるとき，平衡状態では $\dot{Z}_3$ は [3] と表される．

〈[2] 及び [3] の解答群〉

ア $\dfrac{R_2R_4}{R_1} + \mathrm{j}\omega C_1 R_2 R_4$　**イ** $\dfrac{R_1R_4}{R_2} + \mathrm{j}\omega C_1 R_2 R_4$　**ウ** $\mathrm{j}\omega C_1 \dfrac{R_2R_4}{R_1} + R_2R_4$

エ ①　**オ** ②　**カ** ③　**キ** ④

2) 交流 **4** 辺ブリッジによるインピーダンス測定において，ブリッジ各部の浮遊静電容量が平衡条件に影響を及ぼすことがある．この影響を避けるには，図 **2** のようなブリッジを用いるとよい．図 **2** において，$\dot{E}$ は交流電源の電圧，$\dot{E}_1$，$\dot{E}_2$ は二次巻線の電圧，n_1，n_2 は二次巻線の巻数，$\dot{Z}_1$，$\dot{Z}_2$ はインピーダンス，$\dot{I}_1$，$\dot{I}_2$ は二次電流，G は検流計である．

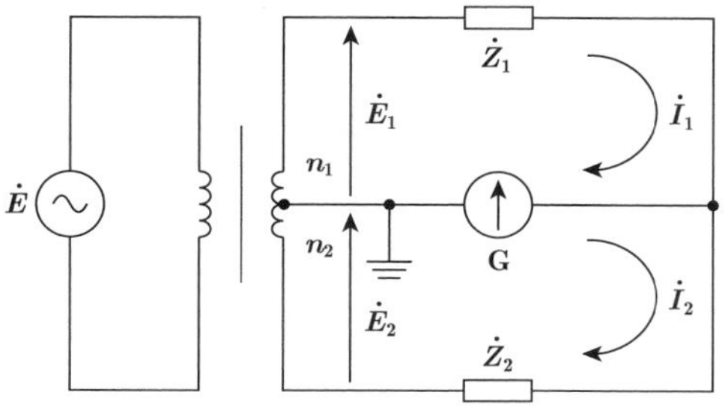

図 **2**

i)　図 **2** のようなブリッジを [4] ブリッジと呼ぶ.

〈[4] の解答群〉

ア　ケルビンダブル　　**イ**　変成器　　**ウ**　電流比較

ii)　このブリッジの平衡条件は $\dot{I}_1 = \dot{I}_2$ であり，そのときに [5] の関係が成り立つ.
$\dot{E}_1$ と $\dot{E}_2$ は同位相であるので，$\dot{Z}_1$ と $\dot{Z}_2$ の比は [6] となり，$\dot{Z}_1$ と $\dot{Z}_2$ のいずれかが既知であれば，他方のインピーダンスが分かる.

〈[5] 及び [6] の解答群〉

ア　$\dot{E}_1\dot{E}_2 = n_1 n_2 = \dot{Z}_1\dot{Z}_2$　　**イ**　$\dfrac{\dot{E}_1}{\dot{E}_2} = \dfrac{n_1}{n_2} = \dfrac{\dot{Z}_2}{\dot{Z}_1}$　　**ウ**　$\dfrac{\dot{E}_1}{\dot{E}_2} = \dfrac{n_1}{n_2} = \dfrac{\dot{Z}_1}{\dot{Z}_2}$

エ　正の実数　　**オ**　負の実数　　**カ**　虚数

(2)　温度計測に広く用いられているセンサである熱電対について考える.

1)　材質の異なる **2** 本の金属線の両端をそれぞれ接続し，その **2** つの接点を異なる温度に保つと，[7] 効果によりこの閉回路に電流が生じる．この電流を生じさせる電圧を熱起電力といい，この熱起電力の大きさは両接点の [8] によって決まる．よって，一方の接点を基準温度に保ち，回路に生じる熱起電力を測定することにより，もう一方の接点（測温点）の温度を知ることができる．これが熱電対の原理である.

〈[7] 及び [8] の解答群〉

ア　ジュール　　**イ**　ゼーベック　　**ウ**　トムソン

エ　間の温度分布　　**オ**　温度差とその周りの温度　　**カ**　温度差のみ

2)　一般に熱電対による温度測定装置は，熱電対，[9]，温度変換器から構成される.
[9] は，熱電対とほぼ同じ熱起電力特性を持つ金属線であり，熱電対を延長するより経済的であるため広く用いられている.

温度変換器は，測定した熱起電力と基準接点の温度から測定点の温度を得るためのものであり，その演算には，通常 **JIS C 1602** で定めた［10］を用いる．

〈［9］及び［10］の解答群〉

ア　高インピーダンス線路　　**イ**　低抵抗銅線　　**ウ**　補償導線

エ　規準熱起電力　　**オ**　性能指数　　**カ**　熱電能

電気設備及び機器（110 分）

問題 7，8　工場配電

問題 9，10　電気機器

問題 7（工場配電）

次の各文章の［1］～［7］の中に入れるべき最も適切な字句等をそれぞれの解答群から選び，その記号を答えよ．

また，［A a.bc］～［E a.bc］に当てはまる数値を計算し，その結果を答えよ．ただし，解答は解答すべき数値の最小位の一つ下の位で四捨五入すること．（配点計 **50** 点）

(1)　工場配電における保護リレーシステムについて考える．

1)　保護リレーシステムは，受配電系統や負荷設備における短絡事故や地絡事故など，回路の異常を検出して［1］ことによってその波及範囲を最小限に抑えることを主目的としている．

この目的を達成するためのシステム性能として，確実性，迅速性及び選択性が必要不可欠である．

〈［1］の解答群〉

ア　事故部位を健全系統から切り離す　　**イ**　受電電圧を切り替える

ウ　全送電を一時的に停止する

2)　保護リレーシステムは，基本的には主回路電圧・電流の値を保護リレーに入力するための［2］，異常を検出する保護リレー，及び異常な回路を系統から除去するための［3］で構成される．

なお，近年の保護リレーは，従来の機械式リレーと比べて高速度での検出が可能であること，衝撃や振動に対する耐性が高いこと，などの特長を有する［4］形リレーが主流となっている．

〈［2］～［4］の解答群〉

ア　ディジタル　**イ**　プランジャー　**ウ**　誘導　**エ**　演算増幅器

オ　計器用変成器　**カ**　遮断器　**キ**　整流器　**ク**　断路器　**ケ**　避雷器

(2)　配電線路によって需要設備へ電力供給を行う形態として，一般的には定電圧方式が採用されている．ただし，実際には負荷の変動による線路の電圧降下などにより負荷端電圧が変動するので，このことを考慮した設備構成や運用を行うことが求められる．

この電圧降下を低減し，負荷機器の許容電圧範囲内に収めるためには，例えば次のような対策が考えられる．

① 配電用変圧器を負荷中心点近くに配置

変圧器二次側の低電圧で電圧降下の大きい配電区間を縮小することにより，線路全体での電圧降下を低減させる．これにより，線路全体での［5］も低減できる．

② 系統インピーダンスの低減

インピーダンスの低減方法としては，配電線路の太線化，こう長の［6］，短絡インピーダンスの低い変圧器の採用などがある．ただし，短絡インピーダンスの低い変圧器を採用する場合は，［7］の増加による回路への影響を考慮する必要がある．

〈［5］～［7］の解答群〉

ア 延長　**イ** 短縮　**ウ** 短絡電流　**エ** 漏れ電流

オ 電力損失　**カ** 無効電力　**キ** 有効電力

⑶ 図に示すような，変電所から三相3線式高圧配電線で供給されている平衡三相負荷がある．受電点の電圧は6.6 kV，電流 I が150 A，負荷力率 $\cos\varphi$ が80 %（遅れ）であり，受電点までの線路1線当たりの抵抗 R が0.7 Ω，リアクタンス X が1.2 Ω である．

ただし，受電点の電圧は負荷回路の条件によらず，常に6.6 kVであるとする．また，線路の電圧降下 ΔV は，次の簡略式を用いて求めることとし，図に示す受電点までの線路以外の電圧降下は無視するものとする．

$$\Delta V = \sqrt{3} I (R\cos\varphi + X\sin\varphi)$$

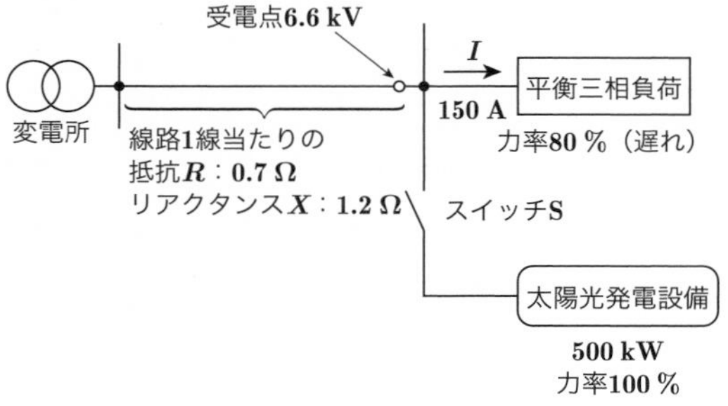

図

1) スイッチSを開いた状態で，変電所から三相負荷に電力を供給したとき，受電点の電

圧を **6.6 kV** に維持するために必要となる変電所の送り出し電圧は **[A a.bc]** [kV] となる.

2) スイッチ **S** を閉じて，**500 kW**，力率 **100 %** で発電している太陽光発電設備を連系したとき，受電点の有効電力は **[B abc]** [kW]，力率は **[C ab]** [%] となり，変電所からの線路電流が **[D abc]** [A] となる．そのため，引き続き受電点の電圧を **6.6 kV** に維持するために必要となる変電所の送り出し電圧は **[E a.bc]** [kV] となる.

問題 8（工場配電）

次の各文章の [1] ～ [8] の中に入れるべき最も適切な字句等をそれぞれの解答群から選び，その記号を答えよ．なお，[3] は複数箇所あるが，同じ記号が入る.

また，**[A ab.c]** ～ **[F abc]** に当てはまる数値を計算し，その結果を答えよ．ただし，解答は解答すべき数値の最小位の一つ下の位で四捨五入すること．（配点計 **50** 点）

(1) 工場内に多く用いられる電動機等は，誘導性負荷であるため電圧に対して電流の位相が遅れて [1] が生じ，これにより力率が低下する．また，配電損失も増加するため，力率の改善が必要である.

力率改善には進相コンデンサが用いられる．進相コンデンサには，開放時の残留電荷を放電させる [2] などが設置される．また，コンデンサ投入時における突入電流の抑制のため，通常は [3] を設置する．これと進相コンデンサの組合せがフィルタとなり，回路電圧の [4] も抑制できる．[3] のインピーダンスは，一般的にコンデンサのインピーダンスの [5] [%] 又は **13 %** の値が用いられる.

〈[1] ～ [5] の解答群〉

ア 4　**イ** 6　**ウ** 8　**エ** タイムスイッチ

オ プロテクタヒューズ　**カ** 直列リアクトル　**キ** 放電抵抗　**ク** ハンチング

ケ フェランチ効果　**コ** 電圧上昇　**サ** 波形ひずみ　**シ** 短絡電流

ス 無効電流　**セ** 有効電流

(2) 配電線路に接続される機器で発生する高調波は，接続されている他の機器に障害を引き起こすことがある．このため，高調波を発生する機器にはその抑制対策が，影響を受ける機器には高調波に対する耐力の向上が必要である.

高調波の発生原因となる機器としては，次の①から③などが挙げられる.

① 鉄心を有し [6] 特性を持つ変圧器，回転機などの機器

② 整流装置やインバータなどに使用される [7]

③ アーク炉（アーク電流）

「高圧又は特別高圧で受電する需要家の高調波抑制ガイドライン」では，**6.6 kV** 以上で受電する需要家に対し，高調波流出電流の上限値が契約電力に応じて規定されている．この規定は，高調波環境目標レベルとして，高圧配電系統では総合電圧ひずみ [8] [%] を維持するように定めたものである．

〈[6]～[8] の解答群〉

ア 3　**イ** 5　**ウ** 7　**エ** デマンド監視装置　**オ** 断路器
カ 半導体電力変換器　**キ** 線形磁化　**ク** 非線形磁化　**ケ** 負性

(3) ある工場の，電力の日負荷曲線が図 1 の実線で示されている．

このときの，この工場の日負荷率は [**A** **ab.c**] [%] である．

この工場で，負荷率の改善のために蓄熱システムを採用することで，図中の **8** 時から **16** 時までの時間帯の **X** の部分の負荷を，**22** 時から翌日 **8** 時までの時間帯の **Y** の部分に移行するものとした．蓄熱システム導入前後で総消費電力量は変わらないものとするとき，負荷率を **60** % に改善するために必要な移行電力量 **X** は [**B** **abcd**] [**kW·h**] である．

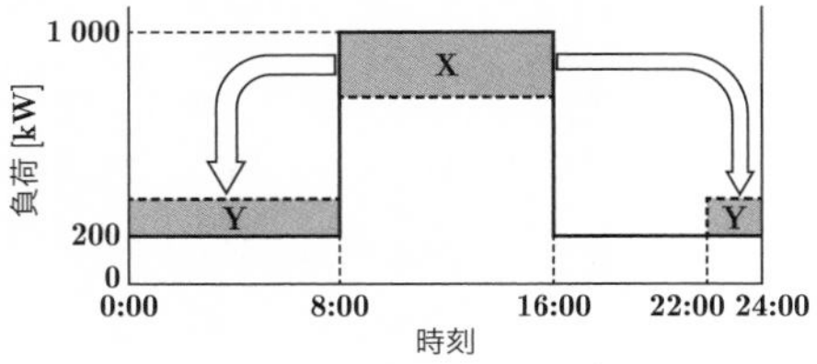

図 1　工場の日負荷曲線

(4) 図 **2** に示すように，**6.6 kV** 三相 **3** 線式高圧配電線路に，負荷 **1**，負荷 **2** 及び負荷 **3** の平衡三相負荷と力率改善用コンデンサが接続されている．各負荷の最大需要電力及び力率はそれぞれ表のとおりであり，力率は負荷変動によらず一定である．また，これらの負荷稼動時における不等率は **1.3** である．

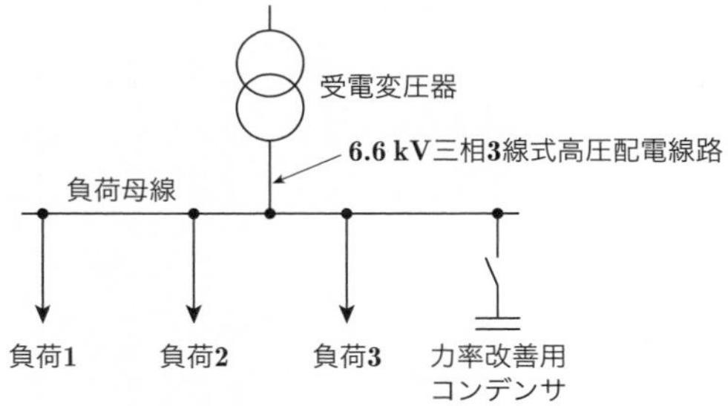

図 2　高圧配電系統

III

表　負荷の最大需要電力及び力率

	負荷 1	負荷 2	負荷 3
負荷の最大需要電力	**1 200 kW**	**600 kW**	**800 kW**
力率	**80 %**（遅れ）	**90 %**（遅れ）	**100 %**

1)　この工場の合成最大需要電力は **C abcd** [kW] である.

2)　合成最大需要電力が出現するときの各負荷の電力内訳は，負荷 **1** が **1 200 kW**，負荷 **2** が **600 kW** であり，残りが負荷 **3** であった．力率改善用コンデンサが投入されていない場合の全体の無効電力は **D abcd** [kvar]，総合力率は **E ab** [%] である.

3)　合成最大需要電力が出現するときの力率を **95 %**（遅れ）まで改善するために必要な力率改善用コンデンサの容量は，**F abc** [kvar] である.

問題 9（電気機器）

次の各文章の［ 1 ］～［ 11 ］の中に入れるべき最も適切な字句等をそれぞれの解答群から選び，その記号を答えよ.

また，**A abc** ～ **E ab.cd** に当てはまる数値を計算し，その結果を答えよ．ただし，解答は解答すべき数値の最小位の一つ下の位で四捨五入すること.（配点計 **50** 点）

(1)　変圧器の規約効率の算定に用いられる全損失は，鉄損，誘電体損，無負荷電流による巻線の抵抗損などの和である無負荷損，及び銅損と漂游負荷損の和である負荷損で構成される.

無負荷損の大部分を占める鉄損は，ヒステリシス損と［ 1 ］損に分けられ，周波数及び印加電圧が一定の下では，無負荷損は負荷電流［ 2 ］.

一方，負荷損は巻線の抵抗と，そこを流れる電流によって生じる抵抗損と漏れ磁束によって金属部分に生じる標游負荷損であり，負荷損は負荷電流［ 3 ］．なお，規約効率算定のための負荷損としては，測定した負荷損を［ 4 ］温度に補正した値を使用する.

〈［ 1 ］～［ 4 ］の解答群〉

ア　渦電流　　**イ**　風　　**ウ**　補機　　**エ**　基準周囲　　**オ**　基準巻線

カ　許容最高　　**キ**　に比例して変化する　　**ク**　の **2** 乗に比例して変化する

ケ　の逆数に比例して変化する　　**コ**　の大きさに関係なく一定である

(2)　変圧器に負荷を接続すると，損失により発生した熱によって変圧器各部の温度が上昇する．各部の測定温度と［ 5 ］温度との差は温度上昇と呼ばれる．温度上昇は，変圧器の寿命に関係しており，定格値を定める主要な因子の一つである.

ある変圧器の最大効率が，定格容量の **40 %** の負荷を接続したときであったとすると，定格容量時の負荷損は無負荷損の [6] 倍となるので，定格容量時の温度上昇値は，主として負荷損の値に左右される.

〈[5] 及び [6] の解答群〉

ア 2.5　**イ** 6.25　**ウ** 16　**エ** 許容最高　**オ** 平均　**カ** 冷媒

(3) 巻線形三相誘導電動機の二次端子を開放した状態で，一次巻線に一定周波数 f_1 の三相正弦波交流電圧を印加すると，[7] は流れるが二次電流が流れないので，回転子は回転しない．二次端子を短絡すると二次電流が流れるので，一次電流により発生する [8] と二次電流によって，回転子にトルクが発生し，回転子は回転を始める.

誘導電動機の L 形等価回路における二次抵抗（一次換算値）を r_2，二次電流（一次換算値）の大きさを I_2，一次側電源の相数を m_1 とする．ある運転状態において，回転子が滑り s で回転している場合，二次入力は $P_2 = m_1 I_2{}^2 \dfrac{r_2}{s}$ [W] と表されるので，二次銅損 P_{c2} との関係は，[9] となる．なお，一次換算ではなく実際の二次巻線に発生する起電力の周波数は [10] [Hz] である.

回転子に負荷を接続し，その負荷トルクを増大させると回転速度は少し低下する．すなわち，滑りは少し [11] になり，二次巻線に発生する起電力が大きくなる．その結果，二次電流が増加し，負荷トルクと平衡するだけの大きさのトルクを発生する.

〈[7] ～ [11] の解答群〉

ア sf_1　**イ** $\dfrac{f_1}{s}$　**ウ** $(1-s)f_1$　**エ** $P_{c2} = sP_2$

オ $P_{c2} = s^2 P_2$　**カ** $P_{c2} = \dfrac{s}{r_2} P_2$　**キ** 回転磁界　**ク** 回転速度

ケ 交番磁界　**コ** 始動電流　**サ** 負荷電流　**シ** 励磁電流

ス 減少すること　**セ** 増加すること　**ソ** 負の値

(4) 図は，定格容量 **5.5 MV·A**，定格二次電圧 **11 kV** の単相変圧器の二次換算簡易等価回路を示したものである．二次側には，電圧 $\dot{V}_{2n}$ を定格値に維持しながら，容量 **5.5 MV·A** で力率 **0.8**（遅れ）の負荷が接続されている．なお，図中で巻線抵抗は **0.09 Ω**，漏れリアクタンスは **1.88 Ω** であり，励磁アドミタンス $\dot{Y}_0$ は次式で表される.

$$\dot{Y}_0 = (30.15 - j233.6) \times 10^{-6} \ [\mathrm{S}]$$

また，無負荷損は印加電圧の **2** 乗に比例するものとする.

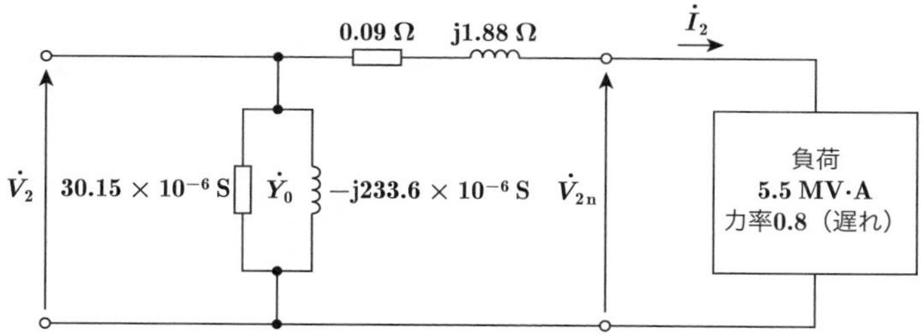

図　二次換算簡易等価回路

1)　二次側に流れる電流 $\dot{I}_2$ の大きさ I_2 は [A abc] [A] となる．

2)　**5.5 MV·A**，力率 **0.8**（遅れ）の負荷が抵抗 R_L [Ω] とリアクタンス X_L [Ω] の直列回路で表されるとすると，R_L = [B ab.c] [Ω]，X_L = [C ab.c] [Ω] となる．

3)　負荷のインピーダンスに変圧器のインピーダンスを加算し，二次電流 I_2 が流れる電圧 $\dot{V}_2$ の大きさ V_2 は [D ab.cd] [kV] となる．

4)　この変圧器の定格負荷時の全損失は [E ab.cd] [kW] となる．

問題 10（電気機器）

次の各文章の [1] ～ [12] の中に入れるべき最も適切な字句等をそれぞれの解答群から選び，その記号を答えよ．なお，[2] は複数箇所あるが，同じ記号が入る．

また，[A abcd] ～ [E a.b] に当てはまる数値を計算し，その結果を答えよ．ただし，解答は解答すべき数値の最小位の一つ下の位で四捨五入すること．（配点計 **50** 点）

(1)　同期発電機において，特性を示すパラメータの一つである短絡比について考える．

1)　短絡比とは，定格速度において，「無負荷で定格電圧を発生するのに必要な界磁電流」の，「三相全端子を短絡して [1] 電流に等しい電流を発生するのに必要な界磁電流」に対する比である．

2)　短絡比が大きい同期発電機は，同期インピーダンスが [2] ので，電機子反作用の影響が [2] ．このような発電機とするには，電機子巻線の巻数を少なくするか，ギャップの長さを大きくするか，又はその両方が必要である．この場合，一定の誘導起電力を得るには，磁束を増やすため界磁起磁力を増やすか又は [3] 断面積を増加させることになり，いずれの場合でも発電機の寸法が大きくなる．

〈[1] ～ [3] の解答群〉

ア　持続短絡　　**イ**　定格負荷　　**ウ**　無負荷　　**エ**　制動巻線　　**オ**　鉄心

カ　導体　　**キ**　大きい　　**ク**　小さい　　**ケ**　等しい

3)　短絡比の大きな同期発電機は［ 4 ］機械と呼ばれ，［ 5 ］が小さく過渡安定度は良好であるが高価である．

〈［ 4 ］及び［ 5 ］の解答群〉

ア　線路充電容量　　**イ**　脱出トルク　　**ウ**　電圧変動率

エ　鉄　　**オ**　電磁　　**カ**　銅

(2)　図**1**に位相制御方式による交流電力調整回路を示す．負荷として純抵抗 R を考え，逆並列接続された**2**個のサイリスタ **Th1**，**Th2** に対し，半周期毎に点弧角 α で交互にゲート信号を加えると，図**2**に示すような波形が得られる．

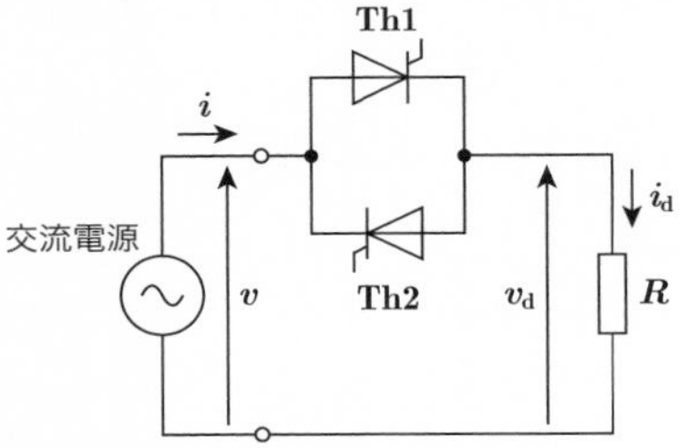

図**1**　交流電力調整回路

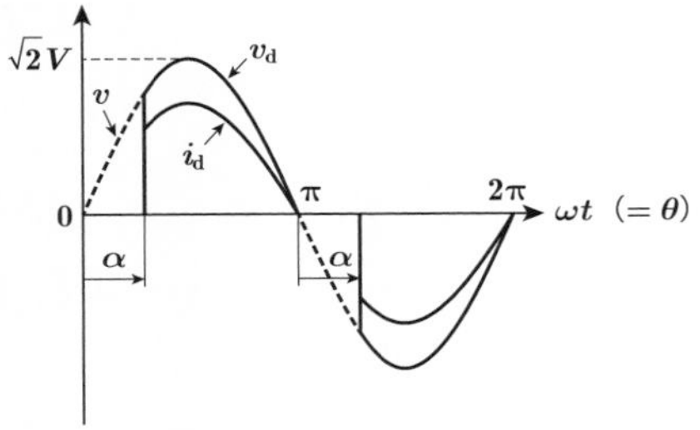

図**2**　位相制御回路の動作波形（抵抗負荷時）

1)　交流電源の電圧 v の実効値を V とすると，$v = \sqrt{2}V\sin\omega t$ である．ここで $\omega t = \theta$ とし，$\cos 2\theta = 1 - 2\sin^2\theta$ の関係式を用いると，負荷に現れる電圧 v_d の実効値 V_d は次式で求められる．

$$V_d = \sqrt{\frac{1}{\pi}\int_0^{\pi} {v_d}^2\, d\theta} = \sqrt{\frac{1}{\pi}\int_{\alpha}^{\pi} (\sqrt{2}V\sin\theta)^2\, d\theta}$$

$$= V\sqrt{\left(1 - \frac{\alpha}{\pi} + \frac{1}{2\pi} \times \boxed{\ 6\ }\right)} \quad \cdots\cdots\cdots\cdots\text{①}$$

式①から，点弧角 α を制御することによって，実効値 V_d を $0 \sim V$ の範囲で連続的に変化できることが分かる．

点弧角 α が零の場合，負荷抵抗には交流電源と同じ波形の電圧が印加されるので，負荷で消費される電力 P_0 は［ 7 ］となる．式①において点弧角 $\alpha = \frac{\pi}{2}$ [rad] とすると，実効値 V_d は［ 8 ］となるので，負荷で消費される電力 P_α は［ 9 ］となる．

〈 6 〜 9 の解答群〉

ア $\sqrt{2}V$　イ $\dfrac{V}{\sqrt{2}}$　ウ $\dfrac{\sqrt{2}}{V}$　エ $\dfrac{\sqrt{2}V}{R}$　オ $\dfrac{\sqrt{2}V}{2R}$

カ $\dfrac{V^2}{R}$　キ $\dfrac{V^2}{2R}$　ク $\dfrac{V^2}{\sqrt{2}R}$　ケ $\dfrac{V^2}{2\sqrt{2}R}$　コ $\sin\alpha$

サ $\sin 2\alpha$　シ $\sin\dfrac{1}{\alpha}$

2)　次に負荷抵抗に代えて力率角 φ の誘導性負荷を接続した場合の運転について考える.

誘導性負荷をこの交流電力調整装置で出力となる実効値 V_d すなわち交流電力を安定して制御できるのは，点弧角αを 10 の範囲で運転したときとなる.

負荷が純インダクタンスであるとすると，出力の交流電圧を調整可能な最小点弧角αは，電圧位相で 11 [rad] のときである．純インダクタンス負荷を，制御可能範囲内の点弧角α_1で運転したとすると，入力の交流電流 i の電流波形における基本波成分の位相は，電源電圧 v の位相に対して 12 [度] となるので，無効電力の大きさを調整することができる.

この機能を適用した装置に，リアクトル位相制御方式の静止形無効電力補償装置（SVC）がある.

〈 10 〜 12 の解答群〉

ア $\dfrac{\pi}{4}$　イ $\dfrac{\pi}{2}$　ウ $\dfrac{2\pi}{3}$　エ $0 < \alpha < \varphi$

オ $\dfrac{\pi}{2} < \alpha < \varphi$　カ $\varphi < \alpha < \pi$　キ 遅れ 60　ク 進み 60

ケ 遅れ 90　コ 進み 90

(3)　定格出力 7 200 kW，定格電圧 6 600 V，定格周波数 60 Hz，極数 4，定格力率 0.9（遅れ）の三相同期発電機がある．この発電機の同期インピーダンス x_s は 4.54 Ω である．なお，電機子抵抗 r_a は無視できるものとする．従って，発電機端子における相電圧 $\dot{V}$，負荷電流 $\dot{I}_a$，力率角 φ 及び誘導起電力 $\dot{E}_0$ を示すベクトル関係は，次の図のようになる.

1)　この発電機の定格回転速度は A abcd [min^{-1}] である.

2)　この発電機の定格電流は B abc.d [A] である.

3)　この発電機が定格電流及び定格力率で運転されているときの 1 相分の $\dot{E}_0$ の大きさ E_0 は，C abcd [V] となる.

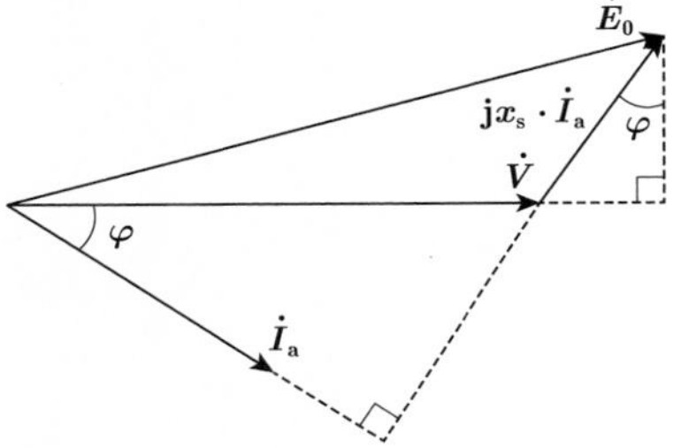

図 **3**　三相同期発電機のベクトル図

4)　この発電機の三相持続短絡電流は **D abc.d** [**A**] と計算されるので，短絡比 $\boldsymbol{K}$ は **E a.b** となる．

電力応用（110 分）

必須　問題11，12　電動力応用
選択　問題13　電気加熱
選択　問題14　電気化学
選択　問題15　照　明
選択　問題16　空気調和
（問題13～16から）**2 問題を選択**

問題 11（電動力応用）

次の各文章の［ 1 ］～［ 6 ］の中に入れるべき最も適切な字句等をそれぞれの解答群から選び，その記号を答えよ．なお，［ 4 ］は複数箇所あるが，それぞれ同じ記号が入る．

また，［A a.bc］～［F ab.c］に当てはまる数値を計算し，その結果を答えよ．ただし，解答は解答すべき数値の最小位の一つ下の位で四捨五入すること．（配点計 **50** 点）

(1) 図 **1** に示すような **L** 形等価回路（**1** 相当たり）で表される三相誘導電動機の速度制御について考える．

なお，回路の各電圧，電流，抵抗等については図 **1** に示すとおりとする．

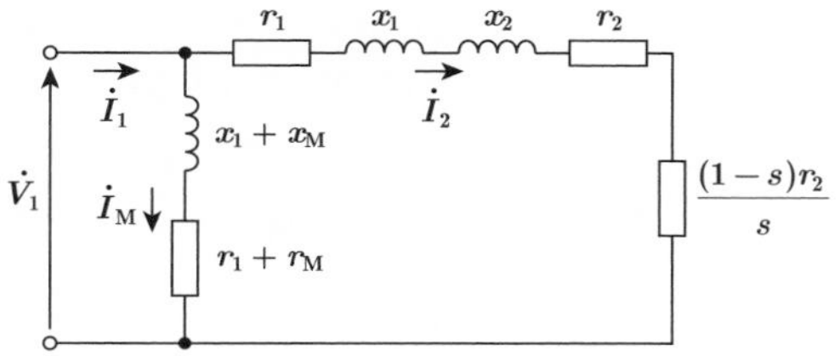

$\dot{V}_1$：一次電圧
$\dot{I}_1$：一次電流
$\dot{I}_2$：二次電流（一次換算値）
$\dot{I}_M$：無負荷時励磁電流
r_1：一次抵抗
r_2：二次抵抗（一次換算値）
x_1：一次漏れリアクタンス
x_2：二次漏れリアクタンス（一次換算値）
r_M：鉄損抵抗
x_M：励磁リアクタンス
s：すべり

図 **1**　三相誘導電動機の **L** 形等価回路（**1** 相当たり）

1) 三相誘導電動機の極数を P, 滑りを s, 一次周波数を f_1 [Hz] とすると, 回転速度 N は P, s 及び f_1 の関数として表される.

一方, 三相誘導電動機のトルク T は二次入力を同期角速度 ω_0 [rad/s] で除すれば求められ, 次式で表される. ただし, $\dot{V}_1$ の大きさを V_1, $\dot{I}_1$ の大きさを I_1, $\dot{I}_2$ の大きさを I_2 とする.

$$T = \frac{\boxed{\ 1\ }}{\omega_0}\ [\mathrm{N \cdot m}] \quad \cdots\cdots\cdots\cdots\cdots①$$

式①は, 図 **1** に示した **L** 形等価回路の回路定数を用いて次式で表すことができる.

$$T = \frac{3V_1^2}{\dfrac{4\pi f_1}{P}\left\{\left(r_1 + \dfrac{r_2}{s}\right)^2 + (x_1 + x_2)^2\right\}} \times \boxed{\ 2\ }\ [\mathrm{N \cdot m}] \quad \cdots\cdots\cdots\cdots\cdots②$$

〈 1 及び 2 の解答群〉

ア r_1	イ r_2	ウ $\dfrac{r_1}{s}$	エ $\dfrac{r_2}{s}$
オ $3I_1^2 r_1$	カ $3I_2^2 r_2$	キ $3I_1^2 \dfrac{r_1}{s}$	ク $3I_2^2 \dfrac{r_2}{s}$

2) 式②より, 一次周波数と 3 を一定と考えると, 4 を変えることによってトルクを制御することができる. この方式では, 始動トルクも最大トルクも電圧の **2** 乗に比例して変化する.

また, 一次周波数を変えて速度制御を行う方法は一次周波数制御と総称される. この制御には, 周波数に比例して 4 も変え, ギャップ磁束を一定に保つ 5 と, 一次電流を座標変換して磁束発生に作用する励磁電流成分とトルク電流成分とに分離して独立に制御する 6 がある.

〈 3 ～ 6 の解答群〉

ア V/f 一定制御	イ ベクトル制御	ウ 一次電流制御	エ 二次電圧制御
オ 一次電圧	カ 二次電流	キ 二次周波数	ク すべり

(2) 図 **2** に示すような, 勾配角度 θ の線路を運行する **2** 台のつるべ式（交走式）ケーブルカーの動力について考える.

ケーブルカーは車両に動力を持たず, 車両につないだケーブルを山頂にある巻上機で引っ張り上げて走行させている. つるべ式ケーブルカーでは, 一本のケーブルの両側に車両をつなぎ, 登り側車両と下り側車両を同時に走行させる仕組みとなっており, 国内のほとんどのケーブルカーではつるべ式を採用している．ここでは，ケーブルの巻上機に用いられる電動機に関して，運行形態ごとの電動機の所要出力を求める．

ここで，ケーブルカーの運行速度は **180 m/min**，一車両当たりの車両質量は **5 000 kg**，乗客の最大搭乗質量（満員時）は **1 600 kg**，巻上機全体の機械効率は **70 %** とし，ケーブル荷重など記載のない条件は無視する．なお，線路勾配角度θは **30** 度，斜面における走行抵抗は，重力の加速度 g に関して $10 \cdot g \times 10^{-3} \times \cos\theta$ [N/kg] であり，重力の加速度 g は $9.8\ \mathrm{m/s^2}$ とする．

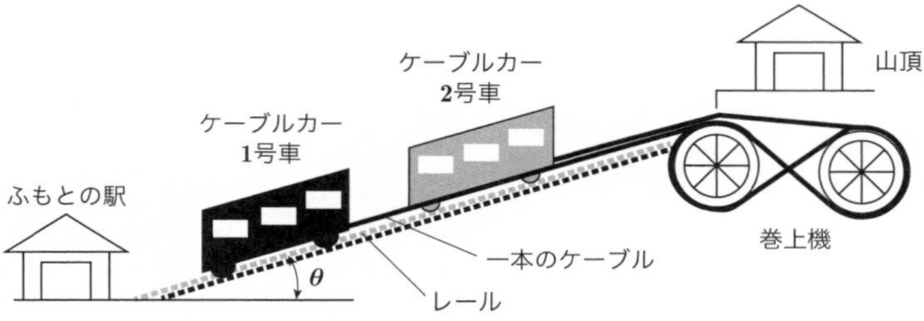

図 **2**　ケーブルカー

1)　ケーブルの片側だけに **1** 号車の車両をつなぎ，登りの一車両だけ運行する状況を考える．

電動機が最大出力を必要とするのは，満員の乗客で登坂する場合である．この場合，斜面に沿って **180 m/min** で走行するとき，走行抵抗に打ち勝つために要する動力は，斜面方向に働く力と登坂速度を乗じて **A a.bc** [kW] である．また，車両と乗客の全質量を斜面に沿って **180 m/min** で引っ張り上げるのに要する，単位時間当たりの位置エネルギーの増加分に相当する動力は，**B ab** [kW] となる．そして，それらの動力を合算し，巻上機全体の機械効率を考慮すると，このときに電動機が要求される出力は **C abc** [kW] となる．

2)　残りの片側に **2** 号車をつないでケーブルの両側に車両がある状態とし，つるべ式で登り側車両と下り側車両を同時に運行させる状況を考える．

電動機が最大出力を必要とするのは，登り側車両が満員で下り側車両には乗客がいない場合である．この場合，各車両が走行抵抗に打ち勝つために要する動力は，満員の登り側車両分と乗客のいない下り側車両分を合わせて **D a.bc** [kW] である．

その一方で，車両の移動に関しては，登り側と下り側の車両質量が等しいことから，車両の上昇と下降に要する動力は相殺する．したがって，乗客の全重量だけを斜面に沿って引っ張り上げるのに要する動力を考慮すればよい．乗客がいるのは登り側だけなので，そのために要する動力は E ab.c [kW] となる．よって，それらの動力を合算し，巻上機全体の機械効率を考慮すると，このときに電動機が要求される出力は F ab.c [kW] となる．

以上の結果から，つるべ式によるケーブルカーの運行が効率的であることが分かる．

問題 12（電動力応用）

次の各文章及び表の 1 ～ 12 の中に入れるべき最も適切な字句等をそれぞれの解答群から選び，その記号を答えよ．（配点計 **50** 点）

(1) 電気自動車が走行した場合の消費エネルギーについて考える．

一般に，走行に必要な駆動力 $\boldsymbol{F}$ は次式で求めることができる．

$$\boldsymbol{F}=\left(\boldsymbol{M}+\frac{\boldsymbol{J}}{\boldsymbol{r}^2}\right)\frac{\mathrm{d}\boldsymbol{v}}{\mathrm{d}\boldsymbol{t}}+\boldsymbol{Mg}\sin\boldsymbol{\theta}+\boldsymbol{C}_\mathrm{r}\boldsymbol{Mg}+\frac{1}{2}\boldsymbol{\rho C}_\mathrm{d}\boldsymbol{Av}^2\ [\mathrm{N}] \qquad \cdots\cdots\cdots\cdots\text{①}$$

式①で，$\boldsymbol{v}$ [m/s] は速度，$\frac{\mathrm{d}\boldsymbol{v}}{\mathrm{d}\boldsymbol{t}}$ [m/s²] は加速度，$\boldsymbol{g}$ [m/s²] は重力の加速度，$\boldsymbol{M}$ [kg] は乗員を含めた車両の重量，$\frac{\boldsymbol{J}}{\boldsymbol{r}^2}$ [kg] はモータなどの回転系の慣性モーメントを等価質量に変換したもの，$\boldsymbol{\theta}$は道路の傾き角度，$\boldsymbol{C}_\mathrm{r}$ は転がり抵抗係数，$\boldsymbol{\rho}$ [kg/m³] は空気の密度，$\boldsymbol{C}_\mathrm{d}$ は空気の抵抗係数，$\boldsymbol{A}$ [m²] は前面投影面積である．また，$\sin\boldsymbol{\theta}$は，上り坂を正，下り坂を負とし，$-0.05<\sin\boldsymbol{\theta}<0.05$，$\cos\boldsymbol{\theta}\approx 1$ とする．

以降の計算では，$\boldsymbol{M}=1\ 200$ [kg]，$\frac{\boldsymbol{J}}{\boldsymbol{r}^2}=40$ [kg]，$\boldsymbol{C}_\mathrm{r}=0.007$，$\boldsymbol{C}_\mathrm{d}=0.3$，$\boldsymbol{A}=1.8$ [m²] の自動車を考え，$\boldsymbol{\rho}=1.2$ [kg/m³]，$\boldsymbol{g}=9.8$ [m/s²] とする．

表は，**1** 区間を **200 m** として全 **7** 区間を走行する状態を表したもので，区間Ⅰで速度を **0 m/s**（静止状態）から **20 m/s** まで一定加速度で加速し，区間Ⅱから区間Ⅵを **20 m/s** の一定速度で走行した後，区間Ⅶで速度を **20 m/s** から **0 m/s** まで一定加速度で減速し停止する．区間Ⅲは傾き $\sin\boldsymbol{\theta}=0.04$ の上り坂，区間Ⅴは $\sin\boldsymbol{\theta}=-0.04$ の下り坂であるが，他の区間は水平な道路とする．

さて，各区間の走行時間を $\boldsymbol{T}$ [s]，走行距離を $\boldsymbol{X}$ [m]，初期速度を $\boldsymbol{v}_\mathrm{a}$ [m/s]，最終速度を $\boldsymbol{v}_\mathrm{b}$ [m/s] とすると，各区間で駆動力により供給されるエネルギー $\boldsymbol{E}$ は $\boldsymbol{Fv}$ を各区間で時間積分することにより計算できる．特に駆動力と速度が一定の区間では，この積分は駆動力と走行距離の積として求めることができ，次式となる．

$$E = \int_0^T Fv\,\mathrm{d}t = FvT = FX\,[\mathrm{J}] \quad \cdots\cdots\cdots\cdots\cdots ②$$

速度が変化する区間Ⅰ及び区間Ⅶについては，加速度が一定であることに注意すると，

$$E = \int_0^T \left\{\left(M + \frac{J}{r^2}\right)\frac{\mathrm{d}v}{\mathrm{d}t} + Mg\sin\theta + C_\mathrm{r}Mg + \frac{1}{2}\rho C_\mathrm{d}Av^2\right\} v\mathrm{d}t$$

$$= \frac{1}{2}\left(M + \frac{J}{r^2}\right)(v_\mathrm{d}{}^2 - v_\mathrm{a}{}^2) + (Mg\sin\theta + C_\mathrm{r}Mg)X$$

$$+\left(\frac{1}{2}\rho C_\mathrm{d}A\right)\frac{1}{\left(\frac{\mathrm{d}v}{\mathrm{d}t}\right)}\frac{1}{4}(v_\mathrm{b}{}^4 - v_\mathrm{a}{}^4)\,[\mathrm{J}] \quad \cdots\cdots\cdots\cdots\cdots ③$$

となり，区間Ⅰについては $v_\mathrm{a} = 0$， $\frac{\mathrm{d}v}{\mathrm{d}t} = 1$， $\sin\theta = 0$ であることから，次式となる．

$$E = \frac{1}{2}\left(M + \frac{J}{r^2}\right)v_\mathrm{b}{}^2 + C_\mathrm{r}MgX + \left(\frac{1}{8}\rho C_\mathrm{d}A\right)v_\mathrm{b}{}^4\,[\mathrm{J}] \quad \cdots\cdots\cdots\cdots\cdots ④$$

また，区間Ⅶについては $v_\mathrm{b} = 0$， $\frac{\mathrm{d}v}{\mathrm{d}t} = -1$， $\sin\theta = 0$ であることから，次式となる．

$$E = -\frac{1}{2}\left(M + \frac{J}{r^2}\right)v_\mathrm{a}{}^2 + C_\mathrm{r}MgX + \left(\frac{1}{8}\rho C_\mathrm{d}A\right)v_\mathrm{a}{}^4\,[\mathrm{J}] \quad \cdots\cdots\cdots\cdots\cdots ⑤$$

最後に，インバータ及びモータなどからなる駆動システムの効率 η [%] の影響を考える．簡略化のため，動作条件によらず効率一定とすると，駆動システムの損失エネルギー E_1 は次式で与えられる．

$$E_1 = \left(\frac{100}{\eta} - 1\right)E \quad (E > 0 \text{ のとき})$$

$$E_1 = \left(\frac{\eta}{100} - 1\right)E \quad (E < 0 \text{ のとき})$$

注意すべき点は，減速を行うと運動エネルギーが回生され，下り坂では位置エネルギーが回生され，エネルギー伝達の方向が負荷からバッテリーの方向に変わる点である．

表には，ηを 90 % として各区間での E 及び E_1 を計算した結果を示す．

表

区間	距離 X [m]	加速度 $\dfrac{dv}{dt}$ [m/s²]	速度 v [m/s]	走行時間 T [s]	傾き $\sin\theta$	駆動力 F [N]	E [kJ]	E_1 [kJ]
I	200	1.0	$0 \to 20$	20	0	$1\,322 \to 1\,452$	☐1	☐2
II	200	0	20	10	0	212	42.4	4.7
III	200	0	20	10	0.04	682	136.4	15.2
IV	200	0	20	10	0	212	42.4	4.7
V	200	0	20	10	-0.04	-258	☐3	☐4
VI	200	0	20	10	0	212	42.4	4.7
VII	200	-1.0	$20 \to 0$	20	0	$-1\,028 \to -1\,158$	-218.6	21.9
合計	1 400	—	—	90	—	—	☐5	☐6

〈 ☐1 ～ ☐6 の解答群〉

ア　-121.6　　イ　-51.6　　ウ　5.2　　エ　8.7　　オ　27.8　　カ　30.8

キ　87.2　　ク　90.2　　ケ　200.8　　コ　207.4　　サ　270.8　　シ　277.4

(2)　定格点において，流量が $10\ \mathrm{m^3/min}$，全揚程が $25\ \mathrm{m}$，ポンプ効率が $60\ \%$，回転速度が $1\,500\ \mathrm{min^{-1}}$ の送水ポンプの流量制御について考える．ここで，水の密度を $1\,000\ \mathrm{kg/m^3}$，重力の加速度を $9.8\ \mathrm{m/s^2}$ とし，円周率は 3.14 とする．

　このポンプの全揚程と流量，ポンプ効率と流量の関係を定格点での諸量の値で正規化したところ，次式が得られた．

$$h = 1.2n^2 - 0.2q^2$$

$$\eta^* = 2\left(\frac{q}{n}\right) - \left(\frac{q}{n}\right)^2$$

また，弁が全開のときの実揚程を含めた管路抵抗の特性として次式が得られた．

$$r = 0.5 + 0.5q^2$$

　ただし，流量 q [p.u.]，全揚程 h [p.u.]，回転速度 n [p.u.]，ポンプ効率 η^* [p.u.]，管路抵抗 r [p.u.] は正規化された変数である．$n = 1$ のとき，これらの関係を図示すると次の図のようになる．

1)　ポンプを定格点で運転しているときの電動機の軸動力は ☐7 [kW] であり，軸トルクは ☐8 [N·m] である．

2)　弁の開度調整により流量を $7\ \mathrm{m^3/min}$ に制御する場合，ポンプの全揚程は ☐9 [m]，電動機の軸動力は ☐10 [kW] となる．

3)　電動機の回転速度制御により流量を $7\ \mathrm{m^3/min}$ に制御する場合，ポンプの全揚程は

[11] [m]，電動機の軸動力は [12] [kW] となり，軸動力を大幅に削減できることが分かる．

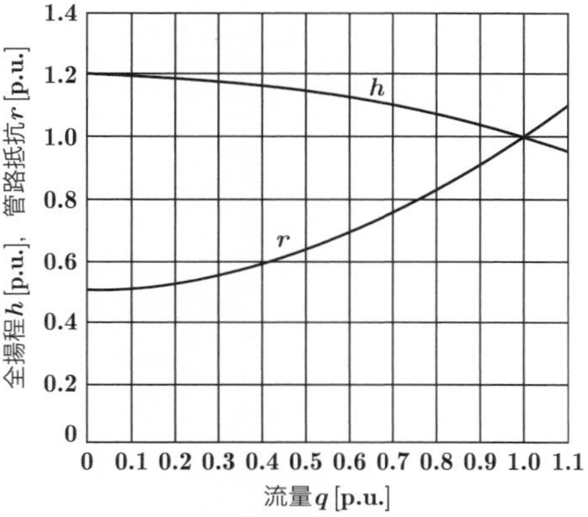

図 ポンプ揚程曲線，管路抵抗曲線（$n = 1$ のとき）

〈[7] ～ [12] の解答群〉

ア **15.6** **イ** **18.6** **ウ** **23.3** **エ** **24.5** **オ** **27.6** **カ** **34.5**
キ **36.5** **ク** **40.8** **ケ** **47.8** **コ** **52.5** **サ** **57.7** **シ** **68.1**
ス **123** **セ** **260** **ソ** **433**

問題 13（電気加熱—選択問題）

次の各文章の [1] ～ [14] の中に入れるべき最も適切な字句等をそれぞれの解答群から選び，その記号を答えよ．なお，[5] は複数箇所あるが，同じ記号が入る．（配点計 **50** 点）

(1) 各種の加熱方式の原理，特徴及び応用分野について考える．

1) レーザは単色性，指向性，集光性，制御性に優れた [1] であり，広い分野に応用されている．レーザは使用する媒質によって，赤外域から紫外域にわたる各種のものがあるが，熱加工用には **YAG** や炭酸ガスなどを媒質とした [2] 域のレーザが主として用いられる．その用途としては，極めて高いエネルギー密度を利用した穴あけ，切断，微細加工，文字マーキングなどがある．

〈[1] 及び [2] の解答群〉

ア プラズマ **イ** 可視光 **ウ** 紫外 **エ** 赤外
オ 電磁波 **カ** 電子ビーム

2) アーク加熱は，温度が **4 000 ～ 6 000 K** のアーク柱を熱源として利用するものである．その代表的応用例として製鋼用アーク炉がある．その電極材料には［3］が使用される．製鋼用アーク炉では，**50，60 Hz** の商用電源が用いられるのが一般的であるが，騒音やフリッカの低減，電極の消耗の低減などを図るために，アークが安定する［4］の電源を使用することもある．

〈［3］及び［4］の解答群〉

ア タングステン　**イ** モリブデン　**ウ** 黒鉛　**エ** マイクロ波
オ 高周波　**カ** 直流

3) 誘導加熱は，被加熱物の周りに巻かれたコイルに交流電流を流すことで発生する交番磁束により被加熱物に生じる［5］を利用して加熱する方式である．この加熱原理の身近な適用例として **IH** クッキングヒータがあり，工業用としては金属の加熱や溶解に用いられている．被加熱物に生じる［5］の密度は，表面から内部に向かい指数関数的に減少し，表面の $\frac{1}{e}$（e：自然対数の底）の値になる位置を［6］と呼ぶ．

〈［5］及び［6］の解答群〉

ア 渦電流　**イ** 分極電流　**ウ** 変位電流　**エ** 境界層厚さ
オ 電流浸透深さ　**カ** 電力半減深度

(2) 加熱や溶解のプロセスにおける省エネルギーについて考える．

1) 設備上の省エネルギー対策として，熱損失の低減が考えられる．

加熱炉や溶解炉では，炉壁を通して放熱損失が生じるので，炉の熱損失を低減させるためには炉壁の熱抵抗を大きくする必要がある．つまり，炉壁を構成する材料には，［7］率の小さなものを用いることが最も有効である．また，炉壁を操業温度まで立ち上げるのに要する熱量（炉の蓄熱量）を低減させることも省エネルギー対策となる．そのため，炉壁の断熱材には密度及び比熱の小さい素材であるセラミックファイバが広く用いられている．

電気加熱の場合，設備を［8］化すれば，加熱や溶解に要する時間が短縮されるので，相対的に熱損失の低減となることから省エネルギーが図れる．

〈［7］及び［8］の解答群〉

ア 熱伝達　**イ** 熱伝導　**ウ** 反射　**エ** 高インピーダンス　**オ** 高電力

2) 操業上の省エネルギー対策としては，温度管理を徹底することが考えられる．

抵抗炉を例にとると，温度制御によって被加熱物の無駄な加熱を防ぐためには，熱電対などで検出した炉内の温度を，目標設定部を持つ［9］に入力し，操作部へ信号を送って炉の発熱体に供給する電力を抑制することになる．この場合，精密に温度調整するために，操作部に半導体スイッチング素子を使った交流電力調整器が用いられることが多い．これを用いた電力調整方式では，位相制御の他に［10］制御がある．この制御は，位相制御に比べて高調波の発生が少ないという特徴がある．

〈［9］及び［10］の解答群〉

ア カスケード　**イ** サイクル　**ウ** デマンド

エ 差圧継電器　**オ** 指示調節計　**カ** 電空ポジショナ

(3) 質量 **800 kg** の被加熱物を **25 °C** から **1 200 °C** に **45** 分間で均一な温度に加熱する加熱設備がある．この加熱設備は熱的に安定した状態であり，設備の入力端における電力は **300 kW** で一定とする．

1) 加熱設備の入力端におけるエネルギー原単位は［11］[**kW·h/kg**] である．

2) 被加熱物である金属の比熱は **0.678 kJ/(kg·K)** であり，温度に関わらず一定とすれば，加熱正味熱量は［12］[**kW·h**] である．ただし，被加熱物は **1 200 °C** までは溶融しないものとする．

3) 加熱設備の単位時間当たりの熱損失は 4×10^4 **J/s** で一定であるとすれば，この加熱設備の全電気効率は［13］[%] と求めることができる．

4) 省エネルギー対策として加熱設備の熱損失を **25 %** 削減した．その結果，従来と同様の加熱時間及び昇温量の条件で加熱した場合，加熱設備の入力端における電力は［14］[**kW**] に低減することができた．なお，省エネルギー対策による全電気効率の変化はないものとする．

〈［11］～［14］の解答群〉

ア 0.281　**イ** 0.375　**ウ** 0.500　**エ** 72.3　**オ** 85.9　**カ** 92.0

キ 133　**ク** 177　**ケ** 236　**コ** 286　**サ** 289　**シ** 291

問題 14（電気化学―選択問題）

次の各文章の［1］～［9］の中に入れるべき最も適切な字句等をそれぞれの解答群から選び，その記号を答えよ．

また，［**A abc**］～［**C a.bc**］に当てはまる数値を計算し，その結果を答えよ．ただし，解答は解答すべき数値の最小位の一つ下の位で四捨五入すること．（配点計 **50** 点）

(1) アルカリ蓄電池の種類と特徴について考える．

1) アルカリ蓄電池は質量基準の濃度 **30 %** 程度の［1］カリウムなどのアルカリ性水溶

液を電解質とした二次電池の総称であり，ニッケル・カドミウム電池やニッケル・金属水素化物電池がその代表である.

〈 1 の解答群〉

ア 硝酸　イ 水酸化　ウ 炭酸

2) ニッケル・金属水素化物電池の場合，充電状態では正極の活物質は 2 であり，放電するときにそれが 3 される．この電池は，ハイブリッド自動車などの用途では急速に充放電を繰り返す．急速に放電するときの電池の電圧の値は，ゆっくり放電するときの電圧の値 4 ．充放電を繰り返したときの性能低下を表す指標の一つとして 5 がある.

〈 2 ～ 5 の解答群〉

ア オキシ水酸化ニッケル（**NiOOH**）　イ 金属水素化物（**MH**）
ウ 水酸化ニッケル（$\mathbf{Ni(OH)_2}$）　エ サイクル寿命　オ 放電寿命
カ 時間率　キ 還元　ク 酸化
ケ 中和　コ より高い　サ より低い
シ と変わらない

(2) 燃料電池のエネルギー変換効率その他の諸量を求める．ここで，ファラデー定数を **26.80 A·h/mol**，空気中の酸素濃度を **20 %** とし，気体は全て理想気体であり **22.4 L/mol** とする.

1) 燃料電池の理論熱効率は，電気エネルギーへ変換されるべき燃料の燃焼反応のギブズエネルギー（ΔG）とエンタルピー（ΔH）より，式 6 で表される.

〈 6 の解答群〉

ア $\Delta G \cdot \Delta H$　イ $\dfrac{\Delta G}{\Delta H}$　ウ $\dfrac{\Delta H}{\Delta G}$

2) 水素・酸素燃料電池では，水素ガスを **1** モル消費すると，電子が 7 モル流れる．このとき必要な空気の体積は，水素の 8 倍である．家庭用燃料電池では，主に都市ガスを原燃料として水との反応で水素を含むガスを製造して燃料電池スタックの燃料とし，空気を酸化剤として運転する．このときの開回路電圧の値は，純粋な水素と酸素を燃料電池スタックに供給するときの電圧の値 9 .

〈 7 ～ 9 の解答群〉

ア **0.5**　イ **1**　ウ **2**　エ **2.5**　オ **5**
カ より高い　キ より低い　ク と変わらない

3) 水素・酸素燃料電池で，**1.00 kA·h** の電気量を得るために必要な水素は **A abc** [L]

である．このとき，家庭用燃料電池システムの平均セル電圧が**0.750 V**で，使用した燃料の燃焼熱が**5 400 kJ**であるとすると，このシステムのエネルギー変換効率は［**B** ab.c］[%]である．

また，この家庭用燃料電池システムを構成するセルの放電特性が$U = \alpha - \beta i$で表されるとき，電池の出力密度pは$p = U \cdot i$で求められる．ただし，Uは端子電圧，iは電流密度，βは電流密度基準の電圧勾配である．

ここで，$\alpha = 0.9$ Vとし，端子電圧が**0.750 V**のときの電流密度が**0.5 A/cm²**であったとする．このことから，電流密度iを**0.3 A/cm²**として運転したときに得られる出力密度を求めると［**C** a.bc］$\times 10^{-1}$ [W/cm²]となる．

IV

問題 15（照明─選択問題）

次の各文章の［1］～［7］の中に入れるべき最も適切な字句等をそれぞれの解答群から選び，その記号を答えよ．なお，［1］は複数箇所あるが，同じ記号が入る．

また，［**A** a.b］～［**E** ab］に当てはまる数値を計算し，その結果を答えよ．ただし，解答は解答すべき数値の最小位の一つ下の位で四捨五入すること．なお，円周率は**3.14**とする．（配点計**50**点）

(1) 照明用の光源として現在は**LED**が広く利用されているが，**LED**で白色を実現するためには，**LED**素子に蛍光体を組み合わせる方式と，赤，緑，青の**3**種類の**LED**素子を用いる方式が一般的である．

前者の方式で白色を得る場合，**LED**素子には［1］**LED**又は［2］**LED**が一般的に使われているが，より発光波長の長い［1］**LED**素子を用いた方が，蛍光体で**LED**発光の一部を吸収し再発光する際のストークス・ロスが少なく，発光効率の点では有利となる．最近の**LED**は，蛍光ランプや**HID**ランプなどの他の光源より発光効率が高く寿命も長い．**LED**光源の光色は様々で，白色の実現方式によっても異なってくるが，その平均演色評価数は［3］である．

〈［1］～［3］の解答群〉

ア 青色　**イ** 赤色　**ウ** 黄色
エ 緑色　**オ** 紫外　**カ** 赤外
キ 常に**70**以下　**ク** 常に**70**を超え**90**以下　**ケ** **90**を超えることも可能

(2) ある事務所の照明設計を行うため，直管蛍光ランプを用いた照明器具**A**と直管**LED**ランプを搭載した照明器具**B**とを比較検討することにした．両者の主な仕様は表に示されているとおりであり，直管**LED**ランプは照明器具に取り付けられた電源ユニットで点灯するタイプであるとする．

ここで，両者それぞれにおけるランプの消費電力を W_L，点灯装置（電源ユニットあるいは安定器）の消費電力を W_D，照明器具全体の消費電力を W_T としたとき，$W_L + W_D = W_T$ の関係があり，表中の電源効率は，$\dfrac{W_L}{W_T} \times 100$ [%] で表されるものである．また，両者の照明器具の配光分布，照明率及び保守率には差がなく考慮しないで良いこととする．

表　照明器具の主な仕様比較表

	搭載ランプの種類	ランプの1本当たりの光束	ランプ効率	電源効率
1灯用照明器具**A**	直管蛍光ランプ	**2 000 lm**	**100 lm/W**	**90 %**
1灯用照明器具**B**	直管**LED**ランプ	**1 600 lm**	**160 lm/W**	**85 %**

1）　事務所内のある部屋において，適切な作業面照度を得るのに，照明器具**A**で直管蛍光ランプが**40**本必要であるとすると，照明器具**B**では直管**LED**ランプが［4］[本] 必要である．

2）　作業面照度を同じとした場合，照明器具**B**を採用すると照明器具**A**を採用した場合に対して，約［5］[%] の電力低減となる．

〈［4］及び［5］の解答群〉

ア 25　　**イ** 34　　**ウ** 38　　**エ** 40　　**オ** 41　　**カ** 50

3）　省エネルギー性以外にも直管蛍光ランプの場合は［6］というデメリットがある．また，今回検討した直管**LED**ランプの口金は**GX16t-5**タイプで，直管蛍光ランプ用口金の**G13**タイプとは形状が異なっている．この理由は，［7］のためである．

〈［6］及び［7］の解答群〉

ア　価格優先　　**イ**　誤接続防止による安全性の確保

ウ　新規デザインによる意匠性優先　　**エ**　低温時に光束が低下しやすい

オ　点光源に近くまぶしい　　**カ**　放熱フィンが必要になる

(3)　次の1)～3)の照明計算を行う．

1）　全光束が**31 400 lm**の球形の光源（点光源とみなす）がある．全ての方向の光度が等しいとすると，その光度は［**A**｜**a.b**］$\times 10^3$ [cd] となる．

この光源を水平な床面上の高さ**2 m**の位置に設置したとき，床面上で直下より**1.5 m**離れた位置での水平面照度は［**B**｜**a.b**］$\times 10^2$ [lx] となる．

2)　図に示すように，道路幅員が **10 m** のアスファルト道路で照明器具を千鳥配列とし，平均路面輝度を **1.0 cd/m²** としたい．照明器具 **1** 台当たりの光源の光束を **30 000 lm**，平均照度換算係数を **15 lx/(cd/m²)**，照明率を **0.3**，保守率を **0.7** とすると，照明器具の間隔 X は **[C ab]** [m] にすればよい．

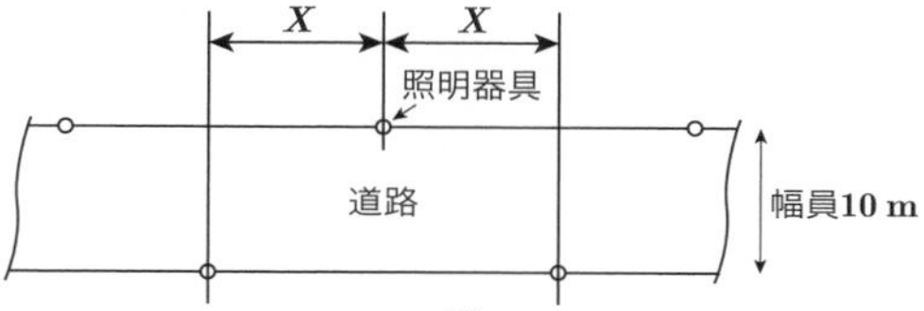

図

3)　開口 **19.2 m**，奥行き **12.8 m**，天井高さ **2.8 m** のオフィスで，全般照明によって作業面の照度 **750 lx** 以上が確保されていた．このとき使用した照明器具は蛍光ランプ **2** 灯用器具で，器具 **1** 台当たりの消費電力は **86 W**，蛍光ランプ **1** 灯当たりの光束は **4 950 lm** であり，照明率は **0.54**，保守率は **0.70** であった．また，照明器具の設置台数は照度条件を満たす最小限の **[D ab]** [台] であった．

この照明をタスク・アンビエント照明方式に改善した．使われていた照明器具の台数は変更しないで，蛍光ランプ **2** 灯用を **1** 灯用に変更してアンビエント照明とし，タスク照明の光源には新たに **1** 台当たり **10 W** の **LED** を **30** 台使用した．点灯時間は改善前後で変更がなく，照明は全て点灯するものとすると，この改善により消費電力量を **[E ab]** [%] 削減することができる．

問題 16（空気調和―選択問題）

次の各文章の [1] ～ [15] の中に入れるべき最も適切な字句等をそれぞれの解答群から選び，その記号を答えよ．なお，[8] は複数箇所あるが，同じ記号が入る．

また，**[A ab.c]** に当てはまる数値を計算し，その結果を答えよ．ただし，解答は解答すべき数値の最小位の一つ下の位で四捨五入すること．（配点計 **50** 点）

(1)　空調負荷を求める際の前提となる，外壁や窓など建築物の外皮を介して出入りする熱量を求めるために，熱貫流率 U や日射熱取得率 η が用いられる．ここで，図 **1** に示すような厚さ **0.15 m** のコンクリートと，厚さ x [m] の断熱材からなる断面構成の外壁を介しての熱の移動について考える．

ここで，外壁を構成するコンクリートの熱伝導率 λ_C が **1.5 W/(m·K)**，断熱材の熱伝導率 λ_R が **0.05 W/(m·K)**，外壁の屋外表面の熱伝達率 α_o が **23 W/(m²·K)**，屋内表面の熱伝達率α_iが 9 W/(m²·K) であるとする.

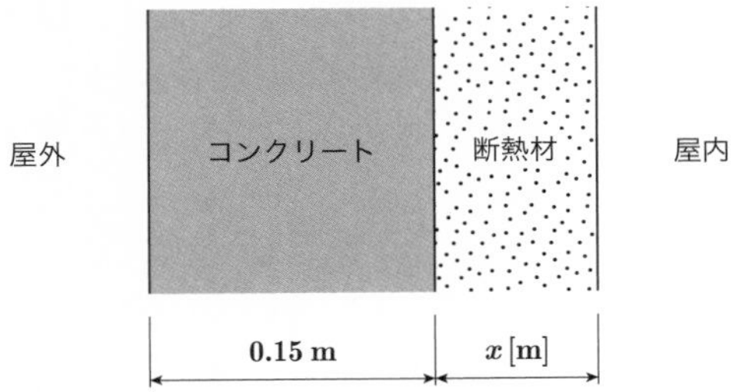

図 1

1)　外壁の断熱性能として，熱貫流率 U が 0.4 W/(m²·K) 以下であることが求められるときの最小限の断熱材の厚さ x と外壁の室内側表面温度を求める.

i)　熱貫流率 U は，熱貫流抵抗 R の逆数であることから，次式で表すことができる.

$$U = \frac{1}{R} = \frac{1}{\boxed{\ 1\ }} \qquad \cdots\cdots\cdots\cdots\text{①}$$

〈 1 の解答群〉

ア　$\alpha_o + \dfrac{0.15}{\lambda_C} + \dfrac{x}{\lambda_R} + \alpha_i$　　　イ　$\dfrac{1}{\alpha_o} + \dfrac{0.15}{\lambda_C} + \dfrac{x}{\lambda_R} + \dfrac{1}{\alpha_i}$

ウ　$\dfrac{1}{\alpha_o} + \dfrac{\lambda_C}{0.15} + \dfrac{\lambda_R}{x} + \dfrac{1}{\alpha_i}$

ii)　α_o, α_i の値が与えられており，コンクリート部分の熱抵抗の値が 2 [m²·K/W] と計算されることから，これらの値を式①に代入すれば U の条件を満たすために必要な断熱材の厚さ $x =$ 3 [m] が得られる.

〈 2 及び 3 の解答群〉

ア　0.001　　イ　0.010　　ウ　0.072　　エ　0.100　　オ　0.112　　カ　0.145

iii)　断熱材が ii) で求めた厚さのとき，外気温度が 0 °C で室温が 20 °C の定常状態であったとすると，内外温度差による外壁の単位面積当たりの貫流熱量 Q_1 の値は，$Q_1 =$ 4 [W/m²] となる．また，このときの外壁の室内表面温度は 5 [°C] となる．室内空気の露点温度が，この室内表面温度より 6 場合は表面結露が生じる恐れがある.

〈 4 ～ 6 の解答群〉

ア　8　　イ　14　　ウ　17　　エ　19　　オ　31　　カ　50　　キ　高い　　ク　低い

2)　次に，外壁単位面積当たりの日射が J [W/m²] で日射吸収率εが 0.6 であるときの，日射による熱の取得について，日射熱取得率ηを用いて考える．

日射により取得した熱量を，外壁面が日射を吸収することによる外気温の相当上昇分$\Delta\theta$の貫流熱とみなして評価すると，$\Delta\theta$は式 $\Delta\theta =$ [7] [K] と表され，よって，単位面積当たりの貫流熱量 Q_2 は，式 $Q_2 =$ [8] [W/m^2] で表される．日射熱取得率はこれを J で除したものであるから，次式で表される．

$$\eta = \frac{\boxed{8}}{J} \quad \cdots\cdots\cdots\cdots\cdots ②$$

式②より，ηの値は約 [9] となり，窓からの日射取得に比べて極めて小さい値となる．

〈[7]～[9] の解答群〉

ア 0.01　イ 0.03　ウ 0.1　エ $\varepsilon J\alpha_o$

オ $\dfrac{\varepsilon J}{\alpha_o}$　カ $\dfrac{J}{\varepsilon\alpha_o}$　キ $\dfrac{U\varepsilon J}{\alpha_o}$　ク $\dfrac{UJ}{\varepsilon\alpha_o}$　ケ $\dfrac{U}{\varepsilon J\alpha_o}$

(2) ヒートポンプは，低温側の熱を高温側に汲み上げることのできる機器である．冷房目的で用いる場合は冷凍機と呼び，冷暖房兼用もしくは暖房目的に使う場合にヒートポンプと呼ぶことが一般的である．

1) 理想的な熱サイクルについて

ヒートポンプの原理は，図 **2** に示す温度の異なる二つの熱源の間で作動する可逆的な熱力学のサイクルの一種である [10] サイクルの作動原理により説明することができる．

図 **2** は，このサイクルを用いて高温熱源から低温熱源へと移動する熱の一部を仕事として取り出すときの作動を P-V 線図上に示したものであり，サイクルは次の **4** 過程から成っている．

A → B：高温熱源から Q_1 の熱を受けるが，温度 T_1 は一定である．

B → C：熱の出入りはないが，仕事 W を行い温度が下がる．

C → D：低温熱源に Q_2 の熱を放出するが，温度 T_2 は一定である．

D → A：熱の出入りはないが，温度は上がる．

この中で，**A → B** は [11] 過程，**D → A** は [12] 過程である．

また，全ての熱サイクルにおいては高温熱源からの熱の全てを仕事に変換することは不可能であり，一部を低温熱源に捨てなければ作動せず，その効率は高温熱源と低温熱源との温度差が大きいほど高くなる．

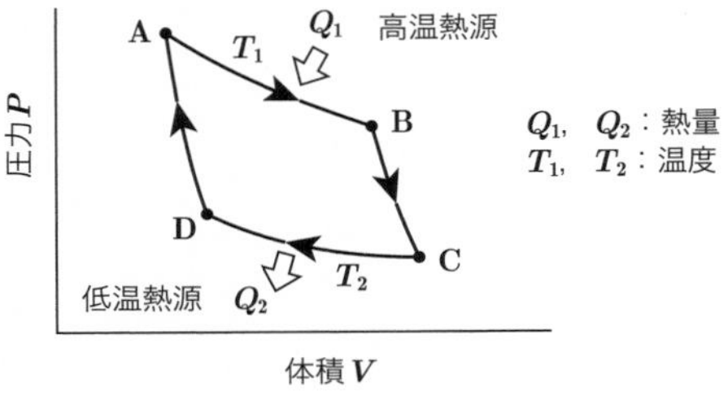

図2

〈10 ～ 12 の解答群〉

ア カルノー　**イ** コンバインド　**ウ** ランキン　**エ** 断熱圧縮

オ 断熱膨張　**カ** 等温圧縮　**キ** 等温膨張

2) ヒートポンプの原理と成績係数について

図**2**のサイクルは，逆サイクルに作動させることによって，仕事を加えることで低温熱源から熱を拾い高温熱源へと汲み上げることもできる．これがヒートポンプの原理である．ヒートポンプとして利用するときの熱源機器としての性能は成績係数（**COP**）と呼ばれる指標で示すことができ，高温熱源と低温熱源との温度差が小さいほど成績係数は高くなる．したがって，冬季に大気よりも高温な都市排熱や河川などの未利用エネルギーを低温熱源として利用して高温熱源まで熱を汲み上げると，高い成績係数を期待することができる．例えば，熱源として**15 °C**の河川水を利用して**45 °C**の温熱を得る場合の成績係数を試算すると，その理論値は **A** **ab.c** になる．ただし，**0 °C**は**273 K**とする．

3) 冷媒について

蒸気圧縮ヒートポンプの冷媒として用いられるフロンには，オゾン層破壊や地球温暖化などの環境上の課題がある．フロンの中でも 13 は，成層圏のオゾン層で太陽光によって分解されてオゾン層を破壊する力が大きいので，すでに全廃されてから**10**年以上が経過している．オゾン破壊係数が**0**であるいわゆる代替フロンといわれている 14 も，地球温暖化係数が大きいため，今後の使用の大幅削減に向けて取組み中であり，代替冷媒の普及が待たれる．

一方，一般の吸収冷凍機の冷媒は 15 であり，環境上の問題はない．しかし，成績係数については，蒸気圧縮式の消費電力を一次エネルギー換算して比較すると，一般に吸収式の方が低くなる．

〈 13 ～ 15 の解答群〉

ア **CFC**	**イ** **HFC**	**ウ** **HCFC**
エ アンモニア	**オ** 臭化リチウム	**カ** 水

解答・指導

問題1

⑴ 1―エ

⑵ 2―エ，3―ウ，4―イ

⑶ A―20 640，B―1 579，5―イ，6―イ，7―キ

⑷ 8―エ

⑸ 9―ア，10―エ

【指導】

⑴ 法第1条では，「この法律は，我が国で使用されるエネルギーの相当部分を化石燃料が占めていること，非化石エネルギーの利用の必要性が増大していることその他の**内外におけるエネルギーをめぐる経済的社会的環境**に応じたエネルギーの有効な利用の確保に資するため，工場等，輸送，建築物及び機械器具等についてのエネルギーの使用の合理化及び非化石エネルギーへの転換に関する所要の措置，電気の需要の最適化に関する所要の措置その他エネルギーの使用の合理化及び非化石エネルギーへの転換等を総合的に進めるために必要な措置等を講ずることとし，もつて国民経済の健全な発展に寄与することを目的とする.」と規定されている.

⑵ 1) 法第3条第1項では，「経済産業大臣は，工場又は事務所その他の事業場（以下「工場等」という.），輸送，建築物，機械器具等に係るエネルギーの使用の合理化及び非化石エネルギーへの転換並びに**電気の需要の最適化**を総合的に進める見地から，エネルギーの使用の合理化及び非化石エネルギーへの転換等に関する基本方針（以下「基本方針」という.）を定め，これを公表しなければならない.」と規定されている.

2) 法第3条第4項では，「経済産業大臣は，基本方針を定めようとするときは，あらかじめ，輸送に係る部分，建築物に係る部分（建築材料の品質の向上及び表示に係る部分並びに建築物の外壁，窓等を通しての熱の損失の防止の用に供される建築材料の熱の損失の防止のための性能の向上及び表示に係る部分を除く.）及び**自動車の性能**に係る部分については国土交通大臣に協議しなければならない.」と規定されている.

3) 基本方針では，工場等においてエネルギーを使用して事業を行う者が講ずべき措置として，以下の9項目の実施事項を挙げている.

①工場等に係るエネルギーの使用の実態，エネルギーの使用の合理化に関する取組等を把握すること．②工場等に係るエネルギーの使用の合理化の取組を示す方針を定め，当該取組の推進体制を整備すること．③エネルギー管理統括者及びエネルギー管理企画推進者を中心として，工場等全体の総合的なエネルギー管理を実施すること．④エネルギーを消費する設備の設置に当たっては，エネルギー消費効率が優れ，かつ，効率的な使用が可能となるものを導入すること．⑤エネルギー消費効率の向上及び効率的な使用の観点から，既設の設備の更新及び改善並びに当該既設設備に係るエネルギーの使用の制御等の用に供する付加設備の導入を図ること．⑥エネルギーを消費する設備の運転並びに保守及び点検その他の項目に関し，管理標準を設定し，これに準拠した管理を行うこと．⑦エネルギー管理統括者及びエネルギー管理企画推進者によるエネルギー管理者及びエネルギー管理員の適確かつ十分な活用その他工場等全体における総合的なエネルギー管理体制の充実を図ること．⑧工場等内で利用することが困難な余剰エネルギーを工場等外で有効利用する方策について検討し，これが可能な場合にはその実現を図ること．⑨他の工場等を設置している者と連携して工場等におけるエネルギーの使用の合理化を推進することができる場合には，共同で，その連携して行うエネルギーの使用の合理化のための措置に取り組むこと．

また，「エネルギーの供給の事業を行う者は，上記各項目の実施を通じエネルギーの転換における効率の向上を図るとともに，エネルギーの供給のための施設全体としてのエネルギー消費効率が需要の変動に応じて最良となるような効率的な施設の運用及び**エネルギーの輸送**における損失の低減を図るものとする．」としている．

(3) 法第2条，令第1条において，エネルギーの使用量は，使用した燃料の量，他人から供給された熱・電気の量が対象とされる．

この化学工場でのエネルギー使用量は，dとeの蒸気の凝縮水や冷却水の熱量は燃料から除外されるので，aとbとcの合算値となる．

また，本社事務所でのエネルギー使用量は，gは燃料から除外して，fとhのみとなる．

1) したがって，この工場での原油換算量は，0.025 8 kL/GJを考慮して，

$$(200\ 000 + 350\ 000 + 250\ 000) \times 0.025\ 8 = \mathbf{20\ 640}\ \mathrm{kL}$$

一方，本社事務所では，

$$(38\ 000 + 12\ 700 + 10\ 500) \times 0.025\ 8 \fallingdotseq \mathbf{1\ 579}\ \mathrm{kL}$$

となる．

2) 本社事務所は，原油換算量1 500 kL以上であるため**第二種エネルギー管理指定工場等に該当する**（法第13条，令第6条参照）．

解答
指導

3） 化学工場について，選任しなければならないエネルギー管理者の数は **2** 名である（令第 4 条参照）.

なお，エネルギー管理者の選任は，選任すべき事由が生じた日から **6 ヶ月**以内に行わなければならない（則第 17 条参照）.

⑷ 則第 37 条において，①については，「判断基準に定めるベンチマーク指標に基づき算出される値」と規定されているので不適切である（同条第八号参照）.

②，③については，適切である（同条第三号・第七号参照）.

④については，「エネルギーの使用に伴って発生する二酸化炭素の排出量」と規定（同条第九号参照）されているが，「フロンガスの排出量」の規定はないので不適切である.

⑸ 1） ①については，法第 17 条第 1 項において，「主務大臣は，特定事業者が設置している工場等におけるエネルギーの使用の合理化の状況が第 5 条第 1 項に規定する判断の基準となるべき事項に照らして著しく不十分であると認めるときは，当該特定事業者に対し，当該特定事業者のエネルギーを使用して行う事業に係る技術水準，同条第 3 項に規定する指針に従って講じた措置の状況その他の事情を勘案し，その判断の根拠を示して，エネルギーの使用の合理化に関する計画（以下「合理化計画」という.）を作成し，これを提出すべき旨の指示をすることができる.」と規定されているので不適切である.

また，②（同条第 2 項参照），③（同条第 3 項参照），④（同条第 5 項参照）は，すべて適切である.

2） 法第 17 条第 4 項では，「主務大臣は，前 3 項に規定する指示を受けた特定事業者がその指示に従わなかつたときは，**その旨を公表**することができる.」と規定されている.

問題2

⑴ 1 — ウ，2 — カ，A — 5.4×10^3

⑵ 3 — イ，4 — エ，5 — オ

⑶ 6 — ウ，7 — ク，8 — エ，9 — コ

【指導】

⑴ 仕事率ワット [W] は時間当たりのエネルギー [J/s] である．また，1 J は，1 N の力で 1 m 移動するのに必要なエネルギーなので，単位を [N·m] と表すことができる．力 F [N] の組立単位は，質量 m [kg]，加速度 α [m/s^2] および，ニュートンの第二法則（$F = m\alpha$）より，[(kg·m)/s^2] である．したがって，[W] は [(N·m)/s] → [((kg·m)/s^2)m/s] → **[kg·m^2/s^3]** と表すことができる.

一方，動力 P [W]（ワット）は，電圧 V [V]，電流 I [A]，時間 t [s] および，$Q = It$ [C] から,

以下で表される.

$$P = VI\,[\mathrm{W}] \rightarrow V = \frac{P}{I}\,[\mathrm{W/A}] \quad \text{または}\ [\mathrm{J/A{\cdot}s}]$$

$\therefore$ **[J/C]**

起電力 1.5 V 一定の乾電池が電流 1 000 mA を 1 時間（3 600 s）供給した場合，エネルギー W_d は以下で計算できる.

$$W_d = 1.5 \times 1\,000 \times 10^{-3} \times 3\,600 = \mathbf{5.4 \times 10^3}\ \mathrm{J}$$

⑵ エネルギー白書2021（第2部　エネルギー動向 第1章　国内エネルギー動向 第2節 部門別エネルギー消費の動向）によると，わが国の各部門別の最終エネルギー消費は，産業部門：5 969 × 10^{15} J（第三次産業除く），第三次産業：2 149 × 10^{15} J，運輸部門：3 004 × 10^{15} J および家庭部門：1 820 × 10^{15} J，全体：12 942 × 10^{15} J であった．よって，産業＋運輸部門で（5 969 + 3 004）/12 942 ≒ 0.693 3 となって，約 **70** % である．同白書（同部同章 第3節一次エネルギーの動向）において，2019 年度の石油（原油）の輸入先はサウジアラビア：約 34.1 %，**アラブ首長国連邦**：約 32.7 % が大きな割合を占めている．また，天然ガスでは**オーストラリア**（豪州）：約 39.2 %，マレーシア：約 13.0 %，カタール：約 11.2 % の順である.

⑶ 脱炭素技術の一つとして注目されているメタネーションは，回収した CO_2 に水素を反応させてメタン CH_4 と水 H_2O を作るものである．理論上，必要な水素分子（nH_2）のモル数 n は，以下の等式が成り立つ整数として求められる.

$$CO_2 + nH_2 \rightarrow CH_4 + 2H_2O$$

$\therefore\ n = \mathbf{4}$

水素のうち，水と再生可能エネルギー由来の水素を**グリーン**水素という．また，化石燃料由来の水素をグレー水素といい，化石燃料由来であっても，発生した二酸化炭素に **CCUS**（二酸化炭素回収・有効利用・貯留：Carbon dioxide Capture, Utilization and Storage）または，CCS（二酸化炭素回収・貯留：Carbon dioxide Capture and Storage）を適用する場合は**ブルー**水素と呼ばれる.

問題3 1―ウ，2―キ，3―カ，4―ウ，A―24，B―30，C―45，5―イ，D―2.2，6―イ，E―1.1，F―220，G―17，7―ウ，8―ア，H―4.8，9―ア，10―ウ，11―イ，12―ア

【指導】

⑴ 『基準部分』の「Ⅰ-1 全ての事業者が取り組むべき事項」では，エネルギーを使用して事業を行うすべての事業者が取り組むべき事項として，次の9項目が定められている．

①取組方針の策定，②**管理体制**の整備，③責任者等の配置等，④資金・人材の確保，⑤従業員への周知・教育，⑥取組方針の**遵守**状況の確認等，⑦取組方針の精査等，⑧**文書管理**による状況把握，⑨エネルギーの使用の合理化に資する取組に関する情報の開示

⑵ 物体に外部から熱を加えると，その物体の内部エネルギーは増加する．また，同様にその物体に仕事を与えてもその物体の内部エネルギーは増加する．

熱力学の第一法則では，閉じた系においては，系に外部から熱と仕事が加えられると，その総和は，**内部エネルギー**の増加分となることを示すものである．

⑶ プロパンの燃焼における化学反応式は，$C_3H_8 + 5O_2 \rightarrow 3CO_2 + 4H_2O$ となるので，プロパン1 mol燃焼させるのに必要な酸素は5 molであるから，1 $m^3{}_N$ のプロパンを完全燃焼させるための理論酸素量は，5 $m^3{}_N$ となる．

よって，プロパン1 $m^3{}_N$ 燃焼させるときの理論空気量 A_0 [$m^3{}_N$] は，

$$A_0 = 5 \times \frac{1}{0.21} \fallingdotseq 23.809\,5 \fallingdotseq \mathbf{24}\ \mathrm{m^3{}_N}$$

となる．

⑷ **第1図**に示す炉壁において，放散熱量 Q [W/m²] は，炉壁内外の温度差 $\theta_1 - \theta_2$ [°C] に比例し，炉壁材の厚さ d [m] に反比例する．

$$Q = \lambda \frac{\theta_1 - \theta_2}{d}\ [\mathrm{W/m^2}]$$

ここで，λ は炉壁材の熱伝導率である．

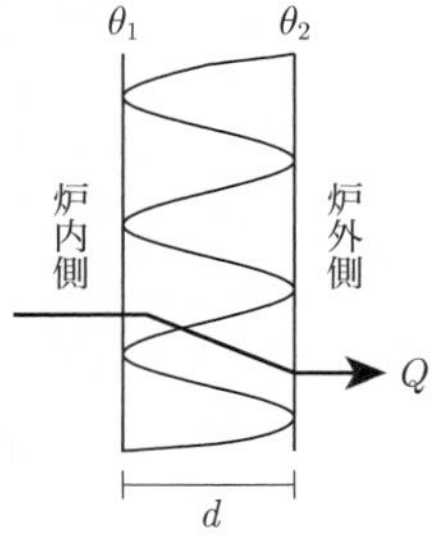

第1図

この式から d について求め，題意の数値を代入すると，

$$d=\lambda\frac{\theta_1-\theta_2}{Q}=0.25\times\frac{800-80}{600}=0.3\,\mathrm{m}=\mathbf{30}\,\mathrm{cm}$$

となる.

(5) ステファン・ボルツマンの法則より，物体からの放射エネルギー E [W/m^2] は，物体の絶対温度を T [K]，放射率を ε，ステファン・ボルツマン定数を σ [W/(m^2·K^4)] とすると，次式で表される.

$$E=\varepsilon\sigma T^4\ [\mathrm{W/m^2}]$$

上式に数値を代入して，

$$E=0.8\times5.67\times10^{-8}\times(1\,000)^4=45\,360\ \mathrm{W/m^2}\fallingdotseq\mathbf{45}\ \mathrm{kW/m^2}$$

となる.

(6) 高温の加熱炉の炉内側の炉壁材（耐火材）としては，一般的に，「**耐火れんが**」が使用され，その外側に断熱材として「耐火断熱れんが」，さらにその外側に保温材として「ファイバ系断熱材等」で構成され，全体として断熱性を高めている.

(7) 求める湿り蒸気の比エンタルピー h [kJ/kg] は，飽和水保有の比エンタルピーと乾き蒸気保有の比エンタルピーの和であるから，乾き度を考慮して，

$$h=420\times(1-0.8)+2\,670\times0.8=2\,220\fallingdotseq\mathbf{2.2}\times10^3\ \mathrm{kJ/kg}$$

となる.

(8) 加熱等を行う設備の新設・更新に当たっての措置の一つとして『基準部分（工場）』では，「ボイラー，冷凍機，ヒートポンプ等の熱利用設備を設置する場合には，**小型化し分散配置**すること又は蓄熱設備を設けることによりエネルギーの使用の合理化が図れるときは，その方法を採用すること.」を求めている.

(9) 吸収式冷凍機の一次エネルギー入力を Q [kW]，電動チラーの一次エネルギー入力を P [kW] として，負荷が等しいので，次式が成立する.

$$Q\times1.1=P\times0.37\times3.4$$

$$\therefore\ \frac{Q}{P}=\frac{0.37\times3.4}{1.1}\fallingdotseq1.14\fallingdotseq\mathbf{1.1}\text{ 倍}$$

(10) この火力発電所の熱収支は，発生電力量を W [MW·h] として，

$$40\ \mathrm{MJ/L}\times50\ \mathrm{kL}\times0.396\ \mathrm{GJ}=W\,[\mathrm{MW\cdot h}]\times3\,600\ \mathrm{s/h}\ [\mathrm{MJ}]$$

$$792\times10^3\ \mathrm{MJ}=W\times3\,600\ \mathrm{MJ}$$

$$W=\frac{792\times10^3}{3\,600}=\mathbf{220}\,\mathrm{MW\cdot h}$$

となる．

⑾　この負荷の線間電圧を V [V]，線電流を I [A]，力率を $\cos\theta$ とすると，負荷電力は P [W] は次式で表される．

$$P=\sqrt{3}\times V\times I\times\cos\theta=\sqrt{3}\times 200\times 60\times 0.8=16\,608\ \mathrm{W}\fallingdotseq\mathbf{17}\ \mathrm{kW}$$

となる．

⑿『基準部分（工場）』では，「受変電設備の配置の適正化及び配電方式の変更による**配電線路の短縮**，配電電圧の適正化等について管理標準を設定し，配電損失を低減すること．」を求めている．

⒀　1)　最大需要電力を低減するために，一般に**デマンド監視制御**装置が用いられる．

2)　求める平均電力を P [kW] とすれば，次式が成立する．

$$6\,000\ \mathrm{kW}\times\frac{1}{2}\ \mathrm{h}=2\,200\ \mathrm{kW\cdot h}+P\,[\mathrm{kW}]\times\frac{1}{6}\ \mathrm{h}$$

$$\therefore\quad P=4\ 800\ \mathrm{kW}=\mathbf{4.8}\times 10^3\ \mathrm{kW}$$

⒁　回転速度 n [min^{-1}] のときの回転角速度 ω [rad/s] は，$\omega=\dfrac{2\pi n}{60}$ [rad/s] であるから，電動機の軸動力が P [W] であるとき，発生トルク T [N·m] は，

$$T=\frac{P}{\omega}=\boldsymbol{\frac{60P}{2\pi n}}\,[\mathrm{N\cdot m}]$$

となる．

⒂『基準部分（工場）』では，「電動力応用設備については，電動機の空転による電気の損失を低減するよう，始動電力量との関係を勘案して管理標準を設定し，**不要時の停止**を行うこと．」を求めている．

⒃『基準部分（工場）』では，「電気加熱設備及び電解設備は，配線の接続部分，開閉器の接触部分等における**抵抗損失**を低減するように保守及び点検に関する管理標準を設定し，これに基づき定期的に保守及び点検を行うこと．」を求めている．

⒄　室内の照明設備において，「作業を行う領域には所要の照度を与え，その他の領域には，これより低い照度を与える照明方式」を**タスク・アンビエント**照明という．

タスク・アンビエント照明は，タスク（視対象物）とアンビエント（天井・壁・床など作業者の周辺）を適宜な照度とすることで，安全性や快適性を確保しつつ，省エネルギー化を図る照明方式である．

問題4 (1) 1―イ，2―オ，3―ウ，4―エ

(2) 5―ア，6―エ，7―オ，8―イ，9―オ，10―ア，11―カ，12―オ，13―ウ

【指導】

(1) 1) 問題図1において，角周波数ω [rad/s]，コンデンサC [F]，可変抵抗R [Ω]の直列合成インピーダンス$\dot{Z}$は，以下で表される．

$$\dot{Z}=R+\frac{1}{\mathrm{j}\omega C}\rightarrow Z=\left|\dot{Z}\right|=\sqrt{\boldsymbol{R^2+\frac{1}{(\omega C)^2}}}\,[\Omega] \qquad ①$$

電流Iは，以下で表される．ただし，交流電源電圧の大きさをV [V]とする．

$$I=\frac{V}{Z}=\frac{V}{\sqrt{R^2+\frac{1}{(\omega C)^2}}}\,[\mathrm{A}]$$

Rで消費される電力Pは，以下で表される．

$$P=I^2R=\frac{V^2}{R^2+\frac{1}{(\omega C)^2}}R=\frac{V^2}{R+\frac{1}{(\omega C)^2R}}\cdot\frac{(\omega C)^2}{(\omega C)^2}=\frac{(\omega C)^2V^2}{\boldsymbol{\frac{1}{R}+(\omega C)^2R}}\,[\mathrm{W}] \qquad ②$$

2) i) ②式の最大値$P_{\max}$を求めるには，②式の分母が最小値となればよい．したがって，②式の分母をRで微分して0とするRを求めればよい．

$$\frac{\mathrm{d}}{\mathrm{d}R}\left\{\frac{1}{R}+(\omega C)^2R\right\}=\boldsymbol{-\frac{1}{R^2}+(\omega C)^2}=0 \qquad ③$$

$$\therefore\quad R=\frac{1}{\omega C}\,[\Omega]$$

ii) $P_{\max}$は，②式に上式の条件を代入して求めることができる．

$$P_{\max}=\frac{(\omega C)^2V^2}{\omega C+(\omega C)^2(1/\omega C)}=\frac{(\omega C)^2V^2}{2\omega C}=\boldsymbol{\frac{\omega C}{2}V^2}\,[\mathrm{W}] \qquad ④$$

(2) 1) i) 問題図2の線電流$\dot{I}_{a1}$は以下で表される．ただし，対称三相交流電源のa相電圧を$\dot{E}_a$ [V]，負荷インピーダンスを$\dot{Z}_0=Z_0\angle\varphi$ [Ω]とする．

$$\dot{I}_{a1}=\boldsymbol{\frac{\dot{E}_a}{\dot{Z}_0}}\,[\mathrm{A}] \qquad ⑤$$

また，

$$\dot{I}_{a1} = \frac{E_a}{Z_0 \angle \varphi} = \frac{E_a}{Z_0} \angle -\varphi = I_{a1} \angle -\varphi = I_{a1}(\cos\varphi - \mathrm{j}\sin\varphi)$$

また，題意より，問題図2中の各相電圧の大きさは等しく（$E_a = E_b = E_c$），また各線電流の大きさが等しい（$I_{a1} = I_{b1} = I_{c1}$）．したがって，負荷1の有効電力 P_{L1}，無効電力 Q_{L1} は以下で表される．

$$P_{L1} = \boldsymbol{3E_a I_{a1} \cos\varphi} \ [\mathrm{W}] \qquad ⑥$$

$$Q_{L1} = \boldsymbol{3E_a I_{a1} \sin\varphi} \ [\mathrm{var}] \qquad ⑦$$

ii) 負荷2を考えた場合，電圧 $\dot{E}_{ab}$ が抵抗 R に加わっているので，電流 $\dot{I}_{a2}$ は以下で表される．

$$\dot{I}_{a2} = \boldsymbol{\frac{\dot{E}_{ab}}{R}} \ [\mathrm{A}] \qquad ⑧$$

iii）三相全体の有効電力 P_3 は負荷1の P_{L1} と負荷2の有効電力の和であり，無効電力 Q_3 は負荷1の Q_{L1} であり，以下で表される．ただし，$E_{ab} = \sqrt{3}E_a$ である．

$$P_3 = P_{L1} + RI_{a2}{}^2 = P_{L1} + R\left(\frac{E_{ab}}{R}\right)^2 = P_{L1} + \frac{E_{ab}{}^2}{R} = \boldsymbol{P_{L1} + \frac{3E_a{}^2}{R}} \ [\mathrm{W}] \qquad ⑨$$

$$Q_3 = Q_{L1} \ [\mathrm{var}] \qquad ⑩$$

2)　i）問題図3において，b相c相間のインピーダンスと，c相a相間のインピーダンスを $\dot{Z}_1$，a相b相間のインピーダンスを $\dot{Z}_2$ とする．$\dot{Z}_1$ は，問題図2のY回路の $\dot{Z}_0$ をY-△変換した△回路のインピーダンスすなわち，$3\dot{Z}_0$ であり，$\dot{Z}_2$ は，$\dot{Z}_1$ と R の並列合成インピーダンスであり，以下で表される．

$$\dot{Z}_1 = \boldsymbol{3\dot{Z}_0} \ [\Omega] \qquad ⑪$$

$$\dot{Z}_2 = \boldsymbol{\frac{\dot{Z}_1 R}{\dot{Z}_1 + R}} \ [\Omega] \qquad ⑫$$

ii）問題図3のa相b相間の線間電圧 $\dot{E}_{ab}$ [V] および $\dot{Z}_2$ より，$\dot{I}_{ab} = \dot{E}_{ab}/\dot{Z}_2$ である．またc相a相間の線間電圧 $\dot{E}_{ca}$ [V] および $\dot{Z}_1$ より，$\dot{I}_{ca} = \dot{E}_{ca}/\dot{Z}_1$ である．したがって，$\dot{I}_a{}'$ は，以下で表される．

$$\dot{I}_a{}' = \dot{I}_{ab} - \dot{I}_{ca} = \boldsymbol{\frac{\dot{E}_{ab}}{\dot{Z}_2} - \frac{\dot{E}_{ca}}{\dot{Z}_1}} \ [\mathrm{A}] \qquad ⑬$$

題意より，対称三相の線間電圧と相電圧の関係は以下で表される．ただし，相順をa-b-cとする．

$$\dot{E}_b = \left(-\frac{1}{2} - \mathrm{j}\frac{\sqrt{3}}{2}\right)\dot{E}_a \ , \ \dot{E}_c = \left(-\frac{1}{2} + \mathrm{j}\frac{\sqrt{3}}{2}\right)\dot{E}_a$$

$$\dot{E}_{ab} = \dot{E}_a - \dot{E}_b = \dot{E}_a - \left(-\frac{1}{2} - j\frac{\sqrt{3}}{2}\right)\dot{E}_a = \left(\frac{3}{2} + j\frac{\sqrt{3}}{2}\right)\dot{E}_a$$

$$\dot{E}_{ca} = \dot{E}_c - \dot{E}_a = \left(-\frac{1}{2} + j\frac{\sqrt{3}}{2}\right)\dot{E}_a - \dot{E}_a = \left(-\frac{3}{2} + j\frac{\sqrt{3}}{2}\right)\dot{E}_a$$

$$\dot{E}_{ab} - \dot{E}_{ca} = \left(\frac{3}{2} + j\frac{\sqrt{3}}{2}\right)\dot{E}_a - \left(-\frac{3}{2} + j\frac{\sqrt{3}}{2}\right)\dot{E}_a = \mathbf{3\dot{E}_a} \qquad ⑭$$

問題5

(1) 1―ウ，2―ウ，3―イ，4―ウ，5―エ

(2) 6―ウ，7―ア

(3) 8―イ，9―イ，10―ア

(4) 11―ウ，12―ア，13―オ，14―エ

【指導】

(1) 1) 図１はフィードバック制御例を挙げており，題意のブロック１は**制御器**であることがわかる（**第１図**）.

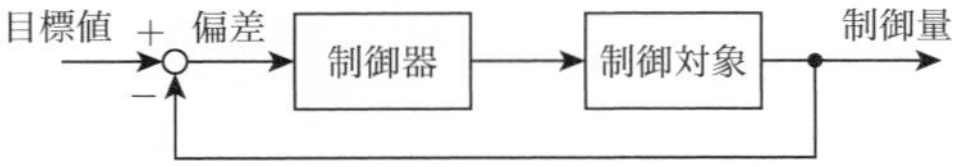

第１図 フィードバック制御例

2) 制御対象の伝達関数の安定判別を行う．安定判別にはラウス・フルビッツ安定判別法があるが，ここではフルビッツの安定判別法で安定判別を行う．

・フルビッツの安定判別法

(i) 特性方程式を導く．

(ii) 安定条件により安定判別を行う．

① 特性方程式の係数がすべて存在しすべて同符号である．

② フルビッツ行列式がすべて正である．

上記をもとに制御対象のフルビッツの安定判別を行う．

① 特性方程式は，$s - 3 = 0$ である．

② フルビッツ行列式は**第２図**のようになる．

第２図より，フルビッツ行列式に負が存在するため，**不安定**となる．

$$
\begin{array}{ccc}
-3 & 0 & 0 \\
1 & 0 & 0 \\
0 & -3 & 0 \\
0 & 1 & 0
\end{array}
$$

$\left| -3 \right| > 0$　　行列式が成立しない

第2図　フルビッツ行列式

3)　題意の図に式を代入したものを**第3図**に示す．第3図において，点線の部分について式を立てる．

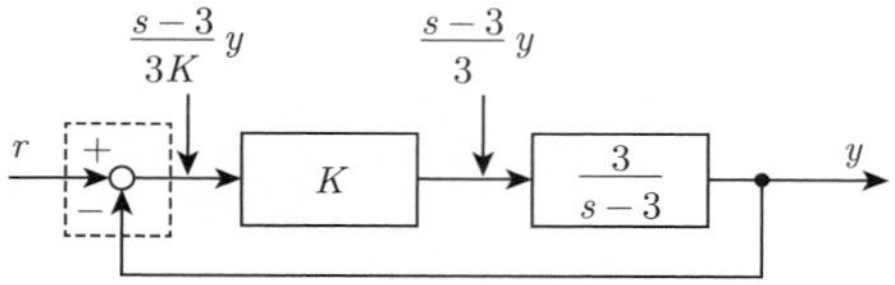

第3図　伝達関数算出

$$r - y = \frac{s-3}{3K}y$$

$$3Kr = (s-3)y + 3Ky$$

$$3Kr = (s + 3K - 3)y$$

$\therefore$　閉ループ伝達関数 $\dfrac{y}{r} = \dfrac{\boldsymbol{3K}}{\boldsymbol{s+3K-3}}$　　①

4)　①式の特性方程式は以下のとおりである．

特性方程式 $s + 3K - 3 = 0$

上記の特性方程式において安定にするためには，係数がすべて存在し，すべて同符号でなければならない．したがって，以下の方程式が成立しなければならない．

$$3K - 3 > 0$$

$\therefore$　$\boldsymbol{K > 1}$

5)　①式の伝達関数は次のように置き換えられる．

$$y(s) = \frac{3K}{s+3K-3} \times r(s) \qquad ②$$

②式に目標値 $r(s) = \dfrac{1}{s}$ を代入する．

$$y(s)=\frac{3K}{s+3K-3}\times\frac{1}{s}$$

制御量 $y(t)$ の定常値 $\lim_{t\to\infty} y(t)$ は,

$$\lim_{t\to\infty} y(t)=\lim_{s\to 0} sy(s)=\lim_{s\to 0} s\times\frac{3K}{s+3K-3}\times\frac{1}{s}=\frac{3K}{3K-3}=\boldsymbol{\frac{K}{K-1}}$$

となる.

(2) 二次遅れ系 $P(\mathrm{j}\omega)$ は,以下のようになる.

$$P_{(\mathrm{j}\omega)}=\frac{10}{(\mathrm{j}\omega+1)(\mathrm{j}\omega+10)}=\frac{10}{10+\mathrm{j}\omega(11-\omega)}=\frac{1}{1+\mathrm{j}\,\dfrac{\omega(11-\omega)}{10}}$$

$$\left|P_{(\mathrm{j}\omega)}\right|=\frac{1}{\sqrt{1+\left\{\dfrac{\omega(11-\omega)}{10}\right\}^2}}$$

ゲイン g [dB] は,

$$g=20\log_{10}\left|P_{(\mathrm{j}\omega)}\right|=20\log_{10}1-20\log_{10}\sqrt{1+\left\{\frac{\omega(11-\omega)}{10}\right\}^2}$$

$$\therefore\quad g=-20\log_{10}\sqrt{1+\left\{\frac{\omega(11-\omega)}{10}\right\}^2} \qquad ③$$

直流ゲインは,周波数 $=0$($\omega=0$)であるから,

$$g=-20\log_{10}\left|1\right|=0\,\mathrm{dB}=\mathbf{0}\ \mathrm{dB}$$

高周波帯域 $\omega\gg 1$ と置くと③式は,

$$g\fallingdotseq -20\log_{10}\sqrt{\omega^4}=-20\log_{10}\omega^2$$

$$g=-\,40\log_{10}\omega\ [\mathrm{dB}]$$

となる.

したがって,高周波帯域では,**−40** dB/dec の傾きになる.

(3) 1) IP アドレスとは**ネットワークに繋がる機器や装置に割り当てられる論理的な**アドレスであり,データを送受信する際に相手を識別する手段として使用される.

大きくグローバル IP とプライベート IP がある.グローバル IP は全世界で一つ割り振られる IP アドレスで,プライベート IP は会社などの特定のネットワーク範囲で用いられる IP アドレスである.

2)　IP アドレスは，通常用いられる IP_{V4} の形式では **192.168.0.1 のように表現される 32 ビット**の整数である．

ちなみに IPV6 では，IP アドレスを 128 ビットで表現している．

3)　IP アドレスの指定方法には，システム設計時に固定アドレスとして設定する方法と，**DHCP** プロトコルを用いてネットワーク接続時に指定された範囲内で動的に割り当てる方法がある．

(4)　1)　2 の補数は以下の手順で求められる．

(i)　マイナスを取り除いた 10 進数を 2 進数にする．

(ii)　2 進数を反転する（0 → 1 へ，1 → 0 へ）．

(iii)　反転した 2 進数に 1 を加算する．

上記の手順に従って 10 進数の－3 に対して 2 の補数を導くと，

(i)　10 進数の 3 を 8 ビット 2 進数で表すと，$(0000\ 0011)_2$　　④

(ii)　④値を反転すると，$(1111\ 1100)_2$　　⑤

(iii)　⑤値に 1 を加算すると，$\mathbf{(1111\ 1101)_2}$ となる．

2)　1 文字を 7 ビットで表現しアルファベットや数字，記号や制御コードを示すものが **ASCII** である．JIS では日本語を表現するために，初期にはこれを 1 文字 1 バイトに拡張して**カタカナ**などを追加し，その後 1 文字 2 バイトにするなどの拡張が行われている．

また，世界各国のすべての文字を統一的に扱い，現在広く使われているコードが **Unicode**（ユニコード）である．

Unicode とは，文字コードの国際的な業界標準の一つで，世界中のさまざまな言語の文字を収録して通し番号を割り当て，同じコード体系のもとで使用できるようにしたものである．

問題6

(1)　1 ― ウ，2 ― エ，3 ― ア，4 ― イ，5 ― ウ，6 ― エ

(2)　7 ― イ，8 ― カ，9 ― ウ，10 ― エ

【指導】

(1)　1)　i)　インピーダンス $\dot{Z} = R + \mathrm{j}X$ において，虚数部は，**リアクタンス**と呼ばれる．

ii)　ブリッジの平衡条件は，$\dot{Z}_1\dot{Z}_3 = \dot{Z}_2\dot{Z}_4$ となるが，具体的計算においては，左辺と右辺の実数部分と虚数部分のそれぞれが等しいときである．したがって，選択肢の①の記述が正しい．

iii)　$\dot{Z}_1\dot{Z}_3 = \dot{Z}_2\dot{Z}_4$ より，

$$\frac{1}{\dfrac{1}{R_1}+\mathrm{j}\omega C_1}\times\dot{Z}_3=R_2R_4$$

$$\therefore\quad \dot{Z}_3=R_2R_4\left(\frac{1}{R_1}+\mathrm{j}\omega C_1\right)=\boldsymbol{\frac{R_2R_4}{R_1}+\mathrm{j}\omega C_1R_2R_4}$$

2)　i）題意の図 2 の回路は，**変成器**ブリッジと呼ばれている．

ii）このブリッジの平衡条件，$\dot{I}_1=\dot{I}_2$ より，$\dfrac{\dot{E}_1}{\dot{Z}_1}=\dfrac{\dot{E}_2}{\dot{Z}_2}$ となり，一方，$\dfrac{\dot{E}_1}{\dot{E}_2}=\dfrac{n_1}{n_2}$ が成立するので，

$$\therefore\quad \boldsymbol{\frac{\dot{E}_1}{\dot{E}_2}=\frac{n_1}{n_2}=\frac{\dot{Z}_1}{\dot{Z}_2}}$$

の関係が成立する．

また，$\dot{E}_1$ と $\dot{E}_2$ が同位相であるので，$\dot{Z}_1$ と $\dot{Z}_2$ の比は**正の実数**となる．

(2)　1）材質の異なる 2 本の金属線の両端をそれぞれ接続し，その二つの接点を異なる温度に保つと**ゼーベック**効果によりこの閉回路に電流が生じる．この電流を生じさせる電圧を熱起電力といい，この熱起電力の大きさは，両接点の**温度差のみ**によって決まる（**第 1 図**参照）．

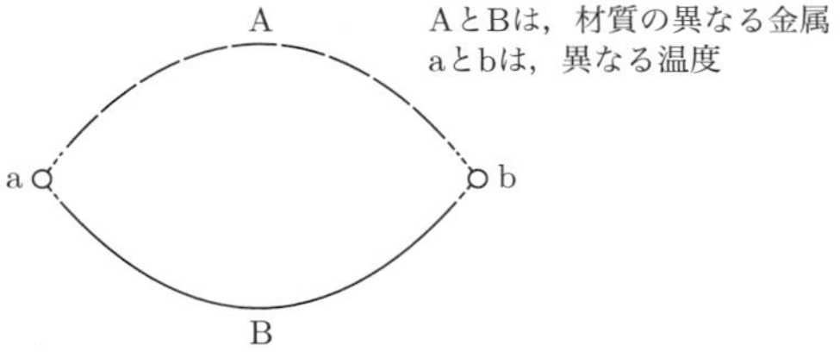

第 1 図　ゼーベック効果

2)　一般に熱電対による温度測定装置は，熱電対，**補償導線**（熱電対とほぼ同等の熱起電力特性の金属を使用した導線），温度変換器から構成される（**第 2 図**参照）．

また，温度変換器は，測定した熱起電力と基準接点の温度から測定点の温度を得るためのものであり，その演算には，通常 JIS C 1602 で定められた**規準熱起電力**を用いる．

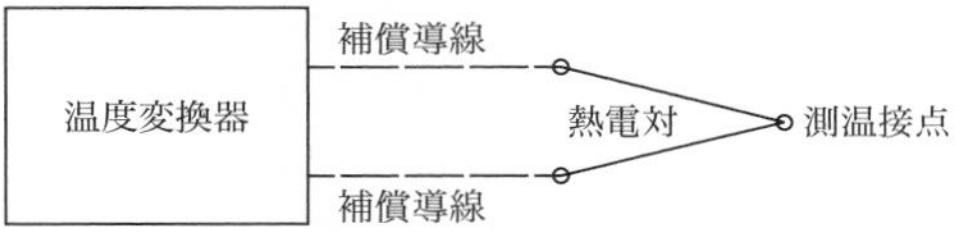

第 2 図　熱電対の構成

問題7

(1)　1—ア，2—オ，3—カ，4—ア

(2)　5—オ，6—イ，7—ウ

(3)　A — 6.93，B — 872，C — 65，D — 118，E — 6.88

【指導】

(1)　1)　工場配電における保護リレーシステムは，短絡または地絡事故などを検出して，**事故部位を健全系統から切り離す**ことによって，事故の波及範囲を最小限に抑えることを主な目的とする．

2)　保護リレーシステムは，主回路の電圧または電流といった信号を検出する要素の**計器用変成器**，入力信号から事故を判断して信号を出す要素の保護リレー，事故の信号を受けて，故障系統を切り離す要素の**遮断器**から構成される．

なお，従来の保護リレーは電磁誘導または金属の温度による膨張などを利用した機械的接点によるアナログ形リレーであった．近年では，温度などによる特性の変化に強い，高速度の検出が容易，さまざまな特性が実現可能，振動や衝撃に強い，自己チェックが可能といった特徴を有する**ディジタル**形リレーが主流となっている．

(2)　配電線の電圧降下低減策として，以下の二つが考えられる．

①　配電用変圧器を負荷中心点近くに配置

変圧器二次側の低電圧，大電流の配電区間を少なくすることにより，線路全体の電圧降下を低減できる．また，電圧降下だけでなく，配電線に流れる電流を少なくすることができるため線路全体の**電力損失**も低減できる．

②　系統インピーダンスの低減

配電線路の太線化，配電線路の長さ（こう長）の**短縮**，短絡インピーダンスの低い変圧器の採用などがある．ただし，短絡インピーダンスの低い変圧器を採用することにより，**短絡電流**が増加して遮断器の遮断不能，配電線や変圧器の焼損などの問題を考慮する必要がある．短絡電流の増加に対しては限流リアクトルの採用や，系統分離などの対策がある．

(3)　1)　問題図1において，平衡三相負荷の有効電力 P_1，および無効電力 Q_1 は，題意より以下で計算できる．ただし，受電端電圧 $V_r = 6.6$ kV，負荷電流 $I = 150$ A，力率 $\cos\varphi = 0.8$ 遅れ（80 %），$\sin\varphi = \sqrt{1-0.8^2} = 0.6$ とする．

$$P_1 = \sqrt{3}V_r I\cos\varphi = \sqrt{3}\times 6.6\times 150\times 0.8 \fallingdotseq 1\,371.8\ \text{kW} \quad ①$$

$$Q_1 = \sqrt{3}V_r I\sin\varphi = \sqrt{3}\times 6.6\times 150\times 0.6 \fallingdotseq 1\,028.8\ \text{kvar} \quad ②$$

スイッチSを開いた状態で，高圧配電線に流れる線路電流 I_1 は題意より，$I_1 = I = 150$ A である．よって，配電線路の電圧降下 ΔV_1 は以下で計算できる．

$$\Delta V_1 = \sqrt{3} I_1 (R\cos\varphi + X\sin\varphi) = \sqrt{3}\times 150\times(0.7\times 0.8 + 1.2\times 0.6)$$
$$\fallingdotseq 332.55\ \text{V} \quad ③$$

ただし，線路1線当たりの抵抗 $R = 0.7\ \Omega$，リアクタンス $X = 1.2\ \Omega$ とする．

③式より，V_r を 6.6 kV に維持するため必要となる変電所送り出し電圧 V_{s1} は以下で求められる．

$$V_{s1} = V_r + \Delta V_1 = 6\,600 + 332.55 \fallingdotseq 6\,932.6 \fallingdotseq \mathbf{6.93}\ \text{kV} \quad ④$$

2）スイッチSを閉じて，500 kW，力率1.0（100 %）の太陽光発電設備を連系したとき，受電点の有効電力 P_2，無効電力 Q_2 および力率 $\cos\varphi_2$ は以下で求められる．

$$P_2 = P_1 - 500 = 1\,371.8 - 500 = 871.8 \fallingdotseq \mathbf{872}\ \text{kW} \quad ⑤$$

$$Q_2 = Q_1 = 1\,028.8\ \text{kvar} \quad ⑥$$

$$\cos\varphi_2 = \frac{P_2}{\sqrt{{P_2}^2 + {Q_2}^2}} = \frac{871.8}{\sqrt{871.8^2 + 1\,028.8^2}} \fallingdotseq 0.646\,50 \fallingdotseq \mathbf{65}\ \% \quad ⑦$$

題意より，変電所からの線路電流 I_2 は以下で求められる．

$$I_2 = \frac{P_2}{\sqrt{3} V_r \cos\varphi_2} = \frac{871.8}{\sqrt{3}\times 6.6\times 0.646\,50} \fallingdotseq 117.96 \fallingdotseq \mathbf{118}\ \text{A} \quad ⑧$$

配電線路の電圧降下 ΔV_2 は以下で計算できる．

$$\Delta V_2 = \sqrt{3} I_2 (R\cos\varphi_2 + X\sin\varphi_2) = \sqrt{3}\times 117.96\times(0.7\times 0.646\,50$$
$$+ 1.2\times\sqrt{1 - 0.646\,50^2}) \fallingdotseq 279.51\ \text{V} \quad ⑨$$

V_r を 6.6 kV に維持するため必要となる変電所送り出し電圧 V_{s2} は，以下で求められる．

$$V_{s2} = V_r + \Delta V_2 = 6\,600 + 279.51 \fallingdotseq 6\,879.5 \fallingdotseq \mathbf{6.88}\ \text{kV} \quad ⑩$$

問題8

(1) 1—ス，2—キ，3—カ，4—サ，5—イ

(2) 6—ク，7—カ，8—イ

(3) A—46.7，B—1 778

(4) C—2 000，D—1 191，E—86，F—533

【指導】

(1) 工場に多く用いられる電動機などは，誘導性負荷であるため電圧に対して電流の位相が遅れて**無効電流**が生じ，これにより力率が低下する．また，配電損失も増加するため，力率の改善が必要である．

力率改善には進相コンデンサが用いられる．進相コンデンサには，開放時の残留電荷を放電させる**放電抵抗**などが設置される．また，コンデンサ投入時における突入電流の抑制のた

め，通常は**直列リアクトル**を設置する．これと進相コンデンサの組合せがフィルタとなり，回路電圧の**波形ひずみ**も抑制できる．**直列リアクトル**のインピーダンスは，一般的にコンデンサのインピーダンスの**6** ％または13 ％の値が用いられる．

直列リアクトル容量6 ％は，第5調波以上の高調波に対して，回路のリアクタンスを誘導性にして高調波を抑制している．また，直列リアクトル容量13 ％については，第3調波以上の高調波に対して，高調波を抑制するため設置されている．

⑵ 配電線路に接続される機器で発生する高調波は，接続されているほかの機器に障害を引き起こすことがある．このため，高調波を発生する機器にはその抑制対策が，影響を受ける機器には高調波に対する耐力の向上が必要である．

高調波の発生原因となる機器としては，次の①から③などが挙げられる．

① 鉄心を有し**非線形磁化**特性をもつ変圧器，回転機などの機器

② 整流装置やインバータなどに使用される**半導体電力変換器**

③ アーク炉（アーク電流）

「高圧又は特別高圧で受電する需要家の高調波抑制ガイドライン」では，6.6 kV以上で受電する需要家に対し，高調波流出電流の上限値が契約電力に応じて規定されている．この規定は，高調波環境目標レベルとして，高圧配電系統では総合電圧ひずみ**5** ％を維持するように定めたものである．

ちなみに，特別高圧系統では総合電圧ひずみは3 ％を維持するように定められている．

⑶ 蓄熱システム導入前の日負荷曲線を**第1図**に示す．

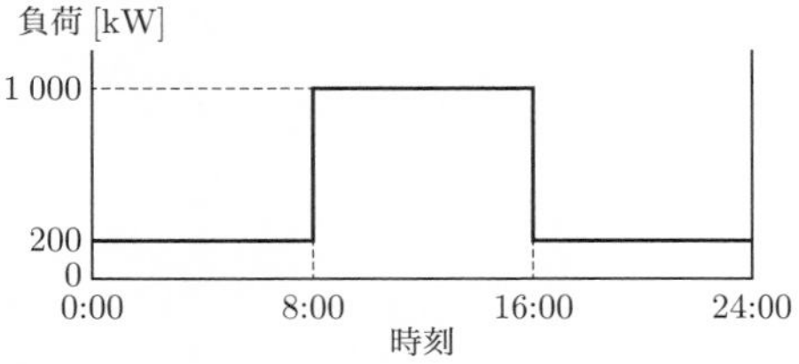

第1図 蓄熱システム導入前の日負荷曲線

第1図より，平均需要電力を P_a [kW]，最大需要電力 P_m [kW] とすると，日負荷率 α [%] は次のようになる．

$$\alpha = \frac{P_a}{P_m} = \frac{\dfrac{200\times 8 + 1\,000\times 8 + 200\times 8}{24}}{1\,000} = \frac{466.667}{1\,000} = 0.466\,667 \fallingdotseq \mathbf{46.7}\ \%$$

蓄熱システム導入後の日負荷曲線を**第 2 図**に示す．

第 1 図と第 2 図の総消費電力量に変化がないから，蓄熱システム導入前後の平均需要電力 P_a [kW] は同じである．

したがって，負荷率 60 % 時の最高需要電力 P_m' [kW] は，

$$60\,\% = \frac{P_a}{P_m'} = \frac{466.667}{P_m'}$$

$$\therefore\quad P_m' = 777.778\ 33\ \text{kW}$$

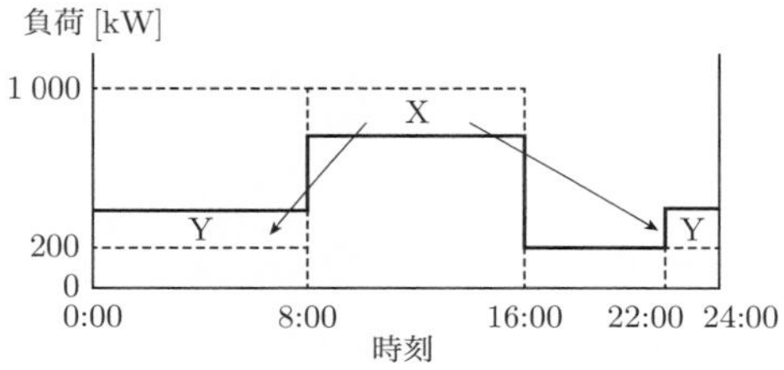

第 2 図　蓄熱システム導入後の日負荷曲線

したがって，第 2 図より移行電力量 X は，

$$X = (1\ 000 - P_m') \times 8 = (1\ 000 - 777.778\ 33) \times 8 = 1\ 777.773$$

$$\fallingdotseq \mathbf{1\ 778}\ \text{kW·h}$$

(4) 題意の図に表の数値などを代入すると**第 3 図**のようになる．

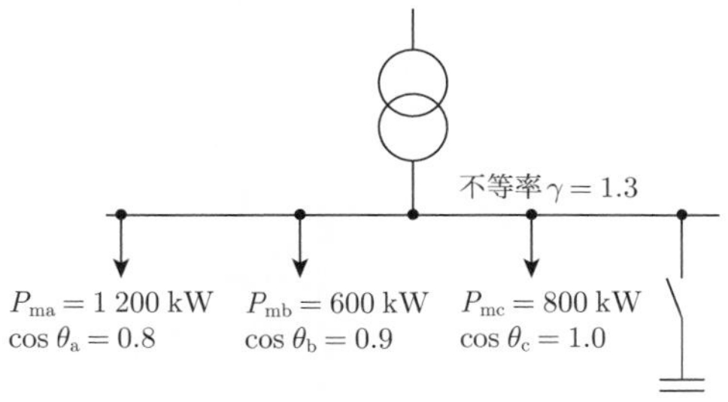

第 3 図　6.6 kV 三相 3 線式高圧配電線路

1) 第 3 図より，不等率γは，

$$\gamma = \frac{\text{個々の最大需要電力の和}\ (P_{ma} + P_{mb} + P_{mc})}{\text{合成最大需要電力}\ (P_{mo})}$$

と表される．上式に題意の数値を代入し合成最大需要電力 P_{mo} [kW] を求める．

$$1.3 = \frac{1\,200 + 600 + 800}{P_{mo}}$$

$\therefore\quad P_{mo} = \mathbf{2\ 000}$ kW

2)　合成最大需要電力時の負荷3の電力 P_3 [kW] は，

$$P_3 = 2\ 000 - 1\ 200 - 600 = 200\ \text{kW}$$

各負荷の無効電力は次のようになる．

$$Q_1 = \frac{1\,200}{0.8} \times \sqrt{1^2 - 0.8^2} = 900\ \text{kvar}$$

$$Q_2 = \frac{600}{0.9} \times \sqrt{1^2 - 0.9^2} = 290.593\ \text{kvar}$$

$$Q_3 = \frac{200}{1} \times \sqrt{1^2 - 1^2} = 0\ \text{kvar}$$

よって，全体の無効電力 Q [kvar] は，

$$Q_1 + Q_2 + Q_3 = 900 + 290.593 + 0 = 1\ 190.593\ \text{kvar} \fallingdotseq \mathbf{1\ 191}\ \text{kvar}$$

したがって，総合力率 $\cos\theta$ は，

$$\cos\theta = \frac{2\,000}{\sqrt{2\,000^2 + 1\,190.593^2}} = 0.859\,27 \fallingdotseq \mathbf{86}\ \%$$

3)　力率95 %（遅れ）まで改善するために必要な力率改善用コンデンサ容量 Q_c [kvar] は，

$$0.95 = \frac{2\,000}{\sqrt{2\,000^2 + (1\,190.593 - Q_c)^2}}$$

$$2\,000^2 + (1\,190.593 - Q_c)^2 = \left(\frac{2\,000}{0.95}\right)^2$$

$$1\,190.593 - Q_c = \sqrt{\left(\frac{2\,000}{0.95}\right)^2 - 2\,000^2}$$

$$Q_c = 533.224\,79\ \text{kvar} \fallingdotseq \mathbf{533}\ \text{kvar}$$

問題9

(1)　1—ア，2—コ，3—ク，4—オ

(2)　5—カ，6—イ

(3)　7—シ，8—キ，9—エ，10—ア，11—セ

(4)　A—500，B—17.6，C—13.2，D—11.62，E—26.57

【指導】

(1) 変圧器の無負荷損の損失の大部分を占める鉄損は，ヒステリシス損と**渦電流**損に分けられる．無負荷損は周波数および印加電圧が一定の場合，負荷電流**の大きさに関係なく一定である**．

負荷損は，巻線の抵抗に流れる電流によって生じる抵抗損と漏れ磁束によって金属部分に生じる漂游負荷損に分けられる．負荷損は負荷電流**の2乗に比例して変化する**．規約効率算定のための負荷損は，測定した負荷損を**基準巻線**温度に補正した値を使用する．

問題文中の規約効率は，設備の制約などから全負荷運転による効率測定が困難であるため，規格に定められた方法によって損失を測定して算出した効率のことをいう．

解答指導

(2) 変圧器に負荷を接続すると損失により発生した熱により，変圧器各部が温度上昇する．各部の測定温度と**冷媒**温度との差を温度上昇という．

ある変圧器の効率ηは，定格容量 S_{n} [kV·A]，定格容量に対する負荷率α（$0 \leqq \alpha \leqq 1$），力率 $\cos\theta$，定格負荷損 p_{c} [kW]，無負荷損 p_{i} [kW] とすれば，以下で表される．

$$\eta = \frac{\alpha S_{\mathrm{n}} \cos\theta}{\alpha S_{\mathrm{n}} \cos\theta + \alpha^2 p_{\mathrm{c}} + p_{\mathrm{i}}} = \frac{S_{\mathrm{n}} \cos\theta}{S_{\mathrm{n}} \cos\theta + \alpha p_{\mathrm{c}} + p_{\mathrm{i}}/\alpha}\ [\%] \quad ①$$

①式において，分母が最小のとき，最大効率$\eta_{\max}$となる．最小の定理より，分母の変数（α）を有する第2，3項の積が定数であり，両者の和が最小となるには，両者が等しければよい．題意より，$\alpha = 0.4$ から，負荷損 p_{c} の無負荷損 p_{i} に対する倍率は以下で求められる．

$$\alpha\, p_{\mathrm{c}} = p_{\mathrm{i}}/\,\alpha$$

$$\therefore\ \ p_{\mathrm{c}} = p_{\mathrm{i}}/\,\alpha^2 = p_{\mathrm{i}}/0.4^2 = 6.25 p_{\mathrm{i}} \rightarrow \mathbf{6.25}\ 倍$$

(3) 巻線形三相誘導電動機の二次端子を開放した状態で，一次巻線に一定周波数 f_1 の交流電流を印加すると，**励磁電流**は流れるが，二次電流は流れないため，回転子は回転しない．二次端子を短絡すると二次電流が流れ，一次電流により発生する**回転磁界**と二次電流によって回転トルクが発生し，回転子は回転する．

回転子の二次入力 P_2 と二次銅損 P_{c2} の関係は，$\boldsymbol{P_{\mathrm{c2}} = sP_2}$ である．滑り s で運転中の回転子に発生する起電力の周波数は $\boldsymbol{sf_1}$ [Hz] である．運転中の誘導電動機の負荷トルクが増えると，滑り s は少し**増加すること**になる．

(4) 1) 問題図の二次側に流れる電流 I_2 は，以下で求められる．ただし，負荷容量 $S =$ 5.5 MV·A，定格二次電圧 $V_{2\mathrm{n}} = 11$ kV である．

$$I_2 = \frac{S}{V_{2\mathrm{n}}} = \frac{5.5\times10^6}{11\times10^3} = \frac{5.5\times10^3}{11} = \mathbf{500}\ \mathrm{A} \quad ②$$

2)　V_{2n} と I_2 より，負荷インピーダンス Z_L は以下で計算できる．

$$Z_L=\frac{V_{2n}}{I_2}=\frac{11\times10^3}{500}=22.0\,\Omega \qquad ③$$

負荷力率 $\cos\theta=0.8$（遅れ）より，抵抗 R_L およびリアクタンス X_L は以下で求められる．

$$R_L=Z_L\cos\theta=22.0\times0.8=\mathbf{17.6}\,\Omega \qquad ④$$

$$X_L=Z_L\sin\theta=22.0\times\sqrt{1-0.8^2}=22.0\times0.6=\mathbf{13.2}\,\Omega \qquad ⑤$$

3)　電源電圧 $\dot{V}_2$ の大きさ V_2 は，V_{2n}，②式および，**第 1 図**より以下で求められる．ただし，$r=0.09\,\Omega$，$x=1.88\,\Omega$ とする．

$$V_2=\sqrt{(V_{2n}+rI_2\cos\theta+xI_2\sin\theta)^2+(xI_2\cos\theta-rI_2\sin\theta)^2}$$
$$=\sqrt{(11\times10^3+0.09\times500\times0.8+1.88\times500\times0.6)^2}\ *$$
$$*\ \overline{+(1.88\times500\times0.8-0.09\times500\times0.6)^2}\fallingdotseq 11\,623\fallingdotseq\mathbf{11.62}\,\mathrm{kV} \qquad ⑥$$

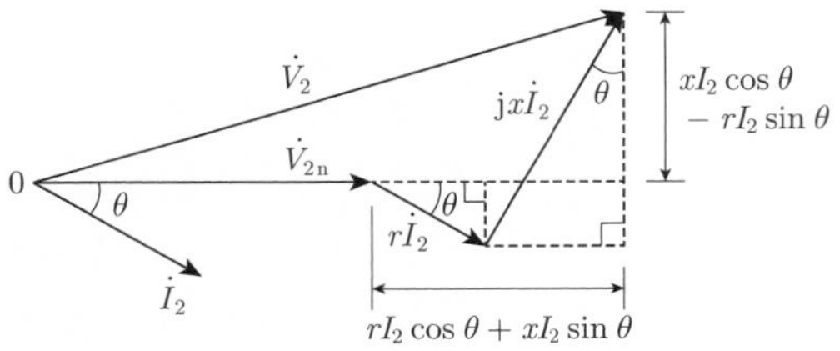

第 1 図　フェーザ図

4)　問題図，②式および⑥式より，変圧器の定格負荷時の全損失 p_n は，以下で求められる．

$$p_n=30.15\times10^{-6}\times{V_2}^2+0.09\times{I_2}^2$$
$$=30.15\times10^{-6}\times(11.623\times10^3)^2+0.09\times500^2\fallingdotseq 26\,573\fallingdotseq\mathbf{26.57}\,\mathrm{kW} \qquad ⑦$$

問題10

(1)　1 ― イ，2 ― ク，3 ― オ，4 ― エ，5 ― ウ

(2)　6 ― サ，7 ― カ，8 ― イ，9 ― キ，10 ― カ，11 ― イ，12 ― ケ

(3)　A ― 1 800，B ― 699.8，C ― 5 930，D ― 839.3，E ― 1.2

【指導】

(1)　1)　同期発電機について，**第 1 図**の等価回路および無負荷飽和曲線，短絡特性曲線を考える．発電機を定格速度に回転させて端子を開放または短絡する．無負荷（端子開放）のとき，界磁電流 I_f を 0 から上昇させて，端子電圧が定格電圧 V_n となる界磁電流が I_{f1} である．同様に端子を短絡して電機子電流が**定格負荷**（定格）電流 I_n となる界磁電流が I_{f2} であ

る．また，短絡特性曲線は直線であり，I_{f1} から上に伸ばした垂線と短絡特性曲線の交点は永久短絡電流 I_s となるので，短絡比 K_s は以下で表される．

$$K_s = \frac{I_{f1}}{I_{f2}} = \frac{I_s}{I_n} \quad ①$$

2) 短絡比が大きい同期発電機は，短絡電流が大きく，第１図(a)の同期インピーダンス $Z_s \fallingdotseq x_s$ が**小さい**ことを示し，電機子反作用の影響（$\mathrm{j}x_sI_a$）も小さい．同期発電機の誘導起電力 E_a は以下で表される．ただし，巻線係数 k_w（一定），電機子巻線の巻数 n，界磁磁束 ϕ [Wb]，周波数 f [Hz] とする．

$$E_a = 4.44 k_w n \phi f \text{ [V]} \quad ②$$

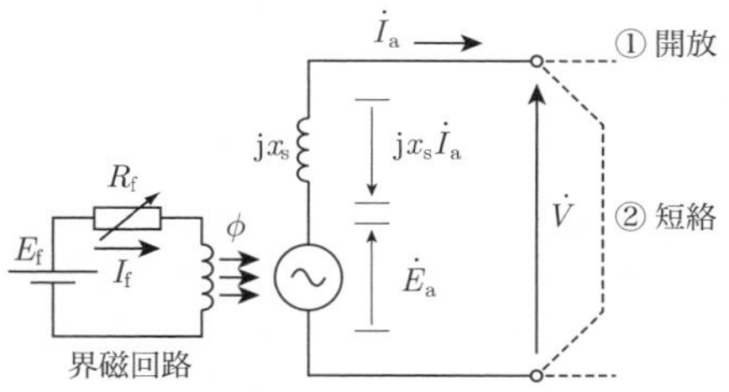

(a) 星形1相分等価回路

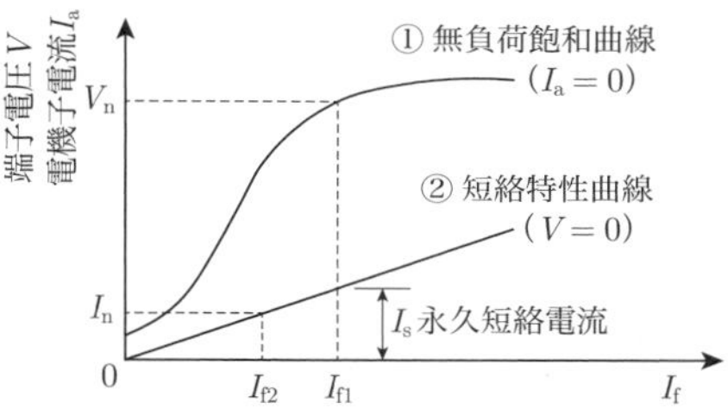

(b) 無負荷飽和曲線，短絡特性曲線

第１図 同期発電機等価回路と無負荷飽和曲線，短絡特性曲線

短絡比の大きい同期発電機にするには，n を少なくする，磁路のギャップ長さを大きくする（結果，同期リアクタンス x_s およびϕが減少する），または両方が必要である．②式に示す，E_a の大きさを変えないようにするには，ϕを増やすため，界磁起磁力（界磁巻線の巻数×界磁電流 I_f）を増やす，または**鉄心**断面積 S を増やす（$\phi = BS$）必要があり，発電機の寸法が大きくなる．

3) 短絡比が大きい同期発電機は，上記のように界磁（ϕ）が強く，**鉄**機械と呼ばれる．鉄機械は Z_s が小さく，**電圧変動率**が小さく，過渡安定度は良好である．

(2) 1) 問題図１に示す負荷 R の電圧 v_d の実効値 V_d [V] は，問題図２より以下で表される．

$$V_d = \sqrt{\frac{1}{\pi}\int_\alpha^\pi {v_d}^2\,\mathrm{d}\theta} = \sqrt{\frac{1}{\pi}\int_\alpha^\pi (\sqrt{2}V\sin\theta)^2\,\mathrm{d}\theta} = V\sqrt{\frac{1}{\pi}\int_\alpha^\pi (1-\cos 2\theta)\,\mathrm{d}\theta}$$

$$= V\sqrt{\frac{1}{\pi}\left[\theta - \frac{1}{2}\sin 2\theta\right]_\alpha^\pi} = V\sqrt{\frac{1}{\pi}\left\{\pi - \alpha - \frac{1}{2}(\sin 2\pi - \sin 2\alpha)\right\}}$$

$$= V\sqrt{\left(1 - \frac{\alpha}{\pi} + \frac{1}{2\pi}\boldsymbol{\sin 2\alpha}\right)} \quad ③$$

ただし，$\sin^2\theta=(1-\cos 2\theta)/2$，および題意より，交流電源電圧の実効値 V [V]，角周波数ω [rad/s]，$\omega t=\theta$とする．

③式の点弧角αを制御することで，V_d を変化（0 〜 V）させることができる．

$\alpha=0$のとき，V_{d0} は以下で計算できる．

$$V_{d0}=V\sqrt{\left(1-\frac{0}{\pi}+\frac{1}{2\pi}\sin 0\right)}=V\,[\mathrm{V}] \quad ④$$

上式より，R の消費電力 P_0 は以下で求められる．

$$P_0=\frac{{V_{d0}}^2}{R}=\boldsymbol{\frac{V^2}{R}}\,[\mathrm{W}] \quad ⑤$$

$\alpha=\pi/2$ [rad] のとき，V_d は以下で計算できる．

$$V_{d0}=V\sqrt{\left(1-\frac{\pi}{2\pi}+\frac{1}{2\pi}\sin\pi\right)}=\boldsymbol{\frac{V}{\sqrt{2}}}\,[\mathrm{V}] \quad ⑥$$

上式より，R の消費電力 P_αは以下で求められる．

$$P_\alpha=\frac{{V_d}^2}{R}=\boldsymbol{\frac{V^2}{2R}}\,[\mathrm{W}] \quad ⑦$$

2)　負荷抵抗を力率角 φ の誘導負荷に変えた場合を考える．**第2図**の交流電力調整装置において，点弧角αが φ より小さい場合，電流が連続する無制御状態となり，αが π より大きいとサイリスタに加わる電圧が逆方向なので出力されない．したがって，交流電力を安定して制御できるのは，点弧角αを $\boldsymbol{\varphi<\alpha<\pi}$ の範囲で運転するときである．負荷が純インダクタンス（$\varphi=\pi/2$）のとき，安定制御すなわち，V_d が調整可能な最小点弧角は前記より，$\boldsymbol{\pi/2}$ [rad] である．

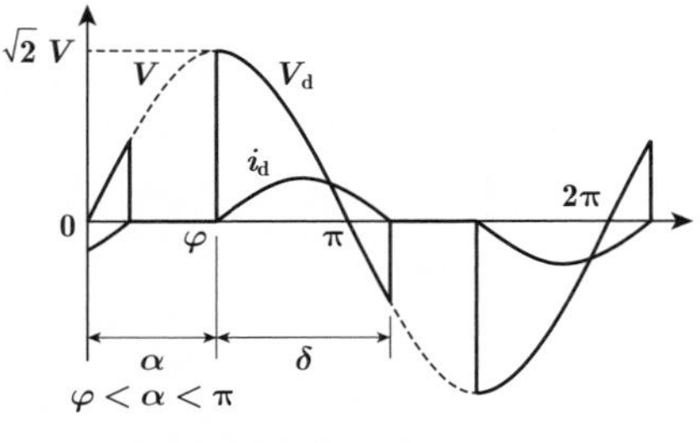

第2図　位相制御回路（誘導負荷）

純インダクタンスを制御可能範囲内の点弧角α_1で運転した場合，入力の交流電流波形における基本波成分の位相は，電源電圧の位相に対して**遅れ 90** 度となるので，無効電力の大きさを調整することができる.

(3) 1) 題意の三相同期発電機の定格出力 $P_n = 7\,200$ kW, 定格電圧 $V_n = 6\,600$ V, 定格周波数 $f = 60$ Hz, 極数 $p = 4$, 定格力率 $\cos\varphi = 0.9$ (遅れ), 同期インピーダンス $x_s = 4.54\ \Omega$. 電機子抵抗 r_a は無視できるものとする.

この発電機の定格回転速度 N_s は, 以下で求められる.

$$N_s = \frac{120f}{p} = \frac{120\times 60}{4} = \mathbf{1\,800}\ \mathrm{min}^{-1} \quad ⑧$$

2) 発電機の定格電流 I_n は, 以下で求められる.

$$I_n = \frac{P_n}{\sqrt{3}V_n\cos\varphi} = \frac{7\,200\times 10^3}{\sqrt{3}\times 6\,600\times 0.9} \fallingdotseq 699.82 \fallingdotseq \mathbf{699.8}\ \mathrm{A} \quad ⑨$$

3) 発電機が I_n および, 定格力率 $\cos\varphi = 0.9$ で運転されているときの 1 相分の誘導起電力の大きさ E_0 は, 問題図 3 より以下で求められる. ただし, $\sin\varphi = \sqrt{1-0.9^2} \fallingdotseq 0.435\,89$, $V = V_n/\sqrt{3} = 6\,600/\sqrt{3} \fallingdotseq 3\,810.5$ V である.

$$\begin{aligned} E_0 &= \sqrt{(V + x_s I_n \sin\varphi)^2 + (x_s I_n \cos\varphi)^2} \\ &= \sqrt{(3\,810.5 + 4.54\times 699.82\times 0.435\,89)^2 + (4.54\times 699.82\times 0.9)^2} \\ &\fallingdotseq 5\,930.3 \fallingdotseq \mathbf{5\,930}\ \mathrm{V} \end{aligned} \quad ⑩$$

4) 発電機の三相持続短絡電流 I_s は第 1 図において, $E_a = V_n/\sqrt{3}$ のときの三相短絡電流のことであり, 以下で求められる.

$$I_s = \frac{V_n/\sqrt{3}}{x_s} = \frac{6\,600/\sqrt{3}}{4.54} \fallingdotseq 839.32 \fallingdotseq \mathbf{839.3}\ \mathrm{A} \quad ⑪$$

短絡比 K_s は, ①, ⑨および⑪式より, 以下で求められる.

$$K_s = \frac{I_s}{I_n} = \frac{839.32}{699.82} \fallingdotseq 1.199\,3 \fallingdotseq \mathbf{1.2} \quad ⑫$$

問題11

(1) 1―ク, 2―エ, 3―ク, 4―オ, 5―ア, 6―イ

(2) A―1.68, B―97, C―141, D―2.95, E―23.5, F―37.8

【指導】

(1) 1) 問題図 1 に示す三相誘導電動機のトルク T は, 以下で表される. ただし, 滑り s, 機械出力 P_0 [W], 角速度 ω [rad/s], 二次入力 P_2 [W], 同期角速度 ω_0 [rad/s], 二次電流 I_2 [A], 二次抵抗 (一次換算値) r_2 [Ω] である.

$$T=\frac{P_0}{\omega}=\frac{P_2(1-s)}{\omega_0(1-s)}=\frac{P_2}{\omega_0}=\frac{\boldsymbol{3I_2}^{\boldsymbol{2}}\dfrac{\boldsymbol{r_2}}{\boldsymbol{s}}}{\omega_0}\,[\mathrm{N\cdot m}] \qquad ①$$

I_2，ω_0 は以下で表される．ただし，三相誘導電動機の極数 P，電源周波数 f_1 [Hz] である．

$$I_2=\frac{V_1}{\sqrt{\left(r_1+\dfrac{r_2}{s}\right)^2+(x_1+x_2)^2}}\,[\mathrm{A}]$$

$$\omega_0=\frac{2\pi}{60}N_{\mathrm{s}}=\frac{2\pi}{60}\times\frac{120f_1}{P}=\frac{4\pi f_1}{P}\,[\mathrm{rad/s}]$$

問題図1の各値および上式を使用して，①式を以下で表すことができる．ただし，一次抵抗 r_1 [Ω]，一次漏れリアクタンス x_1 [Ω]，二次漏れリアクタンス（一次換算値）x_2 [Ω] である．

$$T=\frac{3I_2{}^2\dfrac{r_2}{s}}{\omega_0}=\frac{3V_1{}^2}{\dfrac{4\pi f_1}{P}\left\{\left(r_1+\dfrac{r_2}{s}\right)^2+(x_1+x_2)^2\right\}}\times\frac{\boldsymbol{r_2}}{\boldsymbol{s}}\,[\mathrm{N\cdot m}] \qquad ②$$

2）②式において，一次周波数と**滑り**を一定と考えると，**一次電圧**（V_1）を変えることにより，トルクを制御することができる．

一次周波数を変えて速度制御を行う方法は一次周波数制御と総称される．この制御には周波数に比例して一次電圧も変え，ギャップ磁束を一定に保つ ***V*/*f* 一定制御**と，一次電流を座標変換して磁束発生に作用する励磁電流分とトルク電流分とに分離して独立に制御する**ベクトル制御**がある．

(2) 1）問題図2のケーブルカー1号車（登り）一両だけ運転する場合を考える．題意より勾配角度 $\theta=30°$ の走行抵抗 R_{d} は，以下で計算できる．

$$R_{\mathrm{d}}=10\times9.8\times10^{-3}\times\cos30°=49\sqrt{3}\times10^{-3}\ \mathrm{N/kg} \qquad ③$$

題意より，車両質量 $M_{\mathrm{c}}=5\,000$ kg，最大搭乗質量 $M_{\mathrm{h}}=1\,600$ kg，運行速度 $v_{\mathrm{d}}=180/60=3$ m/s の斜面走行における理論動力 P_{d1} は，以下で求められる．ただし，$M_{\mathrm{c}}+M_{\mathrm{h}}$ の斜面走行による走行抵抗に相当する力を f_{d1} [N] とする．

$$P_{\mathrm{d1}}=f_{\mathrm{d1}}v_{\mathrm{d}}=(M_{\mathrm{c}}+M_{\mathrm{h}})R_{\mathrm{d}}v_{\mathrm{d}}=(5\,000+1\,600)\times49\sqrt{3}\times10^{-3}\times3$$
$$\fallingdotseq1\,680.4\fallingdotseq\mathbf{1.68}\,\mathrm{kW} \qquad ④$$

勾配角度 $\theta=30°$，速度 v_{d} で移動するケーブルカー1号車の高さ方向の速度 v_{dh} は，以下で計算できる（**第1図**）.

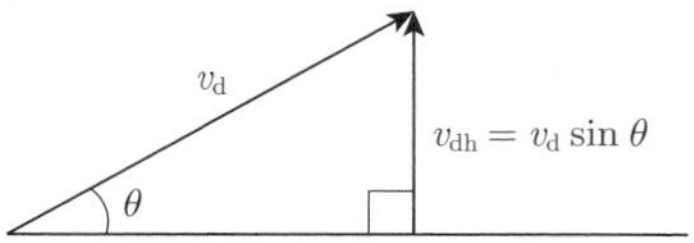

第1図　高さ方向の速度

$$v_{dh} = v_d \sin\theta = 3.0 \times 0.5 = 1.5\ \text{m/s} \qquad ⑤$$

ケーブルカー1号車の位置エネルギー増加分に相当する理論動力 P_{h1} は，以下で求められる．

$$P_{h1} = (M_c + M_h)gv_{dh} = (5\,000 + 1\,600) \times 9.8 \times 1.5$$
$$= 97.02 \times 10^3 \fallingdotseq \mathbf{97}\ \text{kW} \qquad ⑥$$

P_{d1} と P_{h1} を合算し，巻上機全体の機械効率 $\eta = 0.7$ を考慮すると，巻上機を駆動する電動機に必要な動力 P_{m1} は以下で計算できる．

$$P_{m1} = \frac{P_{d1} + P_{h1}}{\eta} = \frac{1.680\,4 + 97.02}{0.7} \fallingdotseq 141.00 = \mathbf{141}\ \text{kW} \qquad ⑦$$

2)　ケーブルカー2号車をケーブルに接続して登りと下りを同時に運行させる．題意の最大出力が必要な状況は，搭乗質量が登り M_h，下り0のときであり，車両質量は2台とも M_c である．斜面走行における理論動力 P_{d2} は，以下で求められる．ただし，$M_c + M_h$ の斜面走行による走行抵抗に相当する力を f_{d2} [N] とする．

$$P_{d2} = f_{d2} v_d = \{(M_c + M_h) + M_c\} R_d v_d$$
$$= (5\,000 + 1\,600 + 5\,000) \times 49\sqrt{3} \times 10^{-3} \times 3 \fallingdotseq 2\,953.5 \fallingdotseq \mathbf{2.95}\ \text{kW} \qquad ⑧$$

2台のケーブルカーの位置エネルギー増加分に相当する理論動力 P_{h2} は，M_c 分は2台の上下で相殺され，搭乗質量 M_h だけが登り分となり，以下で求められる．

$$P_{h2} = M_h g v_{dh} = 1\,600 \times 9.8 \times 1.5 = 23.52 \times 10^3 \fallingdotseq \mathbf{23.5}\ \text{kW} \qquad ⑨$$

P_{d2} と P_{h2} を合算し，1) と同様に $\eta = 0.7$ を考慮すると，巻上機を駆動する電動機に必要な動力 P_{m2} は以下で計算できる．

$$P_{m2} = \frac{P_{d2} + P_{h2}}{\eta} = \frac{2.953\,5 + 23.52}{0.7} \fallingdotseq 37.819 \fallingdotseq \mathbf{37.8}\ \text{kW} \qquad ⑩$$

問題12　(1)　1―シ，2―カ，3―イ，4―ウ，5―サ，6―キ
(2)　7―シ，8―ソ，9―オ，10―サ，11―イ，12―キ

【指導】

(1) 各区間で駆動力により供給されるエネルギー E [J] は，以下に示すとおりである．

・区間Ⅰ

$$E_{\mathrm{I}} = \frac{1}{2}\left(M + \frac{J}{r^2}\right){v_{\mathrm{b}}}^2 + C_{\mathrm{r}}MgX + \left(\frac{1}{8}\,\rho C_{\mathrm{d}}A\right){v_{\mathrm{b}}}^4\ [\mathrm{J}] \qquad ①$$

・区間Ⅶ

$$E_{\mathrm{VII}} = -\frac{1}{2}\left(M + \frac{J}{r^2}\right){v_{\mathrm{a}}}^2 + C_{\mathrm{r}}MgX + \left(\frac{1}{8}\,\rho C_{\mathrm{d}}A\right){v_{\mathrm{a}}}^4\ [\mathrm{J}] \qquad ②$$

・区間Ⅱ～Ⅵ

$$E_{\mathrm{II}\sim\mathrm{VI}} = FX\ [\mathrm{J}] \qquad ③$$

駆動システムの損失エネルギー E_1 は題意より，以下に示すとおりとなる．

$$E_1 = \left(\frac{100}{90} - 1\right)E \quad (E > 0\ のとき) \qquad ④$$

$$E_1 = \left(\frac{90}{100} - 1\right)E \quad (E < 0\ のとき) \qquad ⑤$$

上記式を用い，表の数値を代入していく．

区間Ⅰの E_{I} [kJ] および $E_{\mathrm{I}1}$ [kJ] は，①式および④式に数値を代入すると，

$$E_{\mathrm{I}} = \frac{1}{2}(1\,200 + 40) \times 20^2 + 0.007 \times 1\,200 \times 9.8 \times 200 + \left(\frac{1}{8} \times 1.2 \times 0.3 \times 1.8\right) \times 20^4$$

$$= 248\,000 + 16\,464 + 12\,960 = 277\,424\ \mathrm{J} \fallingdotseq \mathbf{277.4}\ \mathrm{kJ}$$

$$E_{\mathrm{I}1} = \left(\frac{100}{90} - 1\right) \times 277.424 = 30.824\,9\ \mathrm{kJ} \fallingdotseq \mathbf{30.8}\ \mathrm{kJ}$$

区間Ⅴの E_{V} [kJ] および $E_{\mathrm{V}1}$ [kJ] は，③式および⑤式に数値を代入すると，

$$E_{\mathrm{V}} = -\,258 \times 200 = -51\,600\ \mathrm{J} = \mathbf{-51.6}\ \mathrm{kJ}$$

$$E_{\mathrm{V}1} = \left(\frac{90}{100} - 1\right) \times -51.6 = 5.16\ \mathrm{kJ} \fallingdotseq \mathbf{5.2}\ \mathrm{kJ}$$

各区間の駆動エネルギーの合計 E [kJ] および損失エネルギーの合計 E_1 [kJ] は，

$$E = 277.4 + 42.4 + 136.4 + 42.4 + (-51.6) + 42.4 + (-218.6)$$

$$= 270.8\ \mathrm{kJ} = \mathbf{270.8}\ \mathrm{kJ}$$

$$E1 = 30.8 + 4.7 + 15.2 + 4.7 + 5.2 + 4.7 + 21.9 = 87.2\ \mathrm{kJ} = \mathbf{87.2}\ \mathrm{kJ}$$

(2) 1) ポンプ定格時の電動機軸動力 P_N [kW] および軸トルク T_N [Nm] は，次のようになる．

$$P_N = \frac{9.8QH}{\eta}[\mathrm{kW}] \tag{⑥}$$

Q：流量 [m^3/s]，H：ポンプ全揚程 [m]，η：ポンプ効率

⑥式に題意の数値を代入すると，

$$P_N = \frac{9.8\times\frac{10}{60}\times 25}{0.6} = 68.055\,6\ \mathrm{kW} \fallingdotseq \mathbf{68.1}\ \mathrm{kW}$$

したがって，軸トルク T_N [Nm] は，

$$T_N = \frac{P_N}{\omega_N} = \frac{68\,055.6}{2\times 3.14\times\frac{1\,500}{60}} = 433.475\ \mathrm{Nm} \fallingdotseq \mathbf{433}\ \mathrm{Nm}$$

2) 題意の式を使いポンプの全揚程および電動機軸動力を求めると以下のようになる．

・弁開度調整

まず全揚程 h_{BEN} [p.u.] を求めると，

$$h_{BEN} = 1.2n^2 - 0.2q^2 = 1.2\times 1^2 - 0.2\times\left(\frac{7}{10}\right)^2 = 1.102\ \mathrm{p.u.}$$

したがって，全揚程 H_{BEN} [m] は，

$$H_{BEN} = h_{BEN}\times 25\ \mathrm{m} = 1.102\times 25 = 27.55\ \mathrm{m} \fallingdotseq \mathbf{27.6}\ \mathrm{m}$$

次に，ポンプ効率 η_{BEN}※ [p.u.] は，

$$\eta_{BEN}{}^{※} = 2\left(\frac{0.7}{1}\right) - \left(\frac{0.7}{1}\right)^2 = 0.91\ \mathrm{p.u.}$$

ここで，電動機の軸動力 p_{BEN} [p.u.] は，

$$p_{BEN} = \frac{q h_{BEN}}{\eta_{BEN}{}^{※}}[\mathrm{p.u.}] \tag{⑦}$$

⑦式に数値を代入すると，

$$p_{BEN} = \frac{0.7\times 1.102}{0.91} = 0.847\,69\ \mathrm{p.u.}$$

したがって，電動機軸動力 P_{BEN} [kW] は，

$$P_{BEN} = p_{BEN}\times P_N = 0.847\,69\times 68.055\,6 = 57.69\ \mathrm{kW} \fallingdotseq \mathbf{57.7}\ \mathrm{kW}$$

解答指導

3)　題意の式を使いポンプの全揚程および電動機軸動力を求めると以下のようになる．

・回転速度制御

まず全揚程 h_{INV} [p.u.] を求めると，

$$h_{\mathrm{INV}} = r = 0.5 + 0.5 \times 0.7^2 = 0.745 \text{ p.u.}$$

したがって，全揚程 H_{INV} [m] は，

$$H_{\mathrm{INV}} = h_{\mathrm{INV}} \times 25 \text{ m} = 0.745 \times 25 = 18.625 \text{ m} \fallingdotseq \mathbf{18.6} \text{ m}$$

題意の式より回転速度制御した際の回転速度 n_{INV} [p.u.] を算出すると，

$$h_{\mathrm{INV}} = 1.2{n_{\mathrm{INV}}}^2 - 0.2q^2$$

$$0.745 = 1.2 \times {n_{\mathrm{INV}}}^2 - 0.2 \times 0.7^2$$

$$\therefore \quad n_{\mathrm{INV}} = 0.838\ 15 \text{ p.u.}$$

よって，ポンプ効率 η_{INV}※ [p.u.] は，

$$\eta_{\mathrm{INV}}{}^{※} = 2 \times \left(\frac{0.7}{0.838\,15}\right) - \left(\frac{0.7}{0.838\,15}\right)^2 = 0.972\,83 \text{ p.u.}$$

電動機の軸動力 p_{INV} [p.u.] は，⑦式に数値を代入すると，

$$p_{\mathrm{INV}} = \frac{0.7 \times 0.745}{0.972\,83} = 0.536\,06 \text{ p.u.}$$

したがって，電動機軸動力 P_{INV} [kW] は，

$$P_{\mathrm{INV}} = p_{\mathrm{INV}} \times P_{\mathrm{N}} = 0.536\ 06 \times 68.055\ 6 = 36.482 \text{ kW} \fallingdotseq \mathbf{36.5} \text{ kW}$$

問題13

(1)　1―オ，2―エ，3―ウ，4―カ，5―ア，6―オ

(2)　7―イ，8―オ，9―オ，10―イ

(3)　11―ア，12―ク，13―カ，14―サ

【指導】

(1)　1)　レーザは単色性，指向性，集光性，制御性に優れた**電磁波**であり，広い分野に応用されている．レーザは使用する媒質によって，赤外域から紫外域にわたる各種のものがあるが，熱加工用には **YAG** や炭酸ガスなどを媒質とした**赤外**域のレーザが主として用いられる．その用途としては，極めて高いエネルギー密度を利用した穴あけ，切断，微細加工，文字マーキングなどがある．

2)　アーク加熱は，温度が 4 000 ～ 6 000 K のアーク柱を熱源として利用するものである．その代表的応用例として製鋼用アーク炉がある．その電極材料には**黒鉛**が使用される．製鋼用アーク炉では，50，60 Hz の商用電源が用いられるのが一般的であるが，騒音やフリッ

力の低減，電極の消耗の低減などを図るために，アークが安定する**直流**の電源を使用することもある．

また，交流アークでは，三相回路に不平衡が生じるとアーク電圧に高低を生じ，局部的に高温となり炉壁を損傷するなどの問題が生じるが，直流アークではアーク偏向はあるものの，交流アークほど不平衡の影響を受けない．

3)　誘導加熱は，被加熱物の周りに巻かれたコイルに交流電流を流すことで発生する交番磁束により被加熱物に生じる**渦電流**を利用して加熱する方式である．この加熱原理の身近な適用例としてIHクッキングヒータがあり，工業用としては金属の加熱や溶解に用いられている．被加熱物に生じる**渦電流**の密度は，表面から内部に向かい指数関数的に減少し，表面の$\frac{1}{\mathrm{e}}$（e：自然対数の底）の値になる位置を**電流浸透深さ**と呼ぶ．

電流浸透深さδは次式で表される．

$$\delta = 5.03\sqrt{\frac{\rho}{\mu f}}\ [\mathrm{cm}]$$

ρ：金属の固有抵抗 [μΩcm]

μ：比透磁率

f：周波数 [Hz]

⑵　1)　加熱炉や溶解炉では，炉壁を通して放熱損失が生じるので，炉の熱損失を低減させるためには炉壁の熱抵抗を大きくする必要がある．つまり，炉壁を構成する材料には，**熱伝導**率の小さなものを用いることが最も有効である．また，炉壁を操業温度まで立ち上げるのに要する熱量（炉の蓄熱量）を低減させることも省エネルギー対策となる．そのため，炉壁の断熱材には密度および比熱の小さい素材であるセラミックファイバが広く用いられている．

熱移動の3原則といわれる熱伝導，対流，熱放射がある．熱伝導は物質が，対流は流体が，熱放射は電磁波が熱を運ぶ．熱伝導率が小さいとは，熱を伝えにくくすることで熱効率を考えた材料選定が必要である．

電気加熱の場合，設備を**高電力**化すれば，加熱や溶解に要する時間が短縮されるので，相対的に熱損失の低減となることから省エネルギーが図れる．

2)　抵抗炉を例にとると，温度制御によって被加熱物の無駄な加熱を防ぐためには，熱電対などで検出した炉内の温度を，目標設定部をもつ**指示調節計**に入力し，操作部へ信号を送って炉の発熱体に供給する電力を抑制することになる．この場合，精密に温度調整するために，操作部に半導体スイッチング素子を使った交流電力調整器が用いられることが多い．これを用いた電力調整方式では，位相制御のほかに**サイクル**制御がある．この制御は，位相制御と比べて高調波の発生が少ないという特徴がある．

サイクル制御とは，交流電源電圧のゼロボルト時にサイリスタをON/OFFさせる方式で，ノイズを嫌う計装ラインなどのヒータ制御に適している．

(3) 題意をもとに図を描くと**第1図**のようになる．

1) 加熱設備入力端におけるエネルギー原単位は，

$$\text{エネルギー原単位}=\frac{300\ \text{kW}\times\dfrac{45}{60}\ \text{h}}{800\ \text{kg}}=0.281\,25\ \text{kW·h/kg}\ \fallingdotseq \mathbf{0.281}\ \text{kW·h/kg}$$

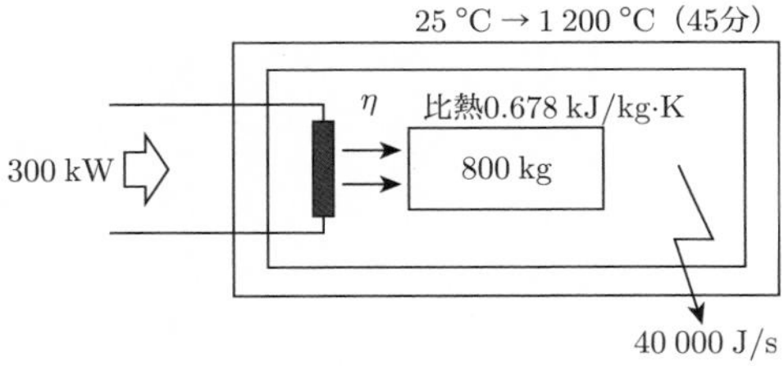

第1図 加熱設備

2) 加熱正味熱量 P_h [kW·h] は，

$$Q=0.678\ \text{kJ/kg.K}\times 800\ \text{kg}\times(1\,200-25)\ \text{K}=637\,320\ \text{kJ}$$

$$P_h=Q\times\frac{1}{3\,600}=\frac{637\,320}{3\,600}=177.03\ \text{kW·h}\ \fallingdotseq \mathbf{177}\ \text{kW·h} \quad ①$$

3) ①式を加熱正味熱量 P [kW] として表すと以下のようになる．

$$P=\frac{177.03}{\dfrac{45}{60}}=236.04\ \text{kW}$$

次に，熱損失 4×10^4 J/s は，40 kW で表される（$W_s=$ J より）．

全電気効率ηは以下のようになる．

$$\eta=\frac{236.04+40}{300}\fallingdotseq 0.920\,1\fallingdotseq \mathbf{92.0}\ \%$$

4) 省エネルギー対策後の加熱設備の入力端電力を P_{in} [kW] とし，25 % 削減した熱損失は $40\times(1-0.25)=30$ kW であり次式が成立する．

$$\eta = 0.920\,1 = \frac{236.04 + 30}{P_{\mathrm{in}}}$$

$$\therefore \quad P_{\mathrm{in}} = 289.14\ \mathrm{kW} \fallingdotseq \mathbf{289}\ \mathrm{kW}$$

問題14 (1) 1―イ，2―ア，3―キ，4―サ，5―エ

(2) 6―イ，7―ウ，8―エ，9―キ，A―418，B―50.0，C―2.43

【指導】

(1) 1) アルカリ蓄電池は質量基準の濃度30％程度の**水酸化**カリウムなどのアルカリ性水溶液を電解質とした二次電池の総称であり，ニッケル・カドミウム電池やニッケル・金属水素化物電池がその代表である．

2) ニッケル・金属水素化物電池の場合，充電状態では正極の活物質は**オキシ水酸化ニッケル（NiOOH）**であり，放電するときにそれが**還元**される．この電池は，ハイブリッド自動車などの用途では急速に充放電を繰り返す．急速に放電するときの電池の電圧の値は，ゆっくり放電するときの電圧の値**より低い**．充放電を繰り返したときの性能低下を表す指標の一つとして**サイクル寿命**がある（**第1表**参照）．

第1表 サイクル寿命例（参考）

電池	鉛蓄電池	リチウムイオン蓄電池
コスト	安価	高価
サイクル寿命	3 000回	6 000回～12 000回

(2) 1) 燃料電池の理論熱効率ηは，次式で表される．

$$\eta = \frac{\boldsymbol{\Delta G}}{\boldsymbol{\Delta H}}$$

ΔG：ギブズエネルギー，ΔH：エンタルピー

2) 水素・酸素燃料電池では，水素は2電子反応である．水素が1モル消費すると，電子が**2**モル流れる．

水素・酸素燃料電池の全体反応式は，

$$2H_2 + O_2 \rightarrow 2H_2O$$

である．

体積比は生成したモル数比に等しくなり，水素・酸素燃料電池の全体式より，

$$\frac{\text{酸素}\ 1\ \mathrm{mol}}{\text{水素}\ 2\ \mathrm{mol}}$$となる．

空気中の酸素濃度は20 %であるから，酸素1モル生成するには空気5モルが必要である(空気1モル時，酸素0.2モル)．

よって，次式が成立する．

$$\frac{\text{空気}\,5\ \text{mol}}{\text{水素}\,2\ \text{mol}} = \mathbf{2.5}\,\text{倍}$$

家庭用燃料電池では，空気を酸化剤として運転するため，純粋な水素と酸素を燃料電池スタックに供給するときの電圧の値**より低い**．

3)　水素は2電子反応であり，水素H（mol）は次式で表される．

$$\text{H} = \frac{1}{26.8} \times \frac{1}{2} \times 1\,000 = 18.66\ \text{mol}$$

1.00 kA·hの電気量を得るためには，

$$18.66 \times 22.4 = 417.91 \fallingdotseq \mathbf{418}\ \text{L}$$

エネルギー変換効率ηは，

$$\eta = \cfrac{0.75 \times 1}{\cfrac{5\,400}{3\,600}} = 0.5 = \mathbf{50.0}\,\%$$

端子電圧0.75 V，電流密度0.5 A/cm^2

題意の式を使用し，電流密度基準の電圧勾配を求める．

$$U = \alpha - \beta\,i$$

$$0.75 = 0.9 - \beta \times 0.5$$

$$\therefore\quad \beta = 0.3$$

端子電圧U' [V]，電流密度0.3 A/cm^{2}のときの出力密度p'は

$$U' = \alpha - \beta\,i'$$

$$U' = 0.9 - 0.3 \times 0.3 = 0.81\ \text{V}$$

$$p' = U' \times i' = 0.81 \times 0.3 = 0.243\ \text{W/cm}^2$$

$$\Rightarrow \mathbf{2.43} \times 10^{-1}\ \text{W/cm}^2$$

問題15

(1)　1—ア，2—オ，3—ケ

(2)　4—カ，5—イ，6—エ，7—イ

(3)　A—2.5，B—3.2，C—42，D—50，E—43

【指導】

(1)　照明用光源としてLEDは広く普及している．LEDで白色光源とするには，LED素子に蛍光体を組み合わせる方法と，赤，青，緑のLED素子を用いる方法がある．

LED素子と蛍光体による白色LEDは，**青色**LEDまたは，**紫外**LEDを使用しているが，発光効率で有利な青色LEDが広く用いられている．

照明用白色LEDの平均演色評価数Raは，現在**90を超えることも可能**な製品が販売されている．なお，平均演色評価数はJISが定める方法で算出され，Ra100が自然光（太陽光）による見え方で，蛍光灯はRa70程度となっている．

(2)　1)　必要光束数は蛍光灯，LEDとも等しいので，問題文中の表を使って，蛍光灯照明器具AをLEDのBとした場合の直管LEDランプの本数xを求める．

$$1\,600x = 2\,000 \times 40$$

$$\therefore \quad x = (2\,000 \times 40)/1\,600 = \mathbf{50}\ 本 \qquad ①$$

2)　題意より，照明器具全体の消費電力について，蛍光灯をW_{TF}およびLEDをW_{TL}とし，以下で計算できる．

$$W_{\mathrm{TF}} = \frac{(40 \times 2\,000)/100}{0.9} \fallingdotseq 888.89\ \mathrm{W} \qquad ②$$

$$W_{\mathrm{TL}} = \frac{(50 \times 1\,600)/160}{0.85} \fallingdotseq 588.24\ \mathrm{W} \qquad ③$$

②，③式より，照明器具Aを採用した場合に対して照明器具Bを採用した場合の電力低減率αは以下で計算できる．

$$\alpha = \frac{W_{\mathrm{TF}} - W_{\mathrm{TL}}}{W_{\mathrm{TF}}} = \frac{888.89 - 588.24}{888.89} \fallingdotseq 0.338\,23 \fallingdotseq \mathbf{34}\ \% \qquad ④$$

3)　直管蛍光ランプは省エネルギー性以外にも**低温時に光束が低下しやすい**というデメリット，点灯管に含まれる微量水銀による廃棄処理の問題などがある．また，直管蛍光ランプと直管LEDランプを混用する事務所などでは，**誤接続防止による安全性の確保**を配慮する必要がある．

(3)　1)　題意より，球形光源のすべての方向の光度が等しく，立体角$\omega_0 = 4\pi$ sr（全方位），光源の全光束$F_0 = 31\,400$ lmなので，光源の光度Iは以下で求められる．

$$I = \frac{F_0}{\omega_0} = \frac{31\,400}{4 \times 3.140\,0} = 2\,500 = \mathbf{2.5} \times 10^3\ \mathrm{cd} \qquad ⑤$$

題意の条件より，**第1図**を示す．P点の水平面照度E_{h}は以下で求められる．ただし，

$l=\sqrt{2^2+1.5^2}=2.5\ \mathrm{m}$ である．

$$E_{\mathrm{h}}=\frac{I}{l^2}\cos\theta=\frac{I}{l^2}\frac{h}{l}=\frac{2\,500\times2}{2.5^3}=320=\mathbf{3.2}\times10^2\ \mathrm{lx} \quad ⑥$$

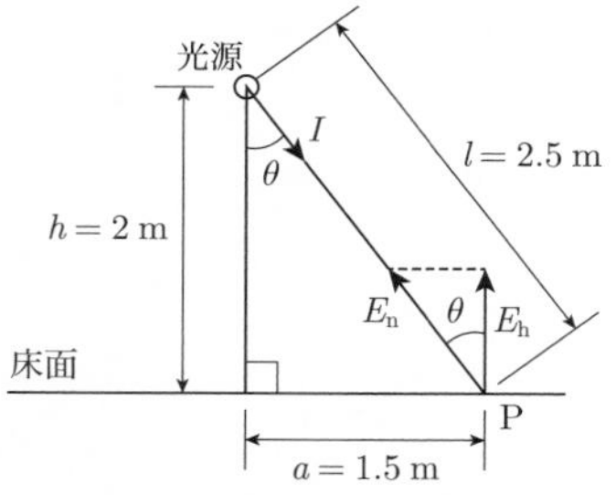

第1図　水平面照度

2)　題意より照明器具1台が分担する道路面積 S は，以下で計算できる（**第2図**）．ただし，光源の光束 $F=30\,000$ lm，道路面の平均照度 $E_{\mathrm{av}}=15$ lx，照明率 $U=0.3$，保守率 $M=0.7$ とする．

$$E_{\mathrm{av}}S=FUN\rightarrow S=\frac{FUM}{E_{\mathrm{av}}}=\frac{30\,000\times0.3\times0.7}{15}=420\ \mathrm{m}^2 \quad ⑦$$

⑦式から X は以下で求められる．

$$S=2X\times5$$

$$\therefore\quad X=\frac{S}{2\times5}=\frac{420}{10}=\mathbf{42}\ \mathrm{m} \quad ⑧$$

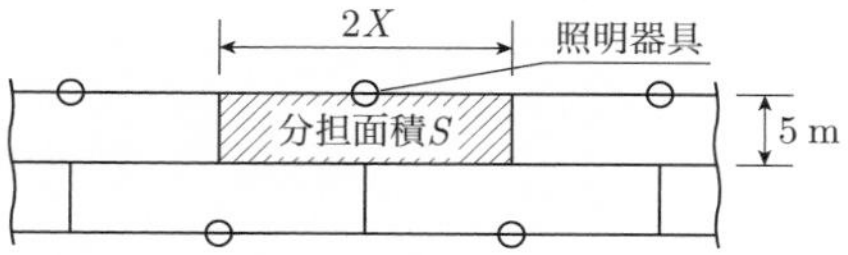

第2図　照明器具の分担面積

3)　間口 $X=19.2$ m，奥行き $Y=12.8$ m，天井高さ $H=2.8$ m のオフィスで，作業面の照度 $E=750$ lx 以上であった．照明器具は，蛍光ランプ2灯用（灯具の全光束 $F=2\times4\,950=9\,900$ lm）を使用し，灯具1灯当たりの消費電力 $P_{\mathrm{LF}}=86$ W，照明率 $U=0.54$，保守率 $M=0.70$ であった．作業面の照度 E を確保する，最小限の照明器具設置台数 N は，以下で求められる．ただし，被照面面積 $A=X\cdot Y\ [\mathrm{m}^2]$ である．

$$N=\frac{E\cdot A}{F\cdot U\cdot M}=\frac{750\times19.2\times12.8}{9\,900\times0.54\times0.70}\fallingdotseq 49.254\fallingdotseq \mathbf{50}\text{ 台} \quad ⑨$$

次に，タスク・アンビエント照明方式に改善する．タスク・アンビエント照明方式とは，作業する机上などに局部照明を併用することで必要な照度を確保しつつ，全体の照明設備を少なくする手法のことである．

題意より，照明器具の 2 灯用を 1 灯用としたとき，1 台当たりの消費電力は 86/2 = 43 W で台数は 50 台である．また，10 W の LED は 30 台である．点灯時間を T [h] としたとき，改善前後の消費電力量 W_1，W_2 は，以下で計算できる．

$$W_1 = P_{LF}\times 50T = 86\times 50T = 4\,300T\ [\mathrm{W\cdot h}] \quad ⑩$$

$$W_2 = (10\times 30 + 43\times 50)T = 2\,450T\ [\mathrm{W\cdot h}] \quad ⑪$$

上記より，削減した消費電力量の割合αは，以下で求めることができる．

$$\alpha=\frac{W_1-W_2}{W_1}=\frac{4\,300T-2\,450T}{4\,300T}\fallingdotseq 0.430\,23\fallingdotseq \mathbf{43}\,\% \quad ⑫$$

問題16
(1) 1—イ，2—エ，3—オ，4—ア，5—エ，6—キ，7—オ，8—キ，9—ア
(2) 10—ア，11—キ，12—エ，A—10.6，13—ア，14—イ，15—カ

【指導】

(1) 1) i) 熱貫流率 U は，室内外温度差が 1 K のときに単位面積の壁体が貫流する熱量を表す．熱貫流率が小さいほど，壁体の断熱性能は優れていることになる．熱貫流率は熱貫流抵抗 R の逆数である．熱貫流抵抗は，壁体の各部分（屋外表面，コンクリート，断熱材，屋内表面）の熱抵抗の和なので，設問の場合は，

$$R=\frac{1}{\alpha_o}+\frac{0.15}{\lambda_C}+\frac{x}{\lambda_R}+\frac{1}{\alpha_i}$$

となる．屋外表面，屋内表面の熱抵抗は表面熱伝達率の逆数である．また，壁体の熱抵抗は，壁体の厚さに比例し，熱伝導率に反比例する．したがって，

$$U=\frac{1}{R}=\frac{1}{\boldsymbol{\dfrac{1}{\alpha_o}}+\boldsymbol{\dfrac{0.15}{\lambda_C}}+\boldsymbol{\dfrac{x}{\lambda_R}}+\boldsymbol{\dfrac{1}{\alpha_i}}}$$

である．

ii）コンクリート部分の熱抵抗は $\dfrac{0.15}{\lambda_C}=\dfrac{0.15}{1.5}=\mathbf{0.100}\ \mathrm{m^2{\cdot}K/W}$ となる．これらの値を式①に代入すると，

$$U=\frac{1}{R}=\frac{1}{\dfrac{1}{23}+0.1+\dfrac{x}{0.05}+\dfrac{1}{9}}=0.4$$

となるので，

$$\frac{x}{0.05}=\frac{1}{0.4}-\frac{1}{23}-0.1-\frac{1}{9}=2.25$$

であり，$x=\mathbf{0.112}$ m となる．

iii）断熱材厚さが 0.112 m のとき，熱貫流率 $U=0.4\ \mathrm{W/m^2K}$ であり，外気温度 0 °C，室温 20 °C の定常状態のとき，貫流熱量 Q_1 は，

$$Q_1=U(\theta_i-\theta_o)=0.4\times(20-0)=\mathbf{8}\ \mathrm{W/m^2}$$

となる．このとき，室内表面温度を θ_{si} とすると，

$$Q_1=\alpha_i(\theta_i-\theta_{si})=9\times(20-\theta_{si})=8$$

となるので，$\theta_{si}=\mathbf{19.1}$ °C となる．

2）　外壁の単位面積当たりの日射 J [W/m^2] によって外壁表面が取得した熱量 q [W/m^2] は，外壁表面の日射吸収率を ε とすると，

$$q=\varepsilon J$$

となる．これが外気温度の上昇 $\Delta\theta$ によって得られた外壁の貫流熱に等しいとすると，外壁の屋外側表面の伝達率を α_o として，

$$q=\alpha_o\Delta\theta$$

となる．両者は等しいので，$\Delta\theta=\dfrac{\boldsymbol{\varepsilon J}}{\boldsymbol{\alpha_o}}$ [K] となる．したがって，単位面積当たりの貫流熱量は，これに熱貫流率 U を乗じることで得られるので，$Q_2=\dfrac{\boldsymbol{U\varepsilon J}}{\boldsymbol{\alpha_o}}$ [W/m^2] となる．日射熱取得率 η はこれを J で除したものなので，

$$\eta=\frac{(U\varepsilon J/\alpha_o)}{J}=\frac{U\varepsilon}{\alpha_o}$$

となる．これに $U=0.4$，$\varepsilon=0.6$，$\alpha_o=23$ を代入すると，

$$\eta=0.4\times0.6/23=\mathbf{0.01}$$

となる．これはガラス窓（透明外壁）からの日射熱取得率 $\eta=0.3\sim0.8$ 程度と比較すると，非常に小さい値となる．

(2)　1)　図 2 は熱機関である**カルノー**サイクルの作動原理を P-V 線図に示したものであ

る．設問の説明文から以下のことがわかる．

A → B：**等温膨張**

高温熱源からの熱の供給があるが，等温で圧力が低下している．

B → C：断熱膨張

熱の出入りがなく，圧力が低下している．

C → D：等温圧縮

低温熱源への放熱があるが，等温で圧力が上昇している．

D → A：**断熱圧縮**

熱の出入りがなく，圧力が上昇している．

高温熱源の絶対温度を T_1 [K]，低温熱源の絶対温度を T_2 [K] とすると，カルノーサイクルの理論効率ηは，

$$\eta = 1 - T_2/T_1$$

となる．したがって，高温熱源の温度が高い方が効率は高くなる．

2)　ヒートポンプの原理はカルノーサイクルの逆サイクルである．ヒートポンプは圧縮機による仕事を熱媒体（冷媒）に加えることによって，低温熱源から高温熱源へポンプのように熱を汲み上げることができる．ヒートポンプの理論効率（成績係数 COP）はカルノーサイクルの理論効率の逆数として与えられるので，

$$\eta = 1/(1 - T_2/T_1) = T_1/(T_1 - T_2)$$

である．したがって，設問の条件を代入すると，

$$\eta_{\mathrm{H}} = T_1/(T_1 - T_2) = (273 + 45)/(45 - 15) = \mathbf{10.6}$$

となる．

3)　蒸気圧縮ヒートポンプの冷媒として使用されるフロンには，オゾン層破壊と地球温暖化への影響がある．フロンのなかでも **CFC**（クロロフルオロカーボン）は塩素とふっ素を含むことから，オゾン層破壊に与える影響が特に大きく，モントリオール議定書で 1996 年に全廃となっている．代替フロンである **HFC**（ハイドロフルオロカーボン）は塩素を含まないのでオゾン層破壊係数が 0 であるが，地球温暖化係数が 100 から 10 000 のオーダーで非常に大きいので，これに代わる冷媒が求められている．

一方，吸収冷凍機の吸収液は臭化リチウム，冷媒は**水**であり，冷媒としては環境への影響はない．しかし，吸収冷凍機の成績係数は 1 程度であり，蒸気圧縮冷凍機の成績係数を一次エネルギー換算して比較しても，前者の方が低い．

2021年度（第43回）

エネルギー総合管理及び法規（80分）

問題1　エネルギーの使用の合理化等に関する法律及び命令
問題2　エネルギー情勢・政策，エネルギー概論
問題3　エネルギー管理技術の基礎

問題1（エネルギーの使用の合理化等に関する法律及び命令）

次の各文章は，「エネルギーの使用の合理化及び非化石エネルギーへの転換等に関する法律」及びそれに関連した命令について述べたものである．ここで，法令は令和**6**年**9**月**1**日時点で施行されているものである．

これらの文章において，

エネルギーの使用の合理化及び非化石エネルギーへの転換等に関する法律を『法』
エネルギーの使用の合理化及び非化石エネルギーへの転換等に関する法律施行令を『令』
エネルギーの使用の合理化及び非化石エネルギーへの転換等に関する法律施行規則を『則』

と略記する．

[1]～[10]の中に入れるべき最も適切な字句等をそれぞれの解答群から選び，その記号を答えよ．なお，[7]は複数箇所あるが，同じ記号が入る．

また，[[A abcde]]及び[[B abcd]]に当てはまる数値を計算し，その結果を答えよ．ただし，解答は解答すべき数値の最小位の一つ下の位で四捨五入すること．（配点計**50**点）

(1)「エネルギー管理統括者」及び「エネルギー管理企画推進者」に関する事項について

1)　特定事業者として指定された事業者は，『法』第**8**条により，次の①及び②を統括管理するエネルギー管理統括者を選任しなければならない．

①『法』第**15**条第**1**項の[1]の作成事務

②　その設置している工場等におけるエネルギーの使用の合理化に関し，エネルギーを消費する設備の維持，エネルギーの使用の方法の改善及び監視その他経済産業省令で

定める業務

なお，『則』では，②の「その他経済産業省令で定める業務」の一つとして，「特定事業者が設置している工場等におけるエネルギーを消費する設備の［ 2 ］に関すること」が規定されている．

〈［ 1 ］及び［ 2 ］の解答群〉

ア エネルギー方針　**イ** 経営計画　**ウ** 合理化計画

エ 中長期的な計画　**オ** 管理標準の整備　**カ** 更新予算の確保

キ 新設，改造又は撤去　**ク** 性能の向上

2) 特定事業者は，エネルギー管理統括者の選任に加えて，『法』第**9**条により，エネルギー管理企画推進者を選任しなければならない．エネルギー管理企画推進者に関する次の①～③の記述のうち，『法』，『則』の規定に従って正しいものを全て挙げると［ 3 ］である．

① エネルギー管理企画推進者は，エネルギー管理統括者を補佐する．

② エネルギー管理企画推進者の選任に当たっては，選任すべき事由が生じた日から**6**ヶ月以内に選任しなければならない．

③ エネルギー管理企画推進者は，エネルギー管理者又はエネルギー管理員の経験を有していなければならない．

〈［ 3 ］の解答群〉

ア ①　**イ** ②　**ウ** ③　**エ** ①と②　**オ** ①と③　**カ** ②と③

3) 特定事業者は，『法』第**9**条第**1**項により，エネルギー管理企画推進者を次に掲げる者のうちから選任しなければならない．

① 経済産業大臣又は指定講習機関が経済産業省令で定めるところにより行うエネルギーの使用の合理化に関し必要な知識及び技能に関する講習の課程を修了した者

② エネルギー管理士免状の交付を受けている者

さらに，『法』第**9**条第**2**項では，『則』で定められた期間ごとに，当該エネルギー管理企画推進者に資質の向上を図るための講習を受けさせなければならない場合を規定しているが，その対象者となるのは［ 4 ］である．

〈［ 4 ］の解答群〉

ア ①から選任した場合のみ　**イ** ②から選任した場合のみ

ウ ①あるいは②から選任した場合の両方

⑵ エネルギーを使用する工場等における『法』の適用に関する事項について（『法』第**2**条，第**7**条～第**14**条及び関係する『令』，『則』の規定）

ある事業者が金属加工工場と，別の事業所として専ら事務所として使用されている本社事務所を有しており，これらがこの事業者の設置している施設の全てである．ここで，金属加工工場における前年度の燃料，電気などの使用量は，次の **a** ～ **e**，本社事務所における前年度の電気などの使用量は，次の **f** 及び **g** のとおりであり，この事業者はこれら以外のエネルギーは使用していなかった．なお，この事業者は連鎖化事業者，認定管理統括事業者又は管理関係事業者のいずれにも該当していない．

[金属加工工場の燃料，電気などの使用量]

a：ボイラの燃料として都市ガスを使用した．その量を発熱量として換算した量が **11** 万ギガジュールであった．また，そのボイラによる発生蒸気を利用した後の凝縮水の一部を回収してボイラ給水として使用した．その回収して使用した熱量が **4** 千ギガジュールであった．

b：加熱炉の燃料として都市ガスを使用した．その量を発熱量として換算した量が **31** 万ギガジュールであった．また，加熱炉の排熱を **a** のボイラの給水の昇温に利用した．その利用した排熱の熱量が **1** 万ギガジュールであった．

c：**b** の加熱炉は，前年度の途中に断熱を強化する改造工事を実施した．この改造工事によって，**b** の加熱炉の改造後の都市ガスの使用量は，改造前に対して **10** ％低減させることができていた．

d：**b** の加熱炉によって加熱した金属の冷却のために，工場内の排水処理場を経て循環利用している冷却水を使用している．この冷却水で金属を冷却した熱量は **3** 万ギガジュールであった．

e：電気事業者から購入して使用した電気の量を熱量として換算した量が **42** 万ギガジュールで，電気の購入先の電気事業者では，化石燃料によって発電された電気を販売していた．

[本社事務所の電気などの使用量]

f：電気事業者から購入して使用した電気の量を熱量として換算した量が **4** 万 **5** 千ギガジュールで，電気の購入先の電気事業者では，化石燃料によって発電された電気を販売していた．

g：給湯には，電気を使用して加熱ヒーターとヒートポンプを稼働している．これらを稼働させるための電気は **f** の電気の一部であり，ヒートポンプによる空気中の熱の利用によって得られた熱量は **2** 千ギガジュールであった．

1）　前年度に使用した，『法』で定めるエネルギーの使用量を原油の数量に換算した量は，

金属加工工場では [A abcde] キロリットル，本社事務所では [B abcd] キロリットルである．この事業者のエネルギー使用量は，金属加工工場と本社事務所のエネルギー使用量の合計であり，その量から判断して，この事業者は特定事業者に該当する．

なお，『則』によれば，発熱量又は熱量 **1** ギガジュールは原油 **0.025 8** キロリットルとして換算することとされている．

2）　1）から求めた「前年度に使用した，『法』で定めるエネルギーの使用量」から判断して，この金属加工工場は，第一種エネルギー管理指定工場等に該当する．また，本社事務所は，[5]．

〈[5]の解答群〉

ア　第一種エネルギー管理指定工場等に該当する

イ　第二種エネルギー管理指定工場等に該当する

ウ　金属加工工場と合わせて，第一種エネルギー管理指定工場等に該当する

エ　エネルギー管理指定工場等に該当しない

3）　1）及び 2）によって当該の指定を受けた後，この事業者が，事業者の単位で選任しなければならないのは，エネルギー管理統括者及びエネルギー管理企画推進者であり，工場等の単位で選任しなければならないのは，金属加工工場の [6] である．

〈[6]の解答群〉

ア　エネルギー管理者 **1** 名　　**イ**　エネルギー管理者 **2** 名

ウ　エネルギー管理者 **3** 名　　**エ**　エネルギー管理員

(3)　「定期の報告」に関する事項について

特定事業者は，『法』第 **16** 条に基づいて，毎年度，『則』で定めるところにより，その設置している工場等におけるエネルギーの使用量その他エネルギーの使用の状況並びにエネルギーを消費する設備及びエネルギーの使用の合理化に関する設備の設置及び改廃の状況に関し，『則』で定める事項を主務大臣に報告しなければならない．これを定期の報告という．

ここで，前述のエネルギーの使用の状況には，エネルギーの使用の効率及びエネルギーの使用に伴って発生する [7] に係る事項を含むとされている．[7] が挙げられているのは，エネルギーの使用と地球環境との関係によるものである．

〈[7]の解答群〉

ア　蒸気の使用量　　**イ**　電気の需要の変動

ウ　二酸化炭素の排出量　　**エ**　廃熱の排出量

⑷ 「機械器具に係る措置」及び「熱損失防止建築材料に係る措置」に関連する事項について

1) 『法』第 **149** 条では，経済産業大臣（自動車及びこれに係る特定関係機器にあっては，経済産業大臣及び国土交通大臣）は，特定エネルギー消費機器等ごとに，そのエネルギー消費性能又はエネルギー消費関係性能の向上に関しそのエネルギー消費機器等製造事業者等の判断の基準となるべき事項を定め，これを公表するものとする，としている．

また，この判断の基準となるべき事項は，当該特定エネルギー消費機器等のうちエネルギー消費性能等が最も優れているもののそのエネルギー消費性能等，当該特定エネルギー消費機器等に関する［ 8 ］の将来の見通しその他の事情を勘案して定めるものとし，これらの事情の変動に応じて必要な改定をするものとする，としている．

〈［ 8 ］の解答群〉

ア 技術開発　**イ** 競争力　**ウ** 生産コスト　**エ** 部品調達

2) 『法』第 **154** 条では，熱損失防止建築材料のうち，我が国において［ 9 ］，かつ，建築物において熱の損失が相当程度発生する部分に主として用いられるものであって，『法』第 **153** 条に規定する性能の向上を図ることが特に必要なものとして『令』で定める特定熱損失防止建築材料については，経済産業大臣は，特定熱損失防止建築材料ごとに，『法』に規定する性能の向上に関し熱損失防止建築材料製造事業者等の判断の基準となるべき事項を定め，これを公表するものとする，としている．

〈［ 9 ］の解答群〉

ア 省エネルギー性能が低く　**イ** 使用実績があり

ウ 生産あるいは輸入実績があり　**エ** 大量に使用され

3) 特定エネルギー消費機器等あるいは特定熱損失防止建築材料として『令』の対象となっているものを，次の①～④のうちから二つ挙げると［ 10 ］である．

① 照明器具

② 熱交換器

③ 複層ガラス

④ 太陽光発電パネル

〈［ 10 ］の解答群〉

ア ①と②　**イ** ①と③　**ウ** ①と④　**エ** ②と③　**オ** ②と④　**カ** ③と④

問題2（エネルギー情勢・政策，エネルギー概論）

次の各文章の[1]～[9]の中に入れるべき最も適切な字句等をそれぞれの解答群から選び，その記号を答えよ．なお，[6]は複数箇所あるが，同じ記号が入る．

また，[**A** | **a.b × 10^c**]に当てはまる数値を計算し，その結果を答えよ．ただし，解答は解答すべき数値の最小位の一つ下の位で四捨五入すること．（配点計**50**点）

(1) 国際単位系（**SI**）では，長さ（メートル[**m**]），質量（キログラム[**kg**]），時間（秒[**s**]），電流（アンペア[**A**]），熱力学温度（ケルビン[**K**]），光度（カンデラ[**cd**]）及び物質量（モル[**mol**]）の**7**つを基本単位としている．これに対し，電荷の単位であるクーロン[**C**]は，前述の**7**つの基本単位のうちのいくつかを組み合わせて[1]と表されるので，組立単位と呼ばれる．

また，圧力の単位であるパスカル[**Pa**]も組立単位であり，基本単位を用いて[2]と表される．ここで，高さ**10 m**の水柱の底面にかかる水の圧力は，水の密度を**1 000** kg/m^3，重力の加速度を**9.8** m/s^2とすると[**A** | **a.b × 10^c**] [**Pa**]となる．

〈[1]及び[2]の解答群〉

ア $A\cdot s$　**イ** $A\cdot m/s$　**ウ** $A/(m\cdot s)$　**エ** $kg\cdot m/s^2$

オ $kg\cdot m^2/s^2$　**カ** $kg/(m\cdot s^2)$

(2) 我が国の発電設備別の発電電力量の割合は，**2011**年の東日本大震災における原子力発電所事故の影響を強く受けて，この**10**年間で大きく変化している．**2010**年度には，火力と原子力の占める割合は[3]であり，水力を除く再生可能エネルギーは**2**％以下であったが，震災後は原子力が激減するとともに，大気中の二酸化炭素濃度の増加を抑制する観点から，再生可能エネルギーの導入が促進された．その結果，**2020**年版のエネルギー白書に示されている**2018**年度の実績では，水力を除く再生可能エネルギーの割合は約[4][%]まで増加している．また，**2018**年度における火力の発電電力量を化石燃料別に比べると，多いものから順に[5]となっている．

〈[3]～[5]の解答群〉

ア **4**　**イ** **6**　**ウ** **9**　**エ** 石炭，石油，天然ガス

オ 石油，天然ガス，石炭　**カ** 天然ガス，石炭，石油

キ 火力が約**36**％，原子力が約**54**％　**ク** 火力が約**46**％，原子力が約**44**％

ケ 火力が約**64**％，原子力が約**26**％

(3) 種々のエネルギー源を対象として，それらを利用する系が外界（多くの場合は環境）と平衡するまでに取り出せる最大の仕事量（$\boldsymbol{E}$とする）を[6]と呼ぶ．また，この$\boldsymbol{E}$を

全エネルギーで除した割合を［6］率（ε とする）と呼ぶ．ε の値は，電気エネルギーでは［7］である．また，化学エネルギーと，例えば **1 500 °C** の熱エネルギーの ε の値を比べると，一般に［8］．

一方，エネルギー利用機器におけるエネルギー効率を評価する上で，エネルギー源の起点を同一とした変換のプロセスを考慮することは重要であり，例えば蒸気圧縮冷凍機と吸収冷凍機のエネルギー効率を比較する際の［9］の評価に対しても，注意が必要である．

〈［6］～［9］の解答群〉

ア 約 **0.8**（**80 %**）	**イ** 約 **0.9**（**90 %**）	**ウ** **1**（**100 %**）
エ エクセルギー	**オ** 自由エネルギー	**カ** 内部エネルギー
キ エネルギー回収効率	**ク** 温度効率	**ケ** 成績係数

コ 化学エネルギーの方が高い

サ 熱エネルギーの方が高い

シ 両者は同程度である

問題 3（エネルギー管理技術の基礎）

次の各文章は，「工場等におけるエネルギーの使用の合理化に関する事業者の判断の基準」（以下，『工場等判断基準』と略記）の内容及びそれに関連した管理技術の基礎について述べたものである．ここで，『工場等判断基準』は令和 **5** 年 **9** 月 **1** 日時点で施行されているものである．

これらの文章において，『工場等判断基準』の本文に関連する事項については，その引用部を示す上で，

「**I**　エネルギーの使用の合理化の基準」の部分は『基準部分』，

「**II**　エネルギーの使用の合理化の目標及び計画的に取り組むべき措置」の部分は，『目標及び措置部分』

と略記し，特に「工場等（専ら事務所その他これに類する用途に供する工場等を除く）」における『基準部分』を『基準部分（工場）』，同じく『目標及び措置部分』を『目標及び措置部分（工場）』と略記する．

［1］～［14］の中に入れるべき最も適切な字句等をそれぞれの解答群から選び，その記号を答えよ．

また，［**A** ab］～［**F** ab］に当てはまる数値を計算し，その結果を答えよ．ただし，解答は解答すべき数値の最小位の一つ下の位で四捨五入すること．なお，単位の $\mathbf{m^3_N}$ は標

準状態における気体の体積を表す.（配点計**100**点）

⑴ 『工場等判断基準』のうちの『目標及び措置部分』では，事業者はエネルギーの使用の合理化の目標及び計画的に取り組むべき措置を最大限より効果的に講じていくことを目指して［ 1 ］視点に立った計画的な取組に努めなければならない，と定められている.

『目標及び措置部分（工場）』においては，この措置を講ずべき対象としているエネルギー消費設備等は，「燃焼設備，熱利用設備，廃熱回収設備，［ 2 ］設備，電気使用設備，空気調和設備・給湯設備・換気設備・昇降機等，照明設備及び**FEMS**」としている.

これらの中で，**FEMS**は「工場エネルギー管理システム」のことであり，措置を講ずべき対象のエネルギー消費設備等に関して，総合的な［ 3 ］について検討すること，が求められている.

〈［ 1 ］～［ 3 ］の解答群〉

ア コージェネレーション　**イ** 熱供給専用　**ウ** 発電専用　**エ** 経済性
オ 制御　**カ** 性能　**キ** 恒久的　**ク** 短期的
ケ 中長期的

⑵ カルノーサイクルを，**127 °C**の高温熱源と**27 °C**の低温熱源との間で作動させたときの熱効率は，［**A** **ab**］[%]である．ここで，**0 °C**の熱力学温度を**273 K**とする.

⑶ **1** $\mathbf{m^3_N}$のアセチレン($\mathbf{C_2H_2}$)を完全燃焼させるのに必要な理論酸素量は，［**B** **a.b**］[$\mathbf{m^3_N}$]である.

⑷ **50 °C**の温水と**20 °C**の空気が，平板を隔てて熱交換している．このときの熱通過における熱流束が**400 W/m²**であれば，平板単位面積当たりの熱抵抗は，［**C** **a.b**］$\times$ $\mathbf{10^{-2}}$ **[K/W]**である.

⑸ 表面の放射率が温度によらず一定の物体から放散される放射エネルギーは，物体の表面温度が**600 K**のとき，表面温度が**400 K**のときと比べ約［ 4 ］倍となる.

〈［ 4 ］の解答群〉

ア **1.5**　**イ** **2.3**　**ウ** **5.1**

⑹ 圧力**0.2 MPa**における飽和水の比エンタルピーは**505 kJ/kg**，乾き飽和蒸気の比エンタルピーは**2 706 kJ/kg**である．同温同圧で，乾き度**0.9**の湿り蒸気が保有する潜熱は［ 5 ］$\times$ $\mathbf{10^3}$ **[kJ/kg]**である.

〈［ 5 ］の解答群〉

ア **1.98**　**イ** **2.20**　**ウ** **2.49**

⑺ 燃料の燃焼の管理では，燃料の性状に応じた燃焼方法により，燃焼効率を高めることが

求められる．この燃焼効率は，実際に燃焼過程で得られた熱量と，燃料の［6］との比で示されるのが一般的である．

〈［6］の解答群〉

ア 低発熱量　**イ** 比エントロピー　**ウ** 有効エネルギー

(8) 『工場等判断基準』の『基準部分（工場）』は，廃熱の回収利用の基準の一つとして，「加熱された固体若しくは流体が有する顕熱，［7］，圧力，可燃性成分等の回収利用は，回収を行う範囲について管理標準を設定して行うこと．」を求めている．

〈［7］の解答群〉

ア 温度　**イ** 質量　**ウ** 潜熱

(9) 空気調和設備の省エネルギーでは，空調負荷の低減と効率の高い空調設備の採用の両面で行うことが重要である．

1) 空調負荷の低減について，『工場等判断基準』の『基準部分（工場）』は，「工場内にある事務所等の空気調和の管理は，［8］，ブラインドの管理等による負荷の軽減及び区画の使用状況等に応じた設備の運転時間，室内温度，換気回数，湿度，外気の有効利用等についての管理標準を設定して行うこと．」を求めている．

〈［8］の解答群〉

ア 空気調和を施す区画を限定し　**イ** 熱源の台数制御を行い

ウ 冷水や冷却水の温度を管理し

2) 効率の高い空調設備の採用について，『工場等判断基準』の『基準部分（工場）』は，「特定エネルギー消費機器に該当する空気調和設備，給湯設備に係る機器を新設・更新する場合には，当該機器に関する性能の向上に関する製造事業者等の判断の基準に規定する［9］以上の効率のものを採用すること．」を求めている．

〈［9］の解答群〉

ア 基準エネルギー消費効率　**イ** 基準廃熱回収効率

ウ 既設の空調設備の成績係数

(10) ある火力発電設備は，高発熱量 **45 MJ/m$^3_\mathrm{N}$** の天然ガスを燃料として発電しており，高発熱量基準の平均発電端熱効率は **39 %** である．この発電設備において，毎時 **10** 万 **kW·h** の発電をしようとするとき，**1** 時間当たりの天然ガス使用量は［**D** $\mathbf{a.b \times 10^c}$］[$\mathbf{m^3_N}$] である．

(11) 工場配電設備では，受電端における力率を高く保つことが求められている．『工場等判断基準』の『基準部分（工場）』及び『目標及び措置部分（工場）』では，受電端における力率については，[10]とすることを求めている．ただし，発電所の所内補機を対象とする場合はこの限りでない．

〈[10]の解答群〉

ア　基準を **85** % 以上，目標を **95** % 以上　**イ**　基準を **90** % 以上，目標を **95** % 以上

ウ　基準を **95** % 以上，目標を **98** % 以上

⑿　ある事業所の工場配電設備では，最大需要電力を使用電力の **30** 分ごとの平均値で管理しており，その値を **5 000 kW** 以下に抑えることにしている．ある日の **9** 時から **9** 時 **30** 分までの **30** 分間で，**9** 時から **9** 時 **15** 分までの電力使用量が **1 400 kW·h** であるとすると，**9** 時 **15** 分から **9** 時 **30** 分までの残り **15** 分間の平均電力を [[**E** | **abcd**]] [**kW**] 以下とする必要がある．

⒀　一定出力で稼働している三相誘導電動機の，線間電圧は **200 V**，線電流は **45 A**，使用電力は **12 kW** であった．この場合，この電動機の力率は [[**F** | **ab**]] [%] である．ここで，$\sqrt{3} = 1.73$ とする．

⒁　汎用の三相かご形誘導電動機が，電圧及び周波数が一定の交流電源に接続され，所定の負荷範囲内で稼働している．ここで，負荷が **50** % から **100** % に増加したときの電動機の回転速度は[11]．

〈[11]の解答群〉

ア　**2** 倍に増加する　**イ**　半分に減少する　**ウ**　ほぼ一定である

⒂　送風機について，**JIS** では，「羽根車の回転運動によって気体にエネルギーを与える機械で，単位質量当たりのエネルギーが **25 kN·m/kg** 未満のもの」と定義している．この単位質量当たりのエネルギー **25 kN·m/kg** は，気体が標準空気（密度が **1.2 kg/m**^{3}）の場合，送風機の全圧[12] [**kPa**] に相当する．

〈[12]の解答群〉

ア　**21**　**イ**　**25**　**ウ**　**30**

⒃　電気化学反応では電極界面においてイオンと電子の間で電気のやり取りが行われる．ファラデーの法則によれば，電流が通過することにより電極上において析出又は溶解する化学物質の質量は通過する電気量に比例する．また，同じ電気量によって析出又は溶解する化学物質の質量は，その物質の **1 mol** 当たりの質量 M と反応電子数 z で決まり，[13]に比例する．

〈 13 の解答群〉

ア zM **イ** $\frac{M}{z}$ **ウ** $\frac{z}{M}$

⒄ **LED** ランプは，ランプ効率が年々向上して省エネルギーに大きく寄与している．**40 W** の直管形蛍光ランプに相当する光束を発する **LED** ランプ（大きさの区分 **40** 相当）で，光源色が昼光色，昼白色のランプ総合効率は，現状では概ね 14 **[lm/W]** の範囲にある．

〈 14 の解答群〉

ア **40 〜 80** **イ** **80 〜 100** **ウ** **100 〜 200**

電気の基礎（80分）

問題4　電気及び電子理論

問題5　自動制御及び情報処理

問題6　電気計測

問題4（電気及び電子理論）

次の各文章の［1］～［14］の中に入れるべき最も適切な字句等をそれぞれの解答群から選び，その記号を答えよ．（配点計**50**点）

(1)　図**1**に示すように，電圧 $\dot{E}_0$ の交流電源に，誘導性リアクタンス X_1，X_2，抵抗 R，スイッチ S_1 及びスイッチ S_2 が接続されている．端子a，b間の電圧を $\dot{V}_{ab}$，交流電源からの電流を $\dot{I}_0$ とし，S_1 に流れる電流を $\dot{I}_1$，S_2 に流れる電流を $\dot{I}_2$ として，**2**つのスイッチを開閉したときの電圧，電流を求める．

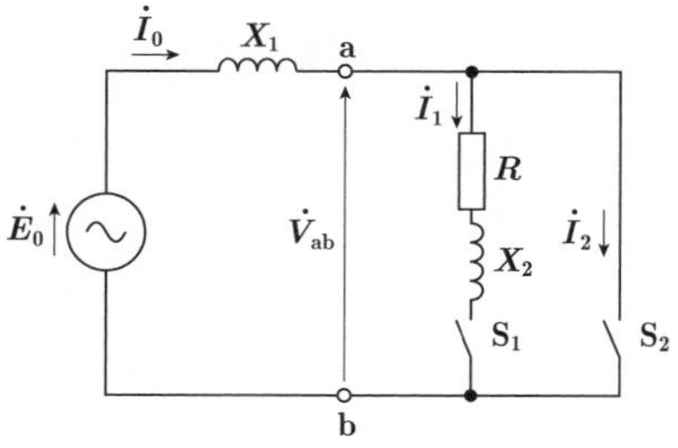

図1

1)　スイッチ S_1 が閉，スイッチ S_2 が開の状態を考える．電圧 $\dot{V}_{ab}$ は次式のように表される．

$$\dot{V}_{ab} = \boxed{\ 1\ } \times \dot{E}_0$$

また，電流 $\dot{I}_0$ は次式のように表される．

$$\dot{I}_0 = \boxed{\ 2\ } \times \dot{E}_0$$

〈［1］及び［2］の解答群〉

ア $\dfrac{1}{jX_1}$　　**イ** $\dfrac{1}{R + jX_2}$　　**ウ** $\dfrac{1}{R + j(X_1 + X_2)}$　　**エ** $\dfrac{R + jX_2}{jX_1}$

オ $\dfrac{\mathrm{j}X_1}{R+\mathrm{j}(X_1+X_2)}$　　**カ** $\dfrac{R+\mathrm{j}X_2}{R+\mathrm{j}(X_1+X_2)}$

2) スイッチ $\mathrm{S_1}$ 及びスイッチ $\mathrm{S_2}$ が閉の状態を考える.

電圧 $\dot{V}_{\mathrm{ab}}$ は次式のように表される.

$$\dot{V}_{ab} = \boxed{\ 3\ }$$

また, 電流 $\dot{I}_2$ は次式のように表される.

$$\dot{I}_2 = \boxed{\ 4\ }$$

〈[3]及び[4]の解答群〉

ア 0　　**イ** ∞　　**ウ** $\dot{E}_0$

エ $\dfrac{\dot{E}_0}{\mathrm{j}X_1}$　　**オ** $\dfrac{\dot{E}_0}{R+\mathrm{j}X_2}$　　**カ** $\dfrac{\dot{E}_0\times\mathrm{j}X_1}{R+\mathrm{j}X_2}$

3) スイッチ $\mathrm{S_1}$ 及びスイッチ $\mathrm{S_2}$ が閉の状態を考える.

電圧 $\dot{V}_{\mathrm{ab}}$ は次式のように表される.

$$\dot{V}_{ab} = \boxed{\ 5\ }$$

また, 電流 $\dot{I}_1$ は次式のように表される.

$$\dot{I}_1 = \boxed{\ 6\ }$$

〈[5]及び[6]の解答群〉

ア 0　　**イ** ∞　　**ウ** $\dot{E}_0$

エ $\dfrac{\dot{E}_0}{\mathrm{j}X_1}$　　**オ** $\dfrac{\dot{E}_0(R+\mathrm{j}X_2)}{\mathrm{j}X_1}$　　**カ** $\dfrac{\dot{E}_0}{R+\mathrm{j}(X_1+X_2)}$

(2) 図 **2** に示すように, 線間電圧が **400 V** の対称三相交流電源に, 回路 **1**（負荷）と, スイッチ **S** を介して回路 **2**（コンデンサ）が接続されている. ここで, 回路 **1** はインピーダンス $\dot{Z}_1 = 4 + \mathrm{j}3$ [Ω] を **Y** 接続した平衡三相負荷である. また, 回路 **2** は, 交流電源から見た力率を **1** に改善するためにインピーダンス $\dot{Z}_2$ [Ω] のコンデンサを △ 接続した平衡三相回路である.

図 **2** の回路において, スイッチ **S** を開閉したときの有効・無効電力などの値を求める過程を考える. ただし, 図示されたもの以外のインピーダンスは無視するものとする.

1) スイッチ **S** が開いているときに, 交流電源から回路 **1** に供給する有効及び無効電力を求める.

i) 対称三相交流電源の電圧は線間電圧で与えられているので, 回路 **1** のインピーダンスを **Y**-△ 変換すると, △ 接続 **1** 相当たりのインピーダンス $\dot{Z}_{\triangle}$ は次の値となる.

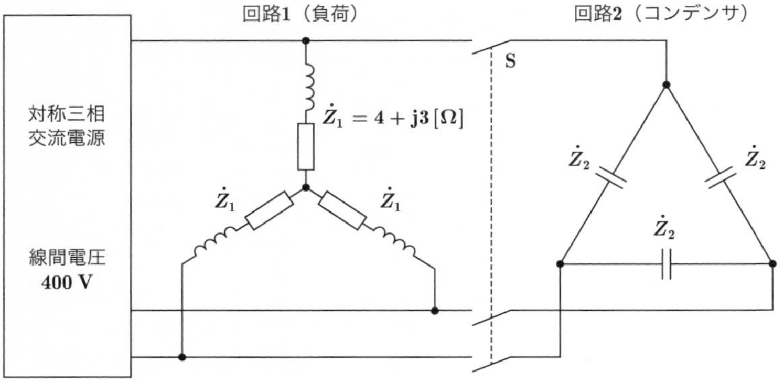

図2

$\dot{Z}_{\triangle} =$ [7] [Ω]

線間電圧を $\dot{V}_{\triangle} = 400$ V とすると，この △ 接続 1 相に流れる電流 $\dot{I}_{\triangle 1}$ は次の値となる．

$\dot{I}_{\triangle 1} =$ [8] [A]

〈[7] 及び [8] の解答群〉

ア $\frac{4}{3}+j$　**イ** $4+j3$　**ウ** $12+j9$　**エ** $20-j15$

オ $\frac{64}{3}-j16$　**カ** $192-j144$

ii) △ 接続 1 相の力率 $\cos\theta_{\triangle 1}$，及び交流電源から供給される △ 接続 1 相の有効電力 $P_{\triangle 1}$ と無効電力 $Q_{\triangle 1}$（遅れ）は次の値となる．

$\cos\theta_{\triangle 1} =$ [9]

$P_{\triangle 1} =$ [10] [W]

$Q_{\triangle 1} = 6\ 400$ var

〈[9] 及び [10] の解答群〉

ア 0.6　**イ** 0.8　**ウ** 1　**エ** $\frac{20\,480}{3}$　**オ** 8 000　**カ** $\frac{25\,600}{3}$

2) スイッチ S が閉じているときに，三相交流電源から供給される有効及び無効電力を求める．

i) 回路 2 の回路定数を求める．

前述の結果から，回路 **2** によって交流電源の力率を **1** に改善する △ 接続 **1** 相当たりの無効電力は **6 400 var**（進み）となる．したがって，回路 **2** の △ 接続 **1** 相に流す電流の実効値 $I_{\triangle 2}$ は次の値である．

$$I_{\triangle 2} = \boxed{\ 11\ }\ [\mathrm{A}]$$

この電流を流すコンデンサのキャパシタンス C は次の値である．ただし，交流電源の角周波数 ω は $\omega = 100\pi$ [rad/s] とする．

$$C = \boxed{\ 12\ }\ [\mu\mathrm{F}]$$

〈 11 及び 12 の解答群〉

ア 15　**イ** 16　**ウ** 144　**エ** $\dfrac{0.4}{\pi}$　**オ** $\dfrac{3.6}{\pi}$

カ $\dfrac{400}{\pi}$　**キ** $\dfrac{3\,600}{\pi}$

ii) このとき，三相交流電源から供給される有効電力 P_3 と無効電力 Q_3 は次の値となる．

$$P_3 = \boxed{\ 13\ }\ [\mathrm{W}]$$

$$Q_3 = \boxed{\ 14\ }\ [\mathrm{var}]$$

〈 13 及び 14 の解答群〉

ア 0　**イ** 6 400　**ウ** 12 800　**エ** 19 200　**オ** 24 000　**カ** 25 600

問題 5（自動制御及び情報処理）

次の各文章の 1 ～ 14 の中に入れるべき最も適切な字句等をそれぞれの解答群から選び，その記号を答えよ．（配点計 **50** 点）

(1) プロセス制御を行なうため，図 **1** に示す定値制御のフィードバック制御系を考える．ここで，$P(s)$ は安定な制御対象であり，$K(s)$ は制御器，r は目標値，y は制御量である．この制御系において，$K(s)$ として **PID** 制御器を用いる際に，図 **2** のオペアンプで構成される電子回路で実現することを考える．

オペアンプは理想素子であるとして，入力インピーダンスは無限大とする．図 **2** の V_i は入力電圧，V_o は出力電圧，R_1，R_2 は抵抗，C_1，C_2 はコンデンサ，V_+ はオペアンプの非反転入力電圧，V_- は反転入力電圧，I_i は入力端における電流，I_o は帰還回路の電流である．また，C_1, C_2 の電圧の初期化機能も持っているものとするが，図 **2** では省略する．

1) 抵抗 R_1 とコンデンサ C_1 の並列接続部分の合成インピーダンス Z_i と，抵抗 R_2 とコ

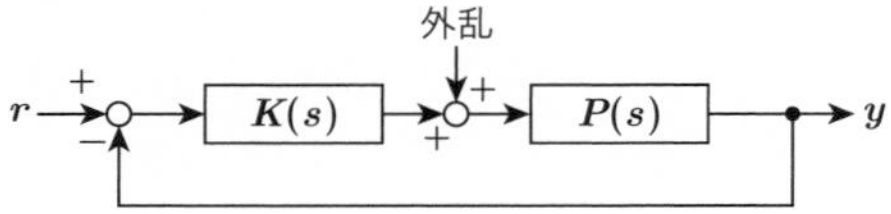

図1

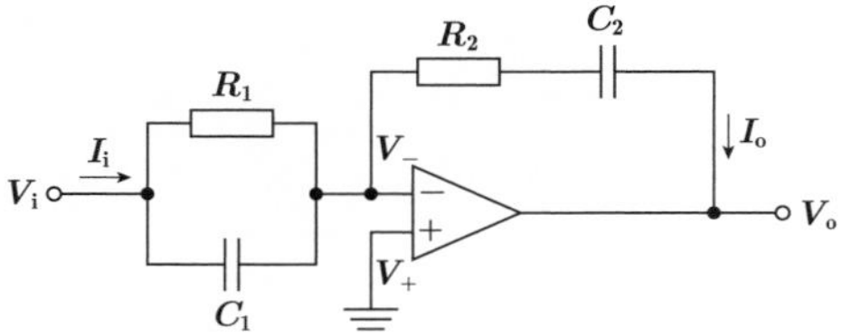

図2

ンデンサ C_2 の直列接続部分の合成インピーダンス Z_o を，ラプラス演算子 s を用いて表現すると，Z_i 及び Z_o は次式で表される.

$$Z_i = \boxed{\ 1\ }$$

$$Z_o = \boxed{\ 2\ }$$

〈 1 及び 2 の解答群〉

ア R_1C_1s　　イ $\dfrac{R_1C_1s+1}{R_1}$　　ウ $\dfrac{R_1}{R_1C_1s+1}$

エ $\dfrac{R_2C_2s+1}{C_2s}$　　オ $\dfrac{1}{R_2C_2s+1}$　　カ $\dfrac{C_2s}{R_2C_2s+1}$

2)　ここで, オペアンプは理想素子であり, $V_+ = V_- = 0$, $I_i = I_o$ が成り立つ. このとき, 入力電圧 V_i のラプラス変換を $V_i(s)$，出力電圧 V_o のラプラス変換を $V_o(s)$ とすると, $V_i(s)$ から $V_o(s)$ までの伝達関数 $G(s)$ は次式で表される.

$$G(s) = \frac{V_o(s)}{V_i(s)} = \boxed{\ 3\ }$$

〈 3 の解答群〉

ア $-R_1C_2s$　　イ $-\dfrac{(R_1C_1+R_2C_2)s+1}{R_1C_2s}$

ウ $-\dfrac{R_1C_1R_2C_2s^2+(R_1C_1+R_2C_2)s+1}{R_1C_2s}$

3)　次に，このオペアンプ回路を制御系の PID 制御器として使用するために，2) で得られた伝達関数の符号を反転し，$K(s) = -\dfrac{V_o(s)}{V_i(s)} = K_1 + \dfrac{K_2}{s} + K_3 s$ とする．このとき，K_2 は [4]，K_3 は [5] となる．

〈[4] 及び [5] の解答群〉

ア R_1C_2　**イ** R_2C_1　**ウ** $\dfrac{1}{R_1C_2}$

4）オペアンプ回路を PID 制御器として動作させたとき，フィードバック系において外乱による定常偏差を低減するのは [6] 動作であり，そのゲインは $K(s)$ の式中の [7] である．

〈[6] 及び [7] の解答群〉

ア K_1　**イ** K_2　**ウ** K_3　**エ** 積分　**オ** 微分　**カ** 比例

(2) 企業や組織が保有している情報資産の安全性を確保するためには，情報セキュリティ管理が重要である．

1）その三要素は機密性，完全性，[8] であり，そのうち完全性とは [9] ことである．

〈[8] 及び [9] の解答群〉

ア 可用性　**イ** ぜい弱性　**ウ** 保全性

エ 情報が破壊，改ざん，消去されない状態を確保する

オ 許可された利用者だけが情報にアクセスできる

カ 必要な時に情報にアクセスできる

2）情報資産の安全性を脅かす脅威を排除するために企業や組織が作成する規定を [10] と呼ぶ．

〈[10] の解答群〉

ア セキュリティホール　**イ** 情報セキュリティインシデント

ウ 情報セキュリティポリシー

3）セキュリティを確保する対策としては，暗証番号やパスワード認証などを使用するユーザー認証と，ファイアウォールなどを利用する [11] がある．

〈[11] の解答群〉

ア アクセス制御　**イ** リスク分析　**ウ** 暗号化

(3) 半導体メモリは読み書きが可能な **RAM** と，読み取り専用の [12] に分類される．さらに **RAM** の種別としては，高速で消費電流も少ないが大容量化が困難な [13] と，時間が経つと記憶内容が消えてしまうため [14] 動作が必要な **DRAM** などがある．

〈 12 ～ 14 の解答群〉

ア HDD　**イ** ROM　**ウ** SRAM　**エ** SSD　**オ** USB
カ キャッシュ　**キ** フラッシュ ROM　**ク** リセット　**ケ** リフレッシュ

問題 6（電気計測）

次の各文章の 1 ～ 6 の中に入れるべき最も適切な字句等をそれぞれの解答群から選び，その記号を答えよ．なお， 4 及び 6 は複数箇所あるが，それぞれ同じ記号が入る．

また， **A ab** ～ **D a.b** に当てはまる数値を計算し，その結果を答えよ．ただし，解答は解答すべき数値の最小位の一つ下の位で四捨五入すること．（配点計 **50** 点）

(1) 電圧波形を観察する機器に 1 がある．この機器は，入力電圧をサンプルホールドして量子化し，その電圧値をメモリに蓄えて，時間の関数として電圧値を描画するものである．

この機器を一般的なアナログ機器と比較したときの特徴的な利点は， 2 ことである．一方，高速の波形観察は **A/D** 変換の速度で制限されてしまうことと，エイリアシングが生じることが欠点である．エイリアシングを防ぐため，サンプリング周波数を f_s [**Hz**] とすると，再現可能な周波数は理論的には 3 [**Hz**] より低い周波数に制限される．

また，この機器の多くは高速フーリエ変換機能を有しており，詳細な波形解析を可能としている．

〈 1 ～ 3 の解答群〉

ア $2f_s$　**イ** $\dfrac{f_s}{2}$　**ウ** $\dfrac{f_s}{\sqrt{2}}$

エ ディジタルオシロスコープ　**オ** ディジタルマルチメータ
カ ベクトルネットワークアナライザ　**キ** 繰り返し現象の測定が可能な
ク 単発現象の測定が容易な　**ケ** 電圧軸の精度が極めて高い

(2) 繰り返し波形の観察によく利用される機器にサンプリングオシロスコープがある．サンプリングオシロスコープでは，サンプルホールドするタイミングを 4 測定する．その結果，繰り返し波形のサンプルされる部分も 4 測定されることになる．サンプリングオシロスコープの利点は，増幅・**A/D** 変換回路の速度が 5 ，高速な繰り返し波形の観察が可能であることである．

〈 4 及び 5 の解答群〉

ア 1 周期ごとに　**イ** トリガ時刻から徐々にずらして

ウ ランダムに　**エ** 多少遅い場合でも

オ 被測定波形の周期と一致する場合　**カ** 被測定波形の周期よりも十分早い場合のみ

(3) 電気計測における誤差について考える．

1) 測定範囲として **15/60/300 A** の切り替えができるクランプ式電流計を使用して，ある交流電流を測定したとき，**60 A** レンジで **50 A** が指示された．このクランプ式電流計の測定の許容誤差が **±5.0 %** である場合，真の電流値は **A ab** [A] ～ **B ab** [A] の範囲にあることになる．ただし，**A ＜ B** とする．

2) **JIS** では，直動式の電流計及び電圧計は，**0.05** から **5** の間の数値で表現される 6 指数により精度が **11** に区分されている．

いま，フルスケール **100 V**， 6 指数が **1** の電圧計を使用して二種類の電圧を測定した．それぞれの読み取り値は，**90 V** 及び **50 V** であった．このとき，読み取り値 **90 V** の相対誤差は **C a.b** [%] 以下，読み取り値 **50 V** の相対誤差は **D a.b** [%] 以下である．

〈 6 の解答群〉

ア 階級　**イ** 計測　**ウ** 標準

電気設備及び機器（110 分）

問題 7，8　工場配電

問題 9，10　電気機器

問題 7（工場配電）

次の各文章の［ 1 ］～［ 9 ］の中に入れるべき最も適切な字句等をそれぞれの解答群から選び，その記号を答えよ．

また，［A a.bc］～［D ab.c］に当てはまる数値を計算し，その結果を答えよ．ただし，解答は解答すべき数値の最小位の一つ下の位で四捨五入すること．（配点計 **50** 点）

(1)　工場等の負荷設備には，変圧器や電動機など巻線を利用した負荷が多く含まれるため，負荷のインピーダンスのうちの［ 1 ］による遅れの無効電力が発生する．無効電力は力率低下の要因となるので，一般に無効電力に見合う容量の進相コンデンサを設置して力率改善が行われる．

ただし，工場等の負荷は，一般に夜間や休日などに軽負荷となると無効電力が減少するので，昼間の負荷に見合う容量の進相コンデンサを接続したまま運転すると，工場等に電力を供給する配電線の電流が電圧に対して［ 2 ］となり，配電線路末端の電圧が［ 3 ］ことがある．

この対策としては，軽負荷時には手動又は自動力率制御装置でコンデンサ容量を調整することが望ましい．なお，力率改善に自動力率制御装置を採用する場合には，コンデンサの投入と遮断が繰り返される［ 4 ］現象に対する配慮が必要である．

〈［ 1 ］～［ 4 ］の解答群〉

ア　ハンチング　**イ**　フリッカ　**ウ**　共振　**エ**　遅れ位相　**オ**　進み位相

カ　不平衡　**キ**　相互インダクタンス　**ク**　誘導性リアクタンス

ケ　容量性リアクタンス　**コ**　高くなる　**サ**　低くなる

(2)　再生可能エネルギーを利用した太陽光発電や風力発電は，化石燃料に代わるエネルギー資源として，国内でも大規模な設備が数多く導入されている．

1)　太陽光発電は，日照条件に依存し天候や季節などにより発電量は変動するが，昼間の電力需要のピーク負荷対応に期待することができる．太陽光発電は，太陽光が利用でき

III

る昼間だけの発電となるため，発電が行われる時間帯と電力需要の時間帯が異なる場合の対策として，[5]と組み合わせる太陽光発電システムが用いられる場合もある．

太陽光発電システムは，太陽電池，電力変換装置，系統連系保護装置等から構成され，電力変換装置の逆変換回路には，一般に[6]インバータが使用されている．

〈[5]及び[6]の解答群〉

ア パワーコンデショナ　**イ** 電圧調整装置　**ウ** 二次電池

エ 周波数形　**オ** 電圧形　**カ** 電流形

2) 風力発電は，風の運動エネルギーを風車が受ける回転エネルギーに変換して，発電機を駆動して電気エネルギーに変換するものであり，風車が受ける風の運動エネルギーはエネルギー密度に比例して変化する．風速を V [m/s]，空気密度を ρ [kg/m^3] とすると，単位時間に単位面積を通過する風のエネルギー密度は，原理的には[7] [W/m^2] となる．

風さえあれば夜間でも発電は可能であるが，風量は気象状況により増減するため発電電力の出力調整に留意する必要がある．

〈[7]の解答群〉

ア $\frac{1}{2}\rho V$　**イ** $\frac{1}{2}\rho V^2$　**ウ** $\frac{1}{2}\rho V^3$

(3) 図1に示すように，A，B，Cの負荷群に電力を供給する工場がある．各群の合計設備容量，需要率，負荷力率は図に示すとおりであり，力率は負荷の大きさにかかわらず，いずれも図に示す力率で一定とする．

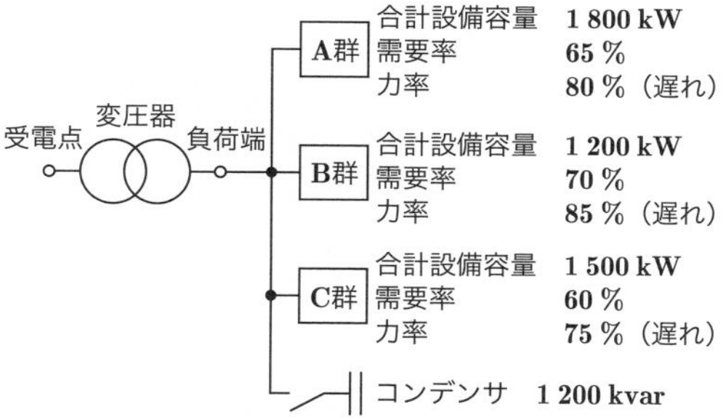

図1　配電系統

1) この工場における A 群の最大需要電力は[8] [kW] であり，最大無効電力は[9] [kvar] である．同様に，B 群，C 群の最大需要電力，最大無効電力も算出することができる.

〈 8 及び 9 の解答群〉

ア 878　**イ** 936　**ウ** 1 170　**エ** 1 350　**オ** 1 440　**カ** 2 769

2) この工場において，A 群の需要電力が 1 000 kW，B 群の需要電力が 600 kW，C 群の需要電力が 750 kW のとき，合成需要電力が最大となった．この工場の不等率を求めると **A a.bc** となる.

3) 合成需要電力が最大となるとき，図 1 に示すように 1 200 kvar のコンデンサを接続した．そのとき，負荷端から電源を見た力率は **B ab.c** [%] に改善される.

(4) 図 2 は，受電用変圧器を介して力率 100 % の平衡三相負荷に電力を供給する工場の三相 3 線式の配電系統である．また，図 3 は，この工場のある日の電力負荷変動状況を表す日負荷曲線である.

1) この工場では電力需要の平準化を図るため，13 時から 17 時までの電力負荷が最大需要電力 4 500 kW となるよう 17 時から 21 時までの時間帯に各時間均等に負荷移行することとした.

負荷移行したときの工場の負荷率は，**C ab.c** [%] となる．ただし，負荷移行の前後で総消費電力量は変わらないものとする.

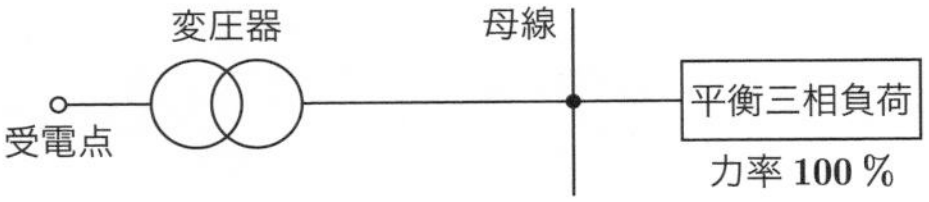

図2　配電系統

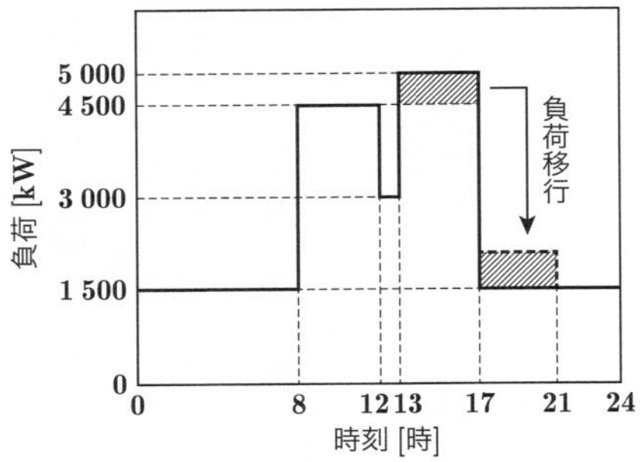

図3　日負荷曲線

2) 受電用変圧器の定格容量が 7 500 kV·A，無負荷損が 11 kW，定格運転時の負荷損が 58 kW であるとき，負荷移行後の受電用変圧器の 1 日の損失電力量は，負荷移行前より

D ab.c [kW·h] 低減される.

問題 8（工場配電）

次の各文章の 1 ～ 10 の中に入れるべき最も適切な字句等をそれぞれの解答群から選び，その記号を答えよ.

また，A a.bc ～ E ab.c に当てはまる数値を計算し，その結果を答えよ．ただし，解答は解答すべき数値の最小位の一つ下の位で四捨五入すること.（配点計 **50** 点）

(1) 工場配電の役割は，適正な電圧及び周波数の電気を高い信頼度で工場内の負荷設備へ供給することであり，使用される主な機器には次のようなものがある.

1) 変圧器

変圧器は，受電電圧又は配電電圧を構内の配電電圧又は負荷に適した電圧に変換するものである.

動力負荷に用いられる変圧器には様々な結線方法があるが，**2** 台の単相変圧器を用いて三相電力を供給する結線方法として 1 がある． この方法で，同容量の変圧器 **2** 台を用いた場合に供給可能な三相電力は，変圧器 **2** 台分の合計定格容量に対して 2 [%] となる.

〈 1 及び 2 の解答群〉

ア **57.7**	**イ** **66.7**	**ウ** **86.6**
エ **V-V** 結線	**オ** △-△ 結線	**カ** スコット結線

2) 開閉装置

開閉装置には遮断器，負荷開閉器，電力ヒューズ，断路器などがある.

遮断器は，負荷電流の開閉や故障電流の遮断を目的として用いられ，絶縁・消弧媒体として絶縁油や圧縮空気，SF_6 ガス，真空などが用いられる．また，負荷開閉器は負荷電流の開閉が目的であり，短絡電流のような大きな電流の遮断はできない．これらの開閉装置を架空電線路の支持物に設置する場合には，絶縁・消弧媒体に 3 を使用することが禁止されている.

電力ヒューズはリレーと遮断器の機能を併せ持つが，主に小容量変圧器や重要度の低い分岐回路用として使用される．キュービクル式高圧受電設備において，主遮断装置として電力ヒューズの一種である高圧限流ヒューズと高圧交流負荷開閉器を組み合わせて用いる形式のものは，受電設備容量が 4 [**kV·A**] 以下の場合に限られている.

断路器は主に設備保守時の回路の切断に用いられ，負荷電流の開閉は行わない.

3)　避雷器

避雷器は工場配電設備を雷などの過電圧から保護するためのものである．従来は，放電開始電圧の制限及び消弧機能を分担する放電ギャップと続流を制限する特性要素によって構成されていたが，近年は高性能な［5］素子を使用したギャップレス避雷器が使われている．

4)　計器用変成器

計器用変成器は電気計器や測定装置と組み合わせて電気の諸計量を行うためのものである．このうち［6］を測定する場合に使用される計器用変成器は，使用中に二次側を開放すると，焼損や二次側への高電圧の誘導を引き起こし危険であるため，二次側の開放は不可である．

〈［3］～［6］の解答群〉

ア 100　**イ** 300　**ウ** 500　**エ** 4 000　**オ** NaS

カ SF_6　**キ** SiC　**ク** ZnO　**ケ** 圧縮空気　**コ** 絶縁油

サ 周波数　**シ** 電圧　**ス** 電流

(2)　次の記述は，工場配電において留意すべき電力品質に関するものである．

1)　電力系統において，雷などに起因して地絡事故や短絡事故が発生すると，事故点が除去されるまでの短時間の間，事故点に事故電流が流れた状態となり大幅な電圧低下が発生する．これを瞬時電圧低下と呼ぶ．

瞬時電圧低下が起こると，コンピュータや通信機器といったエレクトロニクス機器の制御部の停止やメモリの消滅，高圧放電ランプの消灯，工場設備などが具備する［7］リレーの動作などが引き起こされる場合がある．これらへの対策としては，発生源である電力系統側の対策と，影響を受ける機器側の対策が考えられるが，電力系統側での対策によって瞬時電圧低下を完全に防ぐことは技術的・経済的に困難である．一方，コンピュータや通信機器などの機器側の対策としては，［8］装置を採用することが推奨されている．

〈［7］及び［8］の解答群〉

ア 過電圧　**イ** 周波数低下　**ウ** 不足電圧

エ 周波数変換　**オ** 汎用インバータ　**カ** 無停電電源

2)　電力変換装置のスイッチング，変圧器の磁気飽和やアーク炉の稼働などにより，電流波形にはひずみが発生する．例えば，三相の **6** パルス整流回路のスイッチングにより発生する高調波電流は，第［9］次調波が最も大きくなる．

高調波電流が工場配電系統や一般送配電事業者の電力系統に流入すると，進相コンデンサの異音・焼損や計器・リレーの誤動作，ラジオやテレビなどの **AV** 機器のノイズなどの障害を引き起こすことがある．

このため，「高圧又は特別高圧で受電する需要家の高調波抑制対策ガイドライン」には，商用系統の総合電圧ひずみ率と高調波障害発生の関係を考慮して，高調波環境目標レベルが定められており，特別高圧系統の総合電圧ひずみ率の目標レベルは［10］[%] となっている．

〈［9］及び［10］の解答群〉

ア 1　　**イ** 3　　**ウ** 5　　**エ** 7

(3) 図 **1** ～ **3** に示すように，負荷の接続状況や供給方式が異なる低圧配電系統 **1** ～ **3** がある．いずれの変圧器も損失のない理想変圧器で，配電線路の単位長さ当たりの線路抵抗は **1** 線当たり **0.1 Ω/km** であり，線路抵抗及び負荷以外のインピーダンスは無視する．また，負荷の有効電力及び力率は一定である．

1) 図 **1** は単相 **2** 線式の低圧配電系統である．変圧器からこう長 **60 m** の配電線末端に，**40 kW**（遅れ力率 **0.95**）の負荷が接続されている．

配電線末端の電圧が **100 V** 一定であるとした場合，変圧器 **2** 次側から配電線末端までの電圧降下は［**A** **a.bc**］[V] である．

2) 図 **2** は単相 **2** 線式の低圧配電系統である．変圧器からこう長 **30 m** の配電線中間に，**20 kW**（遅れ力率 **0.95**）の負荷 **A**，こう長 **60 m** の配電線末端に **20 kW**（遅れ力率 **0.95**）の負荷 **B** が接続されている．

配電線末端の電圧が **100 V** 一定であるとした場合，変圧器からこう長 **30 m** の箇所に接続された負荷 **A** にかかる電圧 V_1 は［**B** **abc.d**］[V]，負荷 **A** に流れる電流の大きさ I_1 は［**C** **abc**］[A] となる．また，配電線路全体で発生する線路損失は［**D** **a.bc**］[kW] である．

負荷 **A**，負荷 **B** にかかる電圧の位相差は無視でき，変圧器に流れる電流の大きさ I は負荷 **A**，負荷 **B** に流れる電流のスカラー和（$I = I_1 + I_2$）で表せるものとする．

3) 図 **3** は単相 **3** 線式の低圧配電系統である．変圧器からこう長 **60 m** の配電線末端において，線路 L_1-**N** 間に **20 kW**（遅れ力率 **0.95**）の負荷 **C**，線路 L_2 -**N** 間に **20 kW**（遅れ力率 **0.95**）の負荷 **D** が接続されている．

負荷 **C** 及び負荷 **D** の電圧がそれぞれ **100 V** 一定であるとした場合，図 **1** の低圧配電系統 **1** と比較すると，低圧配電系統 **3** の配電線路にて発生する線路損失は，低圧配電系

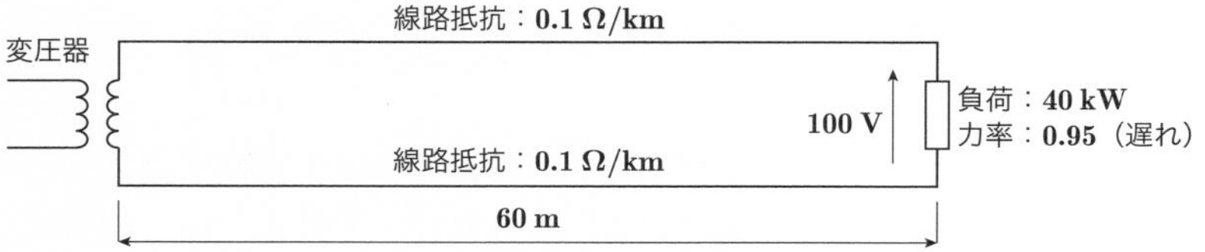

図1　低圧配電系統1

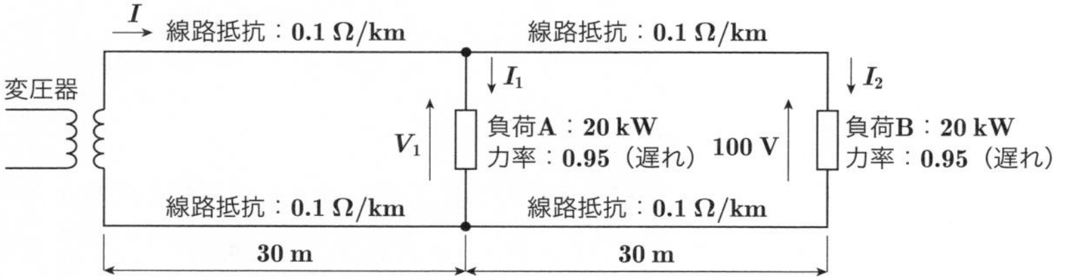

図2　低圧配電系統2

図3　低圧配電系統3

統**1**の線路損失の［**E** ab.c］[%] となる.

問題9（電気機器）

次の各文章の［ 1 ］～［ 12 ］の中に入れるべき最も適切な字句等をそれぞれの解答群から選び，

また，［**A** a.bc］～［**D** abc］に当てはまる数値を計算し，その結果を答えよ．ただし，解答は解答すべき数値の最小位の一つ下の位で四捨五入すること．（配点計**50**点）

(1)　半導体電力変換装置は，高耐電圧，大電流容量の半導体バルブデバイスのオンオフ動作を利用して，電圧，電流，［ 1 ］，位相，相数の一つ以上を大きな電力損失なしに変換する装置である．

半導体バルブデバイスは理想的なスイッチ素子ではないため，種々の要因で損失が発生する．デバイスがオン状態では［2］が発生し，オフ状態ではわずかな［3］があるので，これらによる定常損失が発生する．また，オン状態とオフ状態の切換は瞬時には行われないので，デバイスのオンオフの切換周波数に［4］した［5］損失が発生する．

〈［1］～［5］の解答群〉

ア スイッチング　**イ** トルク　**ウ** 渦電流　**エ** 温度　**オ** 過電圧
カ 逆起電力　**キ** 高調波　**ク** 周波数　**ケ** 電圧降下　**コ** 保持電流
サ 漏れ電流　**シ** 誘導電流　**ス** 比例　**セ** 反比例

(2) 三相誘導電動機では，固定子巻線に対称三相電流が流れると，各巻線の軸方向に電流に比例した交番起磁力が生じる．その合成起磁力は，空間的には同期速度と同じ速度の［6］を作るので，これが回転子巻線を横切ることで，回転子巻線に誘導起電力が誘導される．それによって回転子巻線に電流が流れ，この電流と磁束との間の電磁力によって［7］が生じ，回転子は磁界の方向に回転する．

回転速度が増加して同期速度に近づいたとき，回転子巻線の誘導起電力及び電流は［8］．

〈［6］～［8］の解答群〉

ア トルク　**イ** 回転磁界　**ウ** 鎖交磁束　**エ** 磁束飽和　**オ** 電界
カ 誘電作用　**キ** 減少する　**ク** 増加する　**ケ** 変化しない

(3) 一次電圧及び周波数が一定の場合の三相誘導電動機の動作について考える．

電動機の一次側端子からみた［9］は，二次抵抗 r_2 と滑り s の比 $\dfrac{r_2}{s}$ の関数になる．したがって，一次電流，力率，トルクなども $\dfrac{r_2}{s}$ の関数となる．このことは，電動機の［10］が変わっても，$\dfrac{r_2}{s}$ が一定ならばトルクは同じ値になることを示している．このような特性をトルクの［11］と呼ぶ．なお，最大トルクは，r_2 の値にかかわらず一定であり，これを生じる滑りは，r_2 の値が大きいほど［12］．

〈［9］～［12］の解答群〉

ア インピーダンス　**イ** サセプタンス　**ウ** リアクタンス　**エ** 一次電圧
オ 回転速度　**カ** 始動トルク　**キ** 追従性　**ク** 不変性
ケ 比例推移　**コ** 大きくなる　**サ** 小さくなる　**シ** 負の値となる

(4) 定格出力 **30 kW**，定格電圧 **440 V**，定格周波数 **50 Hz**，極数 **6** の **Y** 結線された三相誘

導電動機の拘束試験を行い，次の結果を得た．

供給線間電圧 $V_T = 60$ V，線電流 $I_T = 60$ A，三相入力 $P_T = 3.2$ kW

また，端子間で巻線抵抗を測定した時の値 R_T は 0.212 Ω であった．

1）　Y 結線の端子間での抵抗測定値から，一次巻線抵抗 r_1 は [A a.bc] × 10^{-1} [Ω] となる．

2）　拘束試験時の三相入力と線電流から，一次巻線抵抗 r_1 と二次巻線抵抗 r_2 の合計（$r_1 + r_2$）の値を求めると [B a.bc] × 10^{-1} [Ω] となる．

3）　拘束試験時の三相入力は一次，二次両巻線で消費される電力であり，この内二次巻線で消費される電力（二次入力 P_{2T}）の値は [C a.bc] [kW] となる．

4）　この誘導電動機の，全電圧始動（直入始動）時の二次入力 P_{2S} の値は印加電圧の 2 乗に比例するので，[D abc] [kW] となる．

問題 10（電気機器）

次の各文章の [1] ～ [11] の中に入れるべき最も適切な字句等をそれぞれの解答群から選び，その記号を答えよ．

また，[A abc] ～ [D ab.c] に当てはまる数値を計算し，その結果を答えよ．ただし，解答は解答すべき数値の最小位の一つ下の位で四捨五入すること．（配点計 50 点）

(1)　一次巻線と二次巻線で構成される変圧器の無負荷時の特性について考える．

1）　二次巻線が無負荷の状態で一次巻線に交流電圧を加えると，一次巻線に励磁電流が流れる．励磁電流は印加電圧と同相分の [1] 電流，発生する磁束と同相分の [2] 電流に分けて考えることができる．後者の電流により生じる交番磁束によって印加電圧と平衡する起電力が生じる．この交番磁束によって誘起される起電力を [3] 起電力という．

〈[1] ～ [3] の解答群〉

ア 合成　**イ** 磁化　**ウ** 鉄損　**エ** 二次　**オ** 複合　**カ** 補償　**キ** 誘導

2）　鉄心の磁化特性は非直線性であり，かつ [4] 現象があるため，印加電圧が正弦波であっても励磁電流は歪み波形となる．

励磁電流は，それに含まれる鉄損電流が小さいので，印加電圧に対し，ほぼ [5] [rad] 遅れた位相で流れる．一次巻線によって生じた磁束は，二次巻線と鎖交することによって，二次巻線に電圧を誘起し，その電圧値は二次巻線の巻き数に比例する．

〈 4 及び 5 の解答群〉

ア $\frac{\pi}{3}$　**イ** $\frac{\pi}{2}$　**ウ** π　**エ** ヒステリシス　**オ** 共振　**カ** 偏磁

III

(2) 同期電動機について考える.

1) 同期電動機は常に同期速度で運転される. 三相同期電動機の1相分の出力を P_2 [W], 同期速度を n_s [min^{-1}] とすれば, トルク T は, $T=$ 6 [N·m] で表される.

無負荷で運転している電動機に負荷をかけると, 回転子の磁極の位相が電機子の回転磁束よりも遅れ, 回転子磁極軸と回転磁束軸との間に 7 と呼ばれる角度 δ [rad] が生じる. δ によって, 回転磁束と磁極との間に 8 が生じ, これが回転磁束と同方向の電動機トルクを作り, 回転子は角度 δ を維持したまま同期速度で回転を続ける.

〈 6 ～ 8 の解答群〉

ア $2\pi n_s \times P_2$　**イ** $\frac{60}{2\pi n_s}\times P_2$　**ウ** $\frac{60}{2\pi n_s}\times 3P_2$　**エ** 電気角

オ 負荷角　**カ** 力率角　**キ** 吸引力　**ク** 同期化力

ケ 反発力

2) 同期電動機では, 電機子巻線抵抗 r_a [Ω] が同期リアクタンス x　[Ω] に比べて非常に小さいので, r_a [Ω] を無視して考えると, 星形1相分の供給電圧を V [V], 電機子巻線1相分の誘導起電力を E [V] とすれば, 1相分の出力 P_2 は, $P_2=$ 9 [W] で表される. よって, δ が零より大きくなるに従って電動機トルクも大きくなり, δ が 10 [rad] のときに最大値 T_m [N·m] となる. δ は負荷トルクが大きいほど大きくなるが, 負荷トルクが T_m [N·m] を超過すると, 電動機トルクはかえって減少し, 電動機は 11 を起こして停止する.

〈 9 ～ 11 の解答群〉

ア $\frac{\pi}{2}$　**イ** $\frac{2\pi}{3}$　**ウ** π　**エ** $VEx_s \sin\delta$

オ $\frac{VE}{x_s}\sin\delta$　**カ** $\frac{VE}{x_s}\cos\delta$　**キ** 同期外れ　**ク** 脈動　**ケ** 乱調

(3) 定格一次電圧 6 600 V, 定格二次電圧 440 V, 定格容量 500 kV·A, 定格周波数 50 Hz の単相変圧器がある. この変圧器の一次巻線抵抗は 0.4 Ω, 二次巻線抵抗は 2.37 mΩ である. この変圧器の二次側を開放して, 一次側に定格周波数, 定格一次電圧を印加して無負荷試験を行うと, 一次側に力率が 0.2 で 0.5 A の電流が流れた.

1）　無負荷試験結果から，無負荷時の全損失は **A abc** [W] となる．この値には一次巻線抵抗による銅損が含まれているが，全損失に比べ非常に小さいので，無負荷時においては，一次巻線による銅損を含めて無負荷損とする．

2）　各巻線抵抗値，定格電圧値及び定格容量から，定格負荷運転時の一次銅損 P_{c1} と二次銅損 P_{c2} を合計した負荷損 P_c（$= P_{c1} + P_{c2}$）は，**B a.bc** [kW] と算出される．

3）　この変圧器を力率 **1.0** の定格負荷で運転したときの効率は **C ab.c** [%] であり，最大効率は **D ab.c** [%] の負荷で運転したときとなる．

IV

電力応用（110 分）

必須　問題11，12　電動力応用
選択　問題13　電気加熱
選択　問題14　電気化学
選択　問題15　照　明
選択　問題16　空気調和
（問題13～16から **2問題を選択**）

問題 11（電動力応用）

次の各文章の 1 ～ 16 の中に入れるべき最も適切な字句等をそれぞれの解答群から選び，その記号を答えよ．なお， 3 は複数箇所あるが，それぞれ同じ記号が入る．（配点計 **50** 点）

⑴　汎用インバータ装置の構成と制御方式について考える．

1)　インバータは 1 を 2 に変換する半導体電力変換器の総称である．回路方式や制御方式には種々のものがあるが，中小容量のかご形誘導電動機の可変速駆動に用いられる実際の汎用インバータ装置は，図 **1** のように整流器部とインバータ部の構成になっている．図 **1** は，インバータ部において半導体スイッチに 3 を用いた 4 インバータを示している．

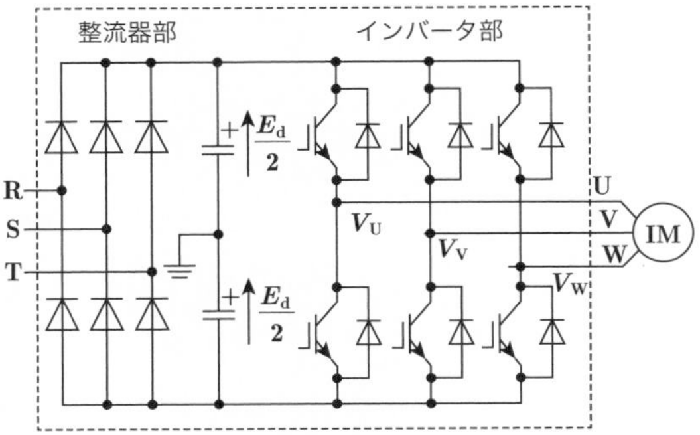

図 **1**　汎用インバータ装置

〈 1 ～ 4 の解答群〉

ア IGBT **イ** MOS-FET **ウ** サイリスタ **エ** ダイオード

オ 交流電力 **カ** 直流電力 **キ** 中性点クランプ形 **ク** 電圧形

ケ 電流形

2) インバータの制御には， 5 制御方式が多く採用されている．図**2**は，この方式により制御したときの動作波形を示したものである．図**2**(a)に示す三角波のキャリヤ信号 e_S と各相の電圧指令 e_{0U}，e_{0V} 及び e_{0W} を比較し，電圧指令がキャリヤ信号よりも 6 場合には図**1**の上側の半導体スイッチをオン， 7 場合には図**1**の下側の半導体スイッチをオンさせることにより，図**2**(b)に示すような各相の出力電圧波形 V_U，V_V 及び V_W が得られる．電圧波形にはキャリヤ周波数に関係した高調波成分が多く含まれるが，誘導電動機の 8 のフィルタ作用により，電動機にはほぼ正弦波の電流が流れる．したがって，通常は電圧波形の基本波のみを考えればよい．キャリヤ周波数が高いほど，電動機電流は正弦波に近づく．

図**1**に示す，半導体スイッチに 3 を用いたインバータ装置では，キャリヤ周波数を 9 程度まで高くすることが可能で，低騒音化も実現されている．

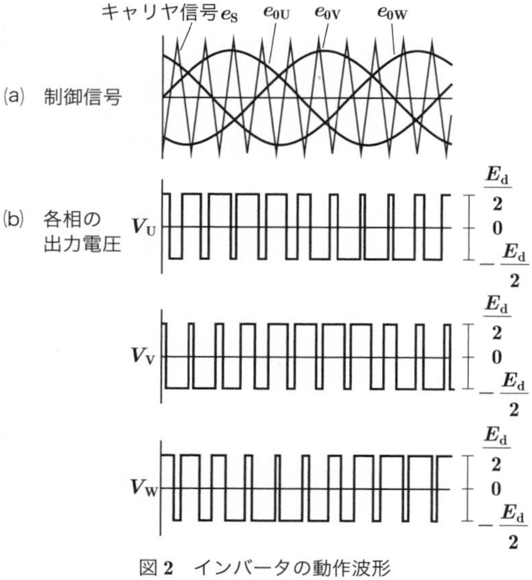

図**2** インバータの動作波形

〈 5 〜 9 の解答群〉

ア 150 Hz　**イ** 15 kHz　**ウ** 150 kHz　**エ** PAM　**オ** PDM
カ PWM　**キ** 一次抵抗　**ク** 浮遊キャパシタンス　**ケ** 漏れインダクタンス
コ 高い　**サ** 低い

IV

(2) 図**3**は水平な直線軌道上を移動する運搬用電気車両のモデルを表す．この車両は，四つの車輪が二つの車軸で連結され，うち一つの車軸には減速機が備えられている．減速機には電動機が接続されており，蓄電池から電動機へ電力が供給されている．

減速機の減速比を $\mathbf{1}:\boldsymbol{n}$ とするとき，車軸並びに車輪の回転角速度 $\boldsymbol{\omega}$ [rad/s] は，電動機の出力軸の回転角速度 $\boldsymbol{\omega}_{\mathrm{M}}$ [rad/s] に関して $\boldsymbol{\omega}=\dfrac{\mathbf{1}}{\boldsymbol{n}}\boldsymbol{\omega}_{\mathrm{M}}$ と表される．電動機へ供給される電流を $\boldsymbol{I}$ [A]，電動機のトルク定数を $\boldsymbol{K}$ [N·m/A] とするとき，電動機の入力トルクは $\boldsymbol{K}\cdot\boldsymbol{I}$ [N·m] と表される．

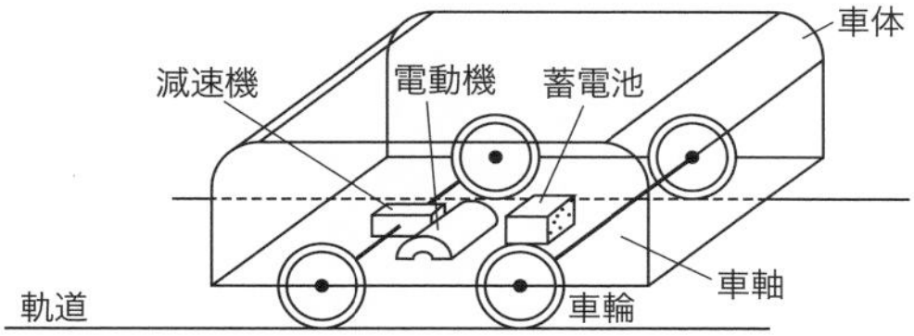

図**3**　運搬用電気車両のモデル

このモデルにおいて，すべての構成要素の合算質量を車両質量 $\boldsymbol{M}$ [kg] とし，回転運動するすべての要素（電動機の回転子及び出力軸，減速機の構成要素，車輪など）全体の慣性モーメント（車軸換算）を $\boldsymbol{J}$ [kg·m^2] として考える．

また，車両の走行時に発生する摩擦として，電動機及び減速機内部で生じる粘性摩擦を考慮し，粘性摩擦トルク $\boldsymbol{\tau}$ [N·m] を考える．このとき，$\boldsymbol{\tau}$ は車軸の回転角速度 $\boldsymbol{\omega}$ に比例するものとみなして，$\boldsymbol{\tau}=\boldsymbol{D\omega}$ と表す．ここで係数 $\boldsymbol{D}$ は正の定数とする．車輪と軌道の接触点において滑りは生じないものとし，前記の粘性摩擦以外の摩擦や抵抗は無視する．

この車両に関して，図**4**の電流パターンを供給して運転し，図**5**の車軸の回転角速度パターンで走行させた場合について考える．

1) 走行時にこの車両の持つ運動エネルギーについて，直線運動と回転運動に分けて考える．

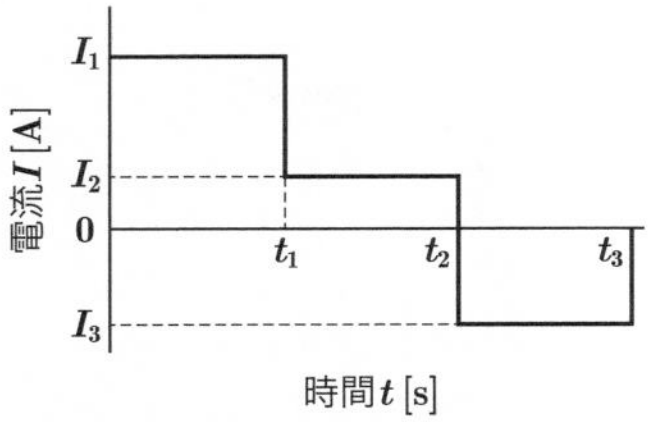

図4　電流パターン

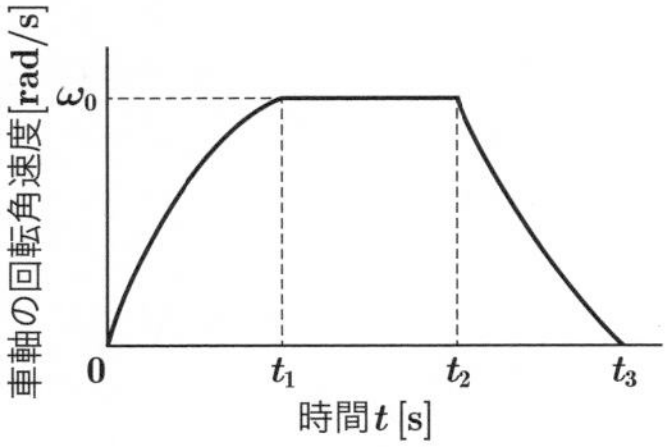

図5　車軸の回転角速度パターン

車両が一定速度 v_0 [m/s] で走行しているとき，質量 M の車両全体が持つ直線運動による運動エネルギーは [10] [J] である．また，車輪の半径を a [m] とすると，このときの車軸の回転角速度は [11] [rad/s] であるから，回転運動する要素が持つ回転運動による運動エネルギーは [12] [J] である．

〈[10]～[12] の解答群〉

ア　av_0	イ　$\frac{a}{2}v_0$	ウ　$\frac{1}{a}v_0$	エ　$\frac{a}{2}{v_0}^2$
オ　Mv_0	カ　$\frac{1}{2}Mv_0$	キ　$M{v_0}^2$	ク　$\frac{1}{2}M{v_0}^2$
ケ　$\frac{1}{a}Jv_0$	コ　$\frac{1}{2a}Jv_0$	サ　$\frac{a}{2}J{v_0}^2$	シ　$\frac{1}{2a^2}J{v_0}^2$

2)　この車両について，車軸に関する運動方程式は，回転角加速度 $\dot{\omega}$ [rad/s²] を用いて次式で表される．

$$(J + a^2M)\dot{\omega} = nKI - D\omega \quad \cdots\cdots①$$

ここで，この車両を図4に示す電流パターンに従い，車両の初速を 0 m/s として，$0 \leqq t \leqq t_1$ で一定電流 I_1 [A] を電動機へ与えるとき，式①に基づけば，この間の車軸の回転角速度は，自然対数の底 e を用いて次式で求められる．

$$\omega = \frac{nK}{D} I_1 \left\{ 1 - e^{-\left(\frac{D}{J+a^2M}t\right)} \right\} \qquad \cdots\cdots\cdots\cdots\cdots ②$$

式①と式②を踏まえると，$t = 0$ s における車軸の回転角加速度は [13] [rad/s²] である．また，$t_1 \leqq t \leqq t_2$ で車軸の回転角速度 ω_0 [rad/s] で等速走行するので，その間に供給される電流 I_2 は，式 $I_2 =$ [14] [A] と求めることができる．

〈[13] 及び [14] の解答群〉

ア $\frac{nK}{D} I_1$　イ $\frac{D}{nK} I_1$　ウ $\frac{J}{nK} I_1$　エ $\frac{nK}{J+a^2M} I_1$

オ $\frac{nK}{D} \omega_0$　カ $\frac{D}{nK} \omega_0$　キ $\frac{J}{nK} \omega_0$　ク $\frac{nK}{J+a^2M} \omega_0$

3)　$t_2 \leqq t \leqq t_3$ の減速時に，負の電流 I_3 [A] を与えて車両を減速・停止させるとき，加速に要する時間 t_1 [s] と減速に要する時間 $(t_3 - t_2)$ [s] が等しいとすると，電流 I_3 の絶対値は電流 I_1 の絶対値より小さい値になる．$t_2 \leqq t \leqq t_3$ の回転角速度を一次関数として近似するならば，式①の運動方程式は次式に近似できる．

$$(J + a^2M)\dot{\omega} = nK'I_3 \qquad \cdots\cdots\cdots\cdots\cdots ③$$

ここで，K' は正の定数とする．式③を踏まえると，$t_2 \leqq t \leqq t_3$ の回転角速度を近似した一次関数は次式で表される．

$$\omega = \boxed{15} \qquad \cdots\cdots\cdots\cdots\cdots ④$$

〈[15] の解答群〉

ア $\frac{nK'}{D} I_3(t - t_2) + \omega_0$　イ $\frac{nK'}{D} I_3(t - t_2) - \omega_0$

ウ $\frac{nK'}{J+a^2M} I_3(t - t_2) + \omega_0$　エ $\frac{nK'}{J+a^2M} I_3(t - t_2) - \omega_0$

4)　図 5 の速度パターンにおいて，$t = t_2$ [s] の時点で車両が持つすべての運動エネルギーのうちの 20 % が，$t = t_3$ [s] で静止するまでに摩擦によって失われ，残りの 80 % が蓄電池へ回生されたとする．車体の全質量 M を 3 000 kg，車軸から見た総合的な慣性モーメント J を 250 kg·m²，車輪半径 a を 0.5 m，$t = t_2$ の時点での車両速度 v_0 を 6 m/s とするならば，蓄電池へ回生された電力量は [16] [W·h] になる．

〈[16] の解答群〉

ア 8　イ 16　ウ 20　エ 25

問題12（電動力応用）

次の各文章の[1]〜[13]の中に入れるべき最も適切な字句等をそれぞれの解答群から選び，その記号を答えよ．なお，[6]は複数箇所あるが，同じ記号が入る．（配点計**50**点）

(1) ロープトラクション式エレベータを図**1**に示す加速度のパターンで運転する場合の走行時間や駆動力について検討する．

図**1**では，時間 $t = 0$ [s] でかごが**1**階に停止しており，これを基準としたかごの上昇距離を x [m]，速度を $v = \dfrac{dx}{dt}$ [m/s]，加速度を $\alpha = \dfrac{dv}{dt}$ [m/s²] とする．また，乗り心地や安全性の観点から，加速度の範囲を -1 m/s² 〜 1 m/s²，加速度の変化率の範囲を -1 m/s³ 〜 1 m/s³ に制限し，加速度を上限値及び下限値に維持する時間をそれぞれ T_a [s]，加速度を零として速度を最大値 v_m [m/s] に維持する時間を T_b [s] とする．

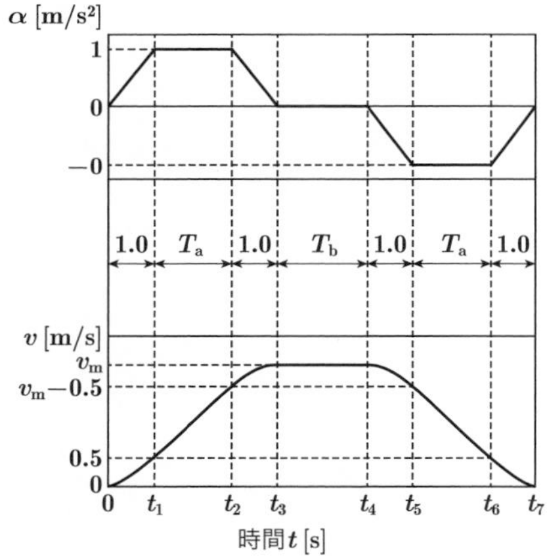

図1

1) $0 \leqq t \leqq t_3$ の期間で加速度を積分すると，$t = t_3$ [s] での速度 v_m となることから，次式が成り立つ．

$$v_m = T_a + 1 \text{ [m/s]} \qquad \cdots\cdots\cdots\cdots\cdots①$$

また，停止するまでの上昇距離 x_m は，$0 \leqq t \leqq t_1$ の期間で速度を積分することにより，次式で求められる．

$$x_m = [\ 1\ ] \times v_m \ [m] \qquad \cdots\cdots\cdots\cdots\cdots②$$

式①及び式②より，T_a，T_b（いずれも正）により，速度及び上昇距離を調整できることがわかる．なお，v_m は定格速度 v_N [m/s] に制限され，上昇距離が小さい場合には v_N

以下となる場合がある.

一例として **15** 階建のマンションに設置されている定格速度 **2 m/s**（分速 **120 m**）の **9** 人乗りエレベータを考える. 移動距離が **1** 階当たり **3 m** とすると, **1** 階から **3** 階への上昇距離は **6 m** であり, $T_a = 1$ s, $T_b = 0$ s となることから, 走行時間 $t_7 = 4 + 2T_a + T_b$ [s] は **6 s** と計算される.

同様に, **1** 階から **15** 階に移動する場合は, 上昇距離は **42 m** であり, 走行時間は [2] [s] と計算される.

〈[1] 及び [2] の解答群〉

ア　22　　イ　24　　ウ　25

エ　$T_a + T_b + 1$　　オ　$T_a + T_b + 2$　　カ　$T_a + T_b + 4$

2）このエレベータは, 最大積載質量 **600 kg**, かごの質量が **1 000 kg**, つり合いおもりの質量が **1 300 kg** である. 乗車率を h $(0 \leqq h \leqq 1)$ とすると, 不平衡質量は $(600h - 300)$ [kg], 可動部全体の質量は [3] [kg] である. なお, 簡略化のため, ロープの質量や走行抵抗などは無視できるものとする.

図 **1** より, $t_1 \leqq t \leqq t_2$ では加速度が $1\ \mathrm{m/s^2}$ であり, 綱車から可動部に供給される駆動力 F [N] を求めると, $h = 1$ の場合には $F =$ [4] [kN] となる. また, $t_5 \leqq t \leqq t_6$ では加速度が $-1\ \mathrm{m/s^2}$ であり, $h = 0$ の場合には $F =$ [5] [kN] となる. なお, 重力の加速度を $9.8\ \mathrm{m/s^2}$ とする.

〈[3] ～ [5] の解答群〉

ア　−5.30　　イ　−5.27　　ウ　−5.24　　エ　5.84　　オ　5.87　　カ　5.90

キ　$(600h + 2\ 300)$　　ク　$(600h + 2\ 600)$　　ケ　$(600h + 2\ 900)$

⑵　ある工場の送風設備（送風機定格出力 **30 kW**）において, **1** 日 **24** 時間のうち, **8** 時間は定格風量で運転し, **4** 時間は定格風量の **80 %**, **12** 時間は定格風量の **50 %** で運転している. 送風機の風圧－風量特性, 風路の送風抵抗曲線及び送風機効率は次式で表される.

$$h = 1.2n^2 + 0.5nq - 0.7q^2$$

$$r = kq^2$$

$$\eta = 2\left(\frac{q}{n}\right) - \left(\frac{q}{n}\right)^2$$

ただし, h [p.u.] は風圧, n [p.u.] は回転速度, q [p.u.] は風量, r [p.u.] は風路の送風抵抗, η [p.u.] は送風機効率で, いずれも送風機の定格点での値で正規化したものである. 係数 k はダンパの開度によって変化する係数であり, 全開のときを $k = 1$ とする.

送風機の風圧ー風量特性及び風路の送風抵抗曲線を図示すると図**2**のようになる．送風機の定格動作点での効率（実際値）は**75**％，送風機を駆動する誘導電動機の効率は動作点によらず**90**％である．

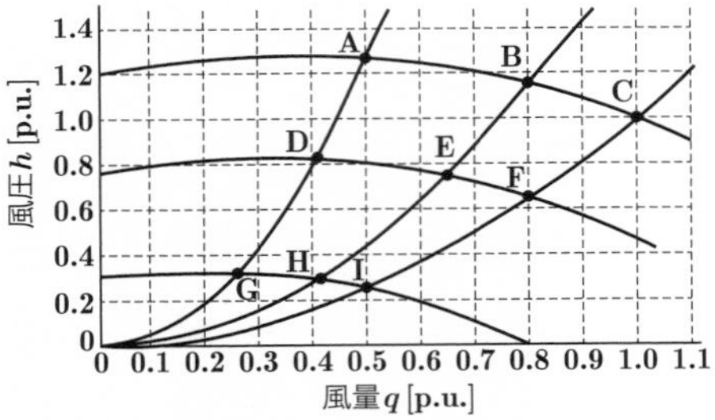

図**2**　送風機の風圧ー風量特性，送風抵抗曲線

1）　ダンパ制御によって風量を制御する場合を考える．誘導電動機を直接三相交流電源に接続し，送風機を定格回転速度 $\boldsymbol{n = 1}$ **p.u.** で運転する．

まず，ダンパが全開のとき，風量は定格風量 $\boldsymbol{q = 1}$ **p.u.** となる．このときの動作点は，図**2**の点**C**であり，軸動力は**40 kW**，消費電力は**44.44 kW**である．

次に，ダンパの開度を調整して定格風量の**80**％で運転するとき，動作点は図**2**の点**B**である．このときの風圧は**1.15 p.u.**，送風機効率は**0.96 p.u.**であり，消費電力は**42.7 kW**である．

さらに，ダンパ開度を調整して定格風量の**50**％で運転するとき，消費電力は**37.8 kW**となる．

なお，さらにダンパ開度を絞っていくと，風量や圧力が脈動し，送風機の振動が大きくなり運転できなくなる．この現象を［6］という．この現象が現れる動作点を［6］限界という．

〈［6］の解答群〉

ア　サージング　　**イ**　ダンピング　　**ウ**　モーメント

2）　次に，インバータ（効率**95**％）による誘導電動機の速度制御を導入し，ダンパを全開にして，送風機の回転速度を変えることで風量を制御する場合を考える．

i)　図**2**において，風量が定格風量 $\boldsymbol{q = 1}$ **p.u.** のときの動作点は点**C**，定格風量の**80**％のときの動作点は［7］，定格風量の**50**％のときの動作点は［8］である．次に，各動作点における消費電力を算定する．

〈 7 及び 8 の解答群〉

ア D　**イ** E　**ウ** F　**エ** G　**オ** H　**カ** I

ii) 風量を定格風量 $q=1$ p.u. に制御するとき，消費電力は [9] [kW] である.

iii) 風量を定格風量の 80 % に制御するとき，回転速度は [10] [p.u.] となり，このときの消費電力は [11] [kW] である.

iv) 風量を定格風量の 50 % に制御するとき，消費電力は [12] [kW] となる.

〈 9 ～ 12 の解答群〉

ア 0.25　**イ** 0.64　**ウ** 0.75　**エ** 0.80　**オ** 1.0　**カ** 1.3　**キ** 5.8
ク 24.0　**ケ** 30.0　**コ** 33.3　**サ** 46.8

3) 速度制御を用いた場合の 1 日の消費電力量は，ダンパ制御を用いた場合の 1 日の消費電力量 979.6 kW·h に対して，[13] [%] であり，省エネルギー効果が確認できる.

〈 13 の解答群〉

ア 45　**イ** 55　**ウ** 65　**エ** 75

問題 13（電気加熱—選択問題）

次の各文章の [1] ～ [14] の中に入れるべき最も適切な字句等をそれぞれの解答群から選び，その記号を答えよ．なお，[9] は複数箇所あるが，同じ記号が入る．（配点計 50 点）

(1) 各種の電気加熱方式の特長について考える.

1) 発熱体からの伝熱を利用して被加熱材を加熱する [1] 方式の炉は，他の電気加熱方式の炉に比べ，[2] がし易い.

〈 1 及び 2 の解答群〉

ア 加熱雰囲気の温度管理　**イ** 急速な加熱　**ウ** 溶解　**エ** 間接抵抗加熱
オ 直接抵抗加熱　**カ** 誘導加熱

2) アーク炉におけるアークの電圧・電流・長さの特性は，一般に [3] の実験式で示すことができる．この実験式は，アーク電流の増大につれて，アーク電圧が低下する [4] を示す.

3) マイクロ波加熱や誘電加熱に用いられる電磁波の周波数帯は，電気通信以外の工業などの目的で使用するために国際的に定められた周波数帯である [5] として割り当てられている.

〈 3 ～ 5 の解答群〉

ア ISM バンド　**イ** シチズンバンド　**ウ** 加熱帯　**エ** エアトン

オ オーム　**カ** 放電　**キ** 指数特性　**ク** 反限時特性

ケ 負特性

(2) 電気加熱の制御について考える．

1) 電気加熱の温度制御にとって温度計は必要不可欠な計測器である．温度計は，大きく接触式と非接触式に大別され，さらに，それぞれいくつかの種類に分かれている．接触式には，**2** 種類の異種金属導体の両端を接続した閉回路に温度差によって起電力が生じる原理によって温度を計測する [6] などの温度計があり，非接触式には放射温度計などがある．放射温度計にもいくつかの種類があり，[7] はその中の一つである．

〈[6] 及び [7] の解答群〉

ア バイメタル温度計　**イ** 水銀温度計　**ウ** 抵抗温度計

エ 熱電温度計　**オ** 光高温計

2) 電気加熱設備のエネルギー原単位は，被加熱材の単位質量当たりの [8] で表される．加熱設備全体で消費されるエネルギーには，通常 [9] が含まれているが，[9] は被加熱材の加熱に寄与しない．エネルギー原単位は消費されるエネルギーの計測点を [10] として，そこでの計測値により評価・管理するのが一般的である．

〈[8] ～ [10] の解答群〉

ア 出力端　**イ** 入力端　**ウ** 炉端　**エ** 消費電力量　**オ** 損失

カ 伝熱効率　**キ** 投入電力　**ク** 比熱　**ケ** 熱容量

(3) 加熱設備の各種計算を行なう．

1) 質量 **1 000 kg** の鉄を，**25 °C** から溶解するために必要な熱量は，[11] $\times 10^5$ [kJ] である．ここで，鉄の融点は **1 535 °C**，比熱は **0.435 kJ/(kg·K)**，融解潜熱は **272 kJ/kg** とする．

2) **30** 分間の加熱時間に被加熱材に与える正味熱量が **200 kW·h** の加熱設備がある．この加熱設備の熱損失が加熱時間の間に **20 kW·h** あり，全電気効率が **98 %** であるとき，この加熱設備の設備入力は [12] $\times 10^2$ [kW] である．

3) 単相交流 **220 V** 給電の抵抗加熱装置がある．この装置は，抵抗値が R [Ω] の発熱体と **5.0 Ω** の配線リアクタンスの直列回路で構成されている．この装置の発熱量が最大となるのは，R の値が [13] [Ω] のときであり，その発熱量は [14] [kW] である．ただし，電源のインピーダンス及び配線損失は無視できるものとする．

〈[11] ～ [14] の解答群〉

ア 1.8　**イ** 2.3　**ウ** 2.6　**エ** 3.4　**オ** 3.5　**カ** 4.2　**キ** 4.5

ク 4.8　**ケ** 5.0　**コ** 7.1　**サ** 9.3　**シ** 9.7

問題 14（電気化学―選択問題）

次の各文章の [1] ～ [10] の中に入れるべき最も適切な字句等をそれぞれの解答群から選び，その記号を答えよ．なお，[1] 及び [6] は複数箇所あるが，それぞれ同じ記号が入る．

また，[A a.bc] ～ [C ab.c] に当てはまる数値を計算し，その結果を答えよ．ただし，解答は解答すべき数値の最小位の一つ下の位で四捨五入すること．（配点計 **50** 点）

⑴ 化学反応で生じるエネルギーを電気エネルギーに直接変換する装置を化学電池という．化学電池に該当する一次電池の例として [1] ，二次電池の例として [2] が挙げられる．[1] の電解質には [3] の水溶液が用いられる．

また，物理変化で生じるエネルギーを電気エネルギーに直接変換する装置を物理電池という．物理電池としては，[4] などが該当する．

〈[1] ～ [4] の解答群〉

ア アルカリマンガン乾電池　**イ** リチウムイオン電池　**ウ** 水素電池
エ 太陽電池　**オ** 白金電池　**カ** 燃料電池
キ 塩化アンモニウム　**ク** 塩化リチウム　**ケ** 水酸化カリウム

⑵ 電気化学反応と電極電位について考える．

1) 可逆的な系の電気化学セルの開回路電圧である [5] 電圧は正極と負極の電極電位の差である．単極電位，すなわち半電池の [6] は単独に求めることはできないので，電位の基準点を与えるいわゆる [7] を使って求める．水溶液系では，基準電極として [8] が用いられ，それを片側に置き，もう一方の側に対象とする電極を置いたときの電池の [6] を単極の電位と定義する．

〈[5] ～ [8] の解答群〉

ア エネルギー　**イ** 起電力　**ウ** 電荷　**エ** 銀電極　**オ** 作用電極
カ 参照電極　**キ** 白金電極　**ク** 標準水素電極　**ケ** 作動
コ 実　**サ** 対局　**シ** 理論

2) 電極反応は電極と電解質の [9] で起こり，この反応速度は [10] を用いて表される．

〈[9] 及び [10] の解答群〉

ア エネルギー　**イ** 電位　**ウ** 電流密度　**エ** 外部　**オ** 内部　**カ** 界面

⑶ 電気分解におけるファラデーの法則の定数はファラデー定数と呼ばれ，**96 500 C/mol**

であるが，電子1個当たりでは，**A a.bc** $\times 10^{-19}$ [C] である．

例えば，アルミナ（Al_2O_3）を電気分解してアルミニウムを作ることを考え，3 kA の電流で15時間電解反応させたとすると，アルミニウムの反応が3電子反応であることから，理論的に得られるアルミニウムは，**B ab.c** [kg] である．実際の電気分解では電流効率を考慮する必要があり，その値が92 % であったとき，得られるアルミニウムは **C ab.c** [kg] となる．

ここで，アボガドロ定数は 6.02×10^{23} mol^{-1}，アルミニウムの原子量は27.0とする．

問題15（照明―選択問題）

次の各文章の［1］～［6］の中に入れるべき最も適切な字句等をそれぞれの解答群から選び，その記号を答えよ．

また，**A a.b × 10^c** ～ **F ab** に当てはまる数値を計算し，その結果を答えよ．ただし，解答は解答すべき数値の最小位の一つ下の位で四捨五入すること．なお，円周率 π は3.14とする．（配点計50点）

(1) 近年，照明用光源としてLEDを導入する事例は年々増加している．経済産業省が公表している2019年の機械統計によると，国内で新規に販売された照明器具（自動車用を除く）全体に占めるLED照明器具の台数の割合は，［1］に達している．これは，LEDの省エネルギー性が高く評価され，寿命が長く価格も手頃になってきたことが主な理由である．

光源を評価する特性の中で，省エネルギー性に最も関係の深いものはランプ効率である．LEDのランプ効率はこの20年間で大幅に向上し，他の光源に対する優位性は明らかである．

その他にも光源を評価する重要な特性として，始動性及び光束安定化特性が挙げられる．例えば，直管蛍光ランプの場合は，次のような特性を持つ．

① 放電を開始するためにランプの両電極間に高電圧を印加する必要がある．

② ランプの管内に封入された物質である［2］の蒸気圧によって光束が変化するため，点灯直後の光束は低く，ランプの温度上昇に伴い徐々に増加して安定する．

一方，LEDの場合は，次のような特性を持つ．

① 固体発光素子であり電源投入からの点灯時間が短い．

② LEDの温度上昇に伴い光束は［3］．

〈［1］～［3］の解答群〉

ア 約30 %　　**イ** 約50 %　　**ウ** 90 % 以上　　**エ** タングステン

オ ナトリウム　**カ** 水銀　**キ** やや増加する　**ク** やや低下する

ケ 変化せず一定である

(2) 光色が異なる **2** つの電球形 **LED** ランプ **a** 及び **b** の特性を表 **1** に示す.

表1 電球形 **LED** ランプの特性

	定格消費電力 [W]	光色	相関色温度 [K]	全光束 [lm]	平均演色評価数	定格寿命 [h]
a	6.0	昼白色	*X*	810	83	40 000
b	7.2	電球色	2 700	810	83	40 000

1) **2** つの電球形 **LED** ランプのうちの **a** のランプは昼白色ランプなので, 表中の相関色温度の ***X*** は約 [4] [K] である. また, **2** つの電球形 **LED** ランプの平均演色評価数はどちらも **83** である.

これは, **2** つのランプの光色は異なっているが, [5] という意味である.

2) ある居室で, 全てを **a** のランプを搭載した照明器具あるいは全てを **b** のランプを搭載した照明器具とし, ランプの寿命末期の **40 000** 時間において **16 000 lm** の全光束を確保する条件で, 必要台数設置したときの **1** 年間の両者の電力消費量の差について考える.

ここで, 二種類の照明器具の器具効率, 照明率はいずれも **1** であり, 保守率はランプの光束維持率と等しいものとする. 寿命末期の **40 000** 時間における **a**, **b** ランプの光束維持率はどちらも **80 %** であるとし, 途中で不点灯になるランプは一切ないものと仮定する.

点灯時間を年間 **5 000** 時間とすると, ランプを **a** の昼白色とした場合には, ランプを **b** の電球色とした場合と比べて, **1** 年間で [6] [**kW·h**] の電力消費量削減となる.

〈[4]～[6] の解答群〉

ア **150**　**イ** **600**　**ウ** **1 200**　**エ** **5 000**　**オ** **6 700**　**カ** **8 000**

キ 被照射物が同じ色に見える　**ク** 被照射物の色のずれの大きさが同程度

ケ 分光分布の形が同じである

(3) 次の1)～4)の照明計算を行う. ただし, 1)及び2)では壁面などの反射は考慮しないものとする.

1) 直径 **40 cm** で一様な輝度をもつ円形光源が天井面に水平に設置されている. このとき, 円形光源の中心直下で **5 m** 離れた水平な床面上の **P** 点の水平面照度が **40 lx** であった. この円形光源の光度は [**A** a.b × 10^{c}] [**cd**] である.

次に, **P** 点から床面上で水平に **2 m** 離れた点の直上 **1 m** の点 **Q** に新たな点光源を設置して, **P** 点での水平面照度を **100 lx** としたい. 必要な光源の光度は [**B** a.b × 10^{c}] [**cd**] となる.

2) 幅 **2 m**, 長さ **4 m** で透過率 **20 %**, 吸収率 **10 %** の均等拡散性の布に光が一様に放射されている. このとき, 表面の輝度が **200 cd/m²** であった. 照度は **C** $a.b \times 10^c$ [lx] となる.

3) 玄関に設置されているポーチ灯の光源を, 電力節減のために白熱灯から **LED** ランプに交換した. 各光源の消費電力は, 交換前の白熱灯が **40 W**, 交換後の **LED** ランプが **5 W** であった. 照明の使用時間を **1** 日当たり **10** 時間で **1** 年間 **365** 日使用するとすれば, この交換によって, 年間の電気使用料金を **D** $a.b \times 10^c$ [円] 節約することができる. ただし, 電気料金は **23** 円 /(**kW·h**) とする.

4) 開口, 奥行きともに **10 m** で, 天井高さ **4.8 m** の作業場がある. 天井面に照明器具を設置して, 床面より **0.8 m** 上の作業面の照度を **500 lx** にしたい.

表 **2** で, 隣接した **2** つの室指数間の照明率は比例配分で与えられるものとして作業室の照明率を求めると **E** a.bc $\times 10^{-1}$ となる. 蛍光灯 **40 W** × **2** 灯用下面開放埋込形照明器具を使用するものとすれば **F** ab [台] 必要になる. ただし, 蛍光ランプ **1** 本当たりの全光束を **4 500 lm**, 保守率を **0.67** とする.

表 2

室指数	**0.60**	**0.80**	**1.00**	**1.50**	**2.00**
照明率	**0.34**	**0.42**	**0.48**	**0.57**	**0.62**

問題 16（空気調和―選択問題）

次の各文章の [1] ～ [18] の中に入れるべき最も適切な字句等をそれぞれの解答群から選び, その記号を答えよ. （配点計 **50** 点）

(1) 空調設備における熱源機器についての省エネルギーについて考える.

1) 熱源機器選定及び熱源システム構築における省エネルギー

i) 熱源の選定時には, 成績係数が大きく, 部分負荷効率も高く, 年間を通して高効率を維持する機器を選定するのが基本である. 例えば, ターボ冷凍機などでは, 期間の成績係数を示す指標に [1] があり, この指標を参考に選択することも考えられる.

ii) 立地や負荷条件等に応じて, 最適な機器やシステムを選択することも肝要である. 例えば, 冷暖房負荷が同時発生する頻度が高ければ, その条件を生かして成績係数の向上が期待できる [2] を熱源機器として採用することが考えられる.

iii) 部分負荷時の効率低下を抑える対策としては, 機器の [3] によって部分負荷運転を極力少なくするのが効果的であり, 同時に補機動力の削減効果も期待できる. 蓄熱空調方式の採用により，熱源の部分負荷運転を少なくすることも考えられる．

〈[1]〜[3]の解答群〉

ア COP　**イ** IPF　**ウ** IPLV　**エ** PAL
オ インバータターボ冷凍機　**カ** 三重効用吸収冷凍機　**キ** 熱回収ヒートポンプ
ク 台数分割　**ケ** 台数統合　**コ** 容量割り増し

2) 熱源機器の運転制御における省エネルギー

i) 冷凍機やヒートポンプでは，蒸発温度や凝縮温度によって成績係数が変わるので，成績係数を向上させるためには，求める負荷に対応できる範囲で次の①及び②を検討することが望ましい．

① 冷房時の冷水（冷風）温度を[4]こと

② 暖房時の温水（温風）温度を[5]こと

ii) 定流量で稼動する負荷変動が大きいターボ冷凍機の省エネルギー運転について，部分負荷時の蒸発温度を上げて年間の消費電力を小さくするための制御として，最も省エネルギーとなる制御は，冷凍機における冷水の入口温度一定制御，出口温度一定制御，出入口温度差一定制御のうち[6]一定制御である．

〈[4]〜[6]の解答群〉

ア 入口温度　**イ** 出口温度　**ウ** 出入口温度差　**エ** 上げる　**オ** 下げる
カ 定格条件で一定に保つ

(2) 空調設備の負荷及び空調方式についての省エネルギーについて考える．

1) 空調設備の省エネルギーでは，まず空調負荷をできるだけ小さくすることから始める．空調室温の設定は負荷を左右する要素であり，環境に配慮した省エネルギー設定とすることが求められている．なお，建築物衛生法では，居室の環境基準の温度基準値を[7]と定めている．

2) 空調の対象エリアの状況に応じた空調方式の選択も省エネルギーのためには必要である．大空間のごく一部が居住域であるときの空調などでは[8]空気調和設備を選択することで省エネルギー効果が期待できるとされているが，採用の際には冷房時の結露防止について考慮する必要がある．

3) セントラル空調機方式において，風量制御により空調機ファンの動力を削減したい．風量制御方法のうちの回転速度制御，吸込みベーン制御及び吐出しダンパ制御を比較すると，一般に，風量変化に対する動力削減効果が最も大きいのは[9]制御である．

〈 7 〜 9 の解答群〉

ア 15 〜 30 °C　**イ** 17 〜 28 °C　**ウ** 20 〜 27 °C

エ ターミナルレヒート式　**オ** デシカント式　**カ** 放射型　**キ** 回転速度

ク 吸込みベーン　**ケ** 吐出しダンパ

⑶　換気の必要性と省エネルギーについて考える．

換気とは，工場や業務施設等の室内環境を居住や生産等に適した状態に保つため，室内の空気を外気などの清浄な空気に入れ替えることである．

1)　居室の室内環境基準の一つに $\mathbf{CO_2}$ 濃度がある．$\mathbf{CO_2}$ 農度を法律で定める許容値以下に保つためには，外気導入による換気が必要不可欠であり，必要な外気導入量は次式で求められる．

$$1\text{ 人当たりの外気導入量 }[\mathrm{m^3/(h\cdot 人)}] = \frac{\boxed{10}}{\boxed{11} - \boxed{12}} \times 100$$

換気量は換気回数でも表され，例えば天井高さが **3 m** で在室者密度が **0.2** 人 /$\mathbf{m^2}$ の居室において，**30** $\mathbf{m^3/(h\cdot}$人$\mathbf{)}$ の外気を導入しているときの外気量は，換気回数 13 [回/h] に相当する．

空調系統では，導入外気量に相当する量が外部に排気され，残った還気と外気が混合して系統を循環する．この循環風量は一般に外気量の **3** 倍程度である．

一方，工場や研究所では，施設の機能上，汚染物質，燃焼ガス，臭気などの排出があり，業務施設などと比べて排気量が多くなり，必然的に相当する外気導入量も多くなる傾向がある．

〈 10 〜 13 の解答群〉

ア 0.5　**イ** 1　**ウ** 2　**エ** 5　**オ** 外気中の $\mathbf{CO_2}$ 濃度 [%]

カ 室内の $\mathbf{CO_2}$ 濃度許容値 [%]　**キ** 1 人当たりの $\mathbf{O_2}$ 消費量 [$\mathbf{m^3/(h\cdot}$人$\mathbf{)}$]

ク 1 人当たりの $\mathbf{CO_2}$ 発生量 [$\mathbf{m^3/(h\cdot}$人$\mathbf{)}$]

2)　外気は大きな空調負荷となるため，省エネルギー上は過剰な外気導入を抑制することが求められ，居室の室内環境維持のための外気導入では次のような対策が効果的である．

i) 居室等の外気導入量の実態を把握し，適正外気量となるよう調整又は制御を行なう．

①　設計値に対して風量が過大，あるいは設計値自体が過大などの状況で，かつ必要外気量が 概ね確定・予測できる場合は， 14 を手動操作して風量を絞る．

②　在室者が変動する場合などは，$\mathbf{CO_2}$ 濃度制御の導入により自動で外気量の最適化を行なう．

ii) 支障が少ないと考えられる 15 は，外気導入を停止する．

〈 14 及び 15 の解答群〉

ア 外気取り入れダンパ　**イ** 空調機出口ダンパ　**ウ** 吹出口ダンパ
エ 熱負荷のない時　**オ** 熱負荷ピーク時　**カ** 予冷予熱時

iii) 工場や研究所における汚染物質，臭気などの排出を目的とする換気においては，16 の採用などによって給排気量を削減する．

〈 16 の解答群〉

ア 局所給排気　**イ** 高効率ファン　**ウ** 高性能フィルタ

3) 外気導入量を制御するときには，次の点に注意が必要である．

i) 室内におけるウイルス感染のリスク低減などを目的として，既存の制御に対して外気導入量を増加する必要性が生じる事態も出現している．例えば $\mathbf{CO_2}$ 濃度制御を導入しているときには，室内の $\mathbf{CO_2}$ 濃度設定値を 17 ことで，外気導入量を増加側にシフトすることができる．

ii) 空調システムの風量制御に 18 制御を用いる場合，外気量は制御単位ごとに送風量に比例して変動するが，必要外気量は必ずしも負荷と比例しないので，外気量不足のエリアが生じる恐れがある．そのような事態を回避するため，外気量補償の方法を考慮する必要がある．

〈 17 及び 18 の解答群〉

ア **CAV**　**イ** **CWV**　**ウ** **VAV**　**エ** **VWV**　**オ** 上げる　**カ** 下げる

解答・指導

問題1

⑴ 1―エ，2―キ，3―エ，4―ア

⑵ A―21 672，B―1 161，5―エ，6―イ

⑶ 7―ウ

⑷ 8―ア，9―エ，10―イ

【指導】

⑴ 1) 法第8条第1項では，「特定事業者は，経済産業省令で定めるところにより，第15条第1項又は第2項の**中長期的な計画**の作成事務…」と規定されている．また，則第9条では，「特定事業者が設置している工場等におけるエネルギーを消費する設備の**新設**，**改造又は撤去**に関すること」が規定されている．

2) 法第9条第1項では，「特定事業者は，経済産業省令で定めるところにより，次に掲げる者のうちから，…エネルギー管理統括者を補佐する者（以下この条において「エネルギー管理企画推進者」という．）を選任しなければならない．」と規定されている．また，則第13条では，「エネルギー管理企画推進者を選任すべき事由が生じた日から6月以内に選任すること．」と規定されている．よって，①と②の記述が正しい．

3) 法第9条第2項では，「特定事業者は，前項第1号（題意の①に該当）に掲げる者のうちからエネルギー管理企画推進者を選任した場合には，経済産業省令で定める期間ごとに，当該エネルギー管理企画推進者に経済産業大臣又は指定講習機関が経済産業省令で定めるところにより行うエネルギー管理企画推進者の資質の向上を図るための講習を受けさせなければならない．」と規定されている．

⑵ 法第2条，令第1条において，エネルギーの使用量は，使用した燃料の量，他人から供給された熱・電気の量が対象とされる．

この金属加工工場でのエネルギー使用量は，cとdの省エネ効果や冷却水の活用熱量は燃料から除外されるので，aとbとeの合算値となる．

また，本社事務所でのエネルギー使用量は，上記と同様にfのみとなる．

1) したがって，この工場での原油換算量は，0.025 8 kL/GJを考慮して，

$$(110\,000 + 310\,000 + 420\,000) \times 0.025\,8 = \mathbf{21\,672}\ \mathrm{kL}$$

一方，本社事務所では，

$$45\,000 \times 0.025\,8 = \mathbf{1\,161}\ \mathrm{kL}$$

となる.

2)　本社事務所は，原油換算量 1 500 kL 未満であるため**エネルギー管理指定工場等に該当しない**.（法第 13 条，令第 6 条参照）

3)　金属加工工場では，**エネルギー管理者 2 名**の選任が必要である.（令第 4 条参照）

(3)　法第 16 条第 1 項では，「特定事業者は，毎年度，経済産業省令で定めるところにより，その設置している工場等におけるエネルギーの使用量その他エネルギーの使用の状況（エネルギーの使用の効率及びエネルギーの使用に伴つて発生する**二酸化炭素の排出量**に係る事項を含む.）並びにエネルギーを消費する設備及びエネルギーの使用の合理化に関する設備の設置及び改廃の状況に関し，経済産業省令で定める事項を主務大臣に報告しなければならない.」と規定されている.

(4)　1)　法第 149 条第 2 項では，「前項に規定する判断の基準となるべき事項は，当該特定エネルギー消費機器等のうちエネルギー消費性能等が最も優れているもののそのエネルギー消費性能等，当該特定エネルギー消費機器等に関する**技術開発**の将来の見通しその他の事情を勘案して定めるものとし，これらの事情の変動に応じて必要な改定をするものとする.」と規定されている.

2)　法第 154 条第 1 項では，「熱損失防止建築材料のうち，我が国において**大量に使用され**，かつ，建築物において熱の損失が相当程度発生する部分に主として用いられるものであつて前条に規定する性能の向上を図ることが特に必要なものとして政令で定めるもの（以下「特定熱損失防止建築材料」という.）については，経済産業大臣は，特定熱損失防止建築材料ごとに，当該性能の向上に関し熱損失防止建築材料製造事業者等の判断の基準となるべき事項を定め，これを公表するものとする.」と規定されている.

3)　令の対象となっているものは，特定エネルギー消費機器等としては，**照明器具**（令第 19 条参照），特定熱損失防止建築材料としては，**複層ガラス**（令第 21 条参照）である.

問題2

(1)　1 — ア，2 — カ，A — 9.8×10^4

(2)　3 — ケ，4 — ウ，5 — カ

(3)　6 — エ，7 — ウ，8 — コ，9 — ケ

【指導】

(1)　時間 t [s] に対して一定の電流 I [A] が流れたとき，電荷 $Q = It$ [C] である．したがっ

て，[C] の基本単位表記は [**A·s**] である．

力 F [N] の組立単位は，質量 m [kg]，加速度α [m/ s^2] およびニュートンの第二法則（$F = m\alpha$）より，[kg·m/s^2] である．また，ある面積 S [m^2] に力 F [N] が加わったとき，圧力 $P = \dfrac{F}{S}$ [Pa] である．したがって，[Pa] の基本単位表記は [(kg·m/s^2)/m^2] → [**kg/ (m·s^2)**] である．

高さ 10 m の水柱の底面積を S [m^2]，水の密度 1 000 [kg/m^3]，重力加速度 9.8 [m/s^2] とする．水柱の面積 S は一定とし，高さ 10 m の水が底面積 S に加わる力を F [N] とすれば，底面の水の圧力 P は以下で計算できる．

$$P = \frac{F}{S} = \frac{10 \times S \times 1\,000 \times 9.8}{S} = \mathbf{9.8 \times 10^4} \text{ [Pa]}$$

(2)　エネルギー白書 2020（第 2 部　エネルギー動向 第 1 章　国内エネルギー動向 第 4 節 二次エネルギーの動向）によると，我が国の火力発電電力量の 2010 年の割合は，**火力が約 64 %，原子力が約 26 %** である．同白書において，2018 年度の水力を除く再生可能エネルギーの割合は約 **9** % である．また，2018 年度における火力の発電電力量を化石燃料別に比べると，天然ガス（LNG）：約 38.3 %，石炭：約 31.6 %，石油等：約 7.0 % となっており，多いものから順に**天然ガス，石炭，石油**である．

(3)　仕事として，取り出せる最大の有効エネルギー量のことを**エクセルギー**（exergy）という．電気エネルギー使用において，そのエクセルギー率を考える．電動機やヒータが動力や熱として変換する効率は **1 (100 %)** 程度（以下）である．化学エネルギーの利用において，二次電池の充放電効率を考慮すると約 0.8（80 %），熱エネルギーの利用において，1 500 ℃ のガスタービン（コンバインド）発電の効率は約 0.6（60 %）となる．エクセルギー率εの各エネルギー源別の値を大きいものから序列すると，電気エネルギー，化学エネルギー，熱エネルギーとなる．したがって，εの値は**化学エネルギーの方が高い**．

冷凍機の性能指標である**成績係数**（動作係数または COP）で評価されるが，冷媒を圧縮するエネルギー源を熱（蒸気）と電気で区別する必要がある．

問題3　1 ― ケ，2 ― ア，3 ― オ，A ― 25，B ― 2.5，C ― 7.5，4 ― ウ，5 ― ア，6 ― ア，7 ― ウ，8 ― ア，9 ― ア，D ― 2.1 × 10^4，10 ― ウ，E ― 4 400，F ― 77，11 ― ウ，12 ― ウ，13 ― イ，14 ― ウ

【指導】

(1) 「工場等判断基準」のうち「目標及び措置部分」では，事業者はエネルギーの使用の合理化の目標及び計画的に取り組むべき措置を最大限より効果的に講じていくことを目指して**中長期的**視点に立った計画的な取組みに努めなければならない，と定められている．

「目標及び措置部分（工場）」においては，この措置を講ずべき対象としているエネルギー消費設備等は，「燃焼設備，熱利用設備，廃熱回収設備，**コージェネレーション**設備，電気使用設備，空気調和設備・給湯設備・換気設備・昇降機等，照明設備及びFEMS」としている．

これらのなかで，FEMSは，「工場エネルギー管理システム」のことであり，上記のエネルギー消費設備等に関して，総合的な**制御**について検討すること，が求められている．

(2) 高温熱源温度を T_1，低温熱源温度を T_2 とすれば，カルノーサイクルの熱効率 η は，

$$\eta = \frac{T_1 - T_2}{T_1 + 273} = \frac{127 - 27}{127 + 273} = \frac{100}{400} = 0.25 = \mathbf{25}\,\%$$

(3) アセチレンの化学反応式は，$C_2H_2 + 2.5O_2 \rightarrow 2CO_2 + H_2O$ であるので，1 $m^3{}_N$ のアセチレンを完全燃焼させるための理論酸素量は，**2.5** $m^3{}_N$ となる．

(4) 温水の温度を T_1，空気の温度を T_2 とし，単位面積当たりの熱流束を I とすれば，単位面積当たりの熱抵抗 R は，

$$R = \frac{T_1 - T_2}{I} = \frac{50 - 20}{400} = 0.075 = \mathbf{7.5} \times 10^{-2}$$

(5) ステファン・ボルツマンの法則より，物体からの放射エネルギーは，物体の絶対温度に比例するので，600 Kのときの放射エネルギーを E_1，400 Kのときを E_2 として，

$$E_1 : E_2 = 600^4 : 400^4$$

$$\therefore \ \frac{E_1}{E_2} = \left(\frac{600}{400}\right)^4 = 1.5^4 = 5.062\,5 \fallingdotseq \mathbf{5.1}$$

(6) 乾き度0.9の湿り蒸気が保有する潜熱は，乾き飽和蒸気の保有する熱量と飽和水の保有する熱量の差に乾き度を乗じて求められるので，

$$(2\,706 - 505) \times 0.9 = 1\,980.9$$

$$\fallingdotseq \mathbf{1.98} \times 10^3 \text{ kJ/kg}$$

(7) 燃料の燃焼管理では，燃焼効率の向上が求められるが，燃焼効率は，実際に燃焼過程で得られた熱量と燃料の**低発熱量**との比で評価するのが一般的である．

(8) 「工場等判断基準」の「基準部分（工場）」では，廃熱の回収利用の基準の一つとして，「加熱された固体若しくは流体が有する顕熱，**潜熱**，圧力，可燃性成分等の回収利用は，回収を

行う範囲について管理標準を設定して行うこと.」を求めている.

(9) 1) 空調負荷の低減について,「工場等判断基準」の「基準部分（工場）」では,「工場内にある事務所等の空気調和の管理は, **空気調和を施す区画を限定し**, ブラインドの管理等による負荷の軽減及び区画の使用状況等に応じた設備の運転時間, 室内温度, 換気回数, 湿度, 外気の有効利用等についての管理標準を設定して行うこと.」を求めている.

2) 効率の高い空調設備の採用について,「工場等判断基準」の「基準部分（工場）」では,「特定エネルギー消費機器に該当する空気調和設備, 給湯設備に係る機器を新設・更新する場合には, 当該機器に関する性能の向上に関する製造事業者等の判断の基準に規定する**基準エネルギー消費効率**以上の効率のものを採用すること.」を求めている.

(10) この火力発電所の熱収支は, 1 時間当たりの天然ガス使用量を Q として,

$$45 \times Q \times 0.39\ [\mathrm{MJ}] = 100\ 000\ \mathrm{kW{\cdot}h}$$

$$17.55Q\ [\mathrm{MJ}] = 100 \times 3\ 600\ \mathrm{MJ}$$

$$\therefore\quad Q = \frac{360\ 000}{17.55} \fallingdotseq \mathbf{2.1\times10^4}\ \mathrm{m^3{}_N}$$

(11) 「工場等判断基準」の「基準部分（工場）」及び「目標及び措置部分（工場）」では, 受電端における力率については, **基準を 95 % 以上**, **目標を 98 % 以上**とすることを求めている.

(12) 求める平均電力を P [kW] とすれば, 次式が成立する.

$$5\,000\ \mathrm{kW} \times \frac{1}{2}\ \mathrm{h} = 1\,400\ \mathrm{kW{\cdot}h} + P\,[\mathrm{kW}] \times \frac{1}{4}\ \mathrm{h}$$

$$\therefore\quad P = \mathbf{4\ 400}\ \mathrm{kW}$$

(13) 三相誘導電動機の線間電圧を V [V], 線電流を I [A], 力率を $\cos\theta$とすると, 使用電力 P [W] は次式で表される.

$$P = \sqrt{3} \times V \times I \times \cos\theta$$

$$12\,000 = \sqrt{3} \times 200 \times 45 \times \cos\theta$$

$$\therefore\quad \cos\theta \fallingdotseq 0.77 = \mathbf{77}\ \%$$

(14) 一般に誘導電動機のトルクは, 通常の負荷範囲内では, 滑りと比例し, 滑りは, 数 % 程度である. 負荷が増加して負荷トルクが増加しても滑りは, ほぼ一定であると考えることができる. したがって, 回転速度は, **ほぼ一定である**.

(15) 送風機の全圧 P は, ディメンションに注目して,

$$P = 25\ \mathrm{kN{\cdot}m/kg} \times 1.2\ \mathrm{kg/m^3} = 30\ \mathrm{kN/m^2} = \mathbf{30}\ \mathrm{kPa}$$

となる.

⒃ 電気化学反応におけるファラデーの法則によれば，電極上に析出または溶解する化学物質の質量は，通過する電気量に比例する．また，同じ電気量によって析出または溶解する化学物質の質量 W は，次式で与えられる.

$$W = \frac{1}{F} \times \frac{M}{z} \times Q$$

ここで，z：反応電子数，M：1 mol 当たりの質量，Q：流した電気量（電流 × 時間），F：ファラデー定数（96 500 C/mol = 26.8 A·h/mol）

したがって，W は，$\boldsymbol{\frac{M}{z}}$ に比例する.

⒄ 40 W 直管形蛍光ランプに相当する現状の LED ランプの総合効率は，おおむね **100 〜 200** lm/W の範囲にあり，省エネルギー貢献度が大きい.

解答指導

問題4 (1) 1 ― カ，2 ― ウ，3 ― ア，4 ― エ，5 ― ウ，6 ― ア

(2) 7 ― ウ，8 ― オ，9 ― イ，10 ― カ，11 ― イ，12 ― カ，13 ― カ，14 ― ア

【指導】

(1) 1) 問題図 1 において，スイッチ S_1 閉，S_2 開の状態で $\dot{V}_{ab}$ は以下で表される.

$$\dot{V}_{ab} = \frac{R + jX_2}{jX_1 + (R + jX_2)} \times \dot{E}_0 = \frac{\boldsymbol{R + jX_2}}{\boldsymbol{R + j(X_1 + X_2)}} \times \dot{E}_0 \,[\mathrm{V}] \qquad ①$$

$\dot{I}_0$ は以下で表される.

$$\dot{I}_0 = \frac{1}{jX_1 + (R + jX_2)} \times \dot{E}_0 = \frac{\boldsymbol{1}}{\boldsymbol{R + j(X_1 + X_2)}} \times \dot{E}_0 \,[\mathrm{A}] \qquad ②$$

2) スイッチ S_1 および S_2 閉の状態で端子 ab の右側インピーダンスは 0 Ω である．よって，$\dot{V}_{ab}$ は以下で表される.

$$\dot{V}_{ab} = \frac{0}{jX_1 + 0} \times \dot{E}_0 = \boldsymbol{0}\,\mathrm{V} \qquad ③$$

$\dot{I}_2$ は以下で表される.

$$\dot{I}_2 = \frac{1}{jX_1 + 0} \times \dot{E}_0 = \frac{\boldsymbol{\dot{E}_0}}{\boldsymbol{jX_1}} \,[\mathrm{A}] \qquad ④$$

3) スイッチ S_1 および S_2 開の状態で端子 ab の右側インピーダンスは ∞ [Ω] である．よって，$\dot{V}_{ab}$ は以下で表される.

$$\dot{V}_{\mathrm{ab}}=\dot{\boldsymbol{E}}_{\mathbf{0}}\ [\mathrm{V}] \quad ⑤$$

S_1開のため，$R+\mathrm{j}X_2$の枝路インピーダンスも∞であり，$\dot{I}_1$は以下で表される．

$$\dot{I}_1=\frac{1}{\infty}\times\dot{E}_0=\mathbf{0}\ \mathrm{A} \quad ⑥$$

(2) 1) i）問題図2においてY結線のインピーダンス$\dot{Z}_1=4+\mathrm{j}3\ [\Omega]$を△結線に等価変換した$\dot{Z}_\triangle$は，以下で計算できる．

$$\dot{Z}_\triangle=3\dot{Z}_1=3\times(4+\mathrm{j}3)=\mathbf{12+j9}\ \Omega \quad ⑦$$

線間電圧$\dot{V}_\triangle=400\ \mathrm{V}$を加えたとき，等価変換後の回路1の△接続1相に流れる電流$\dot{I}_{\triangle1}$は，以下で計算できる．

$$\dot{I}_{\triangle1}=\frac{\dot{V}_\triangle}{\dot{Z}_\triangle}=\frac{400}{12+\mathrm{j}9}=\frac{400\times(12-\mathrm{j}9)}{(12+\mathrm{j}9)(12-\mathrm{j}9)}=\frac{4\,800-\mathrm{j}3\,600}{144+81}=\frac{\mathbf{64}}{\mathbf{3}}-\mathbf{j16}\ \mathrm{A} \quad ⑧$$

ii）△接続1相の力率$\cos\theta_{\triangle1}$，同1相の有効電力$P_{\triangle1}$と無効電力$Q_{\triangle1}$（遅れ）は，⑦，⑧式より以下で計算できる．

$$\cos\theta_{\triangle1}=\frac{\mathrm{Re}\{\dot{Z}_\triangle\}}{Z_\triangle}=\frac{12}{\sqrt{12^2+9^2}}=\frac{12}{15}=\mathbf{0.8} \quad ⑨$$

$$P_{\triangle1}=\mathrm{Re}\left\{\dot{V}_\triangle\overline{\dot{I}}_{\triangle1}\right\}=400\times\frac{64}{3}=\frac{\mathbf{25\,600}}{\mathbf{3}}\ \mathrm{W} \quad ⑩$$

$$Q_{\triangle1}=\mathrm{Im}\left\{\dot{V}_\triangle\overline{\dot{I}}_{\triangle1}\right\}=400\times16=6\,400\ \mathrm{var}\ （遅れ） \quad ⑪$$

2) i）題意よりスイッチSを閉じて，交流電源から見た力率を1に改善する△接続1相の無効電力は6 400 var（進み）である．問題図2の回路2の△接続1相に流れる$I_{\triangle2}$（大きさ）は，以下で計算できる．

$$400\times I_{\triangle2}=6\,400\ \mathrm{var}$$

$$\therefore\quad I_{\triangle2}=\frac{6\,400}{400}=\mathbf{16}\ \mathrm{A} \quad ⑫$$

また，コンデンサのインピーダンス（リアクタンス）Z_2より，キャパシタンス（静電容量）Cは以下で計算できる．

$$Z_2=\frac{400}{I_{\triangle2}}=\frac{400}{16}=25\,\Omega=\frac{1}{\omega C}$$

$$\therefore\quad C=\frac{1}{25\omega}=\frac{1}{25\times 100\pi}=\frac{4.00\times 10^{-4}}{\pi}=\frac{400\times 10^{-6}}{\pi}=\frac{\mathbf{400}}{\boldsymbol{\pi}}\,\mu\mathrm{F}$$

ii）電源から供給される三相分の有効電力 P_3 と無効電力 Q_3 は，以下で計算できる．

$$P_3=3P_{\triangle 1}=3\times\frac{25\,600}{3}=\mathbf{25\,600}\ \mathrm{W}$$

$$Q_3=3\times(Q_{\triangle 1}-6\,400)=3\times(6\,400-6\,400)=\mathbf{0}\ \mathrm{var}$$

問題5

(1) 1—ウ，2—エ，3—ウ，4—ウ，5—イ，6—エ，7—イ

(2) 8—ア，9—エ，10—ウ，11—ア

(3) 12—イ，13—ウ，14—ケ

【指導】

(1) 1) 問題図 2 において，j ωを s として，R_1，C_1 の並列合成インピーダンス Z_i，また R_2，C_2 の直列合成インピーダンス Z_o は以下で表される．

$$Z_\mathrm{i}=\frac{R_1\dfrac{1}{sC_1}}{R_1+\dfrac{1}{sC_1}}=\frac{R_1\dfrac{1}{sC_1}}{R_1+\dfrac{1}{sC_1}}\cdot\frac{sC_1}{sC_1}=\frac{\boldsymbol{R_1}}{\boldsymbol{R_1C_1s+1}} \quad ①$$

$$Z_\mathrm{o}=R_2+\frac{1}{sC_2}=R_2\frac{sC_2}{sC_2}+\frac{1}{sC_2}=\frac{\boldsymbol{R_2C_2s+1}}{\boldsymbol{C_2s}} \quad ②$$

2) 問題文のとおり，オペアンプは入力端子の電位差が 0 のため，$V_+=0$ V であれば，$V_-=0$ V である．また，オペアンプの入力インピーダンスは ∞ であり，入力電流 I_i = 出力電流 I_o が成り立つ．入力電圧 V_i により，I_i および出力電圧 V_o は，以下で表される．ただし，**第 1 図**に示すように V_o の向きに注意する．

$$I_\mathrm{i}=\frac{V_\mathrm{i}}{Z_\mathrm{i}}=\frac{V_\mathrm{i}}{\dfrac{R_1}{R_1C_1s+1}}=\frac{R_1C_1s+1}{R_1}V_\mathrm{i} \quad ③$$

$$V_\mathrm{o}=-Z_\mathrm{o}I_\mathrm{i}=-\frac{R_2C_2s+1}{C_2s}\cdot\frac{R_1C_1s+1}{R_1}V_\mathrm{i}$$

$$=-\frac{R_1C_1R_2C_2s^2+(R_1C_1+R_2C_2)s+1}{R_1C_2s}V_\mathrm{i} \quad ④$$

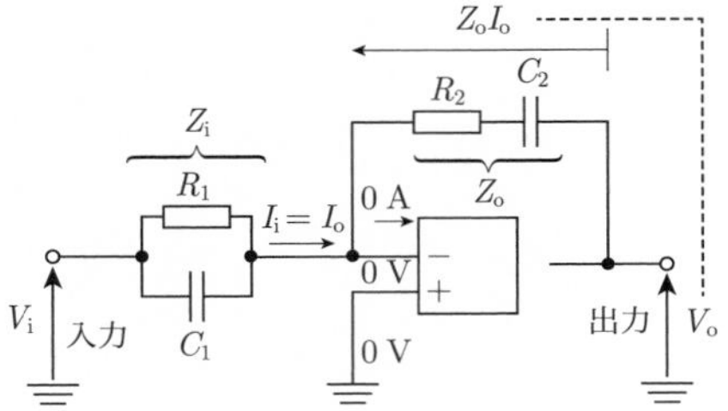

第 1 図

よって，求める伝達関数 $G(s)$ は，④式より以下で表される．

$$G(s) = \frac{V_o}{V_i} = -\boldsymbol{\frac{R_1C_1R_2C_2s^2 + (R_1C_1 + R_2C_2)s + 1}{R_1C_2s}} \qquad ⑤$$

3）　問題文のとおり，$K(s) = -G(s)$ より式を変形すれば，K_2，K_3 は以下で表される．

$$K(s) = K_1 + \frac{K_2}{s} + K_3s = \frac{R_1C_1R_2C_2s^2 + (R_1C_1 + R_2C_2)s + 1}{R_1C_2s}$$

$$= \frac{(R_1C_1 + R_2C_2)}{R_1C_2} + \frac{1}{R_1C_2s} + R_2C_1s$$

$$\therefore\ K_2 = \boldsymbol{\frac{1}{R_1C_2}}\ , K_3 = \boldsymbol{R_2C_1} \qquad ⑥$$

4）　フィードバック制御において定常偏差を低減するのは**積分**動作（I 動作）であり，⑥式中の $\boldsymbol{K_2}$ に該当する．PID 各動作の概要をまとめたものを**第 1 表**に示す．

第 1 表　PID 動作の概要

動作種別	関係する式中の係数と効果	欠点
P 動作（比例）	K_p（大）：応答速度を早くできる	外乱に弱い
I 動作（積分）	T_i（大）：定常偏差を低減できる	応答が遅い
D 動作（微分）	T_d（大）：偏差急変に対応できる	定常偏差が残る
基本式	$K_p\left(1 + \frac{1}{T_is} + T_os\right)$	

(2)　1）　情報セキュリティ管理の三要素は機密性，完全性および**可用性**であり，完全性とは**情報が破壊，改ざん，消去されない状態を確保する**ことである．なお，機密性とは，許可された利用者だけが情報にアクセスできることを，可用性とは，利用者が必要な時に情報に

アクセスできることをいう．

2)　情報資産の安全性を脅かす脅威を排除するため，企業や組織が作成する規定を**情報セキュリティポリシー**という．

3)　セキュリティ確保の手段として，ファイアウォールなどを利用して，安全なIPアドレス以外のアクセスを禁止する**アクセス制御**などがある．

(3)　半導体メモリは読み書き可能なRAMと読み取り専用の**ROM**に分類される．RAMの種類として，高速で消費電流も少ない反面，大容量化が困難な**SRAM**と，時間が経つと記憶内容が消えてしまうため，**リフレッシュ**動作が必要なDRAMなどがある．

問題6

(1)　1―エ，2―ク，3―イ

(2)　4―イ，5―エ

(3)　A―47，B―53，6―ア，C―1.1，D―2.0

【指導】

(1)　電圧波形を観測する機器に**ディジタルオシロスコープ**がある．この機器は，観測信号をディジタル化してメモリに蓄えるので，波形を半永久的に記憶することができる．また，一般的なアナログ機器と比較すると，アナログ式の場合の記憶時間は短いが，ディジタル式は記憶時間が長いので，スイッチのチャタリングなどアナログ式では一瞬にして消失するような**単発現象の測定が容易な**ことが利点となる．

一方，エイリアシング（アナログ信号をサンプリング周波数 f_s でサンプリングしてディジタル信号に変換した場合に，$\boldsymbol{f_s/2}$ 以上の周波数成分を正しくアナログ信号に復元できなくなる現象（aliasing））の発生することが欠点となる．

(2)　繰返し波形の観測に利用される機器にサンプリングオシロスコープがある．この機器は，サンプルホールドするタイミングを**トリガ時刻から徐々にずらして**測定する．すなわち，1回ごとの掃引で少しずつ情報を捕捉し，複数回の掃引によって波形レコードを得るものである．1回ごとの掃引で捕捉するサンプルポイントは波形を捕らえるのに十分な情報ではないが，複数回の掃引でのサンプルポイントを加えると波形を正確に捕捉することができる．

また，サンプルオシロスコープの利点は，増幅・A/D変換回路の速度が**多少遅い場合でも，**高速な繰り返し波形の観測が可能なことである．

(3)　1)　このクランプ式電流計の測定誤差は，使用レンジと誤差率で決まるので誤差値ΔIは，

$$\Delta I = 60 \times (\pm 0.05) = \pm 3 \text{ A}$$

よって，50 A に対しての真の電流値は，50 − 3 = **47** A ～ 50 + 3 = **53** A の範囲にある．

2)　**階級**指数は，計器の精度指標を意味し，階級指数1とはフルスケールの1 ％以下の誤差を生じる計器のことである．すなわち，フルスケール100 V の場合は，100 V × 0.01 = 1 V 以下の誤差値となる．

したがって，90 V の場合の相対誤差は，$\frac{1}{90} \fallingdotseq 0.0111 \fallingdotseq$ **1.1** ％以下となり，50 V の場合は，

$\frac{1}{50} = 0.02 =$ **2.0** ％以下となる．

問題7

(1)　1 — ク，2 — オ，3 — コ，4 — ア

(2)　5 — ウ，6 — オ，7 — ウ

(3)　8 — ウ，9 — ア，A — 1.24，B — 97.1

(4)　C — 58.8，D — 12.4

【指導】

(1)　工場等の負荷設備は変圧器，電動機等の鉄と巻線を使った機器が多く，**第1図**に示すように，負荷インピーダンスのうちの**誘導性リアクタンス**による遅れの無効電力が発生する．

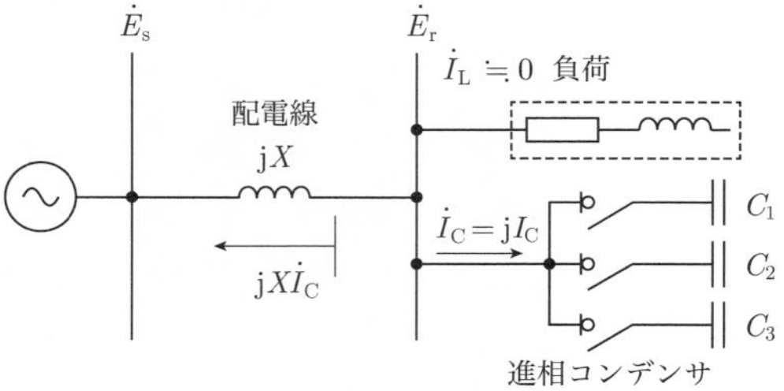

(a)　工場負荷と進相コンデンサ

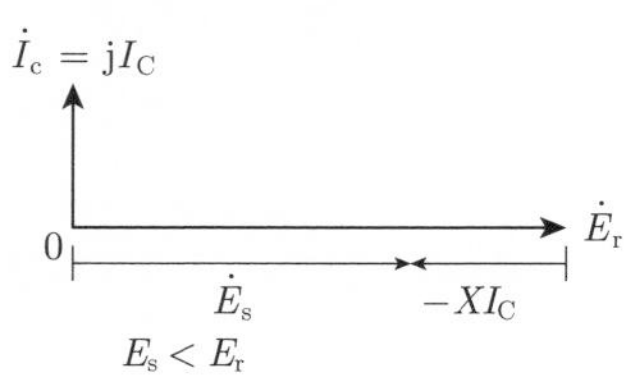

(b)　フェーザ図（1相分）

第1図　配電線路と工場負荷（軽負荷）

夜間や休日のように軽負荷の場合，配電線の電流が進相コンデンサ電流となり，配電線の

電流が**進み位相**となる．配電線の進み電流により，第１図(b)のように，配電線末端の電圧（E_r）が**高くなる**ことがあり，これをフェランチ現象ともいう．

自動力率制御装置を使用した場合，コンデンサの投入と遮断が繰り返される**ハンチング**現象が起きることがあり，遮断後の投入時間を加減するなど対策が必要となる．

(2) 1) 太陽光発電の発電電力は原理上，太陽光に依存し，発電電力の大きさや継続時間が一定とならない．そこで，**二次電池**を組み合わせて発電電力を平滑化するシステムが使用されることがある．太陽光発電システムに使用されるインバータは，一般に**電圧形**である．

2) 風力発電は風速の３乗に比例する．風速 V [m/s]，空気密度ρ [kg/m^3] とすると，単位時間に単位時間を通過する風のエネルギー密度を表す式は，

$$\boldsymbol{\frac{1}{2}\rho V^3} \ [\mathrm{W/m^2}]$$

となる．

(3) 1) 負荷設備に関する需要率は以下で表される．

$$需要率 = \frac{最大需要電力\ [\mathrm{kW}]}{合計設備容量\ [\mathrm{kW}]}\% \qquad ①$$

①式より，問題図１に示す負荷設備Ａ群の最大需要電力は以下で計算できる．

$$\begin{aligned} \mathrm{A}\,群の最大需要電力 &= 合計設備容量 \times 需要率 \\ &= 1\,800 \times 0.65 = \mathbf{1\,170}\ \mathrm{kW} \qquad ② \end{aligned}$$

Ａ群の最大無効電力は以下で計算できる．

$$\mathrm{A}\,群の最大無効電力 = 最大需要電力 \times \frac{\sqrt{1-力率^2}}{力率}$$

$$= 1170 \times \frac{\sqrt{1-0.8^2}}{0.8} \fallingdotseq \mathbf{878}\ \mathrm{kvar}\ （遅れ） \qquad ③$$

2) 不等率は以下で表される．

$$不等率 = \frac{各負荷群ごとの最大需要電力の和}{（負荷群全体の）合成最大需要電力} \qquad ④$$

④式より，Ａ～Ｃ群を合わせた工場の不等率は以下で計算できる．

$$工場の不等率 = \frac{1170+840+900}{1\,000+600+750} = \frac{2\,910}{2\,350} \fallingdotseq \mathbf{1.24} \qquad ⑤$$

3) コンデンサ 1 200 kvar を考慮した合成最大需要電力時の負荷の最大無効電力は以下

で計算できる．

$$負荷の最大無効電力 = 1\,000 \times \frac{\sqrt{1-0.8^2}}{0.8} + 600 \times \frac{\sqrt{1-0.85^2}}{0.85} + 750 \times \frac{\sqrt{1-0.75^2}}{0.75} - 1\,200 \fallingdotseq 583.29\ \mathrm{kvar}\quad（遅れ） \qquad ⑥$$

コンデンサ接続による改善後の力率は，⑥式と合成最大需要電力 2 350 kW より，以下で計算できる．

$$改善後の力率 = \frac{2\,350}{\sqrt{2\,350^2 + 538.29^2}} \times 100 \fallingdotseq 0.975 \fallingdotseq \mathbf{97.1}\,\% \qquad ⑦$$

(4)　1)　負荷率は以下で表される．

$$負荷率 = \frac{平均需要電力\,[\mathrm{kW}]}{最大需要電力\,[\mathrm{kW}]}\ \% \qquad ⑧$$

⑧式および問題図 2，3 より，5 000 － 4 500 ＝ 500 kW の負荷移行後の工場の負荷率は以下で計算できる．

$$最大需要電力 = 4\,500\ \mathrm{kW}$$

$$平均需要電力 = \{1\,500 \times (8-0) + 4\,500 \times (12-8) + 3\,000 \times (13-12) + 4\,500 \times (17-13) + 2\,000 \times (21-17) + 1\,500 \times (24-21)\}/24 \fallingdotseq 2\,645.8\ \mathrm{kW}$$

$$負荷率 = \frac{2\,645.8}{4\,500} \fallingdotseq 0.588 \fallingdotseq \mathbf{58.8}\,\% \qquad ⑨$$

2)　負荷移行前後の 1 日当たり変圧器損失電力量の低減分 ($w_1 - w_2$) を求める．負荷損はその負荷時皮相電力と変圧器定格容量の 2 乗比を定格運転時の負荷損（58 kW）で掛けたものである．無負荷損(11 kW)は負荷に関わらず一定のため，題意より以下で計算できる．ただし，力率は 100 %，負荷移行前の損失電力量を w_1，移行後を w_2 とする．

$$w_1 = 58 \times \left\{\left(\frac{1\,500}{7\,500}\right)^2 \times (8-0) + \left(\frac{4\,500}{7\,500}\right)^2 \times (12-8) + \left(\frac{3\,000}{7\,500}\right)^2 \times (13-12) + \left(\frac{5\,000}{7\,500}\right)^2 \times (17-13) + \left(\frac{1\,500}{7\,500}\right)^2 \times (24-17)\right\} + 11 \times 24 = 494.71\ \mathrm{kW \cdot h} \qquad ⑩$$

$$w_2 = 58\times\left\{\left(\frac{1\,500}{7\,500}\right)^2\times(8-0)+\left(\frac{4\,500}{7\,500}\right)^2\times(12-8)+\left(\frac{3\,000}{7\,500}\right)^2\right.$$

$$\times(13-12)+\left(\frac{4\,500}{7\,500}\right)^2\times(17-13)+\left(\frac{2\,000}{7\,500}\right)^2\times(21-17)+\left(\frac{1\,500}{7\,500}\right)^2$$

$$\left.\times(24-21)\right\}+11\times24=482.34\ \mathrm{kW\cdot h} \quad ⑪$$

$$w_1 - w_2 = 494.71 - 482.34 \fallingdotseq \mathbf{12.4}\ \mathrm{kW\cdot h} \quad ⑫$$

問題8
(1) 1—エ，2—ウ，3—コ，4—イ，5—ク，6—ス
(2) 7—ウ，8—カ，9—ウ，10—イ
(3) A—5.05，B—101.3，C—208，D—1.32，E—25.0

【指導】

(1) 工場配電の役割は，適正な電圧および周波数の電気を高い信頼度で工場内の負荷設備へ供給することであり，使用される主な機器には次のようなものがある．

1) 変圧器は，受電電圧または配電電圧を構内の配電電圧または負荷に適した電圧に変換するものである．

動力負荷に用いられる変圧器にはさまざまな結線方法があるが，2 台の単相変圧器を用いて三相電力を供給する結線方法として **V-V 結線**がある．この方法で，同容量の変圧器 2 台を用いた場合に供給可能な三相電力は，変圧器 2 台分の合計定格容量に対して **86.6** % となる．

V-V 結線における供給可能な三相電力 P_{V3} は，線間電圧を V，線電流を I とすると，

$$P_{V3} = \sqrt{3}VI \quad ①$$

次に，変圧器 2 台の合計定格容量 P_T は，

$$P_T = VI\times2 \quad ②$$

$$\frac{①式}{②式} = \frac{\sqrt{3}VI}{2VI} = 0.866$$

となる．

したがって，変圧器 2 台分の 86.6 % の容量となることがわかる．

2) 開閉装置には遮断器，負荷開閉器，電力ヒューズ，断路器などがある．

遮断器は，負荷電流の開閉や故障電流の遮断を目的として用いられ，絶縁・消弧媒体とし

て絶縁油や圧縮空気，SF_6ガス，真空などが用いられる．また，負荷開閉器は負荷電流の開閉が目的であり，短絡電流のような大きな電流の遮断はできない．これらの開閉装置を架空電線路の支持物に設置する場合には，絶縁・消弧媒体に**絶縁油**を使用することが禁止されている．

電力ヒューズはリレーと遮断器の機能を併せ持つが，主に小容量変圧器や重要度の低い分岐回路用として使用される．キュービクル式高圧受電設備において，主遮断装置として電力ヒューズの一種である高圧限流ヒューズと高圧交流負荷開閉器を組み合わせて用いる形式のものは，受電設備容量が**300** kV·A 以下の場合に限られている．

断路器は主に設備保守時の回路の切断に用いられ，負荷電流の開閉は行わない．

JIS C 4620 キュービクル式高圧受電設備や高圧受電設備規程に記載のとおり，主遮断装置の形式がPF・S形（高圧限流ヒューズ・高圧交流負荷開閉器形）の場合は，受電設備容量300 kV·A 以下とすることが規定されている．

また，JIS C 4620 キュービクル式高圧受電設備においてCB形については4 000 kV·A 以下が適用範囲内となっている．

3)　避雷器は，工場配電設備を雷などの過電圧から保護するためのものである．従来は，放電開始電圧の制限および消弧機能を分担する放電ギャップと続流を制限する特性要素によって構成されていたが，近年は高性能な**ZnO**素子を使用したギャップレス避雷器が使われている．

酸化亜鉛形避雷器は酸化亜鉛素子（ZnO素子）を用いた避雷器である．炭化けい素素子（SiC素子）と直列ギャップを用いた避雷器に比べ優れた電圧－電流非直線特性を有している．

4)　計器用変成器は，電気計器や測定装置と組み合わせて電気の諸計量を行うためのものである．このうち**電流**を測定する場合に使用される計器用変成器は，使用中に二次側を開放すると，焼損や二次側への高電圧の誘導を引き起こし危険であるため，二次側の開放は不可である．

また，電圧を測定する場合に使用される計器用変成器は使用中に二次側を短絡すると，焼損の危険があるため，短絡は不可である．

(2)　1)　電力系統において，雷などに起因して地絡事故や短絡事故が発生すると，事故点が除去されるまでの短時間の間，事故点に事故電流が流れた状態となり大幅な電圧低下が発生する．これを瞬時電圧低下と呼ぶ．

瞬時電圧低下が起こると，コンピュータや通信機器といったエレクトロニクス機器の制御部の停止やメモリの消滅，高圧放電ランプの消灯，工場設備などが具備する**不足電圧**リレーの動作などが引き起こされる場合がある．これらへの対策としては，発生源である電力系統側の対策と，影響を受ける機器側の対策が考えられるが，電力系統側での対策によって瞬時電圧低下を完全に防ぐことは技術的・経済的に困難である．

一方，コンピュータや通信機器などの機器側の対策としては，**無停電電源**装置を採用することが推奨されている．

無停電電源装置（UPS）とは，予期せぬ停電や入力電源異常が発生した際に負荷機器に対し一定時間電力を供給し続けることでデータを保護するための装置である．

2)　電力変換装置のスイッチング，変圧器の磁気飽和やアーク炉の稼働などにより，電流波形には，ひずみが発生する．例えば，三相の6パルス整流回路のスイッチングにより発生する高調波電流は，第**5**調波が最も大きくなる．

高調波電流が工場配電系統や一般送配電事業者の電力系統に流入すると，進相コンデンサの異音・焼損や計器・リレーの誤動作，ラジオやテレビなどのAV機器のノイズなどの障害を引き起こすことがある．

このため，「高圧又は特別高圧で受電する需要家の高調波抑制ガイドライン」には，商用系統の総合電圧ひずみ率と高調波障害発生の関係を考慮して，高調波環境目標レベルが定められており，特別高圧系統の総合電圧ひずみ率の目標レベルは**3**％となっている．

ちなみに，高圧系統の総合電圧ひずみ率の目標レベルは5％となっている．

(3)　1)　線路抵抗 r_1 は距離を掛け求めると，

$$r_1 = 0.1 \times \frac{60}{1\,000} = 0.006\,\Omega$$

となる．

題意の図を描き直したものを**第1図**に示す．

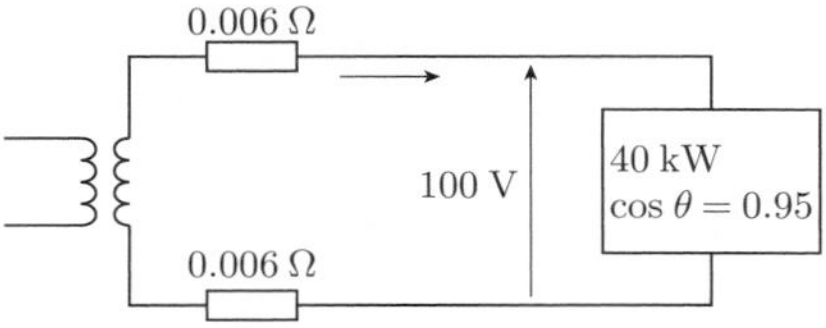

第1図　低圧配電系統1

第1図より，電流 I [A] は，

$$I = \frac{40 \times 10^3}{100 \times 0.95} = 421.052\,6\ \text{A}$$

となる．

よって，電圧降下 v_1 [V] は，

$$v_1 = 2r_1 I = 2 \times 0.006 \times 421.052\,6 \fallingdotseq 5.052\,6 \fallingdotseq \mathbf{5.05}\ \mathrm{V}$$

2)　線路抵抗 r_2 は距離を掛け求めると，

$$r_2 = 0.1 \times \frac{30}{1\,000} = 0.003\,\Omega$$

第 2 図より，電流 I_2 [A] は，

$$I_2 = \frac{20 \times 10^3}{100 \times 0.95} = 210.526\,3\ \mathrm{A}$$

となる．

よって，電圧 V_1 [V] は，

$$V_1 = 100 + 2 \times 0.003 \times 210.526\,3 = 101.263\,2 \fallingdotseq \mathbf{101.3}\ \mathrm{V}$$

次に第 2 図の電流 I_1 [A] を求めると，

$$I_1 = \frac{20 \times 10^3}{101.263\,2 \times 0.95} = 207.90 \fallingdotseq \mathbf{208}\ \mathrm{A}$$

上記の電流値と第 2 図から配電線路全体で発生する線路損失 P_l [kW] は，

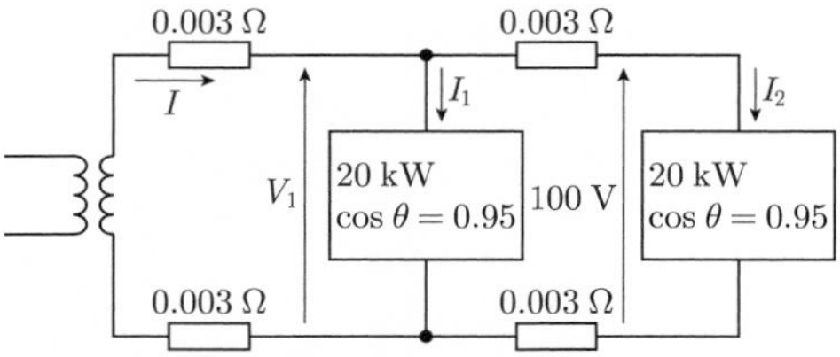

第 2 図　低圧配電系統 2

$$\begin{aligned} P_l &= 2 \times 0.003 \times (207.9 + 210.526\,3)^2 \times 10^{-3} \\ &\quad + 2 \times 0.003 \times 210.526\,3^2 \times 10^{-3} \\ &= 2 \times 0.003 \times (418.426\,3^2 + 210.526\,3^2) \times 10^{-3} \\ &= 1.316\,41 \fallingdotseq \mathbf{1.32}\ \mathrm{kW} \end{aligned}$$

3)　線路抵抗 r_3 は距離を掛け求めると，

$$r_3 = 0.1 \times \frac{60}{1\,000} = 0.006\,\Omega$$

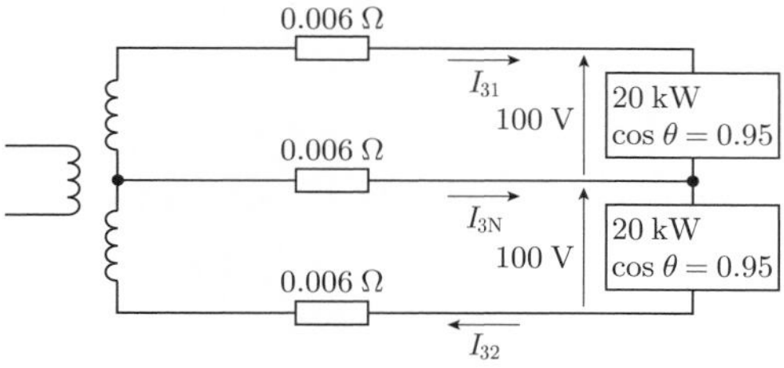

第 3 図　低圧配電系統 3

第 3 図より，電流 I_{31} [A] および I_{32} [A] は，

$$I_{31} = \frac{20\times10^3}{100\times0.95} = 210.526\,3\text{ A},\quad I_{32} = \frac{20\times10^3}{100\times0.95} = 210.526\,3\text{ A}$$

となる．つまり電流 I_{3N} [A] は，

$$I_{3N} = I_{31} - I_{32} = 0\text{ A}$$

となり，中性線の線路抵抗の線路損失は考えなくてよい．

したがって，低圧配電系統 3 の線路損失 P_{l3} [kW] は，

$$P_{l3} = 2 \times 0.006 \times 210.526\,3^2 \times 10^{-3} = 0.531\,86\text{ kW} \qquad ①$$

一方，低圧配電系統 1 の線路損失 P_{l1} [kW] は，第 1 図より，

$$P_{l1} = 2 \times 0.006 \times 421.052\,6^2 \times 10^{-3} = 2.127\,42\text{ kW} \qquad ②$$

①式と②式より，次の関係式が成り立つ．

$$\frac{①式}{②式} = \frac{0.531\,86}{2.127\,42} = 0.250\,00$$

したがって，低圧配電系統 3 の線路損失は，低圧配電系統 1 の線路損失の **25.0** % となる．

問題9

(1)　1 — ク，2 — ケ，3 — サ，4 — ス，5 — ア

(2)　6 — イ，7 — ア，8 — キ

(3)　9 — ア，10 — オ，11 — ケ，12 — コ

(4)　A — 1.06，B — 2.96，C — 2.06，D — 111

【指導】

(1)　半導体電力変換装置は，サイリスタ，パワートランジスタ，GTO，IGBT などの半導体バルブデバイスを用いて，電圧，電流，**周波数**，位相，相数の一つ以上を大きな電力損失なしに変換する装置である．

半導体バルブデバイスの損失要因としてデバイスがオン状態ではデバイスの**電圧降下**が発

生し，デバイスがオフ状態ではわずかな**漏れ電流**があるので，これらによる損失が発生する．

半導体バルブデバイスのオンとオフ状態の切換え時間はゼロでない．したがって，切換え時間中，デバイスのオンオフ切換周波数に**比例**した**スイッチング**損失が発生する．

(2) 三相誘導電動機の固定子巻線に対称三相電流が流れると，交番起磁力を生じ各巻線の合成起磁力は，回転子に対して同期速度の**回転磁界**をつくる．この回転磁界が回転子巻線を横切ることで，回転子巻線に誘導起電力が発生し，回転子巻線に電流が流れ，回転子巻線電流により**トルク**が生じ，回転子は回転磁界から少し遅れて回転する．

回転速度が増加して同期速度に近づいた（$s \fallingdotseq 0$）とき，**第1図**に示す等価回路の二次回路（回転子）の誘導起電力 $s\dot{E}$ と周波数 sf は滑り s に比例している．よって，回転子巻線の誘導起電力および（二次）電流は**減少する**．また，回転子の発生するトルクも減少する．

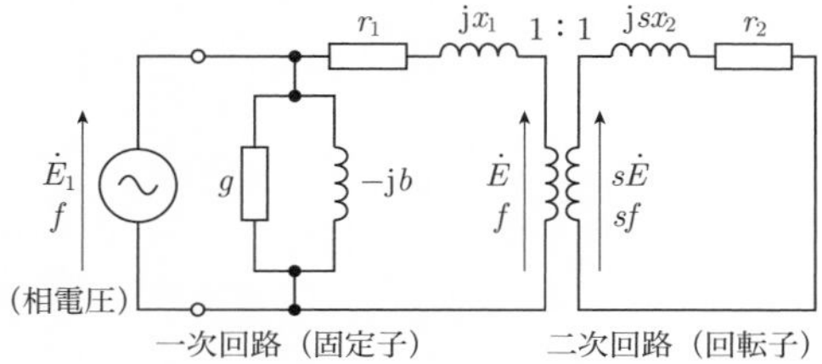

第1図 誘導電動機の簡易等価回路1

(3) 第1図の等価回路で二次側を滑り s で割り，一次換算した等価回路は**第2図**となる．一次側端子から見た**インピーダンス** $\dot{Z}$ は，励磁回路を無視すれば以下で表され，r_2/s の関数になる．

$$\dot{Z} = r_1 + \frac{r_2}{s} + jx\,[\Omega] \qquad ①$$

第2図において，I_2 および，二次入力 P_2 は以下で表すことができる．

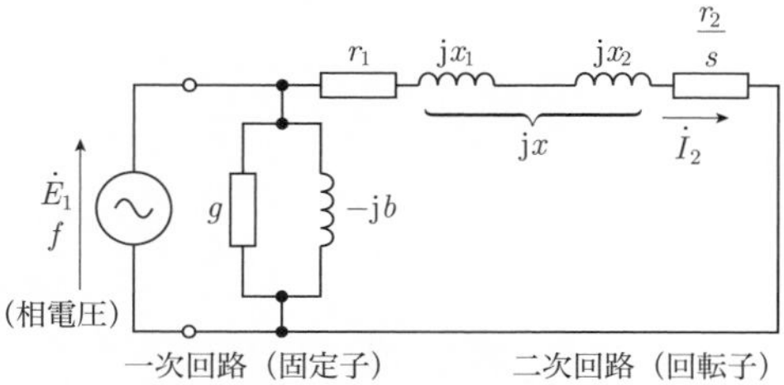

第2図 誘導電動機の簡易等価回路2

$$I_2 = \frac{E_1}{\sqrt{(r_1 + r_2/s)^2 + x^2}}\,[\mathrm{A}]$$

$$P_2 = 3\,\frac{r_2}{s}\,{I_2}^2 = 3{E_1}^2\,\frac{r_2/s}{(r_1 + r_2/s)^2 + x^2}$$

$$= 3{E_1}^2\,\frac{r_2}{({r_1}^2 + x^2)s + {r_2}^2/s + 2r_1 r_2}\,[\mathrm{W}] \qquad ②$$

誘導電動機のトルク T は（二次入力 P_2/ 同期角速度 ω_{s}）および②式より以下で表すことができる．

$$T = \frac{P_2}{\omega_{\mathrm{s}}} = 3\,\frac{3{E_1}^2}{\omega_{\mathrm{s}}}\,\frac{r_2}{({r_1}^2 + x^2)s + {r_2}^2/s + 2r_1 r_2}\,[\mathrm{N\cdot m}] \qquad ③$$

③式より，電動機の**回転速度**が変わっても，r_2/s が一定ならば，トルクは同じになることを示し，これをトルクの**比例推移**という．

滑り s を変数としてトルクが最大の T_{m} となるには③式の分母を最小とすればよい．③式の分母で s のある第 1 項，第 2 項の積は，変数 s が消えて一定値（${r_2}^2\,({r_1}^2 + x^2)$）となる．よって，最小の定理から，第 1 項と第 2 項の和を最小とするには，両者を等しくする滑り s_{m} を以下で求めればよい．

$$({r_1}^2 + x^2)s_{\mathrm{m}} = {r_2}^2/s_{\mathrm{m}} \rightarrow s_{\mathrm{m}} = \frac{r_2}{\sqrt{{r_1}^2 + x^2}} \qquad ④$$

④式より，最大トルクを生じる滑り s_{m} は r_2 に比例しており，r_2 の値が大きいほど**大きくなる**．

(4)　1)　Y 結線における端子間の抵抗値 R_{T} [Ω] は 1 線当たり抵抗の 2 倍となるため，一次巻線抵抗 r_1 は以下で計算できる．

$$r_1 = \frac{R_{\mathrm{T}}}{2} = \frac{0.212}{2} = 0.106 \rightarrow \mathbf{1.06} \times 10^{-1}\,[\Omega] \qquad ⑤$$

2)　拘束試験時すなわち電動機停止時の滑りは 1 であり，一次，二次巻線部分の抵抗は，

$(r_1 + r_2)$ [Ω]

したがって，$(r_1 + r_2)$ は，拘束試験の三相入力 P_{T} [W]，線電流 I_{T} [A] および一次巻線の励磁電流分，励磁損失が無視できるとして，以下で求められる．

$$P_{\mathrm{T}} = 3(r_1 + r_2){I_{\mathrm{T}}}^2\,[\mathrm{W}] \rightarrow (r_1 + r_2) = \frac{P_{\mathrm{T}}}{3{I_{\mathrm{T}}}^2} = \frac{3.2\times10^3}{3\times60^2} \fallingdotseq 0.296\,30$$

$$\fallingdotseq \mathbf{2.96}\times10^{-1}\,\Omega \qquad ⑥$$

解答
指導

3)　二次巻線で消費される電力 P_{2T} は，⑤，⑥式より以下で求められる．

$$P_{2T}=3r_2{I_T}^2=3\times(0.296\,30-0.106)\times 60^2\fallingdotseq \mathbf{2.06}\ \text{kW} \quad ⑦$$

4)　題意より，全電圧始動時の二次入力 P_{2S} は，印加電圧の２乗に比例するため，定格電圧 $V_n=440$ V から，以下で求められる．

$$P_{2S}=\left(\frac{V_n}{V_T}\right)^2 P_{2T}=\left(\frac{440}{60}\right)^2\times 2.055\,2\fallingdotseq \mathbf{111}\ \text{kW} \quad ⑧$$

問題10　(1)　1 — ウ，2 — イ，3 — キ，4 — エ，5 — イ
(2)　6 — ウ，7 — オ，8 — キ，9 — オ，10 — ア，11 — キ
(3)　A — 660，B — 5.36，C — 98.8，D — 35.1

【指導】

(1)　1)　変圧器について，**第１図**の等価回路を考える．右側の負荷を開放した状態であっても，一次回路（巻線）には励磁電流 $\dot{I}_0$ が流れる．$\dot{I}_0$ は印加電圧 $\dot{V}_1$ と同相の鉄損分に相当する**鉄損**電流 $\dot{I}_{0w}$ と，磁束と同相の**磁化**電流 $\dot{I}_{00}$（または励化電流）に分けて考えることができる．$\dot{I}_{00}$ により誘起される起電力を**誘導**起電力という．

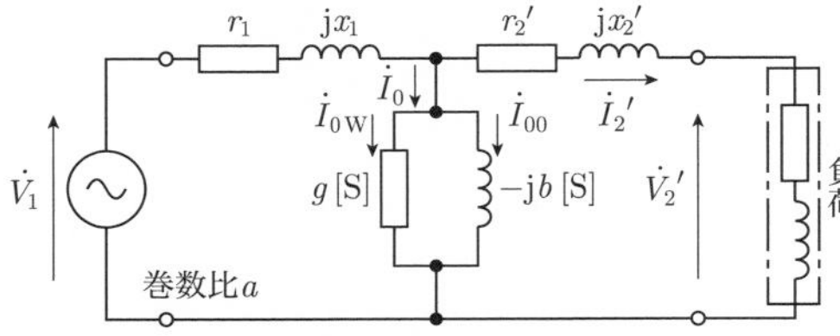

第１図　変圧器の等価回路

2)　鉄心中に磁束を作る磁界（励磁電流に比例）と磁束との関係は非直線であり，かつ**ヒステリシス**現象があるため，正弦波電圧を誘導するための励磁電流はひずみ波形となる．

第１図において，磁化電流 $\dot{I}_{00}=-jb\dot{V}_1$ なので，$\dot{I}_{00}$ は印加電圧 $\dot{V}_1$ よりも $\dfrac{\pi}{2}$ （90°）遅れる．よって鉄損電流 $\dot{I}_{0w}$ が小さい場合，励磁電流 $\dot{I}_0$ は，$\dot{V}_1$ よりもほぼ $\boldsymbol{\dfrac{\pi}{2}}$ 遅れた位相である．

(2)　1)　３相の同期電動機の１相分出力を P_2 [W]，同期（回転）速度を n_s [min^{-1}] とすれば，トルク T は以下で表される．

$$T=\frac{3P_2}{\omega_s}=\frac{1}{2\pi\dfrac{n_s}{60}}\times 3P_2=\boldsymbol{\frac{60}{2\pi n_s}\times 3P_2}\,[\mathrm{N{\cdot}m}] \qquad ①$$

ただし，同期角速度をω_s [rad/s] とする．

無負荷で運転している同期電動機に負荷を掛けると，回転子の磁極の位相が電機子の回転磁界よりも遅れ，回転子磁極軸と固定子の発生する回転磁束軸との間に**負荷角**δが生じる．δによって，回転磁束と磁極の間に**吸引力**を生じ，この吸引力による電動機トルクがδを維持して同期速度で回転を続ける．

2) 同期電動機の電機子巻線抵抗 r_a [Ω] を同期リアクタンス x_s [Ω] よりも非常に小さいとして，星形 1 相分等価回路およびフェーザ図を**第 2 図**に示す．第 2 図において，相電圧の供給電圧 V [V]，誘導起電力 E [V]，電機子電流 I [A]，V と I の位相差θ，V と E の位相差（負荷角）δとする．また，第 2 図(b)において △OAB と △ACD は相似のため，以下が成り立ち，1 相当たりの出力 P_2 は以下で表される．

$$x_s I\cos\theta=E\sin\delta\rightarrow I\cos\theta=\frac{E}{x_s}\sin\delta$$

$$\therefore\quad P_2=VI\cos\theta=\boldsymbol{\frac{VE}{x_s}\sin\delta}\,[\mathrm{W}] \qquad ②$$

②式および①式より，δが 0 より大きくなるに従って電動機トルクも大きくなり，$\delta=\boldsymbol{\dfrac{\pi}{2}}$ rad のときに最大値 T_m [N·m] となる．負荷トルクが T_m を超過した場合，δが増加しても電動機トルクは減少するため，電動機は**同期外れ**を起こして停止する．

(3) 1) 題意の単相変圧器の定格一次電圧 $V_{1n}=6\,600$ V，定格二次電圧 $V_{2n}=440$ V，定格容量 $S_n=500$ kV·A，定格周波数 $f_n=50$ Hz，一次巻線抵抗 $r_1=0.4$ Ω，二次巻線抵抗 $r_2=2.37$ mΩ である．

この変圧器の二次側を開放して，無負荷試験を行い一次側に周波数 f_n，電圧 V_{1n} を印加したとき，一次側に力率 $\cos\phi=0.2$，電流 $I_T=0.5$ A が流れた．

無負荷時の全損失 P_i は上記の無負荷試験の消費電力であり，以下で計算できる．

$$P_i=V_{n1}I_T\cos\phi=6\,600\times 0.5\times 0.2=\mathbf{660}\ \mathrm{W} \qquad ③$$

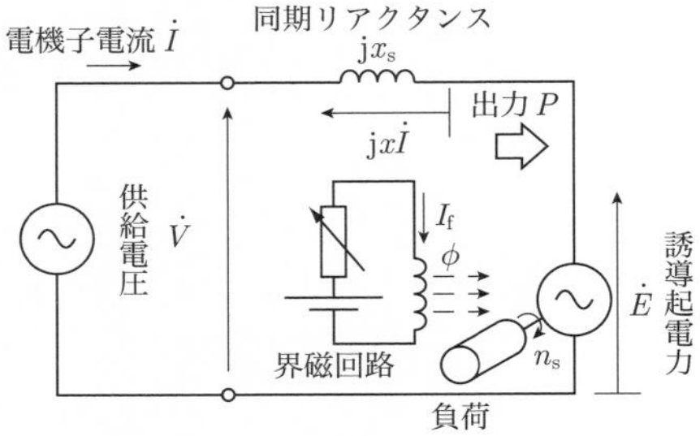

(a) 等価回路

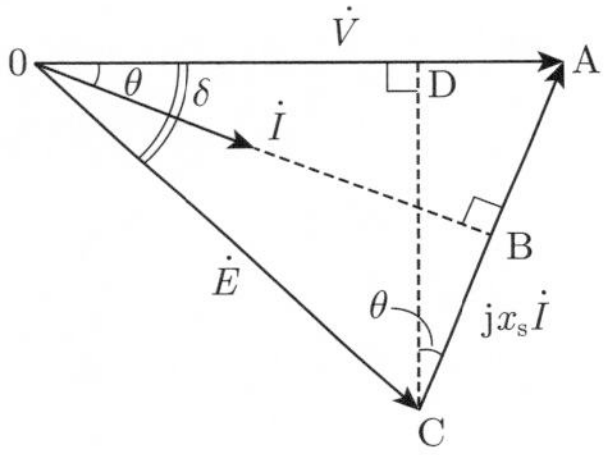

(b) フェーザ図

第 2 図 同期電動機の等価回路とフェーザ図

2) 定格負荷運転時の一次銅損 P_{c1} と二次銅損 P_{c2} を合計した負荷損 $P_c = P_{c1} + P_{c2}$ は，以下で計算できる．ただし，定格一次電流 I_{1n} [A]，定格二次電流 I_{2n} [A] とする．

$$P_c = r_1 {I_{1n}}^2 + r_2 {I_{2n}}^2 = 0.4 \times \left(\frac{500}{6.6}\right)^2 + 2.37 \times 10^{-3} \times \left(\frac{500}{0.44}\right)^2$$

$$\fallingdotseq 2\,295.7 + 3\,060.4 \fallingdotseq \mathbf{5.36}\,\text{kW} \qquad ④$$

3) この変圧器を力率 $\cos\theta = 1.0$ の負荷率 $\alpha = 1.0$ の定格負荷 S_n [kV·A] で運転したときの効率 η_n は，以下で計算できる．

$$\eta_n = \frac{\alpha S_n \cos\theta}{\alpha S_n \cos\theta + \alpha^2 P_c + P_i} = \frac{1.0 \times 500 \times 1.0}{1.0 \times 500 \times 1.0 + 1.0^2 \times 5.356\,1 + 0.66}$$

$$\fallingdotseq 0.988 \fallingdotseq \mathbf{98.8}\,\% \qquad ⑤$$

最大効率 η_{max} となる負荷率の α_x を上式より求める．

$$\eta_{max} = \frac{\alpha_x S_n \cos\theta}{\alpha_x S_n \cos\theta + {\alpha_x}^2 P_c + P_i} = \frac{S_n \cos\theta}{S_n \cos\theta + \alpha_x P_c + P_i/\alpha_x} \qquad ⑥$$

⑥式において，変数である α_x は分母の第 2 項および第 3 項に存在している．第 2 項と第 3 項の積は $P_c P_i$ の一定値となる．η_{max} が最大となるには分母が最小となればよく，分母に

最小の定理を適用すると，分母の第２項と第３項は以下の関係が成り立つ．

$$\alpha_x P_{\mathrm{c}} = \frac{P_{\mathrm{i}}}{\alpha_x} \rightarrow {\alpha_x}^2 = \frac{P_{\mathrm{i}}}{P_{\mathrm{c}}}$$

$$\therefore \quad \alpha_x = \sqrt{\frac{P_{\mathrm{i}}}{P_{\mathrm{c}}}} = \sqrt{\frac{0.66}{5.3561}} \fallingdotseq \mathbf{35.1}\,\% \qquad ⑦$$

問題11 (1) 1―カ，2―オ，3―ア，4―ク，5―カ，6―コ，7―サ，8―ケ，9―イ
(2) 10―ク，11―ウ，12―シ，13―エ，14―カ，15―ウ，16―イ

【指導】

(1) 1) インバータは，問題図１または，**第１図**に示すインバータ部が該当し，**直流電力**を**交流電力**に変換する．ただし，一般的には問題図１の点線内のすべての機器をインバータと称している．整流器部のことをコンバータ部とも呼び，交流電力を直流電力に変換する．真ん中のコンデンサ部分を平滑部とも呼ぶ．

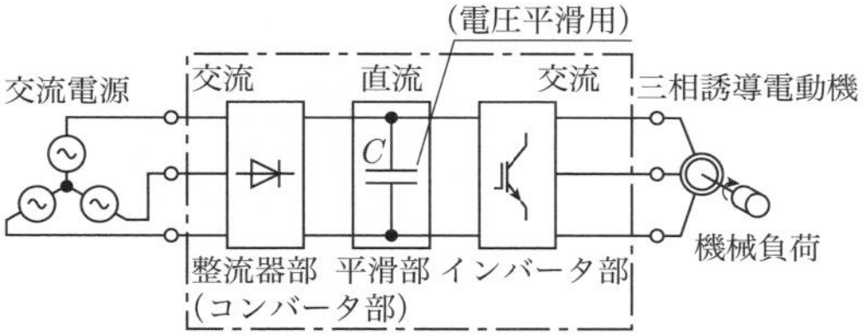

第１図 電圧形インバータ（概要）

問題図１のインバータ部の半導体スイッチに**IGBT**を用いた**電圧形**インバータである．選択肢にある半導体スイッチの図記号，特徴などを**第１表**に示す．電圧形インバータは，問題図１または第１図と同様に平滑部の素子に電圧を一定とするコンデンサ C を挿入する．電流形インバータは平滑部に電流を一定とする大きなリアクトル L を挿入する．

2) インバータの制御として**PWM**制御方式が多く採用される．問題図２(a)において，各相の電圧指令に相当する信号波がキャリヤ信号（搬送波）の大きさよりも**高い**場合，問題図１の上側の半導体スイッチをオンしてプラス出力（$E_{\mathrm{d}}/2$），**低い**場合，下側の半導体スイッチをオンしてマイナス出力（$-E_{\mathrm{d}}/2$）して，問題図２(b)のような各相の出力電圧となる．

電圧波形にはキャリヤ周波数に関係した高調波成分が多く含まれるが，誘導電動機の**漏れインダクタンス**のフィルタ作用により，ほぼ正弦波の電流が流れる．

第 1 表　汎用インバータに使われる半導体スイッチ例

	スイッチ名称	図記号例	特徴など
1	IGBT	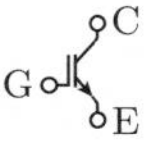	ゲート（G）電圧により C-E 間電流をオンオフ可能．2 と 3 の組合せ．制御容量は数 MW 程度で最大，動作周波数は 3 にやや劣り，数十 kHz 程度以下．
2	パワートランジスタ	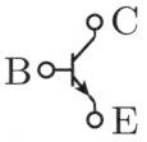	ベース（B）電流により C-E 間電流をオンオフ可能．制御容量は数百 kW 程度以下，動作周波数 10 kHz 程度以下で最低．C-E 間の電圧低下が低い．
3	MOS-FET	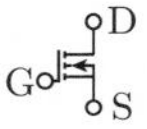	ゲート（G）電圧により D-S 間電流をオンオフ可能．制御容量 10 kW 程度以下，動作周波数数十 kHz 程度で最大．D-S 間の電圧降下が大きい．

キャリヤ周波数を高くすることで，電動機電流をより正弦波に近づけることと，インバータの低騒音化を図ることができる．半導体スイッチに **IGBT** を用いたインバータではキャリヤ周波数を **15 kHz** 程度まで高くすることが可能である．

(2)　1)　問題図 3 の搬送用電気車両の質量 M [kg]，速度 v_0 [m/s] の直線運動による運動エネルギー W_1 は以下で表される．

$$W_1 = \boldsymbol{\frac{1}{2} M v_0{}^2} \ \text{[J]} \qquad ①$$

速度 v_0 で移動する車両の車軸半径を a [m] とすると，1 秒当たりの回転速度は $v_0/2\pi a$ [s^{-1}] である．回転角速度 ω は，回転速度に 1 回転当たりの角度（2π [rad]）を掛けて，以下で表される．

$$\omega = 2\pi \frac{v_0}{2a\pi} = \boldsymbol{\frac{1}{a} v_0} \ \text{[rad/s]} \qquad ②$$

ω，題意の車軸換算の全体慣性モーメント J [kg·m^2]，および②式より，この車両の回転要素のもつ回転運動による運動エネルギー W_r は，以下で表される．

$$W_r = \frac{1}{2} J\omega^2 = \frac{1}{2} J \left(\frac{1}{a} v_0\right)^2 = \boldsymbol{\frac{1}{2a^2} J v_0{}^2} \ \text{[J]} \qquad ③$$

2)　問題文中式①に $\omega = 0$，$I = I_1$ を代入して，$t = 0$ s における，回転角加速度 $\dot{\omega}_a$ は，以下で表される．

$$(J + a^2 M)\dot{\omega}_a = nKI_1 \qquad ④$$

$$\therefore \quad \dot{\omega}_{\mathrm{a}} = \frac{\boldsymbol{nK}}{\boldsymbol{J + a^2 M}} \boldsymbol{I_1} \,[\mathrm{rad/s^2}]$$

また，$t_1 \leqq t \leqq t_2$ では車軸の回転角速度はω_0 [rad/s] の等速走行なので，問題文中式①に$\dot{\omega} = 0$ を代入して，この間の供給電流 I_2 は以下で表される．

$$0 = nKI_2 - D\omega_0$$

$$\therefore \quad I_2 = \frac{\boldsymbol{D}}{\boldsymbol{nK}} \boldsymbol{\omega_0} \,[\mathrm{A}] \qquad ⑤$$

3)　$t_2 \leqq t \leqq t_3$ の減速時，問題文中式③から近似回転角減速度$\dot{\omega}_{\mathrm{d}}$ は以下で表される．

$$(J + a^2 M)\dot{\omega}_{\mathrm{d}} = nK'I_3 \rightarrow \dot{\omega}_{\mathrm{d}} = \frac{nK'}{J + a^2 M} I_3 \,[\mathrm{rad/s^2}] \qquad ⑥$$

ただし，⑥式の$\dot{\omega}_{\mathrm{d}}$ は I_3 がマイナス値のためマイナスである．

問題図 5 に追記した**第 2 図**および⑥式より，減速中の任意の時間 t [s] における，回転角速度ωは以下で表される．

$$\omega = \dot{\omega}_{\mathrm{d}}(t - t_2) + \omega_0 = \frac{\boldsymbol{nK'}}{\boldsymbol{J + a^2 M}} \boldsymbol{I_3 (t - t_2) + \omega_0} \,[\mathrm{rad/s}] \qquad ⑦$$

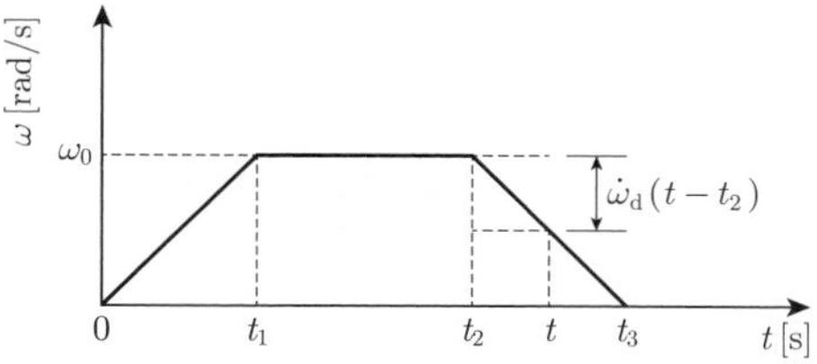

第 2 図　問題図 5 の加減速を直線近似

4)　題意より，$t = t_2$ [s] の時点で車両がもつすべての運動エネルギーの 80 % が蓄電池に回生される．このエネルギー W_{re} は，車体の全質量 $M = 3\,000$ kg，車軸から見た総合的な慣性モーメント $J = 250$ kg·m^2，車輪半径 $a = 0.5$ m，車両速度 $v_0 = 6$ m/s とすれば，①，③式より以下で計算できる．

$$W_{\mathrm{re}} = \left(\frac{1}{2} M{v_0}^2 + \frac{1}{2a^2} J{v_0}^2\right) \times 0.8 = \left(\frac{1}{2} \times 3\,000 \times 6.0^2 + \frac{1}{2 \times 0.5^2} \times 250 \times 6.0^2\right) \times 0.8$$

$$= 57\,600\ \mathrm{J(W{\cdot}s)} \rightarrow \frac{57\,600}{3\,600} = \mathbf{16}\ \mathrm{W{\cdot}h}$$

問題12 (1) 1—オ，2—イ，3—キ，4—エ，5—ウ，

(2) 6—ア，7—ウ，8—カ，9—サ，10—エ，11—ク，12—キ，13—イ

【指導】

(1) 1) 題意の条件より，0 ～ t_3 の区間の平均速度は v_{m} の2分の1であることがわかる．よって，次式が成立する．

$$x_{\mathrm{m}} = \frac{v_{\mathrm{m}}}{2}(T_{\mathrm{a}}+2) + v_{\mathrm{m}}T_{\mathrm{b}} + \frac{v_{\mathrm{m}}}{2}(T_{\mathrm{a}}+2)$$

$$= \frac{v_{\mathrm{m}}}{2} + v_{\mathrm{m}} + v_{\mathrm{m}} + v_{\mathrm{m}}T_{\mathrm{b}} + \frac{v_{\mathrm{m}}}{2} + v_{\mathrm{m}} + v_{\mathrm{m}}$$

$$= v_{\mathrm{m}}T_{\mathrm{a}} + 2v_{\mathrm{m}} + v_{\mathrm{m}}T_{\mathrm{b}} = \boldsymbol{(T_{\mathrm{a}} + T_{\mathrm{b}} + 2)}v_{\mathrm{m}} \qquad ①$$

【別解】

題意の図より，**第1図**について考察する．

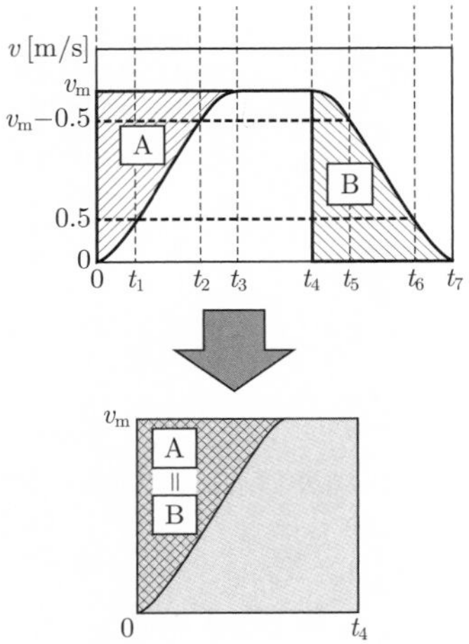

第1図 速度−時間曲線

第1図において速度時間曲線部分の面積 A = 面積 B であるから，0 ～ t_4 の区間である（T_{a} + T_{b} + 2）と v_{m} を乗じた部分の面積を求めることで上昇距離 x_{m} を求めることができる．

次に，題意に記載している加速度の積分結果の関係式を以下に示す．

$$v_{\mathrm{m}} = T_{\mathrm{a}} + 1\ \mathrm{m/s} \qquad ②$$

②式に定格速度 $v_{\mathrm{m}} = v_{\mathrm{n}} = 2\ \mathrm{m/s}$ を代入すると，次式になる．

$$2 = T_{\mathrm{a}} + 1$$

$\therefore \quad T_\mathrm{a} = 1\ \mathrm{s}$ ③

①式に③値および題意の数値を代入すると，次式になる．

$$42 = (1 + T_\mathrm{b} + 2) \times 2$$

$\therefore \quad T_\mathrm{b} = 18\ \mathrm{s}$

したがって，走行時間 T_{0-7}（$0 \sim t_7$ までの）は，次式になる．

$$T_{0-7} = 4 + 2T_\mathrm{a} + T_\mathrm{b} = 4 + 2 \times 1 + 18 = \mathbf{24\ s}$$

2)　題意の内容をまとめると**第 2 図**のようになる．

乗車率を h と置いたとき，可動部に供給される駆動力 F [N] は，第2図より次式が成立する．

$$F = m\alpha + mg = \mathbf{(600}h\mathbf{ + 1\,000 + 1\,300)}\,\alpha + \mathbf{(600}h\mathbf{ + 1\,000 - 1\,300)}g$$

$$= (600h + 2\,300)\,\alpha + (600h - 300)\,g \quad ④$$

可動部全体の質量　　不平衡質量

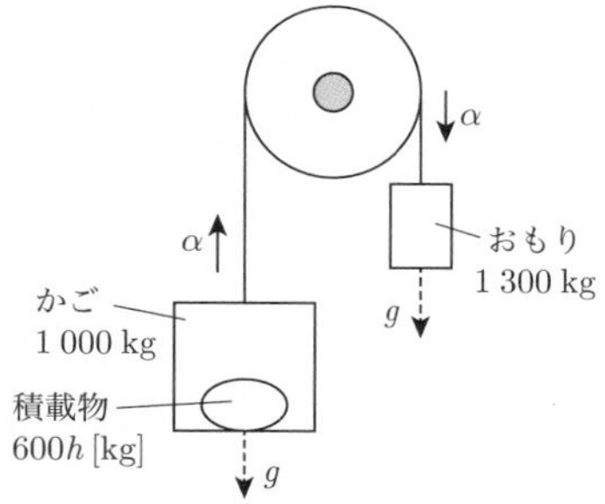

第 2 図　エレベータ概略図

④式において，加速度の係数部分の可動部全体の質量は，**(600*h* + 2 300)** と表される．

題意より，$h = 1$ のときの駆動力 F_1 [N] は，④式に $h = 1$，$\alpha = 1$ および $g = 9.8$ を代入すると，次式になる．

$$F_1 = (600 \times 1 + 2\,300) \times 1 + (600 \times 1 - 300) \times 9.8 = 5\,840\ \mathrm{N} = \mathbf{5.84\ kN}$$

続いて，$h = 1$ のときの駆動力 F_2 [N] は，④式に $h = 0$，$\alpha = -1$ および $g = 9.8$ を代入すると，次式になる．

$$F_2 = (600 \times 0 + 2\,300) \times (-1) + (600 \times 0 - 300) \times 9.8 = -5\,240\ \mathrm{N} = \mathbf{-5.24\ kN}$$

(2)　1)　ダンパを絞っていくと，風量や圧力が脈動し，送風機の振動が大きくなる現象を**サージング**という．防止策として，回転数を下げて吐出量を調節したり，吸込み弁を絞る．放風，バイパスをするなどを行いサージングによる停止を防止する．

2)　i)　ダンパを全開にしたときの運転の場合，送風抵抗（管路抵抗のみ）= 風圧となる．

定格風量80％のときの風圧h_{80}は，次式になる．

$$h_{80} = q^2 = 0.8^2 = 0.64 \text{ p.u.} \quad ⑤$$

また，定格風量50％のときの風圧h_{50}は，次式になる．

$$h_{50} = q^2 = 0.5^2 = 0.25 \text{ p.u.} \quad ⑥$$

⑤値と⑥値より，題意の図を見比べてみると，**第3図**に示す結果となった．

⑤の動作点は**F**，⑥の動作点は**I**となることがわかる．

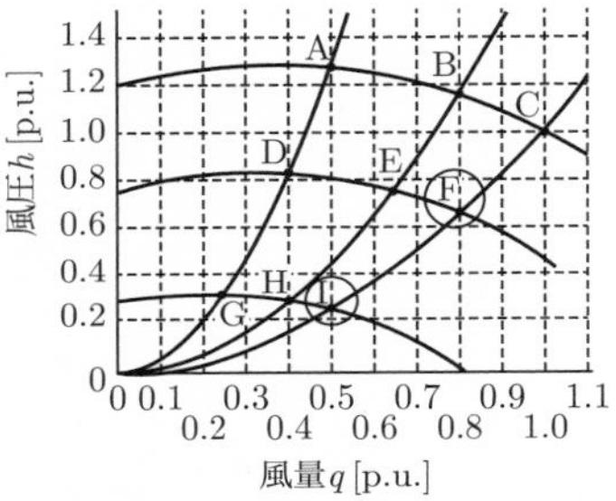

第3図　送風機の風圧−風量特性および送風機抵抗曲線

ii）ダンパ制御時の値を基準として，風量$q = 1$ p.u.，風圧$h = 1$ p.u.，効率$\eta = 1$ p.u.のとき，軸動力$p = 1$ p.u.となる．そのときの軸動力P_Mの値は40 kWである．

・定格風量$q_{100} = 1$ p.u.のとき（題意の式を使用）

$$h_{100} = {q_{100}}^2 = 1^2 = 1 \text{ p.u.}$$

$$h_{100} = 1.2{n_{100}}^2 + 0.5n_{100}q_{100} - 0.7{q_{100}}^2$$

$$1 = 1.2{n_{100}}^2 + 0.5n_{100} - 0.7$$

$${n_{100}}^2 + 0.416\,67n_{100} - 1.416\,67 = 0 \quad ⑦$$

⑦式を解くと，

$$\therefore \quad n_{100} = 1 \text{ p.u.}$$

よって，送風機効率η_{100}は，

$$\eta_{100} = 2\times\left(\frac{q_{100}}{n_{100}}\right) - \left(\frac{q_{100}}{n_{100}}\right)^2 = 2-1 = 1 \text{ p.u.} \quad ⑧$$

軸動力p_{100} [p.u.]を題意の記号を使用し式で表すと，

$$p_{100} = \frac{q_{100}h_{100}}{\eta_{100}} \text{ [p.u.]} \quad ⑨$$

⑨式に，$q_{100} = 1$，$h_{100} = 1$および$\eta_{100} = 1$を代入すると，次式になる．

$$p_{100} = \frac{q_{100}h_{100}}{\eta_{100}} = 1\ \text{p.u.}$$

よって，軸動力 P_{M100} [kW] は，次式になる．

$$P_{M100} = p_{100} \times 40 = 1 \times 40 = 40\ \text{kW}$$

したがって，電動機の効率 90 % とインバータの効率 95 % を考慮した消費電力 P_{in100} は，次式になる．

$$P_{in100} = \frac{40}{0.9 \times 0.95} = 46.783\,6\ \text{kW} \fallingdotseq \mathbf{46.8}\ \text{kW}$$

・定格風量 80 % の風量 $q_{80} = 0.8$ p.u. のとき（題意の式を使用）

$$h_{80} = q_{80}{}^2 = 0.8^2 = 0.64\ \text{p.u.}$$

$$h_{80} = 1.2n_{80}{}^2 + 0.5n_{80}q_{80} - 0.7q_{80}{}^2$$

$$0.64 = 1.2n_{80}{}^2 + 0.5n_{80} \times 0.8 - 0.7 \times 0.8^2$$

$$n_{80}{}^2 + 0.333\,3n_{80} - 0.906\,67 = 0 \qquad ⑩$$

⑩式を解くと，次式になる．

$$\therefore\ n_{80} = \mathbf{0.80}\ \text{p.u.}$$

よって，送風機効率 η_{80} は，次式になる．

$$\eta_{80} = 2\left(\frac{q_{80}}{n_{80}}\right) - \left(\frac{q_{80}}{n_{80}}\right)^2 = 2 - 1 = 1\ \text{p.u.} \qquad ⑪$$

軸動力 p_{80} [p.u.] を題意の記号を使用し式で表すと，

$$p_{80} = \frac{q_{80}h_{80}}{\eta_{80}}\ [\text{p.u.}] \qquad ⑫$$

⑫式に，$q_{80} = 0.8$，$h_{80} = 0.64$ および $\eta_{80} = 1$ を代入すると，次式になる．

$$p_{80} = \frac{q_{80}h_{80}}{\eta_{80}} = \frac{0.8 \times 0.64}{1} = 0.512\ \text{p.u.}$$

よって，軸動力 P_{M80} [kW] は，次式になる．

$$P_{M80} = p_{80} \times 40 = 0.512 \times 40 = 20.48\ \text{kW}$$

したがって，電動機の効率 90 % とインバータの効率 95 % を考慮した消費電力 P_{in80} は，次式になる．

$$P_{in80} = \frac{20.48}{0.9 \times 0.95} = 23.953 \fallingdotseq \mathbf{24.0}\ \text{kW}$$

・定格風量 50 % の風量 $q_{50} = 0.5$ p.u. のとき（題意の式を使用）

$$h_{50} = {q_{50}}^2 = 0.5^2 = 0.25 \text{ p.u.}$$

$$h_{50} = 1.2{n_{50}}^2 + 0.5n_{50}q_{50} - 0.7{q_{50}}^2$$

$$0.25 = 1.2{n_{50}}^2 + 0.5n_{50} \times 0.5 - 0.7 \times 0.5^2$$

$${n_{50}}^2 + 0.208\,33n_{50} - 0.354\,17 = 0 \qquad ⑬$$

⑬式を解くと，次式になる．

$$\therefore\quad n_{50} = 0.5 \text{ p.u.}$$

よって，送風機効率η_{50}は，次式になる．

$$\eta_{50} = 2\left(\frac{q_{50}}{n_{50}}\right) - \left(\frac{q_{50}}{n_{50}}\right)^2 = 2 - 1 = 1 \text{ p.u.} \qquad ⑭$$

軸動力 p_{50} [p.u.] を題意の記号を使用し式で表すと，次式になる．

$$p_{50} = \frac{q_{50}h_{50}}{\eta_{50}} \text{ [p.u.]} \qquad ⑮$$

⑮式に，$q_{50} = 0.5$，$h_{50} = 0.25$ および$\eta_{50} = 1$ を代入すると，次式になる．

$$p_{50} = \frac{q_{50}h_{50}}{\eta_{50}} = \frac{0.5 \times 0.25}{1} = 0.125 \text{ p.u.}$$

よって，軸動力 P_{M50} [kW] は，次式になる．

$$P_{M50} = p_{50} \times 40 = 0.125 \times 40 = 5 \text{ kW}$$

したがって，電動機の効率 90 % とインバータの効率 95 % を考慮した消費電力 P_{in50} は，次式になる．

$$P_{in50} = \frac{5}{0.9 \times 0.95} = 5.848 \text{ kW} \fallingdotseq \mathbf{5.8} \text{ kW}$$

3)　速度制御を用いて，定格風量で 8 時間，定格風量 80 % で 4 時間，定格風量 50 % で 12 時間運転したときの消費電力量 W_{inv} [kW·h] は，上記の数値を使用して求めると，次式になる．

$$W_{inv} = 46.783\,6 \times 8 + 23.953 \times 4 + 5.848 \times 12 = 540.256\,8 \text{ kW·h}$$

題意より，ダンパ制御で運転したときの消費電力 W_{DP} [kW·h] は，979.6 kW·h であるから，次式になる．

$$\frac{W_{inv}}{W_{DP}} = \frac{540.256\,8}{979.6} = 0.551\,5 \fallingdotseq \mathbf{55}\,\%$$

省エネ効果を 55 % と求めることができる．

問題13 (1) 1—エ，2—ア，3—エ，4—ケ，5—ア

(2) 6—エ，7—オ，8—エ，9—オ，10—イ

(3) 11—サ，12—キ，13—ケ，14—ク

【指導】

(1) 1) 発熱体から伝熱を利用して被加熱材を加熱する**間接抵抗加熱**方式の炉は，他の電気加熱方式の炉に比べ，**加熱雰囲気の温度管理**がしやすい．

また，間接抵抗加熱では，被加熱材の材質や形状は問わず炉内の雰囲気を空気以外にも選択は可能である．

2) アーク炉におけるアークの電圧・電流・長さの特性は，一般に**エアトン**の実験式で示すことができる．この実験式は，アーク電流の増大につれて，アーク電圧が低下する**負特性**を示す．

アーク加熱は，電極間と被加熱材との間に発生するアーク熱を利用して加熱・溶解を行う．アーク電圧・電流，アーク長の特性は，以下のエアトンの実験式で示される．

$$E_a = a + bL + \frac{c + dL}{I}$$

ここで，E_a はアーク電圧，L はアーク長，a，b，c，d は電極材料で決まる定数，I はアーク電流である．この式より，アーク電圧の増加によって，アーク電流が低下する負特性を有する．

3) マイクロ波加熱や誘電加熱に用いられる電磁波の周波数帯は，電気通信以外の工業などの目的で使用するために国際的に定められた周波数帯である**ISM バンド**として割り当てられている．

ここで誘電加熱とは，誘電体を高周波電界中に配置し，誘電体の損失による発熱により昇温させる加熱方式である．

(2) 1) 電気加熱の温度制御にとって温度計は必要不可欠な計測器である．温度計は，接触式と非接触式に大別され，さらに，それぞれいくつかの種類に分かれている．接触式には，2 種類の異種金属導体の両端を接続した閉回路に温度差によって起電力が生じる原理によって温度を計測する**熱電温度計**などの温度計があり，非接触式には放射温度計などがある．放射温度計にもいくつかの種類があり，**光高温計**はその中の一つである．

熱電温度計は，熱電対の熱起電力が熱接点と冷接点の温度差にほぼ比例するというゼーベック効果を利用するものである．白金—白金ロジウム（0 °C ～ 1 400 °C）などが広く使用されている．

解答
指導

2)　電気加熱設備のエネルギー原単位は，被加熱材の単位質量当たりの**消費電力量**で表される．加熱設備全体で消費されるエネルギーには，通常**損失**が含まれているが，**損失**は被加熱材の加熱に寄与しない．エネルギー原単位は消費されるエネルギーの計測点を**入力端**として，そこでの計測値により評価・管理するのが一般的である．

(3)　1)　題意の内容を**第 1 図**に示す．

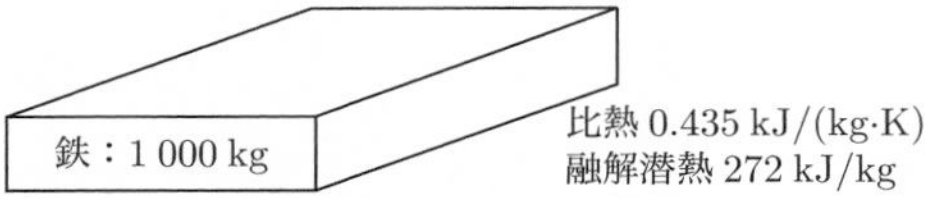

第 1 図　鉄の溶解条件

第 1 図より鉄が 25 °C から 1 535 °C まで昇温し溶解するために必要な顕熱 Q_1 [kJ] および潜熱 Q_2 [kJ] とすると，全熱量 Q [kJ] は，次式になる．

$$Q = Q_1 + Q_2 \text{ [kJ]} \qquad ①$$

顕熱 Q_1 [kJ] は題意の数値を代入すると，次式になる．

$$Q_1 = 0.435 \text{ kJ/(kg·K)} \times 1\,000 \text{ kg} \times (1\,535 - 25) \text{ K} = 656\,850 \text{ kJ}$$

同様に潜熱 Q_2 [kJ] は題意の数値を代入すると，次式になる．

$$Q_2 = 272 \text{ kJ/kg} \times 1\,000 \text{ kg} = 272\,000 \text{ kJ}$$

よって，全熱量 Q [kJ] は，①式に各数値を代入すると，次式になる．

$$Q = Q_1 + Q_2 = 656\,850 + 272\,000 = 928\,850 \fallingdotseq \mathbf{9.3} \times 10^5 \text{ kJ}$$

2)　題意の内容を**第 2 図**に示す．

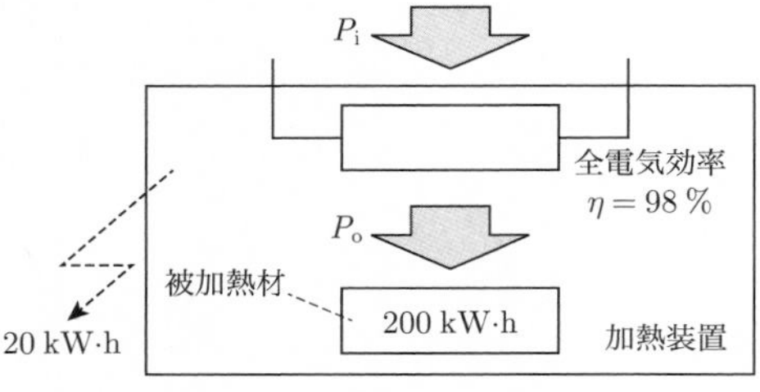

第 2 図　加熱設備

加熱設備の加熱時間を T [h] とし，設備出力の電力量を W_0 [kW·h] とおいたとき，加熱設備の出力 P_o [kW] は，次式になる．

$$P_o = \frac{W_0}{T} = \frac{200 + 20}{0.5} = 440 \text{ kW}$$

第2図より，全電気効率ηは 98 % であるから，加熱設備の入力 P_{i} [kW] は，次式になる.

$$P_{\mathrm{i}}=\frac{P_{\mathrm{o}}}{\eta}=\frac{440}{0.98}=448.9796\ \mathrm{kW} \fallingdotseq \mathbf{4.5}\times 10^{2}\ \mathrm{kW}$$

3) 抵抗 R [Ω] およびリアクタンス 5.0 Ω の直列回路に単相交流 220 V を加えた回路を考える（**第 3 図**参照).

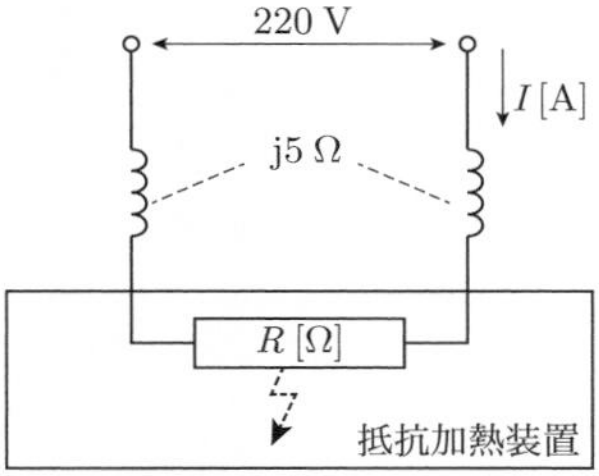

第 3 図　抵抗加熱装置

解答指導

第3図より，回路に流れる電流 I [A] は，次式になる.

$$I=\frac{220}{\sqrt{R^{2}+5^{2}}}\ [\mathrm{A}]$$

よって，抵抗 R [Ω] で消費する電力 P [kW]（発熱量）は，次式になる.

$$P=RI^{2}=R\times\frac{220^{2}}{R^{2}+5^{2}}\times 10^{-3}=\frac{220^{2}\times 10^{-3}}{\dfrac{R^{2}}{R}+\dfrac{25}{R}}=\frac{220^{2}\times 10^{-3}}{R+\dfrac{25}{R}}\ [\mathrm{kW}] \qquad ②$$

発熱量が最大になるには，②式の分母を微分して 0 と置けばよい（Pが最大となる).

$$\frac{\mathrm{d}P}{\mathrm{d}R}=\frac{\mathrm{d}}{\mathrm{d}R}\left(R+\frac{25}{R}\right)=1-\frac{25}{R^{2}}=0 \qquad ③$$

$$\therefore\quad R=\mathbf{5.0}\ \Omega$$

発熱量が最大となるときの抵抗 R [Ω] は，5 Ω となる.

次に，発熱量が最大となるときの抵抗 5 Ω を②式に代入し式を解くと，発熱量 P [kW] は，次式になる.

$$P=\frac{220^{2}\times 10^{-3}}{5+\dfrac{25}{5}}=\frac{220^{2}\times 10^{-3}}{10}\fallingdotseq \mathbf{4.8}\ \mathrm{kW}$$

問題14
(1)　1 ―ア，2 ―イ，3 ―ケ，4 ―エ
(2)　5 ―シ，6 ―イ，7 ―カ，8 ―ク，9 ―カ，10 ―ウ
(3)　A ― 1.60，B ― 15.1，C ― 13.9

【指導】

(1)　1)　化学反応で生じるエネルギーを電気エネルギーに直接変換する装置を化学電池という．化学電池に該当する一次電池の例として**アルカリマンガン乾電池**，二次電池の例として**リチウムイオン電池**が挙げられる．**アルカリマンガン乾電池**の電解質には**水酸化カリウム**の水溶液が用いられる．また，物理変化で生じるエネルギーを電気エネルギーに直接変換する装置を物理電池という．物理電池としては，**太陽電池**などが該当する．

・リチウムイオン電池

〈長所〉

①　エネルギー密度が高い．
②　メモリー効果がない（浅い充電と放電を繰り返すことで電池自体の容量が減ってしまう現象）．
③　自己放電が少ない（使わずに放っておくと自然に放電してしまう現象）．
④　効率が良い．
⑤　寿命が長い．
⑥　高速充電が可能．

〈短所〉

①　安全性確保のため充放電を監視する保護回路が必要．
②　過度に充電すると発熱し急激に劣化する可能性がある．
③　短絡時に急激に過熱する危険性が大きい．

・アルカリマンガン乾電池

正極：二酸化マンガンと黒鉛の粉末
負極：亜鉛，水酸化カリウムの電解液

$$MnO_2 + H_2O + Zn \rightarrow Mn(OH)_2 + ZnO$$

(2)　1)　可逆的な系の電気化学セルの開回路電圧である**理論**電圧は正極と負極の電極電位の差である．単極電位，すなわち半電池の**起電力**は単独で求めることはできないので，電位の基準点を与えるいわゆる**参照電極**を使って求める．水溶液系では，基準電極として**標準水素電極**が用いられ，それを片側に置き，もう一方の側に対象とする電極を置いたときの電池の**起電力**を単極の電位と定義する．また，参照電極とは，電極電位の測定の基準点を与える

電極のこと．基準電極，照合電極ともいう．

2) 電極反応は電極と電解質の**界面**で起こり，この反応速度は**電流密度**を用いて表される．ここで電極反応とは，電極と電解質溶液との界面で生じる，電気化学的な反応の総称のことを指す．

(3) 単位に注目し，ファラデー定数とアボガドロ数が題意より与えられており，電子1個当たりの電気量 Q [C] を求めると，次式になる．

$$Q=96\,500\times\frac{1}{6.02\times10^{23}}=1.602\,99\times10^{-19}\fallingdotseq\mathbf{1.60}\times10^{-19}\ \mathrm{C}$$

次に，アルミナの電気分解で使用する電気量 I [A·h] は，次式になる．

$$I=3\ 000\times15=45\ 000\ \mathrm{A\cdot h}$$

このアルミニウムの反応が3電子反応であるから，理論析出量 ω [kg] は，次式になる．

$$\omega=\frac{1}{26.8}\times\frac{27}{3}\times45\,000\times10^{-3}=15.111\ \mathrm{g}\fallingdotseq\mathbf{15.1\ kg}$$

(注1) 題意のファラデー定数は，次式でも表される．

$$96\,500\times\frac{1}{3\,600}=26.806\ \mathrm{A/mol}$$

アルミニウムの実際析出量 ω' [kg] は，電流効率 $\eta=92$ % であるから，次式となる．

$$\omega'=m\eta=15.111\times\frac{92}{100}\fallingdotseq13.902\fallingdotseq\mathbf{13.9\ kg}$$

(注2) 理論電気量と析出量を混合しないようにすること．

$$\eta=\frac{Q_0}{Q}$$

Q_0：理論電気量，Q：実際に流れた電気量

問題15

(1) 1—ウ，2—カ，3—ク

(2) 4—エ，5—ク，6—ア

(3) A — 1.0×10^3, B — 6.7×10^2, C — 9.0×10^2, D — 2.9×10^3, E — 5.25, F — 16

【指導】

(1) 照明用光源としてLEDは年々増加している．「経済産業省生産動態統計年報機械統計編」によると2019年の照明器具全体の出荷数量72 359千台のうち，LEDは68 544千

台であり，**90 % 以上**に達している．

直管蛍光ランプは，放電のためランプの両電極間に高電圧を印加する必要がある．また，ランプの管内に封入された**水銀**の蒸発圧によって光束が変化するため，点灯直後の光束は低く，ランプの温度上昇に従い安定する．

LED は，固体発光素子のため電源投入からの点灯時間が短い．また，温度上昇に伴い光束は**やや低下する**．

(2)　昼白色の相関色温度は **5 000** K である．相関色温度は光色と関係しており，一般的に約 3 000 K は白熱電球に近いやや赤みがかった電球色，約 5000K は太陽光に近い昼白色，約 6 500 K はやや青みがかった白色で昼光色等といわれている．

平均演色評価数 Ra とは，ある照明で照射した物の色が基準光源と同じ見え方をした場合を 100 とし，見え方の差（色のずれ）が大きいほど小さくなる値である．したがって，相関色温度が異なる二つの照明の Ra が等しく 83 であれば**被照射物の色のずれの大きさが同程度**であることを示す．

2)　問題文表 1 の 2 種類の電球形 LED ランプについて，ある居室に設置した場合のコスト検討を行う．題意より，a，b 両ランプの発生光束 F = 810 lm，器具効率，照明率を 1，寿命末期の光束維持率を 0.8 とする．寿命末期において，16 000 lm を確保するのに必要な器具台数 n は以下で計算できる．

$$nF \times 0.8 = 16\,000$$

$$n = \frac{16\,000}{0.8F} = \frac{16\,000}{0.8 \times 810} \fallingdotseq 24.691 \fallingdotseq 25 \text{ 台}$$

a ランプを使用した 1 年間電力消費量を W_{a} [kW·h]，b ランプを使用した 1 年間電力消費量を W_{b} [kW·h] とする．この差（$W_{\mathrm{b}} - W_{\mathrm{a}}$）が b ランプから a ランプに変えたときの 1 年間で削減した電力消費量であり，以下で計算できる．ただし，1 年間の点灯時間を 5 000 h とする．

$$W_{\mathrm{b}} - W_{\mathrm{a}} = (7.2 - 6.0) \times 25 \times 5\,000 \times 10^{-3} = \mathbf{150} \text{ kW·h}$$

(3)　1)　題意の条件より，**第 1 図**を示す．立体角投射の法則を適用して，円形光源が半径 1 m の仮想半球を経て床面に投射する面積 S'' は以下で計算できる．

$$S'' = \pi r^2 = \pi \sin^2 \theta = \pi \frac{0.2^2}{5^2 + 0.2^2} \fallingdotseq 5.016\,0 \times 10^{-3} \text{ m}^2$$

P 点の水平面照度 E_{h1} [lx] から光源の輝度 L は以下で計算できる．

$$E_{\mathrm{h1}} = S''L \to L = \frac{E_{\mathrm{h1}}}{S''} = \frac{40}{5.016\,0 \times 10^{-3}} \fallingdotseq 7\,974.5$$

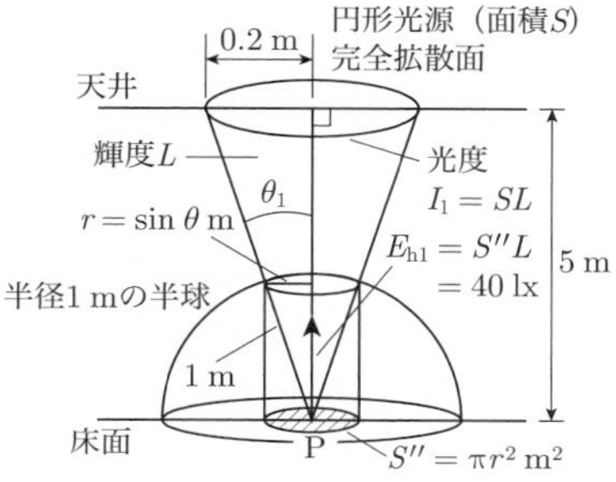

第 1 図　立体角投射の法則

光源の面積を $S\,[\mathrm{m}^2]$ とすれば，光源の光度 I_1 は，以下で計算できる．

$$I_1 = SL = \pi \times 0.2^2 \times 7\,974.5 \fallingdotseq 1\,001.6 \fallingdotseq \mathbf{1.0 \times 10^3}\ \mathrm{cd}$$

次に**第 2 図**のように，新たな点光源を Q 点に設置して P 点の水平面照度を 100 lx とするには，点光源による水平面照度 $E_{h2} = 100 - 40 = 60$ lx とすればよい．したがって，点光源の光度 I_2 は以下で計算できる．

$$E_{h2} = E_{n2}\cos\theta_2 = \frac{I_2}{2^2 + 1^2} \cdot \frac{1}{\sqrt{2^2 + 1^2}} = 60$$

$$\therefore\quad I = 60 \times 5\sqrt{5} \fallingdotseq 670.82 \fallingdotseq \mathbf{6.7 \times 10^2}\ \mathrm{cd}$$

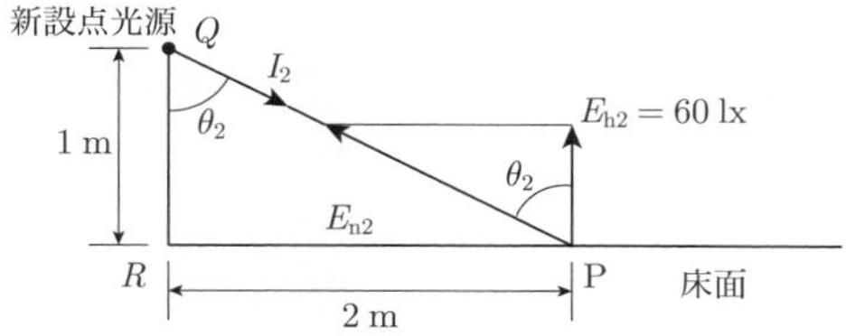

第 2 図　点光源による追加分

2)　題意より光源から布に入射した光束 F_i は一部を布に吸収（吸収率$\alpha = 0.1$）されて透過（透過率$\tau = 0.2$）した残りが反射光束 F_r となり，光束発散度 M を生じる（**第 3 図**）．題意より，反射率ρは以下で計算できる．

$$\alpha + \tau + \rho = 1$$

$$\therefore\quad \rho = 1 - \alpha - \tau = 1 - 0.1 - 0.2 = 0.7$$

均等拡散性の布の輝度 $L = 200\ \mathrm{cd/m^2}$ より，M は以下で計算できる．

$$M = \pi L = 200\pi\ \mathrm{lm/m^2}$$

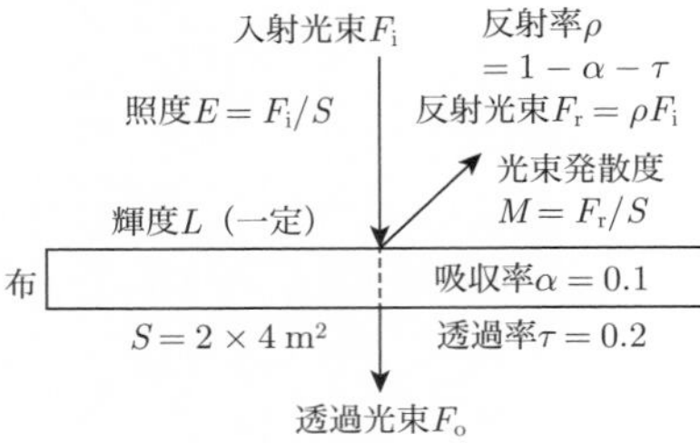

第3図　完全拡散性の布と照度

上式のMからF_rおよびF_iは以下で表される．

$$F_r=\rho\,F_i=SM$$

$$\therefore\quad F_i=\frac{SM}{\rho}=\frac{200\pi S}{0.7}\,[\mathrm{lm}]$$

よって，照度Eは以下で計算できる．

$$E=\frac{F_i}{S}=\frac{200\pi}{0.7}\fallingdotseq 897.14\rightarrow \mathbf{9.0\times 10^2}$$

3)　白熱灯からLEDランプに交換したことによる，年間の電気使用料金の節約分C_eは以下で計算できる．ただし，題意より消費電力は白熱灯40 W，LEDランプ5 W，年間の使用時間は3 650時間，電気料金は23円/(kW·h)とする．

$$C_e=(40-5)\times 3\,650\times 10^{-3}\times 23\fallingdotseq 2\,938.3\fallingdotseq \mathbf{2.9\times 10^3}$$

4)　間口$X=10$ m，奥行き$Y=10$ m，作業面から天井までの（被照面）高さ$H=4.0$ mの作業場で，蛍光ランプ2灯用（灯具の全光束$F=2\times 4\,500=9\,000$ lm）を使用し，作業面の床面の平均照度$E=500$ lx以上としたい（**第4図**）．照明率を求めるため，以下で室指数K_rを計算する．

$$K_r=\frac{XY}{H(X+Y)}=\frac{10\times 10}{4\times(10+10)}=1.25$$

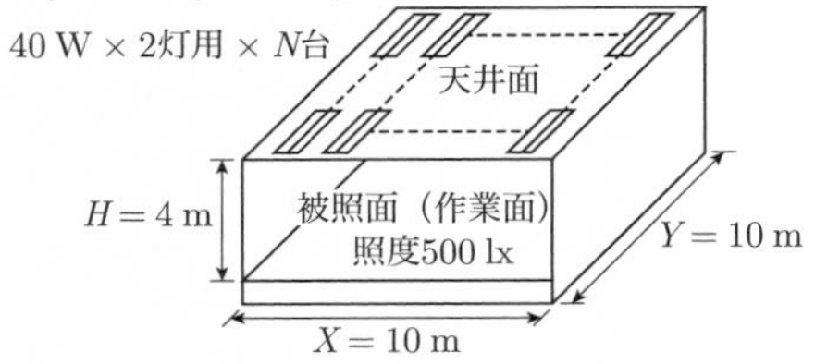

第4図　作業場と作業面照度

問題文表2から計算した室指数1.25は1.00（照明率0.48）と1.50（照明率0.57）のちょうど中間の位置である．したがって，照明率Uは，以下で計算できる．

$$U=\frac{0.48+0.57}{2}=0.525=\mathbf{5.25}\times10^{-1}$$

よって，求めた照明率$U=0.525$，および題意の保守率$M=0.67$とし，光束法により，必要な灯具台数Nは以下で計算できる．ただし，被照面面積$A=X\cdot Y\,[\mathrm{m}^2]$である．

$$N=\frac{E\cdot A}{F\cdot U\cdot M}=\frac{500\times10\times10}{9\,000\times0.525\times0.67}\fallingdotseq 15.794\fallingdotseq\mathbf{16}\text{ 台}$$

問題16

(1) 1―ウ，2―キ，3―ク，4―エ，5―オ，6―ア

(2) 7―イ，8―カ，9―キ

(3) 10―ク，11―カ，12―オ，13―ウ，14―ア，15―カ，16―ア，17―カ，18―ウ

【指導】

(1) 1) i）冷凍機の成績係数は外気温度や負荷などの条件によって変動する．そこで，冷房運転期間を通じた成績係数（COP）を計算するが，これを期間成績係数（**IPLV**：Integrated Part Load Value）という．IPLVは，次式で与えられる．

IPLV ＝ 0.01 × A ＋ 0.42 × B ＋ 0.45 × C ＋ 0.12 × D

A：100 %負荷時のCOP

B：75 %負荷時のCOP

C：50 %負荷時のCOP

D：25 %負荷時のCOP

ii）冷暖房負荷が同時に発生する頻度が高い場合，冷水と温水を同時に取り出すことができる熱源機器を選択することが効率的になることがある．例えば，**熱回収ヒートポンプ**を採用すれば，蒸発器で冷水を取り出し，凝縮器の排熱で温水を取り出すことによって，成績係数を大きく向上することができる．正解は，「キ」の熱回収ヒートポンプであるが，三重にした再生器（高温・中温・低温）を用いた三重効用吸収冷凍機を使用すると，蒸発器で冷水を取り出し，同時に高温再生器で温水を取り出すことができるので，熱回収ヒートポンプより成績係数は小さいが，これも間違いではないだろう．

iii）部分負荷時の熱源機器の効率低下を抑制するために，例えば50 % × 2台あるいは33 % × 3台のように，熱源機器を**台数分割**して，台数制御運転を行い，低負荷時には不要

な熱源機器を停止することが効果的である.

(2) i）冷凍機やヒートポンプの冷凍サイクルでは，蒸発温度を高くしたり，凝縮温度を低くしたりすることで成績係数が向上する．これは，蒸発器における冷水（冷風）温度を高くしたり，凝縮器における温水（温風）温度を低くしたりすることに対応する.

ii）定流量で運転する負荷変動の大きいターボ冷凍機では，負荷からの還温度（= 冷凍機入口温度）が変動する．部分負荷時の蒸発温度を上げて，年間の省エネルギー性能を高めるためには，冷凍機冷水**入口温度**一定制御を行い，部分負荷時に冷水出口温度を高くすればよい．部分負荷時に，冷凍機出口冷水温度一定制御の場合，例えば冷凍機を 7 °C で出た冷水が 12 °C（定格出入口温度差 5 °C のとき）ではなく，9 °C（出入口温度差 2 °C）で戻って来てしまうが，冷凍機入口冷水温度が 12 °C 一定になるように制御すれば，冷凍機出口冷水温度を 10 °C に上げることで蒸発温度を上げることができる.

(2) 1）建築物衛生法（建築物における衛生的環境の確保に関する法律　昭和 45 年法律第 20 号）施行令第 2 条では，室内の空気環境について，空気調和設備を設けている場合は，温度を **17 °C 以上 28 °C 以下**と定めている.

2）大空間の一部が居住域である場合，強制対流を利用した空調方式は効率的でないことが多い．そこで，居住域のみを対象として**放射型**空気調和設備を採用すると効率的である．しかし，冷房時には，放射パネルの冷たい表面に高温多湿の室内空気が触れて，表面結露が発生する可能性がある．そのため，冷水温度を高くして，表面温度を室内空気の露点温度以上にすることで，結露の発生を防止することが求められる.

3）送風機の比例法則により，回転数の 1 乗に比例して風量が変化し，2 乗に比例して全圧が変化し，3 乗に比例して軸動力が変化する．そのため，空調負荷に応じて風量制御を行う場合，空調機ファンの動力削減には**回転速度**制御を行うのが最も効果的である．例えば，空調負荷が 50% のとき，送風機の回転速度を 50 % にすれば，理論的には風量は 2 分の 1 になり，軸動力は 8 分の 1 になる.

(3) 1）ザイデルの式によれば，

必要外気量 [m^3/h] = 汚染物質発生量 [m^3/h]/(汚染物質濃度許容値 [%]
　　− 外気に含まれる汚染物質濃度 [%])× 100

である．したがって，次式となる.

1 人当たりの外気導入量 [m^3/(h·人)]
= **1 人当たりの CO_2 発生量 [m^3/(h·人)]**/(**室内の CO_2 濃度許容値 [%]**
　− 外気中の CO_2 濃度 [%])× 100

換気回数は，1時間当たり対象室の空気が何回入れ替わったかを示す数値で，換気の状態を示す重要な指標である．天井高さ3 mの室で在室密度が0.2人/m^2の場合，1人当たり5 m^2の面積であり，それに対する室容積は15 m^3/人になる．したがって，1人当たりの外気導入量が30 m^3/(h·人)のとき，換気回数は30/15 = **2**回/hとなる．

2) i) 外気負荷は空調熱負荷にとって大きいので，省エネルギーのためには可能な限り抑制する必要がある．送風量が過大で，外気量が確定しているときは，**外気取り入れダンパ**を手動で操作して，必要外気量まで絞る．在室者数が変動する場合は，室内のCO_2濃度を検出して，外気取り入れファンと排気ファンの回転速度を制御して，外気量（＝排気量）を制御する．

ii）在室者が不在と考えられる**予冷予熱**運転時（出勤時間前）には，外気の導入は必要ないので，外気導入を停止して，循環運転とする．

iii）工場や研究所で汚染物質や臭気が局所的に発生する場合は，汚染物質発生場所で**局所給排気**を採用する．局所排気のみを採用すると，それに対応する外気量が空調機に導入される外気量に加算されて外気負荷が増加するので，局所給排気を採用することでそれを抑制する．

3) i) CO_2濃度制御を採用して，外気導入量を制御している場合，既存の制御より外気導入量を増加したいときには，CO_2濃度設定値を**下げる**と，外気量は増加する．前述のザイデルの式を参照のこと．

ii）空調システムの制御に**VAV**制御（可変風量制御）を採用する場合，給気温度は一定で，空調負荷に応じて給気量が変化する．低負荷の場合，給気量が必要外気量以下に減少する可能性があるので，最小給気量を設定して，給気量が必要外気量以下に減少しないようにする．

2020 年度（第 42 回）

エネルギー総合管理及び法規（80 分）

問題 1　エネルギーの使用の合理化等に関する法律及び命令
問題 2　エネルギー情勢・政策，エネルギー概論
問題 3　エネルギー管理技術の基礎

問題 1（エネルギーの使用の合理化等に関する法律及び命令）

次の各問に答えよ．なお，法令は令和 **6** 年 **9** 月 **1** 日時点で施行されているものである．

以下の問題文では

エネルギーの使用の合理化及び非化石エネルギーへの転換等に関する法律を『法』

エネルギーの使用の合理化及び非化石エネルギーへの転換等に関する法律施行令を『令』

エネルギーの使用の合理化及び非化石エネルギーへの転換等に関する法律施行規則を『則』

と略記する．

[1] ～ [10] の中に入れるべき最も適切な字句又は記述をそれぞれの解答群から選び，その記号を答えよ．なお，[1] は **2** 箇所あるが，同じ記号が入る．

また，[**A** **abcde**] 及び [**B** **abc**] に当てはまる数値を計算し，その結果を答えよ．ただし，解答は解答すべき数値の最小位の一つ下の位で四捨五入すること．（配点計 **50** 点）

(1) 「事業者の判断の基準」及び「連携省エネルギー計画」に関連する事項

1) 事業者の判断の基準に関連する事項

『法』第 **5** 条第 **1** 項は次のように規定している．

「主務大臣は，工場等におけるエネルギーの使用の合理化の適切かつ有効な実施を図るため，次に掲げる事項並びにエネルギーの使用の合理化の [1] （エネルギーの使用の合理化が特に必要と認められる業種において達成すべき目標を含む．）及び当該 [1] を達成するために計画的に取り組むべき措置に関し，工場等においてエネルギーを使用して事業を行う者の判断の基準となるべき事項を定め，これを公表するものとする．（以下略）」

『法』第 **5** 条第 **3** 項は次のように規定している．

「経済産業大臣は，工場等において電気を使用して事業を行う者による電気の需要の最適化に資する措置の適切かつ有効な実施を図るため，次に掲げる事項その他当該者が取り組むべき措置に関する指針を定め，これを公表するものとする．（以下略）」

また，『法』第 **5** 条第 **4** 項は次のように規定している．

「第 **1** 項及び第 **2** 項に規定する判断の基準となるべき事項並びに前項に規定する指針は，エネルギー需給の長期見通し，電気その他のエネルギーの需給を取り巻く環境，エネルギーの使用の合理化及び非化石エネルギーへの転換に関する技術水準，［2］エネルギーの使用の合理化及び非化石エネルギーへの転換の状況その他の事情を勘案して定めるものとし，これらの事情の変動に応じて必要な改定をするものとする．」

〈［1］及び［2］の解答群〉

ア 基準　**イ** 方針　**ウ** 目的　**エ** 目標

オ エネルギー管理指定工場等の　**カ** 業種別の　**キ** 国際的な

ク 優良な工場等における

2) 連携省エネルギー計画に関連する事項

『法』第 **50** 条は，複数の事業者が連携して省エネルギーを推進するときに，連携することで実現できる省エネルギー効果を適正に評価するための認定制度として，平成 **30** 年 **12** 月施行の『法』改正によって新設されたものである．

i) 第 **1** 項では，連携する事業者が共同で連携省エネルギー計画を作成し経済産業大臣に提出し，その連携省エネルギー計画が適当である旨の認定を受けることができる，と規定されている．審査を経て認定を受けることができれば，『法』第 **52** 条の特例によって，［3］において省エネルギー量を事業者間で分配して報告することができ，それぞれの事業者が公平に評価されることになる．

ii) 第 **2** 項は，認定を受けるために作成する連携省エネルギー計画に記載しなければならない事項として，次の一～三号を掲げている．

一　連携省エネルギー措置の目標

二　連携省エネルギー措置の内容及び実施期間

三　連携省エネルギー措置を行う者が設置している工場等において当該連携省エネルギー措置に関してそれぞれ使用したこととされるエネルギーの量の［4］

〈 3 及び 4 の解答群〉

ア エネルギー使用届出書　**イ** 中長期的な計画　**ウ** 定期の報告
エ 連携省エネルギー計画　**オ** 算出の方法　**カ** 上限値
キ 平均値　**ク** 予測の方法

(2) エネルギーを使用する工場等における『法』の適用に関する事項
（『法』第**2**条，第**7**条〜第**14**条及び関係する『令』，『則』の規定）

ある事業者が化学工場と，別の事業所として本社事務所を所有しており，これらがこの事業者の設置している施設の全てである．ここで，化学工場における前年度の燃料，電気などの使用量は，次の **a**〜**e**，本社事務所における前年度の電気の使用量は，次の **f** 及び **g** のとおりであり，この事業者はこれら以外のエネルギーを使用していなかった．

なお，本社事務所は専ら事務所として使用されており，また，この事業者は，連鎖化事業者，認定管理統括事業者又は管理関係事業者のいずれにも該当していない．

a：化学工場において，ボイラで使用した都市ガスの量を発熱量として換算した量が **9** 万 **6** 千ギガジュールであった．

b：化学工場において，ボイラの燃料として，プラスチック廃棄物を使用した．その量を発熱量として換算した量が **5** 千ギガジュールであった．

c：化学工場において，ボイラの発生蒸気を利用した後の凝縮水の一部から熱を回収して使用した．その回収して使用した熱量が **6** 千ギガジュールであった．

d：化学工場において，地中熱を利用した電気式ヒートポンプを設置して空調に使用した．この電気式ヒートポンプによって地中から回収して使用した熱量は **3** 千ギガジュールであった．

e：化学工場において，小売電気事業者から購入して使用した電気の量を熱量として換算した量が **53** 万ギガジュールで，電気の購入先の小売電気事業者では，化石燃料によって発電された電気を販売していた．

f：本社事務所において，小売電気事業者から購入して使用した電気の量を熱量として換算した量が **2** 万 **2** 千ギガジュールで，電気の購入先の小売電気事業者では，化石燃料によって発電された電気を販売していた．

g：本社事務所において，太陽光発電装置を設置して，そこで発電した電気を本社事務所内で使用した．その使用した電気の量を熱量として換算した量が **3** 千ギガジュールであった．

1) 前年度に使用したエネルギー使用量を『法』で定めるところにより原油の数量に換算

した量は，化学工場が [A abcde] キロリットルであり，本社事務所では [B abc] キロリットルである．この事業者のエネルギー使用量は，化学工場と本社事務所のエネルギー使用量の合計であり，その量から判断して，この事業者は特定事業者に該当する．

なお，『則』第**4**条によれば，発熱量又は熱量**1**ギガジュールは原油**0.025 8**キロリットルとして換算することとされている．

2)　1)より，前年度に使用した『法』で定めるエネルギー使用量から判断して，この化学工場は，[5]．

〈[5]の解答群〉

ア　第一種エネルギー管理指定工場等に該当する

イ　第二種エネルギー管理指定工場等に該当する

ウ　本社事務所と合わせて第一種エネルギー管理指定工場等に該当する

エ　エネルギー管理指定工場等に該当しない

3)　1)及び2)によって当該の指定を受けた後，この事業者が選任しなければならないのは，事業者としてはエネルギー管理統括者及びエネルギー管理企画推進者である．一方，各工場等のエネルギー管理者あるいはエネルギー管理員の選任については，次に示す①～④のうちから選択すると，化学工場については [6] であり，本社事務所については [7] である．

①　エネルギー管理員の選任が必要

②　エネルギー管理者**1**名の選任が必要

③　エネルギー管理者**2**名の選任が必要

④　どちらも選任不要

〈[6]及び[7]の解答群〉

ア ①　**イ** ②　**ウ** ③　**エ** ④

(3)「機械器具に係る措置」及び「報告及び立入検査」に関連する事項

1)　機械器具に係る措置に関連する事項

『法』第**149**条では，経済産業大臣（自動車及びこれに係る特定関係機器にあっては，経済産業大臣及び国土交通大臣）は，特定エネルギー消費機器及び特定関係機器（以下「特定エネルギー消費機器等」という．）ごとに，そのエネルギー消費性能又はエネルギー消費関係性能の向上に関しそのエネルギー消費機器等製造事業者等の判断の基準となるべき事項を定め，これを公表するものとする，としている．

i)　この判断の基準となるべき事項は，当該特定エネルギー消費機器等のうちエネルギー消費性能等が[8]のそのエネルギー消費性能等，当該特定エネルギー消費機器等に関する技術開発の将来の見通しその他の事情を勘案して定めるものとしている．

〈[8]の解答群〉

ア 改善されているもの　**イ** 公表されているもの
ウ 認定されているもの　**エ** 最も優れているもの

ii) この特定エネルギー消費機器として，『令』が規定している機器を，次の①～④のうちから挙げると[9]である．

① エアコンディショナー
② 複写機
③ 交流電動機
④ コンプレッサー

〈[9]の解答群〉

ア ①と②と③　**イ** ①と②と④　**ウ** ①と③と④　**エ** ②と③と④

2) 報告及び立入検査に関連する事項

『法』第 **166** 条は報告及び立入検査についての規定であり，工場等に係る措置に関しては，第 **1** 項～第 **3** 項に規定されている．いずれも，各項の規定の施行に必要な限度において事業者が設置している工場等について，各項に規定されている報告及び立入検査をさせることができるとする規定である．

これら第 **1** 項～第 **3** 項における規定内容から判断して，次の①～③のうち，下線部分が正しいのは[10]である．

① 第 **1** 項は特定事業者等の指定等に関するものであり，報告及び立入検査の対象となるのは，当該の指定を受けた事業者のみである．
② 第 **2** 項は特定事業者等が選任しなければならない者に関するものであり，特定事業者等に対して報告及び立入検査をさせることができるのは，経済産業大臣である．
③ 第 **3** 項は工場等に係る措置のうち，第 **1** 項及び第 **2** 項以外の措置に関するものであり，その措置の実施において，特定連鎖化事業者や連鎖化事業の加盟者に対して立入検査を行うとき，あらかじめ連鎖化事業の加盟者に承諾を得る必要はない．

〈[10]の解答群〉

ア ①　**イ** ②　**ウ** ③

問題2（エネルギー情勢・政策，エネルギー概論）

次の各文章の［1］～［9］の中に入れるべき最も適切な字句，数値又は記述をそれぞれの解答群から選び，その記号を答えよ．

また，［A a.bc × 10^d］に当てはまる数値を計算し，その結果を答えよ．ただし，解答は解答すべき数値の最小位の一つ下の位を四捨五入すること．（配点計**50**点）

(1) 国際単位系（**SI**）では，長さ（メートル[**m**]），質量（キログラム[**kg**]），時間（秒[**s**]），電流（アンペア[**A**]），［1］，光度（カンデラ[**cd**]）及び物質量（モル[**mol**]）の**7**つを基本単位としている．

これに対し，例えば単位時間当たりの仕事すなわち仕事率の単位であるワット[**W**]は，前述の**7**つの基本単位のうちのいくつかを組み合わせて[$\mathbf{kg \cdot m^2/s^3}$]と表されるので，組立単位と呼ばれる．

クレーンが質量**1 000 kg**の物体を**10 s**間で地表から鉛直方向に**15 m**持ち上げたとすると，このクレーンのこの間の平均的な仕事率は［A a.bc × 10^d］[**W**]である．ここで重力の加速度を$\mathbf{9.8\ m/s^2}$とする．

〈［1］の解答群〉

ア 力（ニュートン[**N**]）　**イ** 電位（ボルト[**V**]）　**ウ** 熱力学温度（ケルビン[**K**]）

(2) 地球に到達する太陽からの放射エネルギーは，大気圏の外側で太陽光線に垂直な単位面積当たり単位時間当たりに約［2］[$\mathbf{kW/m^2}$]である．この太陽からの放射エネルギーと大気と地表面の作用で生じる温室効果において，主に関与する気体は二酸化炭素と水蒸気である．これらの気体は熱ふく射のうちの［3］の波長域に比較的強い吸収帯を有しており，それが温室効果の原因となる．二酸化炭素と水蒸気が温室効果（温度上昇）に及ぼしている影響の大きさを比べると，［4］．

〈［2］～［4］の解答群〉

ア **0.14**　**イ** **1.4**　**ウ** **14**　**エ** **0.1 μm**以下

オ **0.1 ～ 1 μm**　**カ** **1 μm**以上　**キ** 水蒸気の方が二酸化炭素より大きい

ク 二酸化炭素の方が水蒸気より大きい　**ケ** 両者はほぼ同等である

(3) 化石燃料の燃焼利用などに伴う大気中の二酸化炭素濃度の増加を抑制するために，水素を利用した発電設備や熱機関が注目されている．化石燃料は，自然界から直接人類に渡るエネルギーであることから，［5］エネルギーと呼ばれるが，それに対して水素は電気などと同様［6］エネルギーと呼ばれるように，自然界から直接得ることはできないので，まずその取得過程が重要である．水の電気分解などによる場合には，取得過程における二酸化炭素排出を極力抑制する視点から，電力源として［7］エネルギーや原子力エネルギーを利用することが効果的である.

ただし，化石燃料を利用する場合でも，そこから化学的に［8］して得た水素を用いるシステムで発電を高効率の［9］電池などにより行い，またシステム中で発生した熱エネルギーを有効に利用できれば，結果として二酸化炭素の排出抑制効果が期待できる.

〈［5］～［9］の解答群〉

ア 一次　**イ** 二次　**ウ** リチウム　**エ** 改質　**オ** 還元
カ 酸化　**キ** 再生可能　**ク** 電磁　**ケ** 燃料

問題 3（エネルギー管理技術の基礎）

次の各文章は，令和 **5** 年 **9** 月 **1** 日時点で施行されている「工場等におけるエネルギーの使用の合理化に関する事業者の判断の基準」（以下，『工場等判断基準』と略記）の内容及びそれに関連した管理技術の基礎について述べたものである.

これらの文章において，『工場等判断基準』の本文に関連する事項については，その引用部を示す上で，

「**I**　エネルギーの使用の合理化の基準」の部分は

『基準部分』，

「**II**　エネルギーの使用の合理化の目標及び計画的に取り組むべき措置」の部分は，

『目標及び措置部分』

と略記し，特に「工場等（専ら事務所その他これに類する用途に供する工場等を除く）」における『基準部分』を『基準部分（工場）』と略記する.

［1］～［14］の中に入れるべき最も適切な字句，数値又は式をそれぞれの解答群から選び，その記号を答えよ.

また，［**A** **a.b**］～［**F** **abcd**］に当てはまる数値を計算し，その結果を答えよ．ただし，解答は解答すべき数値の最小位の一つ下の位を四捨五入すること.（配点計 **100** 点）

(1)『工場等判断基準』の『基準部分（工場）』は，次の **6** 分野ごとに工場等で遵守すべき基準を示したものである.

① ［1］の合理化

② 加熱及び冷却並びに伝熱の合理化

③ ［2］利用

④ 熱の動力等への変換の合理化

⑤　放射，伝導，抵抗等によるエネルギーの損失の防止

⑥　電気の動力，熱等への変換の合理化

この **6** 分野に関して，おのおのに「管理」,「計測及び記録」,「[3]」,「新設・更新に当たっての措置」の **4** 項目について遵守内容が定められている.

〈[1]～[3]の解答群〉

ア　運営及び組織　　**イ**　改善及び改造　　**ウ**　保守及び点検

エ　高効率機器の有効　　**オ**　自然エネルギーの有効　　**カ**　生産プロセス

キ　熱と電気　　**ク**　燃料の燃焼　　**ケ**　廃熱の回収

(2)　熱交換器の熱媒体として，空気と水は広く使用される．この空気と水の流体としての特性を比較すると，温度の上昇とともに粘性が高まるのは，[4]である.

〈[4]の解答群〉

ア　空気　　**イ**　水　　**ウ**　空気と水の両方

(3)　炭化水素系の燃料が完全燃焼しているとき，供給された空気中の酸素と反応して，炭素からは $\mathbf{CO_2}$，水素からは $\mathbf{H_2O}$ が生成される．このときの反応式から，**1 mol** のブタン（$\mathbf{C_4H_{10}}$）を完全燃焼させるのに必要な理論酸素量を求めると，[**A** | **a.b**] **[mol]** である.

(4)　外部から物体に放射エネルギーが与えられているとき，熱的な平衡状態にあれば，その物体の反射率，吸収率，透過率に関して，エネルギーの保存則から[5]の関係がある.

〈[5]の解答群〉

ア　吸収率 ＝ 反射率 － 透過率　　**イ**　反射率 ＋ 吸収率 ＋ 透過率 ＝ **1**

ウ　反射率 ＋ 吸収率 － 透過率 ＝ **1**

(5)　加熱炉の平板炉壁の熱伝導について考える．厚さ **20 cm** の断熱レンガを用い，炉内側の壁面温度が **660 ℃**, 外面温度が **60 ℃** で, このときの通過熱流束が **750 W/m²** であった．この断熱レンガの熱伝導率は [**B** | **a.b**] $\times 10^{-1}$ **[W/(m·K)]** である.

(6)　蒸気加熱では主に凝縮潜熱が利用されるが, 使用される蒸気は湿り蒸気であることが多い.

『工場等判断基準』の『基準部分（工場)』の中でも，このような利用における蒸気の乾き度を適切に維持することが求められている．この乾き度とは，湿り蒸気全体に対する飽和蒸気の[6]割合を示すものである.

〈[6]の解答群〉

ア　質量　　**イ**　体積　　**ウ**　エンタルピー

(7)　ボイラの設備容量（大きさ）は，一般に定格蒸発量で表されるが，相対的な評価を行う上では換算蒸発量を用いる場合がある．これは，標準大気圧のもとで，**100 ℃** の飽和水

を 100 ℃ の飽和蒸気にする場合の蒸発量（蒸発潜熱 ＝ 2 257 kJ/kg) に換算して表したものである.

あるボイラの換算蒸発量 W [kg/h] は，実際の蒸発量 W' [kg/h] と，そのときの給水の比エンタルピー h_w [kJ/kg] 及び発生蒸気の比エンタルピー h_s [kJ/kg] を用いて次式で求められる.

$$W = W' \times \boxed{\ 7\ }$$

〈 7 の解答群〉

ア $\dfrac{h_s}{2\,257}$　　イ $\dfrac{h_s - h_w}{2\,257}$　　ウ $\dfrac{2\,257}{h_s - h_w}$

(8) 『目標及び措置部分』の「その他エネルギーの使用の合理化に関する事項」の(1)項では,「熱の効率的利用を図るためには，有効エネルギー（エクセルギー）の観点からの総合的なエネルギー使用状況のデータを整備するとともに，熱利用の［ 8 ］的な整合性改善についても検討すること」が求められている.

〈 8 の解答群〉

ア 温度　　イ 経済　　ウ 時間

(9) ある工場で，省エネ法に定められたとおり，エネルギー使用量を原油の量に換算した量を，製品の生産数量で除した値をエネルギー消費原単位として管理している. この工場の前年度の原油換算のエネルギー使用量は 4 000 kL で，生産数量は 600 個であった.

一方, 今年度の原油換算のエネルギー使用量は 4 500 kL で, 生産数量は 700 個であった. その結果，この工場の今年度のエネルギー消費原単位は，前年度の［C ab.c］[%] となる.

(10) エアコンディショナーのエネルギー消費性能の向上に関するエネルギー消費機器等製造事業者等の判断の基準等において，現在国内向けに出荷する業務の用に供するために製造されたエアコンディショナーは，エネルギー消費効率として［ 9 ］を用いることが定められている. この基準エネルギー消費効率の値は，冷房能力により異なるが，およそ［ 10 ］の範囲にある.

〈 9 及び 10 の解答群〉

ア 0.7 ～ 0.9　　イ 2.3 ～ 3.0　　ウ 3.9 ～ 6.0　　エ 成績係数

オ 通年エネルギー消費効率　　カ 冷房エネルギー消費効率

(11) ある火力発電所の 1 時間当たりの発生電力量が 150 000 [kW·h]，このとき使用した燃料量が 34 kL，燃料の高発熱量が 40 MJ/L であった. このときの火力発電所の高発熱量基準の平均熱効率は，［D ab.c］[%] である.

⑿ 三相誘導電動機が，線間電圧 **200 V**，線電流 **200 A**，力率 **80 %** で稼働している．この電動機の効率を **90 %** とすると，軸出力は **E ab.c** [kW] である．ただし，$\sqrt{3} = 1.73$ とする．

⒀ ある工場では，最大需要電力を **5 400 kW** 以下に抑えることにしている．ある日の **9** 時から **9** 時 **30** 分までの **30** 分間について考える．**9** 時から **9** 時 **20** 分までの電力使用量が **2 400 kW·h** であるとすると，**9** 時 **20** 分からの残り **10** 分間の平均電力を **F abcd** [kW] 以下とする必要がある．ここで，最大需要電力は使用電力の **30** 分ごとの平均値で管理する．

⒁ 変圧器は，電圧を変えるのに用いられる．電力損失や漏れ磁束のない理想変圧器を考え，一次側の巻線の巻数を N_1，電圧を V_1，電流を I_1，二次側の巻線の巻数を N_2，電圧を V_2，電流を I_2 とすると，これらの間には [11] の関係が成り立つ．

〈[11] の解答群〉

ア $\dfrac{N_1}{N_2} = \dfrac{V_1}{V_2} = \dfrac{I_2}{I_1}$　**イ** $\dfrac{N_1}{N_2} = \dfrac{V_1}{V_2} = \dfrac{I_1}{I_2}$

ウ $\dfrac{N_1}{N_2} = \dfrac{V_2}{V_1} = \dfrac{I_1}{I_2}$　**エ** $\dfrac{N_1}{N_2} = \dfrac{V_2}{V_1} = \dfrac{I_2}{I_1}$

⒂ 一般の電動機では，回転運動によって電動機軸に負荷に応じたトルクが発生する．回転速度が n [min^{-1}] で回転している電動機の軸出力が P [kW] であるとき，軸トルク T は円周率 π を用いて，[12] $\times 10^3$ [N·m] で表される．

〈[12] の解答群〉

ア $P \times \left(\dfrac{2\pi n}{60}\right)$　**イ** $\dfrac{2\pi n}{\left(\dfrac{P}{60}\right)}$　**ウ** $\dfrac{P}{\left(\dfrac{2\pi n}{60}\right)}$

⒃ 電気加熱には，被加熱物自身の発熱により，内部からの加熱ができる加熱方式がある．内部加熱ができる加熱方式のうち，誘導加熱は，コイルの内側に導電性の被加熱物を置き，コイルに交流電流を通じたときに被加熱物に誘起される [13] を利用するものである．

〈[13] の解答群〉

ア マイクロ波　**イ** 渦電流　**ウ** 誘電体損失

⒄ 照明設備について，『工場等判断基準』の『基準部分（工場）』は，**JIS** の照明に関する規格及びこれに準ずる規格の規定するところにより管理標準を設定して使用すること，また，調光による減光又は消灯についての管理標準を設定し，過剰又は不要な照明をなくすことを求めている．**JIS** の「照明基準総則」では，事務所ビルにおける事務室の推奨照度

範囲を 14 [lx] としている.

〈 14 の解答群〉

ア　150 ～ 300　　イ　500 ～ 1 000　　ウ　1 500 ～ 2 000

電気の基礎（80分）

問題4　電気及び電子理論

問題5　自動制御及び情報処理

問題6　電気計測

問題4（電気及び電子理論）

次の各文章の［1］〜［12］の中に入れるべき最も適切な字句，数値又は式をそれぞれの解答群から選び，その記号を答えよ．（配点計**50**点）

(1)　図**1**に示すように，自己インダクタンス L_1 [H]，L_2 [H] と相互インダクタンス M [H] の変圧器があり，その一次側に電圧 $\dot{E}$ [V]，角周波数 ω [rad/s] の交流電源を，その二次側に抵抗 R [Ω] の負荷を接続した回路がある．ここで，変圧器の一次側から見た等価回路によって，交流電源から負荷に供給される有効電力 P [W] を求める方法を考える．ただし，図に示されていないインピーダンスはすべて無視できるものとし，変圧器の結合係数が $k=1$ の場合を考える．

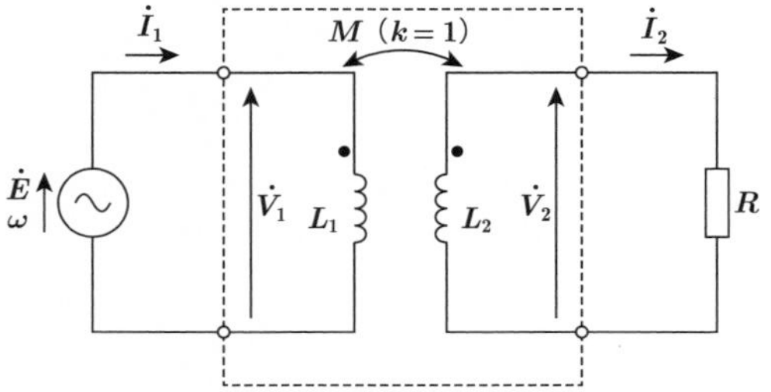

図**1**

1)　変圧器の一次側及び二次側に関する電圧方程式を考える．変圧器の一次側の電圧を $\dot{V}_1$ [V]，電流を $\dot{I}_1$ [A]，二次側の電圧を $\dot{V}_2$ [V]，電流を $\dot{I}_2$ [A] とし，図**1**に示す矢印の方向を正とする．

このとき，電圧 $\dot{V}_1$ は次の式①及び③，$\dot{V}_2$ は次の式②及び④のように表される．

$$\dot{V}_1 = \mathrm{j}\omega L_1 \dot{I}_1 - \mathrm{j}\omega M \dot{I}_2 \quad \cdots\cdots ①$$

$$\dot{V}_2 = \boxed{(1)} \times \dot{I}_1 - \mathrm{j}\omega L_2 \dot{I}_2 \quad \cdots\cdots ②$$

$$\dot{V}_1 = \dot{E} \qquad \cdots\cdots③$$

$$\dot{V}_2 = R\dot{I}_2 \qquad \cdots\cdots④$$

式①と式③から，電流 $\dot{I}_1$ は次式のように表される．

$$\dot{I}_1 = \frac{\dot{E}}{\mathrm{j}\omega L_1} + \boxed{\ 2\ } \times \dot{I}_2 \qquad \cdots\cdots⑤$$

〈 1 及び 2 の解答群〉

ア $\mathrm{j}\omega L_1$　イ $-\mathrm{j}\omega L_1$　ウ $\mathrm{j}\omega M$　エ $\mathrm{j}\omega(L_1 + M)$

オ $\dfrac{M}{L_1}$　カ $\dfrac{M}{L_2}$　キ $\dfrac{L_1 + M}{L_1}$

2) 変圧器の一次側から見た電圧，電流の関係を求める．

相互インダクタンスの定義から $M = k\sqrt{L_1 L_2}$ の関係にあって，その結合係数は $k = 1$ である．さらに，自己インダクタンスは巻数の二乗に比例するので，一次の巻数を N_1，二次の巻数を N_2 とすると，巻数比 $a = \dfrac{N_1}{N_2}$ を使って，自己インダクタンス L_1 は次式のように表される．

$$L_1 = aM \qquad \cdots\cdots⑥$$

また，変圧器の一次，二次側の巻線抵抗，及び漏れインダクタンスが無視できるとするので，巻数比 a は一次電圧と二次電圧の比と等しくなり，式③と式④から電圧 $\dot{E}$ と電流 $\dot{I}_2$ の関係は次式のように表される．

$$\dot{I}_2 = \boxed{\ 3\ } \times \dot{E} \qquad \cdots\cdots⑦$$

式⑥及び式⑦を式⑤に代入すると，電流 $\dot{I}_1$ は次式のように表される．

$$\dot{I}_1 = (\boxed{\ 4\ }) \times \dot{E} \qquad \cdots\cdots⑧$$

〈 3 及び 4 の解答群〉

ア aR　イ $\dfrac{a}{R}$　ウ $\dfrac{1}{aR}$　エ $\dfrac{1}{a^2R^2}$　オ $\dfrac{1}{\mathrm{j}\omega L_1} + \dfrac{1}{R}$

カ $\dfrac{1}{\mathrm{j}\omega L_1} + \dfrac{1}{aR}$　キ $\dfrac{1}{\mathrm{j}\omega L_1} + \dfrac{1}{a^2R}$

3) 一次側回路から電力を計算する．

式⑧は，交流電源の電圧 $\dot{E}$ と電流 $\dot{I}_1$ の関係を示しているので，これを等価回路で表すと交流電源に L_1 と 5 に接続された回路となる．したがって，交流電源から負荷に供給される有効電力 P は，次式のように表される．

$P =$ [6] ……………………⑨

〈[5]及び[6]の解答群〉

ア $\dfrac{E^2}{R}$　**イ** $\dfrac{E^2}{aR}$　**ウ** $\dfrac{E^2}{a^2R}$

エ Rが並列　**オ** aRが並列　**カ** a^2Rが並列　**キ** a^2Rが直列

(2) 図2に示すような対称三相交流電源を持つ交流回路がある．各相の電圧を$\dot{E}_a$，$\dot{E}_b$，$\dot{E}_c$とし，相順は$a \to b \to c$とする．負荷は抵抗$R = 5$ [Ω]が△接続された平衡三相負荷であり，各線間電圧を$\dot{V}_{ab}$，$\dot{V}_{bc}$，$\dot{V}_{ca}$，線電流を$\dot{I}_a$，$\dot{I}_b$，$\dot{I}_c$，△結線の各負荷に流れる電流を$\dot{I}_{ab}$，$\dot{I}_{bc}$，$\dot{I}_{ca}$とする．

この回路において，三相交流電源から供給される有効電力を求める過程を考える．

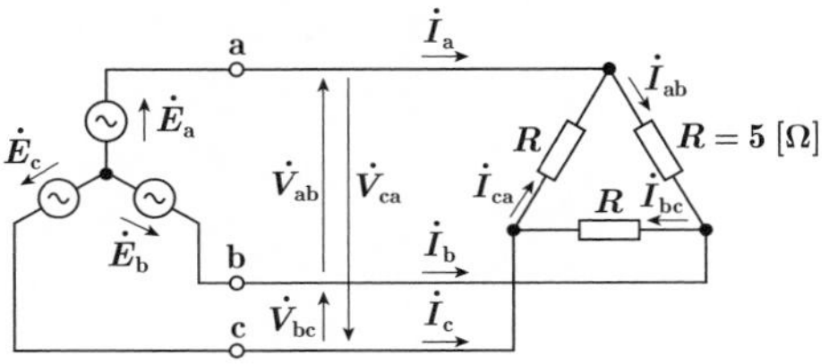

図2

1) 三相交流電圧について考える．

$\dot{E}_a$, $\dot{E}_b$及び$\dot{E}_c$は対称三相電圧であるので，$\dot{E}_a$及び$\dot{E}_b$が与えられると，$\dot{E}_c$は定まる．

$$\dot{E}_a = 100 + j0 \text{ [V]}$$

$$\dot{E}_b = -50 - j50\sqrt{3} \text{ [V]}$$

$$\dot{E}_c = \boxed{\ 7\ } \text{ [V]}$$

線間電圧$\dot{V}_{ab}$は次の値となる．

$$\dot{V}_{ab} = \boxed{\ 8\ } \text{ [V]}$$

〈[7]及び[8]の解答群〉

ア $-50 + j50\sqrt{3}$　**イ** $50 - j50\sqrt{3}$　**ウ** $50 + j50\sqrt{3}$

エ $-150 - j50\sqrt{3}$　**オ** $150 - j50\sqrt{3}$　**カ** $150 + j50\sqrt{3}$

2) 負荷に流れる電流を求める．

電流$\dot{I}_{ab}$は次の値となる．

$$\dot{I}_{ab} = \boxed{\ 9\ } \text{ [A]}$$

電流$\dot{I}_{ca}$も同様に求まるので，線電流$\dot{I}_a$は次の値となる．

$$\dot{I}_a = \dot{I}_{ab} - \dot{I}_{ca} = \boxed{\ 10\ } \text{ [A]}$$

〈[9] 及び [10] の解答群〉

ア $0 + j20\sqrt{3}$　　**イ** $10 - j10\sqrt{3}$　　**ウ** $30 - j10\sqrt{3}$

エ $30 + j0$　　**オ** $30 + j10\sqrt{3}$　　**カ** $60 + j0$

3) 三相交流電源から供給される有効電力を求める．

電源の相電圧 $\dot{E}_a$ と線電流 $\dot{I}_a$ のフェーザから，力率 $\cos\varphi$ は [11] である．

したがって，負荷に供給される有効電力 P は三相全体で次の値となる．

$$P = \boxed{\ 12\ }\ [\mathrm{W}]$$

〈[11] 及び [12] の解答群〉

ア $\frac{1}{2}$　　**イ** $\frac{\sqrt{3}}{2}$　　**ウ** 1　　**エ** 6 000　　**オ** $6\,000\sqrt{3}$　　**カ** 18 000

問題 5（自動制御及び情報処理）

次の各文章の [1] ～ [12] の中に入れるべき最も適切な字句，数値，式又は記述をそれぞれの解答群から選び，その記号を答えよ．なお，[8] は 2 箇所あるが，同じ記号が入る．

また，[A | a.b] 及び [B | a.b] に当てはまる数値を計算し，その結果を答えよ．ただし，解答は解答すべき数値の最小位の一つ下の位で四捨五入すること．（配点計 50 点）

(1) 図 1 のブロック線図に示したシステムを考える．ここで，$G(s)$ はシステムの伝達関数，$U(s)$ は入力信号，$Y(s)$ は出力信号である．

ここで伝達関数 $G(s)$ が次の式①で与えられるとする．

$$G(s) = \frac{2}{s^3 + 2s^2 + 2s + 3} \quad \cdots\cdots ①$$

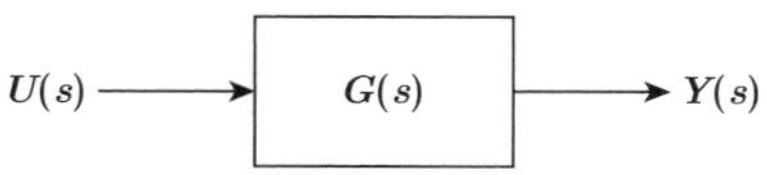

図 1　ブロック線図

1) システム $G(s)$ の周波数特性を考える．

$G(s)$ において，$s = j\omega$（j は虚数単位，ω は角周波数）としてボード線図を描くと，十分低い周波数でのゲインは [1] [dB] となる．また，十分高い周波数でのボード線図のゲイン曲線の傾きは，[2] [dB/dec] となる．

なお，$\log 2 = 0.301$，$\log 3 = 0.477$ とする．

2) システム $G(s)$ の時間応答を考える．

入力信号として，大きさ **3** のステップ信号 $u(t) = 3$（$t \geqq 0$）を加えるとする．十分に時間が経過したときの出力信号 $y(t)$ は [3] となる．

〈[1]～[3] の解答群〉

ア -80　**イ** -60　**ウ** -40　**エ** -20　**オ** -3.5　**カ** 0
キ 1　**ク** 2　**ケ** 2.5　**コ** 3　**サ** 4　**シ** 10

3）2）と同様に時間応答を考える．ここで，入力信号として，正弦波信号 $u(t) = \sin(t)$ を加えて十分に時間が経過したときの出力信号 $y(t)$ を求めたい．

i) $s = \mathrm{j}\omega$ として周波数伝達関数を計算する．ここで，入力信号 $u(t)$ の角周波数は $\omega = 1$ [rad/s] であるから，周波数伝達関数 $G(\mathrm{j}\omega)$ は，[4] となる．

〈[4] の解答群〉

ア $-1-\mathrm{j}$　**イ** $-1+\mathrm{j}$　**ウ** $1-\mathrm{j}$　**エ** $1+\mathrm{j}$

ii) このとき，出力信号 $y(t)$ の振幅は [5] であり，角周波数は [6] [rad/s]，位相は [7] [rad] と求められる．

〈[5]～[7] の解答群〉

ア $\frac{1}{2}$　**イ** $\frac{\sqrt{2}}{2}$　**ウ** 1　**エ** $\sqrt{2}$　**オ** 2

カ 3　**キ** $-\pi$　**ク** $-\frac{3\pi}{4}$　**ケ** $-\frac{\pi}{2}$　**コ** $-\frac{\pi}{4}$

⑵ **RASIS** はコンピュータシステム等の信頼性評価を表し，五つの評価項目により構成されている．そのうち指標としてシステムや装置の稼働率が用いられるのは [8] 性の評価である．

システムの稼働率は [9] で表され，稼働時間が長く故障時間が短いほど [8] 性が高いシステムといわれる．

図 **2** と図 **3** は，稼働率が **0.9** と **0.8** のシステムを直列に接続した場合と，並列に接続した場合のシステム構成図である．図 **2** のシステム全体としての稼働率は [A a.b] $\times 10^{-1}$ となり，図 **3** のシステム全体としての稼働率は [B a.b] $\times 10^{-1}$ となる．

図 **2**　直列に接続した場合

図 **3**　並列に接続した場合

〈 8 及び 9 の解答群〉

ア 可用　**イ** 完全　**ウ** 保守　**エ** 一定時間中のシステムの稼働時間の比率

オ 稼働時間と故障時間の比率　**カ** 稼働時間の平均値

(3) コンピュータに実行させる処理手順を記述することをプログラミングと呼ぶ．プログラミングには記述する人間にわかりやすく，コンピュータ処理の実行のための言語体系であるプログラミング言語が用いられ，その言語で記述されたものを 10 と呼ぶ．

実行時に，記述内容を言語処理によって逐次解釈しながら実行するものをインタプリタ型言語と呼び，それに対して，機械が理解可能な機械語にあらかじめ翻訳しておき実行するものを 11 と呼ぶ．後者は，インタプリタ型言語と比べて実行速度が 12 ．

〈 10 ～ 12 の解答群〉

ア ソースコード　**イ** バイトコード　**ウ** ライブラリ

エ コンパイラ型言語　**オ** スプリクト型言語　**カ** 自然言語

キ 遅くなる　**ク** 速くなる　**ケ** 不規則になる

問題 6（電気計測）

次の各文章の 1 ～ 10 の中に入れるべき最も適切な字句，式又は記述をそれぞれの解答群から選び，その記号を答えよ．なお， 7 及び 10 は **2** 箇所あるが，それぞれ同じ記号が入る．（配点計 **50** 点）

(1) データセンターでは直流電力の利用が盛んである．また，電気自動車の普及などの後押しもあり，直流電力の測定ニーズは増えている．

直流電力の測定は，電圧計と電流計により負荷に印加されている電圧 V [V] と負荷に流れる電流 I [A] をそれぞれ測定し，$P = VI$ [W] で算出できる．ただし，電圧計，電流計の内部抵抗により誤差が発生する．

いま，図 **1** 及び図 **2** における負荷の消費電力 P の計測について考える．ここで，r_V [Ω]

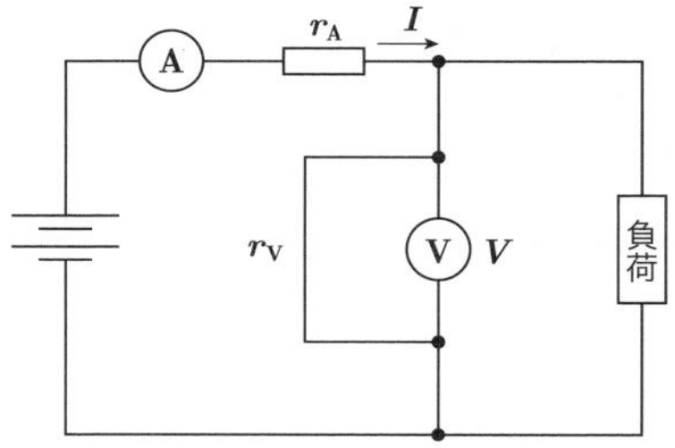

図 **1**

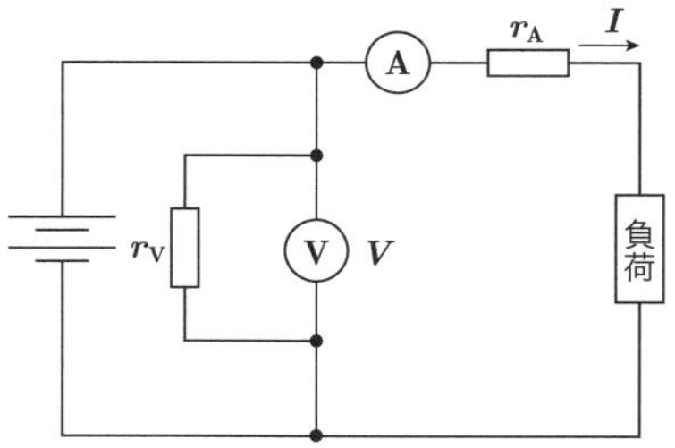

図 **2**

は電圧計の内部抵抗，r_A [Ω] は電流計の内部抵抗である．

1)　電圧計，電流計の内部抵抗による誤差を考慮すると，負荷の真の消費電力 P は，図1では [1] [W]，図2では [2] [W] となる．

この結果から，より正確な測定のためには電圧計の内部抵抗はできるだけ高いものを，電流計の内部抵抗はできるだけ低いものを選ぶ必要がある．

〈[1] 及び [2] の解答群〉

ア　$VI - r_A I^2$　**イ**　$VI - r_V I^2$　**ウ**　$VI - (r_A + r_V) I^2$

エ　$VI - \frac{V^2}{r_A}$　**オ**　$VI - \frac{V^2}{r_V}$　**カ**　$VI - \frac{V^2}{r_A + r_V}$

2)　内部抵抗 100 kΩ の電圧計と内部抵抗 10 mΩ の電流計を用いて，図1及び図2のそれぞれの接続で電圧と電流を測定したところ，$V = 10$ V，$I = 0.4$ A であった．負荷の真の消費電力に対する誤差は [3] ．

〈[3] の解答群〉

ア　図1の接続の方が大きくなる　**イ**　図2の接続の方が大きくなる

ウ　図1あるいは図2のどちらの接続の場合も等しくなる

3)　電源として電池を用いる場合は，その内部特性を確認しておく必要がある．二次電池であるリチウムイオン電池などは，内部抵抗が [4] 電池として電気自動車や工作機械など，高出力を必要とする機器の電源に用いられている．現在，様々な場面でこのような二次電池が利用されているが，同時に，劣化あるいは故障した二次電池による多くの事故も報告されている．二次電池の的確な特性評価は，電池の劣化診断や故障解析において重要であるとともに，電池の開発や性能評価にもなくてはならない手段である．

電池の特性評価には直流法と交流法があり，交流法で得られるのは電池の内部 [5] である．

〈[4] 及び [5] の解答群〉

ア　インピーダンス　**イ**　インダクタンスのみ　**ウ**　キャパシタンスのみ

エ　大きい　**オ**　小さい　**カ**　変化しない

(2)　湿度の測定について考える．

1)　湿度測定は家庭のみならず，食品工場や半導体工場での生産管理に欠かせない技術である．

湿度の表現方法には相対湿度と絶対湿度の二つがある．相対湿度は水蒸気量とそのときの温度における [6] との比率を百分率で示したものであり，一般的に湿度の指標としては相対湿度が利用されることが多い．一方，絶対湿度には容積絶対湿度と重量絶対湿度があるが，国際的には容積絶対湿度のことを指し，単位体積当たりに含まれる水蒸気量を示したものである．

〈［6］の解答群〉

ア 結露した水分量　**イ** 平均水蒸気量　**ウ** 飽和水蒸気量

2）生産管理用として広く用いられている［7］湿度計は，主に多孔質セラミクスなどの吸湿・脱湿による電気抵抗変化あるいは［8］変化を用いて湿度を検出するものである．多くの［7］湿度センサは相対湿度の算出のため［9］を内蔵している．

これらの湿度センサは原理的に校正が必要であるとともに，その構造から汚損などによる経時変化が避けられないため，定期的なリフレッシュが必要である．

〈［7］～［9］の解答群〉

ア 圧力計　**イ** 温度計　**ウ** 振動計　**エ** 温度　**オ** 静電容量

カ 体積　**キ** 乾湿球　**ク** 伸縮式　**ケ** 電子式

3）精密湿度測定には［10］を用いることも多い．例えば［10］が鏡面冷却式の場合は，鏡面（観測面）を冷却していき，結露を生じたときの温度を測定することにより湿度を求めるものである．高精度に測定するため自動平衡式などの方法がある．

〈［10］の解答群〉

ア レーザ吸収分光法を用いた水分計　**イ** 水晶振動子を用いた水分計　**ウ** 露点計

電気設備及び機器（110分）

問題7，8　工場配電

問題9，10　電気機器

問題7（工場配電）

次の各文章の［1］～［10］の中に入れるべき最も適切な字句又は数値をそれぞれの解答群から選び，その記号を答えよ．なお，［4］，［7］及び［9］は**2**箇所あるが，同じ記号が入る．

また，［A a.bc］～［D ab］に当てはまる数値を計算し，その結果を答えよ．ただし，解答は解答すべき数値の最小位の一つ下の位で四捨五入すること．（配点計**50**点）

(1)　工場などの製造工程において，一定量の製品を製造するのに要する電力量を低減させるためには電力損失の低減が効果的である．中でも，電動機負荷が工場全体の設備容量の**60**％程度を占めていることから，電動機を効率的に運転する必要がある．

誘導電動機は，［1］において全負荷に近い状態で運転するのが効率的である．軽負荷運転で力率低下が予想されるときは，進相コンデンサ設備の設置を検討する．

進相コンデンサ設備の設置方法を大別すると「**a**．変圧器の一次側あるいは二次側に一括して設置する」方法と「**b**．各電動機に個別に設置する」方法とがあるが，配電線損失がより少なくなるのは［2］の方法である．

なお，進相コンデンサには，回路電圧波形のひずみを低減させるとともに，投入時の［3］を抑制する目的で［4］を挿入することが一般的である．通常，［4］のインピーダンスは，進相コンデンサのインピーダンスの［5］[%]の値が用いられる．

〈［1］～［5］の解答群〉

ア 1　**イ** 3　**ウ** 6　**エ** a　**オ** b　**カ** 逆相電圧

キ 定格電圧　**ク** 短絡　**ケ** 直列リアクトル　**コ** 分路リアクトル

サ 抵抗　**シ** 同期速度　**ス** 突入電流　**セ** 誘導電流

(2)　太陽光発電設備の主要部分は，発電源である太陽電池と交流電源へ接続するためのパワーコンディショナによって構成される．

太陽電池は，太陽の光エネルギーを吸収して直接電気に変換するエネルギー変換素子であり，一般的に**p**形半導体と**n**形半導体を接合した構造となっている．太陽電池に太陽光が照射されると，太陽光の持つ光エネルギーにより，接合部で正の電荷と負の電荷が発生し，このうち正の電荷は［6］半導体の方に，負の電荷はもう一方の半導体の方に移動する．この状態で，電極間に負荷を接続すると電流が流れる．

太陽電池の原料としては，主に［7］を用いるものが主流となっており，［7］の結晶構造によって単結晶太陽電池，多結晶太陽電池，［8］太陽電池に分類される．

パワーコンディショナは，太陽電池で発生する直流電力を交流電力に変換する［9］と，電力系統の事故時に［9］を速やかに停止させる等の機能を持った系統連系装置が一体となった装置である．

太陽光発電設備を電力系統に連系する場合の基本的な要求事項としては，

① 電力系統の供給信頼度及び電力品質（電圧，周波数，［10］など）に悪影響を及ぼさないこと

② 公衆や作業者の安全確保，供給設備，系統に接続する他の需要家設備に悪影響を及ぼさないこと

を遵守することが重要である．

これらは，「電気設備の技術基準」，「電力品質確保に係る系統連系技術要件ガイドライン」としてまとめられている．

〈［6］～［10］の解答群〉

ア n形	**イ** p形	**ウ** アモルファス	**エ** インバータ
オ コンバータ	**カ** ガリウム	**キ** シリコン	**ク** ダイオード
ケ 色素増感	**コ** 送配電損失率	**サ** 炭素　**シ** 歩溜り	**ス** 力率

⑶ 図**1**のように，ある工場の受電用変電所から三相**3**線式配電線を経由して，**a**棟受電点に電圧**6 600 V**で配電する系統があり，**a**棟内で最大負荷が**2 000 kW**の平衡三相負荷が接続されている．この負荷の日負荷曲線は図**2**に示すとおりであり，負荷は大きさにかかわらず常時遅れ力率**90 %**で運転されている．また，年間の稼働日数は**365**日である．

このときの配電線路損失を求め，さらに日負荷曲線を図**3**のように平準化するとともに，力率改善した場合の配電線路損失を求める．

なお，変電所から**a**棟受電点までの配電線路の線路抵抗は**1**線当たり**0.04 Ω**であり，線路抵抗以外のインピーダンスは無視する．また，**a**棟受電点の電圧は**6 600 V**で一定であるものとする．

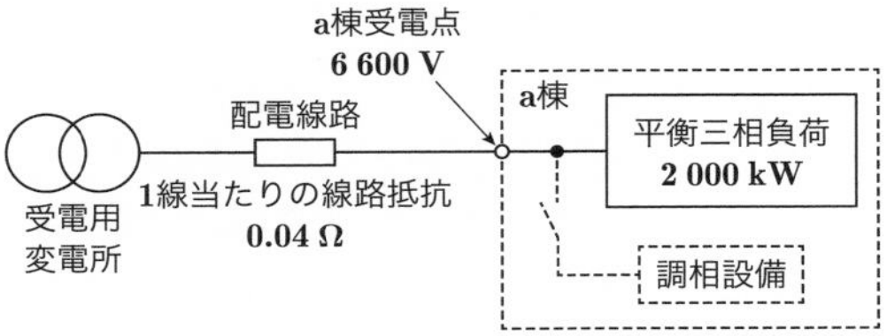

図1

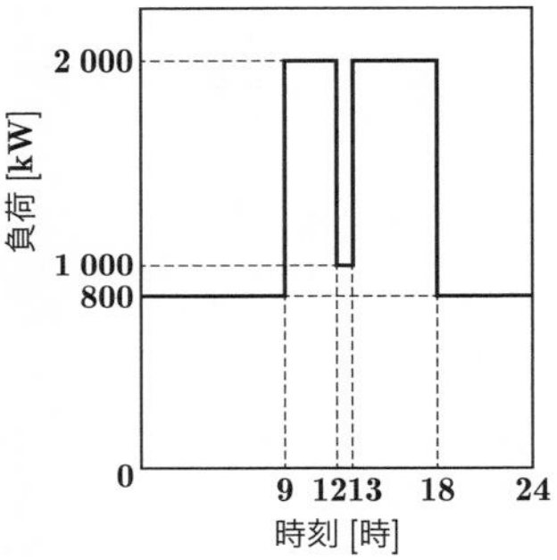

図2

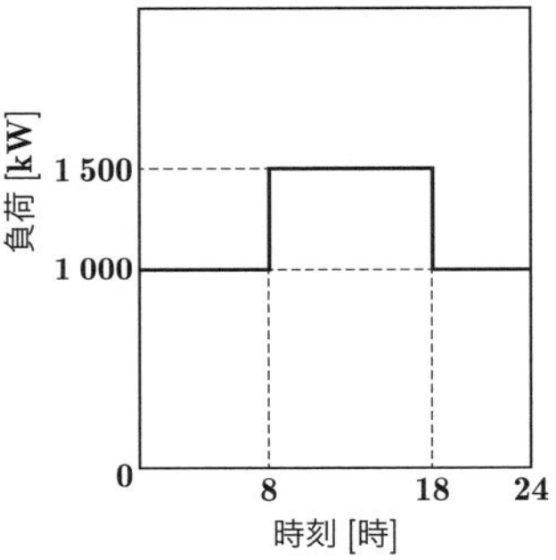

図3

1) 平衡三相負荷を**2 000 kW**で運転する場合，配電線路で発生する損失は **A a.bc** [**kW**] である．

2) 平衡三相負荷を，年間を通じて図**2**に示す日負荷曲線で運転しているものとすると，配電線路で発生する年間の損失電力量は **B ab.c** [**MW·h**] となる．

3) 平衡三相負荷を移行し，年間を通じて図**3**に示す日負荷曲線で運転するとともに，**a**棟受電点に調相設備を設置して，常時の受電点力率を**100** %に改善する．この場合，調相設備が補償する進相無効電力は最大で **C abc** [**kvar**] であり，力率改善後の配電線路で発生する年間の損失電力量は，図**3**に示す日負荷曲線における力率改善前の損失電力量の **D ab** [%] となる．

なお，平衡三相負荷の運転力率は，負荷移行の前後で変化しないものとする．

問題8（工場配電）

次の各文章の ［1］ ～ ［12］ の中に入れるべき最も適切な字句又は記述をそれぞれの解答群から選び，その記号を答えよ．なお，［10］ は**2**箇所あるが，同じ記号が入る．

また，**A ab.c** ～ **C ab.c** に当てはまる数値を計算し，その結果を答えよ．ただし，解答は解答すべき数値の最小位の一つ下の位で四捨五入すること．（配点計**50**点）

III

(1) 配電設備の維持管理に必要な事項としては，保全管理や安全管理のほか電圧管理や負荷管理が重要である．電圧管理の具体的な事項としては，変圧器タップ電圧の適正選定や電圧変動抑制対策の実施などが挙げられる．変圧器タップ電圧は，一次側の電圧変動に応じて選定すると同時に，二次側の全電圧変動幅についても考慮し，二次側の無負荷電圧が［1］，また，［2］電圧が負荷設備の許容電圧変動幅内にあるように選定する．

工場負荷の負荷管理は，デマンド制御と電力量管理に分けることができる．

デマンド制御とは，電気使用の便益を損なうことなく最大需要電力を［3］，負荷率の向上による電力設備（受電設備や配電設備など）の効率的運用と省エネルギー化を推進する手法である．従来は，デマンドメータを運転員が常時監視し，負荷を人為的に調整する措置が講じられてきたが，最近ではそれらを自動化するデマンド監視制御装置が多く使われている．いずれの場合も制御対象とする負荷の選択は［4］順とするようにし，あらかじめ設定しておく．

一方，電力量管理の目的は，工場や事業場の生産活動や業務活動を円滑に遂行し，経済的で合理的に電力を使用することで電力量の低減を図り，製品の［5］を下げることである．電力量の低減を図る方法としては，不要時の機器の空転の防止，機器の高効率運転，設備改善などが挙げられる．

〈［1］～［5］の解答群〉

ア 在庫　**イ** 生産量　**ウ** 電力原単位　**エ** 全負荷時

オ 昼間　**カ** 夜間　**キ** 重要度の低い　**ク** 負荷力率の低い

ケ 容量の小さい　**コ** 一定値以下に抑え　**サ** 最大化し　**シ** 集中化し

ス 最高回路電圧を超過せず　**セ** 定格回路電圧を下回らず

(2) 工場配電設備での不測の停電は，生産機能の阻害・停止など，生産活動に大きな影響を及ぼすため，事故や故障による停電を未然に防止する目的で行う［6］が重要となる．その一方で，工場内の系統に事故や故障が発生した際には，回路をできるだけ［7］範囲で素早く遮断し，工場内の他の回路や構外へ影響を波及させない方策を講じることも求められている．そのため，工場内系統の各回路に設置する保護リレーは，検出感度と［8］を適切に整定することにより，回路間や電力会社の送配電線との保護協調をとらなければならない．一般的に，このような目的で用いられる保護リレーの方式としては［9］が採用される．

また，受電変圧器により電力系統と絶縁された工場内における［10］事故については，絶縁された回路単位で考えればよい．なお，低圧配電回路における［10］事故に関しては，感電災害や火災を防止する観点から，一般に電流動作形の漏電遮断器が用いられる．

〈[6]～[10]の解答群〉

ア 極性　**イ** 欠相　**ウ** 短絡　**エ** 地絡　**オ** 動作時限

カ 工程管理　**キ** 生産管理　**ク** 保全管理　**ケ** 機械的保護継電方式

コ 時限差継電方式　**サ** 狭い　**シ** 広い

(3) 表に示す定格を持つ変圧器 **A** 及び変圧器 **B** の **2** 台の変圧器の並列運転によって，場内に電力を供給している工場がある．また，変圧器の過負荷運転はしないものとしている．この工場の負荷の合計設備容量は **250 kW** であり，日負荷変動は図に示すとおりである．ただし，負荷の大きさにかかわらず力率は **90 %** で一定である．

表　変圧器仕様

項目	定格容量 [kV·A]	電圧 [V]（一次 / 二次）	短絡インピーダンス [%]	無負荷損 [kW]	定格負荷時の負荷損 [kW]
変圧器 A	120	6 600/210	5（定格容量ベース）	0.3	1.5
変圧器 B	80	6 600/210	5（定格容量ベース）	0.2	1.2

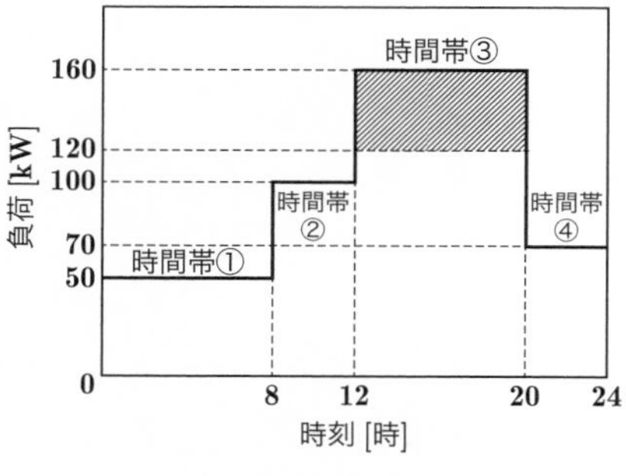

図　工場の日負荷変動

1) **12** 時から **20** 時までの時間帯③において，変圧器 **A** 及び変圧器 **B** によって電力を供給するとき，変圧器 **A** が分担する負荷は [**A** ab.c] [kW] である．

2) **8** 時から **12** 時までの時間帯②において，変圧器 **A** が単独で電力を供給した場合の全電力損失は [**B** a.bc] [kW] である．

3) 図に示す日負荷変動のとき，この工場の需要率は [**C** ab.c] [%] となる．

4) 時間帯③の負荷である **160 kW** のうち，図の斜線部分で示す **40 kW** を，時間帯①，時間帯②又は時間帯④のいずれか一つの時間帯へシフトし，負荷平準化することで設備の合理化を検討する．このとき，需要率が最も小さくなるのは，[11]へシフトしたときである．また，シフトした結果，最大負荷時に最低限稼働しなければならない変圧器は，[12]となる．

〈[11]及び[12]の解答群〉

ア 時間帯①	**イ** 時間帯②	**ウ** 時間帯④
エ 変圧器 **A** 及び変圧器 **B** の両方	**オ** 変圧器 **A** のみ	**カ** 変圧器 **B** のみ

問題 9（電気機器）

次の各文章の[1]～[10]の中に入れるべき最も適切な字句をそれぞれの解答群から選び，その記号を答えよ．なお，[8]は **2** 箇所あるが，同じ記号が入る．

また，[[**A** | **a.bc**]]～[[**E** | **ab.c**]]に当てはまる数値を計算し，その結果を答えよ．ただし，解答は解答すべき数値の最小位の一つ下の位で四捨五入すること．（配点計 **50** 点）

(1) 理想的な変圧器では，巻線に正弦波電圧を加えたときに生じる誘導起電力は正弦波であり，この誘導起電力を生じさせるための主磁束も正弦波である．しかし，実際の電力用変圧器では，[1]として鉄心を用いており，この鉄心の磁化特性は一般に非直線性を示し，また[2]があるため，巻線に正弦波電圧を加えたときの励磁電流は，多くの高調波成分を含んだものとなる．

高調波成分のうち[3]調波の含有率は特に大きい．二つの巻線を有する三相結線の変圧器で一次，二次の両方又は一方が △ 結線であると，励磁電流中で含有率の大きなこの高調波は巻線中の循環電流となって存在し，**Y** 結線の中性点が接地されていても線路に流出しない．磁束はひずまず，誘導起電力は正弦波となる．△ 結線がないと循環電流として流れる回路がないため，[4]がひずむ．これを避けるため，**Y-Y** 結線の電力用変圧器では，通常[5]（内蔵 △）を設ける．

〈[1]～[5]の解答群〉

ア 第 **3**	**イ** 第 **5**	**ウ** 第 **7**	**エ** ヒステリシス
オ 安定巻線	**カ** 補償巻線	**キ** 補助巻線	**ク** 渦電流
ケ 回転界磁回路	**コ** 磁気シールド回路	**サ** 磁路	**シ** 残留磁束
ス 零相磁束	**セ** 電圧波形	**ソ** 電流波形	

(2) 同期電動機は，負荷の大きさに関わらず常に一定の回転速度で運転することができる．また，[6]電流を増減することによって力率を任意に調整することができ，極数の多い[7]でも高い効率を維持することができる．一般的には直流励磁回路を必要とする

が，これを必要としない［ 8 ］電動機も採用されるようになってきた．この［ 8 ］電動機は励磁損失が発生せず，［ 9 ］も不要となるため，高効率，高力率，低騒音などの特徴を有する．

回転界磁型同期機の種類としては，回転子磁極の構造により突極機と非突極機がある．前者の代表は［ 10 ］や同期電動機，後者の代表は蒸気タービン発電機である．

〈［ 6 ］〜［ 10 ］の解答群〉

ア DC リンク	**イ** スリップリング	**ウ** 永久磁石式	**エ** 電磁石式
オ 界磁	**カ** 整流子	**キ** 電機子反作用	**ク** 二次抵抗
ケ 誘導	**コ** 高速機	**サ** 低速機	**シ** 直流機
ス ガスタービン発電機		**セ** 水車発電機	**ソ** 深溝かご形電動機

(3)　定格容量 **300 kV·A**，定格電圧 **6 600 V/210 V**，定格周波数 **50 Hz** で運転されている三相変圧器がある．この変圧器に，定格容量に等しく力率 **1** の平衡三相負荷を接続したときの効率は，**98.7 %** であった．次に，定格容量の **30 %** で力率 **1** の平衡三相負荷を接続したときに最大効率を示した．

これらの条件から，無負荷損 P_i [W]，定格容量時の負荷損 P_c [W] 及び最大効率を求める．

1)　定格容量に等しい力率 **1** の負荷を接続したときの効率から，変圧器の損失を求めると，

$$P_i + P_c = \boxed{\text{A} \mid \text{a.bc}} \times 10^3\ [\text{W}]$$

となる．

2)　定格容量の **30 %** で力率 **1** の負荷を接続したときに最大効率となる，という条件より，P_i と P_c の関係は，

$$P_i = \boxed{\text{B} \mid \text{a.bc}} \times 10^{-2} \times P_c\ [\text{W}]$$

となる．

これらから，P_i 及び P_c は次の値となる．

$$P_c = \boxed{\text{C} \mid \text{a.bc}} \times 10^3\ [\text{W}]$$

$$P_i = \boxed{\text{D} \mid \text{a.bc}} \times 10^2\ [\text{W}]$$

3)　最大効率は $\boxed{\text{E} \mid \text{ab.c}}$ [%] となる．

問題 10（電気機器）

次の各文章の［ 1 ］〜［ 12 ］の中に入れるべき最も適切な字句又は式をそれぞれの解答群から選び，その記号を答えよ．なお，［ 12 ］は **2** 箇所あるが，それぞれ同じ記号が入る．

また，[A abc] ～ [E abc] に当てはまる数値を計算し，その結果を答えよ．ただし，解答は解答すべき数値の最小位の一つ下の位で四捨五入すること．なお，円周率 π は **3.14** とする．（配点計 **50** 点）

(1) 三相同期発電機の三つの特性曲線に関する記述である．

1) 無負荷飽和曲線は，同期発電機を [1] にして無負荷で運転し，界磁電流を零から徐々に増加させたときの端子電圧と界磁電流との関係を表したものである．端子電圧は，界磁電流が小さい範囲では [2] するが，界磁電流がさらに増加すると，[3] が生じて端子電圧は飽和特性を示す．

〈[1] ～ [3] の解答群〉

ア 磁気共振　**イ** 磁気共鳴　**ウ** 磁気飽和　**エ** 定格回転速度
オ 定格出力　**カ** 定格力率　**キ** 界磁電流にほぼ比例
ク 界磁電流にほぼ反比例　**ケ** 界磁電流の平方根にほぼ比例

2) 三相短絡曲線は，同期発電機の電機子巻線の三相の出力端子を短絡し，定格回転速度で運転して，界磁電流を零から徐々に増加させたときの電機子電流と界磁電流との関係を表したものである．この関係は電機子反作用によって磁束が打ち消されるので飽和することなく，[4] となる．

3) 外部特性曲線は，同期発電機を定格回転速度で運転し，[5] を一定に保って，負荷力率を一定にして負荷電流を変化させた場合の端子電圧と負荷電流との関係を表したものである．この曲線は負荷力率によって形が変化する．

〈[4] 及び [5] の解答群〉

ア 界磁電流　**イ** 電機子電流　**ウ** 端子電圧　**エ** ほぼ直線
オ ほぼ半円形　**カ** ほぼ零

4) 無負荷飽和曲線で無負荷定格電圧を発生するのに必要な界磁電流を I_{f1}，三相短絡曲線で定格電流に等しい電流を発生するのに必要な界磁電流を I_{f2} とすると，両者の比 $K_s\left(=\dfrac{I_{f1}}{I_{f2}}\right)$ は [6] となる．同期発電機の K_s は，単位法で表した直軸 [7] の逆数となる．

〈[6] 及び [7] の解答群〉

ア 過渡リアクタンス　**イ** 同期インピーダンス　**ウ** 同期化力
エ 短絡比　**オ** 変成比　**カ** 利得

(2) 図はサイリスタを用いた三相ブリッジ整流回路である．交流電圧の相順は **u-v-w** である．

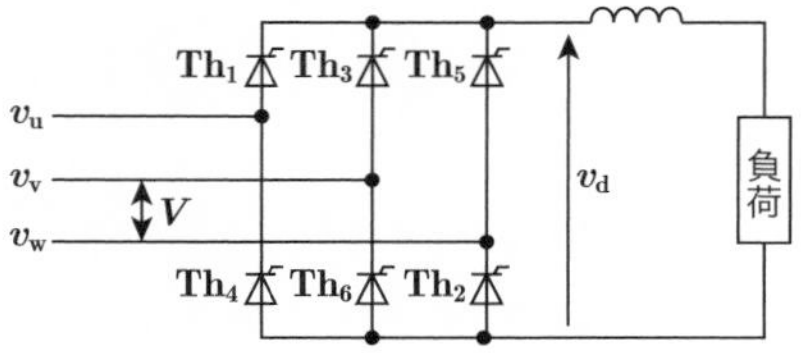

図

1)　サイリスタ Th_5 と Th_6 が [8] 状態にあるときに，サイリスタ Th_1 に点弧信号を与える場合，u 相電圧 v_u の値が w 相電圧の v_w の値より [9] 範囲であれば，Th_1 がターンオンして [10] が行われ，Th_5 がターンオフする．

〈[8]～[10] の解答群〉

ア　オン　**イ**　オフ　**ウ**　横流　**エ**　潮流　**オ**　転流

カ　平衡　**キ**　位相が遅れる　**ク**　高くなる　**ケ**　低くなる

2)　横軸を位相角 θ とした三相ブリッジ整流動作波形において，v_u と v_w の波形が交わる点からサイリスタ Th_1 に点弧信号を与えるまでの角度 α を制御 [11] と呼ぶ．

3)　対称三相正弦波交流電源の線間電圧（実効値）を V とし，転流リアクタンスによる電圧降下を無視した場合，直流電圧 v_d の平均値 V_d（直流平均電圧）は次式で与えられる．

$$V_d = \frac{3\sqrt{2}}{\pi} V \times \boxed{(12)} \qquad \cdots\cdots ①$$

式①は，近似式 $V_d = 1.35\,V \times$ [12] が汎用的に用いられる．

〈[11] 及び [12] の解答群〉

ア　$\cos\alpha$　**イ**　$\sin\alpha$　**ウ**　$(1 + \sin\alpha)$　**エ**　遅れ角

オ　進み角　**カ**　負荷角

(3)　定格出力 7.5 kW，定格電圧 200 V，定格周波数 60 Hz，8 極の三相誘導電動機があり，83 N·m のトルク一定の負荷を負って定格出力で運転している．

1)　この電動機の同期速度は [A abc] [min^{-1}] であり，定格出力と負荷トルクの関係から，回転速度は [B abc] [min^{-1}] となるので，滑りは [C a.b] $\times 10^{-2}$ となる．

2)　この三相誘導電動機をインバータにより V/f 一定制御を行って，一次周波数を 40 Hz としたときの滑りは [D a.b] $\times 10^{-2}$ となり，回転速度は [E abc] [min^{-1}] となる．ただし，滑り周波数は一次周波数にかかわらず常に一定の値に維持するものとする．

電力応用（110 分）

必須　問題11，12　電動力応用
選択　問題13　電気加熱
選択　問題14　電気化学
選択　問題15　照　明
選択　問題16　空気調和
（問題13～16から）2 問題を選択

問題 11（電動力応用）

次の各文章の 1 ～ 13 の中に入れるべき最も適切な数値又は式をそれぞれの解答群から選び，その記号を答えよ．なお，5 は **2** 箇所あるが，それぞれ同じ記号が入る．（配点計 **50** 点）

(1)　図 **1** のような，回転軸からの距離 r [m] に拘束されて回転する質量 m [kg] の質点の運動を考える．質点は，微小時間 Δt [s] の間に半径 r の円周上を Δl [m] 進み，その間の回転角を $\Delta\theta$ [rad] とする．

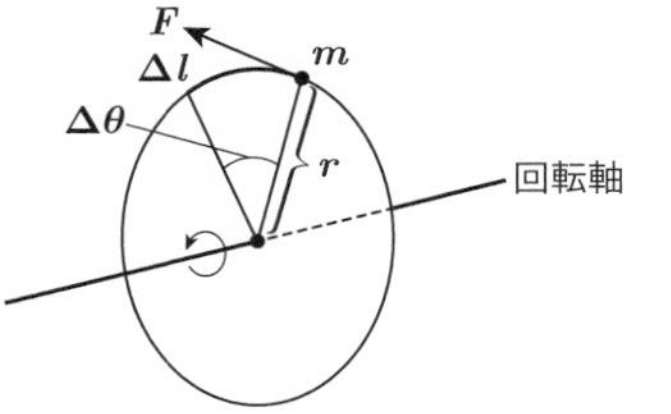

図 **1**　回転する質点の運動

1)　円周上を進んだ距離 Δl は，半径 r と回転角 $\Delta\theta$ を用いると，次式で表される．

$$\Delta l = Q \qquad \cdots\cdots①$$

式①から，質点の速度 v [m/s] と質点の回転角速度 $\omega = \lim_{\Delta t \to 0} \frac{\Delta\theta}{\Delta t}$ [rad/s] との関係は，次式で表される．

$$v = \lim_{\Delta t \to 0} \frac{\Delta l}{\Delta t} = \boxed{\;2\;} \qquad \cdots\cdots②$$

〈 1 及び 2 の解答群〉

ア　$r\Delta\theta$　イ　$r^2\Delta\theta$　ウ　$\dfrac{\Delta\theta}{r}$　エ　$r\omega$　オ　$r^2\omega$　カ　$\dfrac{\omega}{r}$

2)　図1の質量 m の質点に，運動方向（運動軌跡が描く円周の接線方向）に力 F [N] が加えられているとする．このとき質点の運動方程式は，$F = m\dfrac{\mathrm{d}v}{\mathrm{d}t}$ で表されるので，式②を代入すると，F は次式で表される．

$F =$ 3 ………………③

このとき質点に加わるトルク T [N·m] は $T = Fr$ で表されるので，式③を代入すると，T は次式で表される．

$T =$ 4 ………………④

式④中の 5 は，質点と回転軸との距離が決まれば一定値となる．これを質点 m のこの軸に対する慣性モーメントといい，J で表すことが多い．

式④で 5 を J で置き換えるとトルク T は，次式で表される．

$T = J\dfrac{\mathrm{d}\omega}{\mathrm{d}t}$ ………………⑤

〈 3 ～ 5 の解答群〉

ア　mr　イ　mr^2　ウ　$\dfrac{m^2r}{2}$

エ　$mr\dfrac{\mathrm{d}\omega}{\mathrm{d}t}$　オ　$mr^2\dfrac{\mathrm{d}\omega}{\mathrm{d}t}$　カ　$\dfrac{m^2r}{2}\dfrac{\mathrm{d}\omega}{\mathrm{d}t}$

3)　質点に力 F が加えられたとき，回転運動において質点 m に供給される動力 P は，直線運動の動力を表す式 $P = Fv$ より，T と ω を用いると次式で表される．

$P =$ 6 ………………⑥

また，回転運動として表した質点 m の持つ運動エネルギー A は，直線運動として表した運動エネルギー $A = \dfrac{1}{2}mv^2$ に等しく，これを J と ω を用いて表すと次式のようになる．

$A =$ 7 ………………⑦

〈 6 及び 7 の解答群〉

ア $T\omega$ **イ** $T\omega^2$ **ウ** $\frac{1}{2}T\omega^2$ **エ** $J\omega^2$ **オ** $\frac{1}{2}J\omega^2$ **カ** $\frac{1}{2}J^2\omega^2$

(2) 図**2**に示す巻上式クレーンが，**60 kg**の吊り荷を鉛直方向へ上下させる動作について考える．

吊り荷はワイヤで吊されており，巻胴がワイヤを巻き取ることで上昇する．図**3**は巻胴の回転軸側から見たときの巻胴，ワイヤ，吊り荷の位置関係を表している．ワイヤは巻胴の表面に沿って巻かれ，ワイヤ同士が重なることなく巻き取られるものとする．

巻き上げ動作の動力源には電動機が用いられ，その出力軸に備えられた減速機（減速比は**10：1**）を介して巻胴を回転させる．電動機の定格トルクを**40 N·m**，巻胴の慣性モーメントを**2 kg·m²**，巻胴の直径を**1 m**，重力の加速度gを**9.8 m/s²**とする．ここで計算の簡単化のために，吊り荷と巻胴以外の質量や慣性モーメントは無視できるものとする．また，各部の摩擦力や空気抵抗なども無視できるものとし，ワイヤの太さは**0**とみなして考える．

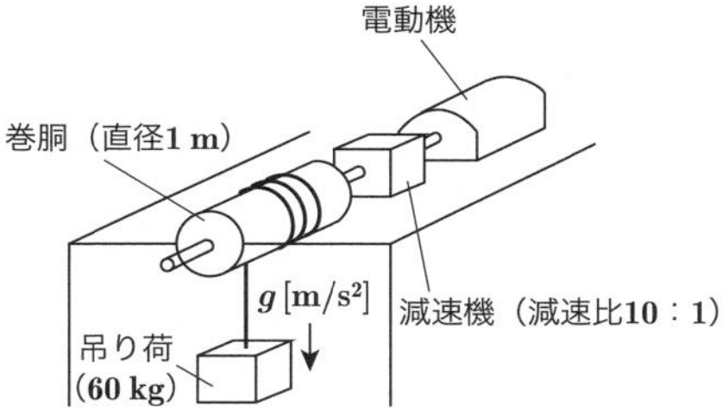

図**2**　巻上式クレーン

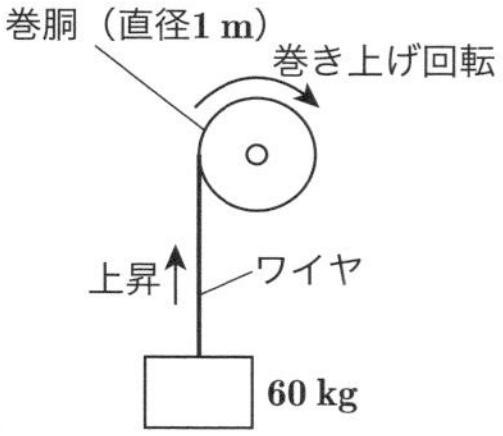

図**3**　回転軸側から見た様子

1) **60 kg**の吊り荷を宙に吊った状態で静止させるとき，吊り荷の荷重によって半径**0.5 m**の巻胴の回転軸にトルクが生じる．吊り荷を静止させておくために必要な巻胴の回転軸の所要トルクτ_1は 8 [N·m] である．

〈 8 の解答群〉

ア 240 **イ** 294 **ウ** 588 **エ** 2 400

2) 次に，巻胴を角速度**1 rad/s**で等速回転させて吊り荷を引き上げるとき，巻胴の半径が**0.5 m**であることから，吊り荷は 9 [m/s] の速度で上方へ移動する．このとき，電動機の出力は 10 [W] となる．

〈 9 及び 10 の解答群〉

ア 0.25 **イ** 0.5 **ウ** 1 **エ** 3.14 **オ** 5

カ　29　　　キ　294　　　ク　588

3)　また，巻胴を角加速度 **4 rad/s²** で加速回転させてワイヤを巻き上げるとき，吊り荷は［ 11 ］[**m/s²**] の加速度で上方へ引き上げられる．このとき巻胴の回転軸には，吊り荷の加速上昇に伴って生じるトルク τ_2 と，もとより吊り荷を支えるために必要なトルク τ_1 が作用する．さらに，巻胴が慣性モーメントを有することから，巻胴の加速回転に必要なトルク τ_3 を考慮する必要がある．したがって，この巻き上げ動作に必要な巻胴の回転軸の所要トルクは τ_1, τ_2 及び τ_3 の合計であり，その値は［ 12 ］[**N·m**] となる．

〈［ 11 ］及び［ 12 ］の解答群〉

ア　2　　　イ　3.14　　　ウ　4　　　エ　6.28　　　オ　226

カ　354　　　キ　362　　　ク　588

4)　一方，巻胴を逆向きに角加速度 **−4 rad/s²** で回転させて吊り荷を下降させる場合では，吊り荷が下方へ加速し，τ_2 及び τ_3 は負方向へ作用する．この場合，電動機の所要トルクは減速機での減速比を考慮すると［ 13 ］[**N·m**] となる．

〈［ 13 ］の解答群〉

ア　22.6　　　イ　35.4　　　ウ　36.2　　　エ　58.8

問題 12（電動力応用）

次の各文章の［ 1 ］～［ 14 ］の中に入れるべき最も適切な字句，数値又は式をそれぞれの解答群から選び，その記号を答えよ．なお，一つの解答群から同じ記号を **2** 回以上使用してもよい．（配点計 **50** 点）

(1)　電気自動車の消費エネルギーを考える．簡略化のため，巡航速度を v_m [**m/s**] 一定とし，図のような速度パターンで水平な道路を直進するものとする．

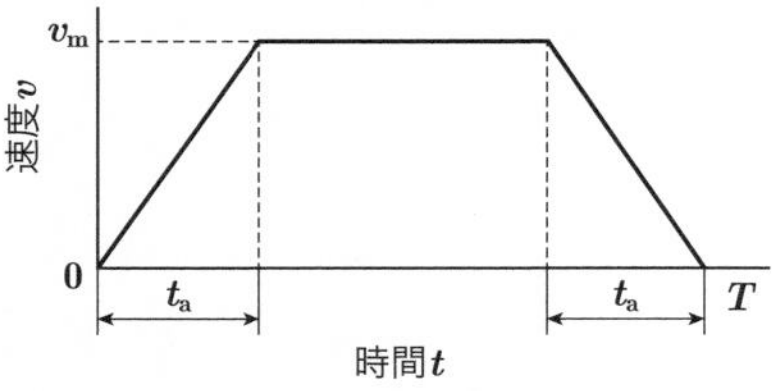

図　巡航速度パターン

駆動力を f_M [**N**]，抗力を f_L [**N**]，速度を v [**m/s**] とすると，次の運動方程式が成り立つ．

$$m_e \frac{dv}{dt} = f_M - f_L \quad \cdots\cdots\cdots ①$$

ここで，m_e [kg] は等価的な質量であり，乗員を含む車両全体の質量 m [kg]，電動機や車輪など回転系全体の慣性モーメント（車輪軸換算）J [kg·m²]，及び車輪の半径 r [m] を用いて次式で与えられる．

$$m_e = m + \frac{J}{r^2} \quad \cdots\cdots\cdots\cdots\cdots\cdots ②$$

一方，抗力は転がり抵抗による抗力と空気抵抗による抗力の和として次式で与えられる．

$$f_L = C_{rr} mg + \frac{1}{2}\rho v^2 C_d A \quad \cdots\cdots\cdots\cdots\cdots\cdots ③$$

ここで，タイヤの転がり抵抗係数を C_{rr}，重力の加速度を g [m/s²]，空気の密度を ρ [kg/m³]，空気抵抗係数を C_d，車体の前面投影面積を A [m²] とする．

タイヤの転がり抵抗は走行に伴うタイヤの変形が主な原因となって発生するもので，C_{rr} はタイヤの種類や状況によるが，適切に管理されている低燃費タイヤで，舗装された道路を走行する場合の C_{rr} は 9.0×10^{-3} 以下である．一方，空気抵抗に関係する C_d 値は車体形状の最適化により，最近の乗用車では 0.3 以下となっている．

さて，図のように 0 s から T [s] までの走行区間において，走行開始から t_a 秒間を加速区間，停止前の最後の t_a 秒間を減速区間とし，両者の間の区間を等速区間として走行したとき，走行開始から停止するまでの走行距離 X [m] と走行時間 T の間には次の関係が成り立つ．

$$X = \int_0^T v\,\mathrm{d}t = v_m \times \boxed{\quad 1 \quad} \quad \cdots\cdots\cdots\cdots\cdots\cdots ④$$

簡略化のため，電力変換器や電動機などの電気系での損失を無視すると，電源であるバッテリーから走行期間中に供給されるエネルギー E_0 [J] は次式で計算される．

$$E_0 = \int_0^T f_M v\,\mathrm{d}t = \int_0^T \left(m_e \frac{\mathrm{d}v}{\mathrm{d}t} + f_L\right) v\,\mathrm{d}t$$

$$= \int_0^{0+t_a} \left(m_e \frac{\mathrm{d}v}{\mathrm{d}t}\right) v\,\mathrm{d}t + \int_{T-t_a}^{T} \left(m_e \frac{\mathrm{d}v}{\mathrm{d}t}\right) v\,\mathrm{d}t + \int_0^T f_L v\,\mathrm{d}t$$

$$= \frac{1}{2} m_e {v_m}^2 - \frac{1}{2} m_e {v_m}^2 + \int_0^T f_L v\,\mathrm{d}t = \int_0^T f_L v\,\mathrm{d}t \quad \cdots\cdots\cdots\cdots\cdots ⑤$$

このように加速区間では運動エネルギー分が供給されるが，減速区間で回生されるので，走行区間全体でみると抗力に相当するエネルギーのみが供給される．式⑤の結果に式③を代入して，図の速度パターンで運転する場合について区間を分けて計算すると次の結果を得る．

$$\int_0^{0+t_a} f_L v\,dt = \int_{T-t_a}^{T} f_L v\,dt = (\boxed{\ 2\ } \times C_{rr} m g v_m + \boxed{\ 3\ } \times \rho C_d A v_m{}^3) t_a \cdots ⑥$$

$$\int_{0+t_a}^{T-t_a} f_L v\,dt = \left(C_{rr} m g v_m + \frac{1}{2}\rho C_d A v_m{}^3\right)(T - 2t_a) \cdots\cdots ⑦$$

従って，式④の関係を考慮すると，E_0 は次式で表される．

$$E_0 = \int_0^T f_L v\,dt = C_{rr} m g \times \boxed{\ 4\ } + \left(\frac{1}{2}\rho C_d A v_m{}^2\right) \times \boxed{\ 5\ } \cdots\cdots ⑧$$

ここまでの検討では電気系の損失を零と仮定したが，実際には無視できない．運動エネルギーは電力変換器や電動機を通して行き来するため，これらの高効率化が重要である．

〈 1 ～ 5 の解答群〉

ア $\frac{1}{8}$　イ $\frac{1}{4}$　ウ $\frac{1}{2}$　エ 1　オ 2　カ X　キ $2X$

ク $\frac{X}{2}$　ケ $(T - t_a)$　コ $(T - 2t_a)$　サ $\left(T - \frac{t_a}{2}\right)$

シ $(X - v_m t_a)$　ス $\left(X - \frac{1}{2} v_m t_a\right)$　セ $\left(X - \frac{3}{2} v_m t_a\right)$

(2) ケーシング内で羽根車を回転させることによって流体にエネルギーを与えるポンプをターボ型ポンプといい，広く利用されている．

1) 流体が回転軸方向から羽根車の羽根に流入し，回転軸方向に流出するポンプを 6 ポンプという．このタイプでは羽根の揚力によって流体に速度水頭と圧力水頭を与える．

2) 流体が回転軸方向から羽根車の羽根に流入し，半径方向に流出するポンプを 7 ポンプという．このうち，羽根車の外周に案内羽根を有するものを 8 ポンプ，有しないものを 9 ポンプという．これらのポンプでは羽根車の遠心力によって流体に圧力水頭と速度水頭を与え，その後，案内羽根を有するポンプでは案内羽根と渦形室により，有しないポンプでは渦形室のみにより，速度水頭を圧力水頭に変える．

3) 一般に，2 台のポンプが幾何学的に相似で内部流れが相似などの一定条件を満たして運転しているとき，ポンプ間の流量比は，回転速度比の 10 乗と羽根車の径の比の 11 乗に比例し，揚程比は回転速度比の 12 乗と羽根車の径の比の 13 乗に比例するという関係が成り立つ．これらを相似則と呼ぶ．

4) ポンプの比速度 n_s は，最高効率点での揚程を H，流量を Q，回転速度を n とすると，

$$n_s = n\frac{\sqrt{Q}}{H^{\frac{3}{4}}}$$

で定義される．これは羽根車を相似形で拡大縮小して大きさを変え，単位揚程，単位流量を発生させたときの回転速度を表している．比速度は，大流量で低揚程のものほど大きく，小流量で高揚程のものほど小さい．1)及び2)で記述したポンプのうち，比速度の最も大きいものは［14］ポンプである．また相似則を用いると，比速度は羽根車の径によらず一定となることが示される．要求される流量及び揚程から比速度を求めることで，適切なポンプの種類を選定することができる．

〈［6］～［14］の解答群〉

ア 1　**イ** 2　**ウ** 3　**エ** 4　**オ** 5　**カ** ディフューザ
キ 渦巻　**ク** 遠心　**ケ** 軸流　**コ** 斜流

問題 13（電気加熱―選択問題）

次の各文章の［1］～［14］の中に入れるべき最も適切な字句又は数値をそれぞれの解答群から選び，その記号を答えよ．なお，［1］は**2**箇所あるが，同じ記号が入る．（配点計**50**点）

(1) 各種の電気加熱の原理，特徴及び応用分野について考える．

1) 間接抵抗加熱方式は［1］と呼ばれる熱源から主として放射，［2］により被加熱物に伝熱させるもので，抵抗炉に広く使われている方式である．間接抵抗加熱方式に用いられる［1］の素材として望まれる主な性質としては，抵抗率が大きいこと，高温での変化が少ないこと，加工が容易であること，高温で耐酸化性が高いこと，抵抗の［3］が小さいことなどが挙げられる．

〈［1］～［3］の解答群〉

ア アプリケータ　**イ** 電極　**ウ** 発熱体　**エ** 温度係数　**オ** 伝熱面積
カ 透磁率　**キ** 貫流　**ク** 対流　**ケ** 伝導

2) 直接抵抗加熱方式は被加熱物に直接［4］を発生させるため，間接抵抗加熱方式と比べて［5］が可能であり，加熱効率も高い方式である．

〈［4］及び［5］の解答群〉

ア ヒステリシス　**イ** ジュール熱　**ウ** 渦電流　**エ** 急速加熱
オ 端部加熱　**カ** 表面層加熱

3)　アーク炉では，一般的に［6］の電源が用いられるが，電極と被溶解材間で極めて不規則なアーク現象を伴うため，負荷電流の変動が激しく，電源電圧が動揺することで，フリッカ障害が発生する場合がある.

一方，［7］を電源とするアーク炉は前者と比べるとアークが比較的安定していることから，フリッカの低減や電極損耗量の低減などの利点がある.

また，両者とも高調波障害の要因となるので注意を要する.

〈［6］及び［7］の解答群〉

ア　マグネトロン　**イ**　マイクロ波　**ウ**　高周波　**エ**　商用周波

オ　真空管発信器　**カ**　直流

4)　赤外加熱に用いられる赤外放射は［8］より波長が長い電磁波であり，**0.76 μm**～**1 mm** の波長領域にある．特に **4 μm** 以上の波長は［9］と呼ばれ，食品や高分子化合物などの加熱に適しており，この熱源には［10］が広く用いられている.

〈［8］～［10］の解答群〉

ア　**ISM** バンド　**イ**　ミリ波　**ウ**　可視光　**エ**　セラミックヒータ

オ　石英管ヒータ　**カ**　赤外電球　**キ**　近赤外　**ク**　中赤外　**ケ**　遠赤外

(2)　被加熱材を一定の速度で連続して搬送しながら，**25 °C** から **1 250 °C** に加熱する加熱炉がある．加熱炉の入力端における電力は **315 kW** で一定であり，**1** 時間当たり **855 kg** の被加熱材が搬送されている．ここで，被加熱材の比熱は温度に関わらず一定とする．なお，加熱炉は熱的に安定した状態であり，熱損失は **62 kW** で一定である.

1)　この加熱炉の電力原単位は［11］**[kW·h/kg]** である.

2)　被加熱材の単位質量当たりの加熱正味熱量が **720 kJ/kg** の場合，この加熱炉の全電気効率は［12］[%] である.

3)　この加熱炉で，**1** 時間当たりの処理量を **900 kg** に増加したい．ここでは，加熱炉の電力を増加する方法, 及びこの加熱炉の前工程で加熱材を予熱する方法について考える．なお，被加熱材は **1 250 °C** まで昇温するものとし，搬送速度が変化しても被加熱材の均熱には影響しないものとする．また，電気効率及び熱損失も変らないものとする.

i)　加熱炉の電力の増加が可能であれば処理量の増加ができる．被加熱材の初期温度が **25 °C** で変わらないものとすれば，加熱炉の入力端における電力を［13］**[kW]** に増加すればよい.

ii)　加熱炉の電力の増加ができないときは，被加熱材を予熱することができれば処理量の増加ができる．入力端における電力が **315 kW** で一定であるとすれば，加熱炉に入れる被加熱材の初期温度を [14] [℃] に予熱すればよい.

〈[11]～[14]の解答群〉

ア **0.30**　**イ** **0.37**　**ウ** **0.44**　**エ** **39**　**オ** **54**　**カ** **64**

キ **68**　**ク** **74**　**ケ** **86**　**コ** **327**　**サ** **332**　**シ** **349**

問題 14（電気化学―選択問題）

次の各文章の [1] ～ [11] の中に入れるべき最も適切な字句, 数値又は記述をそれぞれの解答群から選び, その記号を答えよ.

また, [A abc]～[C a.bc]に当てはまる数値を計算し, その結果を答えよ. ただし, 解答は解答すべき数値の最小位の一つ下の位で四捨五入すること. (配点計 **50** 点)

(1) 電気化学システムは, 基本的には二つの電極, 電解質, 隔膜及び外部回路からなっている. 電極は金属や半導体などからなり, 電子伝導体である.

1) 二本の電極は, そこを流れる電流の向きから, アノード及びカソードが特定される. アノードでは [1] 反応が起こる. 電池では, 通常, 放電状態で考え, 二本の電極のうち相対的な電極電位が [2] 電極がカソードである. 二本の電極の間に設ける隔膜の役割は二本の電極の [3] や生成物の [4] を防ぐことである.

〈[1]～[4]の解答群〉

ア 還元　**イ** 混合　**ウ** 酸化　**エ** 蒸発　**オ** 析出　**カ** 接触

キ 中和　**ク** 分離　**ケ** 溶解　**コ** 高い　**サ** 低い　**シ** 広い

2) 電気化学システムは, 二つの電極反応が決まると [5] が求められる. 電極反応の速度は [6] に比例する.

〈[5]及び[6]の解答群〉

ア 過電圧　**イ** 作動電圧　**ウ** 実効電圧　**エ** 理論電圧

オ 電流　**カ** 標準電極電位

(2) ソーダ電解あるいはクロロアルカリ電解と呼ばれる電解プロセスでは, 電解により塩素ガス, 水酸化ナトリウム（苛性ソーダ）及び水素ガスが得られる. 国内ではイオン交換膜法が広く採用されており, 電極反応は次の通りである.

アノード反応：$2Cl^- \rightarrow Cl_2 + 2e^-$

カソード反応：$2H_2O + 2e^- \rightarrow H_2 + 2OH^-$

1) イオン交換膜法では隔膜に [7] イオンの選択透過性の高い膜が用いられ, アノード室に濃厚 [8] を供給してカソード室で水酸化ナトリウムを得る.

〈[7]及び[8]の解答群〉

ア　ナトリウム　**イ**　塩化マグネシウム溶液　**ウ**　塩素　**エ**　食塩水

オ　水酸化物　**カ**　硫酸ナトリウム溶液

2)　水酸化ナトリウム**1 t**を製造するために必要な理論電気量は**670 kA·h**であり，製造される塩素ガスと水素ガスの標準状態での体積は[9]，水酸化ナトリウムの物質量（モル数）は水素の物質量の[10]倍である．このような電気化学システムにおいて，ある物質量の反応物質を製造するために必要な理論電気量を求めるときには，流れる電気量が「反応に関与する電子数」，「[11]」，「電子**1**個の電荷」及び「反応物質の物質量」の積で表されることを用いる．

〈[9]～[11]の解答群〉

ア　$\frac{1}{2}$　**イ**　1　**ウ**　2　**エ**　アボガドロ数

オ　ファラデー定数　**カ**　プランク定数　**キ**　塩素の方が多く

ク　塩素の方が少なく　**ケ**　等しく

⑶　燃料電池自動車用の固体高分子形燃料電池スタックの出力は**100 kW**を超えるものが多く用いられている．

ここで，スタックを構成するセルの電極面積が**300 cm²**，最大出力のときのセル電圧が**0.65 V**，電流密度が**2 A/cm²**である燃料電池について考える．なお，ファラデー定数を**96 500 C/mol**，水素ガスのモル質量を**2.016 g/mol**とする．

1)　このスタックの最大出力のときの電流は[**A** | **abc**] [A]である．

2)　このスタックの出力が**100 kW**を超えるための最小のセル数は[**B** | **abc**] [セル]である．

3)　スタックが**270**セルで構成されている燃料電池自動車について考える．実際の運転時の電流密度が**0.33 A/cm²**であるとして，それを**5**時間運転するときに必要な水素の搭載量（消費量）は[**C** | **a.bc**] [kg]である．

問題15（照明―選択問題）

次の各文章の[1]～[8]の中に入れるべき最も適切な字句又は数値をそれぞれの解答群から選び，その記号を答えよ．なお，一つの解答群から同じ記号を**2**回以上使用してもよい．

また，[**A** | **ab**]～[**E** | **ab**]に当てはまる数値を計算し，その結果を答えよ．ただし，解

答は解答すべき数値の最小位の一つ下の位で四捨五入すること．なお，円周率 **π** は **3.14** とする．（配点計 **50** 点）

(1) 次の照明器具やランプ，及び照明手法に関する記述のうちから正しいものを選択する．

1) 近年，国内において白熱電球の生産量が大きく低減し，使用が控えられるようになったことの背景となる理由として正しいのは，次の①～③のうち [1] である．

① ランプ効率が低く省エネ性に反する．

② 有害物質の水銀を使用している．

③ フィラメント材料であるタングステンの入手が困難となった．

2) 特に最近，照明用光源である蛍光ランプが **LED** に置き換えられている理由として正しいのは，次の①～③のうち [2] である．

① 蛍光ランプのガラス管材料にはカドミウムが含まれている．

② 蛍光ランプの方が **LED** より発光効率は高いが寿命が短い．

③ **LED** の方が蛍光ランプより発光効率が高い．

3) 店舗，高天井施設や屋外などの照明に使う **HID** ランプについて正しい記述は，次の①～③のうち [3] である．

① 高圧ナトリウムランプは，低圧ナトリウムランプと異なり演色性が高く，**Ra** は **80** 程度である．

② 高圧ナトリウムランプは，**LED** と比較して発光効率が高く有害物質の水銀を含まない．

③ セラミックメタルハライドランプは，**Ra** が **80** を超える高演色なランプである．

4) **LED** 照明器具について正しい記述は，次の①～③のうち [4] である．

① **LED** 照明器具は発熱するが，その発熱源は **LED** 素子ではなく点灯制御装置（点灯回路）である．

② 一般に，**LED** 照明器具は交流電源からの電力供給を受け，点灯制御装置（点灯回路）を介して **LED** 素子が直流で動作する．

③ **40 W** 蛍光ランプ置き換え相当の直管 **LED** ランプの口金は使用者の利便性を考慮し，蛍光ランプと同一の **G13** 口金のみを使うように規格統一された．

5) 省エネルギーを考慮した照明の手法に関して正しい記述は，次の①～③のうち [5] である．

① 窓面からの昼光を利用する際には，執務者がグレアを感じないように注意する必要がある．

② タスク・アンビエント照明では，タスク照明とアンビエント照明の器具の発光面輝度を統一する必要がある．

③ **LED** 照明器具では，演色性が高いほど発光効率も高くなり快適性と省エネ性が両立できる．

〈 1 〜 5 の解答群〉

ア ①　**イ** ②　**ウ** ③

⑵ 光源に複数の **LED** 素子を利用した円形片面発光の乳白カバー付き照明器具において，発光面を直径 **50 cm** の均等拡散面と仮定し，発光面輝度が **4 870 cd/m²** であるとすると，この照明器具の全光束は 6 [lm] となる．また，この照明器具の全消費電力が **26 W** で，そのうち **LED** 素子で消費される電力が **23 W** であるとすると，この **LED** 照明器具の固有エネルギー消費効率（**lm/W**）は 7 [lm/W] となる．

〈 6 及び 7 の解答群〉

ア 1　**イ** 115　**ウ** 130　**エ** 960　**オ** 3 000　**カ** 3 800

⑶ 次の1)〜3)の照明計算を行う．

1) **36 m × 40 m** のテニスコートを，メタルハライドランプを用いた投光器（全光束 **80 000 lm/台**）で **4** 隅の照明柱から均等に投光照明したい．テニスコートの水平面照度を，一般競技の平均値である **500 lx** 以上とするための，メタルハライドランプの必要最少台数は **A ab** [台] となる．ただし，照明率 **0.35**，保守率 **0.72** とする．

2) 直径 **30 cm** の均等拡散性の球形グローブの中心に，あらゆる方向の光度が一様で **200 cd** の光源を入れ，グローブの中心が床面から **2.8 m** の高さとなる位置で点灯した．グローブの外表面の輝度は **2 500 cd/m²** であった．

このときのグローブ内の全光束は **B a.bc** × 10^3 [lm]，グローブ外表面の光度は **C acb** [cd]，グローブの透過率は **D a.b** × 10^{-1} である．また，**0.8 m** の高さのテーブル上での光源直下の照度は，**E ab** [lx] となる．ただし，グローブ内での反射は無視するものとし，照度計算においては光源を点光源として扱うものとする．

3) 図に示すような配光曲線（ランプ光束 **1 000 lm** 当たり）を持つ蛍光ランプがある．全光束を **8 000 lm** としたとき，このランプの **60°** 方向の管軸に垂直方向の光度は 8 [cd] となる．

〈 8 の解答群〉

ア 150　**イ** 640　**ウ** 1 200　**エ** 1 840

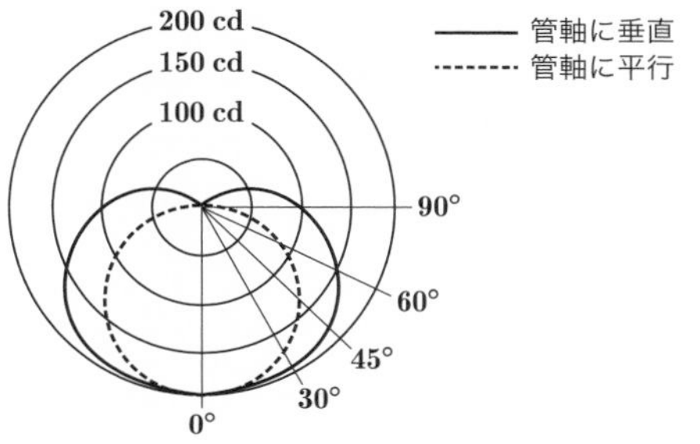

図　蛍光ランプの配光曲線（ランプ光束 **1 000 lm** 当たり）

問題 16（空気調和─選択問題）

次の各文章の［ 1 ］～［ 14 ］の中に入れるべき最も適切な字句，数値又は式をそれぞれの解答群から選び，その記号を答えよ．（配点計 **50** 点）

(1)　間仕切りのない大規模なオフィスエリアで冷房負荷と暖房負荷が同時に発生するときに，ゾーン別に空調を行う場合の省エネルギー上の留意点について考える．

図 **1** は，仮想の間仕切りを想定して，あるオフィスエリアをインテリアゾーンとペリメータゾーンにゾーニングして，それぞれ独立した系統で空調したときの冬期における冷暖房負荷と供給熱量あるいは除去熱量との関係を示したものである．ここで，冷房負荷を CL，暖房負荷を HL，仮想間仕切り間を行き来する熱を L とし，それに対する空調システムからの冷熱供給量を Q_c，温熱供給量を Q_h とする．これらはいずれも正の値とし，冷却あるいは失われる熱には「−」を付す．

なお，熱を示す矢印の方向は熱が作用する対象ゾーンに向けたものであり，正負とは関係ない．

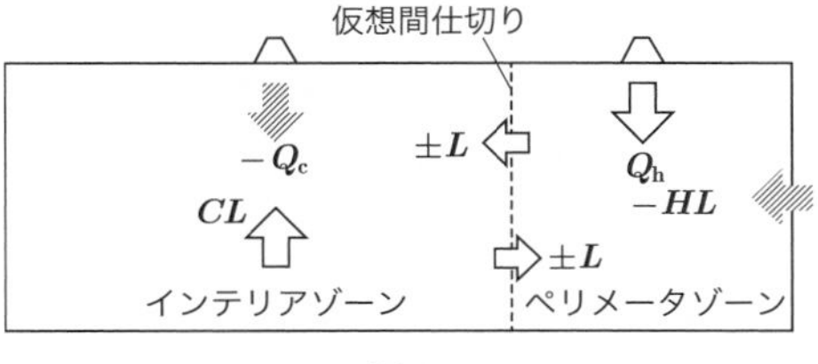

図 1

1)　**OA** 機器や照明など内部発熱の多いオフィスの冬期の空調時には，図に示すようにインテリアゾーンには冷房要求が生じ，窓・外壁などを介して外界に面するペリメータゾーンには暖房要求が生じることは通常起こりうる．このとき，インテリア系統の空調とペリメータ系統の空調が干渉し合うことで，過剰なエネルギーを供給してしまうことがあり，これによる損失を［ 1 ］損失と呼んでいる．これを損失熱量 Q_L と表し，損失するときは正の値，エネルギー削減になるときは負の値とする．

〈［ 1 ］の解答群〉

ア　ショートサーキット　　**イ**　混合（あるいは混合エネルギー）　　**ウ**　冷却再熱

2)　図1において，次の i) ～ iii) の3ケースにおける熱バランスを考えてみる．

i)　空調系統の計画時には，理想的な状況すなわち仮想間仕切り間を行き来する熱のない状態を想定して負荷を算定するのが一般的であり，このときの熱バランスは［ 2 ］となる．

ii)　実際の運用では，仮想間仕切り間を行き来する熱が生じる．例えば，インテリアゾーンはペリメータ系統からの温熱 Q_h の一部 L を負荷として拾い，それに見合う冷熱 Q_c を供給することになる．一方，ペリメータ系統は温熱 Q_h の一部 L がインテリアゾーンに逃げるため，本来の負荷に見合う以上の温熱を供給することになる．このときの熱バランスは［ 3 ］となる．

iii)　快適性は損なわれるが，ii) とは反対の状況も想定できる．例えば，ペリメータゾーンの暖房負荷 HL の一部 L がインテリアゾーンの冷房に寄与する場合で，その分必要な温熱 Q_h は減り，同時に必要な冷熱 Q_c も減ることになる．このときの熱バランスは［ 4 ］となる．

〈［ 2 ］～［ 4 ］の解答群〉

ア　$Q_c = CL$,　$Q_h = HL$,　$Q_L = 0$

イ　$Q_c = CL$,　$Q_h = HL$,　$Q_L = Q_c - Q_h$

ウ　$Q_c = CL + L$,　$Q_h = HL + L$,　$Q_L = L$

エ　$Q_c = CL + L$,　$Q_h = HL + L$,　$Q_L = 2L$

オ　$Q_c = CL - L$,　$Q_h = HL - L$,　$Q_L = -L$

カ　$Q_c = CL - L$,　$Q_h = HL - L$,　$Q_L = -2L$

3)　快適性を損なわず Q_L を最小限に抑える対策としては，次のようなことが考えられる．

①　計画時に，ゾーン間の熱負荷に大きな差が発生しないように，外壁・窓など建築外皮の断熱・気密性等の熱性能をできるだけ［ 5 ］する．

②　運転制御上では，暖房時のペリメータゾーンの設定室温をインテリアゾーン［ 6 ］にするなど，居住性に大きな支障が生じない範囲で設定温度に配慮する．

③　お互いの系統にできるだけ干渉しないように，それぞれの吹出し気流を調整する．

なお，損失は冷房負荷と暖房負荷の同時供給に起因しているので，熱源に [7] 型の機器を導入し，**COP** の向上を図ることが損失分の投入熱量を抑えるのに効果的である．

〈[5]～[7]の解答群〉

ア 空気熱源　**イ** 二重効用　**ウ** 熱回収　**エ** 高く　**オ** 低く
カ 無視　**キ** より高め　**ク** より低め　**ケ** と同じ

⑵　全熱交換器は，空調している室内からの排気と取入れ外気との間で顕熱と潜熱の熱交換を行う空気対空気の熱交換器で，回転式や固定式の吸放熱・湿材を使用して，取入れ外気と排出空気との間で熱交換を行うことで全熱を回収するものである．

1）　全熱交換器は，[8] を目的としたものであり，取入れ外気量と排出空気量が等しい場合には，通常 [9] [%] 前後の全熱交換効率が期待できる．

〈[8]及び[9]の解答群〉

ア 40　**イ** 70　**ウ** 95　**エ** 外気負荷の低減
オ 外気冷房　**カ** 搬送動力の低減

2）　図 **2** は，夏の冷房時に全熱交換器を用いるときの外気と室内空気の状態変化を空気線図上に示したものである．ただし，この状態変化は全熱交換効率と顕熱交換効率が同じ場合のものである．

ここで，図 **2** 中の **1**，**2**，**3**，**4** の点と全熱交換器の出入り空気の関係を示した図は，図 **3** の [10] になる．また，このとき全熱交換効率 η は，式 $\eta =$ [11] で示される．

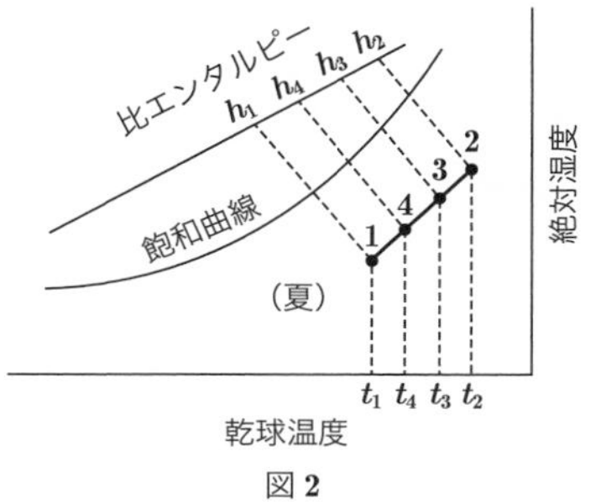

図 **2**

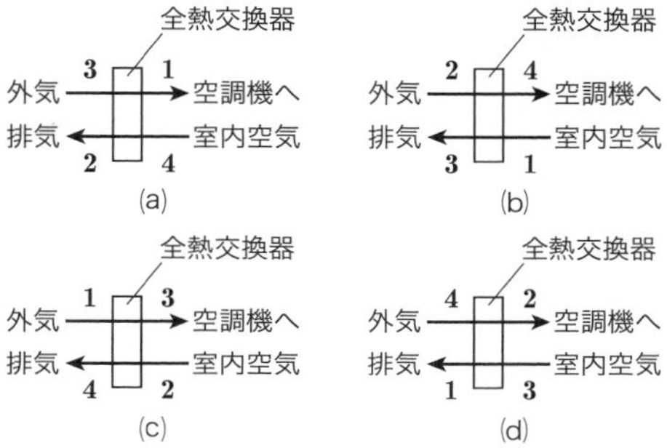

図 **3**

〈[10]及び[11]の解答群〉

ア $\dfrac{h_2 - h_4}{h_2 - h_1}$　**イ** $\dfrac{h_3 - h_4}{h_2 - h_1}$　**ウ** $\dfrac{h_2 - h_3}{h_2 - h_1}$

エ (a)　　**オ** (b)　　**カ** (c)　　**キ** (d)

3)　全熱交換器の使用上の留意点として次のようなことが挙げられる.

①　一般に，冷房時において排出空気の比エンタルピーが外気より［12］場合には，運転を停止し外気をバイパスするように制御すると省エネルギーになる.

②　回転するタイプを使用するときは漏気の恐れがあるので，排気ファンは全熱交換器に対して［13］側に設置する.

③　通過する空気の質があまり良くないと，経年とともに効率が低下するので，全熱交換器の上流側に［14］を設け，またその保守を十分に行う必要がある.

〈［12］～［14］の解答群〉

ア　エアフィルタ　　**イ**　エコノマイザ　　**ウ**　ヒータ　　**エ**　吸込み

オ　吹出し　　**カ**　高い　　**キ**　低い

解答・指導

問題1

(1) 1—エ，2—カ，3—ウ，4—オ

(2) A—16 151，B—568，5—ア，6—イ，7—エ

(3) 8—エ，9—ア，10—イ

【指導】

(1) 1) 法第5条第1項では，「…エネルギーの使用の合理化の**目標**（エネルギーの使用の合理化が特に必要と認められる業種において達成すべき目標を含む.）及び当該**目標**を…」と規定されている.

また，法第5条第4項では，「…エネルギーの使用の合理化及び非化石エネルギーへの転換に関する技術水準，**業種別の**エネルギーの使用の合理化及び非化石エネルギーへの転換の状況…」と規定されている.

2) i) 法第52条は，連携省エネルギー計画に係る**定期の報告**の特例等についての条項である.

ii) 法第50条第2項第三号では，「…エネルギーの量の**算出の方法**」と規定されている.

(2) 法第2条，令第1条において，エネルギーの使用量は，使用した燃料の量，他人から供給された熱・電気の量が対象とされる.

この化学工場でのエネルギー使用量は，bとcとdのプラスチック廃棄物や熱回収による発生熱量は燃料から除外されるので，aとeの合算値となる.

1) したがって，この工場での原油換算量は，0.025 8 kL/GJを考慮して，

$$(96\ 000 + 530\ 000) \times 0.025\ 8 \fallingdotseq \mathbf{16\ 151}\ \mathrm{kL}$$

一方，本社事務所では，上記同様gの太陽光発電からの発電量は，除外されるので次のように求まる.

$$22\ 000 \times 0.025\ 8 \fallingdotseq \mathbf{568}\ \mathrm{kL}$$

2) この化学工場は，原油換算量3 000 kL以上であるため，**第一種エネルギー管理指定工場等に該当する**（法第10条，令第3条参照）.

3) 事業者が選任しなければならないのは，化学工場については，②**エネルギー管理者1名の選任が必要**（令第4条参照），本社事務所については，エネルギー管理指定工場等に該

当しないため④**どちらも選任不要**となる．

(3)　1)　法第149条第2項によれば，「…エネルギー消費性能等が**最も優れているもの**のそのエネルギー消費性能等…」と規定されている．

この特定エネルギー消費機器として，①**エアコンディショナー**，②**複写機**，③**交流電動機**が該当する（令第18条参照）．

2)　法第166条第1項では，報告及び立入検査対象となるのは，**工場等においてエネルギーを使用して事業を行う者**，としているので①は誤りである．

同条第2項では，報告及び立入検査をさせることができるのは，**経済産業大臣**であるので，②は正しい．

同条第3項では，立入検査を行うときは，**あらかじめ，当該加盟者の承諾を得なければならない**，としているので③は誤りである．

問題2　(1)　1―ウ，A―1.47×10^4

(2)　2―イ，3―カ，4―キ

(3)　5―ア，6―イ，7―キ，8―エ，9―ケ

【指導】

(1)　国際単位系（SI）では長さ（メートル [m]），質量（キログラム [kg]），時間（秒 [s]），電流（アンペア [A]），**熱力学温度（ケルビン [K]）**，光度（カンデラ [cd]）および物質量（モル [mol]）の七つを基本単位とする．この基本単位からすべての単位を導き出せるため，ほかの単位のことを組立単位と呼んでいる．

仕事率 P [W] は，力 f [N] と速度 v [m/s] の積で表されるので次式となる．

$$P = fv = (9.8 \times 1\,000) \times \frac{15}{10} = 14\,700 = \mathbf{1.47 \times 10^4}\ \mathrm{W}$$

(2)　地球の大気圏外で，太陽光線に対して垂直な単位面積当たりに受けるエネルギーは，**1.4** kW/m^2 程度である．この値は，太陽定数と呼ばれている．温室効果における主に関与する気体は二酸化炭素と水蒸気であり，これらの気体は **1 μm** 以上の波長域の赤外線を吸収する．また，二酸化炭素と水蒸気での温室効果影響度は，**水蒸気の方が二酸化炭素より大きい**．

(3)　化石燃料は，自然界から直接人類に渡るエネルギーであることから，**一次**エネルギーと呼ばれる．それに対し，水素は，自然界から直接得ることはできないので，**二次**エネルギーと呼ばれている．

また，水素を得る過程では，電力源として，**再生可能**エネルギーや原子力エネルギーを利

用することで，二酸化炭素排出量を抑制できる．

一方，化石燃料を利用する場合でも化学的に**改質**して得た水素を使用し，**燃料**電池発電を行うことで発電システムでの反応熱を有効活用できれば，二酸化炭素排出抑制に貢献できる．

問題3 1—ク，2—ケ，3—ウ，4—ア，A—6.5，5—イ，B—2.5，6—ア，7—イ，8—ア，C—96.4，9—オ，10—ウ，D—39.7，E—49.8，F—1 800，11—ア，12—ウ，13—イ，14—イ

【指導】

⑴「工場等判断基準」の「基準部分（工場)」は，事業者が遵守すべき基準を示したもので，以下の6分野からなる．

① **燃料の燃焼**の合理化

② 加熱及び冷却並びに伝熱の合理化

③ **廃熱の回収**利用

④ 熱の動力等への変換の合理化

⑤ 放射，伝導，抵抗等によるエネルギーの損失の防止

⑥ 電気の動力，熱等への変換の合理化

また，6分野に関して，おのおのに「管理及び基準」，「計測及び記録」，「**保守及び点検**」，「新設に当たっての措置」の4項目に関する遵守内容が記載されている．

⑵ 温度上昇に伴い粘度は，水は低下し，空気は増加する．したがって，温度上昇とともに粘性が高まるのは，**空気**である．

⑶ ブタンの化学反応式は，

$$C_4H_{10} + 6.5O_2 \rightarrow 4CO_2 + 5H_2O$$

であるので，ブタン1 molを完全燃焼させるに必要な理論酸素量は，**6.5** molである．

⑷ 熱的平衡状態のとき，エネルギーの保存則から，反射率ρ，吸収率α，透過率τに関して次式が成立する．

$$\boldsymbol{\rho + \alpha + \tau = 1}$$

⑸ **第1図**に示す炉壁において，通過熱流束Q [W/ m^2]は，炉壁内外の温度差$\theta_1 - \theta_2$ [K]に比例し，炉壁材の厚さd [m]に反比例する．

$$Q = \lambda \frac{\theta_1 - \theta_2}{d} \,[\mathrm{W/m^2}]$$

ここで，λは炉壁材の熱伝導率である．

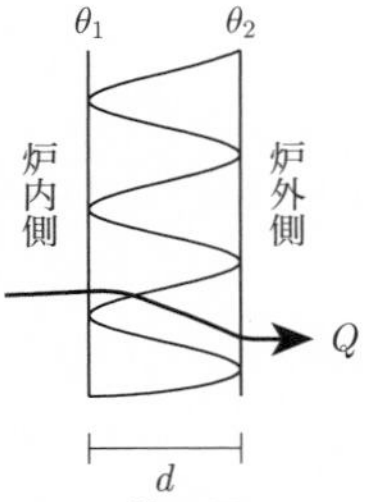

第1図

この式からλについて求め，題意の数値を代入すると，

$$\lambda=\frac{d}{\theta_1-\theta_2}Q=\frac{0.2}{660-60}\times750=0.25=\mathbf{2.5}\times10^{-1}\ \mathrm{W/(m\cdot K)}$$

⑹　乾き度は，湿り蒸気全体に対する飽和蒸気の**質量**割合で求められる．

⑺　換算蒸発量と蒸発潜熱との積（$W\times 2\,257$）は，実際の蒸発量と，発生蒸気と給水の比エンタルピー差との積｛$W'\times(h_\mathrm{s}-h_\mathrm{w})$｝に等しいとして

$$W\times 2\,257=W'\times(h_\mathrm{s}-h_\mathrm{w})$$

$$W=W'\times\frac{\boldsymbol{h}_\mathbf{s}-\boldsymbol{h}_\mathbf{w}}{\mathbf{2\,257}}\ [\mathrm{kg/h}]$$

⑻　「目標及び措置部分」の「その他エネルギーの使用の合理化に関する事項」の⑴項では，「…熱利用の**温度**的な整合性改善についても検討すること．」と記載されている．

⑼　前年度のエネルギー消費原単位α_1は，

$$\alpha_1=\frac{4\,000}{600}\fallingdotseq 6.67\ \mathrm{kL/個}$$

同様に今年度のα_2は，

$$\alpha_2=\frac{4\,500}{700}\fallingdotseq 6.43\ \mathrm{kL/個}$$

よって，α_2/α_1は，

$$\frac{\alpha_2}{\alpha_1}=\frac{6.43}{6.67}\fallingdotseq 0.964=\mathbf{96.4}\ \%$$

⑽　現在，国内向けに出荷する業務用のエアコンディショナーでは，エネルギー消費効率としてAPFと呼ばれる**通年エネルギー消費効率**を用いることが定められている．

APFとは，「年間の冷暖房に使用した入力エネルギー量に対する年間の発揮した能力のエネルギー量」で定義され，無名数である．

この基準エネルギー消費効率の値は，冷房能力などにより異なるが，およそ **3.9 ～ 6.0** の範囲にある．

⑾　この火力発電所の平均熱効率 η は，1 時間当たりの発生電力量を $W = 150$ MW·h，燃料使用量を $B = 34 \times 10^3$ L，燃料の高発熱量を $H = 40$ MJ/L とすると，次式で表される．

$$\eta = \frac{3\,600W}{BH} = \frac{3\,600 \times 150}{34 \times 10^3 \times 40} \fallingdotseq 0.397\,06 \fallingdotseq \mathbf{39.7}\ \%$$

⑿　三相誘導電動機の線間電圧を V[V]，線電流を I[A]，力率を $\cos\theta$，効率を η とすると，軸出力 P[W] は次式で表される．

$$P = \sqrt{3}VI\cos\theta \cdot \eta\,[\mathrm{W}]$$

$$\therefore\ P = 1.73 \times 200 \times 200 \times 0.8 \times 0.9 = 49\,824\ \mathrm{W} \fallingdotseq \mathbf{49.8}\ \mathrm{kW}$$

⒀　求める平均電力を P [kW] とすれば，次式が成立する．

$$2\,400\ \mathrm{kW{\cdot}h} + P\,[\mathrm{kW}] \times \frac{1}{6}\,\mathrm{h} = 5\,400\ \mathrm{kW} \times \frac{1}{2}\,\mathrm{h}$$

$$\therefore\ P = \mathbf{1\,800}\ \mathrm{kW}$$

⒁　理想変圧器の一次側と二次側には次の関係がある．

$$V_1 I_1 = V_2 I_2$$

$$N_1 I_1 = N_2 I_2$$

$$\therefore\ \boldsymbol{\frac{N_1}{N_2} = \frac{V_1}{V_2} = \frac{I_2}{I_1}}$$

⒂　回転速度 n [min^{-1}] のときの回転角速度 ω [rad/s] は，$\omega = \dfrac{2\pi n}{60}$ [rad/s] であるから，電動機の軸出力を P [kW] とすれば，軸トルク T [N·m] は，

$$T = \frac{P \times 10^3}{\omega} = \frac{\boldsymbol{P}}{\left(\boldsymbol{\dfrac{2\pi n}{60}}\right)} \times 10^3\ [\mathrm{N{\cdot}m}]$$

⒃　誘導加熱は，電磁誘導作用によって被加熱材に誘起される**渦電流**を利用した加熱方式である．

⒄　JIS Z 9110：2010 の「照明基準総則」では，事務所ビルにおける事務室の推奨照度範囲は，**500 ～ 1 000** lx としている．

問題4 (1) 1―ウ，2―オ，3―ウ，4―キ，5―カ，6―ウ

(2) 7―ア，8―カ，9―オ，10―カ，11―ウ，12―カ

【指導】

(1) 1) 題意の図1より次式となる．

$$\dot{V}_2 = \mathbf{j}\boldsymbol{\omega M}\dot{I}_1 - \mathrm{j}\omega L_2\dot{I}_2 \qquad ②$$

また，題意の①式に③式を代入して

$$\dot{E} = \mathrm{j}\omega L_1\dot{I}_1 - \mathrm{j}\omega M\dot{I}_2$$

$$\dot{E} + \mathrm{j}\omega M\dot{I}_2 = \mathrm{j}\omega L_1\dot{I}_1$$

よって，

$$\dot{I}_1 = \frac{\dot{E}}{\mathrm{j}\omega L_1} + \frac{\mathrm{j}\omega M}{\mathrm{j}\omega L_1} \times \dot{I}_2$$

$$\therefore \quad \dot{I}_1 = \frac{\dot{E}}{\mathrm{j}\omega L_1} + \frac{\boldsymbol{M}}{\boldsymbol{L_1}} \times \dot{I}_2$$

2) 題意より

$$a = \frac{N_1}{N_2} = \frac{\dot{V}_1}{\dot{V}_2} = \frac{\dot{E}}{R\dot{I}_2}$$

であるから，

$$a = \frac{\dot{E}}{R\dot{I}_2}$$

$$\therefore \quad \dot{I}_2 = \frac{\mathbf{1}}{\boldsymbol{aR}} \times \dot{E}$$

また，⑤式に⑥式，⑦式を代入して

$$\dot{I}_1 = \frac{\dot{E}}{\mathrm{j}\omega L_1} + \frac{M}{L_1} \times \dot{I}_2 = \frac{\dot{E}}{\mathrm{j}\omega L_1} + \frac{M}{aM} \times \frac{1}{aR} \times \dot{E}$$

$$\therefore \quad \dot{I}_1 = \left(\frac{\mathbf{1}}{\mathbf{j}\boldsymbol{\omega L_1}} + \frac{\mathbf{1}}{\boldsymbol{a^2 R}}\right) \times \dot{E}$$

3) 式⑧は，**第1図**に示すとおり，L_1 と $\boldsymbol{a^2R}$ **が並列**に接続された回路となる．

また，第1図より，交流電源から負荷へ供給される有効電力 P は次式となる．

$$P = \frac{\boldsymbol{E^2}}{\boldsymbol{a^2 R}}$$

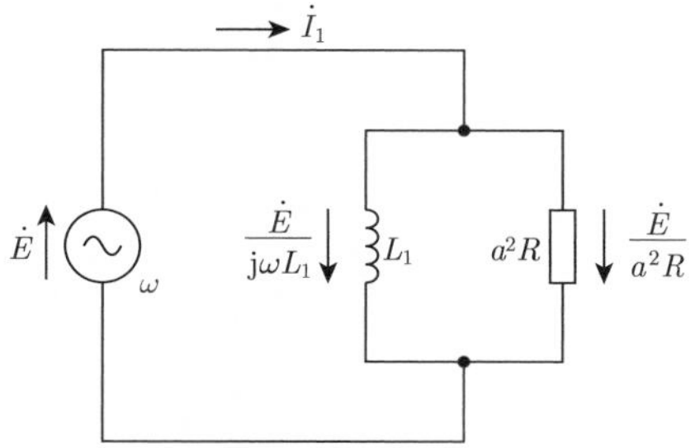

第1図

(2) 1) $\dot{E}_a$，$\dot{E}_b$，$\dot{E}_c$ は対称三相電圧であるので，$\dot{E}_a + \dot{E}_b + \dot{E}_c = 0$ より

$$\dot{E}_c = -(\dot{E}_a + \dot{E}_b) = -\{(100 + j0) + (-50 - j50\sqrt{3})\}$$
$$= -\{50 - j50\sqrt{3}\}$$
$$\therefore\ \dot{E}_c = \mathbf{-50 + j50\sqrt{3}}\ \mathrm{V}$$

$\dot{V}_{ab} = \dot{E}_a - \dot{E}_b$ より

$$\dot{V}_{ab} = (100 + j0) - (-50 - j50\sqrt{3}) = 100 + j0 + 50 + j50\sqrt{3}$$
$$= \mathbf{150 + j50\sqrt{3}}\ \mathrm{V}$$

2) 題意の図 2 より

$$\dot{I}_{ab} = \frac{\dot{V}_{ab}}{R} = \frac{150 + j50\sqrt{3}}{5}$$
$$\therefore\ \dot{I}_{ab} = \mathbf{30 + j10\sqrt{3}}\ \mathrm{A}$$

同様に $\dot{I}_{ca}$ は次式となる．

$$\dot{I}_{ca} = \frac{\dot{V}_{ca}}{R} = \frac{\dot{E}_c - \dot{E}_a}{R} = \frac{(-50 + j50\sqrt{3}) - (100 + j0)}{5}$$
$$= \frac{-150 + j50\sqrt{3}}{5} = -30 + j10\sqrt{3}\ \mathrm{A}$$
$$\therefore\ \dot{I}_a = \dot{I}_{ab} - \dot{I}_{ca} = (30 + j10\sqrt{3}) - (-30 + j10\sqrt{3})$$
$$= \mathbf{60 + j0}\ \mathrm{A}$$

3) $\dot{E}_a$ と $\dot{I}_a$ は同相であるから，力率 $\cos\varphi = \mathbf{1}$ となる．

したがって，負荷へ供給される有効電力 P は，線間電圧を V_l，線電流を I_l とすると次のように求まる．

$$P = \sqrt{3}V_l I_l \cos\varphi = \sqrt{3} \times 100\sqrt{3} \times 60 \times 1 = 3 \times 100 \times 60 = \mathbf{18\,000}\ \mathrm{W}$$

問題5

(1)　1 — オ，2 — イ，3 — ク，4 — ウ，5 — エ，6 — ウ，7 — コ

(2)　8 — ア，9 — エ

(3)　10 — ア，11 — エ，12 — ク，A — 7.2，B — 9.8

【指導】

(1)　1)　伝達関数 $G(s)$ において，$s = \mathrm{j}\omega$とおくと，次のようになる．

$$G(\mathrm{j}\omega) = \frac{2}{(\mathrm{j}\omega)^3 + 2(\mathrm{j}\omega)^2 + \mathrm{j}2\omega + 3} = \frac{2}{-\mathrm{j}\omega^3 - 2\omega^2 + \mathrm{j}2\omega + 3}$$

$$\therefore \quad G(\mathrm{j}\omega) = \frac{2}{3 - 2\omega^2 + \mathrm{j}\omega(2 - \omega^2)} \qquad ①$$

ゲイン g [dB] は，一般的に以下のように表される．

$$g = 20 \log_{10} \left| G(\mathrm{j}\omega) \right| [\mathrm{dB}] \qquad ②$$

②式に①式を代入すると，

$$g = 20 \log_{10} \left| \frac{2}{(3 - 2\omega^2) + \mathrm{j}\omega(2 - \omega^2)} \right| [\mathrm{dB}]$$

$$\therefore \quad g = 20 \log_{10} 2 - 20 \log_{10} \left| (3 - \omega^2) + \mathrm{j}\omega(2 - \omega^2) \right| \qquad ③$$

まず，ボード線図を考える場合，ωTが三つの領域のときのゲイン gを推測する．

【一つ目の領域】

・$\omega T \ll 1$のとき（ここでは $T = 1$ とおく）

③式において十分低い周波数のとき，つまり$\omega = 0$ とおくと以下のようになる．

$$\begin{aligned} g &= 20 \log_{10} 2 - 20 \log_{10} 3 \ \mathrm{dB} \\ &= 20 \times 0.301 - 20 \times 0.477 = -3.52 \ \mathrm{dB} \end{aligned} \qquad ④$$

よって，十分低い周波数領域では，**−3.5 dB** となる．

【二つ目の領域】

・$\omega T = 1$のとき（ここでは $T = 1$ とおく）

③式において$\omega T = 1$ とおくと以下のようになる．

$$\begin{aligned} g &= 20 \log_{10} 2 - 20 \log_{10} \left| 1 + \mathrm{j} \right| = 20 \log_{10} 2 - 20 \log_{10} \sqrt{2} \\ &= 6.02 - 10 \times 0.301 = 3.01 \ \mathrm{dB} \end{aligned} \qquad ⑤$$

【三つ目の領域】

・$\omega T \gg 1$のとき（ここでは $T = 1$ とおく）

③式において仮に$\omega = 10$ とおくと以下のようになる．

$$g = 20 \log_{10} 2 - 20 \log_{10} \left| (3 - 200) + \mathrm{j}10(2 - 100) \right|$$

$$\fallingdotseq 6.02 - 20\log_{10} 1\,000 = 6.02 - 60 = -54\ \text{dB} \qquad ⑥$$

3 領域（③～⑥値）を元に簡易的にグラフを描くと，**第 1 図**のようになる．

よって，十分高い周波数領域でのゲインの傾きは，**−60 dB/dec** となる．

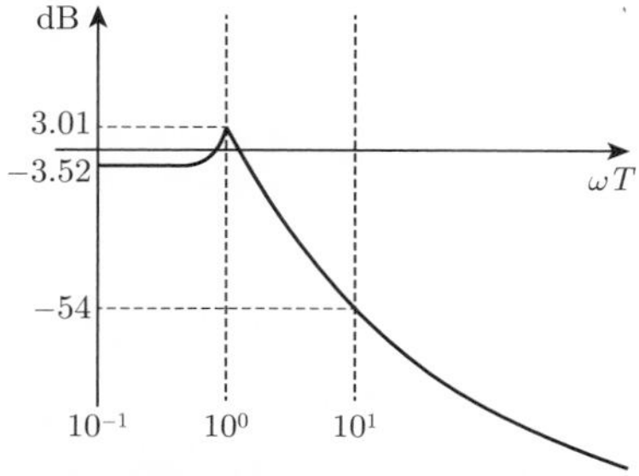

ωTが10倍増すごとに−57 dB減少する一定の傾き
⇒つまり，約−60 dB/decの値となる．

第 1 図　ボード線図例

2)　題意の式に，ステップ信号 $U(s) = \dfrac{3}{s}$ を加えて十分時間が経過したときの出力信号 $y(t)$ は，次のようになる．

$$Y(s) = \frac{2}{s^3 + 2s^2 + 2s + 3} \cdot \frac{3}{s}$$

$$y(t) = \lim_{s \to 0} sY(s) = \lim_{s \to 0} s \cdot \frac{2}{s^3 + 2s^2 + 2s + 3} \cdot \frac{3}{s} = 2$$

よって，出力信号 $y(t)$ は **2** となる．

3)　i)　題意より，①式に $\omega = 1$ rad/s を代入すると，次のようになる．

$$G(\mathrm{j}\omega) = \frac{2}{3 - 2\omega^2 + \mathrm{j}\omega(2 - \omega^2)} = \frac{2}{3 - 2 + \mathrm{j}} = \frac{2}{1 + \mathrm{j}} \qquad ⑦$$

⑦式を有利化すると次式となる．

$$G(\mathrm{j}\omega) = \frac{2(1 - \mathrm{j})}{1^2 + 1^2} = \frac{2 - \mathrm{j}2}{2} = 1 - \mathrm{j} \qquad ⑧$$

したがって，周波数伝達関数 $G(\mathrm{j}\omega)$ は，**1 − j** となる．

ii)　題意の出力 $y(t)$ に⑧式を代入すると，

$$y(t) = G(\mathrm{j}\omega) \cdot u(t) = (1 - \mathrm{j})\sin(t) \qquad ⑨$$

正弦波信号 $u(t) = \sin(t)$ を加え，十分時間が経過したときの振幅 a は，⑨式の最大値を示す．つまり，$a=\sqrt{1^2+1^2}=\sqrt{2}$ となる．したがって，振幅は $\sqrt{\mathbf{2}}$ となる．

次に角周波数は，入力信号 $u(t)$ が $\omega = 1$ rad/s である．題意の図より，出力信号として出力される角周波数は，入力と同じ **1 rad/s** となる．

位相 θ [rad] は，

$$\theta = -\tan^{-1}\frac{虚数}{実数部} = -\tan^{-1}\frac{1}{1} = -\frac{\pi}{4}\,\mathrm{rad}$$

よって，位相は $-\boldsymbol{\frac{\pi}{4}}$ **rad** となる．

(2)　RASIS の指標のうち，システム装置の稼働率が用いられるのは**可用性**の評価である．

システムの稼働率は**一定時間中のシステムの稼働時間の比率**で表され，稼働時間が長く故障時間が短いほど**可用性**が高いシステムといわれる．

図 2 より，稼働率 R_2 は以下のようになる．

$$R_2 = 0.9 \times 0.8 = 0.72 = \mathbf{7.2} \times 10^{-1}$$

図 3 より，稼働率 R_3 は以下のようになる．

$$R_3 = 1-(1-0.9)(1-0.8) = 0.98 = \mathbf{9.8} \times 10^{-1}$$

RASIS とは，コンピュータシステムに関する評価指標の一つで「信頼性」，「可用性」，「保守性」，「保全性」，「安全性」の 5 項目を指す．

また，「可用性」とは，稼働率が指標として用いられる．稼働率を以下に示す．

$$稼働率 = \frac{\mathrm{MTBF}}{\mathrm{MTBF}+\mathrm{MTTR}} = \frac{動作した時間}{全体の時間}$$

※ MTBF とは，平均故障間隔をいう．

※ MTTR とは，平均復旧時間をいう．

(3)　コンピュータに実行させる処理手順を記述することをプログラミングと呼ぶ．プログラミングには記述する人間にわかりやすく，コンピュータ処理の実行のための言語体系であるプログラミング言語が用いられ，その言語で記述されたものを**ソースコード**と呼ぶ．

実行時に，記述内容を言語処理によって逐次解釈しながら実行するものをインタプリタ型言語と呼び，それに対して，機械が理解可能な機械語にあらかじめ翻訳しておき実行するものを**コンパイラ型言語**と呼ぶ．後者は，インタプリタ型言語と比べて実行速度が**速くなる**．

ソースコードとは，プログラミング言語で書かれたコンピュータプログラムを表現する文字列（テキストファイル）である．

コンパイラ型言語は，インタプリタ型言語より実行速度は速いが，デバックやエラー回避に時間を要することもあり，プログラミングには，高度なスキルが要求される．

問題6
(1) 1—オ，2—ア，3—イ，4—オ，5—ア
(2) 6—ウ，7—ケ，8—オ，9—イ，10—ウ

【指導】

(1) 1) 負荷の真の消費電力は，題意の図1では，

$$P_1 = V\left(I - \frac{V}{r_V}\right) = \boldsymbol{VI - \frac{V^2}{r_V}}\ [\mathrm{W}]$$

同様に図2では，

$$P_2 = I(V - r_A I) = \boldsymbol{VI - r_A I^2}\ [\mathrm{W}]$$

2) 与えられた数値を代入して，

$$P_1 = 10 \times 0.4 - \frac{10^2}{100 \times 10^3} = 4 - 10^{-3}$$

$$P_2 = 10 \times 0.4 - 10 \times 10^{-3} \times 0.4^2$$
$$= 4 - 1.6 \times 10^{-3}$$

となり，測定値との誤差をそれぞれ ΔP_1，ΔP_2 として，

$$\Delta P_1 = VI - P_1 = 10 \times 0.4 - (4 - 10^{-3})$$
$$= 4 - 4 + 10^{-3} = 10^{-3}$$
$$\Delta P_2 = VI - P_2 = 10 \times 0.4 - (4 - 1.6 \times 10^{-3})$$
$$= 4 - 4 + 1.6 \times 10^{-3} = 1.6 \times 10^{-3}$$

よって，$\Delta P_1 < \Delta P_2$ であるから，**図2の接続の方が大きくなる**．

3) 電気自動車や工作機械など高出力（大電流）を要求される電池は，放電時の内部電圧降下を抑制することが望まれるため，内部抵抗の**小さい**電池が適している．また，電池の特性評価における交流法は，電池に交流電圧を印加して，流れる電流を計測して，評価する手法である．したがって，交流法で得られるのは，電池の内部**インピーダンス**である．

(2) 1) 相対湿度は，水蒸気量とそのときの温度における**飽和蒸気量**との比率を百分率で表したものである．

2) 生産管理用として広く用いられている**電子式**湿度計は，主に多孔質セラミクスなどの吸湿・脱湿による電気抵抗変化や**静電容量**変化を利用し，湿度検出するものである．

多くの電子式湿度センサは相対湿度を算出するためには，上記1)のとおり，温度を知る必

要がある．したがって，**温度計**を内蔵している．

3)　精密な湿度測定には，結露を生じるときの温度を測定することで湿度を求める方式である**露点計**が用いられている．

問題7
(1)　1―キ，2―オ，3―ス，4―ケ，5―ウ
(2)　6―イ，7―キ，8―ウ，9―エ，10―ス
(3)　A―4.53，B―17.6，C―726，D―81

【指導】

(1)　誘導電動機を低負荷で運転すると出力に対する損失の割合が大きくなり，低効率となる．したがって，**定格電圧**において，全負荷（定格負荷）に近い状態で運転するのが，効率的である．

また，配電線損失を低減させるためには，配電線電流を減少させる必要があるため，調相設備は，直近負荷と並列に接続するのが，効果的である．したがって，進相コンデンサ設備は，「**b.** 各電動機に個別に設置する」方が，配電線損失が少なくなる．

一方，進相コンデンサは，電圧印加時（投入時）に非常に大きな電流（**突入電流**）が流れる．この突入電流を抑制するため，直列にリアクトル（**直列リアクトル**）を接続した回路構成が一般的である．通常，この直列リアクトルのインピーダンスは，進相コンデンサのインピーダンスの**6**％仕様のものが標準的に使用されている．

(2)　太陽電池のpn接合部に太陽光が照射されると，太陽光のもつ光エネルギーにより，正の電荷（正孔）と負の電荷（自由電子）が発生する．正の電荷は，**p形**半導体領域へ，負の電荷はn形半導体領域へ移動し，p形半導体は正に帯電し，n形半導体は負に帯電する．その結果，起電力が発生し，負荷を接続すると電流が流れる．

太陽電池は，**シリコン**太陽電池が主流であり，シリコンの結晶構造によって，単結晶太陽電池，多結晶太陽電池，非結晶系の**アモルファス**太陽電池に分類される．

パワーコンディショナは，電力変換装置として，直流から交流に変換する**インバータ**機能と電力系統事故時にインバータを停止させ当該事故系統から自己システムを切り離すなどの保安機能も具備した装置である．

また，電力系統に連系する場合は，電力品質（電圧，周波数，**力率**など）に悪影響を及ぼさないよう電気設備の技術基準などで遵守事項が整理されている．

(3)　1)　題意での線電流 I_l [A] は，線間電圧を V_l [V]，負荷力率を $\cos\theta$，負荷電力を P [W] として

$$I_1 = \frac{P}{\sqrt{3}V_1 \cos\theta} = \frac{2\,000 \times 10^3}{\sqrt{3} \times 6\,600 \times 0.9} \fallingdotseq 194.4\ \mathrm{A}$$

よって，線路損失 P_L [W] は，1 線当たりの線路抵抗を r [Ω] として，

$$P_L = 3I_1^2 r = 3 \times 194.4^2 \times 0.04 \fallingdotseq 4\,534.7\ \mathrm{W} \fallingdotseq \mathbf{4.53}\ \mathrm{kW}$$

2) 図 2 の負荷曲線より，線路損失は，負荷電力の 2 乗に比例するので，1 日当たりの損失電力量 W_d は

$$W_d = 4.53 \times \left(\frac{800}{2\,000}\right)^2 \times 9 + 4.53 \times \left(\frac{2\,000}{2\,000}\right)^2 \times 3 + 4.53 \times \left(\frac{1\,000}{2\,000}\right)^2 \times 1$$
$$+ 4.53 \times \left(\frac{2\,000}{2\,000}\right)^2 \times 5 + 4.53 \times \left(\frac{800}{2\,000}\right)^2 \times 6$$
$$\fallingdotseq 48.24\ \mathrm{kW \cdot h}$$

1 年間の損失電力量 W_y は，

$$W_y = 365 \times W_d = 365 \times 48.24 \fallingdotseq 17\,608\ \mathrm{kW{\cdot}h} \fallingdotseq \mathbf{17.6}\ \mathrm{MW{\cdot}h}$$

3) 図 3 より，最大電力は 1 500 kW であるから，補償する無効電力 Q [kvar] は

$$Q = P\tan\theta = P\frac{\sin\theta}{\cos\theta} = P\frac{\sqrt{1-\cos^2\theta}}{\cos\theta} = 1\,500 \times \frac{\sqrt{1-0.9^2}}{0.9} \fallingdotseq \mathbf{726}\ \mathrm{kvar}$$

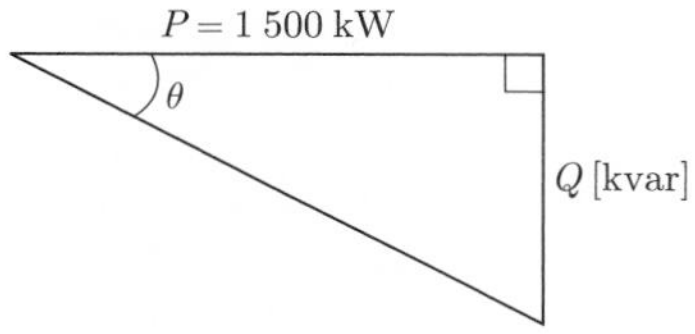

第 1 図

力率改善前後における線路損失電力量 W_L は，線電流の 2 乗に比例するので，添字の 1 を改善前，2 を改善後とすると次のように求まる．

$$\frac{W_{L2}}{W_{L1}} = \frac{RI_{l2}^2}{RI_{l1}^2} = \left(\frac{I_{l2}}{I_{l1}}\right)^2 = \left(\frac{\dfrac{P}{\sqrt{3}V_1\cos\theta_2}}{\dfrac{P}{\sqrt{3}V_1\cos\theta_1}}\right)^2 = \left(\frac{\cos\theta_1}{\cos\theta_2}\right)^2 = \left(\frac{0.9}{1}\right)^2 = 0.81 = \mathbf{81}\ \%$$

問題8

(1) 1 ― ス，2 ― エ，3 ― コ，4 ― キ，5 ― ウ

(2) 6 ― ク，7 ― サ，8 ― オ，9 ― コ，10 ― エ

(3) A ― 96.0，B ― 1.59，C ― 64.0，11 ― ア，12 ― エ

【指導】

⑴　配電設備の維持管理に必要な事項としては，保全管理や安全管理のほか電圧維持や負荷管理が重要である．電圧管理の具体的な事項としては，変圧器タップ電圧の適正選定や電圧変動抑制対策の実施などが挙げられる．変圧器タップ電圧は，一次側の電圧変動に応じて選定すると同時に，二次側の全電圧変動幅についても考慮し，二次側の無負荷電圧が**最高回路電圧を超過せず**，また，**全負荷時**電圧が負荷設備の許容電圧変動幅内にあるように選定する．

工場負荷の負荷管理は，デマンド制御と電力量管理に分けることができる．

デマンド制御とは，電気使用の便益を損なうことなく最大需要電力を**一定値以下に抑え**，負荷率の向上による電力設備（受電設備や配電設備など）の効率的運用と省エネルギー化を推進する手法である．従来は，デマンドメータを運転員が常時監視し，負荷を人為的に調整する措置が講じられてきたが，最近ではそれらを自動化するデマンド監視制御装置が多く使われている．いずれの場合も制御対象とする負荷の選択は，**重要度の低い**順とするようにし，あらかじめ設定しておく．

一方，電力量管理の目的は，工場や事業場の生産活動や業務活動を円滑に遂行し，経済的で合理的に電力を使用することで電力量の低減を図り，製品の**電力原単位**を下げることである．電力量の低減を図る方法としては，不要時の機器の空転の防止，機器の高効率運転，設備改善などが挙げられる．

ここで，デマンドとは30分間の使用電力量 [kW·h] を1時間換算した値である．つまり，30分間の電力量を2倍した値を「デマンド値 [kW]」という．

50 kW以上の業務用や高圧電力のデマンド契約をしている需要家は，過去1年間の最大デマンド値を元に契約電力を決定し，基本料金単価を乗じて基本料金が決定されている．

したがって，このデマンドを監視し，超過警報により手動で負荷を遮断する方法や自動負荷制御を使用し基本料金を下げることが可能となる．

⑵　工場配電設備での不測の停電は，生産機能の阻害・停止など，生産活動に大きな影響を及ぼすため，事故や故障による停電を未然に防止する目的で行う**保全管理**が重要となる．その一方で，工場内の系統に事故や故障が発生した際には，回路をできるだけ**狭い**範囲で素早く遮断し，工場内の他の回路や構外へ影響を波及させない方策を講じることも求められている．そのため，工場内系統の各回路に設置する保護リレーは，検出感度と**動作時限**を適切に整定することにより，回路間や電力会社の送配電線との保護協調をとらなければならない．一般的に，このような目的で用いられる保護リレーの方式としては**時限差継電方式**が採用さ

れる.

また，受電変圧器により電力系統と絶縁された工場内における**地絡**事故については，絶縁された回路単位で考えればよい．なお，低圧配電回路における**地絡**事故に関しては，感電災害や火災を防止する観点から，一般に電流動作形の漏電遮断器が用いられる.

保護リレー（保護継電器）は，電力系統や電力設備などで発生した地絡や短絡等の異常を短時間で検出し，事故発生箇所を健全部から切り離すために遮断器等に指令を出す装置である.

保護リレーの種類としては，電流継電器，電圧継電器，地絡継電器，周波数継電器，距離継電器等があり，電気設備の形態や保護範囲および保護協調により適切に選定され使用されている.

⑶　題意の内容を図にまとめると，**第1図**のようになる.

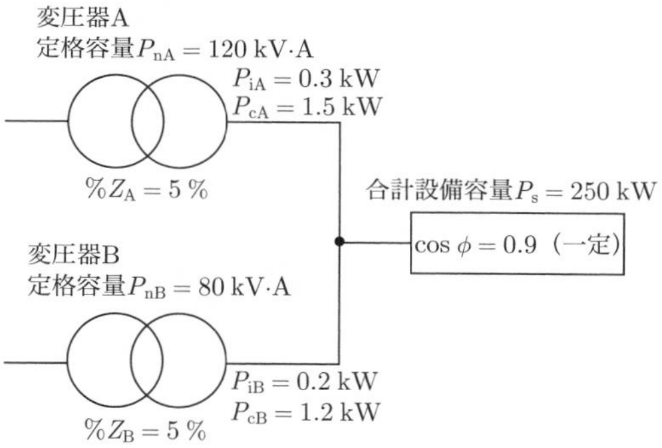

第1図　変圧器Aおよび変圧器Bの並列運転

さらに日負荷変動の図を**第2図**に示す.

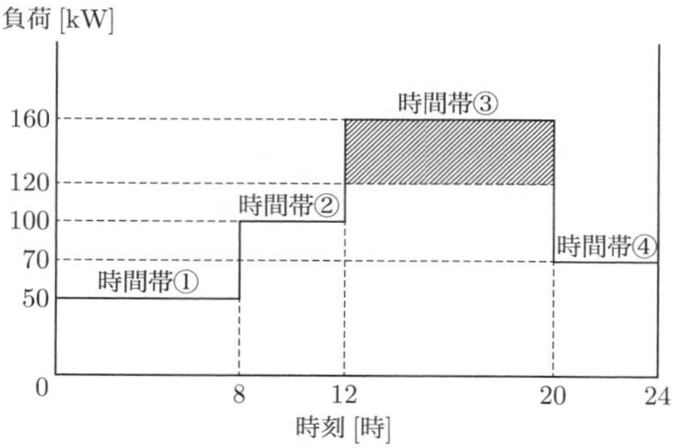

第2図　工場の日負荷変動

1)　第1図より，短絡インピーダンスはそれぞれの定格容量ベースであるため，基準容量 $P_{BB} = 120$ kV·A として，それぞれの短絡インピーダンスを算出する．

$$\%Z_A{}' = \%Z_A \times \frac{P_{BB}}{P_{nA}} = 5 \times \frac{120}{120} = 5\,\%$$

$$\%Z_B{}' = \%Z_B \times \frac{P_{BB}}{P_{nB}} = 5 \times \frac{120}{80} = 7.5\,\%$$

第2図の時間帯③の工場負荷電力は，$P_{③} = 160$ kW である．

変圧器Aが分担する負荷 $P_{A③}$は，

$$P_{A③} = P_{③} \times \frac{\%Z_B{}'}{\%Z_A{}' + \%Z_B{}'} = 160 \times \frac{7.5}{5 + 7.5} = \frac{1\,200}{12.5} = 96\ \text{kW} \Rightarrow \mathbf{96.0}\ \text{kW}$$

2)　第2図の時間帯②の工場負荷電力は，$P_{②} = 100$ kW であり，変圧器A単独での全電力損失 P_{lA} は，第1図および第2図より以下のようになる．

$$P_{lA} = P_{iA} + \left(\frac{\frac{P_{②}}{0.9}}{P_{nA}}\right)^2 \times P_{cA} = 0.3 + \left(\frac{\frac{100}{0.9}}{120}\right)^2 \times 1.5 = 1.586\ \text{kW} = \mathbf{1.59}\ \text{kW}$$

3)　需要率βは次式で表される．

$$\beta = \frac{\text{最大需要電力 } P_m}{\text{合計設備容量 } P_0} \times 100\ [\%]$$

第2図において，需要率βは，

$$\beta = \frac{160}{250} \times 100 = \mathbf{64}\,\%$$

4)　第2図の時間帯③における40 kWを時間帯①へシフトすると**第3図**のようになる．

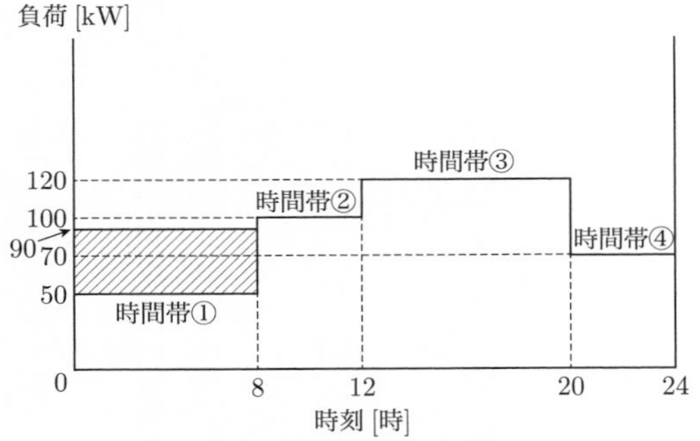

第3図　工場の日負荷変動（負荷シフト後）

第 3 図において，需要率 β' は,

$$\beta' = \frac{120}{250} \times 100 = 48\,\%$$

ほかの時間帯②および時間帯④へ負荷シフトした場合は，最大需要電力がそれぞれ 180 kW，150 kW となり，あきらかに第 2 図の需要率より大きくなる.

よって，**時間帯①**へ負荷シフトするのが需要率が最も小さいことがわかる.

また，第 3 図より，工場の最大需要電力が 120 kW となる．力率 90 % であるから，必要な容量 $P_{\rm H}$ は,

$$P_{\rm H} = \frac{120}{0.9} = 133.33\,\text{kV·A}$$

題意より，変圧器は過負荷運転はしないものとしているため，**変圧器 A と変圧器 B の両方**の変圧器を稼働しなければならない.

問題9

(1) 1 ― サ，2 ― エ，3 ― ア，4 ― セ，5 ― オ

(2) 6 ― オ，7 ― サ，8 ― ウ，9 ― イ，10 ― セ

(3) A ― 3.95，B ― 9.00，C ― 3.63，D ― 3.26，E ― 99.3

【指導】

(1) 理想的な変圧器では，巻線に正弦波電圧を加えたときに生じる誘導起電力は正弦波であり，この誘導起電力を生じさせるための主磁束も正弦波である．しかし，実際の電力用変圧器では，**磁路**として鉄心を用いている．この鉄心の磁化特性は一般に非直線性を示し，またヒ**ステリシス**があるため，巻線に正弦波電圧を加えたときの励磁電流は，多くの高調波成分を含んだものとなる.

高調波成分のうち**第 3** 調波の含有率は特に大きい．二つの巻線を有する三相結線の変圧器で一次，二次の両方または一方が △ 結線であると，励磁電流中で含有率の大きなこの高調波は巻線中の循環電流となって存在し，Y 結線の中性点が接地されていても線路に流出しない．磁束はひずまず，誘導起電力は正弦波となる．△ 結線がないと循環電流として流れる回路がないため，**電圧波形**がひずむ．これを避けるため，Y-Y 結線の電力用変圧器では，通常，**安定巻線**（内蔵 △）を設ける.

高調波とは,「ひずみ波交流のなかに含まれている,基本波の整数倍の周波数をもつ正弦波」と定義されている電流ひずみであり，電路や接続機器に悪影響を及ぼす性質がある.

したがって，わが国の電力系統では，高圧系統が 5 % 以内，特別高圧系統が 3 % 以内と

いう電圧総合ひずみ率を維持している．

(2) 同期電動機は，負荷の大きさにかかわらず常に一定の回転速度で運転することができる．また，**界磁**電流を増減することによって力率を任意に調整することができ，極数の多い**低速機**でも高い効率を維持することができる．一般的には直流励磁回路を必要とするが，これを必要としない**永久磁石式**電動機も採用されるようになってきた．この**永久磁石式**電動機は励磁損失が発生せず，**スリップリング**も不要となるため，高効率，高力率，低騒音などの特徴を有する．

回転界磁型同期機の種類としては，回転子磁極の構造により突極機と非突極機がある．前者の代表は**水車発電機**や同期電動機，後者の代表は蒸気タービン発電機である．

永久磁石式同期電動機（PMSモータ）は，回転子（界磁）に永久磁石を使用した同期電動機である．特徴を以下に示す．

① 二次銅損がないため，高効率であり，小形軽量が可能となる．

② 整流子・ブラシ・界磁励磁回路およびスリップリングがなく保守が容易である．

③ 界磁温度上昇に対する保護装置が不要である．ただし，永久磁石がキュリー温度に近づくと保磁力が弱まるため注意が必要である．

④ 速度制御精度が高い．

⑤ 専用の可変電圧可変周波数制御インバータが必要である．

⑥ 回転子位置をマイクロコントローラにて演算しているため，高慣性・高トルク負荷の場合，脱調のため起動不能になるため注意する必要がある．

(3) 題意を図にまとめたものを**第1図**に示す．

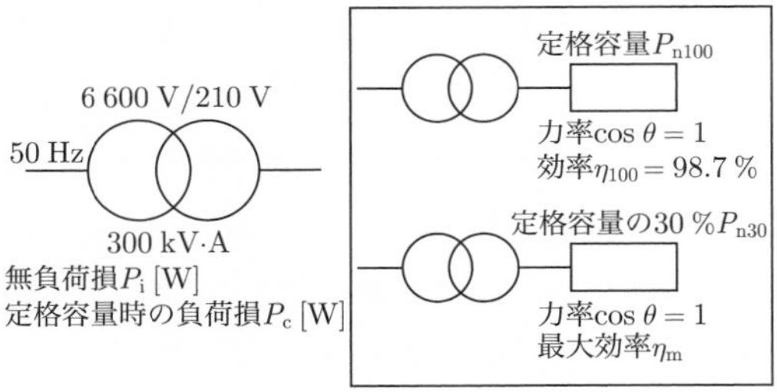

第1図 三相変圧器の概要

1) 第1図より，定格容量 P_{n} 時の効率η_{100} は，変圧器損失 P_{l} とすると次のようになる．ここで，変圧器損失は次式となる．

$$P_{\mathrm{l}} = P_{\mathrm{i}} + \alpha^2 P_{\mathrm{c}} \ (\alpha = \text{負荷率}) \qquad ①$$

$$\eta_{100}=\frac{P_{\mathrm{n}}}{P_{\mathrm{n}}+P_{\mathrm{i}}+\alpha^2P_{\mathrm{c}}}\,[\%]$$

$$98.7\,\%=\frac{300\times10^3}{300\times10^3+P_{\mathrm{i}}+\alpha^2P_{\mathrm{c}}}$$

$0.987\times(300\times10^3+P_{\mathrm{i}}+P_{\mathrm{c}})=300\times10^3$

$296.1\times10^3+0.987(P_{\mathrm{i}}+P_{\mathrm{c}})=300\times10^3$

$0.987(P_{\mathrm{i}}+P_{\mathrm{c}})=3.9\times10^3$

$P_{\mathrm{i}}+P_{\mathrm{c}}=3.951\,36\times10^3\ \mathrm{W}$ ②

$\fallingdotseq \mathbf{3.95}\times10^3\ \mathrm{W}$

2)　定格容量 30 % で力率 1 のときが最高効率となる．よって，鉄損 P_{i} = 負荷損 αP_{c} が成り立つ．

$P_{\mathrm{i}}=\alpha^2P_{\mathrm{c}}$

$P_{\mathrm{i}}=0.3^2P_{\mathrm{c}}=0.09P_{\mathrm{c}}=9\times10^{-2}\times P_{\mathrm{c}}$ ③

$=\mathbf{9.00\times10^{-2}\times P_c}\ [\mathrm{W}]$

③式を②式に代入すると，

$0.09P_{\mathrm{c}}+P_{\mathrm{c}}=3.951\,36\times10^3\ \mathrm{W}$

$1.09P_{\mathrm{c}}=3.951\,36\times10^3$

$\therefore\ P_{\mathrm{c}}=3.625\,1\times10^3$ ④

$\fallingdotseq \mathbf{3.63\times10^3}\ \mathrm{W}$

④式を③式に代入すると，

$P_{\mathrm{i}}=0.09\times3.625\,1\times10^3=0.326\,259\times10^3$

$=326.259\fallingdotseq\mathbf{3.26\times10^2}\ \mathrm{W}$

3)　最大効率 η_{m} は，

$$\eta_{\mathrm{m}}=\frac{0.3\times300\times10^3}{0.3\times300\times10^3+2\times0.326\,259\times10^3}=\frac{90}{90+0.652\,518}$$

$\fallingdotseq 0.992\,802\fallingdotseq\mathbf{99.3\,\%}$

ここで，鉄損 P_{i} = 負荷損 αP_{c} であり，全損失は，$2P_{\mathrm{i}}$ と算出して計算している．

問題10

(1)　1―エ，2―キ，3―ウ，4―エ，5―ア，6―エ，7―イ

(2)　8―ア，9―ク，10―オ，11―エ，12―ア

(3)　A―900，B―863，C―4.1，D―6.1，E―563

【指導】

(1)　三相同期発電機の特性を以下に示す.

1)　無負荷飽和曲線は，同期発電機を**定格回転速度**にして無負荷で運転し，界磁電流を零から徐々に増加させたときの端子電圧と界磁電流との関係を表したものである.端子電圧は，界磁電流が小さい範囲では**界磁電流にほぼ比例**するが，界磁電流がさらに増加すると，**磁気飽和**が生じて端子電圧は飽和特性を示す.

2)　三相短絡曲線は，同期発電機の電機子巻線の三相の出力端子を短絡し，定格回転速度で運転して，界磁電流を零から徐々に増加させたときの電機子電流と界磁電流との関係を表したものである．この関係は電機子反作用によって磁束が打ち消されるので飽和することなく，**ほぼ直線**となる.

3)　外部特性曲線は，同期発電機を定格回転速度で運転し，**界磁電流**を一定に保って，負荷力率を一定にして負荷電流を変化させた場合の端子電圧と負荷電流との関係を表したものである．この曲線は負荷力率によって形が変化する.

4)　無負荷飽和曲線で無負荷定格電圧を発生するのに必要な界磁電流を I_{f1}，三相短絡曲線で定格電流に等しい電流を発生するのに必要な界磁電流を I_{f2} とすると，両者の比 $K_s\left(=\dfrac{I_{f1}}{I_{f2}}\right)$ は**短絡比**となる．同期発電機の K_s は，単位法で表した直軸**同期インピーダンス**の逆数となる.

三相同期発電機の無負荷飽和曲線と三相短絡曲線を**第1図**に示す.

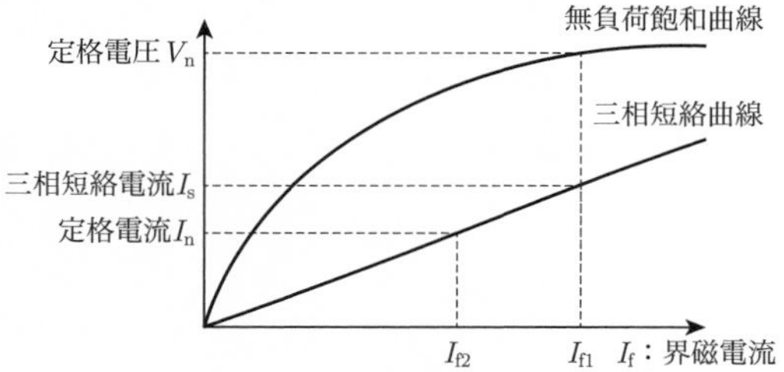

第1図　無負荷飽和曲線と三相短絡曲線

第1図より，短絡比 K_s は次式で表される.

$$K_s=\frac{I_{f1}}{I_{f2}}=\frac{I_s}{I_n} \qquad ①$$

次に，同期インピーダンス Z_s は，

$$Z_s = \frac{V_n}{\sqrt{3} \times I_s} [\Omega] \quad ②$$

また，単位法の同期インピーダンス Z_{spu} は，

$$Z_{spu} = \frac{Z_s I_n}{\frac{V_n}{\sqrt{3}}} \quad ③$$

と表される．

③式に②式を代入すると次式となる．

$$Z_{spu} = \frac{\frac{V_n}{\sqrt{3}} \times \frac{I_n}{I_s}}{\frac{V_n}{\sqrt{3}}} = \frac{I_n}{I_s} \quad ④$$

④式に①式を代入すると，

$$Z_{spu} = \frac{I_n}{I_s} = \frac{1}{K_s}$$

となり，単位法で表した直軸同期インピーダンスの逆数となることがわかる．

(2)　サイリスタ Th_5 と Th_6 が**オン**状態にあるときに，サイリスタ Th_1 に点弧信号を与える場合，u 相電圧 v_u の値が w 相電圧 v_w の値より**高くなる**範囲であれば，Th_1 がターンオンして**転流**が行われ，Th_5 がターンオフする．

題意のサイリスタを用いた三相ブリッジ整流回路より電圧波形および電流波形を描くと**第 2 図**に示すようになる．

第 2 図より，Th_5 および Th_6 が ON 状態（Ⓒ状態）のときの電圧を見ると，v_u の値が v_w の値より高くなる位置（Ⓐ状態）であることがわかる．また，Ⓑを転流という．

2)　横軸を位相角 θ とした三相ブリッジ整流動作波形において，v_u と v_w の波形が交わる点からサイリスタ Th_1 に点弧信号を与えるまでの角度 α を制御**遅れ角**と呼ぶ．

3)　対称三相正弦波交流電源の線間電圧（実効値）を V とし，転流リアクタンスによる電圧降下を無視した場合，直流電圧 v_d の平均値 V_d（直流平均電圧）は次式で与えられる．

$$V_d = \frac{3\sqrt{2}}{\pi} V \times \cos \boldsymbol{\alpha} \quad ⑤$$

⑤式は，近似式 $V_d = 1.35 V \times \cos \boldsymbol{\alpha}$ が汎用的に用いられる．

第 2 図の波形の一部を**第 3 図**に示す．

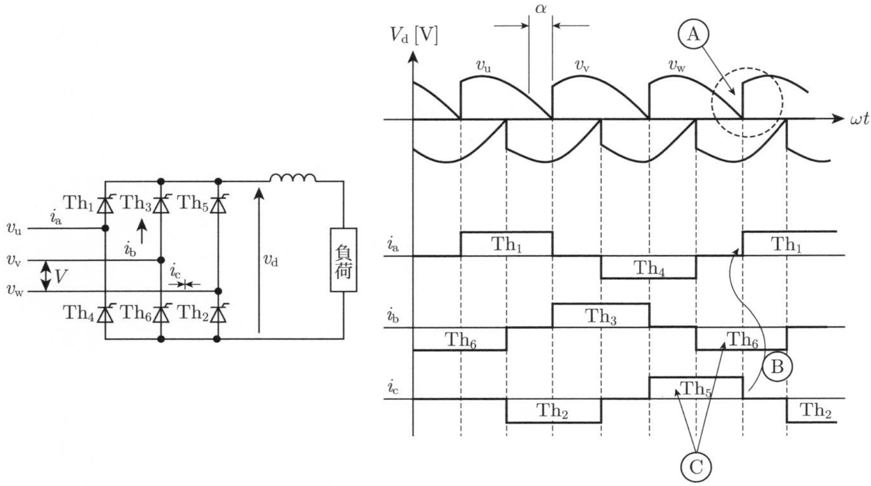

第2図　三相ブリッジ整流回路と波形例

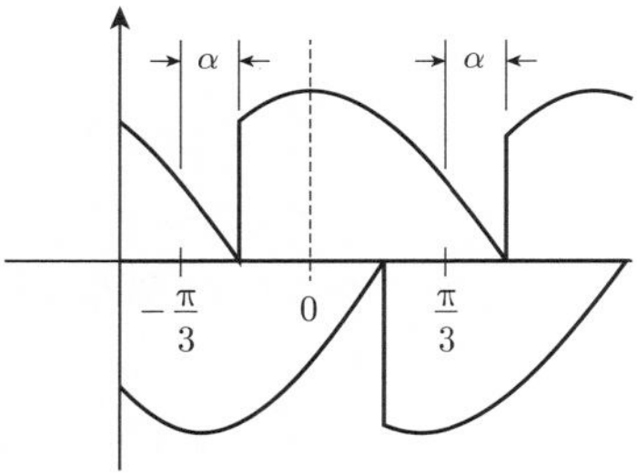

第3図　拡大波形

第2図および第3図より，対地電圧を E [V]，線間電圧を V [V] としたとき，直流電圧の平均値 V_{d}（＋と－で2倍している）は，

$$V_{\mathrm{d}}=\frac{2}{\dfrac{2\pi}{3}}\int_{-\frac{\pi}{3}+\alpha}^{\frac{\pi}{3}+\alpha}\sqrt{2}E\cos\theta\,\mathrm{d}\theta=\frac{3\sqrt{2}E}{\pi}\Big[\sin\theta\Big]_{-\frac{\pi}{3}+\alpha}^{\frac{\pi}{3}+\alpha}$$

$$=\frac{3\sqrt{2}E}{\pi}\left[\sin\left(\frac{\pi}{3}+\alpha\right)-\sin\left(-\frac{\pi}{3}+\alpha\right)\right]=\frac{3\sqrt{2}E}{\pi}\left[2\sin 60^{\circ}\cos\alpha\right]$$

$$=\frac{3\sqrt{2}E}{\pi}\times\sqrt{3}\cos\alpha=\frac{3\sqrt{2}}{\pi}V\cos\alpha\,[\mathrm{V}] \qquad ⑥$$

⑥式を解くと，

$V_{\mathrm{d}} \fallingdotseq 1.35\,V\cos\alpha\,[\mathrm{V}]$

(3) 題意の内容をまとめると**第 4 図**のようになる．

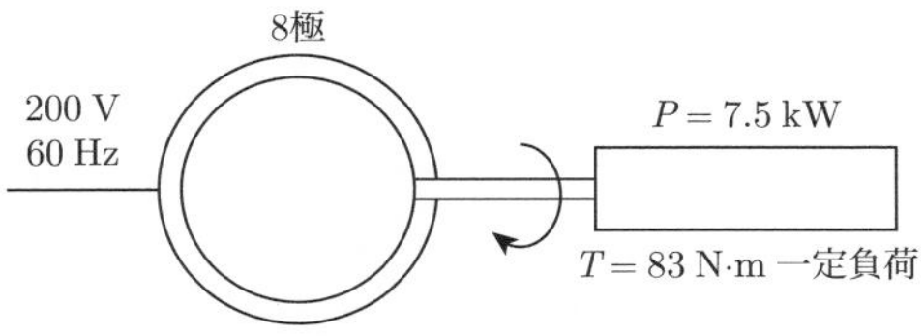

第 4 図 三相誘導電動機

1) 第 4 図より，周波数を f[Hz]，極数を p とすると同期速度 N_{s} [min^{-1}] は，

$$N_{\mathrm{s}} = \frac{120f}{p} = \frac{120\times 60}{8} = \mathbf{900}\ \mathrm{min}^{-1} \qquad ⑦$$

次に角速度を ω [rad/s] とすると，出力 P [W] とトルク T [N·m] には次の関係がある．

$$P = \omega T\ [\mathrm{W}] \qquad ⑧$$

⑧式を変形すると，

$$\omega = 2\pi\frac{N}{60} = \frac{P}{T}$$

$$N = \frac{60P}{2\times 3.14T} = \frac{60\times 7\,500}{2\times 3.14\times 83} = 863.325\,9 \fallingdotseq \mathbf{863}\ \mathrm{min}^{-1} \qquad ⑨$$

㊟ 題意より，$\pi = 3.14$ と解くように指示があり，3.141 59 等を入力しないようにする．

滑り s は，①値と③値を代入すると，

$$s = \frac{N_{\mathrm{s}} - N}{N_{\mathrm{s}}} = \frac{900 - 863.325\,9}{900} = 0.040\,749 \fallingdotseq \mathbf{4.1}\times 10^{-2}$$

2) 一次周波数 40 Hz の場合の滑りを s' と置いて，滑り周波数（$s\times f$）は常に一定である条件より次式が成り立つ．

$$0.040\,749 \times 60 = s' \times 40$$

$$s' = \frac{0.040\,749\times 60}{40} = 0.061\,123\,5 \fallingdotseq \mathbf{6.1}\times 10^{-2}$$

滑り s' のときの同期速度を N_{s}'，回転速度を N' とすると，

$$N' = N_{\mathrm{s}}'(1-s') = \frac{120\times 40}{8}(1-0.061\,123\,5) = 600\times(1-0.061\,123\,5)$$

$$= 563.325\,9 \fallingdotseq \mathbf{563}\ \mathrm{min}^{-1}$$

問題11　(1)　1―ア，2―エ，3―エ，4―オ，5―イ，6―ア，7―オ
(2)　8―イ，9―イ，10―キ，11―ア，12―キ，13―ア

【指導】

(1)　1)　図1より，微小距離 Δl は半径 r と回転角 $\Delta\theta$ で表すと，

$$\Delta l = \boldsymbol{r\Delta\theta} \tag{①}$$

質点の速度 v [m/s] は，題意の式に回転角速度 ω の式と①式を代入すると，

$$v = \lim_{\Delta t \to 0} \frac{\Delta l}{\Delta t} = \lim_{\Delta t \to 0} \frac{r\Delta\theta}{\Delta t} = r \lim_{\Delta t \to 0} \frac{\Delta\theta}{\Delta t} = r\omega \Rightarrow \boldsymbol{v = r\omega}\,[\mathrm{m/s}] \tag{②}$$

2)　質点の運動方程式 F [N] は，質量 m，加速度 α を用いて表すと，

$$F = m\alpha = m\frac{\mathrm{d}v}{\mathrm{d}t}$$

上式に②式を代入すると，

$$F = m\frac{\mathrm{d}v}{\mathrm{d}t} = m\frac{\mathrm{d}}{\mathrm{d}t}r\omega = \boldsymbol{mr\frac{\mathrm{d}\omega}{\mathrm{d}t}}\,[\mathrm{N}] \tag{③}$$

質点に加わるトルク T [N·m]（$T = Fr$）に③式を代入すると，

$$T = Fr = \boldsymbol{mr^2\frac{\mathrm{d}\omega}{\mathrm{d}t}}\,[\mathrm{N\cdot m}] \tag{④}$$

④式中の $\boldsymbol{mr^2}$ は質点と回転軸との距離が決まれば一定値となる．これを質点 m の軸に対する慣性モーメント（J）という．

つまり，$J = mr^2$ と表され，次式が成り立つ．

$$T = J\frac{\mathrm{d}\omega}{\mathrm{d}t}\,[\mathrm{N\cdot m}] \tag{⑤}$$

3)　直線運動の動力 $P = Fv$ より，

$$P = Fv = F\omega r = Fr\omega = \boldsymbol{T\omega}\,[\mathrm{W}] \tag{⑥}$$

回転運動の運動エネルギー A は，直線運動エネルギー $A' = \frac{1}{2}mv^2$ に等しい．したがって，運動エネルギー A は

$$A = A' = \frac{1}{2}mv^2 = \frac{1}{2}m(r^2\omega^2) = \boldsymbol{\frac{1}{2}J\omega^2}\,[\mathrm{J}] \tag{⑦}$$

【参考】　運動エネルギー A には，次のような関係式が成り立つ．

$$\Delta A = P\Delta t = \omega T\Delta t = \omega J\,\frac{\Delta\omega}{\Delta t}\,\Delta t$$

$$\therefore\quad \Delta A = \omega J\Delta\omega \qquad ⑧$$

⑧式を0からωまで積分すると，

$$A = \int_0^{\omega}\omega J\Delta\omega = J\int_0^{\omega}\omega\Delta\omega = J\left[\frac{\omega^2}{2}\right]_0^{\omega} = \frac{1}{2}\,J\omega^2\ [\mathrm{J}] \qquad ⑨$$

(2) 題意の内容を**第1図**に示す．

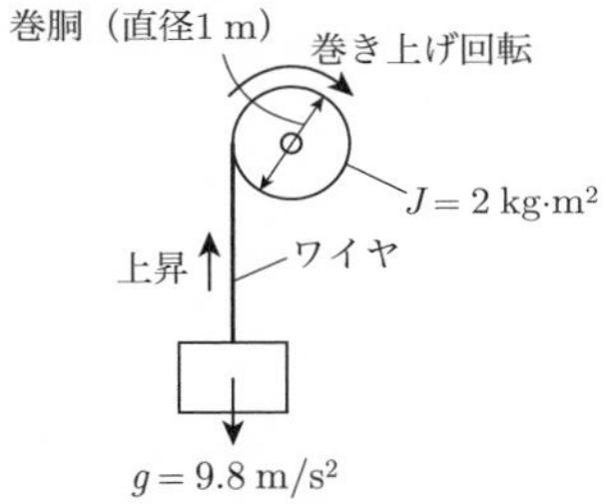

第1図

1) 第1図より，$m = 60$ kgの吊り荷が静止しているときにおいても重力がかかっているため，下方向にかかる力F[N]は，

$$F = mg = 60\times 9.8 = 588\ \mathrm{N}$$

巻胴の半径をr[m]としたとき，回転軸にかかるトルクτ_1 [N·m]は，

$$\tau_1 = Fr = mgr = 588\times 0.5 = \mathbf{294}\ \mathrm{N\cdot m}$$

となる．

2) 半径r[m]の巻胴を角速度ω [rad/s]で回転させたとき，上方へ移動する速度v[m/s]は，

$$v = \omega r = 1\times 0.5 = \mathbf{0.5\ m/s}$$

このとき電動機の出力P[W]は，

$$P = Fv = 588\times 0.5 = \mathbf{294}\ \mathrm{W}$$

3) 角加速度β [rad/s^2]は，

$$\beta = \frac{\mathrm{d}\omega}{\mathrm{d}t} = \frac{\mathrm{d}\,\dfrac{v}{r}}{\mathrm{d}t} = \frac{1}{r}\times\frac{\mathrm{d}v}{\mathrm{d}t} = \frac{1}{r}\times\alpha \qquad ⑩$$

⑩式に数値を代入すると，

$$\beta = \frac{\alpha}{r} = 4 = \frac{\alpha}{0.5} \Rightarrow \boldsymbol{\alpha = 2}\ \mathrm{m/s^2} \qquad ⑪$$

次に吊り荷を支えるためのトルクτ_1は，上記1)より，

$$\tau_1 = 294\ \mathrm{N{\cdot}m} \qquad ⑫$$

である．

また，吊り荷の加速上昇で生じるトルクτ_2は，⑪式を代入すると，

$$\tau_2 = Fr = m\alpha r = 60 \times 2 \times 0.5 = 60\ \mathrm{N{\cdot}m} \qquad ⑬$$

さらに，巻胴が慣性モーメントを有することから，巻胴の加速回転に必要なトルクτ_3は，以下のようになる．

$$\tau_3 = J\frac{\mathrm{d}\omega}{\mathrm{d}t} = J\beta = 2 \times 4 = 8\ \mathrm{N{\cdot}m} \qquad ⑭$$

したがって，巻胴の回転軸の所要トルクτは，⑫式＋⑬式＋⑭式であるから，

$$\tau = \tau_1 + \tau_2 + \tau_3$$

$$\therefore\ \tau = 294 + 60 + 8 = \mathbf{362}\ \mathrm{N{\cdot}m}$$

4)　吊り荷を下降させる場合のトルクτ'は，

$$\tau' = \tau_1 - \tau_2 - \tau_3$$

$$\therefore\ \tau' = 294 - 60 - 8 = 226\ \mathrm{N{\cdot}m} \qquad ⑮$$

このとき，電動機の所要トルクτ_{m}'は，減速比が$\frac{1}{10}$であることを考慮すると，

$$\tau_{\mathrm{m}}' = \frac{1}{10} \times \tau' = \frac{1}{10} \times 226 = \mathbf{22.6}\ \mathrm{N{\cdot}m}$$

問題12

(1)　1—ケ，2—ウ，3—ア，4—カ，5—ス

(2)　6—ケ，7—ク，8—カ，9—キ，10—ア，11—ウ，12—イ，13—イ，14—ケ

【指導】

(1)　走行距離X[m]は，問題の図の台形の面積と等しい．よって，

$$X = \int_0^T v\,\mathrm{d}t = \frac{1}{2}v_{\mathrm{m}}t_{\mathrm{a}} + v_{\mathrm{m}}(T - 2t_{\mathrm{a}}) + \frac{1}{2}v_{\mathrm{m}}t_{\mathrm{a}}\ [\mathrm{m}]$$

$$= v_{\mathrm{m}}t_{\mathrm{a}} + v_{\mathrm{m}}T - 2v_{\mathrm{m}}t_{\mathrm{a}}$$

$$\therefore\ X = \boldsymbol{v_{\mathrm{m}}(T - t_{\mathrm{a}})} \qquad ④$$

走行期間中に供給されるエネルギー E_0 [J] は，題意より以下のようになる．

$$E_0 = \int_0^T f_{\rm M} v \, {\rm d}t = \int_0^T f_{\rm L} v \, {\rm d}t \quad ⑤$$

問題の図の $0 \sim t_{\rm a}$ の加速区間を拡大したものを**第1図**に示す（減速区間も同様）．

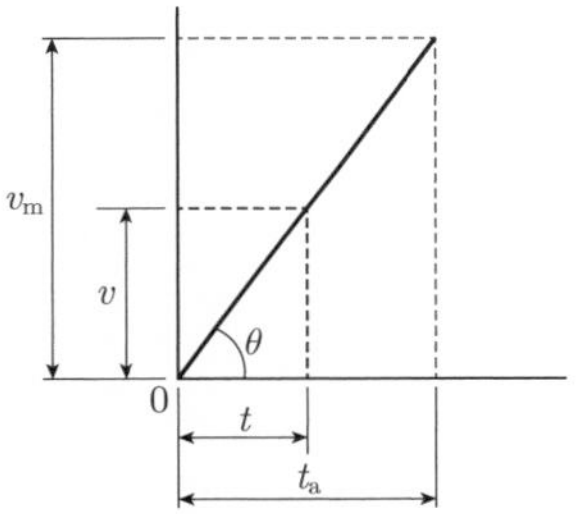

第1図　加速区間

第1図より，次の式が成り立つ．

$$\tan\theta = \frac{v}{t} = \frac{v_{\rm m}}{t_{\rm a}}$$

$$v = \frac{v_{\rm m}}{t_{\rm a}} t \quad ⑤'$$

0から $t_{\rm a}$ までの区間のエネルギー E_{01} [J] は，③式および⑤′式を代入すると，

$$E_{01} = \int_0^{t_{\rm a}} f_{\rm L} v \, {\rm d}t = \int_0^{t_{\rm a}} \left(C_{\rm rr} mg + \frac{1}{2} \rho v^2 C_{\rm d} A \right) v \, {\rm d}t$$

$$= \int_0^{t_{\rm a}} C_{\rm rr} mgv \, {\rm d}t + \int_0^{t_{\rm a}} \frac{1}{2} \rho v^3 C_{\rm d} A \, {\rm d}t = C_{\rm rr} mg \int_0^{t_{\rm a}} v \, {\rm d}t + \frac{1}{2} \rho C_{\rm d} A \int_0^{t_{\rm a}} v^3 \, {\rm d}t$$

$$= \frac{C_{\rm rr} mgv_{\rm m}}{t_{\rm a}} \int_0^{t_{\rm a}} t \, {\rm d}t + \frac{\rho C_{\rm d} A {v_{\rm m}}^3}{2{t_{\rm a}}^3} \int_0^{t_{\rm a}} t^3 \, {\rm d}t$$

$$= \frac{C_{\rm rr} mgv_{\rm m}}{t_{\rm a}} \left[\frac{t^2}{2} \right]_0^{t_{\rm a}} + \frac{\rho C_{\rm d} A {v_{\rm m}}^3}{2{t_{\rm a}}^3} \left[\frac{t^4}{4} \right]_0^{t_{\rm a}} = \frac{C_{\rm rr} mgv_{\rm m} t_{\rm a}}{2} + \frac{\rho C_{\rm d} A {v_{\rm m}}^3 t_{\rm a}}{8}$$

$$= \left(\mathbf{\frac{1}{2}} \times C_{\rm rr} mgv_{\rm m} + \mathbf{\frac{1}{8}} \times \rho C_{\rm d} A {v_{\rm m}}^3 \right) t_{\rm a} \quad ⑥$$

次に $t_{\rm a}$ から $T - t_{\rm a}$ までの区間のエネルギー E_{02} [J] は，題意より以下のようになる．

$$E_{02} = \int_{t_{\rm a}}^{T - t_{\rm a}} f_{\rm L} v \, {\rm d}t = \left(C_{\rm rr} mgv_{\rm m} + \frac{1}{2} \rho C_{\rm d} A {v_{\rm m}}^3 \right) (T - 2t_{\rm a}) \quad ⑦$$

⑤式に⑥式，⑦式および④式を代入すると，

$$E_0 = \int_0^T f_{\mathrm{L}} v \, \mathrm{d}t = ⑥式 \times 2 + ⑦式$$

$$= \left(C_{\mathrm{rr}} mgv_{\mathrm{m}} t_{\mathrm{a}} + \frac{1}{4}\rho C_{\mathrm{d}} A {v_{\mathrm{m}}}^3 t_{\mathrm{a}}\right) + \left(C_{\mathrm{rr}} mgv_{\mathrm{m}} + \frac{1}{2}\rho C_{\mathrm{d}} A {v_{\mathrm{m}}}^3\right)(T - 2t_{\mathrm{a}})$$

$$= C_{\mathrm{rr}} mgv_{\mathrm{m}} t_{\mathrm{a}} + \frac{1}{4}\rho C_{\mathrm{d}} A {v_{\mathrm{m}}}^3 t_{\mathrm{a}} - 2C_{\mathrm{rr}} mgv_{\mathrm{m}} t_{\mathrm{a}} - \rho C_{\mathrm{d}} A {v_{\mathrm{m}}}^3 t_{\mathrm{a}} + C_{\mathrm{rr}} mgv_{\mathrm{m}} T$$

$$+ \frac{1}{2}\rho C_{\mathrm{d}} A {v_{\mathrm{m}}}^3 T$$

$$= C_{\mathrm{rr}} mgv_{\mathrm{m}}(T - t_{\mathrm{a}}) + \frac{1}{2}\rho C_{\mathrm{d}} A {v_{\mathrm{m}}}^3 T - \frac{3}{4}\rho C_{\mathrm{d}} A {v_{\mathrm{m}}}^3 t_{\mathrm{a}}$$

$$= C_{\mathrm{rr}} mgv_{\mathrm{m}}(T - t_{\mathrm{a}}) + \frac{1}{2}\rho C_{\mathrm{d}} A {v_{\mathrm{m}}}^2 \left(v_{\mathrm{m}} T - \frac{3}{2} v_{\mathrm{m}} t_{\mathrm{a}}\right)$$

$$= C_{\mathrm{rr}} mgv_{\mathrm{m}}(T - t_{\mathrm{a}}) + \frac{1}{2}\rho C_{\mathrm{d}} A {v_{\mathrm{m}}}^2 \left\{v_{\mathrm{m}}(T - t_{\mathrm{a}}) - \frac{1}{2} v_{\mathrm{m}} t_{\mathrm{a}}\right\}$$

$$= C_{\mathrm{rr}} mg \times \boldsymbol{X} + \frac{1}{2}\rho C_{\mathrm{d}} A {v_{\mathrm{m}}}^2 \times \left(\boldsymbol{X} - \frac{\boldsymbol{1}}{\boldsymbol{2}} \boldsymbol{v}_{\mathbf{m}} \boldsymbol{t}_{\mathbf{a}}\right) \quad ⑧$$

(2) 1) 流体が回転軸方向から羽根車の羽根に流入し，回転軸方向に流出するポンプを**軸流**ポンプという．

2) 流体が回転軸方向から羽根車の羽根に流入し，半径方向に流出するポンプを**遠心**ポンプという．このうち，羽根車の外周に案内羽根を有するものを**ディフューザ**ポンプ，有しないものを**渦巻**ポンプという．これらのポンプでは羽根車の遠心力によって流体に圧力水頭と速度水頭を与え，その後，案内羽根を有するポンプでは案内羽根と渦形室により，有しないポンプでは渦形室のみにより，速度水頭を圧力水頭に変える．

3) 一般に，2台のポンプが幾何学的に相似で内部流れが相似などの一定条件を満たして運転しているとき，ポンプ間の流量比は，回転速度比の**1**乗と羽根車の径の比の**3**乗に比例し，揚程比は回転速度比の**2**乗と羽根車の径の比の**2**乗に比例するという関係が成り立つ．これらを相似則と呼ぶ．

2台のポンプを幾何学的に相似したものを**第2図**に示す．

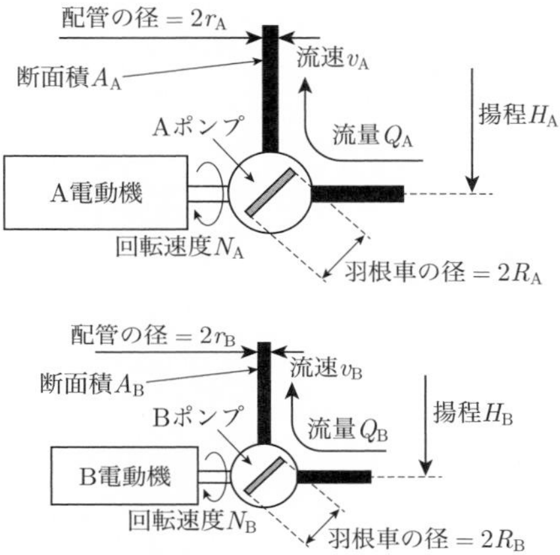

第2図　2台のポンプ（相似）

第2図より，流量 Q [m³/s] は断面積 A [m²] と流速 v [m/s] から次式で表される．

$$Q = Av\ [\mathrm{m^3/s}] \quad ⑨$$

⑨式において A ポンプと B ポンプの流量は，

$$Q_A = A_A v_A = \pi {r_A}^2 \times 2\pi \frac{N_A}{60} r_A\ [\mathrm{m^3/s}]$$

$$Q_B = A_B v_B = \pi {r_B}^2 \times 2\pi \frac{N_B}{60} r_B\ [\mathrm{m^3/s}]$$

ここで，配管の径（$2r$）= 比例係数 $K \times$ 羽根車の径（$2R$）とおくと，

$$Q_A = A_A v_A = \pi K{R_A}^2 \times 2\pi \frac{N_A}{60} KR_A\ [\mathrm{m^3/s}] \quad ⑩$$

$$Q_B = A_B v_B = \pi K{R_B}^2 \times 2\pi \frac{N_B}{60} KR_B\ [\mathrm{m^3/s}] \quad ⑪$$

Q_A と Q_B の関係式は次のようになる．

$$\frac{Q_A}{Q_B} = \frac{\pi K{R_A}^2 \times 2\pi \dfrac{N_A}{60} KR_A}{\pi K{R_B}^2 \times 2\pi \dfrac{N_B}{60} KR_B} = \frac{N_A {R_A}^3}{N_B {R_B}^3}$$

$$Q_A = Q_B \times \frac{N_A}{N_B} \times \frac{{R_A}^3}{{R_B}^3} \quad ⑫$$

⑫式より，流量 Q は，回転速度の 1 乗に比例し，羽根車の 3 乗に比例する．

次に，流速 v [m/s] は係数 c と重力加速度 g [m/s²] および揚程 H [m] から次式で表される．

$$v = c\sqrt{2gH}\ \text{[m/s]} \quad ⑬$$

⑬式において A ポンプと B ポンプの流速は，

$$v_{\mathrm{A}} = c\sqrt{2gH_{\mathrm{A}}}\ \text{[m/s]} \quad ⑭$$

$$v_{\mathrm{B}} = c\sqrt{2gH_{\mathrm{B}}}\ \text{[m/s]} \quad ⑮$$

また，流速 v [m/s] は⑩式および⑪式より，

$$v_{\mathrm{A}} = 2\pi\frac{N_{\mathrm{A}}}{60}KR_{\mathrm{A}}\ \text{[m/s]} \quad ⑯$$

$$v_{\mathrm{B}} = 2\pi\frac{N_{\mathrm{B}}}{60}KR_{\mathrm{B}}\ \text{[m/s]} \quad ⑰$$

とも表される．

上記⑭式〜⑰式より

$$\frac{v_{\mathrm{A}}}{v_{\mathrm{B}}} = \frac{⑭式}{⑮式} = \frac{⑯式}{⑰式}$$

が成り立つ．よって，

$$\frac{v_{\mathrm{A}}}{v_{\mathrm{B}}} = \frac{c\sqrt{2gH_{\mathrm{A}}}}{c\sqrt{2gH_{\mathrm{B}}}} = \frac{2\pi\frac{N_{\mathrm{A}}}{60}KR_{\mathrm{A}}}{2\pi\frac{N_{\mathrm{B}}}{60}KR_{\mathrm{B}}} \quad ⑱$$

さらに⑱式を変形すると以下のとおりとなる．

$$\sqrt{\frac{H_{\mathrm{A}}}{H_{\mathrm{B}}}} = \frac{N_{\mathrm{A}}R_{\mathrm{A}}}{N_{\mathrm{B}}R_{\mathrm{B}}}$$

$$\frac{H_{\mathrm{A}}}{H_{\mathrm{B}}} = \left(\frac{N_{\mathrm{A}}}{N_{\mathrm{B}}}\right)^2 \times \left(\frac{R_{\mathrm{A}}}{R_{\mathrm{B}}}\right)^2$$

$$\therefore\ H_{\mathrm{A}} = H_{\mathrm{B}} \times \left(\frac{N_{\mathrm{A}}}{N_{\mathrm{B}}}\right)^2 \times \left(\frac{R_{\mathrm{A}}}{R_{\mathrm{B}}}\right)^2 \quad ⑲$$

⑲式より，揚程 H は，回転速度の 2 乗に比例し，羽根車の 2 乗に比例する．

4)　ポンプの比速度 n_{s} は，最高効率点での揚程を H，流量を Q，回転速度を n とすると，$n_{\mathrm{s}} = n\dfrac{\sqrt{Q}}{H^{\frac{3}{4}}}$ で定義される．これは羽根車を相似形で拡大縮小して大きさを変え，単位揚程，

単位流量を発生させたときの回転速度を表している．比速度は，大流量で低揚程のものほど大きく，小流量で高揚程のものほど小さい．1)および2)で記述したポンプのうち，比速度の最も大きいものは**軸流**ポンプである．また相似則を用いると，比速度は羽根車の径によらず一定となることが示される．要求される流量および揚程から比速度を求めることで，適切なポンプの種類を選定することができる．

・渦巻ポンプ

遠心ポンプの一種で案内羽根を有さない．遠心ポンプは，回転する羽根車の遠心力により流体に速度エネルギーと圧力エネルギーを与える．

・ディフューザポンプ

遠心ポンプの一種で羽根車の周囲に案内羽根を設け，案内羽根の作用で速度エネルギーを効率良く圧力エネルギーに変換するもので，渦巻ポンプより高圧力が得られる．

・斜流ポンプ

羽根車から吐き出される流れが主軸を中心とする円錐面上にあり，羽根車の遠心力および羽根車の揚力により流体に速度エネルギーと圧力エネルギーを与える．

・軸流ポンプ

羽根車がプロペラ形で，羽根の揚力により流体に速度エネルギーと圧力エネルギーを与える．

また，比速度は，大容量で小揚程（軸流ポンプ等）のものほど大きく，小容量で高揚程（ディフューザポンプ等）になるほど小さい．

解答
指導

問題13

(1)　1—ウ，2—ク，3—エ，4—イ，5—エ，6—エ，7—カ，8—ウ，9—ケ，10—エ

(2)　11—イ，12—ク，13—コ，14—ケ

【指導】

(1)　1)　間接抵抗加熱方式は**発熱体**と呼ばれる熱源から主として放射，**対流**により被加熱物に伝熱させるもので，抵抗炉に広く使われている方式である．間接抵抗加熱方式に用いられる**発熱体**の素材として望まれる主な性質としては，抵抗率が大きいこと，高温での変形が少ないこと，加工が容易であること，高温で耐酸化性が高いこと，抵抗の**温度係数**が小さいことなどが挙げられる．

2)　直接抵抗加熱方式は被加熱物に直接**ジュール熱**を発生させるため，間接抵抗加熱方式と比べて**急速加熱**が可能であり，加熱効率も高い方式である．

抵抗加熱は，直接電源がつながれた導電性物体中におけるジュール熱による発熱を利用する加熱方式である．加熱方式には被加熱材料自身に直接電流を通じて加熱する直接加熱方式と，発熱体から出る熱を被加熱材料に伝える間接加熱方式がある．

直接抵抗加熱は，内部から均一に加熱でき加熱効率が高く，高温も得られる．

また，急速加熱ができるが，被加熱物の抵抗値が小さいものは効率が悪くなる．

間接抵抗加熱は，抵抗体に発生する熱を対流，放射，伝導等により被加熱物に伝える方法である．被加熱物の材質を問わずいろいろな形状の被加熱物も加熱することができる．

3)　アーク炉では，一般的に**商用周波**の電源が用いられるが，電極と被溶解材間で極めて不規則なアーク現象を伴うため，負荷電流の変動が激しく，電源電圧が動揺することで，フリッカ障害が発生する場合がある．

一方，**直流**を電源とするアーク炉は前者と比べるとアークが比較的安定していることから，フリッカの低減や電極損耗量の低減などの利点がある．また，両者とも高調波障害の要因となるので注意を要する．

ここで，アーク炉とは電気炉の一種である．アーク放電時には電流が両極間の気体中を高密度で流れ，同時にアーク熱と光が放出される．このアーク熱を利用して炉内で加熱を行う方式である．

商用周波数の三相交流をそのまま用いる交流アーク炉と直流に整流して用いる直流アーク炉がある．

負荷変動や波形ひずみがフリッカや高調波の発生源となるため対策が必要となる．

4)　赤外加熱に用いられる赤外放射は**可視光**より波長が長い電磁波であり，0.76 μm ～ 1 mm の波長領域にある．特に 4 μm 以上の波長は**遠赤外**と呼ばれ，食品や高分子化合物などの加熱に適しており，この熱源には**セラミックヒータ**が広く用いられている．

熱エネルギーの伝達方式には，伝導，対流，放射の三つがある．赤外加熱は赤外放射を主とした加熱方式である．

赤外加熱は，可視放射の長波長端（0.76 μm）～マイクロ波短波長端（1 mm）までの波長範囲の電磁波である．

赤外放射の波長は，近赤外放射（0.76 μm），中赤外放射（2 ～ 4 μm），遠赤外放射（4 μm ～ 1 mm）がある．

(2)　1)　電力原単位 [(kW·h)/kg] を求めると，以下のようになる．

$$電力原単位 = \frac{315\,\text{kW}}{855\,\text{kg/h}} = 0.368\,4\,\text{kW·h/kg} \Rightarrow \mathbf{0.37}\,\text{kW·h/kg}$$

2) 題意の内容を図にまとめると，**第 1 図**のようになる．

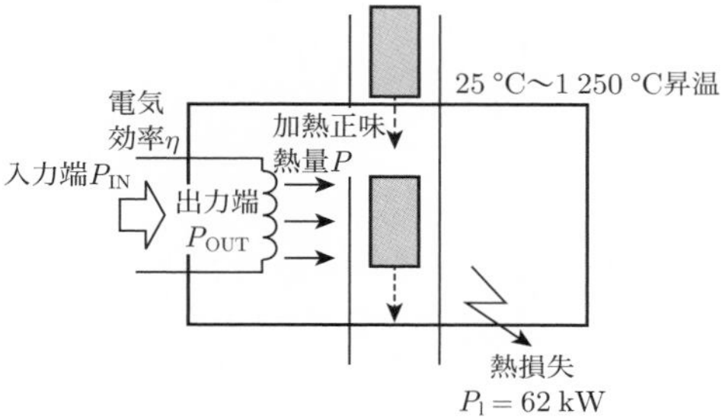

第 1 図 加熱炉(例)

第 1 図より，加熱正味熱量 P は，

$$P = 720\ \text{kJ/kg} \times 855\ \text{kg/h} = 615\ 600\ \text{kJ/h}$$

単位換算をすると，

$$615\,600\ \text{kJ} \times \frac{1}{3\,600\ \text{s}} = 171\ \text{kW}$$

電気効率 η とすると，次式が成り立つ．

$$\eta = \frac{P_{OUT}}{P_{IN}}$$

$$P_{OUT} = \eta P_{IN} \qquad ①$$

また，出力端 P_{OUT} と加熱正味熱量 P および熱損失 P_l には次の関係がある．

$$P_{OUT} - P_l = P \qquad ②$$

②式に①式および数値を代入すると，

$$315\eta - 62 = 171$$

$$\therefore \quad \eta = \frac{171 + 62}{315} = 0.739\,68$$

全電気効率 η は **74** % となる．

3) i）加熱正味熱量 P' は，以下のようになる．

$$P' = 720\ \text{kJ/kg} \times 900\ \text{kg/h} = 648\ 000\ \text{kJ/h}$$

単位換算をすると，

$$648\,000\ \text{kJ} \times \frac{1}{3\,600\ \text{s}} = 180\ \text{kW}$$

全電気効率 η と熱損失は変化がなく，加熱炉の入力端電力を ${P_{IN}}'$ [kW] とすると，

$P_{\mathrm{IN}}{}' \times 0.739\,68 - 62 = 180$

$P_{\mathrm{IN}}{}' = 327.168\ \mathrm{kW}$

よって，加熱炉の入力端電力は，**327** kW となる．

ii）比熱 c [J/(kg·K)] としたとき，予熱前の熱容量 Q [J/K] は，以下のようになる．

$Q = 855c(1\,250 - 25) = 1\,047\,375c$ [J/K]

予熱後も予熱前の熱容量 Q [J/K] が必要である．予熱後の被加熱材の初期温度を T [°C] とすると，

$Q = 900c(1\,250 - T)$

$1\,047\,375c = 900c(1\,250 - T)$

$\therefore\ T = 86.25 \fallingdotseq 86$ °C

被加熱材の初期温度は，**86** °C となる．

問題14

(1) 1 — ウ，2 — コ，3 — カ，4 — イ，5 — エ，6 — オ

(2) 7 — ア，8 — エ，9 — ケ，10 — ウ，11 — エ

(3) A — 600，B — 257，C — 5.03

【指導】

(1) 1) 2 本の電極は，そこで流れる電流の向きから，アノードおよびカソードが特定される．アノードでは**酸化**反応が起こる．電池では，通常，放電状態で考え，二本の電極のうち相対的な電極電位が**高い**電極がカソードである．二本の電極の間に設ける隔膜の役割は二本の電極の**接触**や生成物の**混合**を防ぐことである．

2) 電気化学システムは，二つの電極反応が決まると**理論電圧**が求められる．電極反応の速度は**電流**に比例する．

※電気化学システムの構成…二つの電極と電解質および外部回路で構成される．

① アノード：脱電子反応（酸化反応）が起こる電極

② カソード：受電子反応（還元反応）が起こる電極

③ 電解質はイオン伝導体である．

④ 隔膜は，電極の短絡を防ぐとともに，物質が混合しないようにする．

(2) 1) イオン交換膜法では隔膜に**ナトリウム**イオンの選択透過性の高い膜が用いられ，アノード室に濃厚**食塩水**を供給してカソード室で水酸化ナトリウムを得る．

2) 水酸化ナトリウム 1 t を製造するために必要な理論電気量は 670 kA·h であり，製造される塩素ガスと水素ガスの標準状態での体積は**等しく**，水酸化ナトリウムの物質量（モル

数）は水素の物質量の **2** 倍である．

このような電気化学システムにおいて，ある物質量の反応物質を製造するために必要な理論電気量を求めるときには，流れる電気量が「反応に関与する電子数」,「**アボガドロ数**」,「電子 1 個の電荷」,「反応物質の物質量」の積で表されることを用いる．

アノード反応：$2Cl \rightarrow Cl_2 + 2e^-$

カソード反応：$2H_2O + 2e^- \rightarrow H_2 + 2OH^-$

全反応式

$$2NaCl + 2H_2O \rightarrow 2NaOH + H_2 + Cl_2 \qquad ①$$

1 mol 当たりの体積は 22.4 L ですべての物質に等しいことから，体積比は生成した mol 数の比に等しくなる．

よって，①式より塩素ガスと水素ガスの体積比は以下のようになる．

$$体積比 = \frac{Cl_2}{H_2} = \frac{1\ \mathrm{mol}}{1\ \mathrm{mol}} = 1$$

したがって，体積比は等しくなる．

①式より水酸化ナトリウムは 2 mol であり，水素ガスは 1 mol であるから，物質量(モル数)の比は次のようになる．

$$物質量（モル数） = \frac{NaOH}{H_2} = \frac{2}{1} = 2$$

したがって，物質量は 2 倍となる．

ファラデー定数の定義は，

$1F =$ アボガドロ定数 N $(6.023 \times 10^{23}) \times$ 電子の電荷量 (1.602×10^{-19})

$\fallingdotseq 96\ 500$ C

(3) 1) 電流密度 2 A/cm^2 とセルの電極面積 300 cm^2 より，

$2\ \mathrm{A/cm^2} \times 300\ \mathrm{cm^2} = 600\ \mathrm{A}$

2) セル数を m とすると，次式が成り立つ．

$0.65\ \mathrm{V} \times m \times 600\ \mathrm{A} > 100\ 000\ \mathrm{W}$

$m > 256.41$

したがって，最小のセル数は 257 セルとなる．

3) 電気量 I_h [A·h] は，

$I_h = 0.33\ \mathrm{A/cm^2} \times 300\ \mathrm{cm^2} \times 270 \times 5\ \mathrm{h} = 133\ 650\ \mathrm{A{\cdot}h}$

また，この燃料電池の反応で水素は 2 電子反応であるから，水素の搭載量 m_H は次式が成り立つ．

$$m_{\rm H}=\frac{1}{26.8}\times\frac{2.016}{2}\times I_{\rm h}=\frac{1}{26.8}\times\frac{2.016}{2}\times 133\,650=5\,026.84\ {\rm g}=\mathbf{5.03}\ {\rm kg}$$

問題15
(1) 1―ア，2―ウ，3―ウ，4―イ，5―ア
(2) 6―オ，7―イ
(3) A―36，B―2.51，C―177，D―8.8，E―44，8―ウ

【指導】

(1) 1) 近年国内における白熱電球は，必要最小限の使用に限られ，減少傾向にある．その背景についての出題である．

①は，白熱電球は，ランプ効率が低いので**正しい**記述である．

②は，白熱電球には，水銀は使用されていないので，誤りである．

③は，タングステンの入手は，困難ではないので，誤りである．

2) 最近，照明の改修計画においても蛍光ランプからLEDに置き換えられる事例が多く見受けられる．その理由についての出題である．

①は，ガラス管材料には，カドミウムが含まれていないので，誤りである．

②は，発光効率は，LEDの方が高いので，誤りである．

③は，上記②と同様，発光効率は，LEDの方が高いので，**正しい**記述である．

3) HIDランプは，高輝度放電ランプとも呼ばれ，高圧水銀ランプ，メタルハライドランプ，高圧ナトリウムランプの総称である．それぞれの特徴についての出題である．

①は，高圧ナトリウムランプの光色が黄白色で演色性が良くないので，誤りである．

②は，高圧ナトリウムランプの発光管内部には，ナトリウム，水銀，キセノンガスが封入されているので，誤りである．

③は，セラミックメタルハライドランプは，演色性に優れているので，**正しい**記述である．

4) LED照明器具の特徴についての出題である．

①は，LED素子も発熱するので，誤りである．

②は，LED照明器具は，交流の電源から電力供給を受け，点灯制御装置（交流から直流への電力変換機能具備）を介してLED素子に直流を加えて点灯させるので，**正しい**記述である．

③ LEDランプと蛍光ランプの口金は，規格統一されていないので，誤りである．

5) 省エネルギーを考慮した照明設計（照明手法）に関する出題である．

①は，窓面からの昼光を利用した照明設計においては，執務者が，グレア（不快感のある眩しさ）を感じさせない計画とすることが大切である．**正しい**記述である．

②は，タスク・アンビエント照明では，タスク（視対象物）とアンビエント（天井・壁・床など作業者の周辺）を照明することで，安全性や快適性などを確保する照明手法である．したがって，発光面輝度を統一する必要はないので誤りである．

③は，一般的に，演色性を改善させると，発光効率が低下するので，誤りである．

(2) 題意に基づき**第1図**を示す．

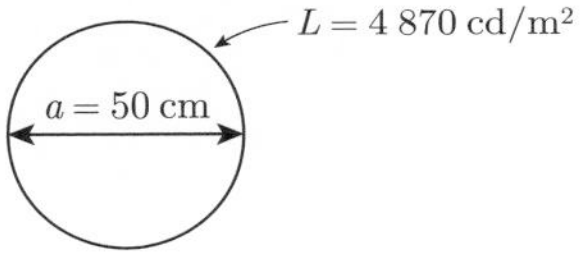

第1図

この発光面の光束発散度 M [lm/m^2] は，発光面が均等拡散面であるから，

$$M = \pi L \ [\mathrm{lm/m^2}]$$

ゆえに，全光束 F [lm] は発光面の面積を A [m^2] として

$$F = MA = \pi L \times \frac{\pi a^2}{4} = \frac{\pi^2 L a^2}{4} = \frac{3.14^2 \times 4\,870 \times 0.5^2}{4}$$

$$\fallingdotseq 3\,001 \fallingdotseq \mathbf{3\,000}\ \mathrm{lm}$$

このLED照明器具の固有エネルギー消費効率は，この照明器具の全消費電力 P [W] に対する全光束 F [lm] の比として，

$$\frac{F}{P} = \frac{3\,001}{26} \fallingdotseq 115.4 \fallingdotseq \mathbf{115}\ \mathrm{lm/W}$$

(3) 1) テニスコートの面積を A [m^2]，テニスコートの水平面照度を E [lx]，投光器1台当たりの全光束を F [lm/台]，照明率を U，保守率を M とすれば，求める投光器の台数 N [台] は，

$$N = \frac{EA}{FUM} = \frac{500 \times (36 \times 40)}{80\,000 \times 0.35 \times 0.72} \fallingdotseq 35.7\ \text{台} \rightarrow \mathbf{36}\ \text{台}$$

2) 題意より**第2図**を示す．

グローブ内の全光束 F [lm] は，立体角を $\omega = 4\pi$ [sr]，光度を I [cd] として

$$F = \omega I = 4\pi \times 200 = 4 \times 3.14 \times 200 = 2\,512 \fallingdotseq \mathbf{2.51} \times 10^3\ \mathrm{lm}$$

この球形グローブは均等拡散性であることから，このグローブの見かけの面積を A' [m^2]，グローブ外表面の輝度を L_o [cd/m^2] とすれば，求めるグローブ外表面の光度 I_o [cd] は，第

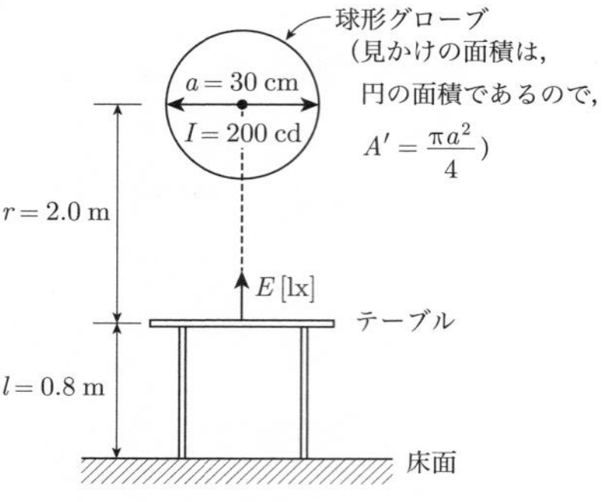

第2図

2図を参照して

$$I_o = L_o A' = L_o \times \frac{\pi a^2}{4} = 2\,500 \times \frac{\pi \times 0.3^2}{4} = 2\,500 \times \frac{3.14 \times 0.3^2}{4}$$

$$= 176.625 \fallingdotseq \mathbf{177}\ \text{cd}$$

したがって，グローブの透過率τは

$$\tau = \frac{F_o}{F} = \frac{\omega I_o}{\omega I} = \frac{I_o}{I}$$

$$\therefore\quad \tau = \frac{I_o}{I} = \frac{176.625}{200} \fallingdotseq 0.883 = \mathbf{8.8} \times 10^{-1}$$

テーブル上での光源直下の照度 E [lx] は

$$E = \frac{\tau I}{r^2} = \frac{I_o}{r^2} = \frac{176.625}{2^2} \fallingdotseq 44.1 \fallingdotseq \mathbf{44}\ \text{lx}$$

3)　題意の図より 60° 方向の管軸に垂直方向の光度は 150 cd と判断できる．

また，この配光曲線が，ランプ光束1 000 lm当たりの数値であるので，求める光度I [cd] は，

$$1\,000\ \text{lm} : 150\ \text{cd} = 8\,000\ \text{lm} : I\ [\text{cd}]$$

$$I = \frac{150 \times 8\,000}{1\,000} = \mathbf{1\,200}\ \text{cd}$$

問題16　(1)　1—イ，2—ア，3—エ，4—カ，5—エ，6—ク，7—ウ

(2)　8—エ，9—イ，10—オ，11—ア，12—カ，13—エ，14—ア

【指導】

(1)　大規模なオフィス空間では，日射や外気温度の影響を受けやすいペリメータゾーンと，

外壁からの影響は受けにくく，照明やOA機器の室内発熱の影響で年間冷房運転となるインテリアゾーンに系統分けをして空調を行うことが多い．

1) 冬期の空調運転においては，ペリメータゾーンは外気温度の影響で熱損失が発生するために暖房運転，インテリアゾーンは室内発熱を処理するために冷房運転となり，間仕切りがない場合，ペリメータ系統の暖房の気流と，インテリア系統の冷房の気流が混合することで熱損失を発生することがある．これは，温風と冷風の混合によるものなので，**混合**損失という．

2) i) 計画時にはペリメータゾーンとインテリアゾーンの間に仮想間仕切りがあるものとみなし，混合損失を無視して考える．そのため，ペリメータゾーンの冷房負荷は $\boldsymbol{Q_c} = \boldsymbol{CL}$ であり，インテリアゾーンの暖房負荷は $\boldsymbol{Q_h} = \boldsymbol{HL}$ であり，混合損失の損失熱量 $\boldsymbol{Q_L} = \mathbf{0}$ となる．

ii) 実際の空調運転時は，対流によって仮想間仕切りを通過する気流による熱移動が発生する．インテリアゾーンがペリメータゾーンから流入する暖房の気流による温熱を冷房負荷として受け取ると，冷房負荷は $\boldsymbol{Q_c} = \boldsymbol{CL} + \boldsymbol{L}$ となる．一方で，ペリメータゾーンがインテリアゾーンから流入する冷房の気流による冷熱を暖房負荷として受け取ると，暖房負荷は $\boldsymbol{Q_h} = \boldsymbol{HL} + \boldsymbol{L}$ となる．このときの熱損失はペリメータゾーンとインテリアゾーンで相互に発生するので，$\boldsymbol{QL} = \mathbf{2}\boldsymbol{L}$ となる．

iii) 前述と逆に，ペリメータゾーンの暖房負荷の一部 L がインテリアゾーンの冷房負荷を軽減する方向に寄与すると，$\boldsymbol{Q_c} = \boldsymbol{CL} - \boldsymbol{L}$ となる．また，インテリアゾーンの冷房負荷の一部 L がペリメータゾーンの冷房負荷を軽減する方向に寄与すると，$\boldsymbol{Q_h} = \boldsymbol{HL} - \boldsymbol{L}$ となる．この場合の混合損失は，両者の負荷を軽減する方向に作用するので，$\boldsymbol{Q_L} = -\mathbf{2}\boldsymbol{L}$ となる．

3) ① インテリアゾーンとペリメータゾーンの熱負荷の差は，冬期インテリアゾーンの暖房負荷の大きさに依存する．そのため，ペリメータゾーンにおいて外壁や窓という建築外皮を高断熱・高気密にして，暖房負荷を軽減することが有効である．

② ペリメータゾーンの暖房設定温度が高いと吹出し温度が高くなり，混合損失が増加する．そのため，ペリメータゾーンの暖房設定温度をインテリアゾーンの冷房設定温度**より低め**にすると，暖房運転の吹出し温度が低くなって，混合損失が減少する．

③ お互いのゾーンの気流が干渉しないように，吹出し口の配置を仮想間仕切りから離して，仮想間仕切り付近の気流速度が小さくなるように計画すると混合損失が減少する．

混合損失は，インテリアゾーンの冷房運転とペリメータゾーンの暖房運転を同時に行うことが原因である．そのため，水熱源マルチパッケージヒートポンプのように，熱源水が**熱回収**を行うことができる形式の機器を採用すると機器の COP（成績係数）が向上する．

⑵　全熱交換器には回転式と固定式（静止式）があるが，いずれも室内からの排気から熱回収を行って，取入れ外気の外気負荷を軽減する目的で使用される．このとき熱回収されるのは，排気と外気の温度差による顕熱と絶対湿度の差による潜熱（水蒸気）の両方である．冷房運転時は，低温低湿度の排気によって，高温高湿度の外気を冷却除湿し，暖房運転時は，高温高湿度の排気によって，外気を加熱加湿する．

1)　全熱交換器は，取入れ外気による**外気負荷の低減**を目的としたものである．外気量と排気量が等しい場合は，一般に **70** % 程度の全熱交換効率が得られる．

2)　図 2 は冷房運転で全熱交換器を用いるときの図であるから，1 は室内空気＝排気の状態，2 は外気の状態を示すものと考えられる．仮に全熱交換効率が 100 % とすると，全熱交換器通過後に 1 の排気は 2 の外気と同一の状態になり，2 の外気は 1 の排気＝室内空気の状態に等しくなる．しかし，現実には全熱交換効率は 70 % 程度なので，1 の排気は全熱交換器通過後に 3 の状態になり，2 の外気は 4 の状態になると考えられる．

このとき，排気と外気の比エンタルピー差は $h_2 - h_1$ であり，熱回収された全熱は $h_2 - h_4$ となる．そのため，全熱交換効率 η は次式となる．

$$\eta = \frac{h_2 - h_4}{h_2 - h_1}$$

3)　①　冷房運転時に全熱交換器を用いる条件としては，基本的に排気の比エンタルピーが外気の比エンタルピーより小さいことである．中間期や冬期のように，それが逆転している場合は，外気を排気によって加熱してしまう可能性があるので，そのときは全熱交換器の運転を停止して，外気を全熱交換器からバイパスして取り入れる．

②　回転式の全熱交換器を用いる場合，全熱交換器の入口側に排気ファンを設置して排気を吐出すると，排気が押し出されて外気側に漏えいする可能性があるため，排気ファンは全熱交換器の出口側に設置する．全熱交換器から出る空気を**吸い込む**ように，排気ファンを設置する．設問の文章が誤解しやすい表現になっているので，注意が必要である．

③　排気あるいは外気の空気質が良くない場合，全熱交換器が目詰まりを起こして，処理風量が低下したり，全熱交換効率が低下したりする．そのため，全熱交換器の上流側に**エアフィルタ**を設置して，排気あるいは外気を浄化する．また，エアフィルタが目詰まりすると，処理風量が低下するので，フィルタのメンテナンスを確実に実施しなくてはならない．

2019 年度（第 41 回）

エネルギー総合管理及び法規（80 分）

問題 1　エネルギーの使用の合理化等に関する法律及び命令
問題 2　エネルギー情勢・政策，エネルギー概論
問題 3　エネルギー管理技術の基礎

問題 1　（エネルギーの使用の合理化等に関する法律及び命令）

次の各問に答えよ．なお，法令は令和 6 年 9 月 1 日時点で施行されているものである．

以下の問題文では

エネルギーの使用の合理化及び非化石エネルギーへの転換等に関する法律を『法』

エネルギーの使用の合理化及び非化石エネルギーへの転換等に関する法律施行令を『令』

エネルギーの使用の合理化及び非化石エネルギーへの転換等に関する法律施行規則を『則』

エネルギーの使用の合理化等に関する基本方針を『基本方針』

と略記する．（配点計 50 点）

(1)　次の各文章の［　1　］～［　4　］の中に入れるべき最も適切な字句をそれぞれの解答群から選び，その記号を答えよ．

1)　『法』の目的に関する事項

『法』第 1 条は，『法』の目的について次のように定めている．

「我が国で使用されるエネルギーの相当部分を化石燃料が占めていること，非化石エネルギーの利用の必要性が増大していることその他の内外におけるエネルギーをめぐる経済的社会的環境に応じたエネルギーの有効な利用の確保に資するため，工場等，輸送，建築物及び機械器具等についてのエネルギーの使用の合理化及び非化石エネルギーへの転換等に関する所要の措置，電気の［　1　］の最適化に関する所要の措置その他エネルギーの使用の合理化及び非化石エネルギーへの転換等を総合的に進めるために必要な措置等を講じることとし，もつて国民経済の健全な発展に寄与することを目的とする．」

2)　エネルギーの定義に関する事項

『法』第**2**条は，『法』における「エネルギー」とは，化石燃料及び非化石燃料並びに熱及び電気をいうとし，「化石燃料」とは，原油及び揮発油，重油その他経済産業省令で定める石油製品，可燃性天然ガス並びに石炭及びコークスその他経済産業省令で定める石炭製品であって，［ 2 ］その他の経済産業省令で定める用途に供するものをいう，と定めている．

〈［ 1 ］及び［ 2 ］の解答群〉

ア　価格　**イ**　供給能力　**ウ**　原料　**エ**　産業用　**オ**　需要
カ　暖房　**キ**　燃焼　**ク**　品質

3)　特定事業者，特定連鎖化事業者及び認定管理統括事業者に関する事項

特定事業者，特定連鎖化事業者，及び平成**30**年**12**月施行の『法』改正によって新設された認定管理統括事業者については，それぞれ『法』第**8**条，第**20**条及び第**32**条において，中長期的な計画の作成事務，対象として定められている工場等におけるエネルギーの使用の合理化に関し，［ 3 ］の維持，エネルギーの使用の方法の改善及び監視その他経済産業省令で定める業務を統括管理する者を選任しなければならない，と定められており，業務を統括管理する者を『法』では［ 4 ］という．

なお，対象として定められている工場等とは，特定事業者では「その設置している工場等」，特定連鎖化事業者では「その設置している工場等及び当該特定連鎖化事業者が行う連鎖化事業の加盟者が設置している当該連鎖化事業に係る工場等」，認定管理統括事業者では「その設置している工場等及びその管理関係事業者が設置している工場等」である．

〈［ 3 ］及び［ 4 ］の解答群〉

ア　エネルギー管理企画推進者　**イ**　エネルギー管理統括者
ウ　エネルギー管理者　**エ**　業務管理統括者
オ　エネルギー関連の事業予算　**カ**　エネルギーを消費する設備
キ　実施されている対策の効果　**ク**　推進体制

(2)　次の各文章の［ 5 ］及び［ 6 ］の中に入れるべき最も適切な字句又は記述をそれぞれの解答群から選び，その記号を答えよ．

また，［**A** **abcd**］及び［**B** **abc**］に当てはまる数値を計算し，その結果を答えよ．ただし，解答は解答すべき数値の最小位の一つ下の位で四捨五入すること．

『法』第**2**条，第**7**条，第**10**条，第**13**条，第**14**条，及びこれらに関する『令』及び『則』

に関連する事項

ある事業者が食品加工工場と，別の事業所として本社事務所を所有しており，これらがこの事業者の設置している施設の全てである．ここで，食品加工工場における前年度の燃料，電気などの使用量は，次の **a**～**e** のとおり，本社事務所における前年度の電気などの使用量は，次の **f** 及び **g** のとおりであり，この事業者は **a**～**g** 以外のエネルギーは使用していなかった．また，本社事務所は，専ら事務所として使用されていた．

なお，この事業者は，連鎖化事業者，認定管理統括事業者又は管理関係事業者ではないものとする．

a：食品加工工場において，ボイラで使用した都市ガスの量を発熱量として換算した量が **3** 万 **5** 千ギガジュールであった．

b：食品加工工場において，コージェネレーション設備を設置し，そこで使用した都市ガスの量を発熱量として換算した量が **2** 万ギガジュールであった．

c：食品加工工場において，**b** のコージェネレーション設備で発電した電気を工場内で使用した．その電気の量を熱量として換算した量が **8** 千ギガジュールであった．

d：食品加工工場において，**b** のコージェネレーション設備で発生させた蒸気を工場内で使用した．その蒸気の量を熱量として換算した量が **7** 千ギガジュールであった．

e：食品加工工場において，小売電気事業者から購入して使用した電気の量を熱量として換算した量が **5** 万ギガジュールで，その購入先の小売電気事業者が販売する電気は，化石燃料によって発電されたものであった．

f：本社事務所において，小売電気事業者から購入して使用した電気の量を熱量として換算した量が **1** 万 **8** 千ギガジュールで，その小売電気事業者が販売する電気は，化石燃料及び太陽光発電によって発電されたものであった．

g：本社事務所において，熱供給事業者から購入して使用した温水及び冷水の熱量を燃料の発熱量に換算した量が **9** 千ギガジュールで，その購入先の熱供給事業者では，都市ガス及び電気を用いて温水及び冷水を発生させていた．

1) 前年度に使用したエネルギー使用量を『法』で定めるところにより原油の数量に換算した量は，食品加工工場が **[A | abcd]** キロリットル，本社事務所が **[B | abc]** キロリットルとなり，この事業者は特定事業者に該当し，工場等単位でも指定の有無が判定される．

なお，『則』第 **4** 条によれば，発熱量又は熱量 **1** ギガジュールは原油 **0.025 8** キロリットルとして換算することとされている．

2) 1)の『法』で定めるエネルギー使用量によって当該の指定を受けた後，事業所について事業者が選任しなければならないのは，次に示す①から④のうちの 5 である．

① 食品加工工場のエネルギー管理者

② 食品加工工場のエネルギー管理員

③ 本社事務所のエネルギー管理者

④ 本社事務所のエネルギー管理員

〈 5 の解答群〉

ア ①のみ　**イ** ②のみ　**ウ** ①と③　**エ** ①と④

オ ②と③　**カ** ②と④　**キ** ①と②と③　**ク** ①と②と④

3) この事業者の食品加工工場で，選任すべきエネルギー管理者又はエネルギー管理員に欠員が生じた場合，新たに選任しなければならない．このとき，選任すべき事由が生じた日以降， 6 選任しなければならない．

〈 6 の解答群〉

ア 遅滞なく　**イ** 3月以内に　**ウ** 6月以内に　**エ** 1年以内に

(3) 次の各文章の 7 ～ 10 の中に入れるべき最も適切な字句又は記述をそれぞれの解答群から選び，その記号を答えよ．

1) 合理化計画に関する事項

『法』第**17**条第**1**項によれば，主務大臣は特定事業者が設置している工場等におけるエネルギーの使用の合理化の状況が第**5**条第**1**項に規定する 7 に照らして著しく不十分であると認めるときは，当該特定事業者に対し，当該特定事業者のエネルギーを使用して行う事業に係る技術水準，第**5**条第**3**項に規定する指針に従って講じた措置の状況その他の事情を勘案し，その判断の根拠を示して，エネルギーの使用の合理化に関する計画（合理化計画という．）を作成し，これを提出すべき旨の指示をすることができる，と定めている．

この合理化計画に関して『法』第**17**条第**2**項で，主務大臣は，合理化計画が当該特定事業者が設置している工場等に係るエネルギーの使用の合理化の適確な実施を図る上で適切でないと認めるときは，当該特定事業者に対し，合理化計画を変更すべき旨の指示をすることができる，と定めている．

また，第**3**項では，主務大臣は，特定事業者が合理化計画を実施していないと認めるときは，当該特定事業者に対し， 8 すべき旨の指示をすることができる，と定めている．

さらに，第 **4** 項では，これら第 **1** 項から第 **3** 項に規定する指示を受けた特定事業者がその指示に従わなかったときはその旨を公表することができる，としている．

〈[7] 及び [8] の解答群〉

ア エネルギーの使用の合理化の基本方針　**イ** ベンチマーク目標
ウ 主務大臣による指導及び助言　**エ** 判断の基準となるべき事項
オ 合理化計画の実施機関を設置　**カ** 合理化計画を遅滞なく実施
キ 合理化計画を適切に実施　**ク** 実施状況を継続的に報告

2) 中長期計画に関する事項

平成 **30** 年 **12** 月施行の『法』第 **15** 条では，従来どおり特定事業者は経済産業省令で定めるところにより，『法』第 **5** 条第 **1** 項の規定に基づき定められたエネルギーの使用の合理化の [9] に関し，その設置している工場等について，その達成のための中長期的な計画を作成し，主務大臣に提出しなければならない，とされている．ただし，計画の提出については，[10] に提出，と改定された．

〈[9] 及び [10] の解答群〉

ア 改善命令　**イ** 管理標準の策定　**ウ** 基準　**エ** 目標　**オ** **3** 年毎
カ 事業計画の作成と同時　**キ** 定期　**ク** 定期の報告と同時

問題 2（エネルギー情勢・政策，エネルギー概論）

次の各文章の [1] ～ [9] の中に入れるべき最も適切な字句又は式をそれぞれの解答群から選び，その記号を答えよ．

また，[A | a.b × 10^c] に当てはまる数値を計算し，その結果を答えよ．ただし，解答は解答すべき数値の最小位の一つ下の位で四捨五入すること．なお，円周率 π は **3.14** とする．（配点計 **50** 点）

(1) 国際単位系（**SI**）では，長さ（メートル [**m**]），質量（キログラム [**kg**]），時間（秒 [**s**]），[1]，熱力学温度（ケルビン [**K**]），光度（カンデラ [**cd**]）及び物質量（モル [**mol**]）の **7** 個を基本単位としている．力やエネルギーなどの単位は基本単位にはなく，前述の **7** 個の基本単位のうちのいくつかを組み合わせて表されるので，組立単位と呼ばれている．

LED や液晶プロジェクタの明るさを示すのに用いられるルーメン [**lm**] は組立単位であり，「光度 **1 cd** の均一な点光源から単位立体角 **1** ステラジアンの中に放出する光束が **1 lm**」と定義される．したがって，点光源から全ての方向（立体角 4π の全球方向）に一様に放出された光束の総和が **3 000 lm** の場合，点光源の光度は [A | a.b × 10^c] [**cd**] である．

〈[1] の解答群〉

ア　電圧（ボルト [V]）　**イ**　電荷（クーロン [C]）　**ウ**　電流（アンペア [A]）

⑵　気候変動枠組条約締約国会議（**Conferenceof the Parties：COP**）は **1995** 年から毎年開催され，**2018** 年には **24** 回目の会議（**COP24**）が開催されている．この間，地球温暖化問題への取り組みの第一歩として京都議定書が採択されたのは [2] であり，先進国を中心とした締約国に対し温室効果ガス排出量の削減が義務付けられた．その後，途上国を含む新たな枠組みとしてパリ協定が採択されたのは [3] であり，各国は **5** 年ごとに温室効果ガス排出削減目標を提出することとなっている．なお，気候変動に関連する科学的知見を調査及び評価し，定期的に評価報告書にまとめている組織として [4] があり，現在第 **5** 次評価報告書までが公表されている．

〈[2] ～ [4] の解答群〉

ア　**1995** 年（**COP1**）　**イ**　**1997** 年（**COP3**）　**ウ**　**2006** 年（**COP12**）

エ　**2015** 年（**COP21**）　**オ**　気候変動に関する政府間パネル

カ　国際連合環境計画　**キ**　世界気象機関

⑶　我が国の自動車の主な動力源としては，従来はガソリンエンジンとディーゼルエンジン，そして業務用車などの一部でガスエンジンの **3** 種類が使用されてきた．ガソリンエンジンとディーゼルエンジンの機構上の顕著な違いは [5] 装置の有無である．

一方，最近では電動機を主な動力源とする自動車も増え，その主電源として [6] 電池のみを搭載するものや，水素を用いて発電する [7] 電池を搭載するものなどがある．

〈[5] ～ [7] の解答群〉

ア　一次　**イ**　二次　**ウ**　空気予圧　**エ**　空気予熱　**オ**　点火　**カ**　燃料

⑷　高温熱源と低温熱源の間で作動して動力を生み出す熱機関に対し，外部から動力を加えて低温熱源から高温熱源に熱を移動させるのがヒートポンプである．ヒートポンプの性能指標は通常 [8] と呼ばれ，その理論サイクルを逆カルノーサイクルとみなすと，高温熱源の熱力学温度が T_h，低温熱源の熱力学温度が T_c のとき，その値は式 [9] で計算される．

〈[8] 及び [9] の解答群〉

ア　$\dfrac{T_h + T_c}{T_h}$　**イ**　$\dfrac{T_h}{T_h - T_c}$　**ウ**　$\dfrac{T_h + T_c}{T_h - T_c}$　**エ**　カルノー効率

オ　ジュール・トムソン係数　**カ**　動作係数（成績係数）

問題 3（エネルギー管理技術の基礎）

次の各文章は，令和 **5** 年 **9** 月 **1** 日時点で施行されている「工場等におけるエネルギーの使用の合理化に関する事業者の判断の基準」（以下，『工場等判断基準』と略記）の内容及びそれに関連した管理技術の基礎について述べたものである．

これらの文章において，『工場等判断基準』の本文に関連する事項については，その引用部を示す上で，

「**I**　エネルギーの使用の合理化の基準」の部分は『基準部分』，

「**II**　エネルギーの使用の合理化の目標及び計画的に取り組むべき措置」の部分を，『目標及び措置部分』

と略記し，特に「工場等（専ら事務所その他これに類する用途に供する工場等を除く）」における『基準部分』を『基準部分（工場）』と略記する．

[1]～[13] の中に入れるべき最も適切な字句，数値又は記述をそれぞれの解答群から選び，その記号を答えよ．なお，[1] は **3** 箇所あるが，同じ記号が入る．

また，[**A** **ab.c**]～[**G** **abcd**] に当てはまる数値を計算し，その結果を答えよ．ただし，解答は解答すべき数値の最小位の一つ下の位を四捨五入すること．（配点計 **100** 点）

(1) 『工場等判断基準』の『基準部分』の **I -1**「全ての事業者が取り組むべき事項」では，エネルギーを使用して事業を行う全ての事業者が取り組むべき事項として，次の **9** 項目が定められている．

事業者は設置している全ての工場等を俯瞰（ふかん）し，これらの取組を行うことにより，適切なエネルギー管理を行うことが求められている．

① [1] の策定

② 管理体制の整備

③ [2] の配置等

④ 資金・人材の確保

⑤ 従業員への周知・教育

⑥ [1] の遵守状況の確認等

⑦ [1] の精査等

⑧ 文書管理による状況把握

⑨ エネルギーの使用の合理化に資する取組に関する情報の開示

〈[1] 及び [2] の解答群〉

ア 管理標準　　**イ** 責任者等　　**ウ** 中長期計画

エ　取組方針　　**オ**　内部監査等　　**カ**　保全組織等

(2)　『工場等判断基準』の『目標及び措置部分』では，事業者は，その設置している全ての工場等全体として又は工場等ごとにエネルギー消費原単位又は電気需要最適化評価原単位を［3］以上低減させることを目標とすること，が求められている．

〈［3］の解答群〉

ア　過去 **3** 年間について年平均 **1** パーセント　　**イ**　中長期的にみて年平均 **1** パーセント

ウ　毎年 **1** パーセント

(3)　液化天然ガス（**LNG**）は都市ガスの原料や火力発電用燃料などに使用されており，その主成分はメタンである．

メタン（CH_4）**1** m^3_N が完全燃焼しており，供給されている燃焼用空気の空気比が **1.1** であるとき，その空気量は［A ab.c］$[m^3_N]$ である．ただし，空気中の酸素濃度（体積割合）を **21** ％とする．なお，m^3_N は標準状態の体積を表す．

(4)　平板壁の両側に温度の異なる流体が流れているときの熱通過量を求める場合には，高温流体と平板の間の熱伝達における熱抵抗，平板内の熱伝導抵抗，及び平板と低温流体の間の熱伝達における熱抵抗の合計を熱通過抵抗として求めて，その逆数を熱通過率として計算することができる．

ここで，平板の厚さを **10 mm**，平板の熱伝導率を **1.75** $W/(m \cdot K)$ とし，高温流体と平板の間の熱伝達率を **80** $W/(m^2 \cdot K)$，低温流体と平板の間の熱伝達率を **20** $W/(m^2 \cdot K)$ としたときの熱通過率は，［4］$[W/(m^2 \cdot K)]$ である．

〈［4］の解答群〉

ア　**0.173**　　**イ**　**1.58**　　**ウ**　**14.7**

(5)　表面温度が **800 K** で一定に保たれている物体の表面から放射される単位時間，単位面積当たりの放射エネルギーは，［B ab.c］$[kW/m^2]$ である．ただし，この物体の表面の放射率を **0.7** とし，ステファン・ボルツマン定数は，$5.67 \times 10^{-8}\ W/(m^2 \cdot K^4)$ とする．

(6)　水は，エネルギーの移動に係る熱媒体として汎用性の高い物質である．図は，大気圧下における加熱に伴う水の固体（氷），液体（水）及び気体（水蒸気）の三態への状態変化を示したものである．ここで，縦軸は水の温度，横軸は **0** ℃ の水の持つ熱量を基準（**0 kJ/kg**）とした水の保有熱量を示すものとする．

1)　この図で，**100** ℃ で水が液体から気体へ状態変化しており，この状態変化をしている間は温度が一定となる．この温度を［5］という．

〈 5 の解答群〉

ア 三重点　**イ** 沸点　**ウ** 融点

2) この図から，水の三態における比熱 **[kJ/(kg·K)]** を比較すると， 6 値を示すことが分かる.

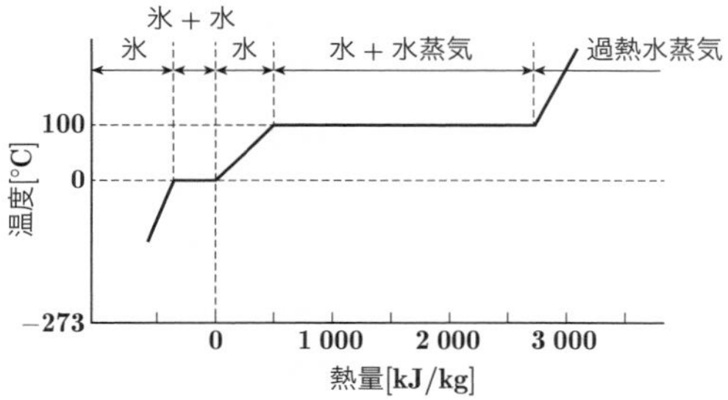

図

〈 6 の解答群〉

ア 液体のときに最も大きい　**イ** 気体のときに最も大きい

ウ 固体のときに最も大きい　**エ** すべてで同等の

(7) 質量 **20 kg**，温度 **30 °C** の水を圧力一定で加熱し，温度 **120 °C** の乾き飽和蒸気とするのに必要な熱量は，**C** $a.bc \times 10^{d}$ **[kJ]** である.

ここで，**30 °C** の水の比エンタルピーを **125.8 kJ/kg**，**120 °C** における飽和水の比エンタルピーを **503.8 kJ/kg**，蒸発潜熱を **2 202 kJ/kg** とする.

(8) 排熱の回収や未利用エネルギーの有効活用を検討する際には，その対象とする保有熱量から，どれだけのエネルギーを取り出し得るかを評価することが重要である．評価の一手法として，対象とする熱源と周囲環境との間で可逆サイクルを利用して取り出し得る最大の動力エネルギーを，有効エネルギーとして評価する方法がある．この有効エネルギーは， 7 と呼ばれる.

〈 7 の解答群〉

ア エクセルギー　**イ** エンタルピー　**ウ** エントロピー

(9) 空気調和設備の省エネルギーでは，対象となる部屋の空気調和負荷の低減に加え，高効率熱源機を採用することが重要である.

1) 空気調和設備の負荷の低減に関して，『工場等判断基準』の『基準部分（工場）』は，「工場内にある事務所等の空気調和の管理は，空気調和を施す区画を限定し，ブラインドの管理等による負荷の軽減及び区画の使用状況等に応じた 8 ，室内温度，換気回数，湿度，外気の有効利用等についての管理標準を設定して行うこと.」及び「冷暖房温度については，政府の推奨する設定温度を勘案した管理標準とすること.」を求めている.

〈 8 の解答群〉

ア 設備の運転時間　**イ** 熱源機の成績係数　**ウ** 冷却水温度

2) 空気調和設備の主な冷熱源である，燃料を直焚(だ)きしてエネルギー源とする吸収冷凍機と，電気をエネルギー源とする電動チラー（蒸気圧縮冷凍機）の消費エネルギーを比較評価する．ここで，電動チラーは電気の受電端発電効率を **37** % とした **1** 次エネルギー換算値で評価する.

負荷が等しい条件で運転している 吸収冷凍機の **COP** が **1.2**，電動チラーの **COP** が **3.6** であり，両者とも補機の消費エネルギーは **COP** には含まれていないものとする.

消費エネルギーを，この **COP** から算出される **1** 次エネルギー換算値で比較すると，吸収冷凍機は電動チラーの **D** **a.b** [倍] となる.

(10) ある火力発電設備が，**A** 重油を燃料として電気出力 **350 MW** の一定出力で稼働している．**A** 重油の高発熱量を **39 MJ/L**，この発電設備の，この出力における高発熱量基準の熱効率を **41** % とすると，**1** 時間当たりの燃料使用量は **E** **ab.c** [**kL**] である.

(11) 一定出力で稼働している三相誘導電動機について計測を行ったところ，線間電圧は **400 V**，線電流は **40 A**，電力は **24 kW** であった．この場合，この電動機の力率は **F** **ab.c** [%] である．ここで，$\sqrt{3} = 1.732$ として計算すること.

(12) 誘導電動機の選定に当たっては，負荷に見合った適正な容量の機器を選定し，それを効率の高い出力の範囲で用いることが省エネルギーにつながる.

『工場等判断基準』の『基準部分（工場）』は，「複数の電動機を使用するときは，それぞれの電動機の部分負荷における効率を考慮して，電動機全体の効率が高くなるように管理標準を設定し， 9 及び負荷の適正配分を行うこと.」を求めている.

〈 9 の解答群〉

ア 稼働台数の調整　**イ** 電動機の大型化　**ウ** 電動機の高速化

(13) ある工場では，最大需要電力を **3 600 kW** に抑えることにしている．この最大需要電力が大きくなることが予想される，ある日の **9** 時から **9** 時 **30** 分までの時間帯に着目する．**9** 時から **9** 時 **20** 分までの使用電力量が **1 300 kW·h** であった．需要電力を **3 600 kW** に抑えるためには，残りの **10** 分間の平均電力を **G** **abcd** [**kW**] とする必要がある．ここで，需要電力は使用電力の **30** 分間平均値とする.

(14) 電圧及び周波数が一定の商用電源で運転されている一般動力用誘導電動機の，負荷トルクと回転速度の関係について考える．ここで，通常の負荷範囲内で運転されている電動機の負荷トルクが大きくなり，たとえば **1.2** 倍になったとする．このとき，回転速度は［10］．

〈［10］の解答群〉

ア　ほぼ **1.2** 倍になる　　**イ**　ほぼ $\dfrac{\mathbf{1}}{\mathbf{1.2}}$ になる　　**ウ**　ほとんど変化しない

⒂　電動力応用の流体機械の省エネルギーを行うとき，電動機の負荷を低減することが重要である．この電動機の負荷の低減に関して，『工場等判断基準』の『基準部分（工場）』では，ポンプ，ファン，ブロワ，コンプレッサ等の流体機械については，［11］を行い，負荷に応じた運転台数の選択，回転数の変更等に関する管理標準を設定し，電動機の負荷を低減すること，を求めている．また，負荷変動幅が定常的な場合は，配管やダクトの変更，インペラーカット等の対策を実施すること，を求めている．

〈［11］の解答群〉

ア　機械効率の見直し　　**イ**　使用端圧力及び吐出量の見直し

ウ　配管やダクトの小口径化への見直し

⒃　電気加熱は，燃料の燃焼による加熱にはない特徴をもっており，その一つが，被加熱物自身の発熱による内部加熱ができることである．この加熱方式として，誘電加熱，マイクロ波加熱，直接抵抗加熱，誘導加熱などがある．これらの方式のうち，導電性の金属の加熱には［12］加熱や直接抵抗加熱が用いられる．

〈［12］の解答群〉

ア　マイクロ波　　**イ**　誘電　　**ウ**　誘導

⒄　照明設備において，点光源の下に水平な被照面がある．被照面上で光源の真下にある点 **P** における照度は，光源と被照面上の点 **P** との距離の［13］乗に反比例する．ここで，点光源の光束は全方位に均等に発散されるものとし，また，壁や天井などでの反射は考えない．

〈［13］の解答群〉

ア　**0.5**　　**イ**　**2**　　**ウ**　**3**

電気の基礎（80分）

問題4　電気及び電子理論

問題5　自動制御及び情報処理

問題6　電気計測

問題4（電気及び電子理論）

次の各文章の［ 1 ］～［ 11 ］の中に入れるべき最も適切な数値又は式をそれぞれの解答群から選び，その記号を答えよ．（配点計**50**点）

(1)　図**1**に示すように，単相交流電源の**a**，**b**両端子に，抵抗 $\boldsymbol{R} = \mathbf{5}$ [Ω] と誘導性リアクタンス $\boldsymbol{X_{\mathrm{L}}} = \mathbf{5}$ [Ω] の直列回路と，容量性リアクタンス $\boldsymbol{X_{\mathrm{C1}}} = \mathbf{4}$ [Ω] と $\boldsymbol{X_{\mathrm{C2}}} = \mathbf{4}$ [Ω] の直列回路が並列に接続され，それぞれの回路のインピーダンスの接続点に**c**端子及び**d**端子を設けている．ここで，図中の電圧 $\dot{\boldsymbol{V}}_{\mathbf{ab}}$ は**b**端子から**a**端子を見たときの**ab**間電圧とし，他の電圧についても同様に表記する．

このとき，電圧 $\dot{\boldsymbol{V}}_{\mathbf{cd}}$ [V] を求める方法を考える．なお，図に示されているインピーダンス以外のインピーダンスは無視するものとする．

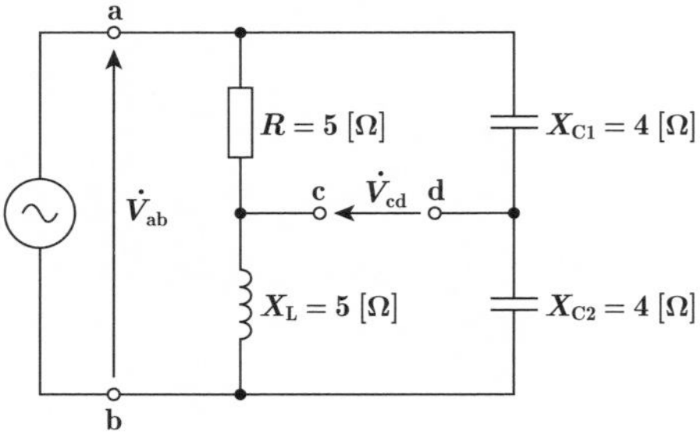

図1

1)　まず，電圧 $\dot{\boldsymbol{V}}_{\mathbf{db}}$ は次の式①のように表される．

$\dot{\boldsymbol{V}}_{\mathbf{db}} =$ ［ 1 ］ [V] ……………………………………①

次に，電圧 $\dot{\boldsymbol{V}}_{\mathbf{cb}}$ は次の式②のように表される．

$\dot{\boldsymbol{V}}_{\mathbf{cb}} =$ ［ 2 ］ [V] ……………………………………②

〈[1]及び[2]の解答群〉

ア　$\frac{1}{2}\dot{V}_{ab}$　　イ　$-\frac{1}{2}\dot{V}_{ab}$　　ウ　$\frac{j}{2}\dot{V}_{ab}$　　エ　$-\frac{j}{2}\dot{V}_{ab}$

オ　$\frac{1+j}{2}\dot{V}_{ab}$　　カ　$\frac{1-j}{2}\dot{V}_{ab}$　　キ　$\frac{-1+j}{2}\dot{V}_{ab}$

2)　そして，求める電圧 $\dot{V}_{cd}$ は次の式③のように表される．

$\dot{V}_{cd} =$ [3] [V] ……………………………………③

ここで，単相交流電源電圧を $\dot{V}_{ab} = 100 + j0$ [V] としたとき，電圧 $\dot{V}_{cd}$ は次の値となる．

$\dot{V}_{cd} =$ [4] [V]

〈[3]及び[4]の解答群〉

ア　j50　　イ　−j50　　ウ　100 + j50　　エ　−100 − j50

オ　$\dot{V}_{cb} + \dot{V}_{db}$　　カ　$\dot{V}_{cb} - \dot{V}_{db}$　　キ　$-\dot{V}_{cb} + \dot{V}_{db}$　　ク　$-\dot{V}_{cb} - \dot{V}_{db}$

(2)　図2に示すような三相回路がある．対称三相交流電源のa相電圧 $\dot{E}_a$ は $\dot{E}_a = 200 + j0$ [V] であり，相順は a → b → c 相である．一方，負荷は，抵抗 $R = 12$ [Ω] と誘導性リアクタンス $X_L = 6$ [Ω] の直列回路が △ 結線された平衡三相負荷であり，△ 結線の各接続点と電源各相の間の線路には誘導性リアクタンス $X_D = 1$ [Ω] が接続されている．また，三相交流電源には，スイッチ SW を介して，Y 結線された平衡三相の容量性リアクタンス $X_C = 10$ [Ω] の力率改善回路が接続されている．

この回路において，スイッチ SW が開いているときと閉じているときの，定常状態における電流，有効電力，無効電力などを求める過程を考える．ただし，図に示されているインピーダンス以外のインピーダンスは無視するものとする．

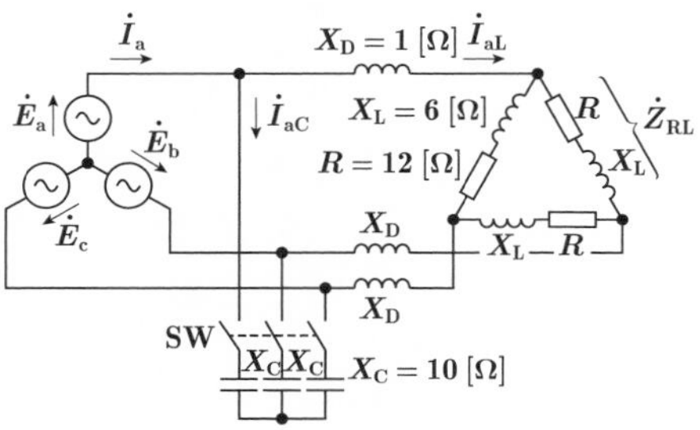

図 2

1)　スイッチ SW が開いているときに，電源から負荷に流れる電流を求める．

△結線された負荷回路のインピーダンス $\dot{Z}_{RL}$ [Ω] をY結線の等価インピーダンス $\dot{Z}_L$ に変換すると，次の式④のように表される．

$\dot{Z}_L =$ [5] [Ω] ……………………④

したがって，電源から負荷に流れる電流 $\dot{I}_{aL}$ は次の値となる．

$\dot{I}_{aL} =$ [6] [A]

〈[5]及び[6]の解答群〉

ア 32 + j24　　**イ** 32 − j24　　**ウ** 40 + j20　　**エ** 40 − j20

オ $\frac{1}{3}(R + jX_L)$　　**カ** $\frac{1}{\sqrt{3}}(R + jX_L)$　　**キ** $3(R + jX_L)$

2)　スイッチSWが開いているときに，電源から負荷に供給される有効電力及び無効電力を求める．

電圧が $\dot{V}$ [V]，電流が $\dot{I}$ [A] の負荷に入力される有効電力 P [W] 及び無効電力 Q [var] と複素電力 $\dot{S}$ との関係を，電圧を基準とし，遅れ無効電力を正として $\dot{S} = \overline{\dot{V}} \cdot \dot{I} = P - jQ$ で表す．ここで，$\overline{\dot{V}}$ は $\dot{V}$ の共役複素数を表す．したがって，図2の回路において，電源から負荷回路側に供給される有効電力 P_L [W] 及び無効電力 Q_L [var] は，複素電力 $\dot{S}_L$ として式⑤で表される．平衡三相回路であるので，$\dot{S}_L$ がY結線の一つの電圧と線電流から求める電力の3倍となることから，P_L 及び Q_L の値を求めることができる．

$\dot{S}_L = P_L - jQ_L = 3\overline{\dot{E}_a} \cdot \dot{I}_a$

$=$ [7] $-$ j [8] [VA] ……………………⑤

また，このときの有効電力 P_L は，図2の△結線の負荷回路の三つの抵抗で消費される電力と等しいので，線電流 $\dot{I}_{aL}$ の大きさ I_{aL} [A] を用いて求めた△結線の相電流の大きさを使い，次の式⑥のように表すこともできる．

$P_L = 3 \times R \times$ [9] [W] ……………………⑥

〈[7]～[9]の解答群〉

ア 4 800　　**イ** 6 400　　**ウ** 12 000　　**エ** 14 400　　**オ** 19 200

カ 24 000　　**キ** $\left(\frac{I_{aL}}{\sqrt{3}}\right)^2$　　**ク** $\left(\frac{I_{aL}}{3}\right)^2$　　**ケ** $(\sqrt{3}I_{aL})^2$

3)　スイッチSWが閉じているときに，電源から供給される無効電力及び力率を求める．

力率改善回路に流れる電流 $\dot{I}_{aC}$ [A] は，電源電圧 $\dot{E}_a$ と容量性リアクタンス X_C から求められる．電源から力率改善回路に供給される無効電力 Q_C [var] は複素電力 $\dot{S}_C$ [VA]

として次の式⑦で表され，Q_C の値が求められる．

$\dot{S}_C = -jQ_C = -j($ 10 $)$ [VA] ……………………………⑦

したがって，電源から供給される合計の無効電力 Q_0 は次の式⑧のように表される．

$Q_0 = Q_L + Q_C$ [var] ……………………………⑧

以上から，電源から負荷側を見たときの力率 $\cos\varphi$ は次の値となる．

$\cos\varphi =$ 11

〈 10 及び 11 の解答群〉

ア $-12\ 000$　**イ** $-4\ 000\sqrt{3}$　**ウ** $-4\ 000$　**エ** 0.879

オ 0.889　**カ** 0.992

問題 5（自動制御及び情報処理）

次の各文章及び表の 1 ～ 15 の中に入れるべき最も適切な字句，数値，式又は記述をそれぞれの解答群から選び，その記号を答えよ．なお， 11 は 2 箇所あるが，同じ記号が入る．（配点計 50 点）

(1) 図 1 に示すようなフィードバック制御系を考える．ここで，t を時間，参照値を $r(t)$，制御器出力を $u(t)$，操作量を $c(t)$，外乱を $d(t)$，制御対象への入力を $f(t)$，制御量を $y(t)$ とし，$R(s)$ は $r(t)$ を，$U(s)$ は $u(t)$ を，$C(s)$ は $c(t)$ を，$D(s)$ は $d(t)$ を，$F(s)$ は $f(t)$ を，$Y(s)$ は $y(t)$ をそれぞれラプラス変換したものとする．また，K と H は定数であり，$K = 100$，$H = 0.2$ とする．ここで，全ての物理量は無次元で表現する．

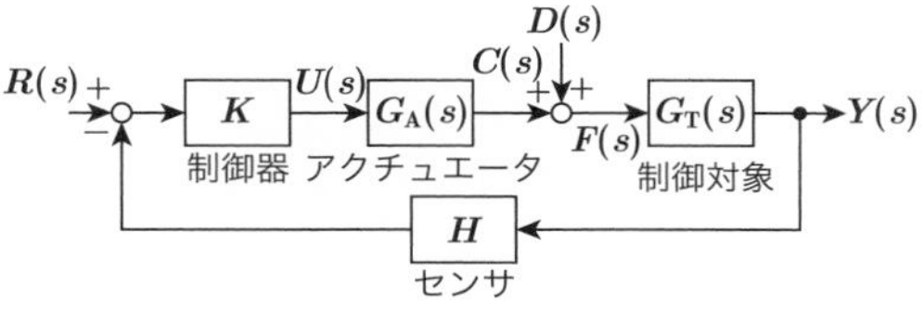

図 1　フィードバック制御系

1) いま，アクチュエータの伝達関数 $G_A(s)$ が次の式で与えられるとする．

$$G_A(s) = \frac{b}{s+a}$$

この伝達関数の単位ステップ応答が $100(1 - e^{-10t})$ であるとすると，a は 1 ，b は 2 である．

〈 1 及び 2 の解答群〉

ア 0.1　**イ** 1　**ウ** 10　**エ** 100　**オ** 1 000

2) 次に制御対象の伝達関数 $G_{\mathrm{T}}(s)$ について考える．$G_{\mathrm{T}}(s)$ が 次の時間領域関数のラプラス変換したもので表されるとする．

$$M\frac{\mathrm{d}y(t)}{\mathrm{d}t}=f(t)$$

ここで，$M=1\,000$ とすると，伝達関数 $G_{\mathrm{T}}(s)$ は次のように表される．

$G_{\mathrm{T}}(s)=$ [3]

〈[3]の解答群〉

ア $\frac{0.001}{s}$　イ $\frac{0.01}{s}$　ウ $\frac{0.1}{s}$　エ $\frac{0.01}{s+1}$　オ $\frac{0.1}{s+1}$

3) ここで，外乱を 0 として $R(s)$ から $Y(s)$ までの伝達関数を求めると，[4]となる．

〈[4]の解答群〉

ア $\frac{20}{s^2+10s+20}$　イ $\frac{100}{s^2+10s+1}$　ウ $\frac{100}{s^2+10s+20}$　エ $\frac{100}{s^2+10s+100}$

4) 外乱が $d(t)=1$ のときに，参照値 $r(t)=A$ を与えた．充分に時間が経過した後に制御量 $y(t)$ が 20 となった．このとき A の値に最も近いのは[5]である．

〈[5]の解答群〉

ア 1　イ 2　ウ 3　エ 4　オ 5

(2) 伝達関数で表現される線形システムの極と応答について考える．

1) もし，すべての極が[6]に存在するとき，そのシステムは安定である．

〈[6]の解答群〉

ア 実軸上　イ 複素左半平面　ウ 複素右半平面

2) 次に極が1)と同じ条件であり，制御系設計により，極を移動することができる状況を考える．ここで，二次遅れ系で極が共役複素根のとき，極の位置を原点に近づけると，システムの応答は[7]．一方，極の位置を垂直に実軸に近づけると，システムのステップ応答のオーバシュートは[8]．

〈[7]及び[8]の解答群〉

ア 遅くなる　イ 速くなる　ウ 大きくなる

エ 小さくなる　オ 変わらない

(3) 図 2 にある論理回路の論理記号（MIL 規格），表にその真理値を示す．入力 A，B 及び出力 C は真を 1（電圧の高いレベル），偽を 0（電圧の低いレベル）で表す正論理をとるものとする．

図 **2** の論理記号で示される回路は [9] と呼ばれ，論理式は C = [10] で表現される．入力 **A**，**B** 共に **0** の信号を入力した場合の出力 **C** の値は [11] となる．

また，このような論理回路を組み合わせて信号の情報を保持する機能を実現した回路をフリップフロップと呼び，その中でもセット，リセットの同時入力を許し，そのときに出力を反転させる回路を [12] と呼ぶ．

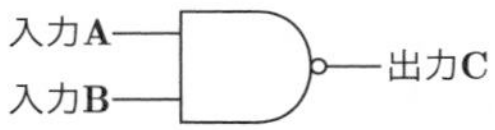

図 **2**　**MIL** 規格による論理記号

表　真理値

入力 A	入力 B	出力 C
0	0	A
1	0	1
0	1	1
1	1	0

〈[9]～[12] の解答群〉

ア 0　**イ** 1　**ウ** 不定　**エ** $\overline{A+B}$　**オ** $\overline{A\cdot B}$　**カ** $\overline{A}\cdot\overline{B}$

キ **AND** 回路　**ク** **NAND** 回路　**ケ** **OR** 回路　**コ** **D** フリップフロップ

サ **JK** フリップフロップ　**シ** **RS** フリップフロップ

(4)　ハードディスクはデータを記録するための [13] の一つであり，磁性体を塗布した円盤から記録データを読み書きする．磁気ヘッドを搭載したアームを操作して [14] を選択し，その中に複数個連続して配置されている [15] が **1** 回の読み書き単位となる．

〈[13]～[15] の解答群〉

ア インデックス　**イ** セクタ　**ウ** ディレクトリ　**エ** トラック

オ ファイル　**カ** ヘッド　**キ** 主記憶装置　**ク** 補助記憶装置

ケ 入力装置

問題 6（電気計測）

次の各文章の [1]～[9] の中に入れるべき最も適切な字句又は式をそれぞれの解答群から選び，その記号を答えよ．また，[A | a.b] に当てはまる数値を計算し，その結果を答えよ．ただし，解答は解答すべき数値の最小位の一つ下の位で四捨五入すること．（配点計 **50** 点）

(1)　工場等において，各種の測定を行うことはエネルギー使用状況の把握のために必要不可欠である．

1)　**JIS** によると，測定とは「ある量をそれと同じ種類の量の測定単位と比較して，その量の値を実験的に得るプロセス」であり，「指定の条件下において，第一段階で，測定標準によって提供される不確かさを伴う量の値とそれに対応する指示値との不確かさを伴う関係を確立し，第二段階で，この情報を用いて指示値から測定結果を得るための関係を確立する操作」を校正という．この校正に関して「個々の校正が不確かさに寄与する，切れ目なく連鎖した，文書化された校正を通して，測定結果を参照基準に関係付けることができる測定結果の性質」のことを［ 1 ］という．

〈［ 1 ］の解答群〉

ア アベイラビリティ　**イ** トレーサビリティ　**ウ** パーミアビリティ

2） 計測の規格や法令で国際単位系（**SI**）に準ずることを要求していることが多い．この **SI** は，本年 **5** 月 **20** 日の世界計量記念日から一部の単位の定義が改定されている．

i) 電流の単位であるアンペア [A] は，電流が流れている **2** 本の電線間に作用する力で定義されていた．改定された **SI** では，アンペアの定義の直接的な土台となるのは［ 2 ］であり，単位時間に移送する電子の数を用いてアンペアの標準を作ることができる．

ii) 質量の単位であるキログラム [kg] については，従来は［ 3 ］で定義されていたが，改定された **SI** では［ 4 ］を基に定義される．

〈［ 2 ］～［ 4 ］の解答群〉

ア ジョセフソン定数　**イ** フォン・クリッツィング定数

ウ プランク定数　**エ** 微細構造定数　**オ** 電気素量

カ 各国キログラム原器の平均質量　**キ** 国際キログラム原器の質量

iii) これらを含む新しい定義への改定により，全ての **SI** 単位が［ 5 ］を基にすることとなった．

〈［ 5 ］の解答群〉

ア 基礎物理定数などの定義定数　**イ** 物質固有の物理的状態

ウ きわめて安定性の高い材料により作成された原器

⑵ オペアンプ（演算増幅器）は電気計測機器等のアナログ演算の構成部品として広く利用され，なくてはならない回路部品となっている．図 **1** 及び図 **2** にオペアンプを利用した電圧増幅回路である，反転増幅回路と非反転増幅回路の回路図を示す．ここで，V_{in} [V] は入力電圧，V_{out} [V] は出力電圧，R_1 [Ω] 及び R_2 [Ω] は抵抗器の抵抗とする．

1） オペアンプは，理想的な増幅機能を持つことが特徴として挙げられるが，具体的には高い電圧利得，［ 6 ］入力インピーダンス，広い周波数帯域を持つこと，などがその重要な要素である．

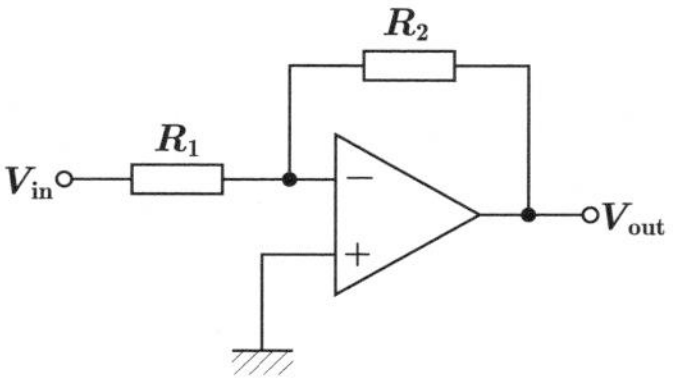

図 **1**　反転増幅回路

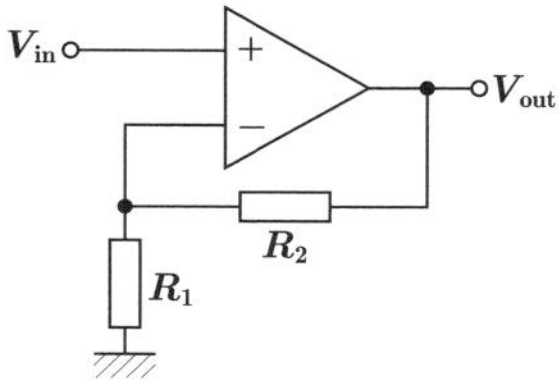

図 **2**　非反転増幅回路

2)　オペアンプが理想的なものであるとすると，図 **1** 及び図 **2** に示す反転増幅回路と非反転増幅回路の電圧利得は $\boldsymbol{R_1}$，$\boldsymbol{R_2}$ を用いて，反転増幅回路では [7]，非反転増幅回路では [8] と表すことができる．また，反転増幅回路の場合にオペアンプの反転入力端子の電位が負帰還によって常に零になることを，[9] と呼ぶ．

ここで，図 **1** の反転増幅回路の $\boldsymbol{R_1}$ を **10 kΩ**，$\boldsymbol{R_2}$ を **20 kΩ**としたとき，$\boldsymbol{V_{in}}$ が**−2 V** であるとすると，$\boldsymbol{V_{out}}$ の値は [**A** | **a.b**] [**V**] である．

〈[6]〜[9] の解答群〉

ア	$\dfrac{R_2}{R_1}$	**イ**	$-\dfrac{R_2}{R_1}$	**ウ**	$-\dfrac{R_1}{R_2}$	**エ**	$\dfrac{R_1+R_2}{R_1}$
オ	$-\dfrac{R_1+R_2}{R_1}$	**カ**	$\dfrac{R_1+R_2}{R_2}$	**キ**	**1** 点接地	**ク**	仮想接地
ケ	筐体（きょうたい）設置	**コ**	高い	**サ**	低い	**シ**	可変

電気設備及び機器（110分）

問題7，8　工場配電

問題9，10　電気機器

問題7（工場配電）

次の各文章の［1］～［10］の中に入れるべき最も適切な字句，数値又は式をそれぞれの解答群から選び，その記号を答えよ．なお，［6］は2箇所あるが，同じ記号が入る．

また，［A abc］及び［B a.b］に当てはまる数値を計算し，その結果を答えよ．ただし，解答は解答すべき数値の最小位の一つ下の位で四捨五入すること．（配点計50点）

(1)　デマンド制御とは，電気使用の便益を大きく損なうことなく最大需要電力を一定の値以下に留め，電力設備の効率運転と省エネルギーを推進する手法である．最大需要電力を低減することができれば，電力需要の平準化にも寄与できるので，負荷平準化の計画に用いる指標である［1］が向上し，受電設備や配電設備の効率的運用が可能となる．

一般に，デマンド制御を自動で行うデマンド監視制御装置では，需要電力を監視して，最大需要電力が［2］を超過すると予測されるときは警報を出し，あらかじめ設定されている優先順位に従って負荷設備の抑制や停止などを行う機能を有している．

〈［1］及び［2］の解答群〉

ア　契約電力　　**イ**　平均電力　　**ウ**　設備容量　　**エ**　負荷率

オ　不等率　　**カ**　力率

(2)　変圧器の結線は，その利点や欠点を考慮して選定される．

三相変圧器の結線方法の中で，**Y-**△結線あるいは△**-Y**結線のものは，中性点を接地することで地絡時の異常電圧を軽減できること，［3］励磁電流が還流するので波形の歪みが少ないことが利点であるが，一次・二次間に［4］の位相差を生じることになる．これに対し，△-△結線のものは，一次・二次間に位相差はないが，中性点を設けることはできない．

この他に工場配電で用いられる結線方法としては，三相電源に**2**個の同じ定格の単相変圧器を接続して三相電力を供給する**V-V**結線や，三相電源に**2**個の定格の異なる単相変圧器を用いて，二次側の位相が**90°**異なる二つの単相回路を得るスコット結線などがある．

スコット結線は，単相交流負荷に電力を供給する非常用発電装置の場合などで，三相交流電源の［5］を防止する場合や，交流式電気鉄道など大きい単相負荷を必要とする場合などに用いられる．

〈［3］～［5］の解答群〉

ア 30°　**イ** 60°　**ウ** 120°　**エ** 第 3 調波　**オ** 第 5 調波
カ 第 7 調波　**キ** 高調波の影響　**ク** 電圧降下　**ケ** 電圧不平衡

(3) アーク炉や溶接機などの変動負荷が配電線に接続されていると，電圧変動が頻繁に繰り返され，その結果，白熱電球や蛍光ランプなどの光束が変動し，明るさにちらつきが生じることがある．この現象を［6］と呼んでいる．これが著しい場合には人に不快感を与えることになる．

人間の目は，ちらつきの感じやすさに周波数依存性がある．ちらつきの周波数が［7］[Hz] 程度のときに最も敏感に感じるとされており，周波数がこれよりも非常に高い場合や非常に低い場合は，このちらつきを感じにくくなる．

通常，我が国での［6］の指標となる値を計測する手順は次のようになっている．

まず，基準となる基本波電圧の実効値と変動する電圧の実効値の差を求めて，この差電圧を変動周波数成分へ分解する．次に，分解された周波数成分毎の電圧変動値に，目の感じやすさである「ちらつき［8］曲線」で得られる係数で重み付けした値を基本の量として，この値を 2 乗平均することで，指標となる値を求める．

なお，1 個の値の計測の期間は 1 分間であり，この計測で得られる 1 時間 60 個の値を統計処理して評価値を求める．

〈［6］～［8］の解答群〉

ア 1　**イ** 10　**ウ** 20　**エ** フェランチ　**オ** フリッカ
カ 高調波　**キ** 残像　**ク** 視感度　**ケ** 不快

(4) 図に示すように，1 相分の線路抵抗が R [Ω]，1 相分の線路リアクタンスが X [Ω] の三相 3 線式配電線路に平衡三相負荷が接続されている．この負荷と並列に進相コンデンサを接続して力率改善を行うことにした．ただし，力率改善の前後でも，負荷の大きさ，負荷の力率及び負荷端の電圧は変わらないものとする．

ここで，力率改善前の力率を $\cos\varphi_1$，線路電流を $\dot{I}_1$ [A]，その大きさを I_1 [A]，$\dot{I}_1$ のうちの線路無効電流を I_{q1} [A] とし，力率改善後の力率を $\cos\varphi_2$，線路電流を $\dot{I}_2$ [A]，その大きさを I_2 [A]，$\dot{I}_2$ のうちの線路無効電流を I_{q2} [A] とする．また，進相コンデンサの電流を I_c [A]，負荷の有効電流を I_p [A]，負荷端の相電圧を V [V]，力率改善前の線路損

失を P_1 [W], 電圧降下を ΔV_1 [V], 力率改善後の線路損失を P_2 [W], 電圧降下を ΔV_2 [V] とする.

なお, 線路電流を I [A], 負荷の力率を $\cos\varphi$ としたときの1相当たりの電圧降下 ΔV [V] の計算には, 近似式 $\Delta V = I(R\cos\varphi + X\sin\varphi)$ を用いるものとする.

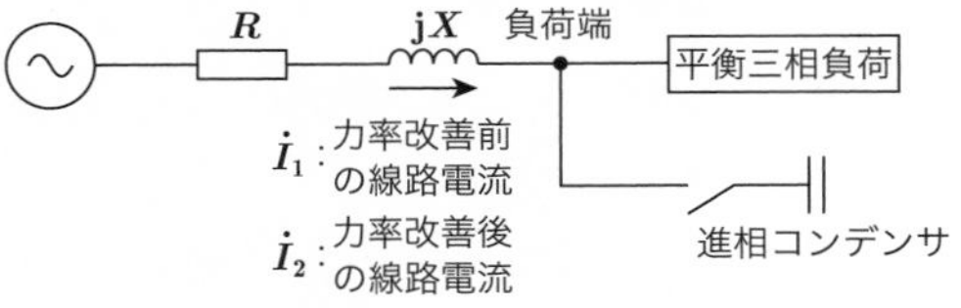

図

1)　力率改善した場合, 1相当たりの線路損失の低減量 $(P_1 - P_2)$ は次式で表される.

$$P_1 - P_2 = \boxed{\ 9\ } \times R\ [\mathrm{W}]$$

2)　同様に, 1相当たりの線路の電圧降下の低減量 $(\Delta V_1 - \Delta V_2)$ は次式で表される.

$$\Delta V_1 - \Delta V_2 = \boxed{\ 10\ } \times X\ [\mathrm{V}]$$

〈[9] 及び [10] の解答群〉

ア　$(I_1 - I_2)$　　**イ**　$(I_p - I_c)$　　**ウ**　$(I_{q1} - I_{q2})$　　**エ**　$(I_1{}^2 - I_2{}^2)$

オ　$(I_1{}^2 - I_p{}^2)$　　**カ**　$(I_{q1}{}^2 - I_c{}^2)$

3)　図の平衡三相負荷が, 三相 **500 kW**, 力率 **85 %**（遅れ）であるとき, コンデンサ接続前の **1** 相当たりの線路損失が **830 W**, **1** 相当たりのリアクタンスによる線路電圧降下が **10 V** であった. この負荷にコンデンサを並列に接続して, 負荷端から電源を見た力率を **95 %**（遅れ）に改善した.

i)　力率改善後の **1** 相分の線路損失の低減量は [A | abc] [W] となる.

ii)　同様に, 力率改善後の **1** 相当たりの線路の電圧降下の低減量は [B | a.b] [V] となる.

問題8（工場配電）

次の各文章の [1] ～ [8] の中に入れるべき最も適切な字句又は数値をそれぞれの解答群から選び, その記号を答えよ. なお, [2] は **2** 箇所あるが, 同じ記号が入る.

また, [A | ab.c] ～ [D | ab.c] に当てはまる数値を計算し, その結果を答えよ. ただし, 解答は解答すべき数値の最小位の一つ下の位で四捨五入すること.（配点計 **50** 点）

(1)　工場の受配電方式においては, 電力供給信頼度の確保と電圧の適正化など, 電力品質の確保が求められている.

1) 電圧の種類

我が国の電気設備技術基準では，電圧を低圧，高圧及び特別高圧に分け，その区分を次のように規定している.

① 低圧：交流では [1] [V] 以下（直流では **750 V** 以下）のもの

② 高圧：低圧の限度を超えて [2] [kV] 以下のもの

③ 特別高圧：[2] [kV] を超えるもの

2) 母線方式

高受電した電力は，一般に母線を介して負荷に供給される．受電設備の母線は，停電など異常時の処理や運用形態により，受電変圧器の一次側で回路を構成するものと二次側で回路を構成するものがある．母線方式の主なものには，最も簡単な単一母線方式の他に，[3] 開閉器で単一母線を分割した分割母線方式や，必要に応じて異系統運転ができる信頼性の高い [4] 方式がある.

〈[1]～[4] の解答群〉

ア **7**　**イ** **9**　**ウ** **22**　**エ** **500**　**オ** **600**　**カ** **900**

キ レギュラーネットワーク　**ク** 二重母線　**ケ** 予備母線　**コ** 区分

サ 並列　**シ** 連系

(2) 変圧器は，受電設備の中で高い信頼性が要求され，効率も高い機器であるが，更に省エネルギーを進めるためには，次のような損失低減対策を検討することが大切である.

1) 低損失変圧器の採用

新設や更新時には高効率の変圧器を導入する．変圧器は技術の進歩によって内部損失が大きく低減されており，特に，[5] の進歩により無負荷損が低減されている.

2) 無負荷変圧器の停止

変圧器が電源に接続されているときは，負荷が無くても [6] が流れ，無負荷損が生じている．負荷が無いときは，無負荷損の削減のために一次側，二次側とも回路から切り離すことが望ましい.

3) 変圧器の台数制御

変圧器を台数分割し，並行運転するための条件や運用上の手順を決めて，負荷に応じて損失が最小となるように，稼働台数を調整する．なお，**2** 台以上の変圧器を並行運転する場合，事前に変圧器の一次及び二次の定格電圧が等しいこと，[7] が等しいこと，さらに [8] の並行運転では相回転，位相変位が等しいことなど，必要な条件を満たしておくことが重要である.

〈 5 ～ 8 の解答群〉

ア　極性　イ　効率　ウ　三相変圧器　エ　単相変圧器

オ　循環電流　カ　突入電流　キ　励磁電流　ク　鉄心材料

ケ　巻線材料　コ　巻線占積率

(3)　図に示すような結線で **A**，**B** **2** 台の変圧器が，P_1 及び P_2 なる負荷に電力を供給している．ここで，負荷 P_1 は **6 300 kW** で力率 **90 %**（遅れ），負荷 P_2 は **4 800 kW** で力率 **80 %**（遅れ）である．また，変圧器 **A**，**B** の諸元は表のとおりである．ここで，短絡インピーダンスは各変圧器の定格容量基準の値とする．

表　変圧器の諸元

特性＼変圧器	定格容量 [kVA]	短絡インピーダンス [%]	無負荷損 [kW]	定格時の負荷損 [kW]
A	10 000	8.0	16	60
B	7 500	7.5	15	53

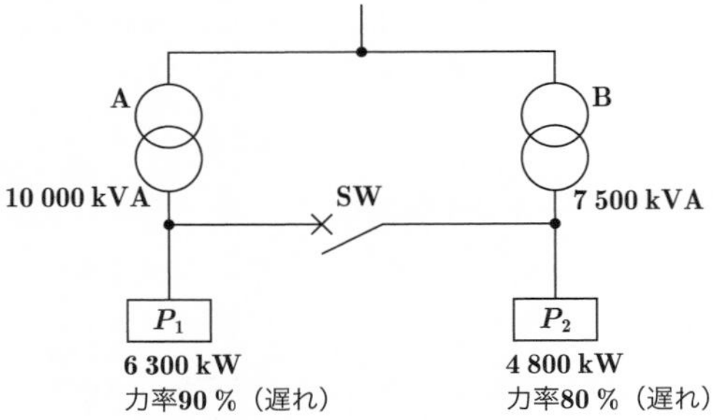

図

1)　スイッチ **SW** を開いて変圧器 **A**，**B** をそれぞれ単独で運転したとき，変圧器 **A** の損失は **A ab.c** [kW] となる．また，変圧器 **B** の損失は **B ab.c** [kW] となる．

2)　スイッチ **SW** を閉じて変圧器 **A**, **B** を並行運転したとき, 合計損失は **C ab.c** [kW] となり，それぞれを単独運転したときの損失の合計よりも損失は小さくなる．

また，並行運転時の総合効率は **D ab.c** [%] となる．

問題 9（電気機器）

次の各文章の 1 ～ 11 の中に入れるべき最も適切な字句又は記述をそれぞれの解答群から選び，その記号を答えよ．

また，**A abc** ～ **E a.bc** に当てはまる数値を計算し，その結果を答えよ．ただし，

解答は解答すべき数値の最小位の一つ下の位で四捨五入すること．（配点計 **50** 点）

(1) 一般に電気機器は，機器に表示された定格電圧で使用する場合に最も効率が良い．大きな電圧変動や電圧降下は機器の効率低下を招くと共に，生産設備の場合には，製品不良の原因や製品生産能力の低下要因にもなる．

1) 工場の配電電圧を良好に維持するための電圧調整を変圧器で行う場合には，一般的に変圧器の巻線にタップを設けて，[1]を切換えることによって行う．この切換方式としては，変圧器を負荷及び電源回路から切り離した状態でタップの切換を行う無電圧タップ切換方式と，負荷及び電源回路を接続した状態でタップ切換を可能とした負荷時タップ切換方式がある．さらに，負荷時タップ切換方式には直接式と間接式がある．

2) 負荷時タップ切換方式のうちの直接式は，変圧器の外部端子に接続される回路により変圧器巻線を流れる[2]が，タップ切換器に直接流れるように結線する方式である．星形結線の三相変圧器では，各相の切換開閉器の相間電圧を小さくでき，かつ，三相の機構部が一体化できるので，変圧器巻線の[3]側に設けるのが一般的である．

〈[1]～[3]の解答群〉

ア 界磁電流　**イ** 循環電流　**ウ** 負荷電流　**エ** 誘導電流　**オ** 高圧巻線
カ 短絡比　**キ** 変圧比　**ク** 変流比　**ケ** 中性点

3) 負荷時タップ切換方式のうちの間接式は，主変圧器の他に直列変圧器を，主変圧器の入力又は出力回路に直列接続する構成となっている．電圧の調整は，主変圧器から得られるタップ電圧を，タップ切換器を用いて直列変圧器の[4]巻線に印加することで行われる．間接式は，タップ切換器を設けようとする巻線の[5]レベルが非常に高い場合，又は電流が極めて大きい場合などに適用される．

4) 負荷時タップ切換器によるタップの切換動作は，隣接する二つのタップ端子間を橋絡した後，所望のタップ端子に移動する動作となるので，橋絡されるタップ間の[6]を制限するために，抵抗又はリアクタンスが用いられる．

〈[4]～[6]の解答群〉

ア 過電圧　**イ** 充電電流　**ウ** 短絡電流　**エ** 絶縁　**オ** 耐熱
カ 直列　**キ** 分路　**ク** 保護　**ケ** 励磁

(2) 汎用インバータの逆変換回路には，三相ブリッジ結線の電圧形インバータが一般的に使用される．出力電圧及び周波数の制御はパルス幅変調（**PWM**）方式が一般的である．

1) **PWM** 制御方式では，通常は正弦波の波形で出力電圧の基準となる[7]と，通常は三角状の波形をした[8]を比較して，両者の大小関係でスイッチング素子のオン／オフを決定する．これにより，出力電圧の波形は幅可変の連続した［9］波となる．この出力電圧波形は高調波成分を多く含んでいるが，誘導電動機では漏れインダクタンスのフィルタ作用により，電動機にはほぼ［10］波に近い波形の電流が流れる．

〈［7］～［10］の解答群〉

ア インパルス　**イ** 三角　**ウ** 正弦　**エ** 方形　**オ** 高周波

カ 高調波　**キ** 信号波　**ク** 側帯波　**ケ** 搬送波　**コ** 振幅

サ 誘導起電力

2) インバータの効率は，接続される負荷の大きさや力率などによって決まる．いま，インバータが出力電圧及び負荷力率が一定という条件で運転している．ここで，負荷電流が定格値からその **25 %** の間を変動したとき，インバータの効率は一般的には［11］．

〈［11］の解答群〉

ア 負荷電流に比例して変化する　**イ** 負荷電流の **2** 乗に比例して変化する

ウ ほとんど変化しない

(3) 定格周波数 **50 Hz**，定格一次電圧 **6 600 V**，定格二次電圧 **210 V** の単相変圧器の無負荷試験と短絡試験を行い，次の結果が得られた．

① 無負荷試験結果：二次側を開放し，一次側に定格周波数で定格電圧の **6 600 V** を印加したとき，電流が **2.31 A**，力率が **1.5 %** となった．

② 短絡試験結果：二次側を短絡し，一次側に定格周波数で **185 V** の電圧を印加したとき，一次側及び二次側に定格電流が流れ，一次側の電流は **30.3 A**，一次側入力電力が **2 150 W** となった．

1) この変圧器の無負荷損は［**A** abc］[W] となるので，この変圧器が最高効率となるのは，変圧器定格容量の［**B** ab.c］[%] の負荷を接続したときとなる．

2) この変圧器の定格容量基準での短絡インピーダンスは［**C** a.b］[%] であり，これは短絡試験時に印加した電圧値とそのときに流れた電流値から，一次側換算のオーム値で［**D** a.bc］[Ω] となる．

3) 短絡試験の結果より，一次側換算の巻線抵抗の値は **2.34 Ω**となるので，一次側換算の漏れリアクタンスの値は［**E** a.bc］[Ω] となる．

問題 10（電気機器）

次の各文章の［1］～［11］の中に入れるべき最も適切な字句又は式をそれぞれの解答群から選び，その記号を答えよ．なお，［5］及び［7］は **2** 箇所あるが，それぞれ同じ記号が入る．

また，[A a.bc × 10^d]～[D a.bc]に当てはまる数値を計算し，その結果を答えよ．ただし，解答は解答すべき数値の最小位の一つ下の位で四捨五入すること．（配点計 **50** 点）

(1) 三相誘導電動機の制動方式について考える．

1) 三相誘導電動機において，滑り s の大きさが [1] の範囲では，電磁力の方向は常に回転磁界の方向と同じであり，この滑りの領域では，回転子の回転方向と電磁力の方向とは常に一致するので，トルクは [2] トルクとなる．一方，電動機滑り s の大きさが [3] の範囲では，回転磁界の方向は変わらず，電磁力の方向が逆転するため，この領域で生じるトルクは [4] トルクとなる．

〈[1]～[4]の解答群〉

ア $s < -1$　**イ** $-1 < s < 0$　**ウ** $s = 0$　**エ** $0 < s < 1$

オ $1 < s < 2$　**カ** $2 < s$　**キ** 逆相　**ク** 駆動

ケ 最大　**コ** 制動　**サ** 同期　**シ** 発電

2) したがって，通常の三相誘導電動機は，同期速度以下では電動機運転，同期速度以上では [5] 制動運転が一般的な運転方法である．これに対し，巻線形誘導電動機を用いた二次励磁制御の一種である超同期 [6] 方式は，誘導電動機の二次側に交流電力変換装置を設けて，二次側の電力を電源に送り返すだけでなく，逆に電源側から電動機に電力を送ることにより，同期速度の上下にわたって，それぞれの運転範囲で電動機運転及び [5] 制動運転を可能とする方式である．

〈[5]及び[6]の解答群〉

ア クレーマ　**イ** セルビウス　**ウ** レオナード

エ 回生　**オ** 逆転　**カ** 抵抗

(2) 図は三相同期発電機の星形 **1** 相分のベクトル図を示したものである．ここで，$\dot{I}_a$ は電機子電流であり，遅れ力率での運転状態を示している．

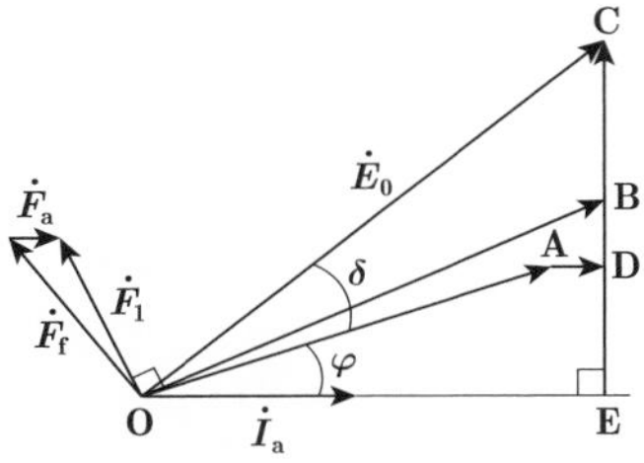

図

界磁起力 $\dot{F}_f$ により，$\frac{\pi}{2}$ 遅れて誘導起電力 $\dot{E}_0$ が発生する．界磁起磁力 $\dot{F}_f$ と [7] 起磁力 $\dot{F}_a$ の合成起磁力 $\dot{F}_1$ が，エアーギャップに作用する起磁力となる．これによって，誘導起電力が線分 [8] で示される誘導起電力 $\dot{E}_1$ に変化する．$\dot{E}_0$ と $\dot{E}_1$ との差は [7] リアクタンスによる電圧降下である．

誘導起電力 $\dot{E}_1$ から [9] リアクタンスによる電圧降下及び電機子抵抗 r_a による電圧降下（$r_a\dot{I}_a$）をベクトル的に差し引いた，線分 [10] が端子電圧 $\dot{V}$ となる．

ここで，∠AOE は力率角 φ に相当する．また，∠COA の作る角 δ は，[1] と呼ばれる．

〈[7]～[11] の解答群〉

ア	$\overline{AD}$	イ	$\overline{BD}$	ウ	$\overline{DE}$	エ	$\overline{OA}$	オ	$\overline{OB}$
カ	$\overline{OE}$	キ	磁束飽和	ク	制御角	ケ	内部相差角		
コ	誘電体損失角			サ	短絡	シ	電機子反作用		
ス	偏磁作用	セ	電機子漏れ	ソ	同期				

(3) 電動機の端子電圧が **6.3 kV**，入力電流が **96 A** で運転されている三相同期電動機がある．運転時の効率が **95.6 %**，同期リアクタンス x_s が **38.6 Ω**，機械損が **11 kW**，鉄損が **9 kW**，励磁回路損が **6 kW**，漂遊負荷損が **4 kW** であり，その他の損失について電機子回路損以外の損失は考えないものとする．

いま，この電動機が力率 **1.0** で運転されている場合の諸量を計算する．

1) 運転時の効率が **95.6 %** なので，この電動機の出力 P_0 は [[A | a.bc × 10^d]] [kW] である．

2) 運転時の電機子電流が **96 A** なので，電機子回路損（三相分）P_a は [[B | ab.c]] [kW] であり，1 相分の電機子抵抗 r_a は [[C | a.bc]] $\times 10^{-1}$ [Ω] と計算される．

3) 電機子抵抗 r_a は同期リアクタンス x_s に比べて非常に小さい値となるので，電機子抵抗の影響を無視して，1 相分の誘導起電力 E_0 を求めると，[[D | a.bc]] [kV] となる．

電力応用（110分）

必須　問題11，12　電動力応用
選択　問題13　電気加熱
選択　問題14　電気化学
選択　問題15　照　明
選択　問題16　空気調和
（問題13～16から）**2問題を選択**

問題11（電動力応用）

次の各文章の 1 ～ 13 の中に入れるべき最も適切な字句又は数値をそれぞれの解答群から選び，その記号を答えよ．なお， 1 ， 2 ， 5 及び 7 は**2**箇所あるが，それぞれ同じ記号が入る．（配点計**50**点）

(1)　電動機で負荷を駆動する際の省エネルギーの方法は負荷の種類によって異なる．

1)　ポンプや送風機では，一般に負荷トルクが回転速度のべき乗で増加するため， 1 を行い，負荷に応じた適切な出力とすることで，大幅な省エネルギーを実現できる．これらの用途では，厳密な速度制御やトルク制御は必要とされない場合が多く，図**1**に示すような汎用インバータによる誘導電動機（図中の**IM**）の V/f 制御が広く用いられている．

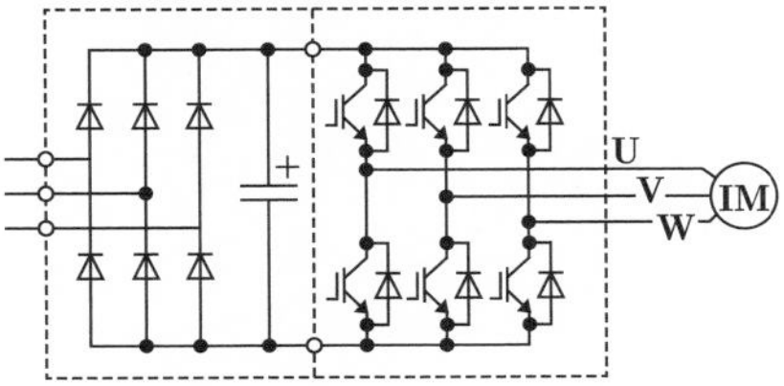

図1　汎用インバータによる誘導電動機駆動システム

V/f 制御では，インバータから誘導電動機に供給する電圧の大きさと周波数の関係を予め設定しておき，インバータ周波数を上げ下げすることで 1 を実現するものである．インバータ周波数が一定の条件で，負荷が重くなれば回転速度がわずかに下がり， 2 が増え，負荷が軽くなれば回転速度がわずかに上がり， 2 が減ることで，誘導電動機のトルクが自動的に調整され，回転子周波数はインバータ周波数から大きく外れることはなく運転が継続される．V/f制御において，厳密な速度制御が必要ない場合，制御は［3］ループで行えるため，速度検出器が不要であり，また，1 台のインバータで複数台の電動機を駆動できるなど，経済性に優れる特徴がある．

〈［1］～［3］の解答群〉

ア　オープン　イ　クローズド　ウ　フィードバック　エ　可変速運転
オ　定速運転　カ　可変トルク運転　キ　定トルク運転　ク　滑り
ケ　電圧　コ　同期速度　サ　励磁電流

2）搬送機やエレベータなど慣性負荷で高頻度な加減速運転を行う場合には，負荷の運動エネルギーを電源側に返す回生運転を行うことで，系統全体として省エネルギーを実現できる．これらの用途では，整流回路を通常用いられるダイオード整流回路に代えて，図 2 に示すような PWM 整流回路とする必要がある．

PWM 整流回路は，ダイオードの代わりに自己消弧能力を持つスイッチングデバイスである［4］などを用いることで，交流・直流双方向の電力変換が可能となる．また，加えて，回生運転時の整流器出力電圧 $\dot{\boldsymbol{V}}_{\mathrm{rec}}$ の［5］を任意に変化させることができるため，図 3 に示すように，電源電圧 $\dot{\boldsymbol{V}}_{\mathrm{line}}$ が一定であれば，リアクトルに印加される電圧 $\dot{\boldsymbol{V}}_{\mathrm{L}}$ を任意に制御できる．これにより，電源電流 $\dot{\boldsymbol{I}}_{\mathrm{line}}$ の［5］を任意に制御し，負荷から回生した［6］を電源に返すことができる．また，加えて［7］の制御も可能であり，［7］補償装置の機能も同時に具備できる．

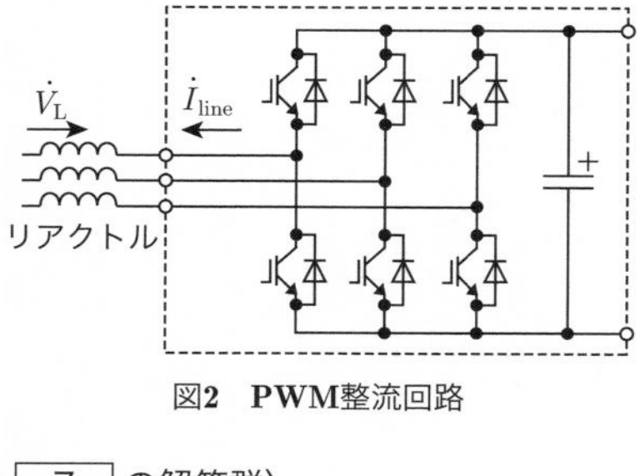

図2　PWM整流回路

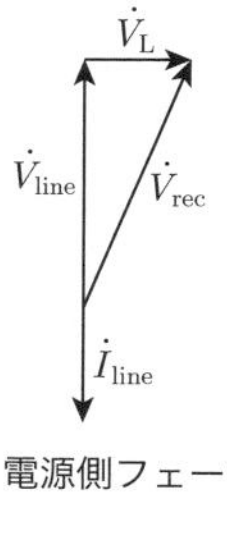

図3　電源側フェーザ図

〈［4］～［7］の解答群〉

ア　IGBT　イ　SiC　ウ　サイリスタ　エ　周波数
オ　振幅と位相　カ　振幅と周波数　キ　制動抵抗　ク　皮相電力
ケ　無効電力　コ　有効電力　サ　高調波電流

⑵　搭載バッテリーに蓄えられた電気エネルギーで動力をまかなう電気自動車に関して，走

行に要する電気エネルギーと運動エネルギーの授受について考える．乗員を含めた車体の全質量が **1 200 kg** の電気自動車を図 **4** に示す速度パターンで水平な直線走行路上を走行させる．時刻 **0 s** での停止状態から等加速度で走り始め，**10 s** 後に速度 **10 m/s** に到達する．その後 **20 s** 間は速度 **10 m/s** のまま等速走行し，走行開始後 **30 s** から負の等加速度で減速して，減速を始めてから **10 s** 後に停止する．なお，減速時には機械制動を用いずに電動機の回生運転を行い，走行する自動車の持つ運動エネルギーを電気エネルギーへ変換させる．

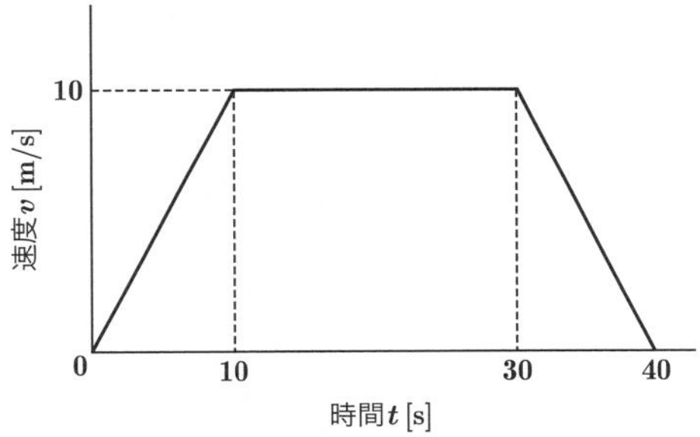

図4　電気自動車の速度パターン

1)　図 **4** の速度パターンで走行するとき，走行開始から **10 s** までの水平方向の加速度は [8] [m/s²]，その間の走行距離は [9] [m] である．また，走行開始から **40 s** までの全走行距離は [10] [m] である．

〈[8]～[10] の解答群〉

ア $\frac{1}{2}$　**イ** 1　**ウ** 2　**エ** 5　**オ** 20　**カ** 50　**キ** 100　**ク** 200

ケ 300　**コ** 400

2)　走行開始から **30 s** までの間に使用される電気エネルギーを算出する．

図 **4** の速度パターンで走行開始後 **10 s** までの間に使用される電気エネルギーは，自動車が得た運動エネルギーと走行抵抗によるエネルギー損失を加えたものとなる．走行抵抗によるエネルギー損失の値を **5 kJ** とすると，自動車の全質量が **1 200 kg** であることから，この **10 s** 間に使用される電気エネルギーの値は [11] [kJ] となる．ただし，タイヤ，車軸，電動機などの回転エネルギーは考えないものとする．

同様に, 走行開始後 **10 s** から **30 s** までの間の等速走行時の走行抵抗にるエよネルギー損失の値を **20 kJ** とすると，この **20 s** 間に使用される電気エネルギーの値は **20 kJ** となる．

〈 11 の解答群〉

ア 55　**イ** 65　**ウ** 115　**エ** 125

3) 走行開始後 30 s から 40 s までの間に回生される電気エネルギーを算出する.

走行開始後 30 s から 40 s までの間は，減速時に電動機の回生運転を行う．このとき，走行開始後 30 s の時点で自動車が有する運動エネルギーは，効率 100 % で電気エネルギーに変換できるものと仮定する.

減速時にも走行抵抗によるエネルギー損失 5 kJ が生じるとすれば，回生される電気エネルギーの値は 12 [kJ] となる.

4) 回生された電気エネルギーは搭載バッテリーに再び蓄えられるとすると，40 s 間の走行全体で消費したバッテリーの電気エネルギーの値は，加速・等速走行に用いた分と走行抵抗で失った分から回生した分を差し引いて， 13 [kJ] となる．ただし，タイヤや車軸及び電動機などの回転エネルギーは考えないものとする.

〈 12 及び 13 の解答群〉

ア 0　**イ** 10　**ウ** 30　**エ** 40　**オ** 55　**カ** 65　**キ** 95　**ク** 105

問題 12（電動力応用）

次の各文章及び表の 1 ～ 6 の中に入れるべき最も適切な数値又は式をそれぞれの解答群から選び，その記号を答えよ.

また， **A ab.c** ～ **G a.b** に当てはまる数値を計算し，その結果を答えよ．ただし，解答は解答すべき数値の最小位の一つ下の位で四捨五入すること．（配点計 50 点）

(1) ロープトラクション式エレベータを，図に示す加速度 α 及び速度 v のパターンで運転する場合の走行時間について検討する.

1) 図では，時刻 $t = 0$ [s] におけるかごの停止位置を基準とし，かごの上昇距離を x [m]，速度を $v = \dfrac{dx}{dt}$ [m/s]，加速度を $\alpha = \dfrac{dv}{dt}$ [m/s^2] とする．また，乗り心地や安全性の観点から，加速度の最大値（絶対値）を 1 m/s^2，加速度の最大変化率（絶対値）を 1.25 m/s^3 に制限し，加速度を最大に維持する時間を t_a [s]，加速度を 0 m/s^2 として速度を最大値 v_m [m/s] に維持する時間を t_b [s] とする.

$0 \leqq t \leqq t_3$ の期間で加速度を積分すると，$t = t_3$ での速度 v_m となることから，次の式①が成り立つ.

$$v_m = t_a + 0.8 \text{ [m/s]} \qquad \cdots\cdots ①$$

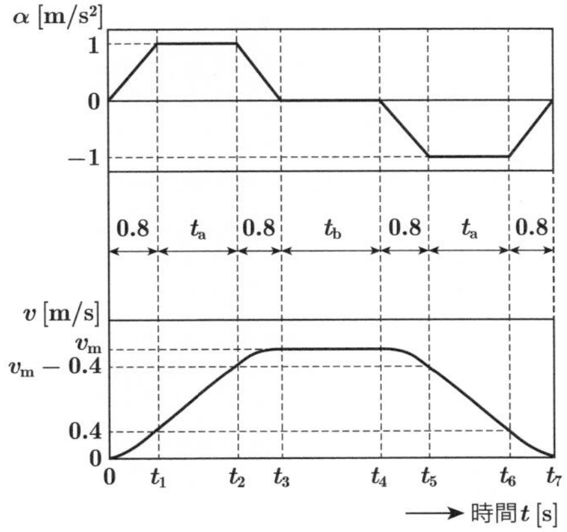

図

また，停止するまでの上昇距離 x_{m} は，$0 \leqq t \leqq t_7$ の期間で速度を積分することにより，次の式②で求められる．

$$x_{\mathrm{m}} = (t_{\mathrm{a}} + t_{\mathrm{b}} + 1.6) \times v_{\mathrm{m}}\ [\mathrm{m}] \qquad \cdots\cdots ②$$

したがって，$t_a = t_{\mathrm{b}} = 0$ [s] の場合の上昇距離 x_{m0} は 1.28 m と計算でき，$x_{\mathrm{m}} \geqq x_{\mathrm{m0}}$ であれば図のパターンが利用できる．また，$t_{\mathrm{b}} = 0$ の場合，式①を使って式②から t_{a} を消去し，x_{m} を v_{m} の関数として表すと次の式③が得られる．

$$x_{\mathrm{m}} = \boxed{\ 1\ }\ [\mathrm{m}] \qquad \cdots\cdots ③$$

したがって，v_{m} がエレベータの定格速度 v_{N} [m/s] になるためには，上昇距離が式③で $v_{\mathrm{m}} = v_{\mathrm{N}}$ とした値 x_{mN} [m] 以上であることが必要である．また，$x_{\mathrm{m}} \geqq x_{\mathrm{mN}}$ の場合には，$v_{\mathrm{m}} = v_{\mathrm{N}}$ とし，図のパターンで t_{b} を調整することになる．これらの結果から，上昇距離により，図の t_{a}，t_{b} を次の式④及び式⑤のように調整することが分かる．

$$x_{\mathrm{m0}} \leqq x_{\mathrm{m}} \leqq x_{\mathrm{mN}} : t_{\mathrm{a}} = -1.2 + \sqrt{(1.2)^2 + (x_{\mathrm{m}} - x_{\mathrm{m0}})}\ [\mathrm{s}],\ t_{\mathrm{b}} = 0\ [\mathrm{s}] \quad \cdots ④$$

$$x_{\mathrm{m}} \geqq x_{\mathrm{mN}} : t_{\mathrm{a}} = v_{\mathrm{N}} - 0.8\ [\mathrm{s}],\ t_{\mathrm{b}} = \boxed{\ 2\ }\ [\mathrm{s}] \qquad \cdots\cdots ⑤$$

〈 1 及び 2 の解答群〉

ア $(v_{\mathrm{m}} + 0.8) \times v_{\mathrm{m}}$　**イ** $(v_{\mathrm{m}} + 1.6) \times v_{\mathrm{m}}$　**ウ** $\dfrac{(v_{\mathrm{m}} + 0.8) \times v_{\mathrm{m}}}{2}$

エ $\dfrac{(v_{\mathrm{m}} + 1.6) \times v_{\mathrm{m}}}{2}$　**オ** $\dfrac{x_{\mathrm{m}}}{v_{\mathrm{N}}} - v_{\mathrm{N}} - 0.8$　**カ** $\dfrac{x_{\mathrm{m}}}{v_{\mathrm{N}}} - v_{\mathrm{N}} + 0.8$

キ $\dfrac{x_{\mathrm{m}}}{2v_{\mathrm{N}}} - v_{\mathrm{N}} - 0.8$　**ク** $\dfrac{x_{\mathrm{m}}}{2v_{\mathrm{N}}} - v_{\mathrm{N}} + 0.8$

2）一例として**20**階建のオフィスビルに設置されているエレベータを考える．なお，定格速度 v_N は **4 m/s**（分速 **240 m**）で，移動距離は **1** 階当たり **5 m** である．

この場合，式③より x_{mN} は [3] [m] となり，これ以下の移動距離では v_N 以下の v_m となる．表は，移動階数に対し必要な走行時間 $t_7 = 2t_a + t_b + 3.2$ [s] を計算した結果である．

この結果より，**1** 階から **20** 階までの所要時間を考える．各階に停止する場合は走行時間が $19 \times 5.34 = 101$ [s] となり，直行の場合の約 **4** 倍，各階での停止時間も含めた所要時間は直行の場合の数倍以上となる．従って，利用者の待ち時間を短くするためには，停止回数を減らすことが重要であり，複数のエレベータが設置されている中・高層ビルでは，低層階と高層階を分離するなど，エレベータ毎に停止階数を調整する運行管理が行われている．

表

移動階数	移動距離 x_m [m]	t_a [s]	t_b [s]	速度 v_m [m/s]	走行時間 $t_7 = 2t_a + t_b + 3.2$ [s]
1	5	1.07	0	1.87	5.34
2	10	[4]	0	[5]	[6]
5	25	3.20	1.45	4.00	11.05
19	95	3.20	18.95	4.00	28.55

〈[3]～[6]の解答群〉

ア 1.99　**イ** 2.07　**ウ** 2.18　**エ** 2.79　**オ** 2.87　**カ** 2.98

キ 7.17　**ク** 7.34　**ケ** 7.56　**コ** 9.60　**サ** 19.2　**シ** 22.4

(2) ある送風機を，**1** 日 **24** 時間のうち連続した一定時間について，定格点（風量調整ダンパは全開）における定格風量で運転し，それ以外の時間を定格の $\frac{1}{2}$ の風量で運転することを考える．

この送風機の風圧―風量特性，送風機効率，風路の送風抵抗曲線は次式で近似できるものとする．

$$h = 1.1n^2 + 0.5nq - 0.6q^2$$

$$\eta = 2\left(\frac{q}{n}\right) - \left(\frac{q}{n}\right)^2$$

$$r = q^2$$

ただし，h [p.u.] は風圧，n [p.u.] は回転速度，q [p.u.] は風量，η [p.u.] は送風機効率，

r [p.u.] は送風抵抗で，いずれも送風機の定格点での値で正規化したものとする．

ここで，定格点における送風機出力が **10 kW** で送風機効率が **75 %**（$\eta = 1.0$ [p.u.]）の送風機について，ダンパ制御により風量を調節する場合とインバータを用いた速度制御により風量を調節する場合の消費電力を比較する．

1) ダンパ制御により風量を調節する場合（$n = 1.0$ [p.u.]）

ダンパを全開にして定格風量で運転する場合，電動機効率を **90 %** とすると，消費電力は **14.8 kW** となる．

一方，ダンパ制御により定格の $\frac{1}{2}$ の風量で運転する場合，軸動力は **A ab.c** [kW] となる．電動機効率を **90 %** とすると，消費電力は **B ab.c** [kW] となる．

2) インバータを用いた速度制御により風量を調節する場合（ダンパ全開）

インバータを用いた速度制御により定格風量で運転する場合，電動機効率を **90 %**，インバータ効率を **95 %** とすると，消費電力は **15.6 kW** となる．

一方，インバータを用いた速度制御により定格の $\frac{1}{2}$ の風量で運転する場合，その風圧は $h =$ **C a.bc** $\times 10^{-1}$ [p.u.]，送風機効率は $\eta =$ **D a.bc** [p.u.]，軸動力は **E a.bc** [kW] となる．この運転点での電動機効率を **85 %**，インバータ効率を **95 %** とすると，消費電力は **F a.bc** [kW] となる．

3) ダンパ制御とインバータを用いた速度制御の比較

1 日 **24** 時間のうち，定格の $\frac{1}{2}$ の風量で運転する時間が **G a.b** [h] 以上となるとき，インバータを用いた速度制御を導入することによる省エネルギー効果が見込まれる．

問題 13（電気加熱―選択問題）

次の各文章の［ 1 ］～［ 15 ］の中に入れるべき最も適切な字句，数値又は記述をそれぞれの解答群から選び，その記号を答えよ．なお，［ 1 ］は **2** 箇所あるが，同じ記号が入る．（配点計 **50** 点）

(1) 誘導加熱方式の加熱原理について考える．

1) 誘導加熱は，導電性被加熱材の中に電磁誘導作用により交番磁束を生じさせると，この被加熱材の内部で発生する［ 1 ］がジュール熱を引き起こし，この熱で加熱する方式である．

2）　この $\boxed{1}$ の密度は，被加熱材の表面から内部に進むに従って $\boxed{2}$ に減衰する．この密度が表面から $\frac{1}{\mathbf{e}}$ （$= \mathbf{0.368}$，$\mathbf{e}$ は自然対数の底）に減衰したところまでの深さを $\boxed{3}$ 深さと呼ぶ．この減衰特性は，被加熱材の抵抗率 $\boxed{4}$ し，また，生じている交番磁束の周波数と被加熱材の比透磁率の積 $\boxed{5}$ するので，加熱目的，被加熱材の材質，形状，寸法により適切な周波数を選定しなければならない．

〈$\boxed{1}$ ～ $\boxed{5}$ の解答群〉

ア　渦電流　**イ**　過電流　**ウ**　漏れ電流　**エ**　電流浸透
オ　電力半減　**カ**　表皮浸透　**キ**　ステップ状　**ク**　指数関数的
ケ　直線的　**コ**　の **2** 乗に比例　**サ**　の **2** 乗に反比例　**シ**　の $\frac{1}{2}$ 乗に比例
ス　の $\frac{1}{2}$ 乗に反比例　**セ**　に比例　**ソ**　に反比例

⑵　誘電加熱方式及びマイクロ波加熱方式の加熱原理について考える．

1）　誘電加熱もマイクロ波加熱も，共に $\boxed{6}$ 性の被加熱材の加熱に用いられる加熱方式であり，被加熱材を構成している物質の $\boxed{7}$ が，電磁波の交番電界によって運動することにより，誘電体損失が発生して発熱する誘電（電磁波）加熱方式である．誘電体損失による発熱量は，被加熱材の $\boxed{8}$ に比例する．

〈$\boxed{6}$ ～ $\boxed{8}$ の解答群〉

ア　イオン　**イ**　磁界　**ウ**　電界の強さ　**エ**　電気双極子　**オ**　電子
カ　導電　**キ**　非導電　**ク**　誘導　**ケ**　誘電損率

2）　誘電加熱では，高周波電圧を印加する電極板間に被加熱材を挿入するが，損失係数が比較的 $\boxed{9}$ ときは電極板を用いた方法での加熱は難しい．そのような被加熱材を加熱するときには，マイクロ波加熱が広く応用されている．

なお，加熱装置をはじめとする工業分野において，高周波利用設備を汎用的に使用できるようにするために，電波障害等への規制が緩やかな周波数帯として，$\boxed{10}$ が国際的に許容されている．

〈$\boxed{9}$ 及び $\boxed{10}$ の解答群〉

ア　**AM** バンド　**イ**　**ISM** バンド　**ウ**　ガンマ線帯域　**エ**　大きい　**オ**　小さい

⑶　比熱が **435 J/(kg·K)** の被加熱材 **400 kg** を，処理時間 **10** 分間で **30 ℃** から **800 ℃** まで昇温している電気式加熱炉がある．この炉は，熱的定常状態で運転されており，その

ときの全電気効率は加熱炉設備電源入力端において **90 %**，炉からの熱損失は **50 kW** で，いずれも一定であるものとする．

1) この被加熱材が加熱により得た正味の熱量は，[11] × $\mathbf{10^3}$ [**kJ**] である．

2) この炉に必要となる電力は，加熱炉設備電源入力端で [12] [**kW**] であり，電力損失は [13] [**kW**] である．

3) 2) で求めた電源入力端での電力を **10 %** 増加させて運転した場合，全電気効率及び炉からの熱損失は変わらないので，加熱処理時間が [14] [分] 短縮できる．その結果，加熱炉設備電源入力端での電力原単位は [15] [%] 低減する．

〈[11] ～ [15] の解答群〉

ア **0.9**　**イ** **1.0**　**ウ** **1.1**　**エ** **1.3**　**オ** **2.0**　**カ** **10**
キ **27.3**　**ク** **30.4**　**ケ** **33.8**　**コ** **119**　**サ** **134**　**シ** **304**
ス **507**　**セ** **837**　**ソ** **1 830**

問題 14（電気化学─選択問題）

次の各文章の [1] ～ [10] の中に入れるべき最も適切な字句又は記述をそれぞれの解答群から選び，その記号を答えよ．

また，[[**A** | **a.bc**]] ～ [[**C** | **ab.c**]] に当てはまる数値を計算し，その結果を答えよ．ただし，解答は解答すべき数値の最小位の一つ下の位で四捨五入すること．（配点計 **50** 点）

(1) 電池は，化学反応で生じるエネルギーを [1] に直接変換する装置である．主に正極，負極及び電解質から構成されており，その種類は，充電できない一次電池と充電可能な二次電池に大別できる．

一次電池には，マンガン乾電池やアルカリマンガン乾電池などがあるが，近年主流となっているのは，アルカリマンガン乾電池である．アルカリマンガン乾電池の活物質として正極には [2] が用いられている．また，構成要素の正極，負極及び電解質のうち，マンガン乾電池とアルカリマンガン乾電池で異なった材料を用いているのは [3] である．

二次電池である鉛蓄電池の活物質として，正極には [4] が用いられている．鉛蓄電池が放電したとき，電解質である硫酸の濃度は [5]．

〈[1] ～ [5] の解答群〉

ア マンガン　**イ** 二酸化マンガン　**ウ** 亜鉛　**エ** 鉛
オ 二酸化鉛　**カ** 正極　**キ** 負極　**ク** 電解質
ケ 電気エネルギー　**コ** 熱エネルギー　**サ** 光エネルギー　**シ** 高くなる

ス 低くなる　　**セ** 変わらない

⑵ 電極電位は，[6]を**0 V**として定義されている．二つの電極反応を組み合わせた電気化学システムにおいて，自発的に反応が進行するのは電位の低い方の電極の反応が[7]に進む．電池の起電力は二つの電極の開回路における電極電位の差であり，電極電位のイオンの活量依存性は[8]で求めることができる．

電極反応において，反応速度を大きくするためには[9]の絶対値を大きくすればよい．また，触媒活性を高くすれば電極反応は速やかに進行する．この電極触媒能を表す重要な因子は[10]である．

〈[6]～[10]の解答群〉

ア ターフェルの式　**イ** ファラデーの法則　**ウ** ネルンストの式　**エ** 過電圧
オ 還元方向　**カ** 酸化方向　**キ** 吸熱方向
ク 限界電流密度　**ケ** 交換電流密度　**コ** 電極面積　**サ** 内部抵抗
シ 平衡電位　**ス** 標準水素電極　**セ** 飽和カロメル電極
ソ 飽和塩化銀電極

⑶ リチウムイオン電池があり，その公称電圧が**3.70 V**であるとする．ここで，**Li**の原子量は**7**，**Co**の原子量は**59**，**O**の原子量は**16**とし，ファラデー定数は**27 A·h/mol**とする．

1) 公称電圧でこの電池を充電して，正極活物質の$\mathbf{LiCoO_2}$ **25 g**に含まれる**Li**をすべて脱離したときに要する充電電気量は[**A** **a.bc**] **[A·h]**，電気エネルギーは[**B** **ab.c**] **[W·h]**である．

2) この電池を，前述の条件で電流**0.5 A**で充電したときに**Li**をすべて脱離するために要する時間は[**C** **ab.c**] **[h]**である．

問題15（照明—選択問題）

次の各文章の[1]～[8]の中に入れるべき最も適切な字句，数値又は記述をそれぞれの解答群から選び，その記号を答えよ．

また，[**A** **ab**]～[**E** **ab**]に当てはまる数値を計算し，その結果を答えよ．ただし，解答は解答すべき数値の最小位の一つ下の位で四捨五入すること． なお，円周率πは**3.14**とする．（配点計**50**点）

⑴ 最近の一般照明用の光源について考える．

1) **LED**ランプは，一般照明用の光源として着実に市場に浸透しており，従来光源の蛍光ランプと比べて大きな利点は，発光効率が高く，[1]ことである．青色**LED**と蛍光体の組み合わせ方式による**120 lm/W**の白色**LED**ランプを考えた場合，消費電力の約 [2] [%] が光に変換されている．最近の電球形**LED**ランプは，放熱構造が簡素化してきているが，これは主に [3] によるものである．

〈 [1] ～ [3] の解答群〉

ア **35**　**イ** **65**　**ウ** **99**　**エ** 演色性も高い　**オ** 寿命も長い

カ 相関色温度も高い　**キ** **LED**自体が発熱しないこと

ク **LED**の熱損失の低下　**ケ** **LED**を実装する基板の耐熱性の向上

2) 最近の**LED**照明器具では，調光だけでなく調色も行えるものが多く市場に出回っている．一般的には，相関色温度 [4] [K] 程度の電球色から**5 000**～**6 500 K**程度の白色域までの混光をリモコンなどの操作によって簡単に制御することが可能である．

光色は人の好みもあるが，低照度の場合は一般的に相関色温度の [5] 光が好まれる傾向にある．また，人の睡眠ホルモンの分泌に照明光が影響することが明らかになっており， [6] の成分が多く含まれる光の方が，睡眠ホルモンの分泌抑制効果が大きいとされている．このような生理的な理由から，就寝前の光は相関色温度を下げることが望ましいと考えられる．

〈 [4] ～ [6] の解答群〉

ア **800**　**イ** **1 800**　**ウ** **2 800**　**エ** 青色　**オ** 緑色

カ 赤外放射　**キ** 高い　**ク** 低い

3) 一般照明用の光源として，最近では新たに有機**EL**（エレクトロ・ルミネッセンス）パネルも注目されている．この光源は一般的にガラスや透明樹脂基板上に電極材料や発光材料などが蒸着等の工法で成形され，完成したパネルの厚みも数**mm**程度と非常に薄い面光源である．面光源は高輝度点光源と比較して [7] という特徴がある．いま，一辺の長さが**12 cm**の正方形の発光部を持つ有機**EL**パネルを片側面発光の均等拡散面光源と仮定し，**4 000 cd/m²**の輝度で点灯しているとすると，全光束はおよそ [8] [lm] となる．なお，現在のところ実用化された多くの有機**EL**パネルの発光効率は，一般的な**LED**より低く，**100 lm/W**には到達していない．

〈 [7] 及び [8] の解答群〉

ア **60**　**イ** **90**　**ウ** **180**　**エ** グレアを抑えられる

オ 演色性が高い　**カ** 配光角度が広い

(2) 次の1)～5)の照明計算を行う．

1) 一般家庭で使用されているダウンライトの光源を，白熱電球（**60 W**，寿命**1 000**時間）から電球形蛍光ランプ（**12 W**，寿命 **6 000** 時間）に交換した．交換するランプ（電球）の価格を含めた **3** 年間のコストを比較すると，電球形蛍光ランプは白熱電球の **[A ab]** [%] となる．

ただし，**1** 年間の点灯時間が **2 000** 時間で電気代が **23** 円 /(**kW·h**)，白熱電球 **1** 個の価格を **150** 円，蛍光ランプ **1** 台の価格を **1 800** 円とする．

2)　間口 **8 m**, 奥行き **10 m**, 高さ **3 m** の事務所に蛍光ランプ **10** 台を取り付けた．このとき，天井面の平均照度は **100 lx** で反射率が **80 %**, 壁面の平均照度は **200 lx** で反射率が **70 %**, 床面の平均照度は **350 lx** で反射率が **30 %** であり, 蛍光ランプの器具効率は **80 %** であった．このときの蛍光ランプ **1** 台の全光束は **[B a.bc]** × 10^3 [lm] である．

3)　半径 **1 m**，反射率 **0.1**，吸収率 **0.1** の均等拡散性の乳白色ガラス板がある．このガラス板に対しある光源から光束が一様に入射しているとき，裏面の輝度が **250 cd/m²** となった．このときの入射光束は，**[C a.bc]** × 10^3 [lm] である．

4)　直径 **40 cm** の完全拡散性の半球を用いて平均輝度 **3 000 cd/m²** のシーリングライトを作りたい．器具効率を **0.8** とすれば，設置する光源の光束は **[D a.bc]** × 10^3 [lm] のものを選べばよい．

5)　間口 **20 m**，奥行 **30 m**，作業面から天井までの高さ **2.4 m** の作業場で，蛍光ランプ **2** 灯用（ランプ **1** 灯当たりの全光束が **4 500 lm**）を使用し，平均照度を **500 lx** 以上としたい．このとき，最も台数が少なくてすむ光源の配置を求めると，**8** 台 × **[E ab]** [台] の配列となる．ただし，照明器具の照明率は **0.54**，保守率は **0.66** とする．

問題 16（空気調和―選択問題）

次の各文章の [1] ～ [17] の中に入れるべき最も適切な字句，数値又は式をそれぞれの解答群から選び，その記号を答えよ．（配点計 **50** 点）

(1)　空調用の熱源機器としてヒートポンプを用いる意義は，そのままでは利用しにくい自然エネルギーや低温の排熱などを，冷熱源あるいは温熱源として有効利用できるという点にある．

1)　一般に利用されるヒートポンプの熱源としては，[1]，井水，河川水，太陽熱，地熱などの自然エネルギーと，工場の生産工程で発生する低温の排熱，冷暖房により生じる排熱などのいわゆる排熱がある．

2)　井水は自然エネルギー熱源として最も安定しており，一年中ほぼ一定温度で冷熱源や温熱源として利用できるが，オープンループで使用する場合，たとえば，下水道等への放流式などでは［ 2 ］の問題があり，それを回避するために還元式としても，地下水環境に影響を与えないように配慮することが必要である．

〈［ 1 ］及び［ 2 ］の解答群〉

ア 雨水　**イ** 大気　**ウ** 風力　**エ** 水質汚濁　**オ** 地盤沈下　**カ** 熱汚染

3) ヒートポンプを用いる例として，低温熱源から温熱を汲み上げて有効利用する場合の熱の流れを，図 **1** の概念図のように考える．ここで，Q_1 [W] を高温熱源に汲み上げられる熱量，Q_2 [W] を低温熱源から汲み上げられる熱量，W [W] をヒートポンプの入力仕事率（動力）とすると，理論的には式［ 3 ］が成り立つ．

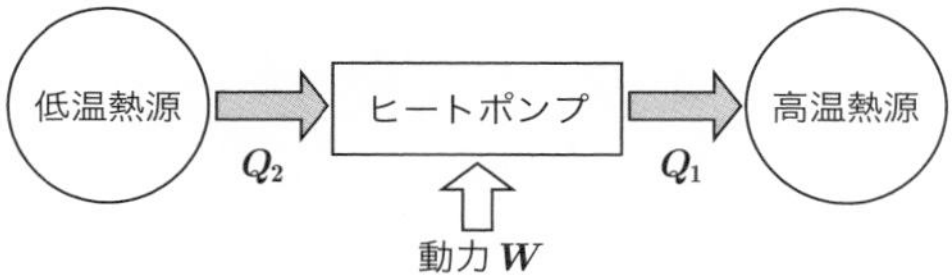

図 **1**

〈［ 3 ］の解答群〉

ア $Q_1 = Q_2$　**イ** $Q_1 = W + Q_2$　**ウ** $\dfrac{Q_1}{Q_2} = W$

4) 自然エネルギーの太陽熱を集熱して暖房に利用すとるき，ヒートポンプを用いて太陽熱の利用効率の向上を図ることができる．太陽熱は，直接集熱器で暖房に必要な温度まで昇温して使う方法が一般的であるが，集熱器の効率は集熱温度に大きく依存し，温度が高いほど集熱効率は低下する．したがって，低温で集熱することで集熱効率を極力高め，ヒートポンプで暖房に必要な温度まで昇温して使えば利用効率を高くできる．

例えば，集熱温度を **15** ～ **25** ℃ 程度として集熱効率を最大限に高め，さらにヒートポンプの出口温度を［ 4 ］にすれば，ヒートポンプの成績係数も相対的に高く保つことが可能となる．

図 **2** は太陽熱利用のヒートポンプシステムの一例を示すものであり，この図で **A** は［ 5 ］，**B** は［ 6 ］，**C** は［ 7 ］，**D** は［ 8 ］である．太陽熱を集熱しながら蓄熱槽経由で熱を利用することができ，融通性がより高いシステムとなっている．ただし，このシステム図は概念を示すものであり，ポンプその他の機器で省略されているものがある．

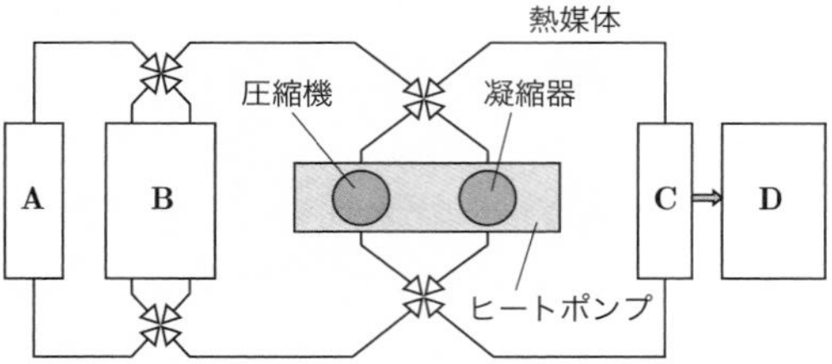

図 **2**

〈 4 ～ 8 の解答群〉

ア　空調機　**イ**　対象室　**ウ**　太陽熱集熱器　**エ**　蓄熱槽　**オ**　冷却塔

カ　空調機の効率を考えてできるだけ高温　**キ**　制御せずに自由

ク　暖房に支障のない範囲でできるだけ低温

(2)　空調用の送風機（ファン）は，空調機，冷却塔，ファンコイルユニット，一般の換気など多くの用途に用いられ，求められる運転特性に応じて機種が選択される．

1)　送風機の機種としては，空調機の送風用などとして 9 が最も汎用的に用いられ，その他効率の良い翼型断面羽根を持つターボファンなども用いられる．

〈 9 の解答群〉

ア　クロスフローファン　**イ**　シロッコファン　**ウ**　軸流ファン

2)　図 **3** (a)及び(b)は，送風機の運転特性，運転状態等の概略を表す図で，横軸は風量，縦軸は圧力，効率，軸動力，抵抗を示している．

図 **3** において，送風機の使用回転速度における特性は，風量と，送風機全圧を示す曲線 10 ，軸動力を示す曲線 11 ，及び効率を示す曲線 12 との関係で表される．

また，ある送風系統における送風機の運転状態点は，送風系統の抵抗を示す曲線 13 と送風機全圧との交点で決まる．ここで，送風系統の抵抗は，一般に風量の 14 乗に比例する．

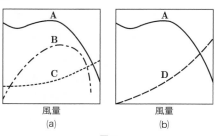

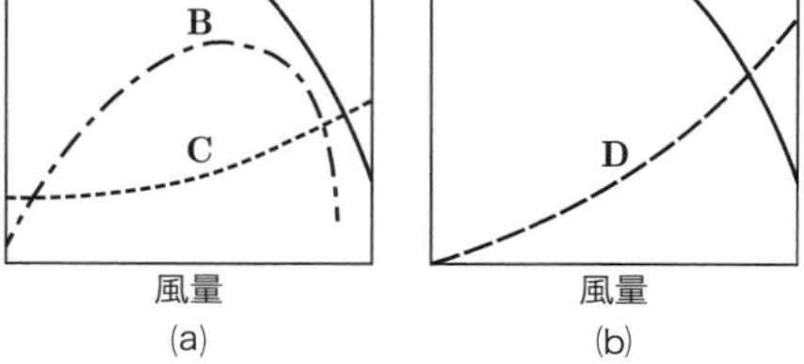

図 **3**

3) 送風機の風量制御には多くの方法があるが，図 4 (a)～(c)はその中からそれぞれ，吐出しダンパ制御，吸い込みベーン制御，回転速度制御のいずれかについての概念を示したものである．

このうち吐出しダンパ制御は，ダンパ開閉によって装置抵抗を変化させる方法で，図 4 の [15] に示すように，送風機の圧力曲線上で風量を制御する．また，軸動力も動力曲線上を変化し，ダンパ抵抗分は損失となるため，風量低減による動力低減効果は比較的小さい．

一方，回転速度制御は，図 4 の [16] に示すように，必要な風量に応じた回転速度に設定することで風量を調整する方法である．効率低下がなく，理論的には回転速度の比の [17] 乗に比例して動力低減ができ，最も省エネルギー性に優れた制御方法である．

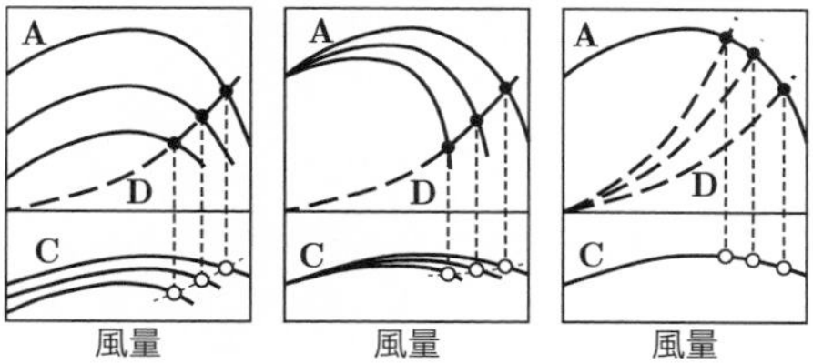

(a)　(b)　(c)

図 4

〈[10]～[17] の解答群〉

ア $\frac{1}{2}$　イ 1　ウ 2　エ 3　オ A　カ B　キ C
ク D　ケ (a)　コ (b)　サ (c)

解答・指導

問題1

(1) 1―オ，2―キ，3―カ，4―イ

(2) A―2 709，B―697，5―イ，6―ウ

(3) 7―エ，8―キ，9―エ，10―キ

【指導】

(1) 1) 法第1条では，「…エネルギーの使用の合理化及び非化石エネルギーへの転換に関する所要の措置，電気の**需要**の最適化に関する…」と規定されている．

2) 法第2条第2項では，「…石炭製品であって，**燃焼**その他の経済産業省令で…」と規定されている．

3) 法第8条第1項では，「…エネルギーの使用の合理化に関し，**エネルギーを消費する設備**の維持，エネルギーの使用の方法の改善及び監視その他経済産業省令で定める業務を統括管理する者（以下この条及び次条第1項において「**エネルギー管理統括者**」という．）を選任しなければならない．」と規定されている．

(2) 1) 法第2条，令第1条において，エネルギーの使用量は，使用した燃料の量，他人から供給された熱・電気の量が対象とされる．

この食品加工工場でのエネルギー使用量は，cとdのコージェネレーションでの発電電気の量や発生熱量は燃料から除外（法第2条参照）されるので，aとbとeの合算値となる．

したがって，この工場での原油換算量は，0.025 8 kL/GJを考慮して，

$$(35\,000 + 20\,000 + 50\,000) \times 0.025\,8 = \mathbf{2\,709}\ \mathrm{kL}$$

一方，本社事務所では，

$$(18\,000 + 9\,000) \times 0.025\,8 \fallingdotseq \mathbf{697}\ \mathrm{kL}$$

となる．

2) この事業者が選任しなければならないのは，**②食品加工工場のエネルギー管理員**（第二種エネルギー管理指定工場（法第13条第1項・令第6条参照））**のみ**となる．

3) 同上の選任は，選任すべき事由が生じた日から**6月以内**に選任しなければならない（則第23条参照）．

(3) 1) 法第17条第1項によれば，「…エネルギーの使用の合理化の状況が第5条第1

項に規定する**判断の基準となるべき事項**に照らして著しく不十分であると認めるときは,…」と規定されている.

また,第3項では,「…当該特定事業者に対し,**合理化計画を適切に実施**すべき旨の指示をすることができる.」と規定されている.

2) 法第15条第1項では,「…エネルギーの使用の合理化の**目標**に関し,その達成のための中長期的な計画を作成し,…」と規定されている.

また,同条同項において,計画の提出については,「**定期**に,」としている.

問題2

(1) 1—ウ, A—2.4×10^2

(2) 2—イ,3—エ,4—オ

(3) 5—オ,6—イ,7—カ

(4) 8—カ,9—イ

【指導】

(1) 国際単位系(SI)では長さ(メートル[m]),質量(キログラム[kg]),時間(秒[s]),**電流(アンペア[A])**,熱力学温度(ケルビン[K]),光度(カンデラ[cd])および物質量(モル[mol])の七つを基本単位とする.この基本単位からすべての単位を導き出せるため,ほかの単位のことを組立単位と呼んでいる.

光束 $F = 3\,000$ lm がすべての方向(立体角 $\omega = 4\pi$ sr)へ均等に空間に放出された場合,光度 I [cd] は以下で計算できる.

$$I = \frac{F}{\omega} = \frac{3\,000}{4 \times 3.14} = 238.85 \fallingdotseq \mathbf{2.4 \times 10^2}\ \mathrm{cd}$$ (答)

(2) 気候変動枠組条約締約国会議(COP)において,京都議定書が採択されたのは3回目の会議となる**1997年(COP3)**である.パリ協定が採択されたのは21回目の**2015年(COP21)**である.気候変動に関連する科学的知見を調査および評価し,定期的に評価報告書にまとめている組織として**気候変動に関する政府間パネル**がある.

(3) 自動車の主な動力源のうち,内燃機関であるガソリンエンジンとディーゼルエンジンがあり,両者の違いは**点火**装置の有無である.すなわち,ガソリンエンジンに点火装置(スパークプラグ)があり,ディーゼルエンジンは燃料である軽油と空気との混合気体がエンジン内で圧縮され温度上昇により爆発燃焼をするため,点火装置はない.

一方,電動機を動力源とする自動車として,**二次**電池のみを搭載するものや,水素を使って発電する**燃料**電池を搭載するものがある.

⑷　ヒートポンプの性能指標は**動作係数（成績係数）**または COP と呼ばれる．逆カルノーサイクルであるヒートポンプ成績係数 C_P は以下で表される．

放熱 Q_H [kW] を出力，機械的仕事 $w = Q_H - Q_L$ [kW] を入力とする．Q_H は温度 T_h [K] に，Q_L は温度 T_c [K] に，w は温度差 $T_h - T_c$ [K] に比例する．したがって C_P は以下で計算できる（**第 1 図**）．

$$C_P = \frac{Q_H}{w} = \frac{\boldsymbol{T_h}}{\boldsymbol{T_h - T_c}} \qquad \text{(答)}$$

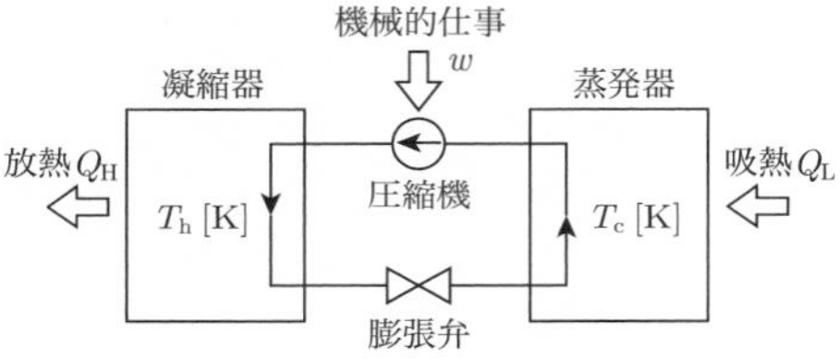

第 1 図　ヒートポンプの概要

問題3　1 — エ，2 — イ，3 — イ，A — 10.5，4 — ウ，B — 16.3，5 — イ，6 — ア，C — 5.16 × 10^4，7 — ア，8 — ア，D — 1.1，E — 78.8，F — 86.6，9 — ア，G — 3 000，10 — ウ，11 — イ，12 — ウ，13 — イ

【指導】

⑴　「工場等判断基準」の「基準部分」のⅠ -1「全ての事業者が取り組むべき事項」では，①**取組方針**の策定，②管理体制の整備，③**責任者等**の配置等，④資金・人材の確保，⑤従業員への周知・教育，⑥**取組方針**の遵守状況の確認等，⑦**取組方針**の精査等，⑧文書管理による状況把握，⑨エネルギーの使用の合理化に資する取組に関する情報の開示の 9 項目が定められている．

⑵　「工場等判断基準」の「目標及び措置部分」では，エネルギー消費原単位等を**中長期的にみて年平均 1 パーセント**以上低減させることを目標とすること，が求められている．

⑶　メタンの燃焼における化学反応式は，$CH_4 + 2O_2 \rightarrow CO_2 + 2H_2O$ となるので，メタン 1 mol 燃焼させるに必要な酸素は 2 mol であるから，メタン 1 $m^3{}_N$ 燃焼させるときの必要酸素量は 2 $m^3{}_N$ なので，空気量 A [$m^3{}_N$] は，空気比を考慮すると次のように求まる．

$$A = 2 \times \frac{1}{0.21} \times 1.1 \fallingdotseq 10.476 \fallingdotseq \mathbf{10.5}\ m^3{}_N$$

⑷　平板の熱伝導率を λ [W/(m·K)]，平板の板厚を d [m]，平板高温面の熱伝達率を α

[W/(m²·K)]，平板低温面の熱伝達率をβ [W/(m²·K)] とすれば，熱通過率 K [W/(m²·K)] は次のように求まる．

$$\frac{1}{K}=\frac{1}{\alpha}+\frac{d}{\lambda}+\frac{1}{\beta}=\frac{1}{80}+\frac{10\times10^{-3}}{1.75}+\frac{1}{20}$$

$\therefore\quad K \fallingdotseq$ **14.7** W/(m²·K)

(5) ステファン・ボルツマンの法則より，物体からの放射エネルギー E [W/m²] は，物体の絶対温度を T [K]，放射率をε，ステファン・ボルツマン定数をσ [W/(m²·K⁴)] とすると，次式で表される．

$$E=\varepsilon\sigma T^4\ [\mathrm{W/m^2}]$$

上式に数値を代入して，

$$E=0.7\times5.67\times10^{-8}\times800^4\fallingdotseq1.625\ 7\times10^4\ \mathrm{W/m^2}\fallingdotseq\mathbf{16.3}\ \mathrm{kW/m^2}$$

(6) 1) 題意の図から，100 ℃で水が液体から気体へ状態変化しているが，この温度を**沸点**という．

2) 比熱は，温度差に対しての熱量の割合なので，題意の図の勾配が一番小さい水，すなわち，**液体のときに最も大きい**．

(7) 必要な熱量は，顕熱と潜熱の和であるので次のように求まる．

$$20\times(503.8-125.8)+20\times2\ 202=51\ 600\ \mathrm{kJ}=\mathbf{5.16\times10^4}\ \mathrm{kJ}$$

(8) 省エネルギーを考えるとき，「有効エネルギー（**エクセルギー**）という概念がある．エクセルギーとは，その領域の環境温度で外部に取り出して動力に変換しうる有効な熱エネルギーの量と考えることができる．

(9) 1) 空気調和設備の負荷の低減に関して，「工場等判断基準」の「基準部分（工場）」では，「工場内にある事務所等の空気調和の管理は，空気調和を施す区画を限定し，ブラインドの管理等による負荷の軽減及び区画の使用状況に応じた**設備の運転時間**，室内温度，換気回数…管理標準を設定して行うこと．」と規定されている．

2) 吸収式冷凍機の入力を Q [kW]，電動チラーの一次エネルギー入力を P [kW] として，負荷が等しいので，次式が成立する．

$$Q\times1.2=P\times0.37\times3.6$$

$$\therefore\quad \frac{Q}{P}=\frac{0.37\times3.6}{1.2}=1.11\fallingdotseq\mathbf{1.1}\text{ 倍}$$

(10) 1 時間当たりの燃料消費量を Q [kL] とすると，次式が成立する．

$$350\times3\ 600=Q\times10^3\times39\times0.41$$

∴　$Q \fallingdotseq$ **78.8** kL

⑾　線間電圧を V [V]，線電流を I [A]，力率を $\cos\theta$ とすれば，電力 P [W] は，

$$P = \sqrt{3} \times V \times I \times \cos\theta$$

$$24\,000 = \sqrt{3} \times 400 \times 40 \times \cos\theta$$

∴　$\cos\theta \fallingdotseq 0.866\,0 = \mathbf{86.6}\ \%$

⑿　「工場等判断基準」の「基準部分（工場）」では，「複数の電動機を使用するときは，…管理標準を設定し，**稼働台数の調整**及び負荷の適正配分を行うこと．」と規定されている．

⒀　求める平均電力を P [kW] とすれば，

$$1\,300\ \text{kW·h} + P\,[\text{kW}] \times \frac{1}{6}\,\text{h} = 3\,600\ \text{kW} \times \frac{1}{2}\,\text{h}$$

∴　$P = \mathbf{3\ 000}$ kW

⒁　一般に誘導電動機のトルクは，通常の負荷範囲内では，滑りに比例し，滑りは数％程度である．負荷トルク増加後の滑り（数％ × 1.2）もほぼ同一であると考えられる．したがって，回転速度は，**ほとんど変化しない**．

⒂　電動機の負荷の低減に関して，「工場等判断基準」の「基準部分（工場）」では，ポンプ，ファン，ブロワ，コンプレッサ等の流体機械については，「**使用端圧力及び吐出量の見直し**を行い…電動機の負荷を低減すること」を求めている．

⒃　導電性の金属の加熱には，**誘導**加熱や直接抵抗加熱が用いられる．

⒄　半径 r [m] の球体の中心に全光束 F [lm] の点光源を置いたとき，この球体の内面の照度 E [lx] = [lm/m^2] は，球体の表面積が $S = 4\pi r^2$ [m^2] であるので，次のように表される．

$$E = \frac{F}{4\pi r^2}\,[\text{lx}]$$

一方，点Pは，この球体の内面の任意の一点と考えられるので，点Pの照度は，光源と点Pとの距離の**2乗**に反比例する．

問題4　(1)　1―ア，2―オ，3―カ，4―ア
(2)　5―オ，6―イ，7―オ，8―エ，9―キ，10―ア，11―カ

【指導】

(1)　1)　図1の $\dot{V}_{\mathrm{db}}$ は以下で表される．

$$\dot{V}_{\mathrm{db}} = \frac{-\mathrm{j}X_{\mathrm{C2}}}{-\mathrm{j}X_{\mathrm{C1}} + (-\mathrm{j}X_{\mathrm{C2}})}\dot{V}_{\mathrm{ab}} = \frac{X_{\mathrm{C2}}}{X_{\mathrm{C1}} + X_{\mathrm{C2}}}\dot{V}_{\mathrm{ab}} = \frac{4}{4+4}\dot{V}_{\mathrm{ab}} = \frac{\mathbf{1}}{\mathbf{2}}\boldsymbol{\dot{V}_{\mathrm{ab}}}\ [\text{V}] \qquad ①$$

同様に，$\dot{V}_{\mathrm{cb}}$ は以下で表される．

$$\dot{V}_{\mathrm{cb}}=\frac{\mathrm{j}X_{\mathrm{L}}}{R_{\mathrm{L}}+\mathrm{j}X_{\mathrm{L}}}\dot{V}_{\mathrm{ab}}=\frac{\mathrm{j}5}{5+\mathrm{j}5}\dot{V}_{\mathrm{ab}}=\frac{\mathrm{j}}{1+\mathrm{j}}\dot{V}_{\mathrm{ab}}=\frac{\mathrm{j}(1-\mathrm{j})}{(1+\mathrm{j})(1-\mathrm{j})}\dot{V}_{\mathrm{ab}}$$

$$=\frac{\mathbf{1+j}}{\mathbf{2}}\dot{\boldsymbol{V}}_{\mathbf{ab}}\,[\mathrm{V}] \qquad ②$$

2)　①，②式から $\dot{V}_{\mathrm{cd}}$ は以下で表される．

$$\dot{V}_{\mathrm{cd}}=\dot{\boldsymbol{V}}_{\mathbf{cb}}-\dot{\boldsymbol{V}}_{\mathbf{db}}=\frac{1+\mathrm{j}}{2}\dot{V}_{\mathrm{ab}}-\frac{1}{2}\dot{V}_{\mathrm{ab}}=\frac{\mathrm{j}}{2}\dot{V}_{\mathrm{ab}}$$

したがって，$\dot{V}_{\mathrm{ab}}=100+\mathrm{j}0$ V のとき，$\dot{V}_{\mathrm{cd}}$ は以下の値となる．

$$\dot{V}_{\mathrm{cd}}=\frac{\mathrm{j}}{2}(100+\mathrm{j}0)=\mathbf{j50}\ \mathrm{V}$$

(2)　1)　図 2 において △ 結線された三つのインピーダンス $\dot{Z}_{\mathrm{RL}}=R+\mathrm{j}X_{\mathrm{L}}=12+\mathrm{j}6$ Ωを Y 結線の等価回路で表した場合，等価インピーダンス $\dot{Z}_{\mathrm{L}}$ [Ω] は以下で表される．

$$\dot{Z}_{\mathrm{L}}=\frac{\dot{Z}_{\mathrm{RL}}}{3}=\frac{\mathbf{1}}{\mathbf{3}}(\boldsymbol{R}+\mathbf{j}\boldsymbol{X}_{\mathbf{L}})=\frac{1}{3}(12+\mathrm{j}6)=4+\mathrm{j}2\,\Omega$$

図 2 より 1 相分等価回路を**第 1 図**に示す．題意より相電圧 $\dot{E}_{\mathrm{a}}=200+\mathrm{j}0$ V，リアクタンス $\mathrm{j}X_{\mathrm{D}}=\mathrm{j}1$ Ω，および1) で求めた $\dot{Z}_{\mathrm{L}}$ から負荷に流れる電流 $\dot{I}_{\mathrm{aL}}$ [A] を求める．

$$\dot{I}_{\mathrm{aL}}=\dot{I}_{\mathrm{a}}=\frac{\dot{E}_{\mathrm{a}}}{\dot{Z}_{\mathrm{L}}+\mathrm{j}X_{\mathrm{D}}}=\frac{200+\mathrm{j}0}{4+\mathrm{j}2+\mathrm{j}1}=\frac{200(4-\mathrm{j}3)}{(4+\mathrm{j}3)(4-\mathrm{j}3)}=\frac{800-\mathrm{j}600}{16+9}$$

$$=\mathbf{32-j24}\ \mathrm{A}$$

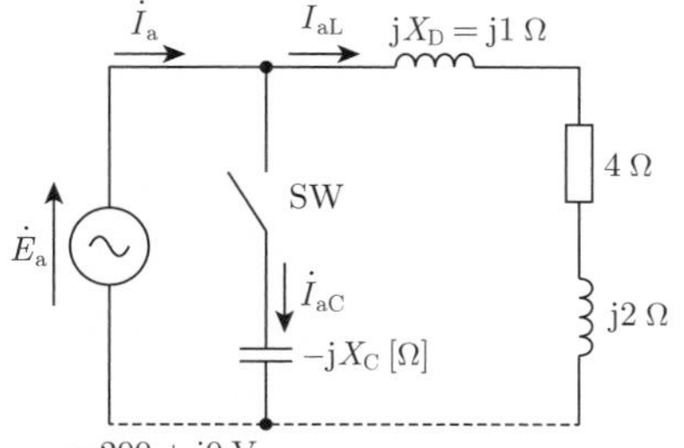

第 1 図　1 相分等価回路

2)　スイッチ SW が開いているときの電源から負荷回路側へ供給される複素電力 $\dot{S}_{\mathrm{L}}$ [V·A]，有効電力 P_{L} [W] および無効電力 Q_{L} [var] は以下で計算できる．

$$\dot{S}_{\mathrm{L}}=P_{\mathrm{L}}-\mathrm{j}Q_{\mathrm{L}}=3\bar{\dot{E}}_{\mathrm{a}}\dot{I}_{\mathrm{a}}=3\times(200-\mathrm{j}0)(32-\mathrm{j}24)=\mathbf{19\,200-j14\,400}\ \mathrm{V{\cdot}A}$$

また，図2の△結線インピーダンス $\dot{Z}_{\mathrm{RL}} = R + \mathrm{j}X_{\mathrm{L}}$ に流れる電流の大きさは $I_{\mathrm{aL}} = \left|\dot{I}_{\mathrm{aL}}\right|$ の $1/\sqrt{3}$ 倍であるため，P_{L} は R と I_{aL} から，以下で表すことができる．

$$P_{\mathrm{L}} = 3 \times R \times \left(\frac{\boldsymbol{I_{\mathrm{aL}}}}{\boldsymbol{\sqrt{3}}}\right)^{\boldsymbol{2}} \ [\mathrm{W}]$$

3)　スイッチSWが閉じているとき，容量性リアクタンス $-\mathrm{j}X_{\mathrm{C}} = -\mathrm{j}10\ \Omega$ に流れる電流 $\dot{I}_{\mathrm{aC}}$ [A] は，第1図より以下で計算できる．

$$\dot{I}_{\mathrm{aC}} = \frac{\dot{E}_{\mathrm{a}}}{-\mathrm{j}X_{\mathrm{C}}} = \frac{200 + \mathrm{j}0}{-\mathrm{j}10} = \mathrm{j}20\ \mathrm{A}$$

また，$\dot{E}_{\mathrm{a}}$，$\dot{I}_{\mathrm{aC}}$ による複素電力 $\dot{S}_{\mathrm{C}}$ [V·A]，有効電力 P_{C} [W] および無効電力 Q_{C} [var] は2) と同様に以下で計算できる．

$$\dot{S}_{\mathrm{C}} = P_{\mathrm{C}} - \mathrm{j}Q_{\mathrm{C}} = 3\overline{\dot{E}}_{\mathrm{a}}\dot{I}_{\mathrm{aC}} = 3 \times (200 - \mathrm{j}0)(\mathrm{j}20) = \mathrm{j}12\,000 = -\mathrm{j}(\boldsymbol{-12\,000})\ \mathrm{V{\cdot}A}$$

電源から供給される合計無効電力 Q_0 [var] は，上式および Q_{L} から以下で計算できる．

$$Q_0 = Q_{\mathrm{L}} + Q_{\mathrm{C}} = -14\,400 + 12\,000 = -2\,400\ \mathrm{var}$$

電源から負荷側を見たときの力率 $\cos\varphi$ は以下で計算できる．

$$\cos\varphi = \frac{P_{\mathrm{L}}}{\sqrt{{P_{\mathrm{L}}}^2 + {Q_0}^2}} = \frac{19\,200}{\sqrt{19\,200^2 + (-2\,400)^2}} = 0.992\,28 \fallingdotseq \boldsymbol{0.992}$$

複素電力を求める際，問題文のとおり「電圧の共役複素数×電流の複素数」とすると，遅れ無効電力がマイナスとなる．一方，「電圧の複素数×電流の共役複素数」とすると，遅れ無効電力はプラスとなる．

問題5

(1)　1—ウ，2—オ，3—ア，4—ウ，5—エ

(2)　6—イ，7—ア，8—エ

(3)　9—ク，10—オ，11—イ，12—サ

(4)　13—ク，14—エ，15—イ

【指導】

(1)　1)　図1の $G_{\mathrm{A}}(s)$ に単位ステップを入力した場合の出力（ステップ応答）は以下で表される．

$$G_{\mathrm{A}}(s) \cdot \frac{1}{s} = \frac{b}{s+a} \cdot \frac{1}{s} = \frac{b}{a}\left(\frac{1}{s} - \frac{1}{s+a}\right)$$

$$\mathcal{L}^{-1}\left\{\frac{b}{a}\left(\frac{1}{s} - \frac{1}{s+a}\right)\right\} = \frac{b}{a}(1 - \mathrm{e}^{-at}) = 100(1 - \mathrm{e}^{-10t})$$

上式より，a，b および $G_{\mathrm{A}}(s)$ は以下で表される．

$$a=\mathbf{10},\quad b=100\times10=\mathbf{1\,000},\quad G_{\mathrm{A}}(s)=\frac{1\,000}{s+10}$$

2)　$G_{\mathrm{T}}(s)$ は入力が $F(s)$，出力が $Y(s)$ と考えることができ，題意の時間関数をラプラス変換すると以下で表される．

$$M\frac{\mathrm{d}y(t)}{\mathrm{d}t}=f(t)\ \text{ラプラス変換}\rightarrow MsY(s)=F(s)$$

$$\therefore\quad G_{\mathrm{T}}(s)=\frac{Y(s)}{F(s)}=\frac{1}{Ms}=\frac{1}{1\,000s}=\frac{\mathbf{0.001}}{\boldsymbol{s}}$$

3)　問題図 1 に求めた各部の伝達関数等を書き加えた**第 1 図**により，外乱 $D(s)$ も含めた出力として表す．

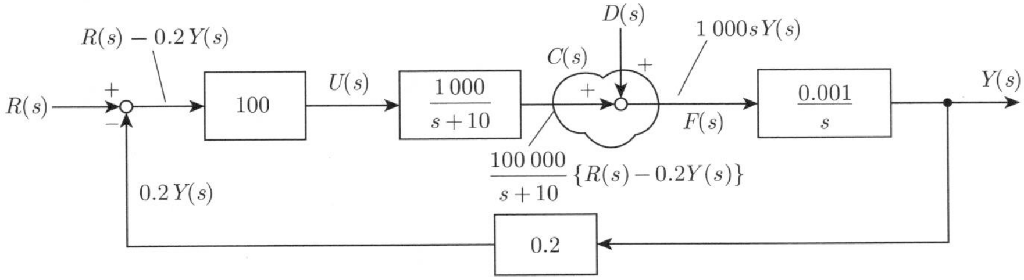

第 1 図　図 1 に各伝達関数，信号を追記

第 1 図の右側接続点（雲マーク部）について，入力 = 出力の方程式を立てる．

$$\frac{100\,000}{s+10}\{R(s)-0.2Y(s)\}+D(s)=1\,000sY(s)$$

変形して $R(s)$ および $D(s)$ の項を左辺，$Y(s)$ の項を右辺に分ける．

$$\frac{100\,000}{s+10}R(s)+D(s)=1\,000\times\left(s+\frac{20}{s+10}\right)Y(s)$$

$$\frac{100\,000}{s+10}R(s)\frac{1}{1\,000\times\left(s+\dfrac{20}{s+10}\right)}+D(s)\frac{1}{1\,000\times\left(s+\dfrac{20}{s+10}\right)}=Y(s)$$

$$\frac{100}{s(s+10)+20}R(s)+\frac{s+10}{1\,000\times\{s(s+10)+20\}}D(s)=Y(s)$$

$$\frac{100}{s^2+10s+20}R(s)+\frac{s+10}{1\,000\times(s^2+10s+20)}D(s)=Y(s)\qquad①$$

①式から外乱 $D(s)=0$ として，$R(s)$ から $Y(s)$ までの伝達関数を求める．

$$\frac{Y(s)}{R(s)}=\boldsymbol{\frac{100}{s^2+10s+20}}$$

4）　題意より外乱 $D(s)=1/s$，入力（参照値）$R(s)=A/s$ としたとき，出力 $y(t)$ の最終値が20であった．最終値の定理から①式に各数値を代入して計算する．

$$\lim_{x\to\infty} y(t)=20=\lim_{s\to 0} sY(s)$$

$$=\lim_{s\to 0} s\left\{\frac{100}{s^2+10s+20}\cdot\frac{A}{s}+\frac{s+10}{1\,000\times(s^2+10s+20)}\cdot\frac{1}{s}\right\}$$

$$=\lim_{s\to 0}\left\{\frac{100A}{s^2+10s+20}+\frac{s+10}{1\,000\times(s^2+10s+20)}\right\}$$

$$=5A+\frac{1}{2\,000}$$

$$5A+\frac{1}{2\,000}=20$$

$$\therefore\quad A=\frac{20}{5}-\frac{1}{10\,000}=3.999\,9\fallingdotseq \mathbf{4}$$

⑵　1）　伝達関数で表現される線系システムのすべての極が**複素左半平面**に存在するときのシステムは安定である．

2）　極が1)と同じ条件で，二次遅れ系，極が共役複素根のとき，極の位置を原点に近づけると，システムの応答は**遅くなる**．一方，極の位置を実軸に近づけると，ステップ応答のオーバシュートは**小さくなる**．

⑶　図2の論理記号で示される回路は**NAND回路**と呼ばれる．その論理式はAND(A·B)の否定で $\mathrm{C}=\overline{\mathrm{A}\cdot\mathrm{B}}$ と表される．また，問題の表中の入力 A ＝ 0，B ＝ 0 に対するNAND回路の出力 C ＝ 1 である．

JKフリップフロップはセット，リセットおよびクロックパルス（CK）の入力端子をもち，セット・リセット同時入力（ともに1）を許可し，そのときに出力を反転させる．RSフリップフロップはセット・リセットの同時入力を禁止している．Dフリップフロップは D と CK の入力端子をもち，セット・リセット機能はない．

⑷　ハードディスクはデータを記録するための**補助記憶装置**の一つである．磁性体を塗布した円盤から記録データを読み書きする．磁気ヘッドを搭載したアームを操作して**トラック**を選択し，その中に複数個連続して配置されている**セクタ**が1回の読み書き単位となる．

問題6 (1) 1―イ，2―オ，3―キ，4―ウ，5―ア

(2) 6―コ，7―イ，8―エ，9―ク，A―4.0

【指導】

(1) 1) 食品の安全を保証する考え方として，「食品のトレーサビリティ」と呼ばれる管理体制（栽培から流通経路に至るまでの履歴を追跡できる体制）がある．これと同様に計測の分野でも**トレーサビリティ**の考え方が重要視されるようになってきている．これが計量トレーサビリティと呼ばれ，計測の正確さを証明する取組みを意味する．

2) i) 改訂されたSIでは，アンペアの直接的な土台となるのは，**電気素量**であり，単位時間当たりの移動電子数を用いてアンペアの標準化が可能となる．

ii) キログラムについては，従来は，国際キログラム原器の質量で定義されていたが，改訂されたSIでは，プランク定数を基に定義される．

iii) 上記を含む新しい定義への改定により，すべてのSI単位が基礎物理定数などの定義定数を基にすることとなった．

(2) 1) オペアンプの特徴として，①高い電圧利得，②高い入力インピーダンス，③広い周波数帯域をもつこと，などが挙げられる．

2) **第1図**において

$$I_1 + I_2 = 0 \quad \text{（キルヒホッフの電流則）}$$

$$\frac{V_{\rm in} - 0}{R_1} + \frac{V_{\rm out} - 0}{R_2} = 0$$

$$\frac{V_{\rm in}}{R_1} = -\frac{V_{\rm out}}{R_2}$$

$$\therefore \quad \frac{V_{\rm out}}{V_{\rm in}} = -\boldsymbol{\frac{R_2}{R_1}}$$

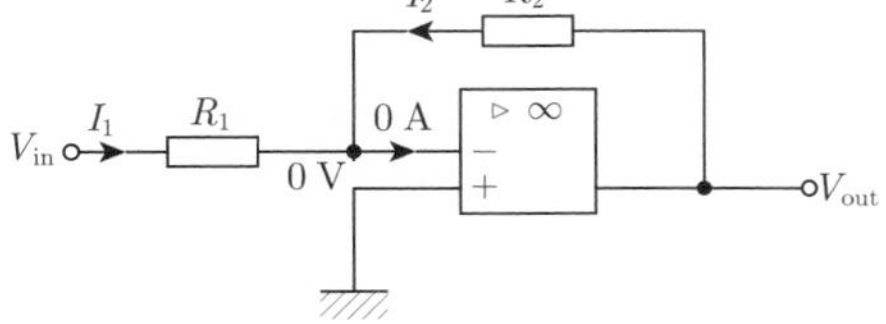

第1図

第2図において

$$I_1 = 0 + I_2 \quad \text{（キルヒホッフの電流則）}$$

解答指導

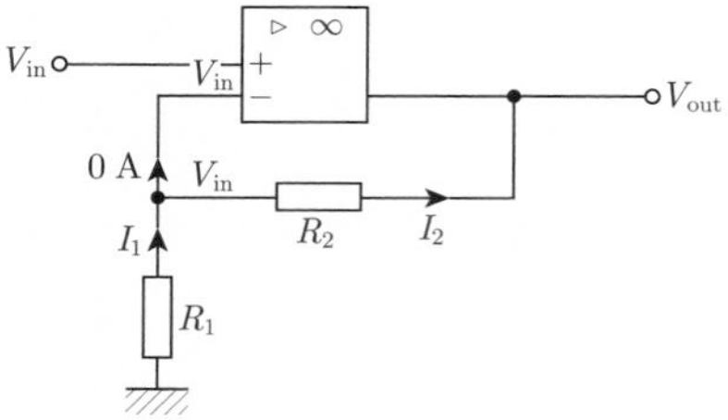

第 2 図

$$\frac{0-V_{in}}{R_1}=\frac{V_{in}-V_{out}}{R_2}$$

$$-\frac{V_{in}}{R_1}=\frac{V_{in}}{R_2}-\frac{V_{out}}{R_2}$$

$$\frac{V_{out}}{R_2}=\frac{V_{in}}{R_1}+\frac{V_{in}}{R_2}$$

$$\therefore\quad \frac{V_{out}}{V_{in}}=\frac{R_2}{R_1}+\frac{R_2}{R_2}=\frac{{R_2}^2+R_1R_2}{R_1R_2}=\boldsymbol{\frac{R_1+R_2}{R_1}}$$

また，反転増幅回路の場合にオペアンプの反転入力端子の電位が負帰還によって常に零になることを，**仮想接地**と呼ぶ．

さらに，第 1 図の電圧利得の結果式より，

$$V_{out}=-\frac{R_2}{R_1}V_{in}=-\frac{20}{10}\times(-2)=\mathbf{4.0}\ \mathrm{V}$$

となる．

問題7

(1) 1 ― エ，2 ― ア

(2) 3 ― エ，4 ― ア，5 ― ケ

(3) 6 ― オ，7 ― イ，8 ― ク

(4) 9 ― エ，10 ― ウ，A ― 166，B ― 4.7

【指導】

(1) 最大需要電力の低減により向上する指標は以下に示す，**負荷率**である．

$$負荷率=\frac{平均需要電力}{最大需要電力}\ [\%]$$

デマンド制御を自動で行うデマンド監視制御装置（デマンドコントローラ）では，需要電

力を監視して**契約電力**を超過しないように警報を出し，空調負荷等の停止等を行う．

(2)　三相変圧器の結線方法の中でY-△結線あるいは△-Y結線のものは△部分に**第3調波**励磁電流が流れることで，波形のひずみが少ない．しかし，一次側と二次側で**30°**の位相差を生じる．

スコット結線は**第1図**のように結線した二つのT座，M座変圧器の一次側端子U，V，Wに平衡三相交流を入力すると，二次側に90°位相の異なる大きさの等しい単相電圧を得ることができる．この二つの単相電圧の負荷が全く同じであると，電源側は平衡三相電流が流れ，**電圧不平衡**を防止できる．

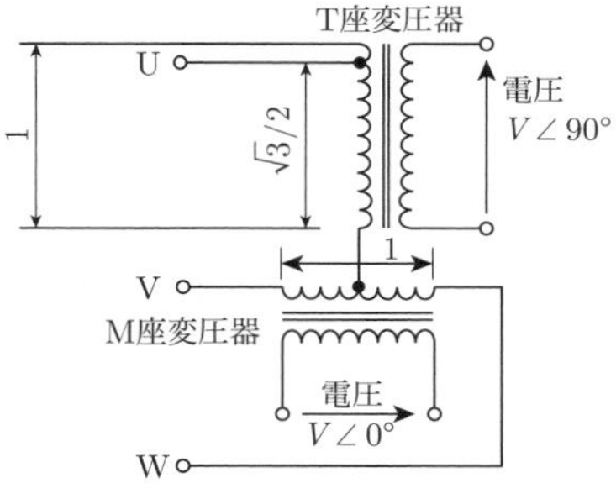

第1図　スコット結線

(3)　アーク炉や溶接機などの変動負荷により電圧変動が頻繁に起きると照明にちらつきが生じ，これを**フリッカ**と呼んでいる．フリッカは人間の目には10 Hz程度のとき最も敏感に感じるとされる．

フリッカが目に感じる度合いを表す指標として，「ちらつき**視感度**曲線」がある．

(4)　1)　力率改善をした場合，1相当たりの線路損失の低減量（$P_1 - P_2$）を求める．

力率改善前後の電流 I_1 [A]，I_2 [A]，線路抵抗 R [Ω] とすれば，力率改善前後の線路損失 P_1 [W]，P_2 [W]（1相当たり）は以下で表される．

$$P_1 = I_1{}^2 R \text{ [W]}$$

$$P_2 = I_2{}^2 R \text{ [W]}$$

よって，$P_1 - P_2$ は以下で求められる．

$$P_1 - P_2 = (\boldsymbol{I_1{}^2 - I_2{}^2}) \times R \text{ [W]}$$　(答)

2)　1相当たりの電圧降下の低減量（$\Delta V_1 - \Delta V_2$）を求める．

力率改善前後の電流 I_1，I_2 の有効電流分は同じ（$I_1 \cos\varphi_1 = I_2 \cos\varphi_2$）である．一方，無効電流分すなわち，$I_{q1} = I_1 \sin\varphi_1$，$I_{q2} = I_2 \sin\varphi_2$ は異なるため，電圧降下の低減量では $I_{q1}X$，$I_{q2}X$ の項が値をもつ．よって，$\Delta V_1 - \Delta V_2$ は以下で求められる．

$$\Delta V_1 - \Delta V_2 = I_1(R\cos\varphi_1 + X\sin\varphi_1) - I_2(R\cos\varphi_2 + X\sin\varphi_2)$$
$$= I_{q1}X - I_{q2}X = (\boldsymbol{I_{q1}} - \boldsymbol{I_{q2}}) \times X\ [\mathrm{V}] \qquad \text{㊟}$$

3) i) 題意より負荷の 1 相当たりの有効電力 500 kW，相電圧 V [V]，線路抵抗 R [Ω] はコンデンサの接続前後で変化なしとする．コンデンサ接続前の 1 相当たりの線路損失 $P_1 = 830$ W, 電流 I_1 [A], 力率 0.85 とする．コンデンサ接続後の線路損失 P_2 [W], 電流 I_2 [A], 力率 0.95 として，P_1，P_2 は以下で表される．

$$P_1 = I_1{}^2R = \left(\frac{500\times10^3}{V\times0.85}\right)^2 R = 830\ \mathrm{W}$$

$$P_2 = I_2{}^2R = \left(\frac{500\times10^3}{V\times0.95}\right)^2 R = \left(\frac{500\times10^3}{V\times0.95}\right)^2 R\times\frac{0.85^2}{0.85^2}$$

$$= \left(\frac{500\times10^3}{V\times0.85}\right)^2 R\times\frac{0.85^2}{0.95^2} = 830\times\frac{0.85^2}{0.95^2} \fallingdotseq 664.5\ \mathrm{W}$$

$$\therefore\quad P_1 - P_2 = 830 - 664.5 = 165.5 \fallingdotseq \mathbf{166}\ \mathrm{W} \qquad \text{㊟}$$

ii) I_1 で I_2 を表す．i) より以下となる．

$$I_2{}^2 = I_1{}^2\times\frac{0.85^2}{0.95^2}$$

$$I_2 = I_1\times\frac{0.85}{0.95}$$

コンデンサ接続前の近似式中の 1 相当たりのリアクタンスによる線路電圧降下分は $I_1X\sin\varphi_1 = 10$ V である．コンデンサ接続後の $I_2X\sin\varphi_2$ は以下となる．

$$I_2X\sin\varphi_2 = I_1\times\frac{0.85}{0.95}X = \frac{10}{\sin\varphi_1}\times\frac{0.85}{0.95} \fallingdotseq \frac{8.947\,4}{\sin\varphi_1}[\mathrm{V}]$$

コンデンサ接続による 1 相当たりの電圧降下低減量（$\Delta V_1 - \Delta V_2$）[V] を求める．

$$\Delta V_1 - \Delta V_2 = I_1(R\cos\varphi_1 + X\sin\varphi_1) - I_2(R\cos\varphi_2 + X\sin\varphi_2)\ [\mathrm{V}]$$

ここで，有効電力はコンデンサ接続により変わらないため，$I_1\cos\varphi_1 = I_2\cos\varphi_2$ が成り立ち，sin の項のみが残る．また，$\cos\varphi_1 = 0.85$，$\cos\varphi_2 = 0.95$ から $\sin\varphi_1$，$\sin\varphi_2$ が計算できるため，上式は以下で計算できる．

$$\Delta V_1 - \Delta V_2 = I_1X\sin\varphi_1 - I_2X\sin\varphi_2 = 10 - \frac{8.947\,4}{\sqrt{1-0.85^2}}\times\sqrt{1-0.95^2}$$

$$= 4.696\,4 \fallingdotseq \mathbf{4.7}\ \mathrm{V} \qquad \text{㊟}$$

留意点として，問題文中に与えられた「1 相当たりのリアクタンスによる線路電圧降下

10 V」を文章のまま解釈すると，I_1X と考えられる．しかし，これでは答にたどり着かないため，あえて「近似式中の電圧降下のリアクタンスによる電圧降下分（$I_1X\sin\varphi_1$）」と解釈して解答した．非常に紛らわしく，受験者に余計な疑問を与えかねない問題であった．

問題8 (1) 1―オ，2―ア，3―コ，4―ク

(2) 5―ク，6―キ，7―ア，8―ウ

(3) A―45.4，B―48.9，C―93.2，D―99.2

【指導】

(1) 1) 電圧の区分

電気設備に関する技術基準を定める省令第2条では，電圧の区分を交流と直流により，**第1表**のように規定している．

第1表

区分	交流	直流
低圧	**600 V** 以下のもの	750 V 以下のもの
高圧	600 V を超え **7 000 V** 以下のもの	750 V を超え 7 000 V 以下のもの
特別高圧	**7 000 V** を超えるもの	7 000 V を超えるもの

2) 母線方式

① 単一母線方式

母線が1本なので単一母線と呼ばれ最も簡単な方式である．構造が簡単でコストは安いが，母線が事故を起こすと全停電してしまうリスクが生じる．また，分割母線方式とは**区分開閉器**で単一母線を分割した方式である．

② 二重母線方式

必要に応じて異系統運転ができ信頼性が高い．片方の母線が事故を起こしても全停電にはならないため，リスクを避けたい場合に採用される．

(2) 変圧器の省エネルギー

1) 低損失変圧器の採用

新設や更新時には高効率の変圧器を導入する．変圧器は技術の進歩によって内部損失が大きく低減されており，特に**鉄心材料**の進歩により無負荷損が低減されている．

2) 無負荷変圧器の停止

変圧器が電源に接続されているときは，負荷がなくても**励磁電流**が流れ，無負荷損が生じている．負荷がないときは，無負荷損の削減のために一次側，二次側とも回路から切り離す

ことが望ましい.

3)　変圧器の台数制御

変圧器を台数分割し，並行運転するための条件や運用上の手順を決めて，負荷に応じて損失が最小となるように，稼働台数を調整する．なお，2 台以上の変圧器を並行運転する場合，事前に変圧器の一次および二次の定格電圧が等しいこと，**極性**が等しいこと，さらに**三相変圧器**の並行運転では相回転，位相変位が等しいことなど，必要な条件を満たしておくことが重要である.

(3)　1)　スイッチ SW を開いた図に題意の表の数値を代入すると**第 1 図**のようになる.

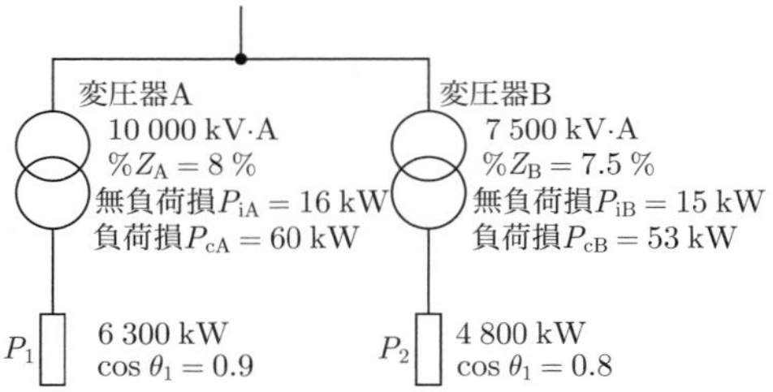

第 1 図

第 1 図より，変圧器 A の損失 P_{lA} [kW] は,

$$P_{\mathrm{lA}}=16+\left(\frac{\dfrac{6\,300}{0.9}}{10\,000}\right)^2\times 60=\mathbf{45.4}\ \mathrm{kW}$$　(答)

同様に，変圧器 B の損失 P_{lB} [kW] は,

$$P_{\mathrm{lB}}=15+\left(\frac{\dfrac{4\,800}{0.8}}{7\,500}\right)^2\times 53=48.92\fallingdotseq\mathbf{48.9}\ \mathrm{kW}$$　(答)

となる.

2)　スイッチ SW を閉じた図に基準容量 10 MV·A としたときの各パーセントインピーダンスおよび負荷容量等を描くと**第 2 図**のようになる.

第 2 図より計算に必要な部分のみを取り出す（**第 3 図**参照).

第 3 図より，各変圧器の分担容量は,

$$P_{\mathrm{A}}=11\,100\times\frac{10}{8+10}=6\,166.67\ \mathrm{kW}$$

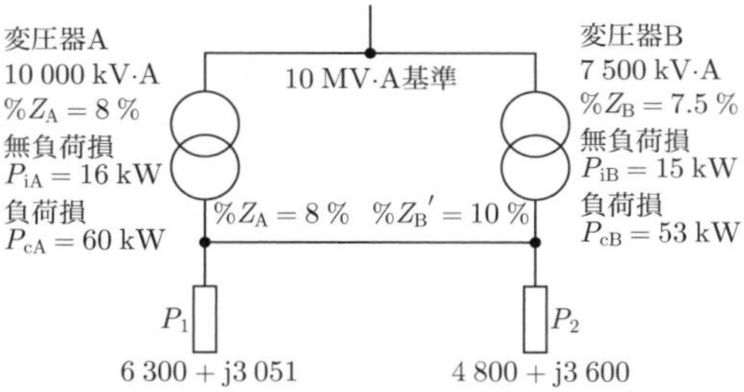

第 2 図

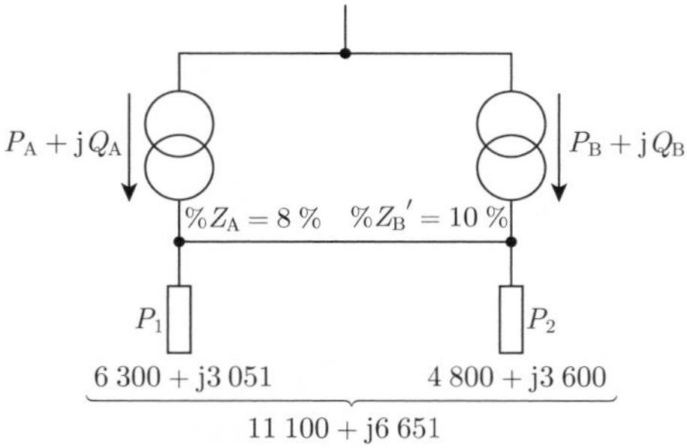

第 3 図

$$Q_A = 6\,651 \times \frac{10}{8+10} = 3\,695\ \text{kvar}$$

$$P_B = 11\ 100 - 6\ 166.67 = 4\ 933.33\ \text{kW}$$

$$Q_B = 6\ 651 - 3\ 695 = 2\ 956\ \text{kvar}$$

となる．

次に，各変圧器の皮相電力は，

$$S_A = \sqrt{6\,166.67^2 + 3\,695^2} = 7\,188.94\ \text{kV·A}$$

$$S_B = \sqrt{4\,933.33^2 + 2\,956^2} = 5\,751.15\ \text{kV·A}$$

となる．

上記より，各変圧器の損失は，

$$P_{lA}' = 16 + \left(\frac{7\,188.94}{10\,000}\right)^2 \times 60 = 47.008\,5\ \text{kW}$$

$$P_{lB}' = 15 + \left(\frac{5\,751.15}{7\,500}\right)^2 \times 53 = 46.165\ \text{kW}$$

となる．

したがって，変圧器 A，B を並行運転したときの合計損失 P_l' [kW] は，

$$P_l' = P_{lA}' + P_{lB}' = 47.008\,5 + 46.165 = 93.173\,5 \fallingdotseq 93.2\ \text{kW}$$ （答）

また，並行運転時の総合効率 η' は，

$$\eta' = \frac{11\,100}{11\,100 + 93.173\,5} \fallingdotseq 0.991\,68 \fallingdotseq \mathbf{99.2}\ \%$$ （答）

問題9

(1)　1 — キ，2 — ウ，3 — ケ，4 — ケ，5 — エ，6 — ウ

(2)　7 — キ，8 — ケ，9 — エ，10 — ウ，11 — ウ

(3)　A — 229，B — 32.6，C — 2.8，D — 6.11，E — 5.64

【指導】

(1)　1)　電圧調整を変圧器で行う場合，変圧器巻線にタップを設けて，**変圧比**を切換えることによって行う．

2)　負荷時タップ切換方式のうち直接式は，タップ切換器に変圧器に流れる**負荷電流**が直接流れる．中性点のある三相変圧器（Y 結線）では切換開閉器の相間電圧を小さくできることや，機構部が 3 相分を一体化できるので変圧器巻線の**中性点**側に設けるのが一般的である（**第 1 図**(a)）．

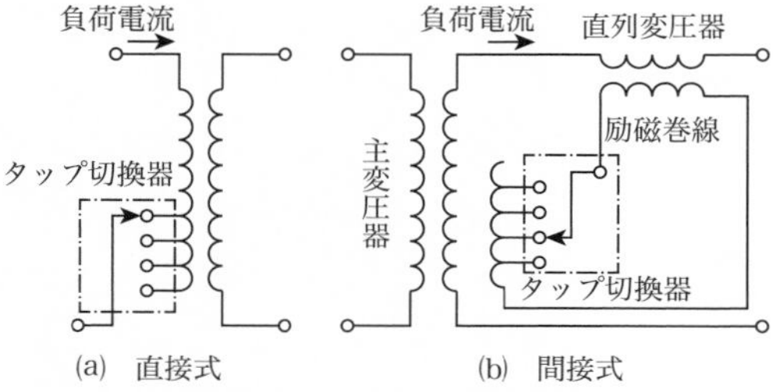

第 1 図　負荷時タップ切換方式

3)　負荷時タップ切換方式のうち間接式の電圧調整は主変圧器から得られるタップ電圧をタップ切換器で調整して直列変圧器の**励磁巻線**に印加することで行う．間接式はタップ切換器を設けようとする巻線の**絶縁**レベルが非常に高い（高電圧）場合，または電流が極めて大きい場合等に適用される（第 1 図(b)）．

4)　負荷時タップ切換器によるタップの切換動作は隣接する二つのタップ端子間を橋絡（短絡とも）した後，所定のタップ位置に移動する．したがって，**短絡電流**を制限するために，抵抗またはリアクタンスが必要になる．

(2) 1) 汎用インバータの一般的な出力電圧および周波数制御はPWM制御方式が一般的である．正弦波の波形で出力電圧の基準となる**信号波**と通常は三角波の**搬送波**を比較して両者の大小関係でスイッチ素子のオンオフを決定する．これにより，出力電圧の波形は幅可変の連続した**方形波**となる．インバータ出力電圧は方形波であるが，誘導電動機等の負荷はインダクタンスによるフィルタ作用によりほぼ**正弦波**に近い電流が流れる．

2) インバータ出力電圧および負荷力率が一定の場合，負荷電流が定格値から25 %の間を変動したとき，インバータの効率は**ほとんど変化しない**．

解答指導

(3) 1) 変圧器の無負荷試験において試験電源が供給した電力 [W] はその変圧器の無負荷損 p_{i} である．したがって，p_{i} は以下で計算できる．

$$p_{\mathrm{i}} = 6\,600 \times 2.31 \times 1.5 \times 10^{-2} = 228.69 \fallingdotseq \mathbf{229}\ \mathrm{W} \qquad \text{(答)}$$

また，短絡試験において試験電源が供給した電力 [W] は印加電圧が低く無負荷損が無視できるとすれば，その変圧器の負荷損 $p_{\mathrm{c}} = 2\,150$ W である．したがって，変圧器の定格出力 P_{n} [W]，負荷率 α，力率1.0とすれば，変圧器の効率 η [%] は以下で表される．

$$\eta = \frac{\alpha P_{\mathrm{n}}}{\alpha P_{\mathrm{n}} + \alpha^2 p_{\mathrm{c}} + p_{\mathrm{i}}} = \frac{P_{\mathrm{n}}}{P_{\mathrm{n}} + \alpha p_{\mathrm{c}} + \dfrac{p_{\mathrm{i}}}{\alpha}}\,[\%]$$

上式の最右辺において，変数 α の存在する分母が最小となれば，η は最大（最高）の $\eta_{\max}$ となる．したがって，分母の第2，3項に最小の定理「両者の積が定数となるとき両者の和が最小となるのは両者が等しいとき」を適用すると，以下が成り立つ．

$$\alpha p_{\mathrm{c}} = \frac{p_{\mathrm{i}}}{\alpha} \rightarrow \alpha^2 = \frac{p_{\mathrm{i}}}{p_{\mathrm{c}}}$$

$$\therefore \quad \alpha = \sqrt{\frac{p_{\mathrm{i}}}{p_{\mathrm{c}}}} = \sqrt{\frac{228.69}{2\,150}} = 0.326\,14 \fallingdotseq \mathbf{32.6}\,\% \qquad \text{(答)}$$

変圧器の短絡インピーダンス $\%Z_1$ [%] は変圧器の一次側定格電流 I_{n1} [A]，一次側から見た短絡インピーダンス Z_1 [Ω]，一次側定格電圧 $V_{\mathrm{n1}} = 6\,600$ V として以下で計算できる．なお，$I_{\mathrm{n1}}Z_1$ [V] は短絡試験時の一次入力電圧185 Vのことである．

$$\%Z_1 = \frac{I_{\mathrm{n1}}Z_1}{V_{\mathrm{n1}}} \times 100 = \frac{185}{6\,600} \times 100 = 2.803\,0 \fallingdotseq \mathbf{2.8}\,\% \qquad \text{(答)}$$

前記より，一次換算の短絡インピーダンス Z_1 [Ω] は以下で計算できる．

$$I_{\mathrm{n1}}Z_1 = 185$$

$$Z_1 = \frac{185}{I_{n1}} = \frac{185}{30.3} = 6.105\,6 \fallingdotseq \mathbf{6.11}\,\Omega$$ (答)

問題文に巻線抵抗値 $R_1 = 2.34\ \Omega$が示されているため，一次換算の漏れリアクタンス X_1 [Ω] は以下で計算できる．

$$X_1 = \sqrt{{Z_1}^2 - {R_1}^2} = \sqrt{6.105\,6^2 - 2.34^2} \fallingdotseq 5.639\,4 \fallingdotseq \mathbf{5.64}\,\Omega$$ (答)

問題10

(1) 1 — エ，2 — ク，3 — イ，4 — コ，5 — エ，6 — イ

(2) 7 — シ，8 — オ，9 — セ，10 — エ，11 — ケ

(3) A — 1.00×10^3，B — 16.1，C — 5.82，D — 5.19

【指導】

(1) 1) 三相誘導電動機の滑り s の大きさが $0 < s < 1$ の範囲（**第1図**の中間部分），すなわち，同期速度以下では二次巻線に生じる電磁力の方向は常に固定子巻線が発生する回転磁界の方向と同じである．よって，回転子の回転方向と回転磁界の方向は常に一致しているので，トルクは**駆動**トルクとなる．

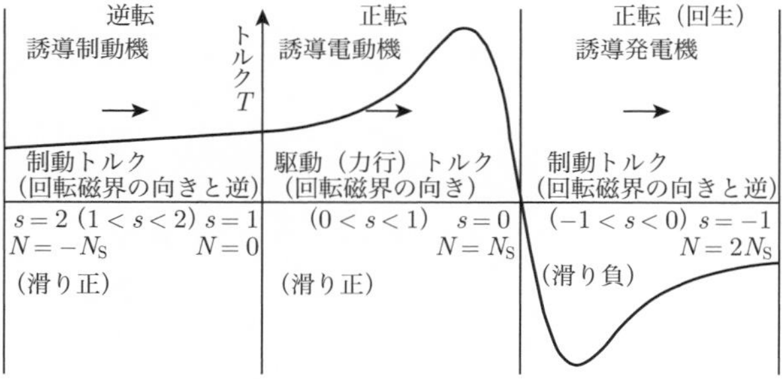

第1図 誘導機の滑りとトルク

一方，第1図の右側に示すように電動機の滑り s の大きさが$-1 < s < 0$の範囲，すなわち同期速度以上では発電機となる．固定子巻線が発生する回転磁界の方向は変わらず，電流の向きが逆転することで二次巻線に生じる電磁力は逆転し回転磁界の方向と反対となるため，トルクは**制動**トルクとなる．

第1図の左側に示すように電動機の滑り s の大きさが $1 < s < 2$ の範囲は3相の線のうち2本入換えた（プラッギング）ときで制動機となる．固定子巻線が発生する回転磁界は逆転し，電流の向きが同じで二次巻線に生じる電磁力は回転磁界の方向と反対となるため，トルクは制動トルクとなる．

2) 通常の同期電動機は，同期速度以下では電動機運転，同期速度以上では**回生**制動運転

が一般的な運転方法である．

一方，巻線形誘導電動機の速度制御（二次励磁制御）の一種である超同期**セルビウス**方式は，**第 2 図**に示すように誘導電動機の二次側に交流電力変換装置（双方向インバータ）を設けたものである．この方式は二次電力を電源側へ返還するだけでなく，電源側から電動機へ電力を送ることにより，運転範囲を回生（誘導発電機）の領域まで広げることが可能である．

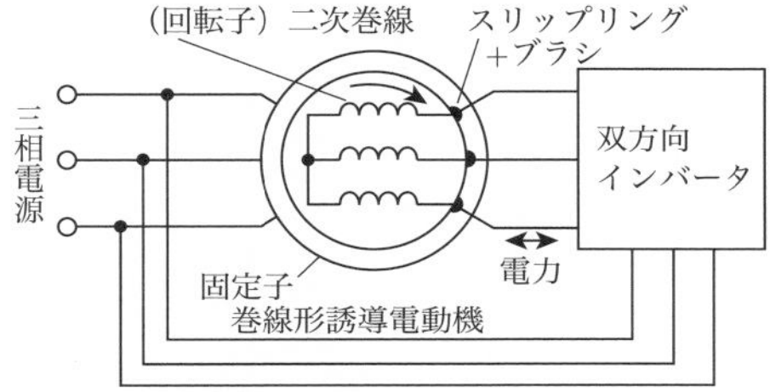

第 2 図　超同期セルビウス方式

セルビウス方式は第 2 図のように，二次巻線からの電力を電源に返還して速度制御を行い定トルク特性である．また，クレーマー方式は二次巻線からの電力を機械動力として電動機軸に返還して速度制御を行い定出力特性である．

⑵　問題の図において $\dot{F}_{\mathrm{a}}$ は**電機子反作用**起磁力のことである．エアーギャップに作用する起磁力 $\dot{F}_1$ に相当する誘導起電力が問題図中の $\overline{\mathbf{OB}}$ である．$\dot{E}_0$ と $\dot{E}_1$ との差 $\overline{\mathrm{BC}}$ は**電機子反作用**リアクタンスによる電圧降下である．

問題の図より E_1 から電機子漏れリアクタンス x_{s} および電機子抵抗 r_{a} による電機子電流 $\dot{I}_{\mathrm{a}}$ の電圧降下（$(r_{\mathrm{a}} + \mathrm{j}x_{\mathrm{s}})\dot{I}_{\mathrm{a}}$）を差し引いた，線分 $\overline{\mathbf{OA}}$ が端子電圧 $\dot{V}$ である．

$\angle$AOE は力率角 φ に相当する．また，$\angle$COA のつくる角度は**内部相差角** δ と呼ばれる．

⑶　1)　電動機の出力 P_0 [kW] は，題意の電動機端子電圧 $\sqrt{3}V_{\mathrm{n}} = 6.3\,\mathrm{kV}$，入力(電機子)電流 $I_{\mathrm{a}} = 96$ A，力率 $\cos\varphi = 1.0$，効率 $\eta = 95.6$ % より，以下で計算できる．

$$P_0 = 3V_{\mathrm{n}}I_{\mathrm{a}}\cos\varphi\eta = \sqrt{3}\times 6.3\times 96\times 1.0\times 0.956 = 1\,001.45 \fallingdotseq \mathbf{1.00\times 10^3}\ \mathrm{kW}$$

2)　電動機入力 P_{I} [kW] は，以下で計算できる．

$$P_{\mathrm{I}} = 3V_{\mathrm{n}}I_{\mathrm{a}}\cos\varphi = \sqrt{3}\times 6.3\times 96\times 1.0 = 1\,047.54\ \mathrm{kW}$$

また，P_{I} は1)で求めた P_0 および題意の機械損 $P_{\mathrm{m}} = 11$ kW，鉄損 $P_{\mathrm{i}} = 9$ kW，励磁回路損 $P_{\mathrm{f}} = 6$ kW，漂遊負荷損 $P_{\mathrm{s}} = 4$ kW，電機子回路損失 P_{a} [kW] より，以下で表される．

$$P_{\mathrm{I}} = P_0 + P_{\mathrm{m}} + P_{\mathrm{i}} + P_{\mathrm{f}} + P_{\mathrm{s}} + P_{\mathrm{a}}$$

上式を変形すると P_{a} は以下で計算できる．

$$P_{\mathrm{a}} = P_{\mathrm{I}} - (P_0 + P_{\mathrm{m}} + P_{\mathrm{i}} + P_{\mathrm{f}} + P_{\mathrm{s}}) = 1\,047.54 - (1\,001.45 + 11 + 9 + 6 + 4)$$

$= 16.09 \fallingdotseq \mathbf{16.1}\ \mathrm{kW}$

1 相分の電機子抵抗 r_a [Ω] は，求めた P_a [kW] の値および，P_a を表す下式を変形して以下で計算できる．

$$P_\mathrm{a} = 3r_\mathrm{a}I_a{}^2$$

$$r_\mathrm{a} = \frac{P_\mathrm{a}}{3I_\mathrm{a}{}^2} = \frac{16.09\times10^3}{3\times96^2} = 0.582\,0 \fallingdotseq \mathbf{5.82}\times10^{-1}\ \Omega$$

3) 1 相分の誘導起電力 E_0 [kV] は，題意と**第 3 図**より，$x_\mathrm{s}I_\mathrm{a} = 38.6 \times 96$ V および $\sqrt{3}V_\mathrm{n} = 6.3$ kV より，以下で表される．

$$E_0 = \sqrt{V_\mathrm{n}{}^2 + (x_\mathrm{s}I_\mathrm{a})^2} = \sqrt{\left(\frac{6.3\times10^3}{\sqrt{3}}\right)^2 + (38.6\times96)^2}$$

$$\fallingdotseq 5\,192.4 \fallingdotseq \mathbf{5.19}\ \mathrm{kV}$$

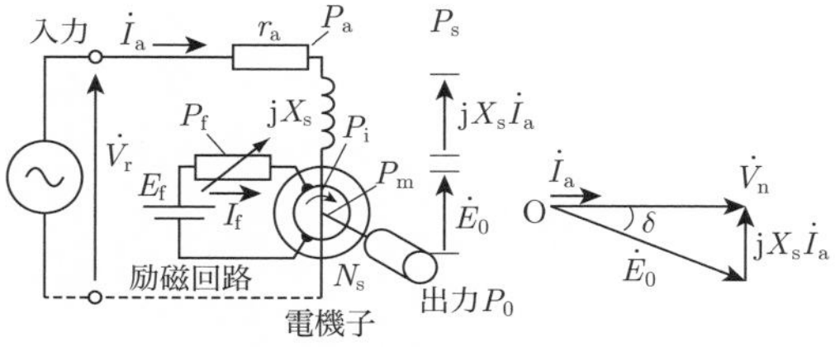

(a) 星形1相分　　(b) フェーザ図

第 3 図　三相同期電動機

第 3 図(a)は星形 1 相分の等価回路を示す．損失と対応する電気抵抗の素子および部分を示す．漂遊負荷損 P_s は図中に対応する個所がなく損失のみ存在している．(b)のフェーザ図は力率 1.0 および電機子抵抗を無視（$r_\mathrm{a} = 0$）した場合である．

問題11

(1) 1 ― エ，2 ― ク，3 ― ア，4 ― ア，5 ― オ，6 ― コ，7 ― ケ
(2) 8 ― イ，9 ― カ，10 ― ケ，11 ― イ，12 ― オ，13 ― ウ

【指導】

(1) 1) 遠心形のポンプや送風機が必要とするトルク（負荷トルク）は回転速度の 2 乗に比例する．したがって，これらの負荷を電動機で駆動する場合，**可変速運転**を行い負荷に応じた出力とすることで，省エネルギーが実現できる．

誘導電動機がインバータによる V/f 制御により，負荷に動力を供給している場合を考える．周波数が一定のとき負荷トルクが増加した場合，回転速度がわずかに下がり，電動機の**滑り** s が増え，負荷トルクが減少した場合，回転速度がわずかに上がり，滑りが減少する．

誘導電動機は発生トルクが滑りに比例しているため，上記のように負荷トルクが変動した場合でも一定の範囲であれば自動的に発生トルクを調整して，運転が継続できる．

厳密な速度制御が不要な場合，V/f 制御は**オープン**ループで行えるため，速度検出器が不要となり，また，1 台のインバータで複数台の電動機が駆動できるため，経済的に優れている．

2) 搬送機やエレベータなどの慣性負荷で加減速運転を行う場合，減速時に負荷の運動エネルギーを電源側へ返還する回生運転をして省エネルギーを図る．その場合，図 1 の汎用インバータの整流器部の整流素子（ダイオード）を図 2 のようなオン，オフ（自己消弧）素子に替える必要がある．現在，実用化されている自己消弧素子はパワートランジスタ，GTO，IGBT 等がある．答えは解答群の中にあり，かつ図 2 の図記号に該当する **IGBT** である．IGBT により，図 3 中の回生運転時の出力電圧 $\dot{V}_{\mathrm{rec}}$ の**振幅と位相**を任意に変化させることができる．$\dot{V}_{\mathrm{rec}}$ の大きさを電源電圧 $\dot{V}_{\mathrm{line}}$ に対してより大きくすれば大きな**有効電力**（回生電力）を電源に返還できる．また，$\dot{V}_{\mathrm{rec}}$ の位相を変えられるため，**無効電力**の制御も可能であり，無効電力補償装置の機能ももっている．

(2) 1) 図 4 の電気自動車の走行開始（$t = 0$）から加速終了期間（$t = 10$ s）の加速度 α_1 [m/s^2] は該当部分の速度曲線 $v_1 = t$ [m/s]（$0 < t < 10$）の傾き（微分）であり，以下で計算できる．

$$\alpha_1 = \frac{\mathrm{d}}{\mathrm{d}t}v_1 = \frac{\mathrm{d}}{\mathrm{d}t}t = \mathbf{1}\,\mathrm{m/s^2}$$

上記($t = 0 \sim 10$)の走行距離 L_1 [m] は図 4 の該当部分の速度曲線の面積(定積分)であり，前記の v_1 より，以下で計算できる．

$$L_1 = \int_0^{10} v_1\,\mathrm{d}t = \int_0^{10} t\,\mathrm{d}t = \left[\frac{t^2}{2}\right]_0^{10} = \frac{1}{2}(10^2 - 0^2) = \mathbf{50}\,\mathrm{m}$$

等速度運転中の走行距離 L_2 [m] は図 4 の該当部分の速度曲線の面積（定積分）であり，一定速度 $v_2 = 10$ m/s（$10 < t < 30$）より，以下で計算できる．

$$L_2 = \int_{10}^{30} v_2\,\mathrm{d}t = \int_{10}^{30} 10\,\mathrm{d}t = 10\left[t\right]_{10}^{30} = 10\times(30-10) = 200\,\mathrm{m}$$

等加速度による減速期間の負の加速度 α_3 は 10 m/s の速度が 10 秒間で 0 m/s に変化するため，先に求めた α_1 と同じ大きさの負値である．一方，減速期間の走行距離 L_3 [m] は図 4 の該当期間の速度曲線 v_3 [m/s] の積分である．ただし，図形の対称性から加速期間と同じ面積であり以下となる．

$$L_3 = L_1 = 50\ \mathrm{m}$$

走行開始（0 s）から終了（40 s）までの全走行距離 L_0 [m] は以下となる．

$$L_0 = L_1 + L_2 + L_3 = 50 + 200 + 50 = 300\ \mathrm{m}$$

2)　電気自動車が加速期間中（$0 < t < 10$），必要な電気エネルギー W_{e1} [kJ] は加速終了時の電気自動車がもつ運動エネルギー W_{v1} [kJ] と走行抵抗によるエネルギー損失 $W_{\mathrm{l1}} = 5$ kJ の合計であり，以下で計算できる．

$$W_{\mathrm{e1}} = W_{\mathrm{v1}} + W_{\mathrm{l1}} = \frac{1}{2} m {v_1}^2 \times 10^{-3} + 5 = \frac{1}{2} \times 1\,200 \times 10^2 \times 10^{-3} + 5 = \mathbf{65}\ \mathrm{kJ}$$

題意より加速終了時の速度 $v_1 = 10$ m/s，電気自動車の全質量 $m = 1\,200$ kg とした．

等速度期間中（$10 < t < 30$），必要な電気エネルギー W_{e2} [kJ] は加減速がないため，題意より走行抵抗によるエネルギー損失分 $W_{\mathrm{l2}} = 20$ kJ のみで以下となる．

$$W_{\mathrm{e2}} = W_{\mathrm{l2}} = 20\ \mathrm{kJ}$$

3)　電気自動車が減速期間中に回生される電気エネルギー W_{e3} [kJ] を求める．題意より，電気自動車のもつ運動エネルギー W_{v3} [kJ] は効率 100 % で電気エネルギーへ変換されるものとし，走行抵抗によるエネルギー損失 $W_{\mathrm{l3}} = 5$ kJ とする．W_{e3} は以下で計算できる．

$$W_{\mathrm{e3}} = W_{\mathrm{v3}} - W_{\mathrm{l3}} = \frac{1}{2} m {v_3}^2 \times 10^{-3} - 5 = \frac{1}{2} \times 1\,200 \times 10^2 \times 10^{-3} - 5 = \mathbf{55}\ \mathrm{kJ}$$

4)　回生された W_{e3} は搭載バッテリーに蓄えられたとすれば，0～40 s の走行期間中，バッテリーが消費した電気エネルギー W_{e0} [kJ] は以下で計算できる．

$$W_{\mathrm{e0}} = W_{\mathrm{e1}} + W_{\mathrm{e2}} - W_{\mathrm{e3}} = 65 + 20 - 55 = 30\ \mathrm{kJ}$$

第1図は図4に消費エネルギーと回生エネルギーを追記したものである．また，左側のハッチング部分の面積（加速期間の走行距離）と右側の面積（減速期間の走行距離）は等しいことが直感的にわかる．

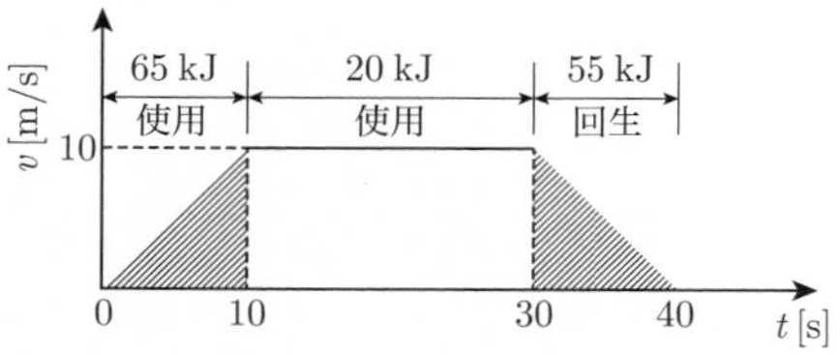

第1図　速度曲線とエネルギー

問題12

(1)　1―ア，2―オ，3―サ，4―ア，5―エ，6―キ

(2)　A―10.7，B―11.9，C―2.50，D―1.00，E―1.67，F―2.06，G―1.8

【指導】

(1)　1)　題意より，

$$v_m = t_a + 0.8\ [\mathrm{m/s}] \quad ①$$

$$x_m = (t_a + t_b + 1.6) \times v_m\ [\mathrm{m}] \quad ②$$

の式が成り立つ．

次に①式を変形すると，

$$t_a = v_m - 0.8\ [\mathrm{m/s}] \quad ③$$

②式に③式と $t_b = 0$ を代入すると，

$$x_m = (v_m - 0.8 + 0 + 1.6) \times v_m = \boldsymbol{(v_m + 0.8) \times v_m} \quad ④$$

また，題意より，$x_m \geqq x_{mN}$ 時の式として，$t_a = v_N - 0.8$ [s] および $v_m = v_N$ が成り立つ．よって，②式に代入すると，

$$x_m = (v_N - 0.8 + t_b + 1.6) \times v_N = (v_N + t_b + 0.8) \times v_N$$

上式を変形すると，

$$t_b = \boldsymbol{\frac{x_m}{v_N} - v_N - 0.8}\ [\mathrm{s}]$$

2)　$v_N = v_m = 4$ m/s，$x_m = x_{mN}$ を④式に代入すると，

$$x_{mN} = (4 + 0.8) \times 4 = \mathbf{19.2}\ \mathrm{m}$$

となる．

上記の内容と題意の t_a，t_b の関係式をまとめると，次式が成り立つ．

$1.28 \leqq x_m \leqq 19.2$ のとき，

$$t_a = -1.2 + \sqrt{1.2^2 + (x_m - x_{m0})} \quad ⑤$$

$$t_b = 0$$

$x_m \geqq 19.2$ のとき，

$$t_a = v_N - 0.8\ [\mathrm{s}]$$

$$t_b = \frac{x_m}{v_N} - v_N - 0.8\ [\mathrm{s}]$$

移動距離 10 m のときは，⑤式を使用する．時間 t_a を下記に示す．

$$t_a = -1.2 + \sqrt{1.2^2 + (x_m - x_{m0})} = -1.2 + \sqrt{1.2^2 + (10 - 1.28)}$$

$$\fallingdotseq 1.987\,48 \fallingdotseq \mathbf{1.99}\ \mathrm{s}$$

また，速度 v_m は，①式に求めた数値を代入すると，

$$v_m = 1.987\ 48 + 0.8 = 2.787\ 48 \fallingdotseq \mathbf{2.79}\ \mathrm{m/s}$$

となる．

次に，走行時間は，題意の式から，

$$t_7 = 2t_a + t_b + 3.2 = 2 \times 1.987\ 48 + 0 + 3.2 = 7.174\ 96 \fallingdotseq \mathbf{7.17}\ \mathrm{s}$$

(2) 1) 題意より，

$$h = 1.1n^2 + 0.5nq - 0.6q^2$$

$$\eta = 2\left(\frac{q}{n}\right) - \left(\frac{q}{n}\right)^2$$
$$r = q^2$$

の式が成り立つ．

定格点における概要図を**第1図**に示す．

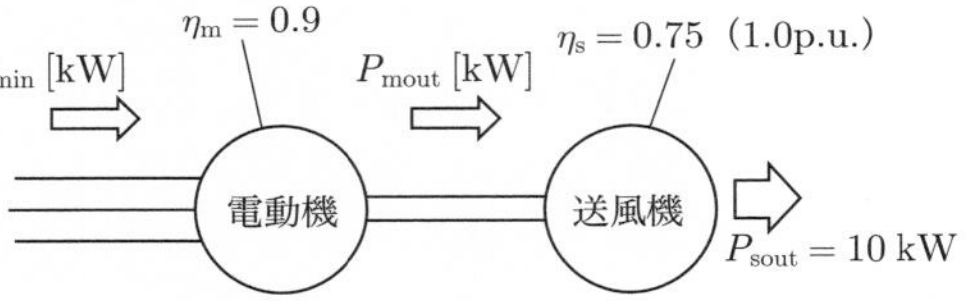

第1図

第1図より，電動機出力 P_{mout}，電動機入力 P_{min} は，

$$P_{mout} = \frac{10}{0.75} = 13.333\ \mathrm{kW}$$

$$P_{min} = \frac{13.333}{0.9} = 14.814\ \mathrm{kW}$$

次に，$n = 1.0$ p.u.，$q = 0.5$ p.u. を問題の式に代入すると，

$$h = 1.1 \times 1^2 + 0.5 \times 1 \times 0.5 - 0.6 \times 0.5^2 = 1.2\ \mathrm{p.u.}$$

$$\eta = 2 \times \left(\frac{0.5}{1}\right) - \left(\frac{0.5}{1}\right)^2 = 0.75\ \mathrm{p.u.}$$

上記の送風機出力 P_{sout1} は，

$$P_{sout1} = qh = 0.5 \times 1.2 = 0.6\ \mathrm{p.u.}$$

定格の 1/2 の風量で運転する場合の概要図を**第2図**に示す．

第2図より，送風機出力 P_{sout1} [kW] は，

$$P_{sout1} = 10\ \mathrm{kW} \times 0.6\ \mathrm{p.u.} = 6\ \mathrm{kW}$$

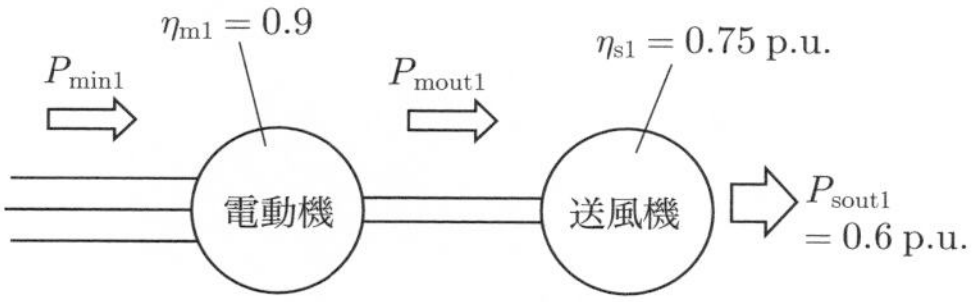

第 2 図

また，送風機効率 η_{s1} は，

$$\eta_{s1}=75\ \%\times 0.75\ \text{p.u.}=56.25\ \%$$

よって，電動機軸動力 P_{mout1} [kW] は，

$$P_{mout1}=\frac{6}{0.5625}=10.6667\fallingdotseq \mathbf{10.7}\ \text{kW}$$

さらに，消費電力 P_{min1} [kW] は，

$$P_{min1}=\frac{10.6667}{0.9}=11.852\fallingdotseq \mathbf{11.9}\ \text{kW}$$

となる．

2) インバータを用いた速度制御により，定格の 1/2 の風量運転を行ったときの概要図を**第 3 図**に示す．

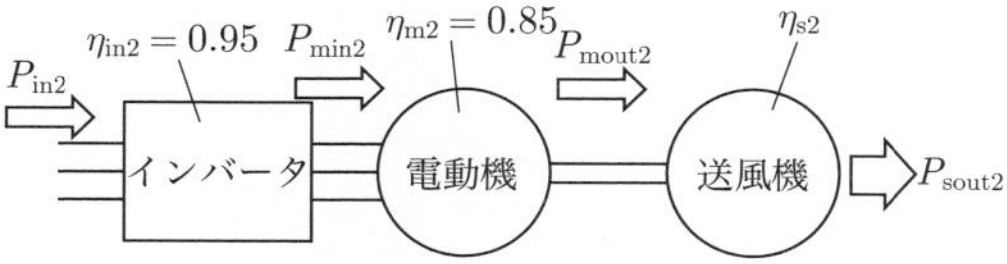

第 3 図

ダンパ全開であるから，送風抵抗 = 風圧となる．まず，送風抵抗 r を算出する．

問題の式に定格の 1/2 の風量を代入すると，

$$r=q^2=0.5^2=0.25\ \text{p.u.}$$

よって，風圧 h [p.u.] は，

$$h=r=0.25\fallingdotseq \mathbf{2.50\times 10^{-1}}\ \text{p.u.}$$

次に，回転速度 n [p.u.] を求めると，

$$0.25=1.1n^2+0.5n\times 0.5-0.6\times 0.5^2=1.1n^2+0.25n-0.15$$

$$n^2+0.2273\text{n}-0.3636=0$$

$$\therefore\ \ n=\frac{-0.2273\pm\sqrt{0.2273^2+4\times 0.3636}}{2}$$

$n = 0.499\,9,\ -0.727\,3$

上記より回転速度 $n = 0.5$ p.u. となる．

$q = 1/2$ の風量と回転速度を問題の式に代入すると，

$$\eta = 2\left(\frac{q}{n}\right) - \left(\frac{q}{n}\right)^2 = 2\times\left(\frac{0.5}{0.5}\right) - \left(\frac{0.5}{0.5}\right)^2$$

$\eta_{s2} = \mathbf{1.00}$ p.u.

第 3 図より，送風機出力 P_{sout2} [p.u.] は，

$P_{sout2} = 0.5 \times 0.25 = 0.125$ p.u.

上記より，送風機出力 P_{sout2} [kW] は，

$P_{sout2} = 10 \times 0.125 = 1.25$ kW

送風機効率 $\eta_{s2} = 1$ p.u. $= 75$ % であるから，軸動力 P_{mout2} [kW] は，

$$P_{mout2} = \frac{1.25}{0.75} = 1.666\,7 \fallingdotseq \mathbf{1.67}\ \text{kW}$$

したがって，消費電力 P_{in2} [kW] は，

$$P_{in2} = \frac{1.666\,7}{0.85\times0.95} = 2.064 \fallingdotseq \mathbf{2.06}\ \text{kW}$$

3)　ダンパ制御およびインバータ制御時の消費電力を表にまとめると**第 1 表**のようになる．

第 1 表

	定格風量時の消費電力	1/2 風量時の消費電力
ダンパ制御	14.8 kW	11.9 kW
インバータ制御	15.6 kW	2.06 kW

1/2 風量時の運転時間を T とし，表の数値を考慮すると，次式が成り立つ．

$14.8(24 - T) + 11.9T \geqq 15.6(24 - T) + 2.06T$

$355.2 - 14.8T + 11.9T \geqq 374.4 - 15.6T + 2.06T$

$10.64T \geqq 19.2$

$T \geqq 1.804\,5$

$\therefore$ **1.8** h 以上

問題13　(1)　1—ア，2—ク，3—エ，4—シ，5—ス

(2)　6—キ，7—エ，8—ケ，9—オ，10—イ

⑶　11 —サ，12 —シ，13 —ク，14 —ウ，15 —オ

【指導】

⑴　誘導加熱方式の加熱原理

1)　誘導加熱は，導電性被加熱材の中に電磁誘導作用により交番磁束を生じさせると，この被加熱材の内部で発生する**渦電流**がジュール熱を引き起こし，この熱で加熱する方式である．

2)　この**渦電流**の密度は，被加熱材の表面から内部に進むに従って**指数関数的**に減衰する．この密度が表面から 1/e（= 0.368，e は自然対数の底）に減衰したところまでの深さを**電流浸透**深さと呼ぶ．この減衰特性は，被加熱材の抵抗率**の $\frac{1}{2}$ 乗に比例**し，また，生じている交番磁束の周波数と被加熱材の比透磁率の積**の $\frac{1}{2}$ 乗に反例**するので，加熱目的，被加熱材の材質，形状，寸法により適切な周波数を選定しなければならない．

誘導加熱は，被加熱物の周りにコイルを巻き，交流電流を流すことで発生する交番磁束（磁界）による渦電流を利用し，コイルの電気抵抗によるジュール熱で被加熱物を加熱させる方式である．例として IH クッキングヒータ等がある．

また，電流浸透深さ δ [m] は次式で表される．

$$\delta = 503 \times \sqrt{\frac{\rho}{\mu f}}\ [\mathrm{m}]$$

ρ：金属の抵抗率 [Ω·m]，μ = 金属の比透磁率，f = 電源周波数 [Hz]

上式より，δ と ρ の関係および δ と μf の関係がわかる．

⑵　誘電加熱およびマイクロ波加熱の原理

1)　誘電加熱もマイクロ波加熱も，ともに**非導電性**の被加熱材の加熱に用いられる加熱方式であり，被加熱材を構成している物質の**電気双極子**が電磁波の交番電界によって運動することにより，誘電損が発生して発熱する誘電（電磁波）加熱方式である．誘電損による発熱量は，被加熱材の**誘電損率**に比例する．

2)　誘電加熱では，高周波電圧を印加する電極板間に被加熱材を挿入するが，損失係数が比較的**小さい**ときは電極板を用いた方法での加熱は難しい．そのような被加熱材を加熱するときには，マイクロ波加熱が広く応用されている．

なお，加熱装置をはじめとする工業分野において，高周波利用設備を汎用的に使用できるようにするために，電波障害等への規則が緩やかな周波数帯として，**ISM バンド**が国際的

に許容されている．

誘電加熱とは，無線周波数の交流電界（マイクロ波）の電磁波により誘電体を加熱する方式である．これは，誘電体内の分子双極子の回転によって引き起こされる．

また，電磁波には，極超短波の周波数帯域（300 MHz ～ 30 GHz）を利用する場合は，発振器より電磁波を放射して高周波電界をつくり，そこに誘電体を置いて誘電加熱を行う．これをマイクロ波加熱といい，例として電子レンジ等がある．

(3) 1) 電気式加熱炉の概略図を**第 1 図**に示す．

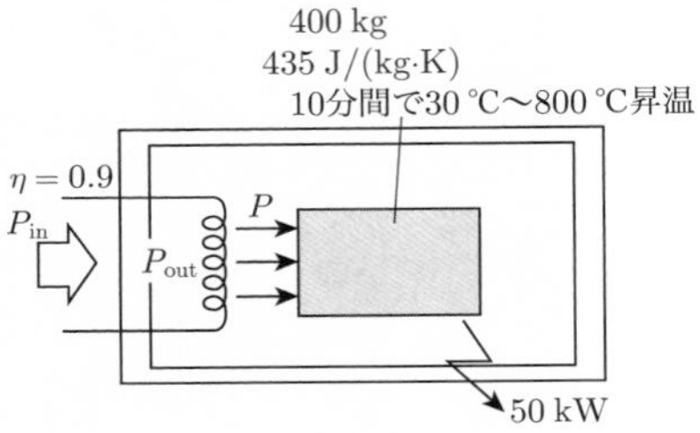

第 1 図

第 1 図より，被加熱材の正味熱量 Q [kJ] は，比熱，重量および温度上昇より求めることができる．

$$Q = 435 \times 400 \times (800 - 30) \times 10^{-3} = 133\,980 = 133.98 \times 10^3$$

$$\fallingdotseq \mathbf{134 \times 10^3}\ \mathrm{kJ}$$

2) 加熱炉の出力端電力 P_{out} [kW] は，炉からの熱損失 50 kW を考慮すると，

$$P_{\mathrm{out}} = \frac{Q}{s} + 50 = \frac{133\,980}{600} + 50 = 273.3\ \mathrm{kW}$$

と求まる．

よって，加熱炉設備電源入力端電力 P_{in} [kW] は，全電気効率 η を考慮すると，

$$P_{\mathrm{in}} = \frac{P_{\mathrm{out}}}{\eta} = \frac{273.3}{0.9} = 303.667 \fallingdotseq \mathbf{304}\ \mathrm{kW}$$

となる．

また，電力損失 P_{l} [kW] は，

$$P_{\mathrm{l}} = P_{\mathrm{in}} - P_{\mathrm{out}} = 303.667 - 273.3 = 30.367 \fallingdotseq \mathbf{30.4}\ \mathrm{kW}$$

3) 電力を 10 % 増加したときの電気式加熱炉の概略図を**第 2 図**に示す．

第 2 図より電源入力端電力 $P_{\mathrm{in}}{}'$ [kW] は，

$$P_{\mathrm{in}}{}' = 303.667 \times 1.1 = 334.033\,7\ \mathrm{kW}$$

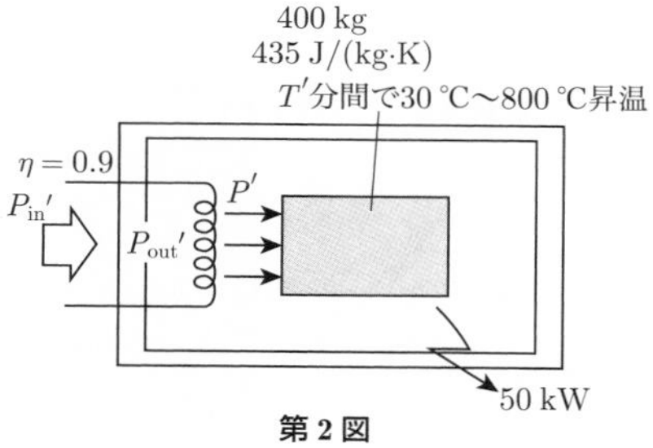

第 2 図

となる．

題意より全電気効率および炉からの熱損失は変わらないので，被加熱材正味電力 P' は，

$$P' = (334.033\,7 \times 0.9) - 50 = 250.63 \text{ kW}$$

と求めることができる．

次に，被加熱材正味熱量は，1) で求めた値と同一であるため下式が成り立つ．

$$P' \times T' = 133\,980$$

$$250.63 \times T' = 133\,980$$

$$\therefore \quad T' = \frac{133\,980}{250.63} = 534.572\,9 \text{ s}$$

処理時間が 8.91 min となる．

よって，$10 - 8.91 \fallingdotseq$ **1.1** min の短縮となる．

・電力増加前の原単位 α

$$\alpha = \frac{303.667 \times \dfrac{10}{60}}{400} = 0.126\,5 \text{ (kW·h)/kg}$$

・電力 10 % 増加後の原単位 β

$$\beta = \frac{334.033\,7 \times \dfrac{8.91}{60}}{400} = 0.124 \text{ (kW·h)/kg}$$

低減率 ε は，

$$\varepsilon = \frac{\alpha - \beta}{\alpha} = \frac{0.126\,5 - 0.124}{0.126\,5} \fallingdotseq 0.019\,76 \fallingdotseq \mathbf{2}\ \%$$

問題14

⑴ 1—ケ，2—イ，3—ク，4—オ，5—ス

⑵ 6—ス，7—カ，8—ウ，9—エ，10—ケ

⑶ A — 6.89，B — 25.5，C — 13.8

【指導】

⑴ 電池は，化学反応で生じるエネルギーを**電気エネルギー**に直接変換する装置である．主に正極，負極および電解質から構成されており，その種類は，充電できない一次電池と充電可能な二次電池に大別される．

一次電池には，マンガン乾電池やアルカリマンガン乾電池などがあるが，近年主流となっているのは，アルカリマンガン乾電池である．アルカリマンガン乾電池の活物質として正極には**二酸化マンガン**が用いられている．また，構成要素の正極，負極および電解質のうち，マンガン乾電池とアルカリマンガン乾電池で異なった材料を用いているのは**電解質**である．

二次電池である鉛蓄電池の活物質として，正極には**二酸化鉛**が用いられている．鉛蓄電池が放電したとき，電解質である硫酸の濃度は**低くなる**．

一次電池のアルカリマンガン乾電池は，正極に二酸化マンガンと黒鉛の粉末，負極に亜鉛，水酸化カリウムの電解液に塩化亜鉛などが用いられている．公称電圧は，約 1.5 V である．

二次電池の鉛蓄電池は，正極活物質に二酸化鉛（PbO_2），負極活物質に鉛（Pb），電解質に硫酸（H_2SO_4）が用いられる．

硫酸の比重と電圧は比例関係にあり，放電により硫酸を消耗すると，濃度が低下し電圧も低下する．

・電池構成

$$(-)\ Pb \mid H_2SO_4,\ H_2O \mid PbO_2\ (+)$$

・電池反応式

$$Pb + 2H_2SO_4 + PbO_2 \underset{\text{充電}}{\overset{\text{放電}}{\rightleftarrows}} 2PbSO_4 + 2H_2O$$

⑵ 電極電位は，**標準水素電極**を 0 V として定義されている．二つの電極反応を組み合わせた電気化学システムにおいて，自発的に反応が進行するのは電位の低い方の電極の反応が**酸化方向**に進む．電池の起電力は二つの電極の開回路における電極電位の差であり，電極電位のイオンの活量依存性は**ネルンストの式**で求めることができる．

電極反応において，反応速度を大きくするためには**過電圧**の絶対値を大きくすればよい．また，触媒活性を高くすれば電極反応は速やかに進行する．この電極触媒能を表す重要な因子は**交換電流密度**である．

電極電位とは，標準水素電極などの基準電極と，ある電極系を組み合わせた電池の起電力を，その電極系の電極電位として表される．

ネルンストの式とは，平衡電位とイオン濃度との関係を表現する式，異なった二つのイオン濃度（C_1，C_2）の溶解が隔膜を隔てて接しているときの平衡電位 E は次式で表される．

$$E = \frac{RT}{nF}\ln\frac{C_1}{C_2}$$

R：気体定数，n：電子数，F：ファラデー定数，T：温度

(3)　1)　リチウムイオン電池の正極には，コバルト酸リチウム，負極には炭素を用いる．この電池の充放電の反応に関与する電子数は，リチウムイオン 1 個当たり 1 である．

リチウムイオン電池の反応式を下記に示す．

負極：$C_6Li_x \rightarrow 6C + xLi^+ + xe^-$

正極：$Li_yCoO_2 + xLi^+ + xe^- \rightarrow Li_{x+y} + CoO_2$

充電電気量 Q [A·h] は，リチウムイオン電池の正極物質 25 g は原子量 98 である．よって，次式が成立する．

$$Q = \frac{27 \times 25}{98} = 6.887\,8 \fallingdotseq \mathbf{6.89}\ \mathrm{A \cdot h}$$

公称電圧と充電電気量から電気エネルギー W [W·h] は，

$$W = 6.887\,8 \times 3.70 = 25.485 \fallingdotseq \mathbf{25.5}\ \mathrm{W \cdot h}$$

2)　充電電気量は電流と時間の積である．充電電流が 0.5 A のときの時間 h' は次式が成立する．

$$0.5h' = \frac{27 \times 25}{98}$$

$$\therefore\ \ h' = 13.78 \fallingdotseq \mathbf{13.8}\ \mathrm{h}$$

問題15　(1)　1 — オ，2 — ア，3 — ク，4 — ウ，5 — ク，6 — エ，7 — エ，8 — ウ

(2)　A — 38，B — 3.46，C — 3.08，D — 2.96，E — 12

【指導】

(1)　1)　LED ランプは一般照明用光源として着実に普及しつつある．従来光源の蛍光ランプに比較して発光効率が高く（約 2 倍程度），**寿命も長い**（約 3 倍程度）．

青色 LED と黄色蛍光体の組合せ方式による 120 lm/W の白色 LED ランプを考えた場合，消費電力の約 **35** % が光に変換されている．

解答指導

最近の電球形 LED ランプの放熱構造は簡素化されつつあり，主に **LED の熱損失の低下**によるものである．

2)　最近の LED 照明器具は調光だけでなく色温度を変化させる調色も可能なものがある．相関色温度 2 800 K 程度の電球色から 5 000 ～ 6 500 K 程度の白色光までをリモコン操作等により調整できる．

一般的に低照度の場合，相関色温度の**低い**光が好まれる傾向がある．また，人の睡眠ホルモンの分泌を抑制する光は青色成分が多く含まれる光とされている．

3)　一般照明用の光源として最近，有機 EL パネルも注目されている．特徴として面光源であり**グレアを抑えられる**ことや，発光に熱や紫外線を含まない，高演色性（Ra90 以上），比較的長寿命（約 1 万時間）等があり，美術館，博物館等への適用が期待される．

一辺の長さが $l = 12$ cm の正方形発光部の有機 EL パネルを片側発光の均等拡散光源と仮定し，輝度 $L = 4\ 000$ cd/m^2 で点灯している場合の全光束 F [lm] は以下で計算できる．完全拡散面なので，光源の光束発散度 M [lm/m^2] と L の関係は以下となる．

$$M = \pi L$$

$$F = Ml^2 = \pi L l^2 = \pi \times 4\ 000 \times (12 \times 10^{-2})^2 = 180.864 \fallingdotseq \mathbf{180}\ \mathrm{lm}$$

(2)　1)　3 年間使用した場合のコストを白熱電球 C_I 円，電球形蛍光ランプ C_F 円として，それぞれ計算する．1 年間の点灯時間が 2 000 h であり，3 年間の点灯時間は 6 000 h である．白熱電球は寿命が 1 000 h なので，6 000/1 000 = 6 回のランプ交換が必要である．同様に蛍光ランプの寿命は 6 000 h なので，1 回のランプ交換が必要である．ランプの単価，消費電力，電気代は題意の数値を使用する．電力量の単位が kW·h であることに注意する．

$$C_\mathrm{I} = 6 \times 150 + 60 \times 2\ 000 \times 3 \times 23 \times 10^{-3} = 9\ 180\ 円$$

$$C_\mathrm{F} = 1 \times 1\ 800 + 12 \times 2\ 000 \times 3 \times 23 \times 10^{-3} = 3\ 456\ 円$$

蛍光ランプの白熱電球に対するコスト比率 [%] は以下で計算できる．

$$\frac{C_\mathrm{F}}{C_\mathrm{I}} = \frac{3\,456}{9\,180} \fallingdotseq 0.376\,47 \fallingdotseq \mathbf{38}\ \%$$

2)　間口 $X = 8$ m，奥行き $Y = 10$ m，被照面高さ $H = 3$ m（被照面を床面とする）の事務所に蛍光ランプ $N = 10$ 台を取り付けた．

光源から出る光束は，①天井面 + ②壁面 + ③床面へ入射する光束 − ①～③から反射する光束として求めることができる．

①　天井面：面積 $S_1 = 8 \times 10 = 80$ m^2，平均照度 E_1 =1 00 lx，反射率 $\rho_1 = 80$ % より，

$$F_1 = (1 - \rho_1) E_1 S_1 = (1 - 0.8) \times 100 \times 80 = 1\ 600\ \mathrm{lm}$$

② 壁面：面積 $S_2 = 2 \times 8 \times 3 + 2 \times 10 \times 3 = 108\ \text{m}^2$，平均照度 $E_2 = 200$ lx，反射率 $\rho_2 = 70$ % より，

$$F_2 = (1 - \rho_2)E_2S_2 = (1 - 0.7) \times 200 \times 108 = 4\,480\ \text{lm}$$

③ 床面：面積 $S_3 = 8 \times 10 = 80\ \text{m}^2$，平均照度 $E_3 = 350$ lx，反射率 $\rho_3 = 30$ % より，

$$F_3 = (1 - \rho_3)E_3S_3 = (1 - 0.3) \times 350 \times 80 = 19\,600\ \text{lm}$$

蛍光ランプの器具効率 $\eta = 80$ % とすると，蛍光ランプ 1 台の全光束 F [lm] は以下で計算できる．

$$F = \frac{1}{N} \cdot (F_1 + F_2 + F_3) \cdot \frac{1}{\eta} = \frac{1}{10} \times (1\,600 + 6\,481 + 19\,600) \times \frac{1}{0.8}$$

$$= 3\,460 = \mathbf{3.46} \times 10^3\ \text{lm}$$

各面から反射する光束の影響は考えないとして計算した．

3) 題意の円形乳白色ガラス板を**第 1 図**に示す．ガラス板に入射する光束 F [lm] はガラス板表面の反射，内部の吸収を経て完全拡散面の下面に放射光束 F_0 [lm] が出る．

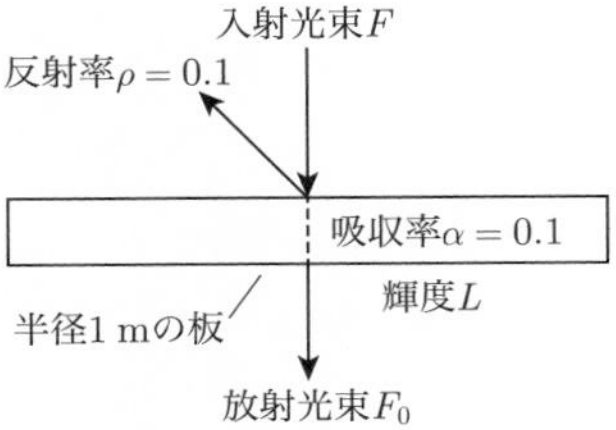

第 1 図 乳白色ガラス板

F_0 を下面ガラス板の面積 S_0 [m^2] で割ると下面の光束発散度 M_0 [lm/m^2] が求まり，完全拡散面（均等拡散性）における光束発散度と輝度 L [cd/m^2] の関係から，以下で表すことができる．

$$F_0 = (1 - \rho - \alpha)F = (1 - 0.1 - 0.1)F = 0.8F$$

$$M_0 = \frac{F_0}{S_0} = \frac{0.8F}{\pi \times 1^2} = \frac{0.8F}{\pi} = \pi L$$

$$\therefore\quad F = \frac{\pi^2 L}{0.8} = \frac{\pi^2 \times 250}{0.8} = 3\,081.125 \fallingdotseq \mathbf{3.08} \times 10^3\ \text{lm}$$

4) 題意の完全拡散性の半球シーリングライトを**第 2 図**に示す．シーリングライト内の光源から出た光束 F [lm] は器具効率 0.8 を経て，完全拡散面のシーリングライト表面へ放射される．この表面の光束発散度 M [lm/m^2] は F をシーリングライトの表面積 S [m^2] で割る

と求めることができる．したがって，F は M と完全拡散面の平均輝度 L [cd/m^2] との関係を用いて求めることができる．

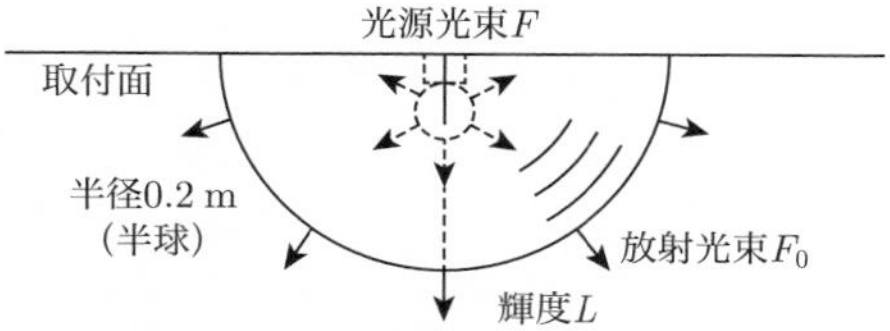

第2図 半球シーリングライト

$$M=\frac{0.8F}{S}=\frac{0.8F}{2\pi\times0.2^2}=\frac{10F}{\pi}\,[\mathrm{lm/m^2}]$$

$$M=\frac{10F}{\pi}=\pi L=3\,000\pi$$

$$\therefore\quad F=\frac{3\,000\pi^2}{10}=2\,957.88\fallingdotseq\mathbf{2.96}\times10^3\ \mathrm{lm}$$

5）　間口 $X=20$ m，奥行き $Y=30$ m，作業面から天井までの（被照面）高さ $H=2.4$ m の作業場で，蛍光ランプ2灯用（灯具の全光束 $F=2\times4\,500=9\,000$ lm）を使用し，作業面の床面の平均照度 $E=500$ lx 以上としたい．照明器具の照明率 $U=0.54$，保守率 $M=0.66$ とすれば，光束法により灯具台数 N は以下で計算できる．ただし，被照面面積 $A=X\cdot Y$ [m^2] とした．

$$N=\frac{E\cdot A}{F\cdot U\cdot M}=\frac{500\times20\times30}{9\,000\times0.54\times0.66}\fallingdotseq93.528\to94\text{ 台}$$

題意より，この N は8行 m 列に配置されるため，m は以下で計算できる．

$$m=\frac{N}{8}=\frac{94}{8}=11.75\to\mathbf{12}\text{ 台}$$

問題16　(1)　1―イ，2―オ，3―イ，4―ク，5―ウ，6―エ，7―ア，8―イ
(2)　9―イ，10―オ，11―キ，12―カ，13―ク，14―ウ，15―サ，16―ケ，17―エ

【指導】

(1)　1)　ヒートポンプは，冷凍サイクル（圧縮機→凝縮器→膨張弁→蒸発器→圧縮機）を用いて，蒸発器または凝縮器の冷媒と自然エネルギーや低温の排熱を熱交換することによっ

て，冷熱源または温熱源として有効利用できる機器である．冷凍サイクルの冷媒の流れを四方弁で切り換えることによって，蒸発器と凝縮器の役割を交代することができるので，1台で冷熱源と温熱源の役目を果たすことができる．一般のエアコンがスイッチだけで冷房運転と暖房運転の切り換えができるのは，このためである．

蒸発器または凝縮器の冷媒と熱交換する対象は，**大気**，冷却水，井水，河川水，海水，太陽熱，地中熱※など何でもよい．かつては，水冷式ヒートポンプが多かったが，冷却水の水処理の問題があることから，最近では大気と蒸発器または凝縮器と熱交換を行う空冷式ヒートポンプが一般的である．大気のほかに利用できる自然エネルギーとしては，井水，河川水，海水，太陽熱，地中熱※などがある．また，排熱としては，工場の生産工程から発生する低温排熱（排気・排水）や冷暖房で発生する空調排熱などがある．

2)　井水や地中熱※は年間を通じて14 ℃～ 15 ℃でほぼ恒温であるため，冷熱源および温熱源として利用できる．しかし，地下水をオープンループで使用することは，土圧の変化による**地盤沈下**の可能性があることから，「建築物用地下水の採取の規制に関する法律」（昭和37年法律第百号）によって規制されている．そのため，地下水を利用する場合は，ヒートポンプで利用した地下水を還元井によって地下に戻す還元式を用いなくてはならない．その場合でも，著しい低温または高温の排熱を地下水に与えてはならない．

※　ここでは，表層部の熱を示すことから，設問の「地熱」を「地中熱」と表現した．

3)　ヒートポンプは圧縮機の動力によって，低温熱源から高温熱源へ熱移動を行う．そのため，熱収支としては，低温熱源から得られる熱量とヒートポンプの圧縮機の仕事の合計が高温熱源に与えられる熱量になる．すなわち，

$$\boldsymbol{Q_1 = W + Q_2}$$

となる．

4)　設問のように，太陽熱を集熱して暖房に利用するために，太陽熱集熱器で低温温水を得て，それをヒートポンプで追加加熱するサイクルを考えると，Aは「**太陽熱集熱器**」，Bは低温温水を蓄える「**蓄熱槽**」になる．ヒートポンプの成績係数（効率）は，凝縮温度が低い方が高いので，凝縮器出口温水温度は暖房が可能な範囲で低い方が好ましい．出口温度を**暖房に支障のない範囲でできるだけ低温**にすればヒートポンプの成績係数を高くできる．Cは熱媒体である温水を利用して空調空気を加熱する「**空調機**」であり，Dの空調「**対象室**」に暖房（用空気）を供給する．

(2)　1)　送風機の種類には，遠心送風機（**シロッコファン**），斜流送風機，軸流送風機，横流送風機（クロスフローファン）がある．この中で最も一般的に使用されるのは，多翼の

羽根車を有する遠心送風機（シロッコファン）である.

2）送風機の運転特性および運転状態を表す図では，横軸に風量，縦軸に圧力，効率，軸動力，抵抗が示される．図3において，送風機全圧は風量が大きくなると低下するので，**Aが送風機全圧**を示す曲線になる．ただし，この曲線の極大点の左側の領域では不安定領域（サージング領域）となるので，極大点の右側の領域で送風機を運転する必要がある．送風機の軸動力は，風量0（締切運転）でも発生し，風量の増加とともに増大するので，**Cが軸動力**を表すことになる．送風機効率は，最大となる風量が存在するので，**Bが効率**を示すことになる．送風系統（ダクト系）の抵抗は，動圧に比例することから，風量の2乗に比例することになる．したがって，**抵抗曲線はD**である．送風機の運転状態点は，送風機の全圧曲線と抵抗曲線の交点で決定される.

3）送風機の吐出側ダクトのダンパの開度調整により，送風機の風量制御を行う場合，ダクト系の抵抗曲線Dが変化する．これは，図4(c)が該当する．ここでは，ダンパ開度調整分は，ダクト系の抵抗の増加になることから，風量の低減による動力の低減効果は小さい.

一方，インバータを使用して送風機の回転数（回転速度）制御を行う場合，送風機の特性曲線自体がほぼ相似的に変化する．これは図4(a)が該当する．送風機の相似則によると，理論的には風量は送風機の羽根車の回転数に比例し，全圧は回転数の2乗に比例し，軸動力は回転数の3乗に比例して変化する．そのため，理論的には風量を1/2にした場合，軸動力は1/8に低減することになる．したがって，回転数制御は最も省エネルギー性に優れた送風機の風量制御手法である.

2018 年度（第 40 回）

エネルギー総合管理及び法規（80 分）

問題 1　エネルギーの使用の合理化等に関する法律及び命令
問題 2　エネルギー情勢・政策，エネルギー概論
問題 3　エネルギー管理技術の基礎

問題 1 （エネルギーの使用の合理化等に関する法律及び命令）

次の各問に答えよ．なお，法令は令和 6 年 9 月 1 日時点で施行されているものである．

以下の問題文では

エネルギーの使用の合理化及び非化石エネルギーへの転換等に関する法律を『法』

エネルギーの使用の合理化及び非化石エネルギーへの転換等に関する法律施行令を『令』

エネルギーの使用の合理化及び非化石エネルギーへの転換等に関する法律施行規則を『則』

と略記する．（配点計 50 点）

(1)　次の各文章の［1］～［3］の中に入れるべき最も適切な字句をそれぞれの解答群から選び，その記号を答えよ．

1）『法』第 1 条の条文

この法律は，我が国で使用されるエネルギーの相当部分を化石燃料が占めていること，非化石エネルギーの利用の必要性が増大していることその他の内外におけるエネルギーをめぐる経済的社会的環境に応じた［1］の有効な利用の確保に資するため，工場等，輸送，建築物及び機械器具等についてのエネルギーの使用の合理化及び非化石エネルギーへの転換に関する所要の措置，電気の需要の最適化に関する所要の措置その他エネルギーの使用の合理化及び非化石エネルギーへの転換等を総合的に進めるために必要な措置等を講ずることとし，もつて国民経済の健全な発展に寄与することを目的とする．

〈［1］の解答群〉

ア　希少原材料　　　**イ**　石油及び天然ガス

ウ　熱エネルギー及び電気　　**エ**　エネルギー

2)　『法』第 **4** 条の条文

[2] は，基本方針の定めるところに留意して，エネルギーの使用の合理化及び非化石エネルギーへの転換に努めるとともに，電気の需要の最適化に資する措置を講ずるよう努めなければならない．

〈[2] の解答群〉

ア　エネルギーを使用する者　　**イ**　工場等において事業を行う者

ウ　複数のエネルギーを使用する者　　**エ**　法で定める量以上のエネルギーを使用する者

3)　『法』第 **8** 条の条文

特定事業者は，経済産業省令で定めるところにより，第 **15** 条第 **1** 項又は第 **2** 項の中長期的な計画の作成事務並びにその設置している工場等におけるエネルギーの使用の合理化に関し，エネルギーを消費する設備の維持，エネルギーの使用の方法の改善及び監視その他経済産業省令で定める業務を統括管理する者（以下この条及び次条第 **1** 項において「エネルギー管理統括者」という．）を選任しなければならない．

2　エネルギー管理統括者は，特定事業者が行う [3] を統括管理する者をもつて充てなければならない．

3　特定事業者は，経済産業省令で定めるところにより，エネルギー管理統括者の選任又は解任について経済産業大臣に届け出なければならない．

〈[3] の解答群〉

ア　エネルギーの供給　　**イ**　エネルギーの使用　　**ウ**　事業の実施　　**エ**　法令の遵守

⑵　次の各文章の [4] ～ [6] の中に入れるべき最も適切な字句をそれぞれの解答群から選び，その記号を答えよ．

また，[**A** | **abcd**] 及び [**B** | **abcd**] に当てはまる数値を計算し，その結果を答えよ．ただし，解答は解答すべき数値の最小位の一つ下の位で四捨五入すること．

『法』第 **2** 条, 第 **7** 条, 第 **8** 条, 第 **9** 条, 第 **10** 条, 第 **11** 条, 第 **12** 条, 第 **13** 条及び第 **14** 条,『令』第 **1** 条，第 **2** 条，第 **3** 条，第 **4** 条，第 **5** 条及び第 **6** 条，『則』第 **4** 条及び第 **8** 条関連の文章

ある事業者が機械部品製造工場と，別の事業所として本社事務所を所有しており，これらがこの事業者の設置している施設の全てである．ここで，機械部品製造工場における前年度の燃料，電気などの使用量は，次の **a** ～ **e** のとおり，本社事務所における前年度の電気などの使用量は，次の **f** 及び **g** のとおりであり，この事業者は **a** ～ **g** 以外のエネルギー

は使用していなかった.

なお，本社事務所は，専ら事務所として使用されていた.

a：機械部品製造工場において，加熱炉で使用した都市ガスの量を発熱量として換算した量が**10**万**5**千ギガジュール

b：機械部品製造工場において，コージェネレーション設備を設置し，そこで使用した都市ガスの量を発熱量として換算した量が**7**万**9**千ギガジュール

c：機械部品製造工場において，**a**の加熱炉からの排熱を温水として回収して使用した.その回収して使用した熱の量を燃料の発熱量に換算した量が**1**万**5**千ギガジュール

d：機械部品製造工場において，**b**のコージェネレーション設備で発生させた電気と蒸気を工場内で使用した.その電気の量を熱量として換算した量が**3**万**1**千ギガジュールで，蒸気の量を熱量として換算した量が**2**万**5**千ギガジュール

e：機械部品製造工場において，小売電気事業者から購入して使用した電気の量を熱量として換算した量が**7**万**3**千ギガジュールで，その購入先の電気小売事業者では，専ら化石燃料によって発電した電気を販売していた.

f：本社事務所において，小売電気事業者から購入して使用した電気の量を熱量として換算した量が**5**万**7**千ギガジュールで，その購入先の電気小売事業者では，専ら化石燃料によって発電した電気を販売していた.

g：本社事務所において，熱供給事業者から購入して使用した温水及び冷水の熱量を燃料の発熱量に換算した量が**6**千ギガジュールで，その購入先の熱供給事業者では，都市ガス及び専ら化石燃料によって発電した電気を用いて温水及び冷水を発生させていた.

1)　この機械部品製造工場が前年度に使用した『法』で定めるエネルギー使用量は，前述の**a**～**e**のうち [4] を合算することになる.

〈[4] の解答群〉

ア aとb　**イ** aとc　**ウ** aとd　**エ** aとe

オ aとbとc　**カ** aとbとd　**キ** aとbとe　**ク** aとcとe

2)　前年度に使用したエネルギー使用量を『法』で定めるところにより原油の数量に換算した量は，機械部品製造工場が [**A** | **abcd**] キロリットル，本社事務所が [**B** | **abcd**] キロリットルであり，その量から判断してこの事業者は特定事業者に該当する.

なお，『則』第**4**条によれば，発熱量又は熱量**1**ギガジュールは原油**0.025 8**キロリットルとして換算することとされている.

3)　2) によって当該の指定を受けた後，この事業者が選任しなければならないのは，エネルギー管理統括者，エネルギー管理企画推進者の他に，次に示す①から④のうちの [5] である．

①　機械部品製造工場のエネルギー管理者

②　機械部品製造工場のエネルギー管理員

③　本社事務所のエネルギー管理者

④　本社事務所のエネルギー管理員

〈[5] の解答群〉

ア ①　**イ** ②　**ウ** ①と③　**エ** ①と④

オ ②と③　**カ** ②と④　**キ** ①と②と③　**ク** ①と②と④

4)　この事業者のエネルギー管理統括者が欠員となり，新たに選任しなければならない場合，選任すべき事由が生じた日以降，[6] 選任しなければならない．

〈[6] の解答群〉

ア 遅滞なく　**イ** **3** 月以内に　**ウ** **6** 月以内に　**エ** **1** 年以内に

(3)　次の各文章の [7] ～ [10] の中に入れるべき最も適切な字句をそれぞれの解答群から選び，その記号を答えよ．なお，[9] は **2** 箇所あるが，同じ記号が入る．

1)　『法』第 **149** 条，『令』第 **18** 条に関連する文章

『法』第 **149** 条では，経済産業大臣（自動車及びこれに係る特定関係機器にあっては，経済産業大臣及び国土交通大臣）は，特定エネルギー消費機器及び特定関係機器（以下「特定エネルギー消費機器等」という．）ごとに，そのエネルギー消費性能又はエネルギー消費関係性能の向上に関し，そのエネルギー消費機器等の製造事業者等の判断の基準となるべき事項を定めて公表するものとする，としている．また，この判断の基準となるべき事項は，当該特定エネルギー消費機器等のうちエネルギー消費性能等が最も優れているもののそのエネルギー消費性能等，当該特定エネルギー消費機器等に関する [7] の将来の見通しその他の事情を勘案して定めるものとする，としている．

この特定エネルギー消費機器として，『令』第 **18** 条が規定している機器を，次の **a** ～ **d** のうちからすべて挙げると [8] である．

a. 乗用自動車

b. シュレッダ

c. 交流電動機

d. 加工用レーザ発振器

〈 7 及び 8 の解答群〉

ア a　**イ** b　**ウ** c　**エ** d
オ aとb　**カ** aとc　**キ** aとd　**ク** bとc
ケ bとd　**コ** cとd　**サ** aとbとc　**シ** bとcとd
ス 機器の生産量等　**セ** 技術開発　**ソ** 使用環境の変化　**タ** 普及率

2) 『法』第**163**条，『則』第**38**条関連の文章

『法』第**163**条では，経済産業大臣は，この法律の施行に当たっては，我が国全体のエネルギーの使用の合理化及び非化石エネルギーへの転換等を図るために事業者が自主的に行う技術の提供，助言， 9 エネルギー消費性能等が優れている機械器具の導入の支援等による他の者のエネルギーの使用の合理化及び非化石エネルギーへの転換等の促進に寄与する取組を促進するよう適切な配慮をするものとする，としている．

また，『則』第**38**条では，特定事業者等は，主務大臣に対して行う 10 において，『則』第**37**条の規定する事項の報告に併せて，上述の技術の提供，助言， 9 等による他の者のエネルギーの使用の合理化の促進に寄与する取組を報告することができる，としている．

〈 9 及び 10 の解答群〉

ア エネルギーの使用状況の届出　**イ** エネルギーの使用の合理化に関する計画の提出
ウ 研究開発　**エ** 事業の連携　**オ** 資金の提供　**カ** 人材の育成
キ 中長期的な計画の提出　**ク** 定期の報告

問題 2（エネルギー情勢・政策，エネルギー概論）

次の各文章の 1 ～ 9 の中に入れるべき最も適切な字句又は数値をそれぞれの解答群から選び，その記号を答えよ．

また， **A** $a.b \times 10^{c}$ に当てはまる数値を計算し，その結果を答えよ．ただし，解答は解答すべき数値の最小位の一つ下の位で四捨五入すること．（配点計**50**点）

(1) 国際単位系（**SI**）では，長さ（メートル[**m**]），質量（キログラム[**kg**]），時間（秒[**s**]），電流（アンペア[**A**]），熱力学温度（ケルビン[**K**]），光度（カンデラ[**cd**]）及び物質量（モル[**mol**]）の**7**個を基本単位としている．力やエネルギーなどの単位は基本単位にはなく，前述の**7**個の基本単位を組み合わせて表されるので，組立単位と呼ばれている．

組立単位の中には固有の名称を持つ単位もあり，例えば，エネルギーを表す組立単位の一つであるジュール[**J**]は，ある物を，ある力でその方向にある距離を動かしたときの仕

事に相当するので，基本単位のみを用いると［1］と表される．電荷を表す単位のクーロン [C] は，その定義から，同様に基本単位のみを用いると［2］と表される．さらに基本単位や固有の名称を持つ組立単位を用いると，電圧 [V] は［3］と表すことができ，熱力学で重要となるエントロピーの単位は［4］と表すことができる．

〈［1］～［4］の解答群〉

ア A·s　**イ** A/s　**ウ** J·K　**エ** J/C　**オ** J/K

カ J/s　**キ** kg·m/s　**ク** $kg\cdot m/s^2$　**ケ** $kg\cdot m^2/s^2$

(2) 我が国の一次エネルギー供給源としては，石油，天然ガスなどの化石燃料が全体の 90 % 以上を占めている．

石油については，エネルギー白書 2017（経済産業省編）によると，我が国は 2015 年度において原油のほぼ全てを輸入に依存しており，輸入原油の中東依存度は約［5］[%] である．このような背景から，安定供給のために国内に備蓄されている石油（石油製品を含む）の量は，2017 年 1 月時点で民間備蓄と国家備蓄を合わせて約［6］分が確保されている．

一方，液化天然ガスについても，同白書によれば，石油同様にほぼ全てを輸入に依存しており，その輸入元を国別に見ると，2015 年度の輸入量が最も多いのは［7］で，マレーシアやカタールがそれに続いている．

〈［5］～［7］の解答群〉

ア 50　**イ** 65　**ウ** 80　**エ** 1ヶ月　**オ** 半年

カ 2 年　**キ** インドネシア　**ク** オーストラリア　**ケ** ロシア

(3) 熱を蓄える際に水は優れた媒体である．これは，冷熱を蓄熱する場合を考えたとき，液体の水を氷に相変化させるときの潜熱が「液体の水の温度変化 1 °C 当たりに要する顕熱」の約［8］倍であることが理由の一つである．

一方，電気を蓄える二次電池については，ナトリウム硫黄電池，ニッケル水素電池，リチウムイオン電池，鉛蓄電池が主なものである．これらの二次電池のうち，現在，動作温度は比較的高いが，単位質量当たりの蓄電量（エネルギー密度）が比較的高く，蓄電量当たりの設備費も比較的安価で，大規模な電力貯蔵用に最も実績があるのは［9］である．二次電池では，エネルギー密度として W·h/kg という単位が用いられ，例えば，質量 1 kg でエネルギー密度が 100 W·h/kg の二次電池があった場合，その電気エネルギーを自身の位置エネルギーに換算すると，［A｜$a.b \times 10^c$］[m] の高さ分に相当する．ただし，重力の加速度を $9.8\ m/s^2$ とする．

〈[8]及び[9]の解答群〉

ア 20　**イ** 40　**ウ** 80　**エ** ナトリウム硫黄電池
オ ニッケル水素電池　**カ** リチウムイオン電池　**キ** 鉛蓄電池

問題 3（エネルギー管理技術の基礎）

次の各文章は，令和 **5** 年 **9** 月 **1** 日時点で施行されている「工場等におけるエネルギーの使用の合理化に関する事業者の判断の基準」（以下，『工場等判断基準』と略記）の内容及びそれに関連した管理技術の基礎について述べたものである．

これらの文章において，「工場等（専ら事務所その他これらに類する用途に供する工場等を除く）」における『工場等判断基準』の本文に関連する事項の引用部を示す上で，

「I　エネルギーの使用の合理化の基準」の部分は『基準部分（工場）』，

「II　エネルギーの使用の合理化の目標及び計画的に取り組むべき措置」の部分は『目標及び措置部分（工場）』

と略記する．

[1]～[15]の中に入れるべき最も適切な字句，数値又は式をそれぞれの解答群から選び，その記号を答えよ．

また，[**A** | **a.b**]～[**E** | **abcd**]に当てはまる数値を計算し，その結果を答えよ．ただし，解答は解答すべき数値の最小位の一つ下の位を四捨五入すること．（配点計 **100** 点）

(1) 『工場等判断基準』の『目標及び措置部分（工場）』では，事業者がエネルギーの使用の合理化の目標の実現に向けて中長期的に努力し，計画的に取り組むべき措置が定められている．

この措置を講ずべき対象としている設備・装置は，燃焼設備，熱利用設備，廃熱回収装置，[1]設備，電気使用設備，空気調和設備・給湯設備・換気設備・昇降機等，照明設備及び **FEMS** である．

FEMS については，次の①～③の措置を講じることにより，エネルギーの効率的利用の実施について検討することが求められている．

① 過去の実績と比較したエネルギーの消費動向等が把握できるよう検討する．

② 各設備の総合的な制御について検討する．

③ 機器や設備の[2]，運転時間，運転特性値等を比較検討し，機器や設備の劣化状況，保守時期等が把握できるよう検討する．

〈 1 及び 2 の解答群〉

ア コージェネレーション　**イ** コンバインドサイクル発電

ウ 再生可能エネルギー発電　**エ** 稼働率

オ 故障発生率　**カ** 保守状況

(2) 再生可能エネルギーによる発電の一つとして風力発電がある．風力発電システムは，風の運動エネルギーを電気エネルギーに変換するシステムであり，その発電電力は，原理的には風速の 3 乗に比例する．

〈 3 の解答群〉

ア $\frac{1}{2}$　**イ** 2　**ウ** 3

(3) 気体の比熱として，定圧比熱と定容比熱が定義されている．理想気体では，定圧比熱と定容比熱の差は， 4 となり，気体の種類によって決まる一定の値をとる．

〈 4 の解答群〉

ア アボガドロ数　**イ** ガス定数　**ウ** 比熱比

(4) $1\ \mathrm{m^3_N}$ の水素を，酸素濃度（体積割合）が 30 % の酸素富化空気で完全燃焼させる際に必要となる酸素富化空気量は， 5 $[\mathrm{m^3_N}]$ である．なお，$\mathrm{m^3_N}$ はガスの標準状態での体積であることを表している．

〈 5 の解答群〉

ア 0.15　**イ** 1.67　**ウ** 3.33

(5) 周囲環境と熱的に平衡状態にある物体の表面では，周囲環境からの放射エネルギーに対して，エネルギー保存の法則から，反射率，吸収率及び透過率には次式の関係が成り立つ．

$$反射率 + 吸収率 + 透過率 = 1$$

これらの中で，物体の表面の放射率に等しいのは， 6 である．

〈 6 の解答群〉

ア 吸収率　**イ** 透過率　**ウ** 反射率

(6) 熱伝導率が 50 W/(m·K) で，板厚が 10 mm の平坦な鋼板がある．この鋼板の片面に温風を通し，反対の面に冷風を通して熱交換を行っている．この鋼板の両面における熱伝達率がそれぞれ $10\ \mathrm{W/(m^2 \cdot K)}$ で等しいとき，温風から鋼板を通して冷風へ熱が移動するときの熱通過率は， A a.b $[\mathrm{W/(m^2 \cdot K)}]$ である．

(7) 『工場等判断基準』の『目標及び措置部分』では，熱利用設備に対する措置の一つとして，温水媒体による加熱設備では，真空蒸気媒体を用いた加熱についても検討することを求めている.

たとえば，**80 °C** の乾き飽和蒸気を考えるとき，その比エンタルピーは **2 643 kJ/kg** であり，常圧で同じ **80 °C** の温水の比エンタルピーの約 [7] 倍と保有熱量が大きい．さらに，蒸気の凝縮熱伝達により伝熱が促進され，均一加熱も可能となる.

〈[7] の解答群〉

ア 8　**イ** 16　**ウ** 33

(8) 『工場等判断基準』の『基準部分（工場）』は，加熱及び冷却並びに伝熱の合理化について，「加熱，熱処理等を行う工業炉については，設備の構造，被加熱物の特性，加熱，熱処理等の前後の工程等に応じて，熱効率を向上させるように管理標準を設定し，[8] を改善すること.」を求めている.

〈[8] の解答群〉

ア ヒートパターン　**イ** 生産量変動　**ウ** 設備レイアウト

(9) 『工場等判断基準』の「エネルギーの使用の合理化の目標及び計画的に取り組むべき措置」のうちの「その他エネルギーの使用の合理化に関する事項」では，自然界に存する熱（太陽熱，地熱，温泉熱及び雪氷熱を除く.）及び廃熱等の活用を検討することを求めている．それらの熱活用のためには，そのうち活用できる有効エネルギー（エクセルギー）を事前に検討しておくことが望ましい.

いま，温度が **80 °C** の大量の温排水があり，この温排水と **20 °C** の周囲環境との間でカルノーサイクルを働かせて動力を得ることを考える．温排水の温度が **80 °C** 一定に保たれるものとすれば，温排水 **1 000 kJ** の熱量に対して，このカルノーサイクルで得られる最大仕事として定義されるエクセルギーは，[**B abc**] **[kJ]** である．なお，**0 °C** は **273.15 K** である.

(10) 空気調和において，対象とする部屋の換気による外気負荷は空気調和設備の負荷の中で大きな割合を占めるため，換気量を適正量まで低減することにより大きな省エネルギーを図ることができる.

1) 『工場等判断基準』の『目標及び措置部分（工場）』は，「二酸化炭素センサー等による [9] の採用により，外気処理に伴う負荷の削減を検討すること．また，夏期以外の期間の冷房については，冷却塔により冷却された水を利用した冷房を行う等により熱源設備が消費するエネルギーの削減を検討すること.」を求めている.

2) 空気調和の対象とする部屋の二酸化炭素濃度が **600 ppm** で，環境基準値に対して余裕があった．また，そのときの外気の二酸化炭素濃度は **400 ppm** であった．そこで，換気量を低減して二酸化炭素濃度を **900 ppm** まで許容することにした．換気における空気の取入れ量と排出量とは等しいので，低減後の換気量は低減前の換気量のおよそ [10] [%] に抑えることができ，大幅な外気負荷の削減が可能となる．ここで，部屋内の二酸化炭素の発生量は一定で，二酸化炭素の濃度は均等に分布しているものとし，換気量は体積流量，二酸化炭素濃度は空気中の二酸化炭素の体積割合とする．

〈[9] 及び [10] の解答群〉

ア 40　**イ** 60　**ウ** 80　**エ** 外気導入量制御

オ 外気冷房　**カ** 空調立上がり時の外気カット

(11) ある火力発電設備が，天然ガスを燃料として電気出力 **200 MW** の一定出力で運転されている．

1 時間当たりの燃料使用量は **42 000** $m^3{}_N/h$，燃料の高発熱量は **45** $MJ/m^3{}_N$ である．このときの平均発電端熱効率は高発熱量基準では [**C** | **ab.c**] [%] である．

(12) 線間電圧 **200 V** の対称三相交流電源に接続されている平衡三相負荷の消費電力が **30 kW**，力率が **80** %（遅れ）であった．この三相負荷に並列にコンデンサを接続し，力率を **100** % に改善するのに必要なコンデンサの三相分の容量は，この負荷の無効電力分に相当し，[**D** | **ab.c**] [kvar] である．

(13) 三相交流は，単相交流に比べ，同一容量における電力輸送の損失が少なく，また，機器を小型化できるなど優れた特徴を持っており，発電，送配電，需要設備のいずれにおいても広く採用されている．この三相交流の電圧は線間電圧又は相電圧で表されるが，一般に，線間電圧で扱うことが多い．対称三相交流回路において，線間電圧は，星形結線（**Y** 結線）で考えた場合の相電圧の [11] 倍である．

〈[11] の解答群〉

ア $\sqrt{2}$　**イ** $\sqrt{3}$　**ウ** 3

(14) ある工場では，最大需要電力を **3 000 kW** に抑えることにしている．ある日の **14** 時からの **30** 分間について考える．**14** 時から **14** 時 **15** 分までの使用電力量が **1 000 kW·h** であったとすると，残りの **14** 時 **15** 分から **14** 時 **30** 分までの **15** 分間の平均電力を [**E** | **abcd**] [kW] 以下とする必要がある．ここでは，需要電力は使用電力の **30** 分間の平均値とする．

(15) 変圧器の損失は，負荷の大きさに依存しない無負荷損と，負荷電流の大きさによって変動する負荷損に分けられ，負荷電流の大きさにより効率は変化する．負荷の力率が変わらないとしたとき，変圧器の効率は [12] になる負荷のときに最も高くなる．

〈 12 の解答群〉

ア 負荷損 = 無負荷損　**イ** 負荷損 = $\sqrt{2}$ × 無負荷損

ウ 負荷損 = $\sqrt{3}$ × 無負荷損

(16) 送風機の所要動力 P [kW] は，風量を Q [m³/min]（質量流量 G [kg/min]），風圧（吐出側と吸込側の全圧の差）を H [Pa]，送風機の効率を η [%] とすると， 13 × 10^{-3} [kW] で表される．

〈 13 の解答群〉

ア $\dfrac{GH}{60} \times \dfrac{100}{\eta}$　**イ** $\dfrac{GH}{60} \times \dfrac{\eta}{100}$　**ウ** $\dfrac{QH}{60} \times \dfrac{100}{\eta}$　**エ** $\dfrac{QH}{60} \times \dfrac{\eta}{100}$

(17) 電気化学反応では，電極界面においてイオンと電子の間で電気のやり取りが行われる．ファラデーの法則によれば，電流が通過することにより電極上において析出又は溶解する化学物質の質量は，通過する電気量に比例する．また，同じ電気量によって析出又は溶解する化学物質の質量はその物質の式量 M と反応電子数 z で決まり， 14 に比例する．

〈 14 の解答群〉

ア $M + z$　**イ** Mz　**ウ** $\dfrac{M}{z}$　**エ** $\dfrac{z}{M}$

(18) 照明設備について，『工場等判断基準』の『基準部分（工場）』は，日本産業規格の照度基準等に規定するところにより管理標準を設定して使用すること，また，調光による減光又は消灯についての管理標準を設定し，過剰又は不要な照明をなくすことを求めている．

JIS Z 9110：2011「照明基準総則」では，事務所ビルにおける事務室の推奨照度範囲は 15 [lx] としている．

〈 15 の解答群〉

ア 150 ～ 300　**イ** 500 ～ 1 000　**ウ** 1 500 ～ 2 000

電気の基礎（80 分）

問題 4　電気及び電子理論

問題 5　自動制御及び情報処理

問題 6　電気計測

問題 4（電気及び電子理論）

次の各文章の［ 1 ］～［ 10 ］の中に入れるべき最も適切な数値又は式をそれぞれの解答群から選び，その記号を答えよ．（配点計 **50** 点）

(1)　図 **1** に示すように，電圧 $\dot{E}$ [V] と角周波数 ω [rad/s] が一定の単相交流電源に，抵抗 R [Ω] とインダクタンス L [H] を直列につなげた負荷を接続し，さらにキャパシタンス C [F] を負荷に直列に挿入した回路がある．この回路において，キャパシタンス C の値が回路の力率及び電流 $\dot{I}$ [A] にどのような影響があるかを考える．なお，図に示されているインピーダンス以外のインピーダンスは無視するものとする．

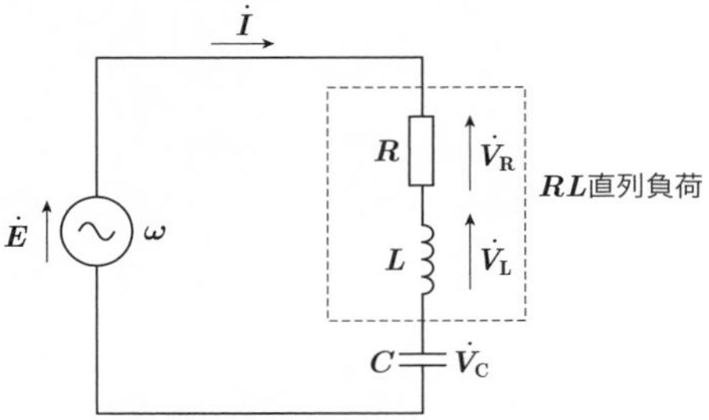

図 **1**

1)　抵抗 R，インダクタンス L 及びキャパシタンス C の直列回路において，回路のインピーダンス $\dot{Z}$ [Ω] の大きさ Z 及び回路の力率 $\cos\varphi$ は次式のように表される．

$Z =$ ［ 1 ］ [Ω]

$\cos\varphi =$ ［ 2 ］　①

〈［ 1 ］及び［ 2 ］の解答群〉

ア　$R + \left(\omega L - \dfrac{1}{\omega C}\right)$　　**イ**　$\dfrac{\omega L - \dfrac{1}{\omega C}}{R}$　　**ウ**　$\sqrt{R^2 + \left(\omega L - \dfrac{1}{\omega C}\right)^2}$

エ $\sqrt{R^2+\left(\omega L+\dfrac{1}{\omega C}\right)^2}$　**オ** $\dfrac{R}{\sqrt{R^2+\left(\omega L-\dfrac{1}{\omega C}\right)^2}}$　**カ** $\dfrac{R}{\sqrt{R^2+\left(\omega L+\dfrac{1}{\omega C}\right)^2}}$

キ $\dfrac{\omega L-\dfrac{1}{\omega C}}{\sqrt{R^2+\left(\omega L-\dfrac{1}{\omega C}\right)^2}}$

2)　ここで，式①の力率 $\cos\varphi$ が最大になるのは，分母が最小のときである．R と L，及び電源の角周波数 ω は一定なので，分母が最小となるときのキャパシタンスの値 C_r は次式のように表され，このとき力率は最大値 $\cos\varphi=1$ となる．

$C_r=$ [3] [F]

また，このとき，インダクタンス L の両端電圧 $\dot{V}_L$ [V] とキャパシタンス C の両端電圧 $\dot{V}_C$ [V] は打ち消し合うので，回路に流れる電流 $\dot{I}$ の最大値 $\dot{I}_r$ は次式のように表される．

$\dot{I}_r=$ [4] [A]

〈[3]及び[4]の解答群〉

ア $\dfrac{1}{L}$　**イ** $\dfrac{\dot{E}}{R}$　**ウ** $\dfrac{1}{\omega L}$　**エ** $\dfrac{1}{\omega^2 L}$　**オ** $\dfrac{1}{\omega(R+\omega L)}$

カ $\dfrac{\dot{E}}{R}\sqrt{\dfrac{C_r}{L}}$　**キ** $\dfrac{\dot{E}}{R}\sqrt{\dfrac{1}{LC_r}}$

(2)　図 **2** に示すような，線間電圧が $\dot{V}_{ab}$ [V]，$\dot{V}_{bc}$ [V]，$\dot{V}_{ca}$ [V] の非対称三相交流電源に，負荷としてインピーダンス $\dot{Z}_a$ [Ω]，$\dot{Z}_b$ [Ω]，$\dot{Z}_c$ [Ω] が接続された回路がある．この回路において，定常状態における電圧，電流，電力などの値を求める過程を考える．ここで，相順は **a-b-c** であり，図に示されているインピーダンス以外のインピーダンスは無視するものとする．また，電圧及び電流の極性は，図 **2** に示される矢印の方向を正とする．

1)　三相回路の電圧方程式を立て，三相回路の電流を求める．

三相の各線電流を $\dot{I}_a$ [A]，$\dot{I}_b$ [A]，$\dot{I}_c$ [A] として，**Y** 結線の三相インピーダンス $\dot{Z}_a$，$\dot{Z}_b$，$\dot{Z}_c$ を使って，三相の線間電圧の内，**a-b** 相間の電圧 $\dot{V}_{ab}$ と **c-a** 相間の電圧 $\dot{V}_{ca}$ を表す電圧方程式は，次の式②及び式③のように表される．

$$\dot{V}_{ab}=\dot{Z}_a\dot{I}_a-\dot{Z}_b\dot{I}_b \qquad ②$$

$$\dot{V}_{ca}= \boxed{\ 5\ }\ [\mathrm{V}] \qquad ③$$

また，電流 $\dot{I}_a$，$\dot{I}_b$，$\dot{I}_c$ の関係は次の式④のように表される．

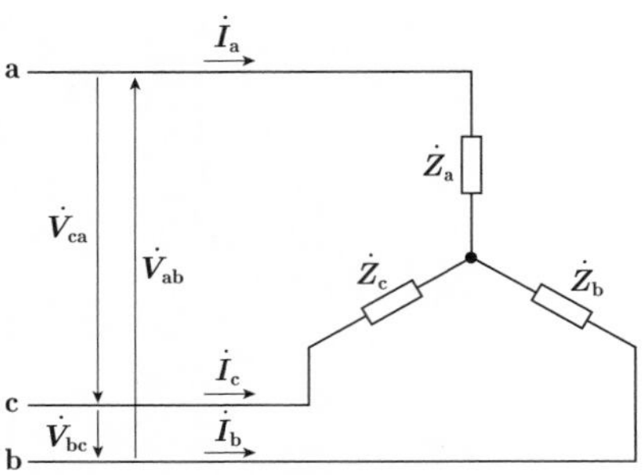

図 2

$$\dot{I}_a = \boxed{6} \ [\mathrm{A}] \qquad ④$$

したがって，式②，式③及び式④より，電流 $\dot{I}_a$ は次の式⑤のように表される．

$$\dot{I}_a = \frac{1}{\dot{Z}_a\dot{Z}_b + \dot{Z}_b\dot{Z}_c + \dot{Z}_c\dot{Z}_a} \times \boxed{7} \ [\mathrm{A}] \qquad ⑤$$

〈 5 ～ 7 の解答群〉

ア $\dot{I}_b + \dot{I}_c$　　イ $\dot{I}_b - \dot{I}_c$　　ウ $-\dot{I}_b - \dot{I}_c$

エ $\dot{Z}_a\dot{I}_a + \dot{Z}_c\dot{I}_c$　　オ $-\dot{Z}_a\dot{I}_a + \dot{Z}_c\dot{I}_c$　　カ $(\dot{Z}_c + \dot{Z}_a)(\dot{I}_c - \dot{I}_a)$

キ $\dot{Z}_c\dot{V}_{ab} + \dot{Z}_b\dot{V}_{ca}$　　ク $\dot{Z}_c\dot{V}_{ab} - \dot{Z}_b\dot{V}_{ca}$　　ケ $-\dot{Z}_c\dot{V}_{ab} + \dot{Z}_b\dot{V}_{ca}$

2）図 **3** に示すような，具体的な三相回路における電流，電力を求める．

非対称三相線間電圧の $\dot{V}_{ab}$ は $200 + \mathrm{j}0$ [V]，$\dot{V}_{bc}$ は $-100 - \mathrm{j}100$ [V]，不平衡三相負荷の $\dot{Z}_a$ は 4 Ω の抵抗，$\dot{Z}_b$ は 3 Ω の誘導性リアクタンスである．

三相の線間電圧 $\dot{V}_{ab}$，$\dot{V}_{bc}$，$\dot{V}_{ca}$ の関係は次の式⑥のように表される．

$$\dot{V}_{ca} = \boxed{8} \ [\mathrm{V}] \qquad ⑥$$

それぞれの値を式⑤に代入することより，電流 $\dot{I}_a$ は次の値となる．

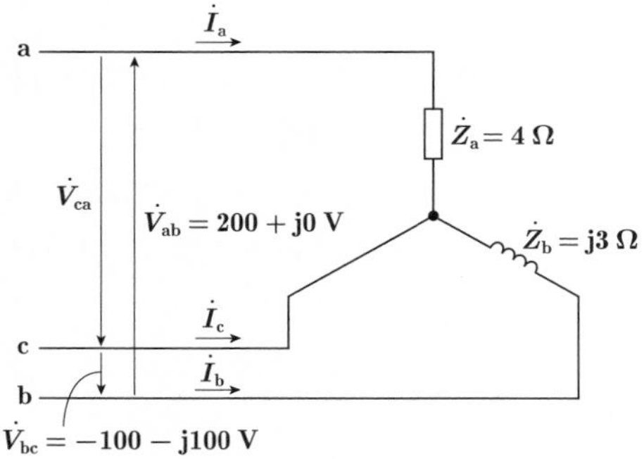

図 3

$\dot{I}_a =$ 9 [A]

また，このとき負荷で消費される電力 P [W] は次の値となる.

$P =$ 10 [W]

〈 8 〜 10 の解答群〉

ア $-\dfrac{100}{3} - j\dfrac{100}{3}$　イ $25 - j25$　ウ $75 + j25$　エ $100 + j\dfrac{100}{3}$

オ 5 000　カ $\dfrac{80\,000}{9}$　キ 25 000　ク $\dot{V}_{ab} + \dot{V}_{bc}$

ケ $-\dot{V}_{ab} + \dot{V}_{bc}$　コ $-\dot{V}_{ab} - \dot{V}_{bc}$

問題 5（自動制御及び情報処理）

次の各文章の 1 〜 15 の中に入れるべき最も適切な字句，数値，式又は記述をそれぞれの解答群から選び，その記号を答えよ．なお， 9 及び 10 は 2 箇所あるが，それぞれ同じ記号が入る．（配点計 50 点）

(1) 図に示すようなブロック線図で表したフィードバック制御系を考える．ここで，目標値を $r(t)$，外乱を $d(t)$，制御量を $y(t)$ とし，$R(s)$ は $r(t)$ を，$D(s)$ は $d(t)$ を，$Y(s)$ は $y(t)$ をそれぞれラプラス変換したものとする．ただし，k_1，k_2 及び k_3 は正の定数である．

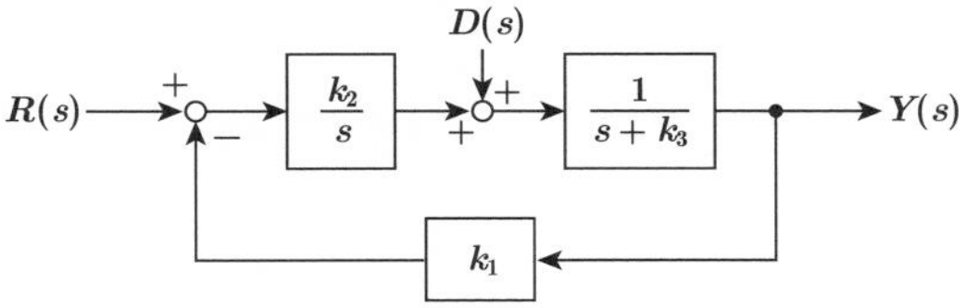

図

1) まず，外乱 $D(s)$ を 0 として，目標値 $R(s)$ から制御量 $Y(s)$ までの伝達関数を計算すると， 1 を得る．同様に目標値 $R(s)$ を 0 として，外乱 $D(s)$ から制御量 $Y(s)$ までの伝達関数を計算すると， 2 を得る．

〈 1 及び 2 の解答群〉

ア $\dfrac{k_1}{s^2 + k_1 s + 1}$　イ $\dfrac{k_1}{s^2 + k_1 s + k_2 k_3}$　ウ $\dfrac{k_2}{s^2 + k_3 s + k_1 k_2}$

エ $\dfrac{k_3}{s^2 + k_2 s + k_1 k_2}$　オ $\dfrac{s}{s^2 + k_3 s + k_1 k_2}$

2） いま，図に示す制御系が安定で収束するという条件を満たしている前提で目標値を $r(t) = 0$ と設定したときに，外乱が加えられた状況を考える．

もし外乱が $d(t) = 1$（$t \geqq 0$）であるとすると，制御量 $y(t)$ の定常値 $\lim_{t\to\infty} y(t)$ は［3］となる．

また，もし外乱が $d(t) = t$（$t \geqq 0$）であるとすると，制御量 $y(t)$ の定常値 $\lim_{t\to\infty} y(t)$ は［4］となる．

〈［3］及び［4］の解答群〉

ア 0　**イ** 1　**ウ** k_3　**エ** $\dfrac{1}{k_3}$　**オ** $\dfrac{1}{k_1 k_2}$

3） 次に，このフィードバック系の安定性について確認する．たとえば，フィードバック要素の k_1 を 1 とし，一次遅れ要素の k_3 を 3 としたとき，系が安定で収束するためには，積分要素の k_2 は［5］である必要がある．

〈［5］の解答群〉

ア $k_2 < \dfrac{9}{4}$　**イ** $k_2 < 9$　**ウ** $k_2 > 0$　**エ** $k_2 > \dfrac{9}{4}$　**オ** $k_2 > 9$

(2) 次式の伝達関数 $G(s)$ で示される安定な二次遅れ系について考える．ここで，K はゲインで正の実数，ω_n は固有角周波数で正の実数，ζ は減衰係数で正の実数である．

$$G(s) = \frac{K{\omega_n}^2}{s^2 + 2\zeta\omega_n s + {\omega_n}^2}$$

1） この系で，ω_n を［6］すれば系の応答速度を向上させるように作用し，［7］すれば振動を抑制するように作用する．

〈［6］及び［7］の解答群〉

ア 小さく　**イ** 大きく　**ウ** ζ を小さく　**エ** ζ を大きく　**オ** $\zeta\omega_n$ を小さく

2） また，この系にステップ入力を加えたとき，その応答にオーバーシュートを生じさせないための条件は［8］である．

〈［8］の解答群〉

ア $0 < \omega_n \leqq 1$　**イ** $1 \leqq \omega_n$　**ウ** $0 < \zeta \leqq 1$　**エ** $1 \leqq \zeta$　**オ** $0 < K \leqq 1$

(3) コンピュータは入力装置，出力装置，制御装置，［9］，記憶装置から構成され，制御装置と［9］を合わせて［10］と呼ぶ．コンピュータの処理性能を表現する単位は，100万個の命令を1秒間で実行する能力を用いて［11］で表す．

コンピュータにはアクセス時間が短いことが性能として求められる．例えば，［10］と主記憶装置とのアクセス時間を短縮するために用いられるものの一つとして［12］がある.

〈［9］～［12］の解答群〉

ア **CPI**　**イ** **GPU**　**ウ** **MFLOPS**　**エ** **MIPS**
オ **SSD**　**カ** キャッシュメモリ　**キ** スプーラ　**ク** バンク切り替え
ケ 演算装置　**コ** 磁気コアメモリ　**サ** 中央処理装置　**シ** 描画装置

(4) 有線**LAN**（構内ネットワーク）の接続形態には，スター型，リング型，バス型がある．これらのうち，配線の変更やケーブルの延長は容易であるが，情報が一方向にだけ伝送されるため，一つのノードが故障すると一連の接続が切断され，障害発生時に他のノードへの影響が出やすい接続形態は［13］型である．障害発生時の他ノードへの影響波及を防ぐためには，ケーブルの二重化等の対策を行う．

また，有線**LAN**で使用する伝送媒体にはメタル（銅線）と光ファイバがあり，光ファイバケーブルは，メタルに比べて［14］であり，伝送距離の最大長も長い．光ファイバケーブルは，ファイバ内の光伝搬モードによってシングルモード型とマルチモード型に分類され，一般的に最大長は［15］型の方が長く，規格上の最大長は数キロメートル以上のものが多い．

〈［13］～［15］の解答群〉

ア シングルモード　**イ** マルチモード　**ウ** スター　**エ** バス
オ リング　**カ** 伝送量は小さいが経済的に優位
キ 設置が容易で，同時に電力の供給が可能　**ク** 電磁ノイズに強く広帯域

問題 6（電気計測）

次の各文章の［1］～［10］の中に入れるべき最も適切な字句，数値又は式をそれぞれの解答群から選び，その記号を答えよ．なお，［6］及び［7］は**2**箇所あるが，それぞれ同じ記号が入る．（配点計**50**点）

(1) オシロスコープは，原理的には時間的に変動している電圧をディスプレイに表示する装置である．

1) 縦軸方向に表示された入力電圧に対応する輝点を横軸方向に時間で掃引することで，そのディスプレイ上に電圧波形を表示させることができる．周期波形の場合，入力がある設定電圧を横切ったら掃引を開始するようにすると，ディスプレイに安定して波形が表示される．この設定電圧を［1］電圧と呼ぶ．

2)　ディスプレイを格子状に縦 **8** 分割，横 **10** 分割し，その格子に目盛りを振ったオシロスコープがある．このオシロスコープを用いて正弦波形の観測を行うことを考える．ここで横軸の掃引速度を **1** [**μs/div**] とした．ただし，**div** は **1** 格子間隔を意味し，掃引速度は **1** 格子間隔当たりの時間で定義される．また，縦軸の格子間隔を **1** [**mV/div**] と設定した．ディスプレイ画面の縦 **8** 格子，横 **10** 格子一杯に，ちょうど **2** サイクル分の正弦波形が観測された．このとき，その正弦波形の周波数は [2] [**kHz**]，振幅は [3] [**mV**] である．

〈[1]～[3]の解答群〉

ア　$2\sqrt{2}$　**イ**　4　**ウ**　8　**エ**　100　**オ**　200

カ　500　**キ**　トリガ　**ク**　バイアス　**ケ**　しきい

3)　横軸に時間ではなく別の電圧信号を用いることもできる．その場合，楕円や線分などの表示が得られる．このように表された図を [4] と呼び，入力した **2** つの電圧信号の相互関係を観測するときに便利である．この図から，**2** つの入力電圧信号の周波数比や位相差などを求めることもできる．

ここで振幅が等しい二つの電圧信号を考える．横軸に周波数 f_1 の正弦波電圧，縦軸に周波数 f_2 の正弦波電圧を入力したところ，ディスプレイ上に右，つまり横軸の正方向に傾いた楕円図形が得られた．このことから，二つの入力電圧信号の周波数に [5] の関係があることがわかる．

〈[4] 及び [5] の解答群〉

ア　$f_1 < f_2$　**イ**　$f_1 = f_2$　**ウ**　$f_1 > f_2$　**エ**　ナイキスト線図

オ　ボード線図　**カ**　リサジュー図形

(2)　温度センサには多くの種類がある．使用する際には，対象温度範囲などの使用条件，用途，コスト，メンテナンス性，守るべき規格への対応等を考慮する必要がある．

1)　温度による電気抵抗の変化を利用した温度計を抵抗温度計という．その中で工業用温度計として代表的なものが [6] である．[6] は，**JIS** 規格で基準抵抗値が -200 °C ～ **850** °C の範囲で定められており，また，**100** °C での抵抗値 R_{100} と **0** °C での抵抗値 R_0 の比 $\dfrac{R_{100}}{R_0}$ が通常 **1.385 1** と定められている．

抵抗温度計の測定誤差としては，主に配線抵抗，[7] 及び電磁ノイズが考えられる．

配線抵抗の影響を避けるため，結線方式としては **3** 線式が主流であり，高精度の測定には **4** 線式も用いられる．また，[7] の影響を避けるために，定められた測定電流条件で使用することが必要である.

2) 2種類の金属の接合部で生じる［ 8 ］を測定し，その値をあらかじめ求められている温度換算式を用いて換算し，温度表示を行う温度計に［ 9 ］がある．この温度計は，温度範囲や測定雰囲気に応じ多数の種類があるため，適切な選定が必要である.

3) 前述の1)，2)の温度計が接触式であるのに対し，［ 10 ］は非接触式である．非接触式は，測定対象が移動体である場合や高温高圧の場合に便利であり，また，食品分野の温度管理でも衛生面や安全面から，測定対象に触れないで温度が測定できる非接触式がよく使用されている.

〈［ 6 ］～［ 10 ］の解答群〉

ア	サーミスタ測温体	**イ**	バイメタル温度計	**ウ**	ロジウム測温抵抗体
エ	核磁気共鳴温度計	**オ**	蒸気圧温度計	**カ**	白金測温抵抗体
キ	熱電温度計	**ク**	放射温度計	**ケ**	融解圧温度計
コ	起電力	**サ**	許容電流	**シ**	自己加熱
ス	静電容量変化	**セ**	絶縁抵抗	**ソ**	透磁率変化

電気設備及び機器（110分）

問題7，8　工場配電

問題9，10　電気機器

問題7（工場配電）

次の各問に答えよ．（配点計**50**点）

(1) 次の各文章の［1］～［8］の中に入れるべき最も適切な字句又は式をそれぞれの解答群から選び，その記号を答えよ．なお，［1］，［5］，［6］及び［7］は**2**箇所あるが，それぞれ同じ記号が入る．

1) 工場等における配電設備の電力損失は，配電線路と変圧器で発生する損失が主なものである．

i) 配電線路の電力損失を軽減する対策は，基本的には線路電流や［1］を低減することである．

線路電流を低減する対策としては，次のようなことなどが考えられる．

① 計画時に，負荷に応じて供給電圧をできるだけ高く選定する．

② 線路の負荷側に［2］を設置する．

また，［1］を低減する対策としては，次のようなことなどが考えられる．

① 太い電線へ張り替える．

② 線路こう長を［3］する．

ii) 一方，変圧器の損失低減策としては，次のようなことなどが効果的と考えられる．

① 高効率の変圧器を採用する．

② 夜間や休日に休止する負荷へ電力を供給する変圧器について，変圧器の［4］を低減するために休止中には開放する．

〈［1］～［4］の解答群〉

ア 進相コンデンサ	**イ** 直列コンデンサ	**ウ** 直列リアクトル	**エ** 絶縁抵抗
オ 線路抵抗	**カ** 負荷損	**キ** 無負荷損	**ク** 漏れ電流
ケ 延伸	**コ** 短縮		

2) 工場等における負荷設備の特性を表す諸係数には需要率，負荷率などがある．

i) 需要率とは，負荷の最大需要電力の，負荷の［ 5 ］に対する比率をいい，次の式①で表される．

$$\text{需要率} = \frac{\text{負荷の最大需要電力 [kW]}}{\text{負荷の}\boxed{\ 5\ }\text{ [kW]}} \times 100\ [\%] \quad ①$$

ii) 負荷率とは，ある期間の負荷の［ 6 ］の，その期間の負荷の最大需要電力に対する比率をいい，次の式②で表される．

$$\text{負荷率} = \frac{\text{ある期間の負荷の}\boxed{\ 6\ }\text{ [kW]}}{\text{その期間の負荷の最大需要電力 [kW]}} \times 100\ [\%] \quad ②$$

iii) ［ 7 ］とは，個々の負荷の最大需要電力の合計の，全負荷の最大需要電力に対する比率をいい，次の式③で表される．

$$\boxed{\ 7\ } = \frac{\text{個々の負荷の最大需要電力の合計 [kW]}}{\text{全負荷の最大需要電力 [kW]}} \times 100\ [\%] \quad ③$$

〈［ 5 ］〜［ 7 ］の解答群〉

ア 契約電力　**イ** 最小需要電力　**ウ** 皮相電力　**エ** 平均電力

オ 合計設備容量　**カ** 損失係数　**キ** 不等率　**ク** 不平衡率

3) 図1に示すような，負荷A，負荷Bに電力を供給する単相3線式配電回路があり，各線路の抵抗は等しくRである．このときの線路全体の電力損失を求める．ただし，すべての負荷の力率は100 %とする．

ここで，線路電流$\dot{I}_A$の大きさをI_A，線路電流$\dot{I}_B$の大きさをI_B，線路電流$\dot{I}_0$の大きさをI_0とし，I_AとI_Bの和の$\frac{1}{2}$をI，$\frac{I_0}{I_A + I_B}$をαとしたとき，I_A，I_B及びI_0の関係は，次の式④及び式⑤で表される．

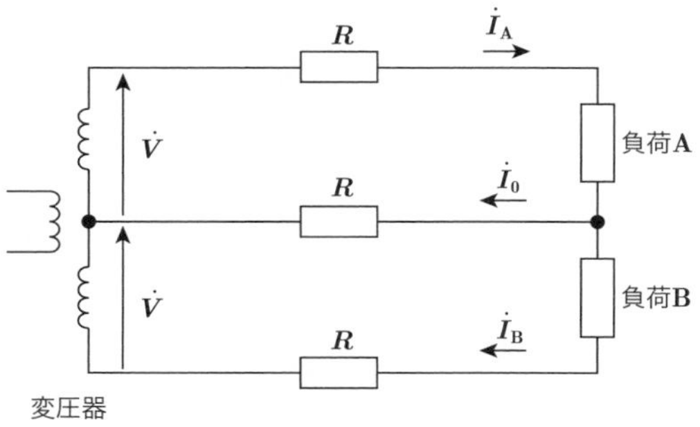

図1　単相3線式配電回路

$$I_A + I_B = 2I \qquad ④$$

$$I_0 = I_A - I_B = \alpha(I_A + I_B) = 2\alpha I \qquad ⑤$$

式④及び式⑤から，線路全体の電力損失 W は I, α 及び R を用いて，次の式⑥で表される.

$$W = \boxed{8} \qquad ⑥$$

〈[8]の解答群〉

ア $(1 + 2\alpha^2)I^2R$　**イ** $2(1 + 2\alpha^2)I^2R$　**ウ** $(1 + 3\alpha^2)I^2R$

エ $2(1 + 3\alpha^2)I^2R$

(2) 次の各文章の [A abc] ～ [D ab] に当てはまる数値を計算し，その結果を答えよ．ただし，解答は解答すべき数値の最小位の一つ下の位で四捨五入すること．

図**2**に示すように，ある工場の受電用変電所から三相**3**線式配電線路を経由して，**A**棟受電点に電圧**6 600 V**で配電する系統があり，**A**棟内で平衡三相負荷に接続されている．この平衡三相負荷は，大きさが**1 000 kW**，遅れ力率が**80 %**（$\cos\varphi = 0.8$）である．また，変電所から**A**棟受電点までの電源側の線路の**1**線当たりの線路抵抗 R [Ω] の単位長当たりの抵抗は**0.3 Ω/km**，**1**線当たりの線路リアクタンス X [Ω] の単位長当たりのリアクタンスは**j0.5 Ω/km**とし，線路のこう長は**1.5 km**とする．

このとき，棟内のコンデンサの接続の有無による電力損失の低減効果について考える．ただし，**A**棟受電点の電圧はコンデンサ接続の有無によらず**6 600 V**一定に制御されるものとする．また，**A**棟受電点以降の棟内の線路等による電圧降下，及び記載されている以外のインピーダンスは無視するものとする．

1) 図**2**の三相コンデンサが未接続のとき，受電点を流れる電流 $\dot{I}$ の大きさは [A abc] [A] であり，配電線路での線間の電圧降下 ΔV は [B abc] [V] となる．ただし，電圧降下の計算には簡略式 $\Delta V = \sqrt{3}I(R\cos\varphi + X\sin\varphi)$ を用いる．

2) 次に，図**2**の三相コンデンサを接続し，負荷の力率を**95 %**（遅れ）に改善することを考える．このときの三相コンデンサの必要容量は [C abc] [kvar] である．また，三

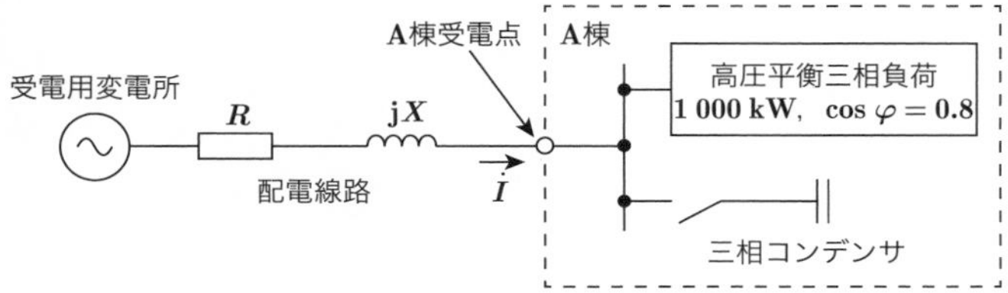

図**2**　受配電系統

相コンデンサを接続して負荷の力率が **95 %** に改善されたとき，配電線路での三相分の電力損失はコンデンサ未接続のときの [D ab] [%] になる．

問題 8（工場配電）

次の各問に答えよ．（配点計 **50** 点）

(1) 次の各文章の [1] ～ [9] の中に入れるべき最も適切な字句，式又は記述をそれぞれの解答群から選び，その記号を答えよ．

1) 工場に多く用いられている電動機や変圧器等は一般に誘導負荷のため，電圧に対して電流の位相が遅れ，無効電流成分が増加して力率が悪くなる．線路の電力損失は線路電流の [1] に比例するので，無効電流成分が増加すると線路の電力損失は増加する．

力率を改善して無効電流成分を低減すると，線路における電力損失低減の他，電圧降下の抑制，電気料金の低減などにも寄与するので，力率管理を的確に行う必要がある．

力率は力率計によって計測するが，通常，電力会社が電気料金を算出するときに用いる力率の値はある期間を通した平均力率であり，電力量計と無効電力量計の積算値から次式によって計算されたものである．ただし，無効電力量は遅れ分のみ計上される．

$$\text{平均力率} = \boxed{2} \times 100\ [\%]$$

〈[1] 及び [2] の解答群〉

ア 2 乗　**イ** 3 乗　**ウ** $\sqrt{3}$ 倍　**エ** $\dfrac{\text{無効電力量計の積算値}}{\text{電力量計の積算値}}$

オ $\dfrac{\text{電力量計の積算値}}{\text{電力量計の積算値} + \text{無効電力量計の積算値}}$

カ $\dfrac{\text{電力量計の積算値}}{\sqrt{(\text{電力量計の積算値})^2 + (\text{無効電力量計の積算値})^2}}$

2) 高調波が発生すると各種電気設備の様々な障害の要因となる．変圧器や電動機などの鉄心を有する電気機器では，[3] の増大による過熱の他，異常音，振動などの原因となる．計算機，制御装置，計測器などの電子機器では，電源電圧の [4] や電磁誘導などがノイズの原因となる．また，電気機器のうち，コンデンサやコンデンサ用の直列リアクトルなどの高調波による異常過熱は，主に [5] によるものが多い．

高調波による障害を防止するには，発生源側で高調波の発生量を抑える方法と，影響を受ける側で対策する方法がある．影響を受ける側の対策としては，高調波耐量が強化された機器の採用，系統分離などが考えられる．

〈 3 ～ 5 の解答群〉

ア ハンチング　**イ** フリッカ　**ウ** 回路共振　**エ** 静電誘導
オ 短絡インピーダンス　**カ** 鉄損　**キ** 突入電流　**ク** 波形ひずみ
ケ 飽和特性

3) 瞬時電圧低下とは「送配電系統の電圧が瞬時的に低下する現象」であり，送配電系統への落雷や氷雪などによる系統故障の他，系統につながる大きな負荷が始動したときなどに生じる．

瞬時電圧低下が発生すると，コンピュータの誤作動や停止， 6 の開放による負荷の停止，電動機用インバータの停止，照明のちらつきや消灯などが起こる．

瞬時電圧低下対策としては，送配電系統側では，雷害対策の実施，事故点の高速除去による継続時間の低減，電源側インピーダンスを大きくすることによる電圧低下の抑制などがあり，影響を受ける機器側では，順逆変換装置と蓄電池から構成された無停電電源装置の設置などが推奨されている．

〈 6 の解答群〉

ア 始動リアクトル　**イ** 断路器　**ウ** 電磁開閉器

4) 電力の需要を平準化し，最大需要電力を削減することは，需要家にとっては受電設備や配電設備の効率的運用につながり，電力供給側としては発電設備や送電設備の容量の低減につながるため，その意義は大きい．

電力の需要の平準化については，経済産業省告示「工場等における電気の需要の平準化に資する措置に関する事業者の指針」で，平準化すべき時間帯と平準化対策が具体的に示されている．

その中で，平準化すべき時間帯すなわち電気需要平準化時間帯は 7 とする，とされている．

また，事業者は同省告示「工場等におけるエネルギーの使用の合理化に関する事業者の判断基準」で定められている 8 原単位を指標として，技術的かつ経済的に可能な範囲でそれらの有効な実施を図るものとする，とされている．

指針で示されている対策としては，大きくは電気需要平準化時間帯において，「電気の使用から燃料又は熱の使用への転換」や「電気需要平準化時間帯以外の時間帯への電気を使用する機械器具の使用時間の変更」などがある．

その他，比較的簡便に実施可能な対策として，契約電力を超過する恐れがあるときなどの必要時に限定して，優先度の低い負荷の停止あるいは設定値の変更などを行って，最大需要電力を抑制することができる [9] 装置を用いる方法がある．

これらの対策を行うことにより，最大需要電力を一定の値以下に抑えれば，電力設備の負荷率は高くなり効率的運転も可能となる．

〈[7] ～ [9] の解答群〉

ア デマンド監視制御　**イ** 電圧調整　**ウ** 力率制御　**エ** 電気エネルギー消費

オ 電気需要平準化評価　**カ** 用途別エネルギー消費

キ 7 月 1 日～ 9 月 30 日の 8 時～ 22 時

ク 7 月 1 日～ 9 月 30 日の 8 時～ 22 時及び 12 月 1 日～ 3 月 31 日の 8 時～ 22 時

ケ 通年の 8 時～ 22 時まで

(2) 次の各文章の [A a.bc] ～ [E ab.c] に当てはまる数値を計算し，その結果を答えよ．ただし，解答は解答すべき数値の最小位の一つ下の位で四捨五入すること．

ある工場では，定格容量 **150 kV·A** の三相変圧器 **1** 台を用いて，図のような日負荷曲線の平衡三相負荷に電力を供給している．変圧器の無負荷損は **0.3 kW**，定格出力時の負荷損は **1.5 kW** である．また，変圧器は定格電圧一定で運転されているものとする．

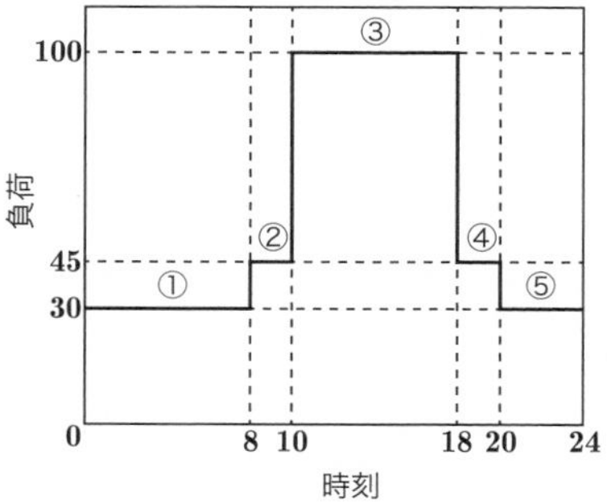

時間帯		時間数 [時間]	負荷 [kW]	力率 [%]
①	0～8	8	30	100
②	8～10	2	45	90
③	10～18	8	100	80
④	18～20	2	45	90
⑤	20～24	4	30	100

図　電力の日負荷曲線

1) この変圧器の無負荷損による 1 日の損失電力量 W_i は [A a.bc] [kW·h]，負荷損による 1 日の損失電力量 W_c は [B a.bc] [kW·h] となる．よって，この変圧器の全日効率は [C ab.c] [%] となる．

2) 次に，変圧器の電力損失を低減する目的で，重負荷となる **10** 時～ **18** 時の時間帯③だけ負荷と並列にコンデンサを接続して，力率を **95** % に保って運転することとした．このように力率を改善することにより，1 日の変圧器の損失電力量を [D a.bc] [kW·h] 減少させることができる．

3) さらに，電力負荷平準化を図るため，時間帯③の電力負荷を各時間均等に低減し，時間帯③以外の時間帯①，②，④及び⑤の電力負荷が**45 kW**均等になるまで移行することとした．これにより，移行前に約**55 %**であった負荷率は，**E ab.c** [%]まで向上する．

問題9（電気機器）

次の各文章の 1 ～ 12 の中に入れるべき最も適切な字句，数値又は式をそれぞれの解答群から選び，その記号を答えよ．

また，**A abc** ～ **F abcd** に当てはまる数値を計算し，その結果を答えよ．ただし，解答は解答すべき数値の最小位の一つ下の位で四捨五入すること．（配点計**50**点）

(1) かご形誘導電動機の運転特性について考える．

1) 普通かご形誘導電動機を全電圧始動すると，電源電圧を印加された瞬時には回転子が停止状態なので，二次側（回転子）では抵抗に比べて相対的に 1 が大きくなる．このため，力率が悪く，大電流の割には 2 を発生させる有効電流成分が少ない．

このかご形誘導電動機の始動特性を改良するために考案された特殊かご形誘導電動機は，二次導体の 3 が始動時には自動的に大きくなり，定格運転時には小さくなるような構造となっており，定格出力**5.5 kW**以上の誘導電動機に採用されている．

〈 1 ～ 3 の解答群〉

ア トルク	**イ** パーミアンス	**ウ** 固定損失	**エ** 漂遊負荷損
オ 交流実効抵抗	**カ** 磁束密度	**キ** 主リアクタンス	
ク 漏れリアクタンス		**ケ** 漏れ抵抗	

2) 特殊かご形誘導電動機は，始動電流を制限し，始動を確実にするために，二次巻線を特殊構造としたものである．二次巻線の構造から，次の代表的な二つの方式がある．

i) 4 かご形誘導電動機の回転子は，表面に近い外側導体に高抵抗材料を用い，中心に近い内側導体に低抵抗材料を用いている． 5 は外側のかご形導体に比べて，内側のかご形導体の方がはるかに大きいため，始動時の二次周波数が高い間は，大部分の二次電流は高抵抗の外側導体を流れる．速度が上昇し，二次周波数が低くなると，大部分の二次電流は低抵抗の内側導体を流れるようになる．

ii) もう一つの方式である 6 かご形誘導電動機の回転子は，スロットの形が半径方向に細長い構造となっている．このため，始動時の二次周波数が高い間は，表皮効果により導体内の電流密度分布が回転子表面に近いほど大きくなって不均一となり，あたかも導体の断面積が小さくなったのと同様の作用をして，始動電流が制限される．しかし，速度が上昇するにしたがって，二次周波数は低くなり，電流分布は次第に底部へ広がる．

一次回路の電源周波数を f とすると，運転速度上昇にしたがって，滑り s が小さくなる．したがって，式［7］で表される二次回路の周波数も低くなることで，導体内での電流分布も均一となり，二次導体は低抵抗導体として作用するので損失の増大が抑制される．

〈［4］～［7］の解答群〉

ア sf	**イ** $\dfrac{s}{f}$	**ウ** $\dfrac{s}{1-s}f$	**エ** 浅みぞ	**オ** 深みぞ
カ 細みぞ	**キ** 円筒	**ク** 多層	**ケ** 二重	**コ** 磁束分布
サ 漏れリアクタンス		**シ** 漏れ電流		

(2) 同一定格の複数台の単相変圧器を用いて，平衡三相負荷に電力を供給することを考える．

ここで，図 **1** のように **3** 台の単相変圧器を △-△ 接続として用いる場合と，図 **2** のように **2** 台の単相変圧器を **V-V** 接続として用いる場合との三相変圧器としての全損失を比較してみる．

複数台の単相変圧器は同じ仕様であり，**1** 台当たりについて定格二次電圧が V_2 [V]，定格二次電流が I_r [A]，無負荷損が P_i [W]，定格容量時の負荷損が P_c [W] であるものとする．

また，三相回路に構成された変圧器に接続される負荷の大きさは，△-△ 接続及び **V-V** 接続の両者共に S_L [V·A] とする．

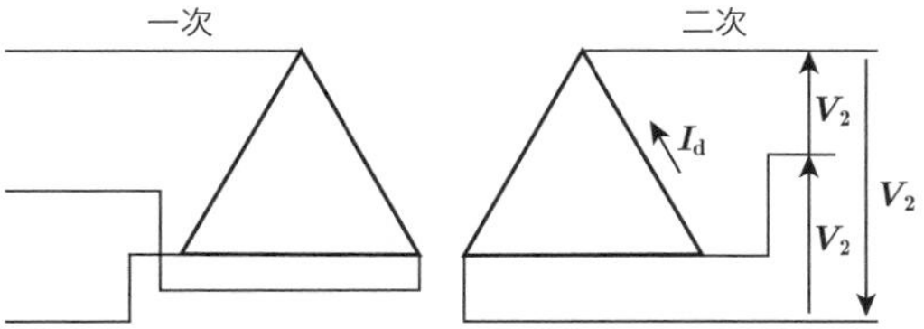

図 **1**　△-△ 接続

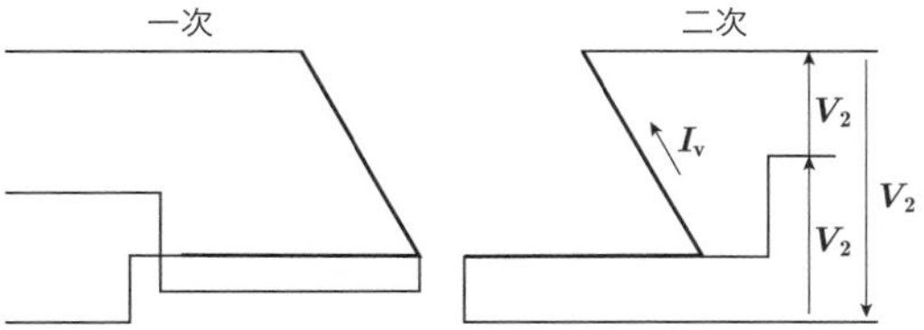

図 **2**　**V-V** 接続

1)　△-△ 接続の場合，負荷 S_L を接続したときに 1 台の変圧器に流れる電流を I_d とすると，$I_d =$ [8] [A] となり，このとき三相接続での変圧器の全損失 W_d は [9] [W] となる．

2)　他方，V-V 接続では，負荷 S_L を接続したときに 1 台の変圧器に流れる電流 I_v は，負荷への線路電流と同じとなるので，$I_v =$ [10] [A] となり，V-V 接続での変圧器の全損失 W_v は [11] [W] となる．

〈[8]～[11] の解答群〉

ア $\dfrac{S_L}{3I_r}$　イ $\dfrac{S_L}{2V_2}$　ウ $\dfrac{S_L}{\sqrt{2}V_2}$　エ $\dfrac{S_L}{3V_2}$　オ $\dfrac{S_L}{\sqrt{3}V_2}$

カ $2P_i + 2P_c \times \left(\dfrac{I_v}{I_r}\right)$　キ $2P_i + 2P_c \times \left(\dfrac{I_v}{I_r}\right)^2$　ク $2P_i + 2P_c \times \left(\dfrac{I_r}{I_v}\right)^2$

ケ $3P_i + 3P_c \times \left(\dfrac{I_d}{I_r}\right)$　コ $3P_i + 3P_c \times \left(\dfrac{I_d}{I_r}\right)^2$　サ $3P_i + 3P_c \times \left(\dfrac{I_r}{I_d}\right)^2$

3)　ここで，△-△ 接続時の全損失 W_d と V-V 接続時の全損失 W_v が等しくなる負荷容量 S を求めると，$S = \sqrt{\dfrac{P_i}{P_c}} \times \sqrt{3}I_r V_2$ [V·A] となり，この負荷容量より小さい負荷では，変圧器の全損失は V-V 接続の方が小さくなる．ただし，各変圧器を定格容量以内で使用する場合，V-V 接続では最大でも △-△ 接続時の [12] [%] の負荷容量までしか接続できない．

〈[12] の解答群〉

ア 57.7　イ 66.7　ウ 86.6

(3)　表に示すような 500 kV·A の変圧器 A と 300 kV·A の変圧器 B を並行運転して負荷へ電力を供給する場合と，変圧器 A のみを単独運転して負荷へ電力を供給する場合の損失を比較する．

ここで，電力負荷は 300 kW で力率が 87 %（遅れ）であるものとする．

表

	変圧器 A	変圧器 B
定格容量	500 kV·A	300 kV·A
無負荷損	700 W	400 W
負荷損（定格出力における値）	4 000 W	2 500 W
短絡インピーダンス	5.0 %	6.0 %

1)　2 台の変圧器が供給する負荷の皮相電力 S_L は [A abc] [kV·A] であり，2 台の変圧

器の容量比を K とすると，$K=\frac{300}{500}=0.6$ なので，基準容量を 300 kV·A としたときの変圧器 A の短絡インピーダンスは 3.0 % となる．したがって，変圧器 A が分担する負荷の皮相電力 S_A は [B abc] [kV·A]，変圧器 B が分担する負荷の皮相電力 S_B は [C abc] [kV·A] となる．なお，短絡インピーダンスのうち抵抗分は無視するものとする．

2) 2 台の変圧器が，各々1) で求めた S_A 及び S_B の負荷を負って運転しているとき，変圧器 A の全損失は [D abcd] [W]，変圧器 B の全損失は [E abc] [W] となる．

3) 一方，全負荷を変圧器 A のみで供給した場合の変圧器 A の全損失は [F abcd] [W] となる．

したがって，2 台の変圧器を並行運転した方が効率的となる．

III

問題 10（電気機器）

次の各文章の [1] ～ [11] の中に入れるべき最も適切な字句，式又は記述をそれぞれの解答群から選び，その記号を答えよ．

また，[A a.bc] ～ [E ab.c] に当てはまる数値を計算し，その結果を答えよ．ただし，解答は解答すべき数値の最小位の一つ下の位で四捨五入すること．なお，円周率 $\pi=3.142$ とする．（配点計 50 点）

(1) 同期発電機の周波数と回転速度の関係式について考える．

1) 通常，同期発電機では，固定子が [1]，回転子が [2] である場合が多い．

2) 同期発電機が発生する正弦波電圧の周波数を f [Hz]，極数を p とすれば，[3] 速度 N_s は次の式①で表される．

$$N_s=\frac{120f}{p}\,[\mathrm{min}^{-1}] \qquad ①$$

〈[1] ～ [3] の解答群〉

ア 界磁	**イ** 絶縁体	**ウ** 接触子
エ 電機子	**オ** 誘電体	**カ** 誘導子
キ 共振	**ク** 滑り	**ケ** 同期

3) この式①の導出過程を次のように考えてみる．

1 対の対向する磁極（2 極）の磁界中を導体が回転している状態を想定する．このとき，導体には [4] の法則によって，正弦波交流電圧 e [V] が発生する．導体が 1 回転する間に, 正弦波交流電圧は **1** 周期分発生する．導体の回転速度を n_0 [s^{-1}] とすると，**1** 秒間に n_0 周期分の正弦波が発生することになるので，正弦波交流電圧の周波数 f は $f = n_0$ [Hz] となる．

同様に，磁極を **2** 倍にした **4** 極の場合は，導体が **1** 周すると正弦波交流は **2** 周期分生じることになり，導体の，外力による回転速度を **2** 極と同じ n_0 とすると，正弦波交流電圧の周波数は $f = 2n_0$ [Hz] となる．さらに，**6** 極では $f = 3n_0$ [Hz]，**8** 極では $f = 4n_0$ [Hz] となる．

一般化すると，磁極の極数が p で，導体が回転速度 n_0 で回転するとき，発生する正弦波交流電圧の周波数は $f =$ [5] [Hz] となり，この式から n_0 が求められる．この導出過程から同期発電機においては，n_0 を **1** 分間当たりの回転速度に変換したものが，式①で示される N_s となる．

〈[4] 及び [5] の解答群〉

ア　アンペール　　**イ**　フレミングの右手　　**ウ**　フレミングの左手

エ　$\dfrac{pn_0}{2}$　　**オ**　$\dfrac{2n_0}{p}$　　**カ**　$\dfrac{2p}{n_0}$

(2)　図 **1** はダイオードを用いた単相ブリッジ整流回路を示したものである．

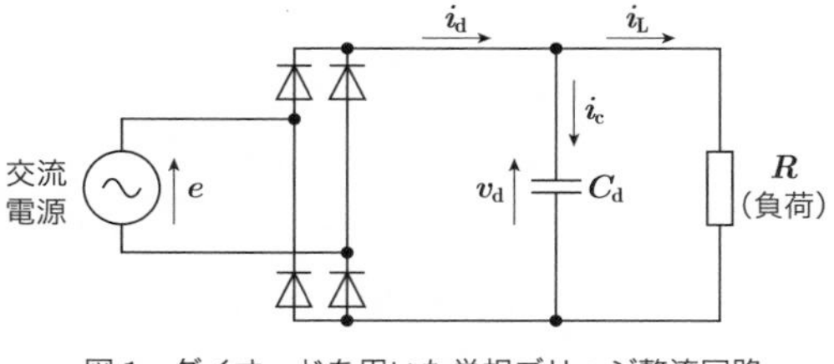

図 **1**　ダイオードを用いた単相ブリッジ整流回路

1)　図 **1** のコンデンサ C_d [F] は，直流電圧 v_d [V] の脈動を吸収するためのもので，[6] コンデンサと称されている．

2)　いま，C_d の端子間の電圧 v_d の時間的な変化である $\dfrac{\mathrm{d}v_d}{\mathrm{d}t}$ は，C_d に流れる電流 i_c $(= i_d - i_L)$ [A] を用いて式 [7] で表される．ここで, 交流電源からの電流 i_d [A] は，交流正弦波電圧 e [V] が直流電圧 v_d より高い期間のみ流入し，i_d が零となる期間の負荷電流 i_L [A] は C_d から供給される．したがって，i_d は，電源電圧が直流電圧 v_d より高い期間のみに現れるパルス状の波形となる．

〈 6 及び 7 の解答群〉

ア $C_d(i_d - i_L)$　**イ** $\dfrac{1}{C_d}(i_d - i_L)$　**ウ** $\dfrac{1}{C_d(i_d - i_L)}$　**エ** 電圧抑制

オ 平滑　**カ** 脈動

3) この整流回路を応用した直流電源では，$\dfrac{\text{出力電圧の最大値と最小値の差}}{\boxed{8}}$ で定義される電圧の脈動率を小さくするように設計することが多い．そのためには C_d の容量が大きい方が望ましいが，交流電源から流入するパルス状電流のピーク値が高くなり，入力電圧波形がひずんだり， 9 などの影響が出る．

4) この波形の改善のため，交流電源とダイオードブリッジの間，又はダイオードブリッジと C_d との間に 10 を挿入する場合がある．これにより，通流幅を拡大してピーク値を抑制した電流波形とすることができ，交流電源から負荷側を見た 11 も改善することができる．

〈 8 ～ 11 の解答群〉

ア ダイオード　**イ** リアクトル　**ウ** 抵抗　**エ** 負荷率

オ 変調率　**カ** 力率　**キ** 出力電圧の平均値　**ク** 電源電圧の実効値

ケ 電源電圧変動率　**コ** 高耐圧のダイオードを必要とする

サ 直流電圧が低下する　**シ** 入力側の高調波電流が大きくなる

(3) 定格電圧 **200 V**，定格周波数 **50 Hz**，**4** 極の三相かご形誘導電動機があり，図 **2** の簡易 **L** 形等価回路において，定格運転時の星形一相一次換算の抵抗及びリアクタンスは次のとおりである．なお，ここでは励磁回路の影響は無視する．

一次抵抗 $r_1 = 0.070\,7\ [\Omega]$，一次漏れリアクタンス $x_1 = 0.172\ [\Omega]$

二次抵抗 $r_2{}' = 0.071\,0\ [\Omega]$，二次漏れリアクタンス $x_2{}' = 0.267\ [\Omega]$

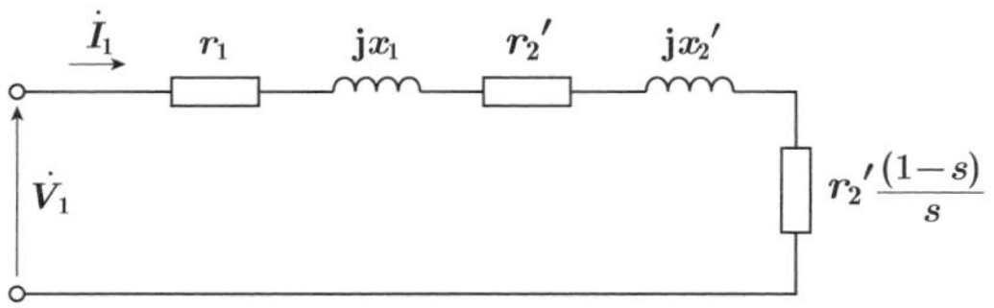

図 **2**　三相かご形誘導電動機の簡易 **L** 形等価回路

この電動機に，回転速度の **2** 乗に比例するトルクを要求する負荷をかけ，一次周波数制御を行って運転するものとする．ただし，電動機のすべりは，トルクが一定ならば一次周波数にかかわらず一定とし，また電動幾のすべりとトルクの関係は直線で表せる比例関係範囲にあるものとする.

1) この電動機を，定格電圧及び定格周波数で運転したときの回転数は **1 440 min^{-1}** であった.

したがって，このときの電動機のすべり s_1 は，**A a.bc** [%] である.

また，一次負荷電流 $\boldsymbol{I_1}$ は **60.86** [A] と計算されるので，二次入力 $\boldsymbol{P_2}$ は **B ab.c** [kW] となり，トルク $\boldsymbol{T}$ は **C abc** [N·m] となる.

2) この電動機を，回転速度 **1 200 min^{-1}** で運転すると，負荷が要求するトルク $\boldsymbol{T_L}$ は **D ab.c** [N·m] となる．題意より，トルクとすべりは比例関係にあることから，このときのすべり s_2 は **2.78 %** となるので，インバータの出力周波数は **E ab.c** [Hz] となる.

IV

電力応用（110分）

必須　問題11，12　電動力応用
選択　問題13　電気加熱
選択　問題14　電気化学
選択　問題15　照　　明
選択　問題16　空気調和
（問題13～16から）2問題を選択

問題11（電動力応用）

次の各文章の 1 ～ 9 の中に入れるべき最も適切な字句，数値又は式をそれぞれの解答群から選び，その記号を答えよ．

また，**A abcd** ～ **E ab.c** に当てはまる数値を計算し，その結果を答えよ．ただし，解答は解答すべき数値の最小位の一つ下の位で四捨五入すること．（配点計**50**点）

(1) 誘導電動機を駆動源としたポンプや送風機では，可変速運転を行うと大幅な省エネルギーを実現することができ，これらの用途で汎用インバータによる V/f 制御が広く用いられている．

ここで，V/f 制御で重要となる電圧の大きさと周波数の関係について検討する．

図**1**は，三相誘導機の等価回路（定常状態，一相分，一次換算）で，漏れインダクタンスが一次側に集中するよう換算係数を調整し，すべりの代わりに回転子の回転角速度 ω_m [rad/s]（電気角換算）を用いたものである．図で，r_1 [Ω] は一次抵抗，r_2' [Ω] は二次抵抗(一次換算)，l [H] は漏れインダクタンス，L_m [H] は励磁インダクタンスであり，簡略化のため鉄損を表す励磁コンダクタンスは無視した．また，電源の角周波数を ω [rad/s] とし，励磁電流 $\dot{I}_m$ [A] を位相の基準として，一次電源電圧 $\dot{V}_1$ [V]，誘起電圧 $\dot{V}_0$ [V]，一次電流 $\dot{I}_1$ [A] などのフェーザを表している．

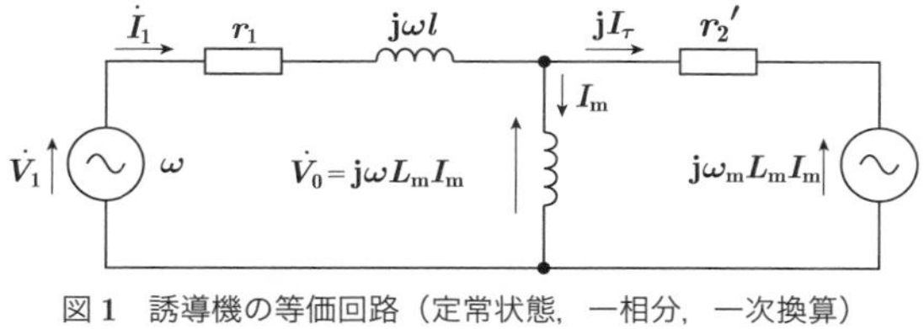

図1　誘導機の等価回路（定常状態，一相分，一次換算）

1）　V/f制御では，誘導電動機に供給する電圧の大きさと周波数の関係を予め設定しておき，周波数を上げ下げして可変速運転を実現するものである．速度の調整をオープンループで行うため，［1］が不要であり，また，1台のインバータで複数台の電動機を駆動できるなど，経済性に優れる特徴がある．

〈［1］の解答群〉

ア　速度検出器　　イ　電圧検出器　　ウ　電流検出器

2）　電流 $\dot{I}_m$ を位相の基準としているので，$\dot{I}_m = I_m$ となり，二次回路の逆起電力は $j\omega_m L_m I_m$，二次電流は jI_τ と表すことができ，図1より，式①～式④の基本式が成り立つ．

$$\dot{V}_1 = (r_1 + j\omega l)\dot{I}_1 + \dot{V}_0 \quad ①$$

$$\dot{I}_1 = I_m + jI_\tau \quad ②$$

$$\dot{V}_0 = j\omega L_m I_m \quad ③$$

$$\dot{V}_0 = r_2{}'(jI_\tau) + j\omega_m L_m I_m \quad ④$$

式③と式④を組み合わせ，$\dot{V}_0$ を消去すると，次の式⑤の関係が得られる．

$$I_\tau = \boxed{2}\ [A] \quad ⑤$$

〈［2］の解答群〉

ア　$\dfrac{L_m}{r_2{}'}(\omega - \omega_m)I_m$　　イ　$\dfrac{r_2{}'}{L_m}(\omega - \omega_m)I_m$　　ウ　$\dfrac{r_2{}'}{L_m}(\omega_m - \omega)I_m$

3）　抵抗による損失（三相全体）W_c は次の式⑥で与えられる．

$$W_c = 3r_1 I_m{}^2 + 3(r_1 + r_2{}')I_\tau{}^2 \quad ⑥$$

トルク電流 I_τ は回生運転の場合は負となることを考慮し，この式を変形すると次式となる．

$$W_c = 3(\sqrt{r_1}I_m - \sqrt{r_1 + r_2{}'}\,|I_\tau|)^2 + \boxed{3} \quad ⑦$$

4）　一方，逆起電力 $j\omega_m L_m I_m$ に二次電流 jI_τ が流れることから，トルク τ（三相全体，電気角換算）は次の式⑧で与えられる．

$$\tau = \boxed{4}\ [N \cdot m] \quad ⑧$$

〈［3］及び［4］の解答群〉

ア　$\dfrac{\sqrt{3}}{2}L_m I_m I_\tau$　　イ　$\dfrac{3}{2}L_m I_m I_\tau$　　ウ　$3L_m I_m I_\tau$

エ　$2\sqrt{r_1}\sqrt{r_1 + r_2{}'}I_m|I_\tau|$　　オ　$4\sqrt{r_1}\sqrt{r_1 + r_2{}'}I_m|I_\tau|$

カ　$6\sqrt{r_1}\sqrt{r_1 + r_2{}'}I_m|I_\tau|$

5）　同じトルクを発生する条件で式⑦の損失 W_c が最小となるのは，次の⑨式が成り立つときである.

$$\sqrt{r_1}\boldsymbol{I}_{\mathrm{m}} = \sqrt{r_1 + r_2{}'}\left|\boldsymbol{I}_{\tau}\right| \quad ⑨$$

式⑧と式⑨を組み合わせて $\boldsymbol{I}_{\tau}$ を消去し，最適な励磁電流とトルクの大きさの関係を求めると，次の式⑩となる.

$$\boldsymbol{I}_{\mathrm{m}} = \boldsymbol{A}\sqrt{|\boldsymbol{\tau}|} \quad ⑩$$

ここで，$\boldsymbol{A}$ は次の式⑪で表される.

$$\boldsymbol{A} = \boxed{\ 5\ } \quad ⑪$$

〈 5 の解答群〉

ア $\left(\dfrac{\sqrt{r_1 + r_2{}'}}{3\sqrt{r_1}} \cdot \dfrac{1}{L_{\mathrm{m}}}\right)$　**イ** $\left(\dfrac{\sqrt{r_1 + r_2{}'}}{3\sqrt{r_1}} \cdot \dfrac{1}{L_{\mathrm{m}}}\right)^{\frac{1}{2}}$　**ウ** $\left(\dfrac{\sqrt{r_1 + r_2{}'}}{3\sqrt{r_1}} \cdot \dfrac{1}{L_{\mathrm{m}}}\right)^{\frac{3}{2}}$

6) このとき，誘起電圧の大きさは次の式⑫で与えられる.

$$\left|\dot{\boldsymbol{V}}_0\right| = \left|\mathbf{j}\omega \boldsymbol{L}_{\mathrm{m}}\boldsymbol{I}_{\mathrm{m}}\right| = \omega \boldsymbol{L}_{\mathrm{m}}\boldsymbol{I}_{\mathrm{m}} = \omega \boldsymbol{L}_{\mathrm{m}}\boldsymbol{A}\sqrt{|\boldsymbol{\tau}|} \quad ⑫$$

この結果より，負荷トルク $\boldsymbol{\tau}$ が ω に関係なく一定の場合には，$\left|\dot{\boldsymbol{V}}_0\right|$ は周波数 $\boldsymbol{f}$ [**Hz**] に比例する.

また，$\boldsymbol{\tau}$ が ω に比例する場合には，$\left|\dot{\boldsymbol{V}}_0\right|$ は 6 に比例することが分かる.

実際の $\boldsymbol{V}/\boldsymbol{f}$ 制御では，一次側のインピーダンス $r_1 + \mathbf{j}\omega \boldsymbol{l}$ の電圧降下や鉄損も考慮し，一次電圧 $\dot{\boldsymbol{V}}_1$ と周波数 $\boldsymbol{f}$ の関係を設定する必要がある．また，$\boldsymbol{V}/\boldsymbol{f}$ 制御ではオープンループで周波数を増減するが，その変化が速すぎると電動機の回転が追従できない．これを防止するため，一次電流が予定以上に増加した場合には周波数の増加を停止し，回転が追従するのを待つ 7 機能が採用される.

〈 6 及び 7 の解答群〉

ア f　**イ** $\sqrt{f}$　**ウ** $f^{\frac{3}{2}}$　**エ** サーボ

オ ストール防止　**カ** トルクブースト

⑵ 図 **2** は，つるべ式平衡ケージ巻上機を表しており，巻胴には電動機が直結されている．ケージの質量は左右それぞれ **800 kg**，運搬車の質量は左右それぞれ **400 kg** であり，右側の運搬車のみ **600 kg** の積荷を搭載している．巻胴の半径は **0.5 m** であり，ケージを吊すロープと巻胴は滑ることなく接触している.

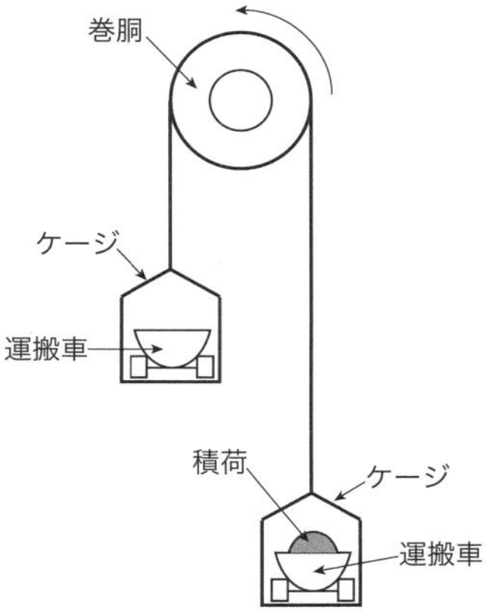

図 **2**　つるべ式平衡ケージ巻上機

この巻上機が，図 **3** で示すケージの速度パターンで運転されているときについて考える．ただし，記載のない質量，慣性モーメント及び損失は無視するものとし，重力の加速度を **9.8 m/s²** とする．

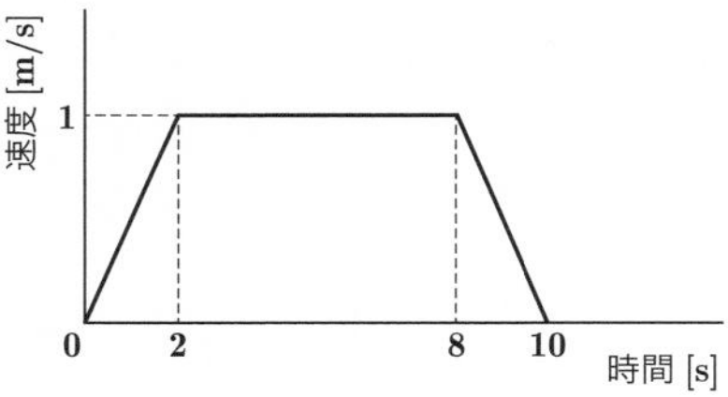

図 **3**　ケージの速度パターン

1)　左右両方のケージを宙吊りにした状態で，巻胴が発生させるトルクを調節してケージを静止させているとき，巻胴の所要トルクは **A abcd** [N·m] である．

2)　巻胴を回転させて，積荷を搭載したケージを図 **3** の速度パターンで引き上げるとき，上昇開始から停止するまでの **10** 秒間におけるケージの上昇距離は 8 [m] である．この **10** 秒間で巻上機が為す仕事は，位置エネルギーの増加分と見合うので **B ab.c** [kJ] となる．

〈 8 の解答群〉

ア 6　イ 8　ウ 10　エ 12

3)　図 **3** の速度パターンにおいて，上昇開始から **2** 秒間の加速時に必要な巻胴の所要トルクとしては，1) で求めた巻上機が静止しているときに必要な所要トルクに加えて，**C abc** [N·m] のトルクが必要となる．

4)　図 **3** の速度パターンにおいて，ケージを定速で引き上げている区間では，巻胴の回転角速度は 9 [rad/s] である．この区間において，電動機の所要出力は **D a.bc** [kW] である．

したがって，定速で引き上げている区間において巻上機が為す仕事は **E ab.c** [kJ] となる．

〈 9 の解答群〉

ア 0.5　イ 1　ウ 2　エ 3.14

1)～4) の結果から，ケージや運搬車の質量はエネルギー消費に影響が無いこと，また，速度や加速度の大きさは所要出力に影響することが分かる．

問題 12（電動力応用）

次の各文章の 1 ～ 18 の中に入れるべき最も適切な字句，数値又は式をそれぞれの解答群から選び，その記号を答えよ．なお，一つの解答群から同じ記号を **2** 回以上使用してもよい．（配点計 **50** 点）

(1) 渦巻きポンプの流量制御について考える．ここで，渦巻きポンプの流量を Q [m³/s]，全揚程を H [m]，羽根車の回転速度を n [s^{-1}]，軸トルクを T [N·m]，流体の密度を ρ [kg/m³] とし，重力の加速度を g [m/s²]，円周率を π とする．

1) このポンプから **1** 秒間当たりに吐出される流体の質量は [1] [kg/s] と表される．

2) このポンプの全揚程 H [m] を圧力 P [Pa] に換算すると，次式で表される．

$$P = \boxed{\ 2\ }\ \text{[Pa]}$$

3) したがって，1) で求めた質量の流体を H [m] 持ち上げるのに必要な仕事，すなわち，**1** 秒間当たりポンプが行う仕事は，[3] [W] で表される．

〈[1]～[3] の解答群〉

ア Q　**イ** ρQ　**ウ** $\dfrac{Q}{\rho}$　**エ** $\rho g H$　**オ** $\rho g Q$

カ $\rho H Q$　**キ** $g H Q$　**ク** $\rho g H Q$

4) 一方，ポンプを駆動する電動機の軸動力は，[4] [W] で表される．これより，ポンプの効率は，[5] × **100** [%] として求められる．

〈[4] 及び [5] の解答群〉

ア nT　**イ** $2\pi nT$　**ウ** $\dfrac{nT}{2\pi}$　**エ** $\dfrac{\rho g H}{nT}$　**オ** $\dfrac{\rho H Q}{nT}$

カ $\dfrac{\rho H Q}{2\pi nT}$　**キ** $\dfrac{\rho g H Q}{2\pi nT}$　**ク** $\dfrac{2\pi \rho H Q}{nT}$

5) 次に，ポンプの流量制御において，回転速度を制御して流量を制御する方法と，吐出し弁を制御して流量を制御する方法の省エネルギー性について比較する．

いま，ある系において図 **1** のように，ポンプ特性が曲線 **2** で表される一定の回転速度 n_0 でポンプが運転されており，管路抵抗が曲線 **Y** で表されている．このとき，ポンプの運転点は **b** である．この状況から流量を制御することを考える．

i) 吐出し弁を制御して流量を制御する場合

吐出し弁の開度を運転点 **b** のときよりも絞って運転したときの管路抵抗は，図の [6] で表される．また，回転速度は n_0 のままなので，このときのポンプの運転点は図の [7] 点となり，流量は図から読み取ると約 [8] [p.u.] に低減される．

ii) ポンプの回転速度を制御して流量を制御する場合

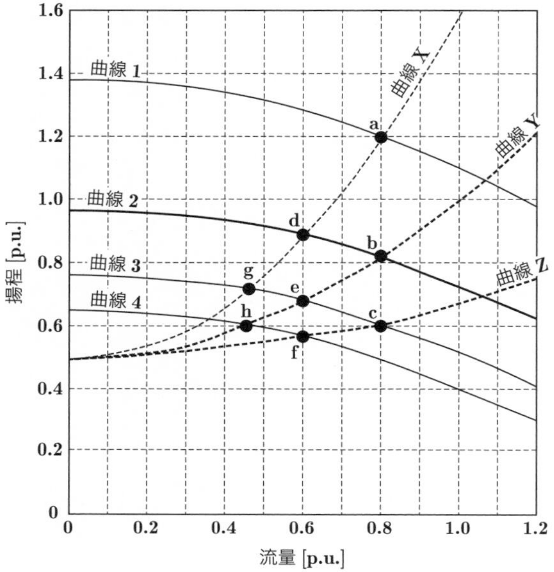

図1　ポンプの特性曲線

一方，回転速度を n_0 から変更し，流量をⅰ)の吐出し弁で制御したときと同じになるまで低減して運転したとき，吐出し弁は制御しないので，ポンプの運転点は図の［ 9 ］点となる．

したがって，ポンプの特性曲線はその運転点を通る，図の［ 10 ］で表されることになる．

〈［ 6 ］～［ 10 ］の解答群〉

ア **0.45**	**イ** **0.6**	**ウ** **0.8**	**エ** 曲線 **1**	**オ** 曲線 **2**	**カ** 曲線 **3**
キ 曲線 **4**	**ク** 曲線 **X**	**ケ** 曲線 **Y**	**コ** 曲線 **Z**	**サ** **a**	**シ** **b**
ス **c**	**セ** **d**	**ソ** **e**	**タ** **f**	**チ** **g**	**ツ** **h**

ⅰ)，ⅱ)より，両者の差はポンプ揚程の差である．ポンプの電動機の軸動力は揚程と流量の積に比例するので，流量が等しい場合，回転速度制御の方の軸動力が小さくなることが分かる．

⑵　蓄電池を電源として，平坦な直線上の **2** 点間を移動する車輪駆動式搬送機がある．搬送機の質量は積載荷重を含めて **5 000 kg** である．この搬送機が，図 **2** に示すような運転パターンで，始点での静止状態から **10 s** の間，駆動力 **5 000 N** で加速した．その後 **10 s** の間，一定速度で走行し，更にその後 **−7 500 N** の駆動力で減速走行して停止した．減速走行

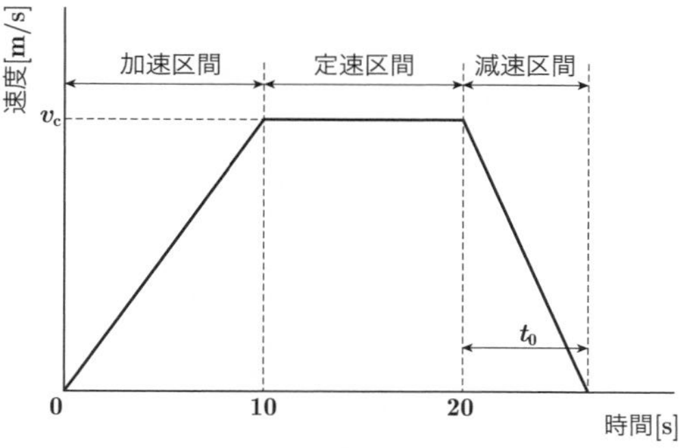

図 2　搬送機の時間ー速度特性

時は回生制動によって減速するものとし，制動エネルギーはすべて回生されるものとする．

このとき，搬送機の運動について考える．ただし，電源を含めたすべての損失及びこの搬送機の走行に伴う抵抗力は無視するものとする．また，加速度及び駆動力の値は進行方向を正，進行と逆方向を負で表す．

1)　搬送機の運転について考える．

加速区間における搬送機の加速度は [11] [m/s²] であり，定速走行しているときの速度 v_c は [12] [m/s] である．

減速区間における搬送機の加速度は [13] [m/s²] であり，減速区間での停止までに要する時間 t_0 は [14] [s] である．

〈[11]～[14] の解答群〉

ア −10.0　**イ** −7.5　**ウ** −5.0　**エ** −1.5　**オ** −1.0　**カ** −0.5
キ 0.1　**ク** 0.5　**ケ** 1.0　**コ** 3.3　**サ** 5.0　**シ** 6.7
ス 9.8　**セ** 10　**ソ** 50

2)　電動機の出力について考える．

加速区間終端での電動機出力は [15] [kW] であり，減速開始時の回生による電動機への入力は [16] [kW] である．

〈[15] 及び [16] の解答群〉

ア 0.5　**イ** 5.0　**ウ** 10　**エ** 50　**オ** 75

3)　搬送機の走行時のエネルギーについて考える．

加速区間で蓄電池が搬送機に与えたエネルギーは [17] [J] である．また，定速区間では蓄電池と搬送機の間のエネルギーの授受はない．さらには，減速区間で搬送機が停止するまでの間に蓄電池に回生される運動エネルギーは [18] [J] である．

〈 17 及び 18 の解答群〉

ア　5.0×10^2　**イ**　2.5×10^5　**ウ**　5.0×10^5

問題 13（電気加熱─選択問題）

次の各文章の 1 ～ 14 の中に入れるべき最も適切な字句又は数値をそれぞれの解答群から選び，その記号を答えよ．なお， 8 は **2** 箇所あるが，同じ記号が入る．（配点計 **50** 点）

⑴　次の表は，各種電気加熱の特徴及び応用例を示したものである．

表　各種電気加熱の特徴と応用例

電気加熱方式	応用例	特　徴
レーザ加熱	文字マーキング	波長，位相がそろった集光性の高い 4 を用いるもので，極めて高いエネルギー密度が得られる．
アークプラズマ加熱	1	放電によって電離された高温ガスが，電磁作用と 5 により収縮され，エネルギー密度が増大し，**5 000** ～ **30 000 K** の高温のガス流となる．
間接抵抗加熱	2	発熱体に発生するジュール熱を利用し，被加熱材の材質，形状を問わずに加熱が可能であり，炉内雰囲気を制御する炉に適している．
誘導加熱	鍛造用 ビレットヒータ	導電性の被加熱材を非接触で直接加熱するので，急速加熱が可能である．被加熱材の表面加熱をする場合には，高い 6 を選定する．
直接抵抗加熱	3	導電性の被加熱材に電極を介して通電し，被加熱物内部に 7 を発生させるもので，急速，高温加熱ができる．

〈 1 ～ 3 の解答群〉

ア　セラミックの溶射　**イ**　ティグ溶接　**ウ**　電縫管溶接
エ　プラスチックシートの溶着　**オ**　黒鉛化炉　**カ**　浸炭炉
キ　製鋼炉　**ク**　みぞ形炉　**ケ**　電子レンジ

〈 4 ～ 7 の解答群〉

ア　マイクロ波　**イ**　電磁波　**ウ**　電子ビーム　**エ**　ジュール熱
オ　交番磁界　**カ**　周波数　**キ**　真空度　**ク**　波長
ケ　均一加熱　**コ**　表面加熱　**サ**　熱ピンチ効果　**シ**　誘電損失

⑵　アーク溶接において健全な溶接部を得るためには，電源電圧変動など外部条件の影響を受けることなく電源の出力が安定していることが必要である．

溶接電源の特性（電圧・電流特性）には三つのタイプがある．そのうち，アーク長が多少変化しても安定したアークが得られることから， 8 は最も一般的な電源特性と言える．

[9] は，溶接ワイヤ送給が一定速度であればアークの安定を維持することができるので，消耗電極式の自動溶接に利用される．

また，無負荷電圧を低減させるために [8] を改良した [10] は被覆アーク溶接機に利用される．

〈[8] ～ [10] の解答群〉

ア フリッカ補償特性形　**イ** 垂下特性形　**ウ** 積分特性形

エ 定インピーダンス特性形　**オ** 定電圧特性形　**カ** 定電流特性形

キ 定電力特性形　**ク** 微分特性形　**ケ** 比例特性形

(3) 鋳鉄を溶解するための誘導炉設備がある．この設備で，**20 °C** の鋳鉄 **2 000 kg** を **1 500 °C** の溶湯に溶解することを考える．ここで，図に示すように電源出力端電力が **1 500 kW** で誘導炉を運転しているときの受電端電力は **1 565 kW** であり，炉入力端電力は **1 450 kW** である．このとき，炉の誘導コイルの電力損失は **313 kW** であり，この損失は加熱に寄与しないものとする．また，鋳鉄の溶解潜熱は **210 kJ/kg**，比熱は **0.79 kJ/(kg·K)** で温度に関わらず一定とし，溶解過程における炉からの熱損失も **76 kW** で一定とする．ただし，炉は熱的に定常状態にあるものとし，誘導炉内部での誘導コイルの電力損失以外は無視するものとする．

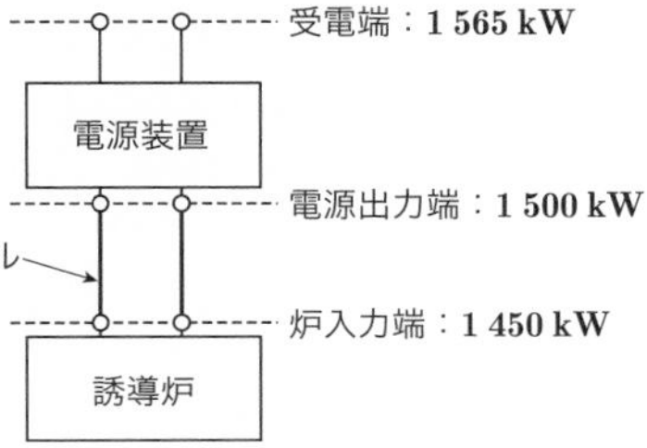

図

1) 鋳鉄の溶解のために必要な正味熱量は，単位質量当り [11] [kW·h/kg] であるから，電源出力端電力が **1 500 kW** で一定の場合 **2 000 kg** の鋳鉄を溶解するのに要する時間は約 [12] [分] であり，このときの受電端における電力原単位は [13] [kW·h/kg] となる．

2) 省エネルギー対策として，電源装置を誘導炉近傍に配置することで配線ケーブル長を $\frac{1}{3}$ とした．

このとき，炉入力端電力が**1 450 kW**のままで変化がないものとすれば，受電端における電力原単位は［14］［**kW·h/kg**］に低減される．なお，電源装備の変換効率には変化がないものとし，また電源出力端から炉入力端までの電力損失はすべて配線ケーブルの損失であり，配線損失はケーブル長に比例するものとする．

〈［11］～［14］の解答群〉

ア **0.325**	**イ** **0.383**	**ウ** **0.433**	**エ** **0.479**	**オ** **0.523**	**カ** **0.547**
キ **0.553**	**ク** **0.559**	**ケ** **0.565**	**コ** **36.7**	**サ** **40.4**	**シ** **43.3**

問題14（電気化学—選択問題）

次の各文章の［1］～［12］の中に入れるべき最も適切な字句又は数値をそれぞれの解答群から選び，その記号を答えよ．

また，［**A** **a.bc × 10^d**］及び［**B** **a.bc × 10^d**］に当てはまる数値を計算し，その結果を答えよ．

ただし，解答は解答すべき数値の最小位の一つ下の位で四捨五入すること．（配点計**50**点）

(1) 電池や電気分解に用いられる電気化学システムでは［1］反応が起こるアノードと［2］反応が起こるカソードの二種類の電極と，この二種類の電極間で［3］伝導を担う電解質が基本構成となる．また，必要に応じてアノードとカソードを分離する隔膜が用いられる．電気化学システムでは［4］部で生成された電子が外部回路を通り，対となる電極に達する．このとき，電解質中では外部回路を通る電流と等しい大きさの逆向きの電流が流れる．このように，電子とイオンが異なった場所を移動するのが電気化学システムの一つの特徴である．

〈［1］～［4］の解答群〉

ア アノード | 電解質	**イ** カソード | 電解質	**ウ** イオン	**エ** 電子
オ 電解質	**カ** イオン化	**キ** 還元	**ク** 混合
ケ 酸化	**コ** 重合	**サ** 中性	**シ** 中和

(2) 電気化学システムの電解質には多くの種類がある．室温付近で使われる電解質として，酸又はアルカリ水溶液がある．自動車のエンジンの始動用に使われる鉛蓄電池では［5］水溶液，アルカリ蓄電池では［6］水溶液が使われている．

パソコンやスマートフォンなどに使われているリチウムイオン電池では，セル電圧が**3.6**～**4 V**程度で水の［7］電圧より大きいので，水溶液は使えない．したがって，［8］が使われている．

〈 5 〜 8 の解答群〉

ア イオン化　**イ** 生成　**ウ** 分解　**エ** イオン交換水
オ 塩酸　**カ** 過塩素酸　**キ** 固体電解質　**ク** 水酸化カリウム
ケ 水酸化リチウム　**コ** 有機電解質　**サ** 溶融塩　**シ** 硫酸

(3) 化学工業の基礎材料である塩素，水酸化ナトリウム（苛性ソーダ）は，次の反応式で表される食塩水の電気分解を利用して生成される．

$$2NaCl + 2H_2O \rightarrow Cl_2 + H_2 + 2NaOH$$

この反応で，**1 mol** の水酸化ナトリウムが生成されるのに必要な電子は 9 [mol] である．

また，この反応では同時に水素も生成される．水素は電解槽の中の 10 で 11 が還元されて生成されるが，**1 mol** の水素が生成されるのに必要な電子は 12 [mol] である．

ここで，**Na** の原子量が **23.0**，**O** の原子量が **16.0**，**H** の原子量が **1.01** であり，ファラデー定数が **96 500 C/mol** であるとすると，水素 **1 kg** は，**A** $a.bc \times 10^d$ [mol] であるので，水素 **1 kg** を製造するのに必要な理論電気量は，**B** $a.bc \times 10^d$ [C] となる．

〈 9 〜 12 の解答群〉

ア 1　**イ** 2　**ウ** 3　**エ** 4　**オ** 5　**カ** 6
キ アノード　**ク** カソード　**ケ** 塩化ナトリウム
コ 水酸化ナトリウム　**サ** 電解質　**シ** 水

問題 15（照明—選択問題）

次の各問に答えよ．（配点計 **50** 点）

(1) 次の各文章の **A** a.b 〜 **E** a.b に当てはまる数値を計算し，その結果を答えよ．ただし，解答は解答すべき数値の最小位の一つ下の位で四捨五入すること．

1) 間口 **15 m**，奥行き **10 m**，高さ **2.5 m** の部屋の照明に全般照明方式が採用されている．使用されている照明器具の種類は「直管形蛍光ランプ × **2** 灯用」器具で，器具台数は **40** 台である．

蛍光ランプの仕様は，**1** 灯当たりの全光束が **3 450 lm**，定格電力が **36 W**，点灯回路も含めた総合効率が **87 lm/W** であり，蛍光ランプと点灯回路を合計した電力が器具の消費電力となるものとする．また，器具の照明率は **0.60**，保守率は **0.70** である．

i) 光束法を用いると，保守率を考慮したこの部屋の平均照度は **A** a.b × 10^2 [lx]

と試算される.

ii)　この照明器具の年間の点灯時間を **4 000** 時間とすると，この部屋の年間の消費電力量は [B a.b] × 10^4 [kW·h/年] となる.

iii)　この部屋の照度を変えずに，蛍光ランプと同サイズの直管形 **LED** ランプを用いた同タイプの照明器具に取り換えることを考える．ここで，**LED** ランプの総合効率を **136 lm/W** とすると，**LED** 照明器具を必要台数設置したとき，取り換えにより削減される消費電力の割合は，現在の消費電力に対して [C ab] [%] と試算される．ただし，**LED** ランプの照明率及び保守率の考え方は蛍光ランプと同様とし，その値も照明率は **0.60**，保守率は **0.70** と同様とする．また，設置された蛍光灯器具と **LED** 器具の消費電力の比率は総合効率の比率と同じとする.

2)　一様な輝度を有する光源（均等拡散面）がある．この光源を受光面からの高さ **4 m** の位置に設置したとき，光源直下の受光面の水平面照度が **375 lx** となった．この光源の直下方向の光度は [D a.b] × 10^3 [cd] となる．また，光源直下から水平距離 **3 m** の受光面での水平面照度を求めると [E a.b] × 10^2 [lx] となる.

⑵　次の各文章の [1] ～ [5] に入れるべき最も適切な字句又は記述をそれぞれの解答群から選び，その記号を答えよ.

1)　照明用の白色 **LED**（発光ダイオード）の発光効率は，最近著しく向上している．白色 **LED** は，一般に青色の **LED** からの直接光と青色 **LED** 光に励起された [1] からの黄色の発光を混合することで白色を得ている.

照明用の光源のエネルギー性能を示す指標として，一般にランプ効率が用いられる．ランプ効率とは，光源の全光束を消費電力で除した値のことであり，**lm/W** の単位で表される．光源をランプ効率の低いものから高いものへ置き換えることによって省エネルギー効果が得られる.

光に変換されなかった電力は熱として捨てられることになる．ランプ効率が **20 lm/W** 程度にすぎない [2] などでは，消費電力の大部分が熱となって捨てられていることになるが，最近の白色 **LED** ではランプ効率が **170 lm/W** 程度のものが実現されており，このレベルのランプ効率の白色 **LED** の発熱量は [3] である.

〈[1] ～ [3] の解答群〉

ア　**InGaN** 結晶	**イ**　**YAG** 蛍光体	**ウ**　ハロリン酸カルシウム蛍光体
エ　コンパクト形蛍光ランプ	**オ**　ハロゲン電球	**カ**　蛍光水銀ランプ
キ　事実上 **0**	**ク**　消費電力の **1** 割程度に相当する熱量	

ケ　消費電力の半分程度に相当する熱量

2)　照明用の光源には寿命があり，点灯を維持できなくなる絶対寿命と，光束値が初期の値から一定値（蛍光ランプ及び**LED**ランプは初期値の**70** %の値）まで低下した時点を指す有効寿命の**2**つの考え方がある．一般照明用蛍光ランプの絶対寿命は多くの場合，［ 4 ］で決まるが，白色**LED**ランプの有効寿命は［ 5 ］．

〈［ 4 ］及び［ 5 ］の解答群〉

ア　紫外放射強度の劣化　　**イ**　水銀の蒸発　　**ウ**　電極の寿命
エ　バンドギャップの広さで決まる　　**オ**　使用材料の劣化に依存する
カ　無限である

問題 16（空気調和—選択問題）

次の各文章の［ 1 ］～［ 19 ］の中に入れるべき最も適切な字句又は式をそれぞれの解答群から選び，その記号を答えよ．なお，［ 18 ］は**2**箇所あるが，同じ記号が入る．（配点計**50**点）

(1)　図は典型的な中央方式の空調設備の構成例を表したものである．空調設備は，大きく熱源設備，空気調和機設備，熱搬送設備及び自動制御設備で構成されている．空調設備の省エネルギーでは，これら個々の設備ごとの効率向上だけでなく，総合的なエネルギー効率の向上が求められる．

1)　図の熱源設備は，冷熱源が冷凍機，温熱源がボイラという典型的な熱源設備の組み合わせである．ここで，冷凍機は図中の記号［ 1 ］で示される．

冷凍機の「供給熱量」の「圧縮機動力などの入力の熱量換算値」に対する比を［ 2 ］と呼び，その値が大きいほど効率が高い．運転条件によってその値は変動し，一般に冷凍機からの冷水出口温度が［ 3 ］ときや，冷凍機への冷却水入口温度が［ 4 ］ときに大きくなる．

〈［ 1 ］～［ 4 ］の解答群〉

ア　a　　**イ**　g　　**ウ**　h　　**エ**　i　　**オ**　j　　**カ**　BOD
キ　COP　　**ク**　HFC　　**ケ**　PAL　　**コ**　高い　　**サ**　低い　　**シ**　一定の

2)　空気調和機設備は室内に送る空気の温湿度や清浄度を調整する機能を持ち，冷却コイル，加熱コイル，フィルタ，加湿装置及び送風機等で構成される．このうち，冷却及び減湿を行うための冷却コイルは，図中の記号［ 5 ］で示される．

また，空気調和機の送風機の送風制御を［ 6 ］方式にすると，一般に送風機の搬送動力の削減につながり，特に軽負荷運転が多い場合には大きな省エネルギー効果が期待

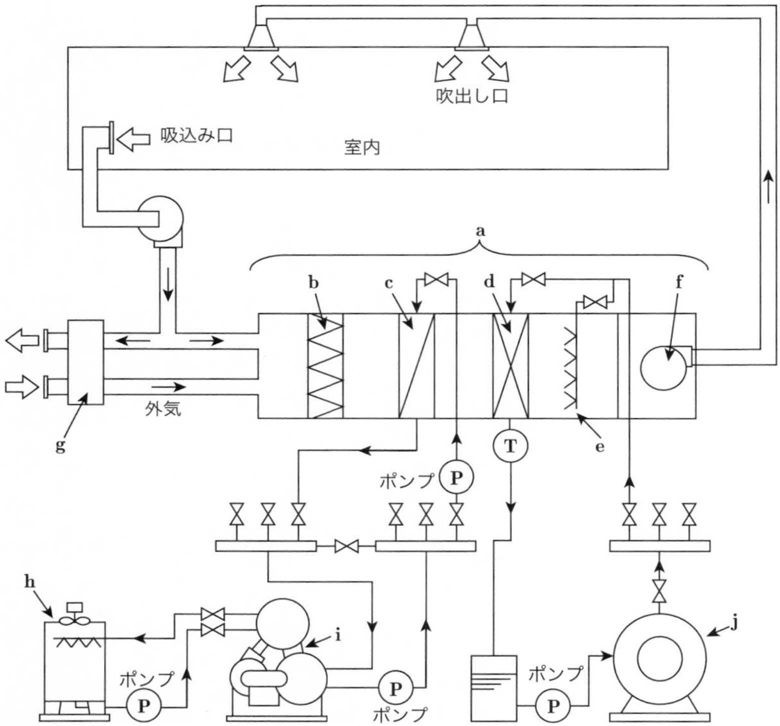

図　空調設備の構成例

できる.

〈 5 及び 6 の解答群〉

ア b　**イ** c　**ウ** d　**エ** e　**オ** f　**カ** g

キ CAV（定風量）　**ク** VAV（変風量）　**ケ** 全外気

3)　排気から熱回収を行っている機器は，図中の記号 7 で示される 8 である.

この機器を用いると，排気から 9 を回収することができる．ただし， 10 を行うときなどは逆効果となるので，機器の停止やバイパスさせるなどの措置を行うのが望ましい.

〈 7 ～ 10 の解答群〉

ア a　**イ** g　**ウ** h　**エ** i　**オ** j　**カ** CO_2 制御

キ 外気冷房制御　**ク** 蓄熱運転　**ケ** 混合ユニット　**コ** 全熱交換器

サ 熱回収型ヒートポンプ　**シ** 顕熱のみ　**ス** 潜熱のみ　**セ** 顕熱と潜熱

⑵　空調設備の搬送システムにおいて，搬送される流体は主として水や空気などであるが，次に示す式①は，それら配管系やダクト系を流れる非圧縮性の流体のエネルギーの保存則を示すもので，ベルヌーイの方程式と呼ばれる.

$$\underset{\text{第一項}}{\underline{P}} + \underset{\text{第二項}}{\underline{\frac{\rho v^2}{2}}} + \underset{\text{第三項}}{\underline{\rho g z}} = \text{一定} \qquad ①$$

1)　式①において，v は系のある場所の［11］，z は［12］であり，ρ は流体の密度，g は重力の加速度である.

〈［11］及び［12］の解答群〉

ア　管の長さ　**イ**　管路の断面積　**ウ**　基準面からの高さ
エ　流体の管路断面平均加速度　**オ**　流体の管路断面平均流速　**カ**　流体の体積流量

2)　式①における第一項は［13］，第二項は［14］，第三項は［15］を意味し，第一項と第二項の合計を［16］という.

〈［13］～［16］の解答群〉

ア　位置圧　**イ**　静圧　**ウ**　全圧　**エ**　動圧

3)　流体を扱う場合は配管系及びダクト系ともにこの式①を用いるが，そのうちダクト系については，第［17］項の影響が非常に小さいため，通常はその分は考慮しなくてもよい.

〈［17］の解答群〉

ア　一　**イ**　二　**ウ**　三

4)　実際の系における流体では，式①に対して［18］による圧力損失を考慮する必要がある.

例えば，円形ダクトによる空気搬送の場合では，直管部の圧力損失 ΔP は次の式②で与えられる.

$$\Delta P = \lambda \frac{l}{d} \times \left(\frac{\rho}{2} \times \boxed{19} \right) \qquad ②$$

式②において，λ は［18］係数，l はダクトの長さ，d はダクトの直径である.

〈［18］及び［19］の解答群〉

ア　v　**イ**　$\sqrt{v}$　**ウ**　v^2　**エ**　$\frac{1}{v}$　**オ**　渦　**カ**　局部抵抗
キ　粗度　**ク**　摩擦抵抗

解答・指導

問題1

⑴ 1―エ，2―ア，3―ウ

⑵ 4―キ，A―6 631，B―1 625，5―エ，6―ア

⑶ 7―セ，8―カ，9―エ，10―ク

【指導】

⑴ 1） 法第1条では，「…経済的社会的環境に応じた**エネルギー**の有効な利用の確保…」と規定されている．

2） 法第4条では，「**エネルギーを使用する者**は，基本方針の定めるところに…」と規定されている．

3） 法第8条第2項では，「エネルギー管理統括者は，特定事業者が行う**事業の実施**を統括管理する者を…」と規定されている．

⑵ 1） 法第2条，令第1条，則第4条において，エネルギーの使用量は，使用した燃料の量，他人から供給された熱・電気の量が対象とされる．

この機械部品製造工場でのエネルギー使用量は，cの加熱炉からの排熱やdのコージェネレーションでの発生熱量は燃料から除外（法第2条参照）されるので，aとbとeの合算値となる．

2） この工場での原油換算量は，0.025 8 kL/GJを考慮して，

$$(105\,000 + 79\,000 + 73\,000) \times 0.025\,8 = 6\,630.6 \fallingdotseq \mathbf{6\,631\ kL}$$

一方，本社事務所では，

$$(57\,000 + 6\,000) \times 0.025\,8 \fallingdotseq \mathbf{1\,625\ kL}$$

となる．

3） この事業者が選任しなければならないのは，**①機械部品製造工場のエネルギー管理者**（第1種エネルギー管理指定工場（法第8条第1項・令第3条参照）），**④本社事務所のエネルギー管理員**（第2種エネルギー管理指定工場（法第13条・令第6条参照））である．

4） エネルギー管理統括者の選任は，「選任すべき事由が生じた日以降**遅滞なく**選任すること」とされている（則8条参照）．

⑶ 1） 法第149条第2項では，「…エネルギー消費機器等に関する**技術開発**の将来の見

通し…」と規定されている．

また，特定エネルギー消費機器として，令第18条で規定している機器は，**a. 乗用自動車**と **c. 交流電動機**である．

2)　法第163条では，「…自主的に行う技術の提供，助言，**事業の連携**等による…」と規定されている．

また，則第38条では，特定事業者等は，主務大臣に対して行う**定期報告**（法第16条で義務付け）にあわせて，自主的に行う技術の提供，助言，事業の連携等による他の者のエネルギーの使用の合理化の促進に寄与する取組を報告することができる，としている．

問題2

(1)　1―ケ，2―ア　3―エ，4―オ

(2)　5―ウ，6―オ，7―ク

(3)　8―ウ，9―エ，A―3.7×10^4

【指導】

(1)　エネルギー W [J] は，F [N] の力で l [m] 動かしたとき，$W = F \cdot l$であり，単位は [N·m] と表すことができる．また，国際単位（SI）で表すと，質量 m [kg]，加速度α [m/s^2] とすると，ニュートンの第2法則から $F = m\alpha$であり，Fの単位は [kg·(m/s^2)] となる．したがって [N·m] = [**kg·m^2/s^2**] である．

電荷 Q [C] は電流 I [A] の積分値であり，以下に示すように，単位は電流Aに時間sを掛けた値となる．

$$I = \frac{\mathrm{d}Q}{\mathrm{d}t} = [\mathrm{A}] \text{ または } [\mathrm{C/s}]$$

$$\therefore \quad Q = \int I \, \mathrm{d}t \ [\mathrm{C}] \text{ または } [\mathbf{A \cdot s}]$$

ある2点間の電圧（または電位差）V [V] は電界の中の Q [C] の電荷を電界に逆らって2点間を移動させたときの1 C当たりの仕事 [J] と定義される．したがって，単位は [**J/C**] と表すことができる．

エントロピーの単位は [**J/K**] である．

(2)　エネルギー白書2017第2部エネルギー動向第1章国内エネルギー動向第3節一次エネルギーの動向より，2015年度の原油の国別輸入先の多い順にサウジアラビア33.8 %，アラブ首長国連邦25.3 %，カタール8.4 %，ロシア8.1 %，クエート7.8 %，イラン5.0 %，インドネシア2.2 %，イラク1.6 %，メキシコ1.5 %（以下省略）となっている．中東を合計すると 81.9 % であり，約 **80** % に相当する．

また，わが国の石油備蓄量は 176 日分とあるので，約**半年**分に相当する．

同白書より 2015 年の液化天然ガス（LNG）の国別輸入先の多い順に**オーストラリア** 22.9 %，マレーシア 18.7 %，ロシア 8.5 %，インドネシア 7.6 %，アラブ首長国連邦 6.7 %，ブルネイ 4.9 %（以下省略）となっている．

(3) 水の潜熱は 1 kg，0 °C の氷を 0 °C の水に変化させるのに必要なエネルギーで 333.36 kJである．一方，1 kgの水を 1 °C上昇させるのに必要なエネルギーは4.19 kJである．両者の比は，

$$\frac{333.36}{4.19} = 79.561 \fallingdotseq \mathbf{80}\ \text{倍}$$

である．

動作温度が比較的高く（300 °C 以上），大規模電力貯蔵用として最も実績があるのは**ナトリウム硫黄電池**（NAS 電池）である．

1 kgの質量が高さ h [m] にあるときの位置エネルギー W_U は重力加速度9.8 m/s^2 より 9.8h [J] である．一方，質量 1 kg の二次電池のエネルギーは，

$$100\ \text{W·h} = 100 \times 3\,600\ \text{W·s} = \mathbf{3.6 \times 10^5\ J}$$

なので，W_U と等しくなる高さ h は，

$$h = \frac{3.6 \times 10^5}{9.8} = \mathbf{3.7 \times 10^4}\ \text{m}$$

である．

問題3 1 —ア，2 —カ，3 —ウ，4 —イ，5 —イ，6 —ア，A — 5.0，7 —ア，8 —ア，B — 170，9 —エ，10 —ア，C — 38.1，D — 22.5，11 —イ，E — 2 000，12 —ア，13 —ウ，14 —ウ，15 —イ

【指導】

(1)「工場等判断基準」の「目標及び措置部分（工場）」では，措置を講ずべき対象としている設備・装置は，「燃焼設備，熱利用設備，廃熱回収装置，**コージェネレーション**設備，電気使用設備，空気調和設備・給湯設備・換気設備・昇降機等，照明設備及び FEMS」である．

また，FEMS では，エネルギーの効率的利用の実施について検討が求められているが，③としては，「機器や設備の**保守状況**，運転時間，…」と規定されている．

(2) 風速を v [m/s]，風車の受風面積を A [m^2]，空気密度を ρ [kg/m^3] とすれば，風車の

受ける単位時間当たりの運動エネルギー W [J/s] (= [W]) は，

$$W=\frac{1}{2}(\rho Av)v^2=\frac{1}{2}\rho Av^3\ [\mathrm{J/s}]\ (=[\mathrm{W}])$$

となる．

したがって，風力発電システムの発電電力は，原理的に風速の**3**乗に比例する．

(3) 理想気体において，定圧比熱 C_p は定容比熱 C_v より必ず大きくなるが，その比 $\gamma=\dfrac{C_\mathrm{p}}{C_\mathrm{v}}$ は，比熱比と呼ばれている．一方，その差 $C_\mathrm{p}-C_\mathrm{v}=R$ は，**ガス定数**と呼ぶ．

(4) 水素燃焼時の化学反応式は，

$$2H_2 + O_2 \rightarrow 2H_2O$$

であるから，燃焼時に要求される酸素の体積 V_0 [$\mathrm{m^3_N}$] は，

$$V_0=\frac{1}{2}=0.5\ \mathrm{m^3_N}$$

よって，必要となる酸素富化空気量 A [$\mathrm{m^3_N}$] は，

$$A=\frac{0.5}{0.3}\fallingdotseq \mathbf{1.67}\ \mathrm{m^3_N}$$

となる．

(5) キルヒホッフの法則によれば，（局所）熱平衡状態では放射率と**吸収率**が等しい．

(6) 鋼板の熱伝導率を λ [W/(m·K)]，鋼板の板厚を d [m]，鋼板片面の熱伝達率を α [W/(m²·K)] とすれば，熱通過率 K [W/(m²·K)] は，

$$\frac{1}{K}=\frac{1}{\alpha}+\frac{d}{\lambda}+\frac{1}{\alpha}=\frac{1}{10}+\frac{10\times10^{-3}}{50}+\frac{1}{10}$$

$$\therefore\quad K\fallingdotseq \mathbf{5.0}\ \mathrm{W/(m^2\cdot K)}$$

となる．

(7) 常圧での 80 °C の温水の比エンタルピーは，約 335 kJ/kg であるから，

$$n=\frac{2\,643}{335}\fallingdotseq 7.89\rightarrow \mathbf{8}\ 倍$$

となる．

(8) 「工場等判断基準」の「基準部分（工場）」では，加熱，熱処理を行う工業炉について，「…管理標準を設定し，**ヒートパターン**を改善すること．」と規定されている．

(9) エクセルギー E [kJ] は，高温熱源と低温側の温度差に比例するので，次式が成立する．

$$T : T - T_o = Q : E$$

ただし，T [K] は高温熱源の絶対温度，T_o [K] は低温側の絶対温度，Q [kJ] は高温熱源の保有熱量である．

よって，エクセルギー E は次のように求まる．

$$\therefore \quad E = Q\frac{T - T_o}{T} = 1\,000 \times \frac{(273.15 + 80) - (273.15 + 20)}{273.15 + 80}$$

$$= 1\,000 \times \frac{60}{353.15} \fallingdotseq \mathbf{170}\ \mathrm{kJ}$$

(10)　1)　「工場等判断基準」の「目標及び措置部分（工場）」では，空気調和設備について，「二酸化炭素センサー等による**外気導入量制御**の採用により，…」と規定されている．

2)　換気量は，室内と外気の二酸化炭素濃度差に反比例するので，低減前の換気量を Q_1，低減後の換気量を Q_2 として，次式を得る．

$$Q_1 : Q_2 = \frac{1}{600 - 400} : \frac{1}{900 - 400} = \frac{1}{200} : \frac{1}{500}$$

$$\therefore \quad \frac{Q_2}{Q_1} = \frac{200}{500} = 0.4 = \mathbf{40}\ \%$$

(11)　この火力発電設備の平均発電端熱効率 η は，電気出力を P [MW]，燃料使用量を B [$\mathrm{m^3_N/h}$]，燃料の高発熱量を H [$\mathrm{MJ/m^3_N}$] とすると，次式で表される．

$$\eta = \frac{3\,600P}{BH} = \frac{3\,600 \times 200}{42\,000 \times 45} \fallingdotseq 0.380\,9 \fallingdotseq \mathbf{38.1}\ \%$$

(12)　この平衡三相負荷の皮相電力 S [kV·A] は，消費電力を P [kW]，力率を $\cos\theta$ として，

$$S = \frac{P}{\cos\theta} = \frac{30}{0.8} = 37.5\ \mathrm{kV \cdot A}$$

よって，力率 100 % に改善するために必要なコンデンサ容量 Q [kvar] は，無効電力と等しいので，

$$Q = S\sin\theta = S\sqrt{1 - \cos^2\theta} = 37.5 \times \sqrt{1 - 0.8^2} = 37.5 \times 0.6 = \mathbf{22.5}\ \mathrm{kvar}$$

となる．

(13)　対称三相交流回路の星形結線において，線間電圧は，相電圧の $\sqrt{\mathbf{3}}$ 倍である．

(14)　求める平均電力を P [kW] とすれば，次式が成立する．

$$1\,000\ \mathrm{kW \cdot h} + P\,[\mathrm{kW}] \times \frac{1}{4}\ \mathrm{h} = 3\,000\ \mathrm{kW} \times \frac{1}{2}\ \mathrm{h}$$

$\therefore \quad P = \mathbf{2\ 000}\ \mathrm{kW}$

となる．

⒂ 変圧器の効率ηは，出力 P_o と入力（出力 P_o + 無負荷損 P_i + 負荷損 P_c）の比で定義される．

$$\eta = \frac{kP_\mathrm{o}}{kP_\mathrm{o} + P_\mathrm{i} + P_\mathrm{c}}\,[\%]$$

ここで，負荷率を k（$\leqq 1$）倍とすると，P_i は変化しないが，P_c は負荷電流の 2 乗に比例するので，全負荷銅損 P_co 時の k^2P_co となる．効率が最大となるのは，無負荷損と負荷損が等しい $P_\mathrm{i} = k^2P_\mathrm{co}$ のときであり，そのときの負荷率は，

$$k = \sqrt{P_\mathrm{i}/P_\mathrm{co}}$$

となる．

すなわち，**負荷損と無負荷損が等しくなる**負荷において効率は最大となる．

⒃ 送風機の所要動力 P [kW]（= [kJ/s]）は，風量を Q [m^3/min]（= [m^3/60 s]），風圧を H [Pa]（= [N/m^2]），送風機の効率をη [%] として，

$$P = Q\,[\mathrm{m^3/60\,s}] \times H\,[\mathrm{N/m^2}] \times \frac{100}{\eta} = \frac{QH}{60} \times \frac{100}{\eta}\left[\frac{\mathrm{N \cdot m}}{\mathrm{s}}\right]\left(=\left[\frac{\mathrm{J}}{\mathrm{s}}\right]=[\mathrm{W}]\right)$$

$$= \boldsymbol{\frac{QH}{60}} \times \boldsymbol{\frac{100}{\eta}} \times 10^{-3}\,[\mathrm{kW}]$$

となる．

⒄ 電気化学反応におけるファラデーの法則によれば，電極上に析出または溶解する化学物質の質量は，通過する電気量に比例する．また，同じ電気量によって析出または溶解する化学物質の質量 W は，次式で与えられる．

$$W = \frac{1}{F} \times \frac{M}{z} \times Q$$

ここで，z：反応電子数，M：式量，Q：流した電気量（電流×時間），F：ファラデー定数（96 500 C/mol = 26.8 (A·h)/mol）

したがって，W は，$\boldsymbol{\dfrac{M}{z}}$ に比例する．

⒅ JIS Z 9110：2011「照明基準総則」では，事務所ビルにおける事務室の推奨照度範囲は，**500 〜 1 000** lx としている．

問題4 ⑴ 1—ウ，2—オ，3—エ，4—イ

⑵ 5—オ，6—ウ，7—ク，8—コ，9—イ，10—オ

【指導】

⑴ 1) 問題の図1の RL 直列負荷の抵抗 R [Ω], インダクタンス L [H], コンデンサ C [F] を直列接続した合成インピーダンス $\dot{Z}$ は以下で表される．ただし，角周波数を ω [rad/s] とする．

$$\dot{Z} = R + \mathrm{j}\left(\omega L - \frac{1}{\omega C}\right) [\Omega]$$

$$Z = \left|\dot{Z}\right| = \sqrt{\boldsymbol{R^2 + \left(\omega L - \frac{1}{\omega C}\right)^2}}\ [\Omega]$$

直列回路の力率 $\cos\varphi$ は（抵抗 / 合成インピーダンス）より以下で表される．

$$\cos\varphi = \frac{R}{Z} = \frac{\boldsymbol{R}}{\sqrt{\boldsymbol{R^2 + \left(\omega L - \frac{1}{\omega C}\right)^2}}} \qquad ①$$

2) ①式の力率が最大になるのは，分母が最小のときである．したがって，分母の根号内の第2項が0となる静電容量 C_{r} は以下で表される．

$$\omega L - \frac{1}{\omega C_{\mathrm{r}}} = 0$$

$$\omega L = \frac{1}{\omega C_{\mathrm{r}}}$$

$$C_{\mathrm{r}} = \boldsymbol{\frac{1}{\omega^2 L}}\ [\mathrm{F}]$$

このときのインピーダンス Z は R であり最小値となる．回路に流れる電流 $\dot{I}$ は最大値 $\dot{I}_{\mathrm{r}}$ となり以下で表される．

$$\dot{I}_{\mathrm{r}} = \boldsymbol{\frac{\dot{E}}{R}}\ [\mathrm{A}]$$

⑵ 1) 問題の図2において a-b 相間の電圧 $\dot{V}_{\mathrm{ab}}$，c-a 相間の電圧 $\dot{V}_{\mathrm{ca}}$ を表す電圧方程式は以下で表される．

$$\dot{V}_{\mathrm{ab}} = \dot{Z}_{\mathrm{a}}\dot{I}_{\mathrm{a}} - \dot{Z}_{\mathrm{b}}\dot{I}_{\mathrm{b}}\ [\mathrm{V}] \qquad ②$$

$$\dot{V}_{\mathrm{ca}} = \boldsymbol{-\dot{Z}_{\mathrm{a}}\dot{I}_{\mathrm{a}} + \dot{Z}_{\mathrm{c}}\dot{I}_{\mathrm{c}}}\ [\mathrm{V}] \qquad ③$$

また，電流 $\dot{I}_{\mathrm{a}}$ [A]，$\dot{I}_{\mathrm{b}}$ [A]，$\dot{I}_{\mathrm{c}}$ [A] の関係は以下で表される．

$$\dot{I}_a + \dot{I}_b + \dot{I}_c = 0\ \mathrm{A}$$

$$\dot{I}_a = -\dot{\boldsymbol{I}}_\mathbf{b} - \dot{\boldsymbol{I}}_\mathbf{c}\ [\mathrm{A}] \qquad ④$$

②式，③式を変形して以下で表す．

$$\dot{I}_b = \frac{\dot{Z}_a\dot{I}_a - \dot{V}_{ab}}{\dot{Z}_b}$$

$$\dot{I}_c = \frac{\dot{Z}_a\dot{I}_a + \dot{V}_{ca}}{\dot{Z}_c}$$

上式を④式に代入する．

$$\dot{I}_a = -\frac{\dot{Z}_a\dot{I}_a - \dot{V}_{ab}}{\dot{Z}_b} - \frac{\dot{Z}_a\dot{I}_a + \dot{V}_{ca}}{\dot{Z}_c} = \frac{-\dot{Z}_a\dot{Z}_b\dot{I}_a - \dot{Z}_c\dot{Z}_a\dot{I}_a + \dot{Z}_c\dot{V}_{ab} - \dot{Z}_b\dot{V}_{ca}}{\dot{Z}_b\dot{Z}_c}$$

上式の左辺の分母・分子に $\dot{Z}_b\dot{Z}_c$ を掛けて変形し，$\dot{I}_a$ を表す．

$$\frac{\dot{Z}_b\dot{Z}_c}{\dot{Z}_b\dot{Z}_c}\dot{I}_a = \frac{-\dot{Z}_a\dot{Z}_b\dot{I}_a - \dot{Z}_c\dot{Z}_a\dot{I}_a + \dot{Z}_c\dot{V}_{ab} - \dot{Z}_b\dot{V}_{ca}}{\dot{Z}_b\dot{Z}_c}$$

$$\frac{\dot{Z}_b\dot{Z}_c + \dot{Z}_a\dot{Z}_b + \dot{Z}_c\dot{Z}_a}{\dot{Z}_b\dot{Z}_c}\dot{I}_a = \frac{\dot{Z}_c\dot{V}_{ab} - \dot{Z}_b\dot{V}_{ca}}{\dot{Z}_b\dot{Z}_c}$$

$$\therefore\quad \dot{I}_a = \frac{1}{\dot{Z}_b\dot{Z}_c + \dot{Z}_a\dot{Z}_b + \dot{Z}_c\dot{Z}_a} \times (\dot{\boldsymbol{Z}}_\mathbf{c}\dot{\boldsymbol{V}}_\mathbf{ab} - \dot{\boldsymbol{Z}}_\mathbf{b}\dot{\boldsymbol{V}}_\mathbf{ca}) \qquad ⑤$$

2)　問題の図3において線間電圧 $\dot{V}_{ab} = 200 + \mathrm{j}0$ [V]，$\dot{V}_{bc} = -100 - \mathrm{j}100$ [V]，不平衡三相負荷の $\dot{Z}_a = 4\ \Omega$（抵抗），$\dot{Z}_b = \mathrm{j}3\ \Omega$（誘導性リアクタンス），$\dot{Z}_c = 0\ \Omega$ である．線間電圧 $\dot{V}_{ca}$ は以下で表される．

$$\dot{V}_{ca} = -\dot{\boldsymbol{V}}_\mathbf{ab} - \dot{\boldsymbol{V}}_\mathbf{bc} = -200 + 100 + \mathrm{j}100 = -100 + \mathrm{j}100\ \mathrm{V} \qquad ⑥$$

⑤式にそれぞれの値を代入して $\dot{I}_a$ を求める．

$$\dot{I}_a = \frac{\dot{Z}_c\dot{V}_{ab} - \dot{Z}_b\dot{V}_{ca}}{\dot{Z}_b\dot{Z}_c + \dot{Z}_a\dot{Z}_b + \dot{Z}_c\dot{Z}_a} = \frac{0\times200 - \mathrm{j}3\times(-100+\mathrm{j}100)}{\mathrm{j}3\times0 + 4\times\mathrm{j}3 + 0\times4} = \frac{100-\mathrm{j}100}{4}$$

$$= \mathbf{25 - j25}\ \mathrm{A}$$

負荷で消費される電力 P [W] は $\dot{I}_a$ の流れる $\dot{Z}_a$（抵抗分）のみで発生し，以下で求める．

$$P = Z_a{I_a}^2 = 4\times(\sqrt{25^2+25^2})^2 = 4\times(25^2+25^2) = \mathbf{5\ 000}\ \mathrm{W}$$

問題5

(1)　1—ウ，2—オ，3—ア，4—オ，5—ウ

(2)　6—イ，7—エ，8—エ

(3)　9—ケ，10—サ，11—エ，12—カ

(4)　13 —オ，14 —ク，15 —ア

【指導】

(1)　1)　目標値から制御量までの伝達関数を求めるため，外乱を 0 としたブロック線図を**第 1 図**に示す．図中の雲マークの接続点にて入力信号 = 出力信号から式を立てる．

$$R(s) - k_1 Y(s) = \frac{s(s+k_3)}{k_2} Y(s)$$

$$R(s) = \left\{k_1 + \frac{s(s+k_3)}{k_2}\right\} Y(s) \qquad ①$$

$$\frac{Y(s)}{R(s)} = \frac{1}{k_1 + \dfrac{s(s+k_3)}{k_2}} = \frac{k_2}{k_1 k_2 + s(s+k_3)} = \boldsymbol{\frac{k_2}{s^2 + k_3 s + k_1 k_2}}$$

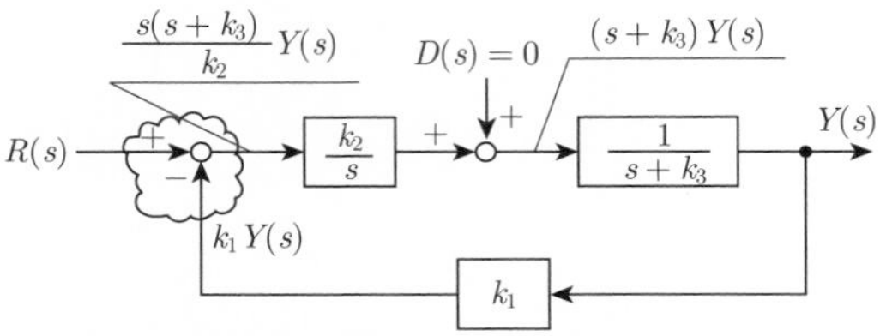

第 1 図　目標値から制御量までの伝達関数（外乱 = 0）

一方，外乱から制御量までの伝達関数を求めるため，目標値を 0 としたブロック線図を**第 2 図**に示す．図中の雲マークの接続点にて入力信号 = 出力信号から式を立てる．

$$D(s) - \frac{k_1 k_2}{s} Y(s) = (s+k_3) Y(s)$$

$$D(s) = \left\{\frac{k_1 k_2}{s} + (s+k_3)\right\} Y(s)$$

$$\frac{Y(s)}{D(s)} = \frac{1}{\dfrac{k_1 k_2}{s} + (s+k_3)} = \frac{s}{k_1 k_2 + s(s+k_3)} = \boldsymbol{\frac{s}{s^2 + k_3 s + k_1 k_2}}$$

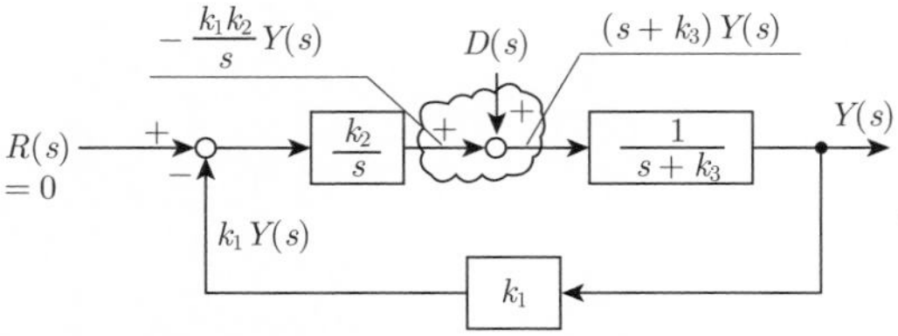

第 2 図　外乱から制御量までの伝達関数（目標値 = 0）

2)　題意より，入力 $r(t)=0$ のとき外乱 $d(t)=1$ に対する制御量 $y(t)$ の定常値 $\lim_{t\to\infty} y(t)$ を最終値の定理より求める．ただし，時間関数1のラプラス変換は $1/s$ である．

$$\lim_{t\to\infty} y(t)=\lim_{s\to 0} s\{Y(s)\}=\lim_{s\to 0} s\left(\frac{s}{s^2+k_3 s+k_1 k_2}\cdot\frac{1}{s}\right)=\lim_{s\to 0}\left(\frac{s}{s^2+k_3 s+k_1 k_2}\right)=\mathbf{0}$$

また，外乱 $d(t)=t$ に対する制御量 $y(t)$ の定常値 $\lim_{t\to\infty} y(t)$ を同様に求める．ただし，時間関数 t のラプラス変換は $1/s^2$ である．

$$\lim_{t\to\infty} y(t)=\lim_{s\to 0} s\{Y(s)\}=\lim_{s\to 0} s\left(\frac{s}{s^2+k_3 s+k_1 k_2}\cdot\frac{1}{s^2}\right)=\lim_{s\to 0}\left(\frac{1}{s^2+k_3 s+k_1 k_2}\right)$$

$$=\boldsymbol{\frac{1}{k_1 k_2}}$$

3)　題意の $k_1=1$，$k_3=3$ とした①式の分母の特性方程式を以下に示す．系が安定で収束するには特性方程式の s の係数（s^2，s^1，s^0）がすべて存在し，かつ同符号（正）であることである．

$$s^2+3s+k_2=0$$

$$\therefore\ \boldsymbol{k_2>0}$$

(2)　二次遅れ系の伝達関数を以下に示す．

$$G(s)=\frac{K\omega_n^{\,2}}{s^2+2\zeta\omega_n s+\omega_n^{\,2}}$$

1)　二次遅れ系のステップ応答を**第3図**に示す．時間軸は $\omega_n t$ で表され，ω_n を**大きく**すれば過渡現象がより早く終わるため，系の応答速度は向上する．また，**ζ を大きく**すれば制動的となり，振動は抑制される．

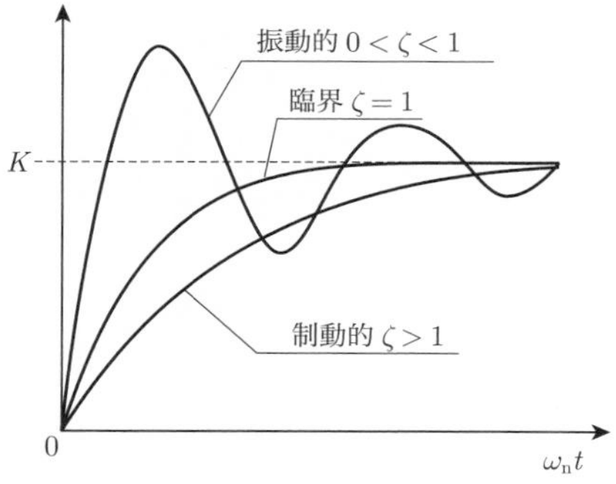

第3図　二次遅れ系のステップ応答

2)　オーバシュートを生じさせないための条件はステップ応答が臨界的または制動的とな

ればよく，第3図より $\mathbf{1} \leqq \boldsymbol{\zeta}$ である．

(3)　コンピュータは入力装置，出力装置，制御装置，**演算装置**，記憶装置から構成される．制御装置と演算装置を合わせて**中央処理装置**（CPU）と呼ぶ．コンピュータの処理性能を表現する単位は100万個の命令を1秒間に実行する能力を用いて**MIPS**（Million Instruction Per Second）で表す．

CPUと主記憶装置とのアクセス時間を短くするために用いられるものの一つとして**キャッシュメモリ**がある．

(4)　有線LANの接続形態の中で，配線の変更やケーブルの延長は容易であるが，情報が一方向だけ伝送されるため，一つのノードが故障すると一連の接続が切断され障害発生時にほかのノードへ影響が出やすい接続形態は**リング**型である．

有線LANに使用する伝送媒体（ケーブル）として銅線（メタル）と光ファイバを比較した場合，光ファイバはメタルに比べて**電磁ノイズに強く広帯域**であり，伝送距離の最大長も長い．光ファイバにはシングルモード型とマルチモード型があり，伝送距離の最大長は**シングルモード**型の方が長く，規格では数km以上のものが多い．

問題6　(1)　1―キ，2―オ，3―イ，4―カ，5―イ
(2)　6―カ，7―シ，8―コ，9―キ，10―ク

【指導】

(1)　1)　ディスプレイに安定して波形を表示させるため，輝線が左からスタートする場合，観測する入力の電圧が決められた値を横切ることにより，スタートさせる．すると，左端を同一電圧として作動することになり，安定した明るい画像が得られる．この決められた電圧（設定電圧）を**トリガ電圧**という．トリガとは，「拳銃の引き金」という意味がある．

2)　**第1図**を参照して，この正弦波の周期 T は，

$$T = 1\ \mu\text{s/div} \times 5\ \text{div} = 5\ \mu\text{s}$$

よって，周波数 f は，

$$f = \frac{1}{T} = \frac{1}{5\times10^{-6}} = \frac{1\,000}{5}\times10^{3} = \mathbf{200}\ \text{kHz}$$

となる．

一方，振幅 V_m は，

$$V_\mathrm{m} = 1\ \text{mV/div} \times 4\ \text{div} = \mathbf{4}\ \text{mV}$$

となる．

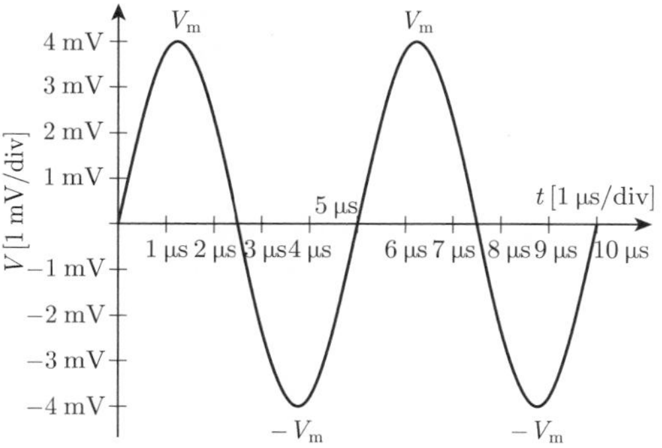

第 1 図　正弦波

3)　横軸に別の電圧信号を入力すると楕円や線分などの表示が得られるが，このような図を**リサジュー図形**という．振幅が等しいとき，楕円が得られるのは，横軸と縦軸の周波数が等しいとき（$f_1 = f_2$）であるが，横軸と縦軸の位相差により図形が変化する．**第 2 図**にその一例を示す．

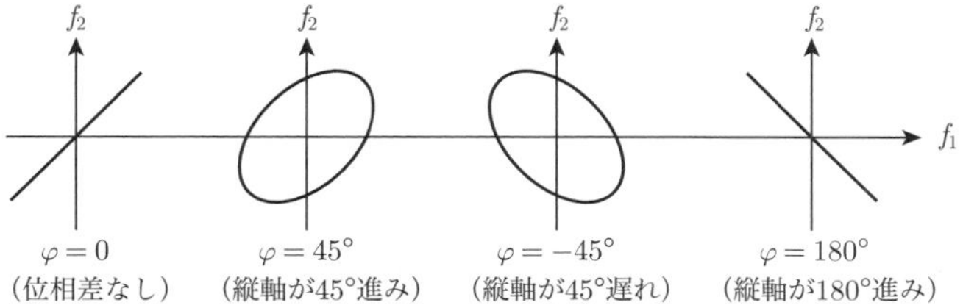

第 2 図　$f_1 = f_2$ のリサジュー図形

(2)　1)　抵抗温度計の代表格は，**白金測温抵抗体**である．抵抗温度計の測定誤差としては，主に配線抵抗，**自己加熱**および電磁ノイズが考えられるが，自己加熱による温度上昇に伴う電気抵抗の増加の影響を避けるため，定められた条件下で使用することが大切である．

2)　ゼーベック効果により，2 種類の金属の接合部で生じる**起電力**（熱起電力）を測定し，その起電力を換算して温度計として利用されているのが，**熱電温度計**である．

3)　非接触式の温度計の代表格は，**放射温度計**である．測定対象に触れることなく測定できるので，安全面や衛生面で重要視される分野での利便性が高い．

問題7

(1)　1―オ，2―ア，3―コ，4―キ，5―オ，6―エ，7―キ，8―エ

(2)　A ― 109，B ― 153，C―421，D―71

【指導】

(1)　1)　i）配電線路の電力損失を軽減するには線路電流や**線路抵抗**を小さく（低減）する．線路電流の低減対策として計画時に供給電圧をできるだけ高く選定することと，線路の負荷側に**進相コンデンサ**を設置するなどがある．線路抵抗の低減対策として電線を太くすることと線路こう長を**短縮**するなどがある．

ii）変圧器の損失低減策として，高効率の変圧器を採用することや夜間・休日等の使用していない時間の電源供給を止めて，**無負荷損**を低減するなどがある．

2)　需要率，負荷率および不等率に関する問題である．

i）需要率とは負荷の最大需要電力の，負荷の合計設備容量に対する比率をいう．

ii）負荷率とはある期間の負荷の**平均電力**の，その期間の負荷の最大需要電力に対する比率をいう．

iii）**不等率**とは個々の負荷の最大需要電力の合計の，全負荷の最大需要電力に対する比率をいう．

3)　問題の④式，⑤式および $I_0 = 2\alpha I$ を用いて I_A，I_B を表す．

$$I_A + I_B = 2I \tag{1}$$

$$I_A - I_B = I_0 \tag{2}$$

((1)式 + (2)式)/2 を計算する．

$$I_A = I + \frac{I_0}{2} = I + \alpha I = (1+\alpha)I$$

((1)式 − (2)式) /2 を計算する．

$$I_B = I - \frac{I_0}{2} = I - \alpha I = (1-\alpha)I$$

各線路に流れる電流が求まったので，線路全体の損失 W は次式となる．

$$\begin{aligned} W &= RI_A{}^2 + RI_0{}^2 + RI_B{}^2 = RI^2(1+\alpha)^2 + RI^2 4\alpha^2 + RI^2(1-\alpha)^2 \\ &= \{(1+\alpha)^2 + 4\alpha^2 + (1-\alpha)^2\}I^2R \\ &= (1 + 2\alpha + \alpha^2 + 4\alpha^2 + 1 - 2\alpha + \alpha^2)I^2R \\ &= (2 + 6\alpha^2)I^2R = \mathbf{2(1+3\alpha^2)I^2R} \end{aligned}$$

(2)　1)　高圧平衡三相負荷電力 $P = 1\,000$ kW，A棟受電点電圧 $V = 6.6$ kV，力率 $\cos\varphi = 0.8$ における負荷電流 I [A] を求める．

$$I = \frac{P}{\sqrt{3}V\cos\varphi} = \frac{1\,000}{1.732\,1 \times 6.6 \times 0.8} = 109.34 \fallingdotseq \mathbf{109}\ \text{A}$$

配電線の１線当たりの線路抵抗 R [Ω] は単位長さ当たりの抵抗 0.3 Ω/km，こう長 L =1.5 km より，

$$R = 0.3 \times 1.5 = 0.45\ \Omega$$

である．線路リアクタンス X [Ω] は単位長さ当たりのリアクタンス 0.5 Ω/km，こう長 L = 1.5 km より，

$$X = 0.5 \times 1.5 = 0.75\ \Omega$$

である．また，力率 $\cos\varphi = 0.8$ より，

$$\sin\varphi = \sqrt{1-\cos^2\varphi} = \sqrt{1-0.8^2} = 0.6$$

である．

上記の値および電圧降下の簡略式を使って，配電線の電圧降下 ΔV [V] を求める．

$$\Delta V = \sqrt{3}\,I(R\cos\varphi + X\sin\varphi)$$

$$= 1.732\,1 \times 109.34 \times (0.45 \times 0.8 + 0.75 \times 0.6) = 153.40 \fallingdotseq \mathbf{153}\ \mathrm{V}$$

2)　高圧平衡三相負荷電力 P = 1 000 kW，力率 $\cos\varphi = 0.8$ における負荷の皮相電力 S [kV·A]，無効電力 Q [kvar] を求める．

$$S = \frac{P}{\cos\varphi} = \frac{1\,000}{0.8} = 1\,250\ \mathrm{kV\cdot A}$$

$$Q = S\sin\varphi = 1\,250 \times 0.6 = 750\ \mathrm{kvar}$$

一方，進相コンデンサを接続して力率改善した皮相電力 S' [kV·A] および無効電力 Q' [kvar] を求める．ただし，改善後の力率 $\cos\varphi' = 0.95$，$\sin\varphi' = \sqrt{1-0.95^2}$ である．

$$S' = \frac{P}{\cos\varphi'} = \frac{1\,000}{0.95}\ \mathrm{kV\cdot A}$$

$$Q' = S'\sin\varphi' = \frac{1\,000}{0.95} \times \sqrt{1-0.95^2} \fallingdotseq 328.68\ \mathrm{kvar}$$

必要な進相コンデンサ容量 Q_C [kvar] は**第１図**より以下で計算する．

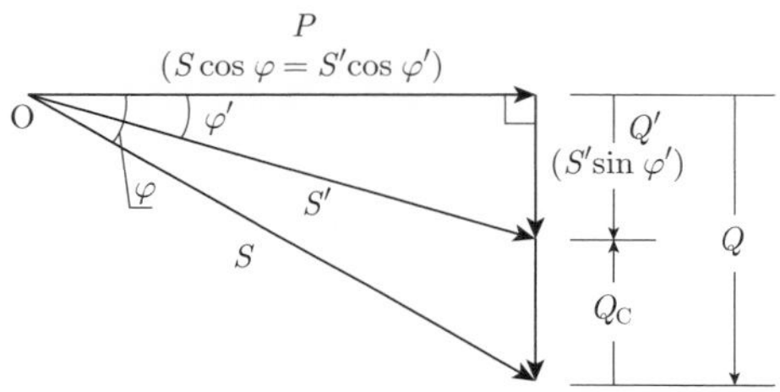

第１図　電力フェーザ図

$$Q_C = Q - Q' = 750 - 328.68 = 421.32 \fallingdotseq \mathbf{421}\ \mathrm{kvar}$$

力率改善後の負荷電流 I' [A] は以下で表される．

$$I' = \frac{P}{\sqrt{3}V\cos\varphi'}\,[\mathrm{A}]$$

三相3線式配電線路の電力損失について三相コンデンサ接続前 p [W]，接続後 p' [W] および電力損失の割合 p'/p を求める．

$$p = 3I^2R = 3\times\frac{P^2}{3V^2\cos^2\varphi}R = \frac{RP^2}{V^2\cos^2\varphi}\,[\mathrm{W}]$$

$$p' = 3I'^2R = 3\times\frac{P^2}{3V^2\cos^2\varphi'}R = \frac{RP^2}{V^2\cos^2\varphi'}\,[\mathrm{W}]$$

$$\frac{p'}{p} = \frac{RP^2}{V^2\cos^2\varphi'}\cdot\frac{V^2\cos^2\varphi}{RP^2} = \frac{\cos^2\varphi}{\cos^2\varphi'} = \frac{0.8^2}{0.95^2} = 0.709\,14 \fallingdotseq \mathbf{71}\,\%$$

問題8

(1)　1—ア，2—カ，3—カ，4—ク，5—ウ，6—ウ，7—ク，8—オ，9—ア

(2)　A—7.20，B—9.72，C—98.8，D—2.42，E—72.0

【指導】

(1)　1)　線路の電力損失 P_l [W] は，電線の本数を K，線路抵抗を R [Ω] および線路電流を I [A] とした場合，次式で表される．

$$P_l = KRI^2\ [\mathrm{W}]$$

上式より，電力損失は線路電流の**2**乗に比例することがわかる．

電力量計の積算値 P [W·h] と無効電力量計の積算値 Q [var·h] とした場合，平均力率 $\cos\theta$は，次式で表される．

$$\cos\theta = \frac{\boldsymbol{P}}{\sqrt{\boldsymbol{P}^2+\boldsymbol{Q}^2}}\times 100\ [\%]$$

2)　高調波の影響

①　変圧器や電動機：**鉄損**の増大による過熱，異常音，振動などの原因

②　電源電圧の**波形ひずみ**やノイズの原因

③　コンデンサやコンデンサ用直列リアクトル：高調波により**回路共振**が発生し過熱が生じる．

3)　瞬時電圧低下の影響

①　コンピュータの誤動作や停止

② **電磁開閉器**の開放による負荷の停止

③ インバータの停止（停電機能なし）

④ 照明のちらつき

4) 電力需要の平準化に関する指針および対策

経済産業省告示「工場等における電気の需要の平準化に資する措置に関する事業者の指針」の中で，電気需要平準化時間帯は，「**7月1日〜9月30日の8時〜22時及び12月1日〜3月31日の8時〜22時**」とされている．

経済産業省告示「工場等におけるエネルギーの使用の合理化に関する事業者の判断基準」で定められている**電気需要平準化評価**原単位を指標として，技術的かつ経済的に可能な範囲でそれらの有効な実施を図るものとされている．

比較的実施可能な対策として，優先度の低い負荷の停止などを行って，最大需要電力を抑制することができる**デマンド監視制御装置**を用いる方法がある．

(2) 1) 無負荷損 P_i [kW] による1日の損失電力量 W_i [kW·h] は，

$$W_i = 24P_i = 24 \times 0.3 = \mathbf{7.20}\ \mathrm{kW \cdot h}$$

2) 負荷損 P_c [kW] は，次式で求められる．

$$P_c = \left(\frac{\dfrac{P}{\cos\theta}}{P_n}\right)^2 \times P_{cn}$$

ここで，P = 負荷 [kW]，$\cos\theta$ = 力率，P_n = 変圧器の定格容量 [kW] および定格出力時の負荷損を P_{cn} [kW] とする．

負荷損 P_c [kW] による1日の損失電力量 W_c を題意の図中の各時間帯①〜⑤に分けて算出すると，

① $$W_{c1} = \left(\frac{\dfrac{30}{1}}{150}\right)^2 \times 1.5 \times 8 = 0.48\ \mathrm{kW \cdot h}$$

② $$W_{c2} = \left(\frac{\dfrac{45}{0.9}}{150}\right)^2 \times 1.5 \times 2 = 0.333\ \mathrm{kW \cdot h}$$

③ $$W_{c3} = \left(\frac{\dfrac{100}{0.8}}{150}\right)^2 \times 1.5 \times 8 = 8.333\ \mathrm{kW \cdot h}$$

④　$W_{c4}=\left(\dfrac{\dfrac{45}{0.9}}{150}\right)^2\times1.5\times2=0.333\,\text{kW}\cdot\text{h}$

⑤　$W_{c5}=\left(\dfrac{\dfrac{30}{1}}{150}\right)^2\times1.5\times4=0.24\,\text{kW}\cdot\text{h}$

よって，1 日の損失電力量 W_c は，

$$W_c = W_{c1} + W_{c2} + W_{c3} + W_{c4} + W_{c5}$$
$$= 0.48 + 0.333 + 8.333 + 0.333 + 0.24 = 9.719 \fallingdotseq \mathbf{9.72}\ \text{kW}\cdot\text{h}$$

次に，1 日の電力量 W [kW·h] を求めると，

$$W = 30 \times 8 + 45 \times 2 + 100 \times 8 + 45 \times 2 + 30 \times 4$$
$$= 240 + 90 + 800 + 90 + 120 = 1\,340\ \text{kW}\cdot\text{h}$$

したがって，全日効率 η_{24} [%] は，

$$\eta_{24}=\frac{W}{W+W_i+W_c}=\frac{1\,340}{1\,340+7.2+9.719}\fallingdotseq0.987\,53\fallingdotseq\mathbf{98.8}\,\%$$

2)　(a)　時間帯③が力率 80 %のときの 1 日の変圧器損失電力量 W_{l80} [kW·h] は，

$$W_{l80} = 7.2 + 9.719 = 16.919\ \text{kW}\cdot\text{h}$$

(b)　時間帯③が力率 95 %のときの負荷損による損失電力量 W_{c3}' [kW·h] は，

$$W_{c3}'=\left(\frac{\dfrac{100}{0.95}}{150}\right)^2\times1.5\times8\fallingdotseq5.909\,5\,\text{kW}\cdot\text{h}$$

となる．よって，1 日の負荷損による損失電力量 W_c' は，

$$W_c' = W_{c1} + W_{c2} + W_{c3}' + W_{c4} + W_{c5}$$
$$= 0.48 + 0.333 + 5.910 + 0.333 + 0.24 = 7.296\ \text{kW}\cdot\text{h}$$

となる．

上記より，1 日の損失電力量 W_{l95} は，

$$W_{l95} = W_i + W_c' = 7.2 + 7.296 = 14.496\ \text{kW}\cdot\text{h}$$

したがって，減少した 1 日の損失電力量は，

$$W_{l80} - W_{l95} = 16.919 - 14.496 = 2.423 \fallingdotseq \mathbf{2.42}\ \text{kW}\cdot\text{h}$$

3)　題意の負荷平準化を図った場合，**第 1 図**のような負荷分布となる．

第 1 図中の面積 A + B = C であり，次式が成り立つ．

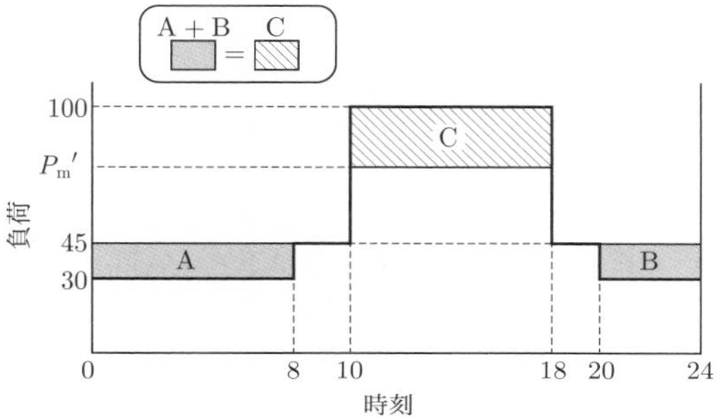

第1図

$$(15\times 8)+(15\times 4)=(100-P_m')\times 8$$

$$\therefore\quad P_m'=77.5\ \text{kW}$$

負荷移行前の負荷率αは，最大電力をP_m [kW] とすると，

$$\alpha=\frac{\dfrac{W}{24}}{P_m}=\frac{\dfrac{1\,340}{24}}{100}\fallingdotseq 0.558\,3=55.83\,\%$$

負荷移行後の負荷率α'は，最大電力をP_m' [kW] とすると，

$$\alpha'=\frac{\dfrac{W}{24}}{P_m'}=\frac{\dfrac{1\,340}{24}}{77.5}\fallingdotseq 0.720\,4\fallingdotseq \mathbf{72.0}\,\%$$

問題9

(1)　1―ク，2―ア，3―オ，4―ケ，5―サ，6―オ，7―ア

(2)　8―エ，9―コ，10―オ，11―キ，12―ア

(3)　A―345，B―230，C―115，D―1 546，E―767，F―2 602

【指導】

(1)　1)　普通かご形誘導電動機を全電圧で始動する場合を考える．**第1図**より電源電圧を印加された瞬時は回転子が停止しており，滑り$s=1$である．また，始動が完了して定格回転時，滑りはおおむね$s=0.01\sim 0.05$である．よって，始動直後，二次回路の抵抗分r_2'/sは比較的小さく，相対的に**漏れリアクタンス**分x_2'が大きくなり，始動時は力率が悪い．これは誘導電動機が始動時に大電流であるにも関わらず**トルク**が小さいことであり，トルクを発生させる有効電流成分が少ないことと同じである．

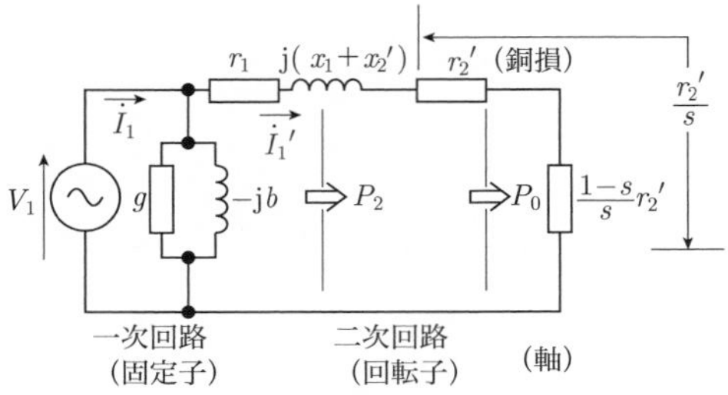

第1図　誘導電動機簡易等価回路

一方，定格回転時の r_2'/s は比較的大きくなり，相対的に漏れリアクタンス分 x_2' が小さくなることから力率が良い．

かご形誘導電動機の欠点は比較的大きな始動電流に対して始動トルクが比較的小さいことである．したがって，始動特性の改善を図るため，特殊かご形誘導電動機は始動時の二次導体の**交流実効抵抗**を大きくする．なお，定格回転時には損失を小さくするため，交流実効抵抗を小さくするような工夫がされている．

2)　特殊かご形誘導電動機は前記のように始動特性改善のため，かご形回転子の構造を工夫したものである．

誘導電動機のかご形回転子の二次導体電流（二次電流）の二次周波数は滑り s に比例する．したがって，始動時は二次周波数が高いので，二次電流は表面に集中して分布し，定格回転時は二次周波数が低いため二次電流は均一に分布する．

ｉ）**二重**かご形誘導電動機の回転子（**第2図**(b)）は表面に近い外側のA導体を高抵抗，内側のB導体を低抵抗とする．また，構造上，Bの**漏れリアクタンス**がはるかに大きいため，二次周波数の高い始動時，高抵抗のA導体に電流が流れ，始動電流は制限される．回転速度が定格付近となり二次周波数が低くなると大部分の電流は低抵抗のB導体を流れ，二次導体の交流実効抵抗値は低くなる．

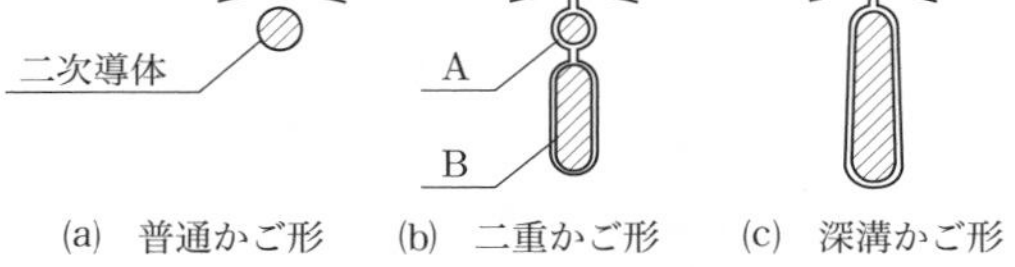

第2図　普通かご形と特殊かご形

ⅱ）もう一つの方式である**深みぞ**かご形誘導電動機の回転子は第2図(c)に示すように導

体の形が半径方向に深く，また深くなるほど幅が広くなっている．このため，二次周波数の高い始動時は二次導体の電流が表皮効果により表面に集中し導体断面積の減少と同様となり，二次抵抗が高くなり始動電流は制限される．回転速度が定格付近となり二次周波数が低くなると二次導体の電流分布は均一となり交流実効抵抗値は低くなる．また，二次周波数は式 sf で表される．

(2)　三相二次電圧 V_2 [V]，平衡三相負荷容量 S_L [V·A] における線電流 I_2 は，

$$I_2 = \frac{S_L}{\sqrt{3}V_2}\,[\mathrm{A}]$$

であり，△-△ 接続および V-V 接続の場合も同じある．

1)　問題の図 1 の △ 結線の二次巻線の電流 I_d は，

$$I_d = \frac{I_2}{\sqrt{3}} = \boldsymbol{\frac{S_L}{3V_2}}\ [\mathrm{A}]$$

である．

△ 結線における負荷損はこの I_d と定格二次電流 I_r の比の 2 乗を定格負荷損 P_c [W] に掛けた値である．△ 結線 3 台の全損失 W_d は，

$$W_d = \boldsymbol{3P_i + 3P_c \times \left(\frac{I_d}{I_r}\right)^2}\ [\mathrm{W}]$$

である．

ただし，無負荷損 P_i [W] である．

2)　問題の図 2 の V 結線の二次巻線の電流 I_v は，

$$I_v = I_2 = \frac{S_L}{\sqrt{3}V_2}\,[\mathrm{A}]$$

である．

V 結線における負荷損はこの I_v と定格二次電流 I_r の比の 2 乗を定格負荷損 P_c に掛けた値である．V 結線 2 台の全損失 W_v は，

$$W_v = \boldsymbol{2P_i + 2P_c \times \left(\frac{I_v}{I_r}\right)^2}\ [\mathrm{W}]$$

である．

3)　問題の図 1 の △-△ 結線において変圧器巻線を流れる二次電流 $I_d = I_r$，二次電圧 V_2 とすると，変圧器の定格内の最大負荷容量 $S_d = 3V_2I_r$ [V·A] である．

一方，問題の図 2 の V-V 結線において変圧器巻線を流れる電流 $I_v = I_r$，二次電圧 V_2 と

解答指導

すると，変圧器の定格内の最大負荷容量 $S_v = \sqrt{3}\,V_2 I_r$ [V·A] である．

したがって，S_v と S_d の比は以下となる．

$$\frac{S_v}{S_d} = \frac{\sqrt{3}V_2 I_r}{3V_2 I_r} = \frac{\sqrt{3}}{3} \fallingdotseq 0.577\,4 \fallingdotseq \mathbf{57.7}\,\%$$

(3) 1) 題意より2台の変圧器が電力を供給する負荷電力 $P_L = 300$ kW，力率 $\cos\theta = 0.870$ である．したがって，皮相電力 S_L は以下で求める．

$$S_L = \frac{P_L}{\cos\theta} = \frac{300}{0.87} = 344.8 \fallingdotseq \mathbf{345}\ \mathrm{kV\cdot A}$$

短絡インピーダンス%Zを基準容量300 kV·Aに統一するため，変圧器A（定格容量500 kV·A）の%Zは，

$$K \times 5.0 = \frac{300}{500} \times 5.0 = 3.0\,\%$$

となる．各変圧器の分担する皮相電力 S_A，S_B は題意より並列リアクタンスと考えて計算する（**第3図**）．

$$S_A = \frac{\%Z_B}{\%Z_A + \%Z_B} \cdot S_L = \frac{6}{3+6} \times 344.8 = 229.9 \fallingdotseq \mathbf{230}\ \mathrm{kV\cdot A}$$

$$S_B = \frac{\%Z_A}{\%Z_A + \%Z_B} \cdot S_L = \frac{3}{3+6} \times 344.8 = 114.9 \fallingdotseq \mathbf{115}\ \mathrm{kV\cdot A}$$

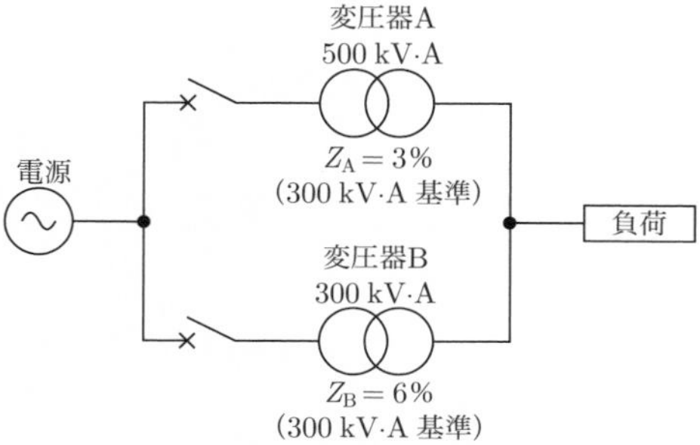

第3図 変圧器の並列運転

2) 各変圧器が1)で求めた負荷で運転しているときの各変圧器の全損失 w_A, w_B を求める．

$$w_A = 700 + 4\,000 \times \left(\frac{229.9}{500}\right)^2 = 1\,545.7 \fallingdotseq \mathbf{1\,546}\ \mathrm{W}$$

$$w_B = 400 + 2\,500 \times \left(\frac{114.9}{300}\right)^2 = 766.7 \fallingdotseq \mathbf{767}\ \mathrm{W}$$

3) A変圧器のみで全負荷（344.8 kV·A）を負担した場合の損失 w_{A}' を求める．

$$w_{A}' = 700 + 4\,000 \times \left(\frac{344.8}{500}\right)^2 = 2\,602.2 \fallingdotseq \mathbf{2\,602}\ \mathrm{W}$$

問題10 (1) 1―エ，2―ア，3―ケ，4―イ，5―エ

(2) 6―オ，7―イ，8―キ，9―シ，10―イ，11―カ

(3) A―4.00，B―19.7，C―126，D―87.2，E―41.1

【指導】

(1) 同期発電機の周波数と回転速度の関係式について

1) 通常，同期発電機では固定子が**電機子**，回転子が**界磁**である場合が多い．

2) 同期発電機の周波数を f [Hz]，極数を p とすれば**同期**速度 N_s は以下の式で表される．

$$N_s = \frac{120f}{p}\,[\mathrm{min}^{-1}]$$

3) 2極の磁界中に発生する導体起電力を**第1図**(a)に示す．導体には**フレミングの右手**の法則によって正弦波誘導起電力 e が発生する．第1図(a)の導体を 0 → 1 → 2 → 3 の向きに回転させると，同図(b)に示す e が導体に発生する．

2極の磁界では導体を1秒当たり n_0 [s^{-1}] 回転させると周期 $1/n_0$ [s] すなわち周波数 $f = n_0$ [Hz] の e が発生する．

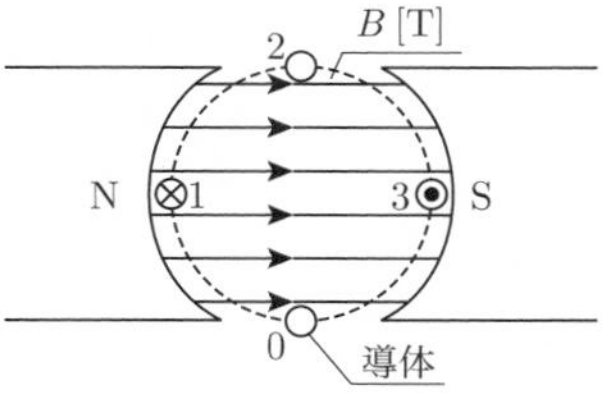

(a) 平等磁界中を導体が回転

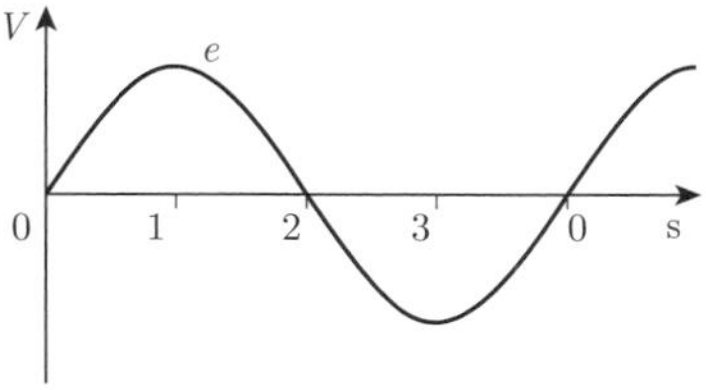

(b) 導体起電力（×の向きを正）

第1図 導体の正弦波誘導起電力

また，極数 p の場合，周期 $2/pn_0$ [s]，すなわち周波数 $f = \dfrac{pn_0}{2}$ [Hz] の e が発生する．

したがって，

$$n_0 = \frac{2f}{p}\,[\mathrm{s}^{-1}]$$

1分当たりの回転速度 N_s は

$$N_s = 60n_0 = \frac{120f}{p}[\mathrm{min}^{-1}]$$

となる．

(2) 1) 問題の図1のコンデンサ C_d は**平滑**コンデンサである．

2) C_d に加わる（端子間）電圧 v_d と C_d に蓄えられる電荷 q との関係を以下に示す．

$v_d = \dfrac{q}{C_d}$ より，

$$\frac{\mathrm{d}v_d}{\mathrm{d}t} = \frac{1}{C_d}\frac{\mathrm{d}q}{\mathrm{d}t} = \frac{1}{C_d}i_c = \boldsymbol{\frac{1}{C_d}(i_d - i_L)}$$

3) 電圧脈動率は以下で定義される．

$$電圧脈動率 = \frac{出力電圧の最大値と最小値の差}{\textbf{出力電圧の平均値}}$$

電圧脈動率を小さくするため，C_d により v_d が平滑化して脈動率を小さくする．交流電源より流れる i_d は正弦波電源電圧 e が v_d より高い期間のみ流れるパルス状となる．この C_d をより大きくして脈動率を最小化した場合，交流電源波形のピーク付近の短い期間のみ i_d が流れるため，i_d のピーク値がより高くなる．したがって，i_d の非正弦波化がより進むことで入力電圧波形がひずんだり，**交流入力側の高調波電流が大きくなる**．

4) この波形の改善のため，交流電源とダイオードブリッジの間，またはダイオードブリッジと C_d の間に**リアクトル**を挿入する場合がある．交流電源から負荷側を見た**力率**を改善することができる．

(3) 1) 定格電圧200 V，定格周波数50 Hz，4極の三相かご形誘導電動機の同期速度 N_s を計算する．

$$N_s = \frac{120f}{p} = \frac{120\times 50}{4} = 1\,500\ \mathrm{min}^{-1}$$

N_s と $N = 1\ 440\ \mathrm{min}^{-1}$（定格電圧，定格周波数で運転したときの回転数）より滑り s_1 を計算する．

$$s_1 = \frac{N_s - N}{N_s} = \frac{1\,500 - 1\,440}{1\,500} = 0.04 = \mathbf{4.00}\,\%$$

二次入力 P_2 は問題の図2の二次側の抵抗分 r_2'/s に電流 $I_1 = 60.86$ A が流れたときの三相分の電力である．上記の $s_1 = 0.04$，I_1 と題意の二次抵抗 $r_2' = 0.071\ 0\ \Omega$ を使って三相分の二次入力 P_2 は以下で求める．

$$P_2 = 3 \times \frac{r_2'}{s_1} I_1^2 = 3 \times \frac{0.0710}{0.04} \times 60.86^2 = 19\,723\ \mathrm{W} \fallingdotseq \mathbf{19.7}\ \mathrm{kW}$$

電動機の機械出力 P_0 は問題の図 2 の右端抵抗の消費電力の 3 相分の電力である．

$$P_0 = 3 \times \frac{1 - s_1}{s_1} r_2' I_1^2 = (1 - s_1) P_2 = (1 - 0.04) \times 19\,723 = 18\,934\ \mathrm{W}$$

電動機のトルク T は P_0 と回転角速度 $\omega = 2\pi N/60$ [rad/s] より，以下で求める．

$$T = \frac{P_0}{2\pi N/60} = \frac{18\,934 \times 60}{2 \times 3.142 \times 1\,440} = 125.54 \fallingdotseq \mathbf{126}\ \mathrm{N \cdot m}$$

2)　電動機の回転速度を $N_2 = 1\ 200\ \mathrm{min}^{-1}$ としたときの負荷の要求するトルク T_L は題意より回転速度の 2 乗に比例するため以下で求める．

$$T_\mathrm{L} = \left(\frac{N_2}{N}\right)^2 \cdot T = \left(\frac{1\,200}{1\,440}\right)^2 \times 125.54 = 87.181 \fallingdotseq \mathbf{87.2}\ \mathrm{N \cdot m}$$

題意より，回転速度 $N_2 = 1\ 200\ \mathrm{min}^{-1}$，滑り $s_2 = 0.027\ 8$ なので，このときの電動機同期速度 $N_{\mathrm{s}2}$ は以下で求める．

$$N_2 = (1 - s_2) N_{\mathrm{s}2}$$

$$N_{\mathrm{s}2} = \frac{N_2}{1 - s_2} = \frac{1\,200}{1 - 0.027\,8} = 1\,234.31\ \mathrm{min}^{-1}$$

したがって，周波数 f_2 [Hz] は以下で求める．

$$N_{\mathrm{s}2} = \frac{120 f_2}{p}$$

$$f_2 = \frac{N_{\mathrm{s}2}\, p}{120} = \frac{1\,234.31 \times 4}{120} = 41.144 \fallingdotseq \mathbf{41.1}\ \mathrm{Hz}$$

問題11　(1)　1 — ア，2 — ア，3 — カ，4 — ウ，5 — イ，6 — ウ，7 — オ

(2)　A — 2 940，8 — イ，B — 47.0，C — 750，9 — ウ，D — 5.88，E — 35.3

【指導】

(1)　1)　V/f 制御は速度の調整をオープンループで行うため，**速度検出器**が不要である．

2)　問題文の①式～④式の基本式を以下に示す．

$$\dot{V}_1 = (r_1 + \mathrm{j}\omega l)\dot{I}_1 + \dot{V}_0 \qquad ①$$

$$\dot{I}_1 = I_\mathrm{m} + \mathrm{j}I_\tau \qquad ②$$

$$\dot{V}_0 = \mathrm{j}\omega L_\mathrm{m} I_\mathrm{m} \qquad ③$$

$$\dot{V}_0 = r_2'(\mathrm{j}I_\tau) + \mathrm{j}\omega_\mathrm{m}L_\mathrm{m}I_\mathrm{m} \qquad ④$$

③式＝④式から $\dot{V}_0$ を消去して二次電流 I_τ を求める．

$$\mathrm{j}\omega L_\mathrm{m}I_\mathrm{m} = r_2'(\mathrm{j}I_\tau) + \mathrm{j}\omega_\mathrm{m}L_\mathrm{m}I_\mathrm{m}$$

$$I_\tau = \boldsymbol{\frac{L_\mathrm{m}}{r_2'}(\omega - \omega_\mathrm{m})I_\mathrm{m}} \qquad ⑤$$

3)　抵抗による損失（三相全体）W_c を⑥式，⑦式に示す．

$$W_\mathrm{c} = 3r_1{I_\mathrm{m}}^2 + 3(r_1 + r_2'){I_\tau}^2 \qquad ⑥$$

$$W_\mathrm{c} = 3(\sqrt{r_1}I_\mathrm{m} - \sqrt{r_1 + r_2'}\,|I_\tau|)^2 + \boxed{\ 3\ } \qquad ⑦$$

⑦式の右辺第 1 項を展開する．

$$3(\sqrt{r_1}I_m - \sqrt{r_1 + r_2'}\,|I_\tau|)^2 = 3r_1{I_\mathrm{m}}^2 + 3(r_1 + r_2'){I_\tau}^2 - 6\sqrt{r_1}\sqrt{r_1 + r_2'}I_\mathrm{m}\,|I_\tau|$$

上式を⑥式と比較すると，上式の右辺の第 3 項を消去（＋）すれば⑥式と同じになる．したがって，求める⑦式の右辺第 2 項は $\boldsymbol{6\sqrt{r_1}\sqrt{r_1 + r_2'}I_\mathrm{m}\,|I_\tau|}$ である．

4)　問題の図 1 の右端が回転軸に相当し，回転出力は右端の逆起電力と二次電流の積となる．トルク τ は出力（3 相分）/ 回転角速度（電気角換算）として以下で求められる．

$$\tau = \frac{3\omega_\mathrm{m}L_\mathrm{m}I_\mathrm{m}I_\tau}{\omega_\mathrm{m}} = \boldsymbol{3L_\mathrm{m}I_\mathrm{m}I_\tau}\ [\mathrm{N\cdot m}] \qquad ⑧$$

5)　まず，⑧式を変形して I_τ を表す．次に問題文の⑨式が成り立つ励磁電流 I_m を求める．

$$I_\tau = \frac{\tau}{3L_\mathrm{m}I_\mathrm{m}}$$

$$\sqrt{r_1}I_\mathrm{m} = \sqrt{r_1 + r_2'}\,|I_\tau| \qquad ⑨$$

$$I_\mathrm{m} = \frac{\sqrt{r_1 + r_2'}}{\sqrt{r_1}}\frac{|\tau|}{3L_\mathrm{m}I_\mathrm{m}}$$

$${I_\mathrm{m}}^2 = \frac{\sqrt{r_1 + r_2'}}{\sqrt{r_1}}\frac{|\tau|}{3L_\mathrm{m}}$$

$$\therefore\quad I_\mathrm{m} = A\sqrt{|\tau|} = \boldsymbol{\left(\frac{\sqrt{r_1 + r_2'}}{3\sqrt{r_1}}\cdot\frac{1}{L_\mathrm{m}}\right)^{\frac{1}{2}}}\sqrt{|\tau|} \qquad ⑩$$

6)　誘起電圧の大きさは問題の⑫式より以下で表される．また，τ が一次角周波数 ω（f に比例）する場合，f に対して以下で表される．

$$|\dot{V}_0| = \omega L_\mathrm{m}A\sqrt{|\tau|} = 2\pi f L_\mathrm{m}A\sqrt{kf} = 2\pi L_\mathrm{m}A\sqrt{k}\cdot f^{\frac{3}{2}} \propto \boldsymbol{f^{\frac{3}{2}}}$$

V/f 制御はオープンループで周波数を増減するが，変化が速すぎると電動機の回転が追従できず停止してしまう．これをストールといい，一次電流が想定以上に増加した場合，周波数の増加を停止し回転数が追従するのを待つ，**ストール防止**機能が採用される．

(2) 1) 問題の図 2 の巻上機は左右のケージと運搬車の質量が同じなため，静止状態では右側の積荷 $m_L = 600$ kg の下向きの力 $F_L = 9.8 \times 600 = 5\,880$ N が巻胴に加わる．巻胴の半径 $r = 0.5$ m より，巻胴の所要トルク T_L [N·m] を以下で求める．

$$T_L = F_L r = 5\,880 \times 0.5 = \mathbf{2\,940}\ \mathrm{N\cdot m}$$

2) 問題の図 3 よりケージの上昇距離 L [m] は，図 3 の速度の波形と時間軸に囲まれた面積に等しいため，L は以下で求める．

$$L = \left(\frac{1}{2}\times 1\times 2\right) + \{1\times(8-2)\} + \left\{\frac{1}{2}\times 1\times(10-8)\right\} = \mathbf{8}\ \mathrm{m}$$

質量 600 kg が 10 秒間で $L = 8$ m の高さ増加した．題意より損失を無視できるため増加分の位置エネルギー W_L は巻上機のなす仕事と等しく，以下で求める．

$$W_L = 9.8mL = 9.8 \times 600 \times 8 = 47\,040\ \mathrm{J} \fallingdotseq \mathbf{47.0}\ \mathrm{kJ}$$

3) 加速に要する力 F はニュートンの第 2 法則 $F = m\alpha$ より，以下で求める．ただし，α は加速度であり，問題の図 3 より巻上時の速度 v を表し，以下で求める．

$$v = \frac{1}{2}t\ [\mathrm{m/s}]$$

$$\alpha = \frac{\mathrm{d}v}{\mathrm{d}t} = \frac{\mathrm{d}}{\mathrm{d}t}\frac{1}{2}t = \frac{1}{2}\ \mathrm{m/s^2}$$

また，m は巻胴の運動によって移動する左右のケージ，運搬車および荷重の質量の合計であり，以下で求める．

$$m = 2 \times (800 + 400) + 600 = 3\,000\ \mathrm{kg}$$

$$F = m\alpha = 3\,000 \times \frac{1}{2} = 1\,500\ \mathrm{N}$$

この F が半径 $r = 0.5$ m の巻胴に作用するトルク T は，以下で求める．

$$T = Fr = 1\,500 \times 0.5 = \mathbf{750}\ \mathrm{N\cdot m}$$

4) ケージを定速で引き上げている区間は巻胴の半径 $r = 0.5$ m を 1 秒間に n 回転して 1 m 移動する．また，回転角速度 ω は 1 秒間の回転角度 [rad] であり，n [$\mathrm{s^{-1}}$] であれば，$\omega = 2\pi n$ [rad/s] なので，以下で求める．

$$2\pi rn = 1$$

$$2\pi n = \omega = \frac{1}{r} = \frac{1}{0.5} = \mathbf{2}\ \mathrm{rad/s}$$

この区間において速度 $v_2 = 1$ m/s で回転中の電動機は定速のため加速トルクは不要で巻胴の静止時の力 F_L が必要である．したがって，電動機の所要出力 P_2 は，以下で求める．

$$P_2 = F_L v_2 = 5\,880 \times 1 = 5\,880\ \mathrm{W} \fallingdotseq 5.88\ \mathrm{kW}$$

この区間の仕事 W_2 は動力が一定なので，以下で求める．

$$W_2 = P_2(8 - 2) = 5\,880 \times (8 - 2) = 35\,280\ \mathrm{J} \fallingdotseq \mathbf{35.3}\ \mathrm{kJ}$$

問題12 (1) 1—イ，2—エ，3—ク，4—イ，5—キ，6—ク，7—セ，8—イ，9—ソ，10—カ

(2) 11—ケ，12—セ，13—エ，14—シ，15—エ，16—オ，17—イ，18—イ

【指導】

(1) 1) 流体の質量 [kg/s] は，$\boldsymbol{\rho Q}$ [kg/s] と表される．

2) ホンプの全揚程 H [m] を圧力 P [Pa] に換算すると，

$$P = \boldsymbol{\rho} \times \boldsymbol{g} \times \boldsymbol{H}\ [\mathrm{Pa}] \qquad ①$$

①式の単位に着目して式を立てると，

$$\frac{\mathrm{kg}}{\mathrm{m^3}} \times \frac{\mathrm{m}}{\mathrm{s^2}} \times \mathrm{m} = \frac{\mathrm{N}}{\mathrm{m^2}} = \mathrm{Pa}$$

となり，①式が成立することがわかる．

3) 流体を H [m] 持ち上げるのに必要な仕事 W [W] は，

$$W = P \times Q = \boldsymbol{\rho g H Q}\ [\mathrm{W}] \qquad ②$$

②式の単位に着目して式を立てると，

$$\frac{\mathrm{N}}{\mathrm{m^2}} \times \frac{\mathrm{m^3}}{\mathrm{s}} = \frac{\mathrm{N \cdot m}}{\mathrm{s}} = \frac{\mathrm{J}}{\mathrm{s}} = \mathrm{W}$$

となり，②式が成立することがわかる．

4) 電動機の軸動力は，題意より，

$$P = \omega T = \boldsymbol{2\pi n T}\ [\mathrm{W}] \qquad ③$$

で表される．

したがって，ポンプ効率 η [%] は，

$$\eta = \frac{②式}{③式} \times 100 = \frac{\boldsymbol{\rho g H Q}}{\boldsymbol{2\pi n T}} \times 100\ \%$$

5）　i）　吐出し弁を絞って運転した場合，ポンプ特性である曲線 2 に従って流量を下げていった場合，題意の図の d 点で曲線 X と交わる．

つまり，管路抵抗は**曲線 X** であり，このときのポンプの運転点は，図の **d** 点であることがわかる．

題意の図より，d 点の流量は，**0.6** p.u. である．

ii）　回転速度を制御して流量を調整していくため，管路抵抗に従って揚程を下げていった場合，図の d 点と同じ流量（0.6 p.u.）となる点は，図の **e** 点である．

したがって，ポンプ特性曲線はその運転点を通る，図の**曲線 3** であることがわかる．

⑵　1）　加速区間における搬送機の加速度 α は，$F = m\alpha$ より，

$$\alpha = \frac{F}{m} = \frac{5\,000}{5\,000} = \mathbf{1.0}\ \mathrm{m/s^2}$$

と求められる．

定速走行している速度 v_{c} は，$\alpha = \dfrac{\mathrm{d}v}{\mathrm{d}t} = \dfrac{v_{\mathrm{c}}}{10}\,[\mathrm{m/s^2}]$ より，

$$v_{\mathrm{c}} = \alpha \times 10 = 1 \times 10 = \mathbf{10}\ \mathrm{m/s}$$

となる．

減速区間における搬送機の加速度 α' は，同様に

$$\alpha' = \frac{F}{m} = \frac{-7\,500}{5\,000} = -\mathbf{1.5}\ \mathrm{m/s^2}$$

と求められる．

減速区間での停止までに要する時間 t_0 は，

$$\alpha' = \frac{v_{\mathrm{c}}}{t_0} \Rightarrow -1.5 = \frac{10}{t_0}$$

$$\therefore\quad t_0 = \frac{10}{1.5} \fallingdotseq 6.666 \fallingdotseq \mathbf{6.7}\ \mathrm{s}$$

2）　加速区間終端での電動機出力 P_{o} は，次式より求めることができる．

$$P_{\mathrm{o}} = \frac{W}{t} = \frac{Fl}{t} = Fv\,[\mathrm{W}] \qquad ④$$

④式より，

$$P_{\mathrm{o}} = 5\ 000 \times 10 = 50\ 000\ \mathrm{W} = \mathbf{50}\ \mathrm{kW}$$

減速開始時の回生による電動機入力 P_{i} は，④式を用いると，

$$P_{\mathrm{i}} = -7\ 500 \times 10 = -75\ 000\ \mathrm{W} = -75\ \mathrm{kW}$$

つまり，**75** kW を回生する．

3)　まず，加速区間の距離 l_1 [m] と減速区間の距離 l_2 [m] を求める．距離は，題意の図の面積を求めればよい．

$$l_1 = \frac{10 \times 10}{2} = 50\ \mathrm{m}$$

$$l_2 = \frac{10 \times 6.667}{2} = 33.335\ \mathrm{m}$$

加速区間で蓄電池が搬送機に与えたエネルギー W_1 [J] は，

$$W_1 = 5\ 000 \times 50 = 250\ 000 = \mathbf{2.5 \times 10^5}\ \mathrm{J}$$

減速区間で搬送機が停止するまでに蓄電池に回生される運動エネルギー W_2 [J] は，

$$W_2 = -7\ 500 \times 33.335 \fallingdotseq 250\ 000 = \mathbf{2.5 \times 10^5}\ \mathrm{J}$$

となる．

問題13　(1)　1—ア，2—カ，3—オ，4—イ，5—サ，6—カ，7—エ

(2)　8—イ，9—オ，10—カ

(3)　11—イ，12—シ，13—ケ，14—キ

【指導】

(1)　(a)　レーザ加熱

波長，位相がそろった集光性の高い**電磁波**を用いるもので，極めて高いエネルギー密度が得られる．

また，レーザの種類として，固体（YAG レーザ），液体（Dye レーザ），気体（CO_2 レーザ）の三つに分かれる．

使用用途は，レーザマーキング加工である．

(b)　アークプラズマ加熱

一般にアークは放電現象の一つであり，その放電によって電離された高温ガスが，電磁作用と**熱ピンチ効果**により収縮され，エネルギー密度が増大し，5 000 ～ 30 000 K の高温ガス流となる．

低電圧で大電流が流れるという特徴がある．

使用用途は，**セラミックの溶射**や製鋼用アーク炉などである．

(c) 間接抵抗加熱

発熱体にジュール熱を利用し，被加熱材へ放射，伝導，対流によって，材質，形状を問わずに加熱が可能であり，炉内雰囲気を制御する炉に適している．

使用用途は，**浸炭炉**などがある．

(d) 誘導加熱

導電性の被加熱材を非接触で直接加熱するので，急速加熱が可能である．被加熱材の表面加熱をする場合には，高い**周波数**を選定する．

使用用途は，鍛造用ビレットヒータなどがある．

(e) 直接抵抗加熱

導電性の被加熱材に電極を介して通電し，被加熱物内部に**ジュール熱**を発生させるもので，急速，高温加熱ができる．被熱物が直接発熱体となる．

使用用途は，**黒鉛化炉**などがある．

(2) アーク溶接の溶接電源の特性には，垂下特性形，定電圧特性形，定電流特性形の三つのタイプがある．

① **垂下特性形**

アーク長が多少変化しても安定したアークが得られ，一般的に用いられている．

② **定電圧特性形**

溶接ワイヤ送給が一定速度であればアークの安定を維持することが可能で消耗電極式の自動溶接などに利用される．

③ **定電流特性形**

無負荷電圧を低減させるために垂下特性を改良したものであり，被覆アーク溶接機に利用される．

(3) 1) 鋳鉄の溶解に必要な正味熱量は，

$$210 + 0.79 \times (1\,500 - 20) = 1\,379.2\ \mathrm{kJ/kg}$$

$$\mathrm{kJ} = \mathrm{kW \cdot s} = \mathrm{kW}\,\frac{1}{3\,600}\,\mathrm{h}$$

を代入すると，

$$1\,379.2 \times \frac{1}{3\,600} = \mathbf{0.383}\,(\mathrm{kW \cdot h})/\mathrm{kg} \qquad ①$$

題意の条件をまとめたものを**第 1 図**に示す．

正味加熱に利用される電力 P_1 は，

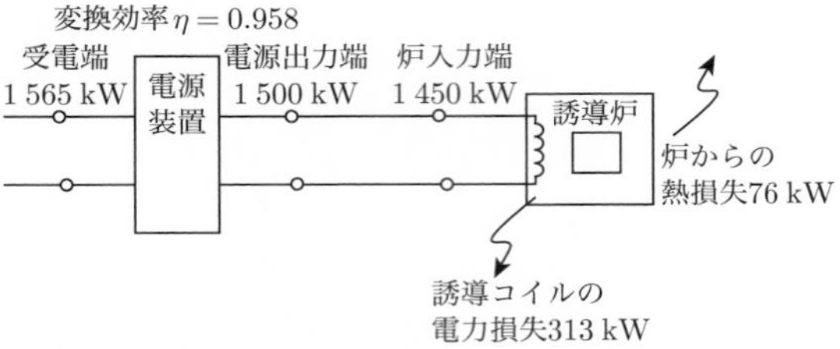

第 1 図

$$P_1 = 1\ 450 - 313 - 76 = 1\ 061 \text{ kW} \qquad ②$$

となる．

①式 × 2 000 kg ＝ ②式 × 時間 t [h] より，鋳鉄の溶解時間を求めると，

$$0.383 \times 2\ 000 = 1\ 061t$$

$$t = \frac{0.383 \times 2\ 000}{1\ 061} = 0.721\ 96 \text{ h}$$

$$\therefore \quad t = \mathbf{43.318} \text{ min}$$

受電端における電力原単位は，

$$1\ 565 \times \frac{43.318}{60} \times \frac{1}{2\ 000} = 0.564\ 9 \fallingdotseq \mathbf{0.565}\ (\text{kW} \cdot \text{h})/\text{kg}$$

2)　配線ケーブル長を 1/3 とした場合の条件をまとめると**第 2 図**となる．

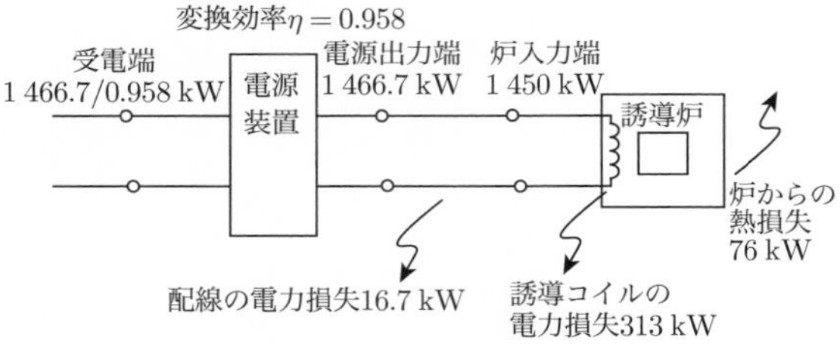

第 2 図

題意より，配線損失 P_l は 1/3 倍となるため，

$$P_l = (1\ 500 - 1\ 450) \times \frac{1}{3} \fallingdotseq 16.7 \text{ kW}$$

次に，電源出力端の電力 P_o は，

$$P_o = 1\ 450 + 16.67 \fallingdotseq 1\ 466.7 \text{ kW}$$

電源装置の変換効率 η は，題意より，

$$\eta=\frac{1\,500}{1\,565}=0.958$$

となる．

よって，受電端の電力 P_{i} は，

$$P_{\mathrm{i}}=1\,466.7\times\frac{1}{\eta}=1\,466.7\times\frac{1}{0.958}=1\,531\,\mathrm{kW}$$

となる．

したがって，受電端の原単位は，

$$1\,531\times\frac{43.318}{60}\times\frac{1}{2\,000}=0.552\,6\fallingdotseq\mathbf{0.553}\,(\mathrm{kW\cdot h})/\mathrm{kg}$$

問題14

(1) 1―ケ，2―キ，3―ウ，4―ア

(2) 5―シ，6―ク，7―ウ，8―コ

(3) 9―ア，10―ク，11―シ，12―イ，A―4.95×10^2，B―9.55×10^7

【指導】

(1) 電池や電気分解に用いられる電気化学システムでは**酸化**反応が起こるアノードと**還元**反応が起こるカソードの2種類の電極と，この2種類の電極間で**イオン**伝導を担う電解質が基本構成となる．また，必要に応じてアノードとカソードを分離する隔膜が用いられる．電気化学システムでは**アノード|電解質部**で生成された電子が外部回路を通り，対となる電極に達する．このとき，電解質中では外部回路を通る電流と等しい大きさの逆向きの電流が流れる．このように，電子とイオンが異なった場所を移動するのが電気化学システムの一つの特徴である．

(2) 電解質の種類には次のようなものがある．

・鉛蓄電池：**硫酸**水溶液

・アルカリ蓄電池：**水酸化カリウム**水溶液

・リチウムイオン電池：有機電解質

セル電圧が3.6～4 Vと水の**分解**電圧より大きいため水溶液に水を使用できない．

(3) 水酸化ナトリウムは次の反応式となる．

・アノード反応式

$$2Cl^- \rightarrow Cl_2 + 2e^-$$

・カソード反応式

$$2H_2O + 2e^- \rightarrow H_2 + 2OH^-$$

・全体反応式

$$2NaCl + 2H_2O \rightarrow Cl_2 + H_2 + 2NaOH$$

上記の反応式より，1 mol の水酸化ナトリウムが生成されるのに必要な電子は **1** mol である．

反応式より，水素は，**カソード**で**水**が還元されて（電子を受け取る）生成される．

1 mol の水素が生成されるのに必要な電子は反応式より **2** mol であることがわかる．

水素 1 kg（水素分子 H_2）は，水素原子が題意より 1.01 であるから，

$$\frac{1\,000}{1.01 \times 2} = 495.049\,5 \fallingdotseq \mathbf{4.95} \times \mathbf{10^2}\ \text{mol}$$

となる．

また，水素 1 kg は 2 電子反応であるため，理論電気量 Q [C] は，

$$Q = 2 \times 96\,500 \times 495.049\,5 \fallingdotseq 95\,544\,554 \fallingdotseq \mathbf{9.55} \times \mathbf{10^7}\ \text{C}$$

となる．

問題15　(1)　A ― 7.7，B ― 1.3，C ― 36，D ― 6.0，E ― 1.5

(2)　1 ―イ，2 ―オ，3 ―ケ，4 ―ウ，5 ―オ

【指導】

(1)　1)　i)　題意の部屋を**第 1 図**に示す．被照面の平均照度 E [lx] を光束法により，以下で求める．ただし，F：蛍光ランプ 1 灯から照射される光束 3 450 lm，N：蛍光灯の灯数 80，U：照明率 0.60，M：保守率 0.70，A：作業場面積 15 × 10 m² である．

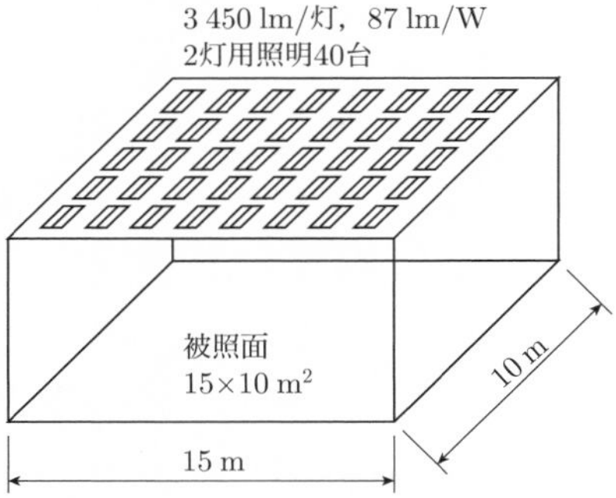

第 1 図　光束法による照度計算

$$E = \frac{FNUM}{A} = \frac{3\,450 \times 2 \times 40 \times 0.60 \times 0.70}{15 \times 10} = 772.8 \fallingdotseq \mathbf{7.7} \times 10^2 \text{ lx}$$

ii) 蛍光灯によるこの部屋の年間消費電力量 W_1 [(kW·h)/年] を以下で求める．ただし，年間点灯時間は 4 000 時間，消費電力 P_1 [kW] は点灯回路を含めた総合効率 87 lm/W を用いて計算する．

$$P_1 = \frac{F}{87} \times 80 = \frac{3\,450}{87} \times 80 = 3\,172 \text{ W} = 3.172 \text{ kW}$$

$$W_1 = P_1 \times 4\,000 = 3.172 \times 4\,000 = 12\,688 = \mathbf{1.3} \times 10^4 \text{ (kW·h)/年}$$

iii) 蛍光灯と同じサイズの総合効率 136 lm/W の LED ランプを用いた場合の消費電力 P_2 [kW] を以下で求める．題意より消費電力は LED ランプの総合効率を用いる．

$$P_2 = \frac{F}{136} \times 80 = \frac{3\,450}{136} \times 80 = \frac{3\,450}{87} \times 80 \times \frac{87}{136} = P_1 \frac{87}{136} \text{[kW]}$$

取り換えにより削減される消費電力の割合 α_R [%] は，以下で求める．

$$\alpha_R = \frac{P_1 - P_2}{P_1} = \frac{P_1 - \frac{87}{136} P_1}{P_1} = \frac{1 - \frac{87}{136}}{1} = 0.360\,29 \fallingdotseq \mathbf{36}\,\%$$

2) 一様な輝度を有する均等拡散面の光源を床面から高さ $h = 4$ m の天井の B 点に配置した（**第 2 図**）．光源直下の水平面照度 $E_{hO} = 375$ lx のとき，光源の直下方向の光度 I_0 [cd] は，以下で求められる．

$$E_{hO} = \frac{I_0}{h^2}$$

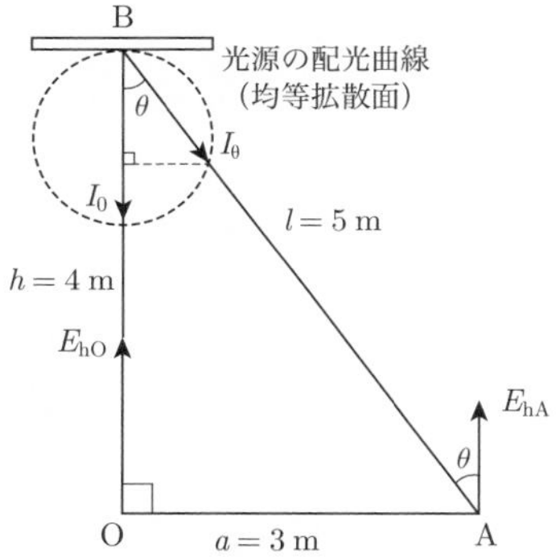

第 2 図 光源が均等拡散面の照度計算

$$I_0 = E_{hO}h^2 = 375 \times 4^2 = 6\,000 = 6.0 \times 10^3 \text{ cd}$$

一方，O点から水平に $a = 3$ m 移動したA点の水平面照度 E_{hA} [lx] は，以下で求められる．ただし，光源は均等拡散面，Aへ向かう光度 $I_\theta = I_0 \cos\theta$，また，

$$l = \sqrt{a^2 + h^2} = \sqrt{3^2 + 4^2} = 5 \text{ m}$$

$$\cos\theta = \frac{h}{l} = \frac{4}{5} = 0.8$$

である．

$$E_{hA} = \frac{I_\theta}{l^2} \cdot \cos\theta = \frac{I_0 \cos\theta}{l^2} \cdot \cos\theta = \frac{6\,000 \times 0.8^2}{5^2} = 153.6 \fallingdotseq \mathbf{1.5} \times 10^2 \text{ lx}$$

(2)　1)　照明用の白色LEDは，一般に青色LEDからの直接光と青色LED光に励起された**YAG蛍光体**からの黄色の発光を混合して白色を得る．

ランプ効率は光源の全光束を消費電力で除した値であり，単位はlm/Wである．ランプ効率が20 lm/W程度の**ハロゲン電球**では大半が光に変換されない熱として捨てられる．最近の白色LEDではランプ効率が170 lm/W程度のものが実現されており，発熱量は**消費電力の半分程度に相当する熱量**である．

2)　問題文のとおり光源の寿命は点灯できなくなる絶対寿命と初期値の70 %の値まで低下した時点を指す有効寿命の二つの考え方がある．一般照明用蛍光ランプは放電灯の一種であり，その絶対寿命は多くの場合，放電**電極の寿命**で決まる．一方，白色LEDランプの有効寿命は**使用材料の劣化に依存する**．

問題16

(1)　1―エ，2―キ，3―コ，4―サ，5―イ，6―ク，7―イ，8―コ，9―セ，10―キ

(2)　11―オ，12―ウ，13―イ，14―エ，15―ア，16―ウ，17―ウ，18―ク，19―ウ

【指導】

(1)　1)　問題の図で冷却水系統（hが冷却塔）を有していることから，**i**が冷凍機である．冷凍機の出力（＝供給冷熱量）と入力（＝圧縮機などの動力の熱量換算値）の比を成績係数（**COP**：Coefficient of Performance）という．COPは冷凍機の効率に相当する．これは，*P-h*線図（モリエ線図）上の横軸（比エンタルピー）の差の比で示される．COPは，冷水出口温度が**高い**（冷媒の蒸発温度が高い）ときや，冷却水入口温度が**低い**（冷媒の凝縮温度が低い）ときに大きくなる．ちなみに，jは蒸気ボイラであり，dの加熱コイルとeの蒸気

加湿器に蒸気を供給する．加熱コイルの出口には，蒸気トラップがあり，使用した蒸気を凝縮させてからボイラに返す．

2)　空気調和設備（エアハンドリング・ユニット）は熱源機器から冷温水を供給されて空気の温湿度を調節したり，水や蒸気で空気を加湿したり，フィルタで空気を清浄化したりして，送風機で空調空気を室内に給気する装置である．冷却コイルでは冷凍機から供給される冷水で高温高湿の空気を冷却除湿する．図で冷凍機 i から冷水を供給されているのは **c** である．

空気調和機の制御方式を**変風量**制御にした場合，給気温度を一定にして室内負荷に応じて送風量を変化させるので，送風機の搬送動力を低減することができる．部分負荷運転（低負荷運転）が多い場合は，特に省エネルギー効果が大きい．ただし，外気量は確保しなくてはいけないので，外気量に相当する最小風量設定が必要である．

3)　排気と外気で熱交換をしているのは **g** の**全熱交換器**である．全熱交換器は，排気から全熱（**顕熱と潜熱**）を回収して，外気を冷却除湿（冷房運転時）または加熱加湿（暖房運転時）する．それによって，外気負荷を低減することができる．ただし，**外気冷房**を行っているときは，低温の外気を導入する必要があるので，外気と排気を全熱交換器からバイパスさせ，排気からの熱回収を停止する．

(2)　1)　ベルヌーイの式は，非圧縮性流体が定常な層流で流れるときに，静圧と動圧と位置エネルギーの和が保存されるというエネルギー保存則である．そのため，第 2 項の動圧の v は**流体の管路断面の平均流速**で，第 3 項の位置エネルギーの z は**基準面からの高さ**である．

2)　前述のとおり，第 1 項は**静圧**，第 2 項は**動圧**，第 3 項は位置エネルギー（**位置圧**）であり，静圧と動圧の和を**全圧**という．

3)　ベルヌーイの式は，水や空気で成立するが，空気の場合，密度が小さいことからダクト系における高さの差による位置エネルギーの差は無視できる．

4)　実際の流体は粘性流体なので，流体と管の内壁の間の摩擦による圧力損失が発生する．そこで，ダルシー・ワイスバッハの式により，摩擦抵抗による圧力損失 ΔP は次式で与えられる．

$$\Delta P = \lambda \frac{l}{d} \times \left(\frac{\rho}{2} \times \boldsymbol{v}^2 \right) [\mathrm{Pa}]$$

ここで，λ は**摩擦抵抗**係数，l はダクトの長さ [m]，d はダクトの直径 [m]，ρ は空気の密度 [kg/m^3]，v はダクト内平均風速 [m/s] である．すなわち，摩擦抵抗による圧力損失は，ダクト長さに比例し，ダクト直径に反比例し，動圧に比例する．

2017 年度（第 39 回）

エネルギー総合管理及び法規（80 分）

問題 1　エネルギーの使用の合理化等に関する法律及び命令

問題 2　エネルギー情勢・政策，エネルギー概論

問題 3　エネルギー管理技術の基礎

問題 1（エネルギーの使用の合理化等に関する法律及び命令）

次の各問に答えよ．なお，法令は令和 6 年 9 月 1 日時点で施行されているものである．

以下の問題文では

エネルギーの使用の合理化及び非化石エネルギーへの転換等に関する法律を『法』

エネルギーの使用の合理化及び非化石エネルギーへの転換等に関する法律施行令を『令』

エネルギーの使用の合理化及び非化石エネルギーへの転換等に関する法律施行規則を『則』

と略記する．（配点計 50 点）

(1)　次の各文章の [1] ～ [4] の中に入れるべき最も適切な字句をそれぞれの解答群から選び，その記号を答えよ．

1)『法』第 5 条の条文の一部

主務大臣は，工場等におけるエネルギーの使用の合理化の適切かつ有効な実施を図るため，次に掲げる事項並びにエネルギーの使用の合理化の目標（エネルギーの使用の合理化が特に必要と認められる業種において達成すべき目標を含む．）及び当該目標を達成するために計画的に取り組むべき措置に関し，工場等においてエネルギーを使用して事業を行う者の判断の基準となるべき事項を定め，これを公表するものとする．

一　略

二　略

3　経済産業大臣は，工場等において電気を使用して事業を行う者による電気の需要の最適化に資する措置の適切かつ有効な実施を図るため，次に掲げる事項その他当該者が取り組むべき措置に関する指針を定め，これを公表するものとする．

一　略

二　電気需要最適化時間帯を踏まえた電気を消費する［ 1 ］を使用する時間の変更

4　第**1**項及び第**2**項に規定する判断の基準となるべき事項並びに前項に規定する指針は，エネルギー需給の［ 2 ］，電気その他のエネルギーの需給を取り巻く環境，エネルギーの使用の合理化及び非化石エネルギーへの転換に関する技術水準，業種別のエネルギーの使用の合理化及び非化石エネルギーへの転換の状況その他の事情を勘案して定めるものとし，これらの事情の変動に応じて必要な改定をするものとする．

〈［ 1 ］及び［ 2 ］の解答群〉

ア　機械器具　　**イ**　空調機器　　**ウ**　給湯機器　　**エ**　蓄熱装置

オ　価格体系　　**カ**　喫緊の課題　　**キ**　長期見通し　　**ク**　不一致

2）『法』第**11**条の条文

エネルギー管理者は，第一種エネルギー管理指定工場等におけるエネルギーの使用の合理化に関し，エネルギーを消費する設備の維持，エネルギーの使用の方法の改善及び［ 3 ］その他経済産業省令で定める業務を管理する者（次項において「エネルギー管理者」という.）を選任しなければならない．ただし，第一種エネルギー管理指定工場等のうち次に掲げるものについては、この限りでない．

〈［ 3 ］の解答群〉

ア　監視　　**イ**　記録　　**ウ**　研究開発　　**エ**　人材の育成

3）『法』第**48**条の条文

エネルギー管理者及びエネルギー管理員は，その職務を誠実に行わなければならない．

2　［ 4 ］は，エネルギー管理者又はエネルギー管理員のその職務を行う工場等におけるエネルギーの使用の合理化に関する意見を尊重しなければならない．

3　エネルギー管理者等が選任された工場等の従業員は，これらの者がその職務を行う上で必要であると認めてする指示に従わなければならない．

〈［ 4 ］の解答群〉

ア　エネルギー管理企画推進者　　**イ**　エネルギー管理統括者

ウ　工場等の代表者　　**エ**　特定事業者

(2)　次の各文章の［ 5 ］～［ 8 ］の中に入れるべき最も適切な字句又は数値をそれぞれの解答群から選び，その記号を答えよ．

『法』第**2**条，第**7**条，第**8**条，第**9**条，第**10**条，第**11**条，第**12**条，第**13**条，第**14**条，

『令』第**1**条，第**2**条，第**3**条，第**4**条，第**5**条，第**6**条，『則』第**4**条関連の文章

ある化学工業の事業者が，化学製品製造工場と，別の事業所として本社事務所を所有しており，これらが事業者の設置している施設のすべてである．ここで，化学製品製造工場における前年度の燃料，電気などの使用量は，次の**a**～**e**のとおり，本社事務所における前年度の電気の使用量は，次の**f**及び**g**のとおりであり，**a**～**g**以外のエネルギーは使用していなかった．なお，本社事務所は，専ら事務所として使用されていた．

a：工場において，ボイラと加熱炉で燃料として使用した**A**重油の量を発熱量として換算した量が**22**万ギガジュール．

b：工場において，**a**とは別のボイラで燃料として使用した木材チップの量を熱量として換算した量が**2**万**8**千ギガジュール．

c：工場において，コージェネレーション設備で使用した都市ガスの量を発熱量として換算した量が**7**万**5**千ギガジュール．

d：工場において，**c**のコージェネレーション設備で発生した電気と蒸気を使用した．その使用した電気の量を熱量として換算した量が**1**万**6**千ギガジュール，蒸気の量を熱量として換算した量が**3**万**8**千ギガジュール．

e：工場において，小売電気事業者から購入して使用した電気の量を熱量として換算した量が**18**万**5**千ギガジュールで，その購入先の小売電気事業者では，専ら化石燃料によって発電した電気を販売していた．

f：本社事務所において，小売電気事業者から購入して使用した電気の量を熱量として換算した量が**5**万**5**千ギガジュールで，その購入先の小売電気事業者では，専ら化石燃料によって発電した電気を販売していた．

g：本社事務所では，太陽光発電装置を設置して，そこで発電した電気を本社事務所内で使用した．その使用した電気の量を熱量として換算した量が**6**千ギガジュール．

1)　前年度に使用したエネルギー使用量を『法』で定めるところにより原油の数量に換算した量は，工場が［ 5 ］キロリットル，本社事務所が［ 6 ］キロリットルとなる．事業者全体におけるエネルギー使用量はそれらの合計であり，その量から判断してこの事業者は特定事業者に該当する．

〈［ 5 ］及び［ 6 ］の解答群〉

ア 1 419	**イ** 1 574	**ウ** 1 600	**エ** 1 711	**オ** 10 862
カ 12 384	**キ** 12 565	**ク** 13 106	**ケ** 13 777	**コ** 14 500

2)　1)によって特定事業者としての指定を受けた後，この事業者が選任しなければならな

いのは，次に示す①から⑥のうちの [7] である．

① 工場のエネルギー管理員

② 工場のエネルギー管理者

③ 本社事務所のエネルギー管理員

④ 本社事務所のエネルギー管理者

⑤ エネルギー管理統括者

⑥ エネルギー管理企画推進者

〈[7] の解答群〉

ア ①と③と⑤　**イ** ①と③と⑥　**ウ** ①と⑤と⑥　**エ** ②と③と⑥

オ ②と⑤と⑥　**カ** ②と③と⑤と⑥　**キ** ②と④と⑤と⑥

3) 2)において，工場については，選任しなければならないのはエネルギー管理員かエネルギー管理者のいずれかであるが，選任すべき人数は [8] 名である．

〈[8] の解答群〉

ア 1　**イ** 2　**ウ** 3　**エ** 4

(3) 次の各文章の [9] ～ [12] の中に入れるべき最も適切な字句又は記述をそれぞれの解答群から選び，その記号を答えよ．

1) 『法』第**17**条関連の文章

『法』第**17**条第**1**項によれば，主務大臣は，特定事業者が設置している工場等におけるエネルギーの使用の合理化の状況が第**5**条第**1**項に規定する判断の基準となるべき事項に照らして著しく不十分であると認めるときは，当該特定事業者に対し，当該特定事業者のエネルギーを使用して行う事業に係る技術水準，第**5**条第**3**項に規定する指針に従って講じた措置の状況その他の事情を勘案し，その判断の根拠を示して，エネルギーの使用の合理化に関する計画（以下「合理化計画」という．）を作成し，これを提出すべき旨の指示をすることができる．

この合理化計画に関して，『法』第**17**条第**2**項から第**4**項の規定によれば，主務大臣は更に次のことをすることができる．

① 合理化計画が当該特定事業者が設置している工場等に係るエネルギーの使用の合理化の適確な実施を図る上で適切でないと認めるときは，当該特定事業者に対し，[9] すべき旨の指示をすること．

② 特定事業者が合理化計画を実施していないと認めるときは，当該特定事業者に対し，合理化計画を適切に実施すべき旨の指示をすること．

③ 前述の指示を受けた特定事業者がその指示に従わなかったときは，[10]すること．

〈[9]及び[10]の解答群〉

ア 合理化計画を変更　**イ** 事業を一時停止　**ウ** 実施するよう指導

エ 責任者を解任　**オ** その旨を公表　**カ** その理由を説明

キ 立ち入りにより検査　**ク** 罰則を適用

2) 『法』第 **4** 章関連の文章

『法』第 **4** 章は，貨物輸送事業者，荷主，[11]，航空輸送事業者に関する規定を設け，エネルギーの使用の合理化の目標及び当該目標を達成するために計画的に取り組むべき措置に関する判断の基準となるべき事項に係る措置を規定している．

ここで，貨物輸送事業者とは，本邦内の各地間において発着する他人又は自らの貨物の輸送を，業として，エネルギーを使用して行う者をいい，荷主とは，自らの事業に関して[12]を継続して貨物輸送事業者に輸送させる者をいう．

〈[11]及び[12]の解答群〉

ア 貨物集配事業者　**イ** 旅客輸送事業者　**ウ** 連鎖化貨物輸送事業者

エ 長距離　**オ** 販売する商品　**カ** 貨物

問題 2（エネルギー情勢・政策，エネルギー概論）

次の各文章の[1]～[9]の中に入れるべき最も適切な字句又は数値をそれぞれの解答群から選び，その記号を答えよ．

また，[[**A** | $a.b \times 10^c$]]に当てはまる数値を計算し，その結果を答えよ．ただし，解答は解答すべき数値の最小位の一つ下の位で四捨五入すること．（配点計 **50** 点）

(1) 国際単位系（**SI**）では，長さ（メートル [**m**]），質量（キログラム [**kg**]），時間（秒 [**s**]），電流（アンペア [**A**]），熱力学温度（ケルビン [**K**]），光度（カンデラ [**cd**]）及び物質量（モル [**mol**]）の **7** 個の量を基本単位としている．力やエネルギーなどの単位は基本単位にはなく，前述の **7** 個の基本単位を組み合わせて表されるので，組立単位と呼ばれている．例えば，力を表す組立単位の一つであるニュートン [**N**] は[1]と表される．また，抵抗の組立単位オーム [**Ω**] は，電力の組立単位ワット [**W**] とアンペアを用いて[2]と表される．

いま，単相 **100 V** 電源で抵抗式電熱器を用いて加熱する電気ポットがある．その電気ポットを用いて定格の **500 W** で加熱しているときの電熱器の抵抗は[[**A** | $a.b \times 10^c$]] [**Ω**] である．

〈[1]及び[2]の解答群〉

ア $kg{\cdot}m/s^2$　**イ** $kg{\cdot}m^2/s^2$　**ウ** $kg{\cdot}m^2/s^3$　**エ** $W{\cdot}A$　**オ** W/A　**カ** W/A^2

⑵ **2016** 年版のエネルギー白書に示されている「我が国のエネルギーバランス・フロー概要（**2014** 年度）」によると，一次エネルギー国内供給の中で，石炭・石油・天然ガスなどの化石燃料が占める割合は発熱量ベースでは約 [3] [%] であり，これらのうち一番割合が高いものは [4] である．

また，最終エネルギー消費の内訳を，運輸，産業，民生（家庭＋業務）の **3** 部門について比較すると，多い順に [5] となる．

〈[3]～[5] の解答群〉

ア 72　**イ** 82　**ウ** 92　**エ** 石油　**オ** 石炭　**カ** 天然ガス

キ 運輸＞産業＞民生　**ク** 産業＞運輸＞民生　**ケ** 産業＞民生＞運輸

⑶ 太陽から地球に到達する電磁波の強さの波長分布におけるピークは [6] 領域にあるが，地球から宇宙に放射される電磁波の強さのピークは [7] 領域にある．二酸化炭素は，後者の波長領域に吸収帯を有し，地球温暖化へ与える影響が大きいとされている．その大気中濃度は **2016** 年現在で約 [8] [ppm] である．なお，**1 ppm** は [9] [%] である．

〈[6]～[9] の解答群〉

ア 0.000 01　**イ** 0.000 1　**ウ** 0.001　**エ** 300　**オ** 400

カ 500　**キ** 可視光　**ク** 紫外線　**ケ** 赤外線

問題 3（エネルギー管理技術の基礎） 改

次の各文章は，令和 **5** 年 **9** 月 **1** 日時点で施行されている「工場等におけるエネルギーの使用の合理化に関する事業者の判断の基準」（以下，『工場等判断基準』と略記）の内容及びそれに関連した管理技術の基礎について述べたものである．

これらの文章において，『工場等判断基準』の本文に関連する事項の引用部を示す上で，

「**I**　エネルギーの使用の合理化の基準」の部分は『基準部分』，

「**II**　エネルギーの使用の合理化の目標及び計画的に取り組むべき措置」の部分は『目標及び措置部分』

と略記する．

[1]～[12] の中に入れるべき最も適切な字句，数値，式又は記述をそれぞれの解答群から選び，その記号を答えよ．

また，[[**A** | **a.b**]]～[[**H** | **ab**]] に当てはまる数値を計算し，その結果を答えよ．ただし，解答は解答すべき数値の最小位の一つ下の位で四捨五入すること．（配点計 **100** 点）

⑴ 『工場等判断基準』の『基準部分』では，工場又は事務所その他の事業場においてエネ

ルギーを使用して事業を行うに対して，燃料（化石燃料及び非化石燃料をいう．以下同じ．）並びに熱及び電気の合計のエネルギーの使用の合理化を図るため，燃料並びに熱及び電気の特性を十分に考慮するとともに，その設置している全ての工場等（連鎖化事業者（当該連鎖化事業者が認定管理統括事業者又は管理関係事業者である場合を除く．）にあっては，当該連鎖化事業者が行う連鎖化事業の加盟者が設置している当該連鎖化事業に係る工場等（以下「加盟している工場等」という．）を含み，認定管理統括事業者にあっては，その設置している工場等（当該認定管理統括事業者が連鎖化事業者である場合にあっては，加盟している工場等を含む．）及びその管理関係事業者が設置している工場等（当該管理関係事業者が連鎖化事業者である場合にあっては，加盟している工場等を含む．）を含む．以下同じ．）を俯瞰し，次の⑴～⑼に定める取組を行うことにより，適切なエネルギー管理を行うこと．

⑴ 取組方針の策定

事業者は，その設置している全ての工場等におけるエネルギーの使用の合理化に関する取組方針（特定事業者，特定連鎖化事業者（当該特定連鎖化事業者が認定管理統括事業者又は管理関係事業者である場合を除く．以下同じ．）及び認定管理統括事業者にあっては中長期的な計画を含む．管理関係事業者にあっては認定管理統括事業者が作成する中長期的な計画を含む．以下「取組方針」という．）を定めること．その際，取組方針には，エネルギーの使用の合理化に関する目標，当該目標を達成するための設備の運用，新設及び更新に対する方針を含むこと．

⑵ 管理体制の整備

事業者は，その設置している全ての工場等について，全体として効率的かつ効果的なエネルギーの使用の合理化を図るための管理体制を整備すること．管理関係事業者にあっては，その認定管理統括事業者と一体でエネルギーの使用の合理化を図るための管理体制とすること．

⑶ 責任者等の配置等

事業者は，⑵で整備された管理体制には責任者（特定事業者，特定連鎖化事業者及び認定管理統括事業者にあっては「エネルギー管理統括者」，管理関係事業者にあっては「その認定管理統括事業者が選任するエネルギー管理統括者」．以下同じ．），責任者を補佐する者（特定事業者，特定連鎖化事業者及び認定管理統括事業者にあっては「エネルギー管理企画推進者」，管理関係事業者にあっては「その認定管理統括事業者が選任するエネルギー管理企画推進者」．以下同じ．）及び現場実務を管理する者（第一種エネルギー管理指定工場等，第二種エネルギー管理指定工場等，第一種連鎖化エネルギー管理指定工場等，第二種連鎖化エネルギー管理指定工場等，第一種管理統括エネルギー管理指定工場等，第二種管理統括エネルギー管理指定工場等，第一種管理関係エネルギー管理指定工場等及び第二種管理関係エネルギー管理指定工場等にあっては「エネルギー管理者」及び「エネルギー管理員」．以下同じ．）を配置し，以下の役割分担に基づいてそれぞれの者がエネルギーの使用の合理化に関する責務を果たすこと．

① 責任者の責務

② 責任者を補佐する者の責務

③ 現場実務を管理する者の責務

⑷ 資金・人材の確保

事業者は，エネルギーの使用の合理化を図るために必要な資金・人材を確保すること．

⑸ 従業員への周知・教育

事業者は，その設置している全ての工場等における従業員に取組方針の周知を図るとともに，工場等におけるエネルギーの使用の合理化に関する教育を行うこと．

⑹ 取組方針の遵守状況の確認等

事業者は，客観性を高めるため内部監査等の手法を活用することの必要性を検討し，その設置している工場等における取組方針の遵守状況を確認するとともに，その評価を行うこと．なお，その評価結果が不十分である場合には改善を行うこと．

⑺ 取組方針の精査等

事業者は，取組方針及び遵守状況の［ 1 ］を定期的に精査し，必要に応じ変更すること．

⑻ 文書管理による状況把握

事業者は，⑴取組方針の策定，⑵管理体制の整備，⑶責任者等の配置等，⑹取組方針の遵守状況の確認等及び⑺取組方針の精査等の結果を記載した書面を作成，更新及び保管することにより，状況を把握すること．

⑼ エネルギーの使用の合理化に資する取組に関する情報の開示

エネルギーの使用の合理化及び非化石エネルギーへの転換等に関する法律に基づく定期の報告におけるエネルギー消費原単位等に関する情報の開示について検討すること．

〈［ 1 ］の解答群〉

ア 管理結果　**イ** 評価結果　**ウ** 評価方法

⑵ 再生可能エネルギーとして，バイオエタノール等が主に燃料として使用されてきている．

エタノール（$\mathbf{C_2H_5OH}$）を酸素で完全燃焼させると，$\mathbf{H_2O}$ と $\mathbf{CO_2}$ が生成する．エタノー

ル 1 mol を完全燃焼させるのに必要な理論酸素量は， **A a.b** [mol] である．

⑶ ある物体表面の温度が 60 ℃ で放射率が 0.8 であるとき，この物体表面の単位面積からの単位時間当たりの放射エネルギーは， **B a.b** $\times 10^2$ [W/m^2] である．ただし，0 ℃ は絶対温度 273 K とし，ステファン・ボルツマン定数は 5.67×10^{-8} W/(m^2·K^4) とする．

⑷ 炉壁外面の温度が 80 ℃ で，周囲空気の温度が 20 ℃ であるとき，炉壁外面における対流熱伝達率を 5 W/(m^2·K) とすると，この炉壁外面の単位面積から放散される対流伝熱による単位時間当たりの損失熱量は， **C a.b** $\times 10^2$ [W/m^2] である．

⑸ 炉壁内面温度が 880 ℃ である加熱炉の炉壁外面温度を，『工場等判断基準』の「工場等（専ら事務所その他これに類する用途に供する工場等を除く）」に対する『基準部分』で求められる「基準炉壁外面温度」の 80 ℃ 以下としたい．熱伝導率が温度によらず 0.2 W/(m·K) で一定な炉壁材を使用することとし，炉壁の通過熱流束を 640 W/m^2 とすると，炉壁外面温度が 80 ℃ となる炉壁材の厚さは **D a.b** $\times 10^2$ [mm] となり，これ以上の厚みにする必要がある．

⑹ 熱膨張が小さい固体や液体の比熱は一つの比熱で代表されるが，熱膨張の大きい気体では，定圧比熱と定容比熱を区別している．定圧比熱を定容比熱で除した値を比熱比と呼び，これはすべての気体で [2]．

⑺ エネルギー管理を遂行する上では各種流体の流量計測が必要となることが多く，管内流れの流量計測には，安価で取り扱いが容易なものとしてオリフィス流量計が広く用いられている．

この流量計では，流量がオリフィス前後の圧力差の [3] 乗に比例することを利用して測定している．

〈[2] 及び [3] の解答群〉

ア $\frac{1}{2}$　**イ** 2　**ウ** 3　**エ** 1より小さくなる　**オ** 1となる

カ 1より大きくなる

⑻ 『工場等判断基準』の『目標及び措置部分』のうちの，「その他エネルギーの使用の合理化に関する事項」は，「熱の効率的利用を図るためには，有効エネルギー（エクセルギー）の観点からの総合的なエネルギー使用状況のデータを整備するとともに，熱利用の [4] な整合性改善についても検討すること．」を求めている．

エクセルギーは，周囲環境を基準にして有効なエネルギーを評価するものである．いま，

温度が T [K] で熱量 Q を保有する高温熱源があるとき，エクセルギー E は，低温熱源である温度 T_0 [K] の周囲環境との間で得られる最大の機械的仕事に相当し，カルノーサイクルの効率から，式 [5] で定義される．

〈[4] 及び [5] の解答群〉

ア $E = Q\dfrac{T_0}{T}$　**イ** $E = Q\dfrac{T}{T_0}$　**ウ** $E = Q\left(1 - \dfrac{T_0}{T}\right)$　**エ** 温度的

オ 経済的　**カ** 熱的

(9) ある自家用火力発電設備が，高発熱量 **39 MJ/L** の **A** 重油を燃料として運転されている．この発電設備の，ある期間における燃料使用量が **1 200 kL** であった．高発熱量基準の平均発電端熱効率を **38 %** とすると，この間の発電電力量は [**E** | **a.b** $\times$ **10^{c}**] **[MW·h]** である．

(10) 空気調和設備の省エネルギー推進には，負荷の低減，高効率設備の採用及び熱搬送設備を含めた設備の高効率運用を考慮することが重要である．

1) 熱源設備や熱搬送設備，空気調和機設備について，効率の向上を図るために設備ごとに個別に効率向上を図るだけでは，他の設備の効率が低下してしまうことがある．そのために，これらの設備の総合的なエネルギー効率の向上を図る必要がある．

『工場等判断基準』の『基準部分』は，「空気調和設備の熱源設備が複数の同機種の熱源機で構成され，又は使用するエネルギーの種類の異なる複数の熱源機で構成されている場合は，外気条件の季節変動や負荷変動等に応じ，[6] 又は稼働機器の選択により熱源設備の総合的なエネルギー効率を向上させるように管理標準を設定して行うこと．」を求めている．

2) 冷房時，中央方式で冷水を供給する熱源設備及び熱搬送設備を運転するとき，負荷が同一の場合，一般に次の関係がある．熱源機から負荷に送る冷水の温度を高くすると，熱源機の効率は [7]．冷水の温度を高くすると，冷水ポンプの流量を増加させる必要があり，所要動力は大きくなる．これらのことを考慮して，総合的なエネルギー効率を向上させることが求められる．

〈[6] 及び [7] の解答群〉

ア 稼働台数の調整　**イ** 変流量制御の採用　**ウ** 冷却水温度の調整

エ 高くなる　**オ** 低くなる　**カ** 変わらない

(11) ある工場の受電点において，三相 **3** 線式配電線の線間電圧が **6 600 V**，線電流が **150 A**，力率が **85 %** であった．ここで，受電点の電源側は対称三相電源，負荷側は平衡三相負荷とみなすことができるものとする．この負荷に並列にコンデンサを接続して力率を **100 %** にするためには，このコンデンサの三相分の合計容量を **F a.b × 10^c** [**kvar**] とする必要がある．ただし，$\sqrt{3} = 1.73$ とする．

⑿ ある工場で，最大需要電力低減のために，ある日の **14** 時から **14** 時 **30** 分までの平均電力を **1 200 kW** に抑えることにした．**14** 時から **14** 時 **20** 分までの使用電力量が **540 kW·h** であった．この場合，残りの **14** 時 **20** 分から **14** 時 **30** 分までの **10** 分間の平均電力を **G abc** [**kW**] とする必要がある．

⒀ 三相誘導電動機が，線間電圧 **200 V**，線電流 **200 A**，力率 **80 %** で稼働している．この電動機の効率を **90 %** とすると，軸動力は **H ab** [**kW**] である．ただし，$\sqrt{3} = 1.73$ とする．

⒁ 電動機では，回転運動によって電動機軸に負荷に応じたトルクが発生する．回転速度が N [min^{-1}] で回転している電動機の軸動力が P [**W**] であるとき，発生するトルクは，[8] [**N·m**] である．

⒂ 送風機の軸動力は，効率を一定とすれば送風機の風量と全圧との積に比例して変化する．送風機の回転速度を変えると，軸動力は理論的には回転速度の [9] 乗に比例して変化する．

〈[8] 及び [9] の解答群〉

ア 1　**イ** 2　**ウ** 3　**エ** $\dfrac{PN}{60}$　**オ** $\dfrac{60P}{N}$　**カ** $\dfrac{60P}{2\pi N}$

⒃ 電気加熱は，燃料の燃焼による加熱にはない特徴を持っており，その一つが，被加熱物自身の発熱による内部加熱ができることである．この加熱方式として，直接抵抗加熱，誘電加熱，誘導加熱などがある．これらの方式のうち，木材やプラスチックなど電気的に絶縁物に近い物質の加熱には [10] 加熱がよく用いられる．

⒄ 照明において，照度は光源によって照らされている場所の明るさの程度を表す測光量であり，その単位は **SI** 組立単位では [11] で表され，ルクス [**lx**] という固有の名称で呼ばれる．

〈[10] 及び [12] の解答群〉

ア $\mathrm{cd/m^2}$　**イ** $\mathrm{lm/m^2}$　**ウ** $\mathrm{W/m^2}$　**エ** 直接抵抗　**オ** 誘電　**カ** 誘導

電気の基礎（80 分）

問題 4　電気及び電子理論

問題 5　自動制御及び情報処理

問題 6　電気計測

問題 4（電気及び電子理論）

次の各文章の［ 1 ］～［ 12 ］の中に入れるべき最も適切な数値又は式をそれぞれの解答群から選び，その記号を答えよ．（配点計 **50** 点）

(1)　図 **1** に示すように，電圧 $\dot{E}$ [V] の単相交流電源に，負荷として抵抗 R [Ω] と誘導性リアクタンス X [Ω] を直列接続した回路(a)と並列接続した回路(b)がある．これらの回路において，負荷の力率について考える．なお，図に示されているインピーダンス以外のインピーダンスは無視するものとする．

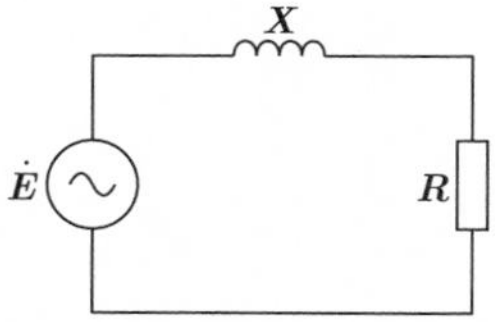

(a)　RとXを直列接続した回路

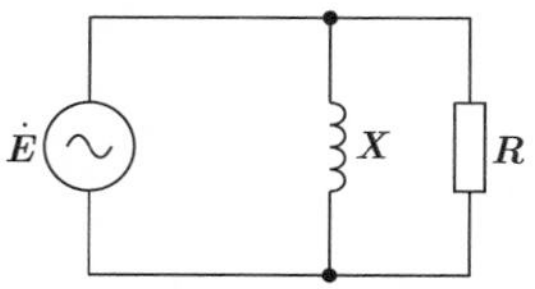

(b)　RとXを並列接続した回路

図 **1**

1)　R と X を直列接続した負荷の合成インピーダンス $\dot{Z}_s$，及び R と X を並列接続した負荷の合成インピーダンス $\dot{Z}_p$ は，複素数表示では次式のように表される．

$$\dot{Z}_s = \boxed{\ 1\ } \ [\Omega]$$

$$\dot{Z}_p = \boxed{\ 2\ } \ [\Omega]$$

〈［ 1 ］及び［ 2 ］の解答群〉

ア　$R + X$　　**イ**　$R + \mathrm{j}X$　　**ウ**　$R - \mathrm{j}X$　　**エ**　$\dfrac{1}{R} + \mathrm{j}\dfrac{1}{X}$

オ　$\dfrac{1}{R} + \dfrac{1}{\mathrm{j}X}$　　**カ**　$\dfrac{RX}{R^2 + X^2}(R + \mathrm{j}X)$　　**キ**　$\dfrac{RX}{R^2 + X^2}(R - \mathrm{j}X)$

II

ク $\dfrac{RX}{R^2+X^2}(X+\mathrm{j}R)$

2)　R と X を直列接続した負荷の力率 $\cos\varphi_s$，及び R と X を並列接続した負荷の力率 $\cos\varphi_p$ は，次式のように表される．

$\cos\varphi_s =$ [3]

$\cos\varphi_p =$ [4]

〈[3]及び[4]の解答群〉

ア $\dfrac{R}{\sqrt{R^2+X^2}}$　**イ** $\dfrac{R}{\sqrt{R^2-X^2}}$　**ウ** $\dfrac{X}{\sqrt{R^2+X^2}}$　**エ** $\dfrac{X}{\sqrt{R^2-X^2}}$

オ $\dfrac{RX}{\sqrt{R^2+X^2}}$　**カ** $\dfrac{RX}{\sqrt{R^2-X^2}}$

(2)　図 **2** に示すように，線間電圧が $\dot{V}_{ab}=200+\mathrm{j}0$ [V]，$\dot{V}_{bc}$ [V]，$\dot{V}_{ca}$ [V] の対称三相交流電源に，回路 **1**（負荷）と，スイッチ **S** を介して回路 **2**（コンデンサ）が接続されている．ここで，回路 **1** は，抵抗 $R=\sqrt{3}$ [Ω] と誘導性リアクタンス $X_L=1$ [Ω] とを直列接続したインピーダンス $\dot{Z}$ を **Y** 接続した平衡三相負荷である．また，回路 **2** は，力率改善のため容量性リアクタンス X_C [Ω] のコンデンサを△接続した平衡三相回路である．

図 **2** の回路において，スイッチ **S** を開閉したときの定常状態における電圧，電流，力率，電力などの値を求める過程を考える．ここで，相順は **a-b-c** であり，図に示されているインピーダンス以外のインピーダンスは無視するものとする．

参考として，図 **3** に各部の電流，電圧の関係を示したフェーザ図を示す．

1)　スイッチ **S** が開のときの，回路 **1** について考える．

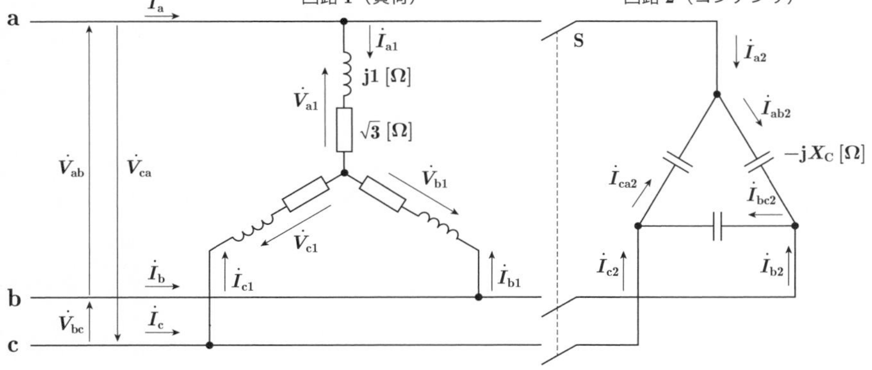

図 **2**

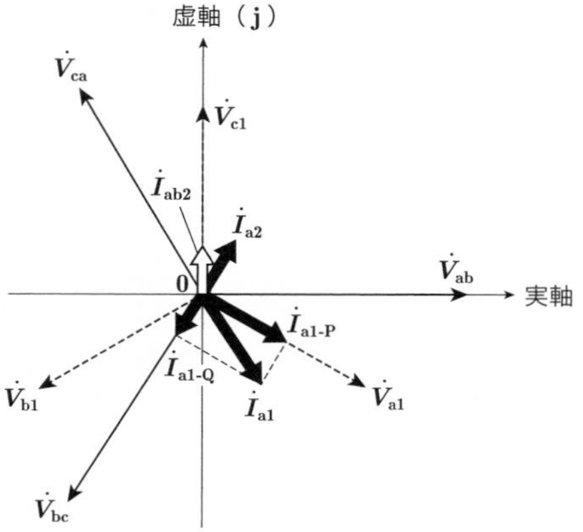

図 3

i）　線間電圧 $\dot{V}_{ab} = 200 + \mathrm{j}0$ [V] の極座標表示は次の値となる．

$\dot{V}_{ab} =$ [　5　] [V]

ここで，$\dot{V}_{a1}$ を求める．$\dot{V}_{a1}$ は相電圧に相当するので，電源の△-Y 等価変換から次の値となる．

$\dot{V}_{a1} =$ [　6　] [V]　　　……………………………… ①

〈[　5　] 及び [　6　] の解答群〉

ア　$\dfrac{200}{\sqrt{3}}e^{\mathrm{j}0}$　　イ　$\dfrac{200}{\sqrt{3}}e^{-\mathrm{j}\frac{\pi}{6}}$　　ウ　$200e^{\mathrm{j}0}$　　エ　$200e^{\mathrm{j}\frac{\pi}{6}}$

オ　$200e^{-\mathrm{j}\frac{\pi}{6}}$　　カ　$200\sqrt{3}e^{\mathrm{j}0}$　　キ　$200\sqrt{3}e^{\mathrm{j}\frac{\pi}{6}}$

ii）　次に回路 1 の電流を求める．

a 相電流 $\dot{I}_{a1}$ は式①の相電圧と 1 相分のインピーダンス $\dot{Z} = \sqrt{3} + \mathrm{j}1 = 2e^{\mathrm{j}\frac{\pi}{6}}$ とから次の値となる．

$\dot{I}_{a1} =$ [　7　] [A]

電流 $\dot{I}_{a1}$ の位相は，相電圧 $\dot{V}_{a1}$ の位相に対して平衡三相負荷 1 相分のインピーダンス $\dot{Z}$ のインピーダンス角だけ遅れている．したがって，電流 $\dot{I}_{a1}$ の有効電流成分 $\dot{I}_{a1-P}$ [A]（相電圧 $\dot{V}_{a1}$ に並行する成分）と無効電流成分 $\dot{I}_{a1-Q}$ [A]（相電圧 $\dot{V}_{a1}$ に直交する成分）に分けると，無効電流成分 $\dot{I}_{a1-Q}$ は次の値となる．

$\dot{I}_{a1-Q} =$ [　8　] [A]　　　……………………………… ②

II

〈 7 及び 8 の解答群〉

ア $\dfrac{50}{\sqrt{3}}e^{-j\frac{\pi}{2}}$　イ $\dfrac{50}{\sqrt{3}}e^{-j\frac{2\pi}{3}}$　ウ $50e^{-j\frac{\pi}{3}}$　エ $50e^{-j\frac{2\pi}{3}}$

オ $100e^{-j\frac{\pi}{6}}$　カ $\dfrac{100}{\sqrt{3}}e^{-j\frac{\pi}{6}}$　キ $\dfrac{100}{\sqrt{3}}e^{-j\frac{\pi}{3}}$

2) 次にスイッチ S が閉のときについて考える.

i) △接続した回路 2 の電流 $\dot{I}_{ab2}$ は，線間電圧 $\dot{V}_{ab}$ と容量性リアクタンス X_C から，次の値となる.

$\dot{I}_{ab2} =$ 9 [A]

したがって，電流 $\dot{I}_{a2}$ は次の値となる.

$\dot{I}_{a2} =$ 10 [A] ……………………………… ③

〈 9 及び 10 の解答群〉

ア $\dfrac{200}{3X_C}e^{j\frac{\pi}{2}}$　イ $\dfrac{200}{\sqrt{3}X_C}e^{j\frac{\pi}{3}}$　ウ $\dfrac{200}{X_C}e^{j\frac{\pi}{2}}$　エ $\dfrac{200}{X_C}e^{-j\frac{\pi}{2}}$

オ $\dfrac{200\sqrt{3}}{X_C}e^{-j\frac{2\pi}{3}}$　カ $\dfrac{200\sqrt{3}}{X_C}e^{j\frac{\pi}{6}}$　キ $\dfrac{200\sqrt{3}}{X_C}e^{j\frac{\pi}{3}}$

ii) スイッチ S を閉じたとき，電源から見た回路側全体の力率が 1 になった. この場合の容量性リアクタンス X_C と，このときの回路 1 における消費電力 P_R を求める.

式③の電流 $\dot{I}_{a2}$ は，式②の無効電流成分を打ち消して，電源電流 $\dot{I}_a = \dot{I}_{a1} + \dot{I}_{a2}$ を回路 1 の相電圧 $\dot{V}_{a1}$ と同相にするものである. したがって，容量性リアクタンス X_C は次の値となる.

$X_C =$ 11 [Ω]

また，このときの回路 1 における三つの抵抗で消費する電力 P_R は次の値となる.

$P_R =$ 12 [W]

〈 11 及び 12 の解答群〉

ア $\dfrac{12}{\sqrt{3}}$　イ $6\sqrt{3}$　ウ 12　エ 10 000　オ $10\,000\sqrt{3}$　カ 30 000

問題 5（自動制御及び情報処理）

次の各問に答えよ.（配点計 50 点）

(1) 次の各文章の 1 ～ 6 の中に入れるべき最も適切な字句，数値，式又は記述をそれぞれの解答群から選び，その記号を答えよ．

図に示すようなブロック線図で表したフィードバック制御系を考える．ここで，目標値を $r(t)$，操作量を $u(t)$，制御量を $y(t)$ とする．また，$R(s)$ は $r(t)$ を，$U(s)$ は $u(t)$ を，$Y(s)$ は $y(t)$ をそれぞれラプラス変換したものとし，A，K 及び T は全て正の実数とする．

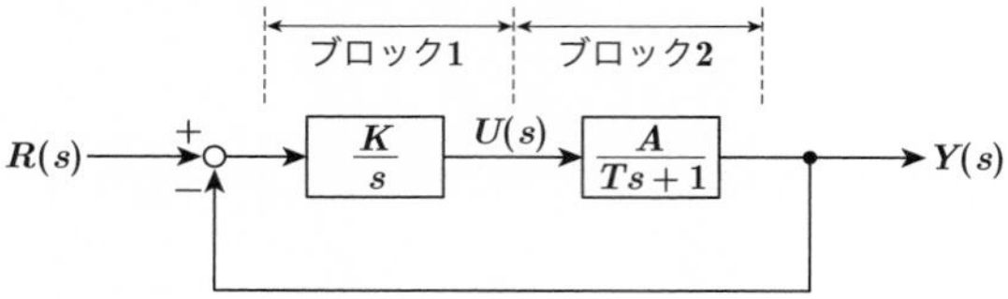

図

1）　ブロック1の名称として最も適切なのは［ 1 ］である．またブロック2の名称として最も適切なのは［ 2 ］である．

〈［ 1 ］及び［ 2 ］の解答群〉

ア　検出器　　**イ**　信号発生器　　**ウ**　制御器　　**エ**　設定器　　**オ**　制御対象

2）　このとき，目標値 $R(s)$ から制御量 $Y(s)$ への閉ループ伝達関数を計算すると，式［ 3 ］を得る．また，目標値 $R(s)$ と制御量 $Y(s)$ の偏差 $E(s)$ を $E(s) = R(s) - Y(s)$ と定義すると，目標値 $R(s)$ から偏差 $E(s)$ への閉ループ伝達関数として式［ 4 ］を得る．

〈［ 3 ］及び［ 4 ］の解答群〉

ア　$\dfrac{AK}{s^2+Ts+AK}$　　**イ**　$\dfrac{AK}{Ts^2+s+AK}$　　**ウ**　$\dfrac{s+AK}{Ts^2+s+AK}$

エ　$\dfrac{Ts^2+s}{Ts^2+s+AK}$

3）　いま，目標値を $r(t)=1$（$t>0$）として，単位ステップ入力を与える．

ｉ）このとき，制御量 $y(t)$ の定常値 $\lim_{t\to\infty} y(t)$ の値は［ 5 ］となる．

〈［ 5 ］の解答群〉

ア　-1　　**イ**　0　　**ウ**　1　　**エ**　AK　　**オ**　$\dfrac{1}{AK}$

ⅱ）また，もしモデル変動により A の値が2倍になった場合，この定常値は［ 6 ］．

〈［ 6 ］の解答群〉

ア　0になる　　**イ**　$\dfrac{1}{2}$ 倍になる　　**ウ**　2倍になる

エ　変わらない　　**オ**　発散する

⑵　次の文章の［ 7 ］及び［ 8 ］の中に入れるべき最も適切な字句を〈［ 7 ］及び［ 8 ］の解答群〉から選び，その記号を答えよ．

比例要素のあるフィードバック制御系の制御において，定値制御における定常偏差をなくすためには，制御器に［ 7 ］を加えることが有効であり，過渡時の振動を抑制し素早く目標値に追従するためには，制御器に［ 8 ］を加えることが有効である．

〈［ 7 ］及び［ 8 ］の解答群〉

ア　一次遅れ要素　　**イ**　二次遅れ要素　　**ウ**　積分要素

エ　微分要素　　**オ**　むだ時間要素

⑶　次の文章の［ 9 ］～［ 12 ］の中に入れるべき最も適切な字句を〈［ 9 ］～［ 12 ］の解答群〉から選び，その記号を答えよ．なお，［ 11 ］は **2** 箇所あるが，同じ記号が入る．

工場やビルのエネルギー管理システムなどをインターネットに接続する場合には，外部からの不正な侵入を検知してシステムを守る事が重要である．［ 9 ］は，内部ネットワークと外部ネットワークの境界点に設置し，外部とやりとりする［ 10 ］を監視し，ネットワーク上にある送信元や送信先を特定するための論理番号である［ 11 ］をチェックし，あらかじめテーブルなどで許可している［ 11 ］間の通信は［ 12 ］機能を有する．

〈［ 9 ］～［ 12 ］の解答群〉

ア　**DMZ**　　**イ**　**HTML**　　**ウ**　**IP** アドレス　　**エ**　**WWW** サーバ

オ　ウイルス　　**カ**　ゲートウェイ　　**キ**　パスワード　　**ク**　ファイアウォール

ケ　ログ　　**コ**　遮断する　　**サ**　署名データ　　**シ**　通過させる

ス　通信パケット　　**セ**　通知　　**ソ**　破棄する　　**タ**　秘密鍵

⑷　次の文章の［ 13 ］～［ 15 ］の中に入れるべき最も適切な字句を〈［ 13 ］～［ 15 ］の解答群〉から選び，その記号を答えよ．

コンピュータなどの情報機器に様々な周辺機器を接続するための［ 13 ］インタフェースの規格の **1** つである［ 14 ］は，**1** つのバスに最大 **127** 台の機器が接続可能である．また，電源を入れたまま周辺機器の交換や抜き差しが可能な［ 15 ］機能にも対応する．

〈［ 13 ］～［ 15 ］の解答群〉

ア　**PCI**　　**イ**　**PS/2**　　**ウ**　**PC** カード　　**エ**　**SCSI**

オ　**USB**　　**カ**　サスペンド　　**キ**　シリアル　　**ク**　スリープ

ケ　デイジーチェーン　　**コ**　パラレル　　**サ**　ホットプラグ　　**シ**　ユーザ

問題6（電気計測）

次の各問に答えよ．（配点計**50**点）

(1)　次の各文章の［1］～［5］の中に入れるべき最も適切な字句をそれぞれの解答群から選び，その記号を答えよ．なお，［2］は**3**箇所あるが，同じ記号が入る．

抵抗測定では，測定対象が高安定な抵抗器から不安定な絶縁抵抗など様々であり，目的，要求精度，測定条件などに応じた適切な測定方法を選択する必要がある．ここでは，その測定方法を大きく電流・電圧法とブリッジ法に分けて，その特徴を示す．

1)　電流・電圧法は，高精度の電圧計や電流計の出現に伴い，近年主流となっている方法であり，その原理は［1］の法則を用いるものである．この方法を，回路構成によって更に**2**端子抵抗測定法と［2］法に分けて考える．

2端子抵抗測定法では，測定した電圧と電流から抵抗値を求める際に，被測定抵抗に繋がる配線や接触抵抗を含んだ抵抗を測定することになるが，被測定抵抗が十分大きく，高精度を必要としない場合には，それらによる誤差は問題とならない場合が多い．簡易的なテスタや絶縁抵抗計などが該当する．

一方，［2］法では電圧計の抵抗を極めて大きくして，配線や接触抵抗の影響を受けない電圧が測定できる．

内部に定電流源や電圧増幅器，アナログ－デジタル変換器を備え，広い抵抗範囲や他の電気量も測定できる計測器として［3］が多く用いられているが，［2］法を用いたものであれば，被測定抵抗以外の抵抗の影響を受けない，より精密な測定が可能となる．

〈［1］～［3］の解答群〉

ア　オーム　**イ**　クーロン　**ウ**　ジュール　**エ**　スペクトラムアナライザ
オ　デジタルマルチメータ　**カ**　ネットワークアナライザ
キ　**4**端子抵抗測定　**ク**　共振測定　**ケ**　直列抵抗測定

2)　ブリッジ法は比較的古くからある抵抗測定法であるが，研究開発における精密測定での利用が主である．

ブリッジ法の中で，最も基本的で広く使われてきたのは［4］ブリッジである．その原理は，三つの既知抵抗でその内の一つが可変な抵抗と，被測定抵抗を用いてブリッジ回路を構成し，可変抵抗の調整によって検流計の値が零となったときの各抵抗の関係から被測定抵抗の値を求めるものであり，精密測定が可能である．ただし，この方法ではリード線抵抗や接触抵抗の影響が誤差の要因となる．

被測定抵抗以外の抵抗の影響を除去したものが［6］ブリッジである．これは，ブリッジ回路に改善を加えて測定対象外の抵抗が誤差要因とならないように工夫したもので，より低抵抗の精密測定が可能である．ただし，どちらもその他の誤差要因である，既知抵抗の校正値と公称値とのずれ，回路中の熱起電力，通電による加熱や周囲の温度による影響などには注意が必要である．

〈 4 ～ 5 の解答群〉

ア ケルビンダブル　**イ** デソーテ　**ウ** ホイートストン　**エ** マクスウェル

(2) 次の各文章の 6 ～ 10 の中に入れるべき最も適切な字句又は式をそれぞれの解答群から選び，その記号を答えよ．

正弦波交流電源に抵抗のみの負荷を接続した回路があり，電源の電圧が $v = V_m \sin \omega t$ [V]，回路に流れる電流が $i = I_m \sin \omega t$ [A] であるときの回路の電圧，電力の測定について考える．

1) 電圧及び電流の測定

i) 交流は一般に実効値で表すことが多く，通常の交流電圧計や交流電流計の値は実効値を示している．この回路の実効値と瞬時値の関係は，電圧の場合，振幅を V_m [V]，実効値を V_e [V] とすると，次式で表すことができる．

$$V_e = \boxed{\ 6\ }\ [\mathrm{V}]$$

この関係は，電流の振幅 I_m [A] と実効値 I_e [A] の関係においても同様である．

ii) 一般に，電圧や電流の測定において測定計器の定格値より大きな値を計測するときは，計器用変成器を用いる．例えば電圧を測定する場合，一次コイルの巻数を n_1，二次コイルの巻数を n_2 とした計器用変圧器を用いると，その巻数比から，測定対象電圧 v_1 [V] と電圧計の指示電圧 v_2 [V] との関係は，理論的には次式で表すことができる．

$$v_1 = \boxed{\ 7\ }\ [\mathrm{V}]$$

〈 6 及び 7 の解答群〉

ア $\dfrac{V_m}{\sqrt{3}}$　**イ** $\dfrac{V_m}{\sqrt{2}}$　**ウ** $\sqrt{\dfrac{V_m}{3}}$　**エ** $\sqrt{\dfrac{V_m}{2}}$　**オ** $\dfrac{n_1}{n_2}v_2$　**カ** $\dfrac{n_2}{n_1}v_2$

キ $\dfrac{n_1}{n_2}\dfrac{1}{v_2}$　**ク** $\dfrac{n_2}{n_1}\dfrac{1}{v_2}$

2) 電力の測定

i) 瞬時電力は，電流の瞬時値と電圧の瞬時値の積である．この回路は，負荷が抵抗だけのため電流と電圧の位相が同じであるので，瞬時電力は 8 [W] と表すことができる．これは周期関数であるので，平均電力は 1 周期分を積分し平均することにより求められ，［ 9 ］[W] となる．

ii）交流電力の測定においては，「m 相 m 線式の交流回路において，$m-1$ 台の単相電力計を用いれば全電力が測定できる」という［ 10 ］の定理によって測定することができる．

　すなわち，三相 3 線式交流電力は 2 台の単相電力計を用いる二電力計法で測定することができる．

〈［ 8 ］～［ 10 ］の解答群〉

ア $I_m{}^2R\sin\omega t$　**イ** $I_m{}^2R(1-\cos 2\omega t)$　**ウ** $I_m{}^2R\,\dfrac{1}{2}\,(1-\cos 2\omega t)$

エ $R\left(\dfrac{I_m}{\sqrt{2}}\right)$　**オ** $R\left(\dfrac{V_m}{\sqrt{2}}\right)$　**カ** $R\left(\dfrac{I_m}{\sqrt{2}}\right)^2$　**キ** $R\left(\dfrac{V_m}{\sqrt{2}}\right)^2$

ク テブナン　**ケ** ノートン　**コ** ブロンデル

電気設備及び機器（110分）

III

問題7，8　工場配電

問題9，10　電気機器

問題7（工場配電）

次の各問に答えよ．（配点計**50**点）

(1) 次の各文章の［ 1 ］～［ 7 ］の中に入れるべき最も適切な字句又は記述をそれぞれの解答群から選び，その記号を答えよ．

一般に，電力負荷平準化対策を行うことにより，最大需要電力が抑制されるので，電気供給者がピーク時間に運転している熱効率の低い石油火力の稼動停止が可能となり，発電設備全体の効率が向上するなど，電力供給システム全体に大きな効果をもたらす．したがって，電気供給者側，需要家側双方に電力負荷の平準化への取組みが求められている．

1) 電気供給者側が電力系統で行う負荷平準化対策は［ 1 ］であり，その代表的なものが揚水発電である．これは，夜間電力を利用して下池から上池へと水をポンプアップし，ピーク時間にその水を利用して発電するものである．そのほか，［ 2 ］などの二次電池を利用したものがある．

〈［ 1 ］及び［ 2 ］の解答群〉

ア　ナトリウム硫黄電池　**イ**　酸化銀電池　**ウ**　燃料電池　**エ**　広域運用

オ　電力貯蔵　**カ**　電力融通

2) 需要家側には，「工場等における電気の需要の平準化に資する措置に関する事業者の指針」により，電気需要平準化時間帯において，大きく次の①～③の措置の実施が求められている．

① 電気の使用から燃料又は熱の使用への転換

② 電気需要平準化時間帯以外の時間帯への電気を消費する機械器具を使用する時間の変更

③ その他事業者が取り組むべき電気需要平準化に資する措置

具体的検討対策としては，①では自家発電設備の導入，②では［ 3 ］の導入などが考えられる．③では，エネルギーの使用の合理化のために［ 4 ］装置を設置している場合は，それによって電気の使用量の監視機能の活用に努めることや，需要家の電力が電気事業者との間で取り決めた［5］を超過する恐れがあるときに，優先度の低い負荷の停止などにより最大需要電力を抑制するために活用することが考えられる．また，近年電気事業者が導入を進めている［6］が普及すれば，需要家が電気使用状況を直接把握する手段としても利用できるので，電力負荷平準化や需要抑制に有効である．

なお，電気需要平準化の措置を講じるに当たっては，「エネルギー使用の合理化［7］」とされている．

〈［3］～［7］の解答群〉

ア コージェネレーション設備　**イ** 太陽光発電設備　**ウ** 蓄熱式ヒートポンプ
エ スマートメータ　**オ** 電力品質アナライザ　**カ** 配電自動化システム
キ デマンド監視　**ク** 電圧調整　**ケ** 力率調整
コ 下限力率　**サ** 契約電力　**シ** 時間帯電力
ス に優先して実施すること　**セ** を著しく妨げることのないように留意すること
ソ を妨げることがあってはならない

(2) 次の文章の［8］及び［9］の中に入れるべき最も適切な数値を〈［8］及び［9］の解答群〉から選び，その記号を答えよ．

低圧配電方式において，単相**2**線式の単相負荷，三相**3**線式の平衡三相負荷で，いずれも負荷電流が$\boldsymbol{I}$ [A]で力率を**100** %としたときの配電線路の電力損失について比較する．なお，配電線**1**線分の単位長さ当たりの抵抗$\boldsymbol{R}$ [Ω/m]及びこう長$\boldsymbol{L}$ [m]は，両配電方式で同一とする．

負荷電圧が**100 V**で単相**2**線式の場合，その供給電力は$\boldsymbol{100I}$ [W]であり，供給電力に対する配電線路の電力損失の割合は$\left(\dfrac{2I^2RL}{100I}\right)$で表される．

ここで，**100 V**単相**2**線式と，負荷電圧が**200 V**の三相**3**線式の配電方式とを比較すると，三相**3**線式の供給電力は単相**2**線式の［8］倍となり，供給電力に対する配電線路の電力損失の割合は［9］倍となる．

〈［8］及び［9］の解答群〉

ア $\dfrac{\sqrt{3}}{4}$　**イ** $\dfrac{\sqrt{3}}{3}$　**ウ** $\dfrac{\sqrt{3}}{2}$　**エ** $\sqrt{3}$　**オ** $2\sqrt{3}$　**カ** $4\sqrt{3}$

(3) 次の各文章の［**A** ab］及び［**B** a.b］に当てはまる数値を計算し，その結果を答えよ．ただし，解答は解答すべき数値の最小位の一つ下の位で四捨五入すること．

図 1 は，**6.6 kV** 三相 **3** 線式高圧配電の母線から **6.6 kV** 高圧配電線路を経由して，**6.6 kV/210 V** 配電用変圧器，低圧配電線路，平衡三相負荷が接続されたある工場の配電系統を示している．それぞれの設備の仕様は図 **1** に記載のとおりであり，変圧器の変圧比は一定で損失は無視できるものとする．

また，図 **2** は，負荷平準化対策のため斜線部の負荷を夜間にシフトすることを計画したある 1 日の平衡三相負荷の日負荷曲線を示している．ただし，負荷平準化対策前後で総消費電力量は変わらないものとする．

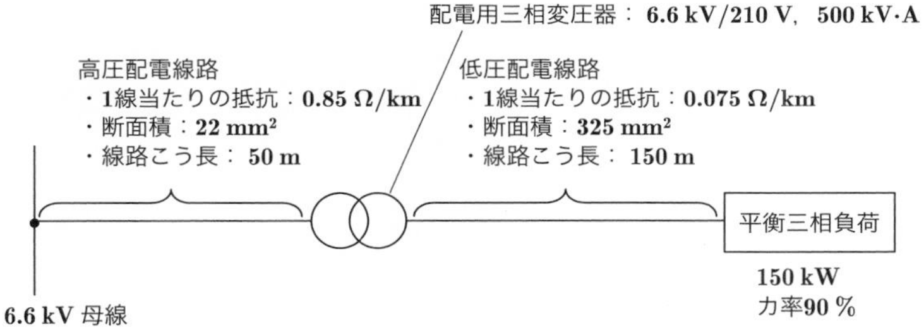

図1　配線系統

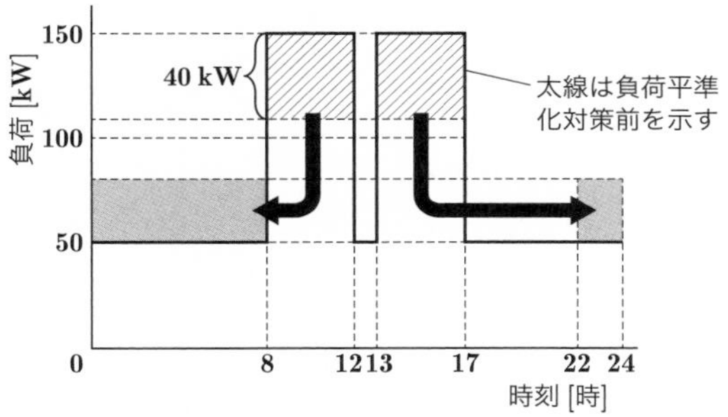

図2　平衡三相負荷の日負荷曲線

この配電系統において，次の1)及び2)の対策をそれぞれ単独で実施することを考える．

1)　図 **1** の配電系統において，負荷平準化対策を実施して図 **2** の斜線部に示すように，**8** 時～ **12** 時及び **13** 時～ **17** 時の負荷のうち **40 kW** 分を夜間の **22** 時～翌日の **8** 時に均等にシフトすると，対策後の日負荷率は [**A** **ab**] [%] となり，対策前と比較して負荷率は高くなる．

2)　図 **1** の配電系統において，配電線路の電力損失の低減を図るため配電用変圧器を平衡三相負荷の近くに移動することにした．配電線路の全こう長は変えずに，高圧配電線路

のこう長を **150 m**，低圧配電線路のこう長を **50 m** に変更した場合，図 **2** の最大需要電力 **150 kW** のときの電力損失は，線路のこう長を変更する前と比較して［**B　a.b**］[kW] 低減できる．ただし，線路こう長を変更しても負荷端電圧は **210 V**，負荷力率は **90 %** で一定とする．

(4)　次の各文章の［**C　ab**］及び［**D　ab**］に当てはまる数値を計算し，その結果を答えよ．ただし，解答は解答すべき数値の最小位の一つ下の位で四捨五入すること．

図 **3** に示すように，受電設備から線路こう長 L [m] で，電線の太さが均一の三相 **3** 線式の配電線により工場内に電力が供給される配電系統がある．この配電線には，図 **3** に示した間隔で定電流負荷 **1** ～ **3** が接続されている．**1** ～ **3** の定電流負荷は同一で，各負荷電流の大きさは電圧のいかんにかかわらず一定とする．また，配電線 **1** 線の単位長さ当たりのインピーダンスは抵抗分のみとし一定とする．

ここで，受電設備から $\frac{3}{4}L$ の地点に，定電流負荷 **1** つ分の電流を定格電流とする分散型電源を連系することを考える．

ただし，定電流負荷及び分散型電源の力率はいずれも **100 %** とし，配電線から定電流負荷 **1** ～ **3** への引込部分のインピーダンス，及び配電線と分散型電源の連系部分のインピーダンスは無視できるものとする．

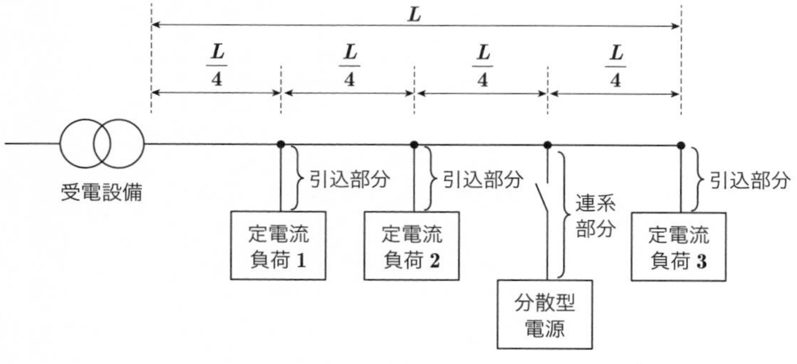

図3　配電系統

1)　分散型電源を連系し定格運転したとき，受電設備から分散型電源との接続点までの電圧降下は，分散型電源を連系していないときの値の［**C　ab**］[%] となる．

2)　分散型電源を連系し定格運転したとき，受電設備から分散型電源との接続点までの配電線の電力損失は，分散型電源を連系していないときの値の［**D　ab**］[%] となる．

問題 8（工場配電）

次の各問に答えよ．（配点計 **50** 点）

(1) 次の各文章の 1 ～ 8 の中に入れるべき最も適切な字句をそれぞれの解答群から選び，その記号を答えよ．なお， 3 は **2** 箇所あるが，同じ記号が入る．

1) 電力の力率向上は，電力損失の減少，電気料金の低減， 1 ，電圧の改善などに大きく寄与するので，力率管理を的確に行う必要がある．一般に，工場の力率は **95 %** 以上に保持できるよう進相コンデンサが設置されている．また，負荷の増減に応じた力率管理，調整を行う必要があり，そのために力率制御装置を用いる．その制御方式として代表的なものでは，力率の変動パターンが同じで周期的に繰り返される場合に用いられる 2 制御や，あらかじめ設定した整定値に基づいてコンデンサの投入・開放を行う 3 制御などがある．なお， 3 制御では，軽負荷時に必要な制御容量が，開放される単位コンデンサ容量より小さくなると，投入・遮断を繰り返す 4 現象を起こすので，制御幅は単位コンデンサ容量より若干大きくする必要がある．

〈 1 ～ 4 の解答群〉

ア インバータ　**イ** デマンド　**ウ** ハンチング　**エ** フェランチ
オ フリッカ　**カ** 位相　**キ** 時間　**ク** 周波数
ケ 無効電力　**コ** 系統容量の有効利用　**サ** 周波数の安定化
シ 瞬時停電の防止

2) 電気設備の事故を原因別に分類すると，設計ミス，製作・施工の不良，誤操作，機器や部品の経年劣化，保守の不備及び 5 などの自然災害に大別することができる．

自然災害による被害以外の事故は，施工後の検査とその後の 6 によって大きく低減できる．このうち，故障の兆候を早期に見付けて処置することや，経年劣化等による故障が予測される部品を故障前に計画的に交換する予防保全の方法がとられることが多い．

構内電気回路に短絡や地絡などの事故が発生した場合，速やかに事故を検出し，事故点に最も近い保護装置の作動により，事故の影響が他の健全な回路に波及しないように保護協調を行う必要がある．

一般に，高圧受電設備の配電系統における過電流保護では，過電流リレーによる 7 方式が採用され，受電設備の保護リレーは，その上流の送配電系統の保護リレーの 8 に対応して設定されている．

〈 5 ～ 8 の解答群〉

ア オゾン層破壊　**イ** 干ばつ　**ウ** 落雷　**エ** 距離継電

オ	区間保護	**カ**	時限差継電	**キ**	整定値	**ク**	比率特性
ケ	不感帯	**コ**	調査や研究	**サ**	点検や保守	**シ**	防災訓練

(2)　次の各文章の **A abcd** ～ **F a.bc** に当てはまる数値を計算し，その結果を答えよ．ただし，解答は解答すべき数値の最小位の一つ下の位で四捨五入すること．

図に示すように，**6.6 kV** 三相 **3** 線式高圧配電線路に，負荷 **A**，負荷 **B** 及び負荷 **C** の三つの平衡三相負荷と力率改善用コンデンサが接続されている．各負荷の最大需要電力及び力率はそれぞれ表のとおりであり，力率は負荷変動によらず一定である．また，これらの負荷稼動時における不等率は **1.2** である．

ただし，配電線路について，受電変圧器から負荷母線までの **1** 線当たりの線路インピーダンスは **0.8 + j0.6** [Ω] とし，負荷母線電圧は **6.6 kV** で一定であるものとする．

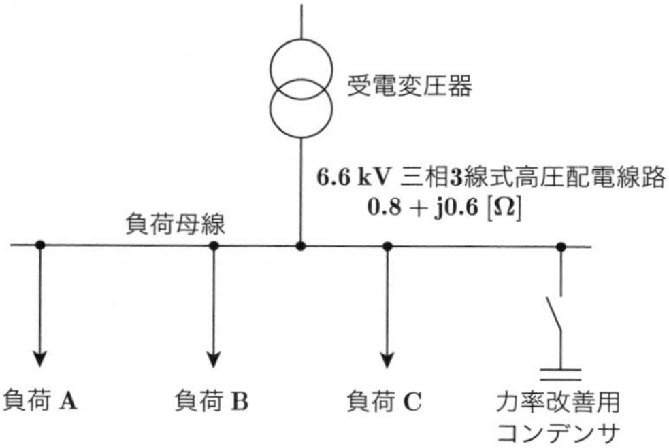

図　高圧配電系統

表　負荷の最大需要電力及び力率

	負荷 A	負荷 B	負荷 C
負荷の最大需要電力	550 kW	400 kW	850 kW
力率	90 %（遅れ）	100 %	80 %（遅れ）

1)　負荷の合成最大需要電力は **A abcd** [kW] である．

2)　合成最大需要電力が出現するときの各負荷の電力内訳は，負荷 **A** が **550 kW**，負荷 **C** が **850 kW** であり，残りが負荷 **B** であった．力率改善用コンデンサが投入されていない場合の全体の無効電力は **B abc** [kvar]，総合力率は **C ab** [%] である．

3)　合成最大需要電力が出現するときの力率を **95 %**（遅れ）まで改善するために必要な力率改善用コンデンサの容量は，**D abc** [kvar] である．

4)　合成最大需要電力が出現するときの力率を **95%**（遅れ）まで改善すると，受電変圧器から負荷母線までの線路電流は [E abc] [A] となる.

5) 4) において，負荷母線の電圧を **6.6 kV** 一定に保つためには，受電変圧器の送り出し電圧を [F a.bc] [kV] とする必要がある.

ただし，三相 **3** 線式高圧配電線路の電圧降下 ΔV は，線路電流を I [A]，線路抵抗を R [Ω]，線路リアクタンスを X [Ω]，力率を $\cos\varphi$ として，次の簡略式を用いて求めるものとする.

$$\Delta V = \sqrt{3}I(R\cos\varphi + X\sin\varphi)\ [\mathrm{V}]$$

問題 9（電気機器）

次の各問に答えよ.（配点計 **50** 点）

(1) 次の各文章の [1] ～ [6] の中に入れるべき最も適切な字句又は数値をそれぞれの解答群から選び，その記号を答えよ．なお，[3] は **2** 箇所あるが，同じ記号が入る.

図は単相二巻線変圧器の簡略図であり，(a)は負荷を接続しない状態，(b)は負荷を接続した状態について示したものである.

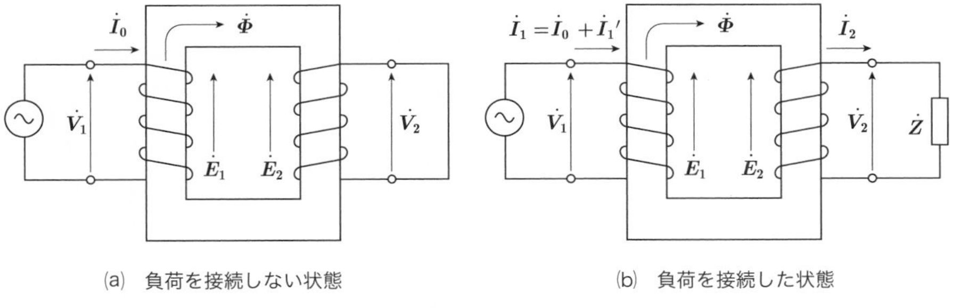

図 単相二巻線変圧器

1) 図(a)に示すように，二次巻線に負荷を接続しない状態で，一次巻線に周波数が f [Hz] の交流電圧 $\dot{V}_1$ [V] を印加すると，一次巻線に [1] 電流 $\dot{I}_0$ [A] が流れる．ここで，銅損，鉄損及び磁気飽和はなく，電流 $\dot{I}_0$ によって発生した交番磁束 $\dot{\Phi}$ [Wb] は全て鉄心中を通るものとする．交番磁束 $\dot{\Phi}$ によって一次巻線に $\dot{E}_1$ [V] 及び二次巻線に $\dot{E}_2$ [V] の誘導 [2] が発生する.

磁束の最大値を Φ_m [Wb]，一次巻線の巻数を N_1，二次巻線の巻数を N_2 とすると，$\dot{E}_1$ の大きさ E_1 及び $\dot{E}_2$ の大きさ E_2 について，次式が成立する.

$E_1 =$ [3] $\times fN_1\Phi_m$ [V] （実効値）

$E_2 =$ [3] $\times fN_2\Phi_m$ [V] （実効値）

〈 1 〜 3 の解答群〉

ア $\dfrac{\sqrt{2}}{2\pi}$　**イ** $\dfrac{\sqrt{2}\pi}{2}$　**ウ** $\dfrac{2\pi}{\sqrt{2}}$　**エ** 起電力　**オ** 電流　**カ** 電力

キ 界磁　**ク** 励起　**ケ** 励磁

2) 次に図(b)のように，二次端子に負荷 $\dot{Z}$ [Ω] を接続すると二次電流 $\dot{I}_2$ [A] が流れる．これにより，$N_2\dot{I}_2$ [A] の 4 が生じ交番滋束 $\dot{\Phi}$ を減少させようとする．これに対し，最大磁束 Φ_m を一定に保つように，一次側に 5 電流 $\dot{I}_1'$ [A] が新たに流入し，前述の $N_2\dot{I}_2$ [A] を打ち消す．

ここで，一次電流 $\dot{I}_1$ [A] は $\dot{I}_0$ と $\dot{I}_1'$ [A] を加えたものである．

3) 1)及び2)が変圧器の基本的な動作原理である．

しかし，実際の変圧器では銅損，鉄損及び磁気飽和がある．また，一次巻線あるいは二次巻線の電流による磁束のすべてが二次巻線又は一次巻線と鎖交するわけではない．これら，ほかの巻線と鎖交しない磁束を 6 と称し，これは短絡インピーダンス値を決定する主要な因子である．

〈 4 〜 6 の解答群〉

ア 回転磁束　**イ** 空隙（くうげき）磁束　**ウ** 漏れ磁束　**エ** 起磁力　**オ** 磁束密度

カ 相互リアクタンス　**キ** 保護　**ク** 保持　**ケ** 補償

(2) 次の各文章の 7 〜 12 の中に入れるべき最も適切な字句又は数値をそれぞれの解答群から選び，その記号を答えよ．

電力用コンデンサ設備は，負荷力率の改善や適正電圧の維持などを主な目的として，電力系統に多く用いられる．

1) 我が国の電力用コンデンサ設備では，一般にリアクトルをコンデンサと直列に接続して使用している．直列リアクトルの使用目的は，電力系統に存在する高調波に対し，コンデンサ設備の合成リアクタンスが常に 7 となるようにして回路電圧波形のひずみの軽減を図り，併せてコンデンサ投入時の突入電流の抑制を図ることである．

2) 系統の高調波電流はコンデンサ設備に流入し易く，コンデンサ設備を構成する機器の過熱や焼損の原因となる．コンデンサ自体が発生する損失のほとんどは 8 で，その値が小さいために問題とはならず，過熱や焼損等の障害の多くは直列リアクトルで発生する．このため，**JIS** 規格（**JIS C 4902-2：2010**）では，％リアクタンスが **6** ％の直列リアクトルについて，最大許容電流は，第 **5** 調波含有率 **35** ％以内のときは定格電流の 9 （許容電流種別 I），第 **5** 調波含有率 10 以内のときは定格電流の **130** ％（許容電流種別Ⅱ）の 2 種類を規定しており，電力会社の高圧配電系統に直接接続されるコンデンサ設備には，許容電流種別Ⅱの適用を推奨している．

〈 7 ～ 10 の解答群〉

ア 45 %　**イ** 50 %　**ウ** 55 %　**エ** 115 %　**オ** 120 %　**カ** 135 %
キ 共振性　**ク** 誘導性　**ケ** 容量性　**コ** 抵抗損　**サ** 誘電損　**シ** 励磁損

3) 三相回路の線間電圧が 6 600 V，直列リアクトルのリアクタンスがコンデンサリアクタンスの 6 % のとき，コンデンサの定格設備容量を 300 kvar とするために必要な三相コンデンサの定格電圧は 11 [V]，定格容量は 12 [kvar] である．

〈 11 及び 12 の解答群〉

ア 283　**イ** 300　**ウ** 319　**エ** 6 600　**オ** 6 900　**カ** 7 020

(3) 次の各文章の A a.bcd ～ D ab.c に当てはまる数値を計算し，その結果を答えよ．ただし，解答は解答すべき数値の最小位の一つ下の位で四捨五入すること．

定格容量 300 kV·A，定格一次電圧 6 600 V，定格二次電圧 210 V，定格周波数 60 Hz の単相変圧器があり，定格容量で力率 100 % の負荷を接続したとき効率が 98.98 % であった．また，定格容量で力率 100 % における電圧変動率 ε が 0.931 % であった．ここで，電圧変動率 ε は，百分率抵抗降下を p [%]，百分率リアクタンス降下を q [%]，負荷の力率を $\cos\varphi$ としたとき，簡略式 $\varepsilon = p\cos\varphi + q\sin\varphi$ [%] で表すことができるものとする．

1) この変圧器が定格容量で力率 100 % の負荷のとき，効率が 98.98 % なので，この運転条件での全損失（無負荷損（P_i）＋負荷損（P_{cr}））は，A a.bcd [kW] となる．

2) 電圧変動率 ε が 0.931 % であるとの条件より，定格容量で力率 100 % の負荷が接続されたときの負荷損 P_{cr} は，B a.bcd [kW] となる．

3) したがって，この変圧器の無負荷損 P_i は C abc [W] と計算されるので，この変圧器が最大効率となるのは，定格容量の D ab.c [%] 負荷で運転したときである．

問題 10（電気機器）

次の各問に答えよ．（配点計 50 点）

(1) 次の各文章の 1 ～ 9 の中に入れるべき最も適切な字句又は式をそれぞれの解答群から選び，その記号を答えよ．

1) 誘導電動機では，特別な始動方式を用いずに始動時に全電圧をかけると，始動電流は定格電流の 5 ～ 7 倍程度と大きくなるが，始動電流の 1 が大きく，始動トルクは定格の**1**～**2**倍程度に止まる．この場合，もし電源容量が小さいと始動電流による電源電圧変動が大きくなり，電動機の始動時間が長くなったり，周辺機器へ悪影響を及ぼしたりすることなどが懸念される．したがって，電源容量の大きさを加味してこの始動方式が適用できる誘導電動機容量を決定する必要がある．

汎用的に用いられるかご形誘導電動機においては，始動電流を抑え電源電圧変動を抑制するために，種々の始動方式がある．そのうち，リアクトル始動方式では，電圧を $\frac{1}{a}$ に下げて始動すると，電動機の始動電流は［2］に低減できるが，始動トルクは［3］になり，トルクの低下が大きくなるので，電圧変動とのバランスに配慮する必要がある．また，インバータを用いて電動機を運転する場合には，始動時の［4］を定格運転時に近い値に保ち始動電流を定格値に近い値として始動できるので，電源に与える影響を軽減できる．

巻線形誘導電動機では，［5］により始動すれば，力率が良く，始動電流が小さくても大きなトルクが得られる．したがって，電源容量が比較的小さくても始動が可能である．

〈［1］～［5］の解答群〉

ア　a　**イ**　a^2　**ウ**　$\frac{1}{a}$　**エ**　$\frac{1}{2a}$　**オ**　$\frac{1}{\sqrt{a}}$　**カ**　$\frac{1}{a^2}$

キ　タップ　**ク**　コンデンサ始動法　**ケ**　スターデルタ始動法

コ　二次抵抗法　**サ**　滑り　**シ**　皮相分　**ス**　無効分　**セ**　有効分

ソ　有効電力

2)　半導体バルブデバイスを用いた交流電力の周波数変換方式には，間接式と直接式がある．

間接式は，ある周波数の交流を［6］変換回路によって一度直流に変換した後，インバータによって別の周波数に変換する方式である．低い周波数から高い周波数まで［7］的に制御できる．

直接式は，中間に直流を介さず，ある周波数の三相交流を別の周波数の三相交流に直接変換する方式であり，代表的なものにサイクロコンバータと呼ばれる装置がある．

サイクロコンバータの一相分は，通常，［8］に接続された**2**組の三相サイリスタブリッジ回路で構成される．その形式は，非循環電流形と循環電流形の**2**種類がある．

サイクロコンバータの基本ブリッジ回路は，通常のブリッジ整流回路と同様であるが，ブリッジの出力側に任意の（入力側よりは低い）周波数の三相交流を得るために，位相制御角の 9 を行う点が異なる.

〈 6 ～ 9 の解答群〉

ア 階段　イ 相対　ウ 連続　エ 重畳　オ 変換　カ 変調

キ 順　ク 逆　ケ 直列　コ 並列　サ 逆並列　シ 並行

(2) 次の各文章の 10 ～ 12 の中に入れるべき最も適切な式を〈 10 ～ 12 の解答群〉から選び，その記号を答えよ.

また，**A ab** ～ **D ab.c** に当てはまる数値を計算し，その結果を答えよ．ただし，解答は解答すべき数値の最小位の一つ下の位で四捨五入すること.

図は，三相誘導電動機が滑り s で運転しているときの星形換算 1 相分の二次（回転子）等価回路を示している．図において，$\dot{E}_2$ [V] は二次誘導起電力，$\dot{I}_2$ [A] は二次電流，r_2 [Ω] は二次抵抗，x_2 [Ω] は一次周波数における二次リアクタンスで，いずれも星形一次換算値である．なお，二次回路の抵抗成分を銅損相当分と機械出力相当分に分割して表示している.

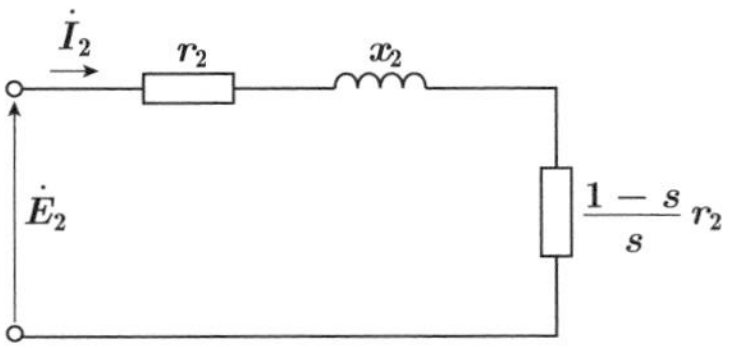

図

1) 図に示す二次等価回路において，二次回路への三相分の入力を P_2 [W]，三相分の二次銅損を P_{c2} [W]，電動機の機械出力を P_0 [W] とし，それらの算定式を示す．ここで，二次誘導起電力 $\dot{E}_2$ の大きさを E_2 [V]，二次電流 $\dot{I}_2$ の大きさを I_2 [A] で表すこととする.

i) 二次回路への三相分の入力 P_2 は二次電流と二次抵抗を用いて，次の式①で表すことができる.

$P_2 =$ 10 [W] ……………………………… ①

また，三相分の二次銅損 P_{c2} は次の式②で表すことができる.

$P_{c2} = 3 \times I_2^2 \times r_2$ [W] ……………………………… ②

さらに，電動機の機械出力 P_0 は，P_2 から P_{c2} を差し引いた値として，次の式③で表すことができる.

$P_0 =$ 11 [W] ……………………………… ③

ii) 式①，式②及び式③から P_2，P_{c2} 及び P_0 の関係は，滑り s のみを用いて次のように表すことができる.

$$P_2 : P_{c2} : P_0 = 1 : s : \boxed{\ 12\ }$$

〈 10 ～ 12 の解答群〉

ア $1-s$　イ s^2　ウ $\dfrac{1}{s}$　エ $3\times E_2\times I_2$　オ $3\times {E_2}^2\times\dfrac{1-s}{s}r_2$

カ $3\times {I_2}^2\times(1-s)\times r_2$　キ $3\times {I_2}^2\times\sqrt{{r_2}^2+{x_2}^2}$　ク $3\times {I_2}^2\times\dfrac{r_2}{s}$

ケ $3\times {I_2}^2\times\dfrac{1-s}{s}r_2$

2) ここで，次の条件で運転している電動機について考える．

定格周波数が **50 Hz** で **4** 極の三相誘導電動機が負荷を負って **1 455 min^{-1}** で運転しており，**1** 相当たりの二次電流 I_2 が **20 A**，**1** 相当たりの二次抵抗 r_2 が **0.21 Ω**，**1** 相当たりの鉄損が **30 W** である．

また，一次銅損は二次銅損の **1.5** 倍とし，電動機の軸出力 P [W] は機械出力 P_0 から機械損を差し引いたものとし，機械損分として **128 W** を見込むこととする．

i) この電動機の滑り s は **A a.b** [%] である．

ii) 機械出力 P_0 は式③を用いて求めることができ，これから機械損を差し引いたものが軸出力となるので，軸出力 P の値は三相分で **B abcd** [W] となる．

iii) この運転状態における一次入力を P_1 とすると，P_1 は軸出力 P と各種損失の関係から三相分で **C abcd** [W] となるので，この電動機の効率 $\eta=\dfrac{P\times 100}{P_1}$ は **D ab.c** [%] となる．

電力応用（110 分）

必須　問題11，12　電動力応用
選択　問題13　電気加熱
選択　問題14　電気化学
選択　問題15　照　明
選択　問題16　空気調和
（問題13～16から）**2 問題を選択**

問題 11（電動力応用）

次の各問に答えよ．（配点計 **50** 点）

(1)　次の各文章の [1] ～ [7] の中に入れるべき最も適切な字句又は式をそれぞれの解答群から選び，その記号を答えよ．なお，[1] は **2** 箇所あるが，同じ記号が入る．

誘導電動機の高性能な可変速運転の方法として，ベクトル制御が用いられる．ベクトル制御を用いると，誘導電動機でも直流電動機のように精密なトルク制御が速度によらず可能になる．ここでは，その原理について等価回路を用いて説明する．

電圧，周波数，負荷トルクなどが変化しない定常状態を考え，一次電圧を $\dot{V}_1$ [V]，一次電流を $\dot{I}_1$ [A]，二次電流を $\dot{I}_2$ [A]，一次角周波数を ω_1 [rad/s]，すべりを s，一次自己インダクタンスを L_1 [H]，二次自己インダクタンスを L_2，一次と二次の間の相互インダクタンスを M [H]，一次抵抗を R_1 [Ω]，二次抵抗を R_2 [Ω] とする．ただし，鉄損電流は無視できるものとする．

一次・二次間の諸量の換算に通常用いられる巻数比 $\dfrac{n_1}{n_2} \approx \sqrt{\dfrac{L_1}{L_2}}$ の代わりに，換算係数として $a = \dfrac{M}{L_2}$ を用いて一次側を二次側に換算すると，図 **1** の等価回路が得られる．

$a = \dfrac{M}{L_2}$ としたことにより，漏れインダクタンスが一次側に集約され，励磁インダクタンスは L_2 で表される．

1)　図 **1** において，$\dot{V}_1$ の二次側換算値 $\dot{V}_1{}'$，$\dot{I}_1$ の二次側換算値 $\dot{I}_1{}'$，R_1 の二次側換算値 $R_1{}'$ 及び漏れインダクタンス l_1 [H] の二次換算値 $l_1{}'$ は次の式①～④で表される．

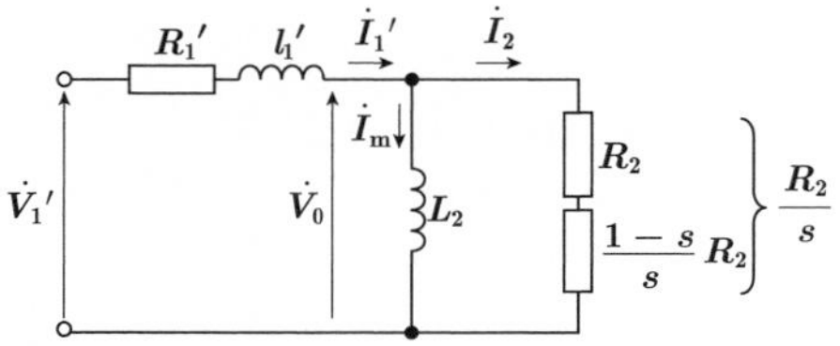

図 1　二次側に換算した三相誘導電動機の 1 相分の等価回路

$$\dot{V}_1' = \frac{\dot{V}_1}{a}\ [\mathrm{V}] \qquad \cdots\cdots ①$$

$$\dot{I}_1' = a\dot{I}_1\ [\mathrm{A}] \qquad \cdots\cdots ②$$

$$R_1' = \boxed{\ 1\ } \times R_1\ [\Omega] \qquad \cdots\cdots ③$$

$$l_1' = \boxed{\ 1\ } \times l_1\ [\mathrm{H}] \qquad \cdots\cdots ④$$

ただし，漏れ係数を σ とすると，漏れインダクタンス l_1 は次の式⑤で表される.

$$l_1 = \sigma L_1,\quad \sigma = 1 - \frac{M^2}{L_1 L_2} \qquad \cdots\cdots ⑤$$

〈 1 の解答群〉

ア a　イ a^2　ウ $\frac{1}{a}$　エ $\frac{1}{a^2}$

2)　ベクトル制御では励磁電流による磁束$\dot{\Phi}$を位相の基準として考えることから，励磁電流の大きさを I_m とし，$\dot{I}_m = \dot{I}_1' - \dot{I}_2 = I_m$ とすると，次の式⑥が成り立つ.

$$\dot{\Phi} = \Phi = L_2 I_m\ [\mathrm{Wb}] \qquad \cdots\cdots ⑥$$

このとき，この磁束による誘起電圧 $\dot{V}_0$ は，次の式⑦のように表される.

$$\dot{V}_0 = \mathrm{j}V_0 = \mathrm{j}\omega_1\Phi\ [\mathrm{V}] \qquad \cdots\cdots ⑦$$

また，等価回路と式⑦より，$\dot{I}_2$ は次の式⑧のように計算され，$\dot{I}_2 = \mathrm{j}I_\tau$ と表すことができる.

なお，I_τ はトルク電流であり，滑り s が負となる回生動作では I_τ も負となる.

$$\dot{I}_2 = \frac{\dot{V}_0}{\left(\frac{R_2}{s}\right)} = \mathrm{j} \times \boxed{\ 2\ } = \mathrm{j}I_\tau \qquad \cdots\cdots ⑧$$

従って，磁束の位相を基準とするベクトル制御では，一次電流 $\dot{I}_1'$ が励磁電流 I_m とそれに直角な成分 I_τ のベクトル和となるように制御される.

$$\dot{I}_1' = I_m + \dot{I}_2 = I_m + \mathrm{j}I_\tau \qquad \cdots\cdots ⑨$$

〈 2 の解答群〉

ア $\dfrac{\omega_1 L_2}{R_2}$　イ $\dfrac{s\omega_1 L_2}{R_2}$　ウ $\dfrac{\omega_1 \Phi}{R_2}$　エ $\dfrac{s\omega_1 \Phi}{R_2}$

3) 式⑦及び式⑧より，三相全体での二次入力（同期ワット）を求めると $3V_0 I_\tau$ であり，電動機の極数を P とすると，トルク τ は次のように表すことができる．

$$\tau = \frac{3}{2}P \times \boxed{\ 3\ }\ [\mathrm{N \cdot m}] \qquad \cdots\cdots ⑩$$

一方，式⑥及び式⑧より，すべり角周波数 ω_s は I_m と I_τ から，次のように定める必要があることが分かる．

$$\omega_s = s\omega_1 = \boxed{\ 4\ }\ [\mathrm{rad/s}] \qquad \cdots\cdots ⑪$$

従って，一次角周波数 ω_1 は速度センサにより検出した回転速度 ω_m（電気角換算）に式⑪の ω_s を加算して決定することになる．このような制御を 5 ベクトル制御と呼ぶ．

〈 3 ～ 5 の解答群〉

ア ΦI_τ　イ ΦI_m　ウ $L_2 I_\tau$　エ $L_2 I_m$　オ $\dfrac{R_2}{L_2}\dfrac{I_\tau}{I_m}$

カ $\dfrac{R_2}{L_2}\dfrac{I_m}{I_\tau}$　キ $\dfrac{L_2}{R_2}\dfrac{I_\tau}{I_m}$　ク $\dfrac{L_2}{R_2}\dfrac{I_m}{I_\tau}$　ケ 磁束検出形

コ 滑り周波数形

4) ベクトル制御を行うには，電圧と周波数が可変で，位相も含めた瞬時電圧の制御が可能な電源が必要であり，その電源には 6 が広く用いられている．その主回路は一般に，IGBT などのパワー半導体スイッチングデバイスと逆並列に接続されたダイオードの組み合わせを 6 組用いて構成される．一定直流電圧を入力とし，パワー半導体スイッチングデバイスで 7 制御を行うことで，任意の三相交流電圧を出力できる．

〈 6 及び 7 の解答群〉

ア ACスイッチ　イ DCチョッパ　ウ PWM　エ V/f　オ インバータ

カ 位相　キ 周波数　ク 整流回路

(2) 次の各文章の 8 ～ 12 の中に入れるべき最も適切な数値又は式をそれぞれの解答群から選び，その記号を答えよ．なお，円周率 $\pi = 3.14$ とする．

最近のエレベータでは，消費電力の低減や利便性を改善するため，様々な工夫がされている．

その一つが運転曲線の見直しである．図 2 は，エレベータを加速度の変化を滑らかにした正弦波運転曲線のパターンで運転するときの一例を示したものである．最大加速度を乗り心地の観点から $\mathbf{0.9\ m/s^2}$ とし，従来は直線としていた加速度の変化を，次の式①に示すような正弦波としている．

ここで，$\boldsymbol{V}$ [m/s] はエレベータの速度，$\boldsymbol{\alpha}$ [m/s²] は加速度，$\boldsymbol{t}$ [s] は時間を表している．また，後半の減速期間は加速度の符号を反転した以外は加速期間と同じパターンとなっている．

$$\alpha = \frac{dv}{dt} = \begin{cases} 0.9\sin\left(\frac{\pi}{2}t\right), & 0 \leqq t \leqq 1 \\ 0.9, & 1 \leqq t \leqq (t_a + 1) \\ 0.9\cos\left\{\frac{\pi}{2}(t - t_a - 1)\right\}, & (t_a + 1) \leqq t \leqq (t_a + 2) \end{cases} \text{[m/s]} \quad \cdots\cdots\cdots ①$$

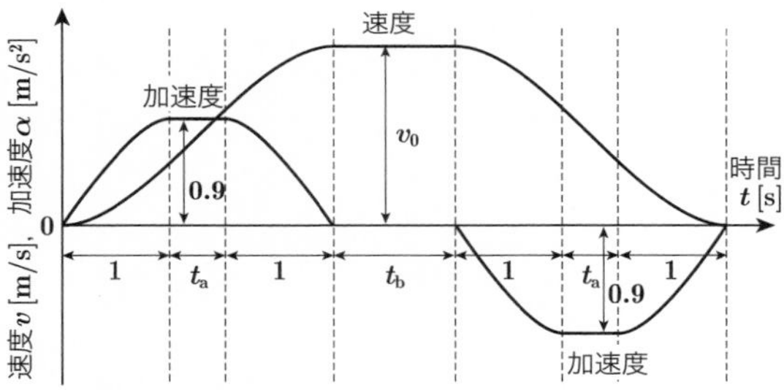

図 2　エレベータの正弦波運転曲線による運転パターンの例

1)　加速度の変化率は始動時に最大値をとる．その大きさは［ 8 ］[m/s³] である．

2)　加速度を一定に保つ時間を t_a [s] とすると，加速終了後の運行速度 v_0 は次の式②のように計算される．

$$v_0 = \int_0^{t_a+2} \alpha\,\mathrm{d}t = \boxed{\ 9\ } \text{[m/s]} \quad \cdots\cdots\cdots ②$$

なお，積分は面積を求めることに相当し，式①において区間 $0 \leqq t \leqq 1$ と区間 $(t_a + 1) \leqq t \leqq (t_a + 2)$ の面積が等しいことを考えれば，式②は比較的簡単に算出できる．

式②より，運行速度 v_0 を分速 90 m とするには，t_a の値を［ 10 ］[s] とする必要がある．

〈［ 8 ］～［ 10 ］の解答群〉

ア　0.393　　イ　0.402　　ウ　0.412　　エ　1.41　　オ　1.57

カ　1.73　　キ　$0.9\left(t_a + \frac{2}{\pi}\right)$　　ク　$0.9\left(t_a + \frac{3}{\pi}\right)$　　ケ　$0.9\left(t_a + \frac{4}{\pi}\right)$

3)　一方，加減速区間（一定速度で運行する区間を除く）の平均速度が $\frac{v_0}{2}$ [m/s] であることから，図 **2** の運転パターンによってエレベータが上昇開始してから停止するまでの上昇距離 x_0 は，次の式③で表される．

$$x_0 = \boxed{\ 11\ }\ [\mathrm{m}] \qquad \cdots\cdots ③$$

式③より，運行速度 v_0 を分速 **90 m** とするパターンで，距離 **48 m** を上昇した場合の所要時間 $(2t_a + t_b + 4)$ の値は $\boxed{\ 12\ }$ [s] と計算できる．

〈$\boxed{\ 11\ }$ 及び $\boxed{\ 12\ }$ の解答群〉

ア 32.0　**イ** 32.8　**ウ** 34.4　**エ** $v_0(t_a + t_b + 2)$

オ $v_0(t_a + t_b + 4)$　**カ** $v_0(2t_a + t_b + 2)$

問題 12（電動力応用）

次の各問に答えよ．（配点計 **50** 点）

(1) 次の各文章の $\boxed{\ 1\ }$ ～ $\boxed{\ 7\ }$ の中に入れるべき最も適切な数値をそれぞれの解答群から選び，その記号を答えよ．

水平な直線軌道上を移動する車輪型搬送車の消費エネルギーについて考える．搬送車は搭載した蓄電池を電源とし，車輪に接続された電動機を駆動して走行する．積載物と蓄電池を含む搬送車全体の重量は **200 kg** であり，走行中の質量変化はないものとする．なお，すべての走行区間において，車輪と軌道との間には滑りがなく走行するものとする．

図は，搬送車の運転パターンであり出発地点から目的地点まで走行したときの速度変化の様子を表している．時間は走行開始からの経過時間を示しており，**0 s** から等加速度で速度を上昇させ，**5 s** で電動機への電力供給を停止し，惰性走行に移る．走行中は全区間において，速度によらない一定の走行抵抗 **8 N** が作用している．**20 s** で機械制動によるブレーキを働かせて負の等加速度で減速し，**26 s** で目的地に到達し停止している．

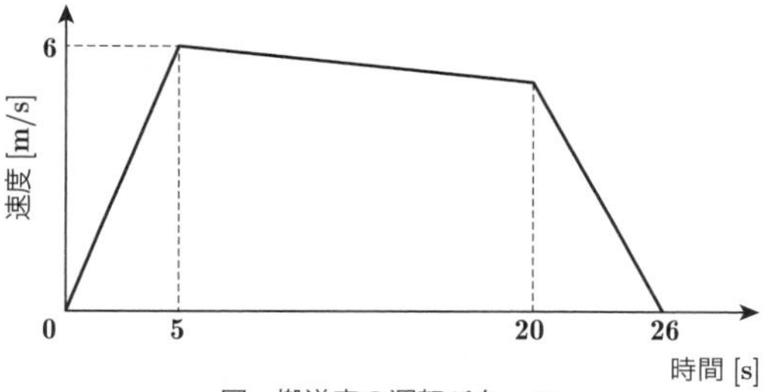

図　搬送車の運転パターン

1) 走行開始から **5 s** で速度が **6 m/s** に到達した後，**5 s** から **20 s** の間に，走行抵抗の作用で速度が徐々に低下し，**20 s** の時点での速度は $\boxed{\ 1\ }$ [m/s] となる．

2) 図の速度変化に基づけば，全体の走行距離は [2] [m] であることが分かる.

3) 走行中は常に走行抵抗が作用していることに着目すると，**0** s から **5** s までの加速時には [3] [N] の駆動力が必要であり，**20** s から **26** s での減速時には [4] [N] の機械制動力が必要である.

4) 駆動力源となる電動機には加速時のみ電力が供給されるので，走行全体に必要なエネルギーは [5] [kJ] となる.

〈[1]～[5] の解答群〉

ア 3.48	**イ 3.60**	**ウ 3.72**	**エ 5.2**	**オ 5.3**	**カ 5.4**
キ 114.6	**ク 116.7**	**ケ 123**	**コ 172**	**サ 180**	**シ 188**
ス 232	**セ 240**	**ソ 248**			

5) 3)において，搬送車では減速のために機械制動によってブレーキを働かせているが，機械制動に代えて電動機駆動回路の回生動作によって減速させるように改良することを考える.

20 s から **26** s までの減速時における搬送車の運動エネルギーの損失は，走行抵抗によるエネルギー損失と機械制動によるエネルギー損失の合計である．回生させないときの機械制動によるエネルギー損失は [6] [kJ] であるから，このうちの **90** % を回生して蓄電池に再充電できるとすれば，**0** s から **26** s の間の走行全体で必要となるエネルギーは [7] [kJ] となり，消費エネルギーの大幅な低減を図ることができる.

〈[6] 及び [7] の解答群〉

ア 0.852	**イ 0.972**	**ウ 1.21**	**エ 2.79**	**オ 2.92**	**カ 3.05**

(2) 次の各文章の [8] 及び [9] の中に入れるべき最も適切な数値又は式を〈[8] 及び [9] の解答群〉から選び，その記号を答えよ.

また，[**A** | **a.bc**] ～ [**D** | **a.bc**] に当てはまる数値を計算し，その結果を答えよ．ただし，解答は解答すべき数値の最小位の一つ下の位で四捨五入すること.

送風機の風量制御を，ダンパの絞りによって行った場合と，送風機の回転速度制御によって行った場合での軸動力の違いについて考える.

ある送風機の特性と風路系の抵抗曲線が次式で表せるものとする.

$$h = 1.2n^2 + 0.6nq - 0.8q^2$$

$$\eta = 2.0\left(\frac{q}{n}\right) - \left(\frac{q}{n}\right)^2$$

$$r = q^2$$

ただし，h [p.u.] は風圧，n [p.u.] は回転速度，q [p.u.] は風量，η [p.u.] は送風機効率，r [p.u.] はダンパ全開時の全送風抵抗を表し，いずれも定格点での値で正規化（単位 [p.u.] で表す）したものとする．なお，ダンパ全開時のダンパの送風抵抗は無視できるものとする．

このとき，ダンパ制御と回転速度制御で，いずれも風量を定格風量の **50** % にするときの軸動力を比較する．

1) この送風機の軸動力 p は，風圧 h，風量 q，送風機効率 η を用いて次式で表すことができる．

$p =$ [8] [p.u.]

2) ダンパ制御では，回転速度を定格速度 $n = 1$ [p.u.] で一定とし，ダンパの開度調整で送風抵抗を増加させて動作点を移動させる．風量 q が定格の **50** % となるとき，風圧 h，送風機効率 η 及び軸動力 p はそれぞれ次の値となる．

$h = 1.3$ [p.u.]

$\eta = 0.75$ [p.u.]

$p =$ [[A | a.bc]] $\times 10^{-1}$ [p.u.]

また，このとき風圧と送風抵抗が等しくなるので，ダンパの送風抵抗は，[9] [p.u.] となる．

3) 一方，回転速度制御では，ダンパを全開のままとして送風抵抗による損失を増加させずに回転速度を変化させて動作点を移動させる．風量 q が定格の **50** % となるとき，風圧と送風抵抗の関係から回転速度 n を求めることができ，風圧 h，送風機効率 η 及び軸動力 p はそれぞれ次の値となる．

$h =$ [[B | a.bc]] $\times 10^{-1}$ [p.u.]

$\eta =$ [[C | a.bc]] [p.u.]

$p =$ [[D | a.bc]] $\times 10^{-1}$ [p.u.]

〈[8] 及び [9] の解答群〉

ア 0.25　**イ** 0.75　**ウ** 1.05　**エ** 1.3　**オ** $qh\eta$

カ $\dfrac{qh}{\eta}$　**キ** $\dfrac{q\sqrt{h}}{\eta}$　**ク** $\dfrac{\sqrt{qh}}{\eta}$

問題 13（電気加熱―選択問題）

次の各問に答えよ．（配点計 **50** 点）

(1) 次の各文章の [1] ～ [5] の中に入れるべき最も適切な字句又は数値をそれぞれの

解答群から選び，その記号を答えよ．

1)　波長が **0.76 ～ 1 000 μm** の電磁波を利用した加熱方式は [1] と呼ばれ，産業分野ではこのうち短波長からほぼ [2] [μm] 位までの範囲が利用されている．この加熱は放射加熱であるため，[3] が容易かつ応答性がよい．

〈[1] ～ [3] の解答群〉

ア　25　**イ**　250　**ウ**　500　**エ**　紫外線加熱　**オ**　赤外加熱
カ　誘導加熱　**キ**　温度制御　**ク**　溶解制御　**ケ**　電力

2)　抵抗加熱炉のうち，発熱体から発生する熱で被加熱物を加熱する方法を [4] 方式といい，一般的に，この方式の炉を単に抵抗炉ということもある．この方式において発熱体に発生したジュール熱は，主として放射，[5] により被加熱物に伝熱される．

〈[4] 及び [5] の解答群〉

ア　間接抵抗加熱　**イ**　直接抵抗加熱　**ウ**　自己抵抗加熱　**エ**　渦電流
オ　対流　**カ**　熱貫流

(2)　次の各文章の [6] ～ [10] の中に入れるべき最も適切な字句をそれぞれの解答群から選び，その記号を答えよ．

1)　誘電加熱及び [6] は，誘電体である被加熱材を高周波電界中に置き加熱する方式である．

その発熱源は，被加熱材が持っている [7] が高周波電界により振動や回転させられることで生じる分子間の [8] である．

〈[6] ～ [8] の解答群〉

ア　アーク加熱　**イ**　マイクロ波加熱　**ウ**　抵抗加熱　**エ**　イオン
オ　電気双極子　**カ**　電子　**キ**　電力　**ク**　摩擦　**ケ**　溶解

2)　加熱，溶解プロセスにおける省エネルギー対策は設備上と操業上の対策に分けられるが，このうち，設備上の対策としては，加熱，溶解時間短縮により熱損失低減を図る設備の [9] や，炉内雰囲気や加熱温度に対する [10] が挙げられる．

〈[9] 及び [10] の解答群〉

ア　過熱防止　**イ**　高電力化　**ウ**　運搬など処理時間の迅速化
エ　休止時間低減での負荷率向上　**オ**　最適発熱体の採用
カ　予熱など前処理の実施

(3)　次の各文章の [11] ～ [15] の中に入れるべき最も適切な数値を〈[11] ～ [15] の解答群〉から選び，その記号を答えよ．

30分間に200 kgの被加熱材を一定の速度で連続搬送し加熱する一定負荷の加熱炉がある。被加熱材は比熱が590 J/(kg·K)で，この炉によって25 °Cから850 °Cまで昇温される。

1) この炉が連続運転中で熱的に平衡状態であるとき，加熱正味熱量は [11] [kW·h] である。

2) この炉の設備入力が80 kWであり，炉からの熱損失が20 kWあるとすると，被加熱材の電力原単位は [12] [kW·h/t]，全電気効率は [13] [%] である。

3) 搬送速度を10 %増加させて同じ昇温を行うためには，炉からの熱損失20 kWと全電気効率が変わらないとすれば，設備入力を [14] [kW] とする必要がある。

4) いま，配電点からの配電線路の電圧降下により，設備入力端の電圧は配電点電圧の94 %となっている。そこで，設備入力端にコンデンサを追加して力率を向上させた結果，電圧が配電点電圧の99 %となるまで改善された。改善前後で，配電点の電圧，加熱正味量，熱損失，及び設備入力端以降の全電気効率が変わらないものとし，入力端以降のインピーダンスも一定とすると，この改善により昇温時間を [15] [%] 短縮することができる。

〈[11]～[15] の解答群〉

ア 11　**イ** 13　**ウ** 15　**エ** 22　**オ** 27　**カ** 54　**キ** 59　**ク** 68
ケ 86　**コ** 88　**サ** 93　**シ** 96　**ス** 100　**セ** 200　**ソ** 400

問題14（電気化学—選択問題）

次の各問に答えよ。（配点計50点）

(1) 次の文章の [1]～[5] の中に入れるべき最も適切な字句又は記述を〈[1]～[5] の解答群〉から選び，その記号を答えよ。

化学反応速度は，通常，反応物質の温度と濃度で制御することが可能であるが，電極反応ではこれらに加えて電極電位を制御して，反応速度すなわち [1] を制御できる。反応速度を大きくするには [2] の絶対値を [3]。外部から観測できる電流が零になるときは，電極の単位表面積当たりの酸化電流 i_a と還元電流 i_c は等しくなっており，この値を [4] と呼ぶ。この値は，[5] を表す重要な因子である。

〈[1]～[5] の解答群〉

ア 移動係数　**イ** 過電圧　**ウ** 限界拡散電流　**エ** 交換電流密度
オ 抵抗　**カ** 電極触媒能　**キ** 電気量　**ク** 伝導率
ケ 電流　**コ** 電流効率　**サ** 濃度勾配　**シ** 平衡電位
ス 大きくする　**セ** 小さくする　**ソ** 変えない

⑵　次の各文章の［6］～［10］の中に入れるべき最も適切な字句又は記述をそれぞれの解答群から選び，その記号を答えよ．

1)　燃料電池は，水素，ヒドラジン，アルコール類などの燃料を，電極触媒を賦与した［6］で電気化学的に酸化させ，もう一方の電極で［7］を酸化剤として還元させることにより，その［8］へ直接変換して取り出すデバイスである．

〈［6］～［8］の解答群〉

ア　アノード　**イ**　カソード　**ウ**　酸素　**エ**　電解液
オ　二酸化炭素　**カ**　水　**キ**　化学エネルギーを電気エネルギー
ク　電気エネルギーを化学エネルギー　**ケ**　電気エネルギーを熱エネルギー

2)　燃料電池の［9］は，燃料の燃焼のギブズエネルギー変化とエンタルピー変化の比で表される．燃料電池は小型化しても効率が良いので，［10］としての適用性に優れており，併せてコージェネレーションシステムとして用いれば熱利用率の向上も期待でき，総合効率の更なる向上につながる．

〈［9］及び［10］の解答群〉

ア　カルノー効率　**イ**　充電効率　**ウ**　理論熱効率　**エ**　集中型発電
オ　電力貯蔵用電源　**カ**　分散型発電

⑶　次の各文章の［**A** **a.bc**］～［**C** **a.bc × 10^d**］に当てはまる数値を計算し，その結果を答えよ．

ただし，解答は解答すべき数値の最小位の一つ下の位で四捨五入すること．

公称電圧が **3.7 V** で，電池 **1** 個の持つ電気エネルギーが **8.88 W·h** のリチウムイオン電池がある．

1)　この電池 **1** 個の容量は［**A** **a.bc**］[**A·h**] となる．

2)　この電池 **1** 個を充電電流 **0.5 A** で充電したときに満充電に要する時間は［**B** **a.bc**］[**h**] となる．

3)　この電池を **100** 個直列に接続した電池（スタック）を満充電したときに，**2** 時間使用することができた．このときの消費電力は［**C** **a.bc × 10^d**］[**W**] となる．

問題 15（照明—選択問題）

次の各問に答えよ．（配点計 **50** 点）

⑴　次の各文章の［**A** **a.b**］～［**E** **ab**］に当てはまる数値を計算し，その結果を答えよ．ただし，解答は解答すべき数値の最小位の一つ下の位で四捨五入すること．なお，円周率

$\pi = 3.14$, $\sqrt{2} = 1.41$ とする.

1) 間口 **10 m**, 奥行 **20 m**, 作業面から天井までの高さ **3 m** の作業場で, 天井面に蛍光ランプ **2** 灯用の照明器具を **40** 台設置した.

i) 光束法を用いて作業面上での設計照度を求めたところ, 水平面の平均照度が **500 lx** となった.

このとき, 蛍光ランプ **1** 灯の光束は [A a.b] × 10^3 [lm] となる. ただし, 照明率は **0.70**, 保守率は **0.70** とする.

ii) ここで, 室内の作業面の **A** 点について考える. 節電のため, 取り付けた **40** 台の照明器具について **2** 灯のうち **1** 灯を消灯したところ, **A** 点の水平面照度が **250 lx** となった. そこで, 別の光源を新たに設置して **A** 点の照度 **500 lx** を確保することとした. その光源を, **A** 点からの水平距離 **1 m**, 作業面からの高さ **1 m** の位置に設置するとき, 光源の光度は [B a.b] × 10^2 [cd] 必要となる. ただし, 新たな光源は点光源で反射は考えないものとする.

2) ある部屋の高さ **4 m** の天井面の中央部分に, 直径 **4 m** の天窓（均等拡散性で透過率 **0.5**）がある. 曇天の日において, 空の輝度が **6 500** cd/m^2 で均一であるとき, この天窓の室内での光束発散度 M は [C a.b] × 10^4 [lm/m^2] となる. また, この部屋の天窓中央の真下の床面 **B** 点の水平面照度 E は [D a.b] × 10^3 [lx] となる. ただし, 壁, 床などの反射はないものとする.

なお, 水平面照度 E は, 円光源である天窓の輝度を L, **B** 点から天窓を見たときにできる円錐（えんすい）の半頂角を θ, 円周率を π とすると, $E = \pi L \sin^2\theta$ で求められる.

3) 幅 **1 m**, 長さ **4 m**, 透過率 $\tau = 40$ %, 吸収率 $\alpha = 20$ % の布がある. この布に光束 $\varphi = 500$ [lm] の光が入射している. この布上の光束発散度は [E ab] [lm/m^2] となる.

(2) 次の各文章の [1] ～ [7] の中に入れるべき最も適切な字句又は数値をそれぞれの解答群から選び, その記号を答えよ. なお, [4] は **2** 箇所あるが, 同じ記号が入る.

照明用の白色 **LED**（発光ダイオード）は, 最近では発光効率 [lm/W] が著しく向上している.

そこで, ある部屋の照明を直管蛍光灯器具から直管 **LED** 器具へ交換することにより省エネルギーを図ることを考える.

1) 交換前の直管蛍光灯器具の固有エネルギー消費効率が **100 lm/W**, 交換する直管 **LED** 器具の固有エネルギー消費効率が **160 lm/W** であるとすると, 部屋全体で **8** 万 **lm** の光束値を得ている場合, [1] [W] の省エネが可能である.

〈[1]の解答群〉

ア 60　**イ** 300　**ウ** 500

2) 被照射物の見え方の良し悪しによって照明光の質を論ずる場合は[2]を尺度に用いるが，現在の照明用 LED の値は蛍光ランプと比べて遜色なく，一般的に室内で求められる[3]という値を満足する製品が容易に入手できる．

〈[2]及び[3]の解答群〉

ア 45　**イ** 80　**ウ** 100　**エ** 相関色温度

オ 標準比視感度　**カ** 平均演色評価数

3) 蛍光ランプは，LED の効率向上によって発光効率が LED を下回り，効率面での優位性がなくなったこと，また環境的側面からは，発光材料として[4]を使っているため廃棄時の取り扱いに難があることなどで使いにくい光源となってきた．

白色 LED と蛍光ランプでは発光原理が異なるものの，共に蛍光体を用いて広義の白色（黒体軌跡から離れていない光色という意味）を得ている点では共通している．ただし，蛍光ランプでは[4]からの波長が 254 nm の[5]を励起源とし，白色 LED では，波長のピークが[6]前後に有る青色 LED 光を励起源としている．どちらの場合も，エネルギーの高い光からエネルギーの低い光に変換する際，ストークスシフトと呼ばれる損失を伴うが，この損失割合は励起光の波長が[7]場合の方が大きくなる．

〈[4]～[7]の解答群〉

ア 350 μm　**イ** 350 nm　**ウ** 450 nm　**エ** カドミウム　**オ** 水銀

カ 鉛　**キ** 紫外放射　**ク** 赤外放射　**ケ** 熱放射　**コ** 長い

サ 短い　**シ** 変動する

問題 16（空気調和―選択問題）

次の各問に答えよ．（配点計 50 点）

(1) 次の各文章及び図の[1]～[8]の中に入れるべき最も適切な字句をそれぞれの解答群から選び，その記号を答えよ．なお，[3]，[4]及び[6]～[8]は 2 箇所，[5]は 3 箇所あるが，それぞれ同じ記号が入る．

図 1 に吸収冷凍サイクルの概念図を示す．吸収冷凍サイクルとは，蒸気圧縮冷凍サイクルでは圧縮機が受け持つ働きを，吸収器と再生器で行うものである．吸収剤によって冷媒を吸収し，続いてその吸収剤の溶液を濃縮させることによってその働きを受け持つ．

1) 一般的に吸収剤としては[1]，冷媒には[2]を使用する．

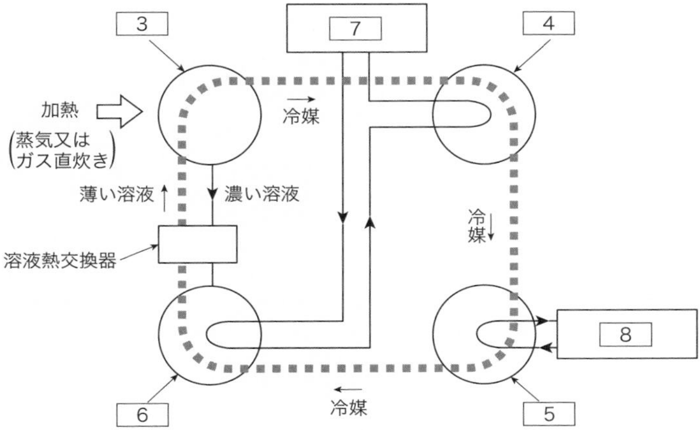

図1 吸収冷凍サイクル

〈 1 及び 2 の解答群〉

ア フロン　**イ** 塩化ナトリウム　**ウ** 臭化リチウム　**エ** 水

2) 冷媒は, 3 → 4 → 5 → 6 の順に循環する. ここで, 5 は真空に近い圧力になっており, 冷媒が蒸発することによって, 循環している戻りの冷水から熱を奪い冷却する.

3) この吸収冷凍サイクルに接続される機器等として 7 と 8 が図に示されている.

〈 3 ～ 8 の解答群〉

ア ボイラ　**イ** 空調機類　**ウ** 冷却塔　**エ** 吸収器　**オ** 凝縮器

カ 再生器　**キ** 蒸発器　**ク** 変換器

(2) 次の各文章の 9 ～ 16 の中に入れるべき最も適切な字句又は式をそれぞれの解答群から選び, その記号を答えよ. なお, 13 は **3** 箇所あるが, 同じ記号が入る.

図 **2** は湿り空気 h-x 線図上に空気の状態変化を示したものである.

1) 図 **2** の湿り空気線図において, 空気の比エンタルピー h は **0** ℃ の乾き空気の比エンタルピーを基準としており, 次式で表すことができる.

$$h = C_a \times t + x \times (r + C_b \times t) \ [\mathrm{kJ/kg(DA)}]$$

ここで, t, C_a, C_b, r, x は次の値を表す.

t : 温度 [℃]

C_a : 9 の定圧比熱 [kJ/(kg(DA)·K)]

C_b : 10 の定圧比熱 [kJ/(kg(DA)·K)]

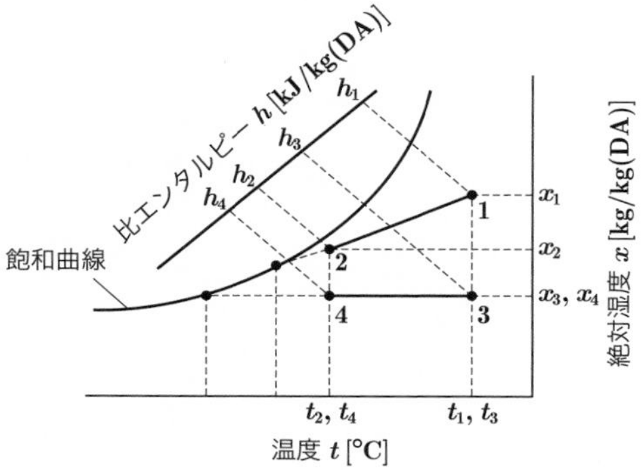

図 2　湿り空気 h-x 線図

r：水蒸気の凝縮潜熱 [kJ/kg]

x：湿り空気の絶対湿度 [kg/kg(DA)]

〈[9]及び[10]の解答群〉

ア　乾き空気　　**イ**　湿り空気　　**ウ**　水蒸気

2）　空気を加熱する場合，図 **2** では状態点が[11]方向に移動する．

3）　空気を減湿する場合，図 **2** では状態点が[12]方向に移動する．

〈[11]及び[12]の解答群〉

ア　上　　**イ**　下　　**ウ**　左　　**エ**　右

4）　ある状態の空気があり，その温度まで下げたら空気中で水蒸気の凝結が始まるという温度を[13]という．空気を冷却する場合，空気冷却器の表面温度が空気の[13]より高ければ空気は図 **2** の[14]で示すように状態変化し，[13]より低ければ図 **2** の[15]で示すように状態変化する．

なお，点 **1** から点 **2** まで変化させるために要する単位時間当たりの熱量 q は，風量を V [m^3/h]，空気の密度を **1.2** kg/m^3 として，次式で表すことができる．

$$q = \frac{1.2V}{3.6} \times \boxed{\ 16\ } \quad [\mathrm{kW}]$$

〈[13]～[16]の解答群〉

ア　$(h_1 - h_2)$　　**イ**　$(h_3 - h_4)$　　**ウ**　$(t_1 - t_2)$　　**エ**　$(t_3 - t_4)$　　**オ**　$1 \to 2$

カ　$3 \to 4$　　**キ**　湿球温度　　**ク**　露点温度　　**ケ**　絶対湿度　　**コ**　相対湿度

解答・指導

問題1

(1) 1―ア，2―キ，3―ア，4―イ

(2) 5―カ，6―ア，7―オ，8―ア

(3) 9―ア，10―オ，11―イ，12―カ

【指導】

(1) 1) 法第5条第3項では，「電気需要最適化時間帯を踏まえた電気を消費する**機械器具**を使用する時間の変更」と規定されている．

また，同法第4項では，「…エネルギー需給の**長期見通し**，電気その他のエネルギーの需給を…」と規定されている．

2) 法第11条では，「…エネルギーの使用の方法の改善及び**監視**その他…」と規定されている．

3) 法第43条第2項では，「**エネルギー管理統括者**は，エネルギー管理者又は…」と規定されている．

(2) 1) 法第2条，令第1条，則第4条において，エネルギーの使用量は，使用した燃料の量，他人から供給された熱・電気の量が対象とされる．

この化学製品製造工場でのエネルギー使用量は，bの木材チップからの発熱量やdのコージェネレーションでの発生熱量は燃料から除外（法第2条参照）されるので，aとcとeの合算値となる．

したがって，この工場での原油換算量は，0.0258 kL/GJを考慮して，

$$(220\,000+75\,000+185\,000)\times 0.0258=\mathbf{12\,384}\ \mathrm{kL}$$

一方，本社事務所では，

$$55\,000\times 0.0258=\mathbf{1\,419}\ \mathrm{kL}$$

となる．

2) この事業者が選任しなければならないのは，**②工場のエネルギー管理者**（第一種エネルギー管理指定工場（法第11条第1項参照）），**⑤エネルギー管理統括者**（法第8条参照），**⑥エネルギー管理企画推進者**（法第9条参照）の3者である．

3) この工場について，エネルギー管理者の選任すべき人数は，**1**名である（令第4条参照）．

⑶ 1) 法第17条第2項では,「…当該特定事業者に対し, **合理化計画を変更**すべき旨…」と規定されている.

また, 法第17条第4項では,「…その指示に従わなかったときは, **その旨を公表**すること.」と規定されている.

2) 法第4章では，貨物輸送事業者，荷主，**旅客輸送事業者**（法第123条参照)，航空輸送事業者に関する規定が設けられている.

また，法第109条第一号では，「自らの事業（貨物の輸送の事業を除く.）に関して**貨物**を継続して貨物輸送事業者に輸送させる者」と規定されている.

問題2

⑴ 1―ア，2―カ，A ― 2.0×10^1

⑵ 3―ウ，4―エ，5―ケ

⑶ 6―キ，7―ケ，8―オ，9―イ

【指導】

⑴ 国際単位系（SI）の基本単位によって力 F の単位 [N] を表すと質量 m [kg]，加速度 α [m/s^2] から $F = m\alpha$ より，F の単位は [kg·m/s^2] となる.

電気抵抗 R [Ω] に電流 I [A] が流れているとき，抵抗で消費される電力 P [W] とする．I と P より R は以下で表される.

$$P = I^2 R \text{ [W]} \quad \rightarrow \quad R = \frac{P}{I^2} \ \mathbf{[W/A^2]}$$

電圧 $V_H = 100$ V を加えている抵抗 R_H [Ω] の電熱器の消費電力を $P_H = 500$ W とする. 電熱器に流れる電流 I_H [A] を表す式は次式となる.

$$I_H = \frac{V_H}{R_H} \text{ [A]}$$

P_H を表す式を変形して R_H [Ω] を表すことができる.

$$P_H = I_H{}^2 R_H = \left(\frac{V_H}{R_H}\right)^2 R_H = \frac{V_H{}^2}{R_H} = 500 \text{ W}$$

$$R_H = \frac{V_H^2}{P_H} = \frac{100^2}{500} = 20 = \mathbf{2.0 \times 10^1} \ \Omega$$

⑵ 問題文にある白書によると，一次エネルギー国内供給の中で，化石燃料が占める割合は発熱量ベースでは約**92** ％であり，割合が高い順に**石油**（約41 ％)，石炭（約26 ％）天然ガス（約25 ％）となっている.

最終エネルギー消費の多い順に**産業** > **民生** > **運輸**である.

(3) 太陽から地球に到達する電磁波の強さの波長分布におけるピークは**可視光**領域にある. 地球から宇宙へ放出される電磁波の強さのピークは**赤外線**領域にある. 二酸化炭素は赤外線の波長領域に吸収帯を有し, 地球温暖化へ与える影響が大きいとされている. 気象庁ホームページによると二酸化炭素の大気中濃度は 2016 年で約 **400** ppm である.

1 ppm は百万分の一 $= 10^{-6}$ であり, 百分率 $= 10^{-2}$ に比べると,

$$1\ \mathrm{ppm} = 10^{-4} = \mathbf{0.000\,1}\ \%\ \text{(ゼロが四つ)}$$

である.

問題3 1 ― ウ, A ― 3.0, B ― 5.6, C ― 3.0, D ― 2.5, 2 ― カ, 3 ― ア, 4 ― エ, 5 ― ウ, E ― 4.9×10^3, 6 ― ア, 7 ― エ, F ― 9.0×10^2, G ― 360, H ― 50, 8 ― カ, 9 ― ウ, 10 ― オ, 11 ― イ

【指導】

(1) 「工場等判断基準」の「基準部分」では, 事業者がエネルギーの使用の合理化を図るために取り組むべき事項として(1)から(9)までの 9 項目が示されている.

(7)の事項としては, 「取組方針及び遵守状況の**評価方法**を定期的に精査し, …」と規定されている.

(2) エタノールの化学反応式は,

$$C_2H_5OH + 3O_2 \rightarrow 2CO_2 + 3H_2O$$

であるので, エタノール 1 mol を完全燃焼させるのに必要な理論酸素量は, **3.0** mol である.

(3) ステファン・ボルツマンの法則より, 物体からの放射エネルギー E [W/m^2] は, 物体の絶対温度を T [K], 放射率をε, ステファン・ボルツマン定数をσ [W/(m^2·K^4)] とすると, 次式で表される.

$$E = \varepsilon\sigma T^4\ [\mathrm{W/m^2}]$$

上式に数値を代入して,

$$E = 0.8 \times 5.67 \times 10^{-8} \times (273 + 60)^4 \fallingdotseq \mathbf{5.6} \times 10^2\ \mathrm{W/m^2}$$

となる.

(4) 対流熱伝達率をα [W/(m^2·K)], 炉壁外面と周囲空気の温度差を$\theta_1 - \theta_2$ [°C] とすれば, 損失熱量 Q_L [W/m^2] は,

$$Q_L = \alpha(\theta_1 - \theta_2)\ [\mathrm{W/m^2}]$$

上式に数値を代入して,

$$Q_L = 5 \times (80 - 20) = 300 = \mathbf{3.0} \times 10^2 \text{ W/m}^2$$

となる．

(5)　**第1図**の炉壁において，通過熱流束 Q [W/m²] は，炉壁内外の温度差 $\theta_1 - \theta_2$ [°C] に比例し，炉壁材の厚さ d [m] に反比例する．

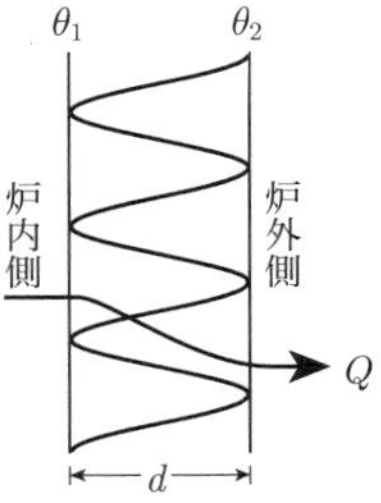

第1図

$$Q = \lambda \frac{\theta_1 - \theta_2}{d} \ [\text{W/m}^2]$$

ここで，λは炉壁材の熱伝導率である．

この式から d について求め，題意の数値を代入すると，

$$d = 0.2 \times \frac{880 - 80}{640} = 0.25 \text{ m} = 250 \text{ mm} = \mathbf{2.5} \times 10^2 \text{ mm}$$

となる．

(6)　比熱比γは，定積比熱 C_v に対する，定圧比熱 C_p の比，すなわち，$\gamma = \dfrac{C_p}{C_v}$ である．

比熱比は，固体や液体では，$\gamma \fallingdotseq 1$ であるが，気体ではすべて，$\boldsymbol{\gamma > 1}$ である．

(7)　オリフィス流量計では，流量が，前後の差圧の **1/2** 乗に比例することを応用している．

(8)　「工場等判断基準」の「目標及び措置部分」の「その他エネルギーの使用の合理化に関する事項」では，「…熱利用の**温度的**な整合性改善についても検討すること．」と規定されている．

また，エクセルギーは，高温熱源と低温熱源の温度差に比例するので，次式が成立する．

$$T : T - T_0 = Q : E$$

$$\therefore \quad E = Q \ \frac{T - T_0}{T} = \boldsymbol{Q\left(1 - \frac{T_0}{T}\right)}$$

(9)　発電電力量 P は，燃料使用量を B [kL]，火力発電所の平均発電端熱効率をη，燃料の高発熱量を H [MJ/L] として，次式で表される．

$$P = \frac{BH}{3\,600} \times \frac{\eta}{100} = \frac{1\,200 \times 39}{3\,600} \times \frac{38}{100} = 4.94 \text{ GW·h} \fallingdotseq \mathbf{4.9} \times 10^3 \text{ MW·h}$$

(10)　1)　「工場等判断基準」の「基準部分」では，空気調和設備の管理について，「…負荷変動等に応じ，**稼働台数の調整**又は稼働機器の選択…」と規定されている．

2)　熱は，高温から低温への温度差が大きいほど，効率よく移動（熱通過）するので，冷房時においては，熱源機から負荷へ送る冷水の温度を高くすると熱源機と冷水の温度差が大きくなるので，熱源機の効率は，**高くなる**.

⑾ 線間電圧を V [V]，線電流を I [A] とすれば，この工場の受電点における皮相電力 S [kV·A] は，

$$S = \sqrt{3}VI \times 10^{-3} = 1.73 \times 6\,600 \times 150 \times 10^{-3} = 1\,712.7 \text{ kV·A}$$

よって，力率 100 %に改善するために必要なコンデンサ容量 Q [kvar] は，無効電力と等しいので，力率を $\cos\theta$ として，

$$Q = S\sin\theta = S\sqrt{1-\cos^2\theta} = 1\,712.7 \times \sqrt{1-0.85^2} = 1\,712.7 \times 0.526\,8 \fallingdotseq 902$$
$$\fallingdotseq \mathbf{9.0 \times 10^2} \text{ kvar}$$

となる.

⑿ 求める平均電力を P [kW] とすれば，次式が成立する.

$$540 \text{ kW·h} + P \text{ [kW]} \times \frac{1}{6} \text{ h} = 1\,200 \text{ kW} \times \frac{1}{2} \text{ h}$$

$$\therefore \quad P = \mathbf{360} \text{ kW}$$

⒀ 三相誘導電動機の線間電圧を V [V]，線電流を I [A]，力率を $\cos\theta$，効率を η とすると，軸出力 P は次式で表される.

$$P = \sqrt{3}\,VI\cos\theta \times \eta \text{ [W]} = 1.73 \times 200 \times 200 \times 0.8 \times 0.9 = 49\,824 \text{ W}$$
$$= \mathbf{50} \text{ kW}$$

⒁ 回転速度 N [min^{-1}] のときの回転角速度 ω [rad/s] は，$\omega = \dfrac{2\pi N}{60}$ [rad/s] であるから，電動機の軸動力を P [W] とすれば，発生トルク T [N·m] は，

$$T = \frac{P}{\omega} = \boldsymbol{\frac{60P}{2\pi N}} \text{ [N·m]}$$

となる.

⒂ 送風機の風量は，回転速度に比例し，全圧は，回転速度の 2 乗に比例するので，送風機の軸動力は，回転速度の **3** 乗に比例する.

⒃ 電気的に絶縁物に近い物質の加熱には，**誘電**加熱が適している.

⒄ 照度の単位は，[lx] であるが，照度は，「被照面における単位面積当たりの入射光束」で定義されているので，SI 組立単位では，**[lm/m²]** で表される.

問題4

(1) 1―イ，2―ク，3―ア，4―ウ

(2) 5―ウ，6―イ，7―キ，8―イ，9―ウ，10―キ，11―ウ，12―オ

【指導】

(1)　1)　問題図1(a)の抵抗 R と誘導性リアクタンス X（jX）の直列合成インピーダンス $\dot{Z}_{\mathrm{s}}$ は以下で表される．

$$\dot{Z}_{\mathrm{s}} = \boldsymbol{R} + \mathbf{j}\boldsymbol{X}\ [\Omega]$$

$$Z_{\mathrm{s}} = \sqrt{R^2 + X^2}\ [\Omega]$$

一方，問題図(b)の R と X（jX）の並列合成インピーダンス $\dot{Z}_{\mathrm{p}}$ は以下で表される．

$$\dot{Z}_{\mathrm{p}} = \frac{R(\mathrm{j}X)}{R+\mathrm{j}X} = \frac{R(\mathrm{j}X)(R-\mathrm{j}X)}{(R+\mathrm{j}X)(R-\mathrm{j}X)} = \frac{RX(\mathrm{j}R-\mathrm{j}^2X)}{R^2+X^2} = \frac{\boldsymbol{RX}}{\boldsymbol{R^2+X^2}}(\boldsymbol{X}+\mathbf{j}\boldsymbol{R})\ [\Omega]$$

$$Z_{\mathrm{p}} = \frac{RX}{R^2+X^2}\sqrt{X^2+R^2} = \frac{RX}{R^2+X^2}\sqrt{R^2+X^2} = \frac{RX}{\sqrt{R^2+X^2}}\ [\Omega]$$

2)　直列回路において単相交流電源から見たインピーダンスは $\dot{Z}_{\mathrm{s}}$ である．よって，その力率 $\cos\varphi_{\mathrm{s}}$ は $\dot{Z}_{\mathrm{s}}$ の大きさ（Z_{s}）と実数部（R）から以下により求める．

$$\cos\varphi_{\mathrm{s}} = \frac{R}{Z_{\mathrm{s}}} = \frac{\boldsymbol{R}}{\sqrt{\boldsymbol{R^2+X^2}}}$$

並列回路の力率 $\cos\varphi_{\mathrm{p}}$ も同様に $\dot{Z}_{\mathrm{p}}$ の大きさ（Z_{p}）と実数部から以下により求める．

$$\cos\varphi_{\mathrm{p}} = \frac{\dfrac{RX^2}{R^2+X^2}}{Z_{\mathrm{p}}} = \frac{\dfrac{RX^2}{R^2+X^2}}{\dfrac{RX}{\sqrt{R^2+X^2}}} = \frac{RX^2}{R^2+X^2}\frac{\sqrt{R^2+X^2}}{RX} = \frac{\boldsymbol{X}}{\sqrt{\boldsymbol{R^2+X^2}}}$$

(2)　1)　i)　問題図2，3において線間電圧 $\dot{V}_{\mathrm{ab}}$ の極座標（指数関数）表示は，大きさ $V_{\mathrm{ab}} = 200$ V と，位相 $\varphi_{\mathrm{ab}} = 0$ から以下で表される．

$$\dot{V}_{\mathrm{ab}} = V_{\mathrm{ab}}\mathrm{e}^{\mathrm{j}\varphi_{\mathrm{ab}}} = \mathbf{200\,e^{j0}}\ \mathrm{V}$$

また，問題図3より相電圧 $\dot{V}_{\mathrm{a1}}$ は $\dot{V}_{\mathrm{ab}}$ に対して位相が $30° = \pi/6$ rad 遅れていること，および大きさは $1/\sqrt{3}$ 倍であることから以下で表される．

$$\dot{V}_{\mathrm{a1}} = \frac{\mathbf{200}}{\sqrt{\mathbf{3}}}\mathbf{e}^{-\mathbf{j}\frac{\boldsymbol{\pi}}{\mathbf{6}}}\ \mathrm{V} \qquad ①$$

ii)　相電圧 $\dot{V}_{\mathrm{a1}}$ が加わるインピーダンス $\dot{Z} = 2\mathrm{e}^{\mathrm{j}\frac{\pi}{6}}$ より回路1の電流 $\dot{I}_{\mathrm{a1}}$ を求める．

$$\dot{I}_{\mathrm{a1}} = \frac{\dot{V}_{\mathrm{a1}}}{\dot{Z}} = \frac{\dfrac{200}{\sqrt{3}}\mathrm{e}^{-\mathrm{j}\frac{\pi}{6}}}{2\mathrm{e}^{\mathrm{j}\frac{\pi}{6}}} = \frac{200}{2\sqrt{3}}\mathrm{e}^{-\mathrm{j}\left(\frac{\pi}{6}+\frac{\pi}{6}\right)} = \frac{\mathbf{100}}{\sqrt{\mathbf{3}}}\mathbf{e}^{-\mathbf{j}\frac{\boldsymbol{\pi}}{\mathbf{3}}}\ \mathrm{A}$$

上式から $\dot{V}_{\mathrm{a1}}$ と $\dot{I}_{\mathrm{a1}}$ の間の位相は $-\pi/6$ rad（遅れ）であり，有効電流成分 $\dot{I}_{\mathrm{a1-P}}$ と無効電流成分 $\dot{I}_{\mathrm{a1-Q}}$（$\dot{V}_{\mathrm{a1}}$ より 90°遅れ）は以下で表される．

$$\dot{I}_{\mathrm{a1-P}} = \left(\frac{100}{\sqrt{3}}\cos\frac{\pi}{6}\right)\mathrm{e}^{-\mathrm{j}\frac{\pi}{6}} = \frac{100}{\sqrt{3}}\frac{\sqrt{3}}{2}\mathrm{e}^{-\mathrm{j}\frac{\pi}{6}} = 50\mathrm{e}^{-\mathrm{j}\frac{\pi}{6}}\ \mathrm{A}$$

$$\dot{I}_{\mathrm{a1-Q}} = \left(\frac{100}{\sqrt{3}}\sin\frac{\pi}{6}\right)\mathrm{e}^{\mathrm{j}\left(-\frac{\pi}{6}-\frac{\pi}{2}\right)} = \frac{100}{\sqrt{3}}\frac{1}{2}\mathrm{e}^{-\mathrm{j}\frac{4\pi}{6}} = \boldsymbol{\frac{50}{\sqrt{3}}\mathrm{e}^{-\mathrm{j}\frac{2\pi}{3}}}\ \mathrm{A} \qquad ②$$

2)　i）　問題図 2，3 において線間電圧 $\dot{V}_{\mathrm{ab}} = 200\mathrm{e}^{\mathrm{j}0}$，容量性リアクタンス $\dot{X}_{\mathrm{C}} = -\mathrm{j}X_{\mathrm{C}} = X_{\mathrm{C}}\mathrm{e}^{-\mathrm{j}\frac{\pi}{2}}$ より，回路 2 の電流 $\dot{I}_{\mathrm{ab2}}$ は以下で表される．

$$\dot{I}_{\mathrm{ab2}} = \frac{\dot{V}_{\mathrm{ab}}}{\dot{X}_{\mathrm{C}}} = \frac{200\mathrm{e}^{\mathrm{j}0}}{X_{\mathrm{C}}\mathrm{e}^{-\mathrm{j}\frac{\pi}{2}}} = \boldsymbol{\frac{200}{X_{\mathrm{C}}}\mathrm{e}^{\mathrm{j}\frac{\pi}{2}}}\ \mathrm{A}$$

また，問題図 3 より $\dot{I}_{\mathrm{a2}}$ は $\dot{I}_{\mathrm{ab2}}$ に対して位相が 30°= π/6 rad 遅れていること，および大きさは$\sqrt{3}$倍であることから以下で表される．

$$\dot{I}_{\mathrm{a2}} = \sqrt{3}\times\frac{200}{X_{\mathrm{C}}}\mathrm{e}^{-\mathrm{j}\left(\frac{\pi}{2}-\frac{\pi}{6}\right)} = \boldsymbol{\frac{200\sqrt{3}}{X_{\mathrm{C}}}\mathrm{e}^{\mathrm{j}\frac{\pi}{3}}}\ \mathrm{A} \qquad ③$$

ii）　スイッチ S を閉じたとき電源から見た回路全体の力率が 1 となった．②式，③式から電流 $\dot{I}_{\mathrm{a1-Q}}$ と $\dot{I}_{\mathrm{a2}}$ の位相差 φ_{a} を求める．

$$\varphi_{\mathrm{a}} = \frac{\pi}{3} - \left(-\frac{2\pi}{3}\right) = \frac{\pi}{3} + \frac{2\pi}{3} = \frac{3\pi}{3} = \pi\ \mathrm{rad}$$

②式と③式のフェーザ和は絶対値の差と同じになり，＝0 となるときの X_{C} を求める．

$$\dot{I}_{\mathrm{a1-Q}} + \dot{I}_{\mathrm{a2}} = \frac{200\sqrt{3}}{X_{\mathrm{C}}}\mathrm{e}^{\mathrm{j}\frac{\pi}{3}} + \frac{50}{\sqrt{3}}\mathrm{e}^{-\mathrm{j}\frac{2\pi}{3}} = \frac{200\sqrt{3}}{X_{\mathrm{C}}} - \frac{50}{\sqrt{3}} = 0$$

上式を変形して，

$$\frac{200\sqrt{3}}{X_{\mathrm{C}}} = \frac{50}{\sqrt{3}}$$

より，X_{C} を得る．

$$\therefore\quad X_{\mathrm{C}} = \frac{200\times 3}{50} = \mathbf{12}\ \Omega$$

また，回路 1 の電流 $\dot{I}_{\mathrm{a1}}$ はスイッチの開閉により変化しない．$\dot{I}_{\mathrm{a1}}$ による三つの抵抗の消費電力 P_{R} を求める．

$$P_{\mathrm{R}} = 3\times {I_{a1}}^2\sqrt{3} = 3\times\left(\frac{100}{\sqrt{3}}\right)^2\times\sqrt{3} = \mathbf{10\,000\sqrt{3}}\ \mathrm{W}$$

問題5

(1)　1 — ウ，2 — オ，3 — イ，4 — エ，5 — ウ，6 — エ

(2)　7 — ウ，8 — エ

(3)　9 — ク，10 — ス，11 — ウ，12 — シ

(4)　13 — キ，14 — オ，15 — サ

【指導】

(1)　1)　一般的なフィードバック制御系の構成例を**第 1 図**に示す．第 1 図と問題図を比較すると，ブロック 1 の名称として最も適切なのは**制御器**，ブロック 2 は**制御対象**である．

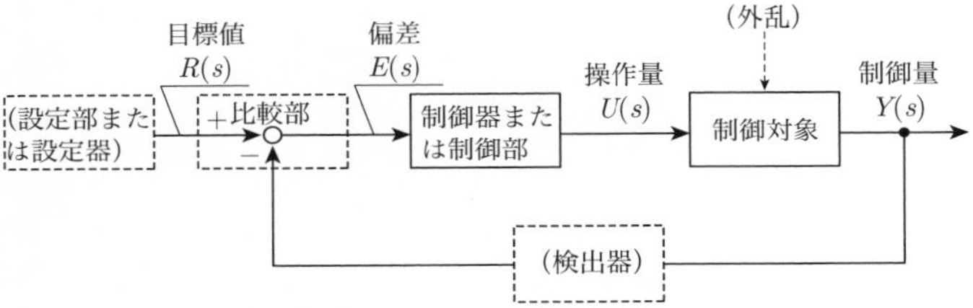

第 1 図　フィードバック制御系の構成例

2)　入力 $R(s)$ に対する制御量 $Y(s)$ の閉ループ伝達関数 $\dfrac{Y(s)}{R(s)}$ を求める．

$$R(s)-Y(s)=\frac{s(Ts+1)}{AK}Y(s)$$

$$R(s)=\left\{\frac{s(Ts+1)}{AK}+1\right\}Y(s)$$

$$\frac{Y(s)}{R(s)}=\frac{1}{\dfrac{s(Ts+1)}{AK}+1}=\frac{AK}{s(Ts+1)+AK}=\boldsymbol{\frac{AK}{Ts^2+s+AK}}$$

上式より $Y(s)$ は下式で表される．

$$Y(s)=\frac{AK}{Ts^2+s+AK}R(s) \tag{1}$$

問題文の偏差 $E(s)$ の式および(1)式から $Y(s)$ を消去して，閉ループ伝達関数 $\dfrac{E(s)}{R(s)}$ を求める．

$$E(s)=R(s)-Y(s)=\left\{1-\frac{AK}{Ts^2+s+AK}\right\}R(s)$$

$$\frac{E(s)}{R(s)}=1-\frac{AK}{Ts^2+s+AK}=\frac{Ts^2+s+AK}{Ts^2+s+AK}-\frac{AK}{Ts^2+s+AK}$$

$$=\boldsymbol{\frac{Ts^2+s}{Ts^2+s+AK}}$$

3) i) 入力（目標値）を単位ステップ $r(t)=1$ としたとき，入力のラプラス変換を $R(s)$，制御量 $Y(s)$ は以下で表される．

$$R(s)=\mathscr{L}[r(t)]=\frac{1}{s}$$

$$Y(s)=\frac{AK}{Ts^2+s+AK}\cdot\frac{1}{s}$$

制御量 $y(t)$ の定常値（最終値）は(1)式および以下の最終値の定理より求める．

$$\lim_{t\to\infty}\{y(t)\}=\lim_{s\to 0}\{sY(s)\}=\lim_{s\to 0}\left(s\cdot\frac{AK}{Ts^2+s+AK}\cdot\frac{1}{s}\right)=\lim_{s\to 0}\left(\frac{AK}{Ts^2+s+AK}\right)$$

$$=\frac{AK}{AK}=\mathbf{1}$$

ii) 上式より A の値が 2 倍に変化しても定常値は**変わらない**．

(2) 比例要素のあるフィードバック制御系の制御において，定値制御における定常偏差をなくすためには制御器に**積分要素**を加えることが有効である．また，過渡時の振動を抑制し素早く目標値に追従する（追従性の改善）には制御器に**微分要素**を加える（**第 1 表**）．

第 1 表 制御器の PID 動作

動作名称	制御器の動作	期待される効果
P 動作（比例動作）	ゲイン調整	安定性の改善
PI 動作（比例，積分）	ゲイン調整＋積分	定常特性の改善（定常偏差 0）
PD 動作（比例, 微分）	ゲイン調整＋微分	追従性の改善
PID 動作	ゲイン調整＋積分＋微分	定常特性と追従性の改善

(3) パソコン等が接続された内部ネットワークを外部のインターネット等に接続する場合，不正侵入に対する防護策が必要である．防護策の一つとして**ファイアウォール**は，内部と外部のネットワークの境界点に設置し，**通信パケット**を監視し，**IP アドレス**をチェックし，あらかじめ許可している IP アドレス間の通信は**通過させる**機能を有する．

(4) コンピュータなどの情報機器の入出力装置における有線でのデータ通信方法はシリアル通信とパラレル通信に分けられる．シリアル通信は RS-232，USB，IEEE1394，Ethernet などに使われている．また，パラレル通信は SCSI，PCI などのコンピュータバスに使われている．情報機器にさまざまな周辺機器を接続するため**シリアル**インタフェース規格の **USB** は一つのバスに最大 127 台の機器が接続可能である．また，USB は電源を入れたまま周辺機器の交換や抜き差しが可能な**ホットプラグ**機能にも対応する．

問題6 (1) 1—ア，2—キ，3—オ，4—ウ，5—ア
(2) 6—イ，7—オ，8—ウ，9—カ，10—コ

【指導】

(1) 1) 抵抗測定における，電流・電圧法の原理は，**オーム**の法則を基本としている．この原理に基づく回路構成は，2 端子抵抗測定法と **4 端子抵抗測定法**に分類される．

2 端子抵抗測定では，原理的にその回路に存在する配線上の電気抵抗や被測定抵抗と配線接続上の接触抵抗なども含んで測定されることになる．このため，被測定抵抗が十分大きい場合や高精度を要求しない場合は，特段，問題視されることはない．

一方，4 端子抵抗測定では，**第 1 図**に示すように，電圧計の内部抵抗を極めて大きくして，電圧計に流れる電流を十分小さくすることによって，高精度で被測定抵抗の両端の電圧を測定できる．

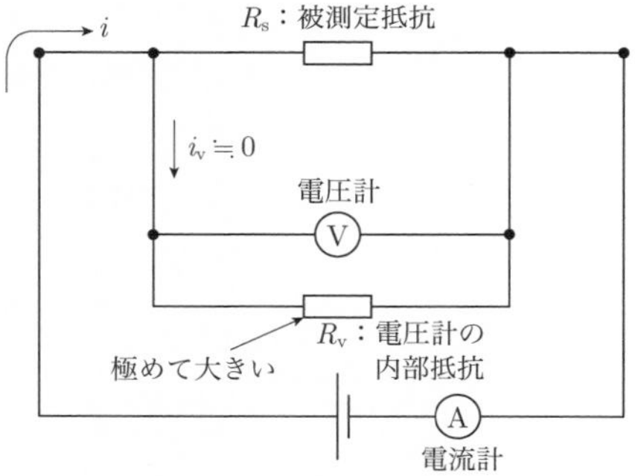

第 1 図 4 端子抵抗測定原理図

また，**デジタルマルチメータ**は，内部に定電流源や電圧増幅器，A-D 変換器を備え，交直の電圧・電流，抵抗や静電容量，周波数などを 1 台のディジタル計器で測定可能とした計測器である．

2) ブリッジ法での抵抗測定の基本回路は，**ホイートストンブリッジ**回路である．

原理は，ブリッジの平衡条件から，未知の被測定抵抗値を求めることが可能となる．ただし，回路上の接触抵抗などの影響が誤差の原因となる．このため，これに改善を加え，被測定抵抗以外の抵抗の影響を除去した回路が，**ケルビンダブルブリッジ**回路である．

⑵ i） 実効値と振幅（最大値）の関係は，最大値が実効値の$\sqrt{2}$倍であるから，

$$V_e = \boldsymbol{\frac{V_m}{\sqrt{2}}}\ [\mathrm{V}]$$

となる．

ii） 電圧と巻数の関係は，$v_1 : v_2 = n_1 : n_2$ より

$$v_1 = \boldsymbol{\frac{n_1}{n_2} v_2}\ [\mathrm{V}]$$

となる．

2） i） 負荷抵抗を R [Ω] として瞬時電力 p [W] は，

$$p = i^2R = (I_m{}^2 \sin^2\omega t)R = I_m{}^2R\,\frac{1-\cos 2\omega t}{2} = \boldsymbol{I_m{}^2R\,\frac{1}{2}(1-\cos 2\omega t)}\ [\mathrm{W}]$$

となる．また，平均電力 P [W] は，

$$P = \frac{1}{\pi}\int_0^{\pi} p\,\mathrm{d}(\omega t) = \frac{1}{\pi}I_m{}^2R\int_0^{\pi}\frac{1}{2}(1-\cos 2\omega t)\,\mathrm{d}(\omega t)$$

$$= \frac{1}{\pi}\frac{1}{2}I_m{}^2R\left\{\Big[\omega t\Big]_0^{\pi} - \frac{1}{2}\Big[\sin 2\omega t\Big]_0^{\pi}\right\} = \frac{1}{\pi}\frac{1}{2}I_m{}^2R\pi = \boldsymbol{R\left(\frac{I_m}{\sqrt{2}}\right)^2}\ [\mathrm{W}]$$

ii） **ブロンデル**の定理によれば，m 相回路の負荷電力の測定は，$m-1$ 個の単相電力計を使用して計測できる．すなわち，三相負荷回路の場合，2 個の単相電力計で負荷電力を計測できる．

問題7

⑴ 1—オ，2—ア，3—ウ，4—キ，5—サ，6—エ，7—セ

⑵ 8—オ，9—ア

⑶ A—76，B—4.7，C—50，D—36

【指導】

⑴ 1） 電気供給者側が電力系統で行う負荷平準化対策は**電力貯蔵**であり，その代表的なものが揚水発電である．高効率の大容量火力発電所は起動停止にエネルギーと時間を比較的多く要するため，起動停止を少なくし，定格に近い出力で運転を行っている．そのため夜間等の軽負荷時に供給電力が余剰傾向にある．揚水発電はこの余剰電力（夜間電力）を利用して下池から上池へ揚水ポンプで移動し，ピーク時間に上池の水で発電（揚水発電）して電力を供給するものである．したがって，揚水発電によりピーク時における低効率の石油火力発電の稼働が減少するためコスト面からも効果が大きい．

ナトリウム硫黄電池（NAS 電池）は大容量の電力貯蔵が可能な二次電池である．ナトリウム硫黄電池は電力貯蔵だけでなくピークカット，非常用電源および瞬時停電対策等にも使用されている．

2)　需要家側の電気需要の平準化対策として①自家発電の導入により電気の使用量削減，②深夜に蓄熱（冷熱）した熱を昼間の冷房で使用して昼間と夜間の電気使用量を平準化する**蓄熱式ヒートポンプ**の導入，③**デマンド監視**装置により契約電力の監視・管理等が求められている．

デマンド監視装置は需要家が電気事業者との間で取り決めた**契約電力**（最大需要電力）を超えるおそれがある場合，優先度の低い負荷を停止して最大需要電力を抑制する．

近年の電気事業法の大幅改正（2016 年 4 月）に合わせて電気料金の算出に使用する電力量計が**スマートメータ**に変更されている．

問題文の指針では電気需要平準化の措置を講じるに当たっては「エネルギー使用の合理化を**著しく妨げることのないように留意すること**」とされている．

(2)　単相 2 線式，三相 3 線式の比較である．両方式に共通する値は負荷電流 I [A]，力率 100 %，配電線の単位長さ当たりの抵抗 R [Ω/m] およびこう長 L [m] である．

単相 2 線式，負荷電圧 100 V における供給電力 P_2 [W]，配電線路の損失 p_2 [W] および供給電力に対する配電線路の電力損失の割合 p_2/P_2 を求める．

$$P_2 = 100I \text{ [W]}$$

$$p_2 = 2I^2RL \text{ [W]}$$

$$\frac{p_2}{P_2} = \frac{2I^2RL}{100I}$$

三相 3 線式，負荷電圧 200 V における供給電力 P_3 [W]，配電線路の損失 P_3 [W] および供給電力に対する配電線路の電力損失の割合 p_3/P_3 を求める．

$$P_3 = \sqrt{3} \times 200I = 200\sqrt{3}\,I \text{ [W]}$$

$$p_3 = 3I^2RL \text{ [W]}$$

$$\frac{p_3}{P_3} = \frac{3I^2RL}{200\sqrt{3}I}$$

上式から P_3 の P_2 に対する倍率 P_3/P_2 を求める．

$$\frac{P_3}{P_2} = \frac{200\sqrt{3}I}{100I} = \mathbf{2\sqrt{3}}$$

同様に p_3/P_3 の p_2/P_2 に対する倍率を求める．

$$\frac{p_3\ /\ P_3}{p_2\ /\ P_2}=\frac{\dfrac{3I^2RL}{200\sqrt{3}I}}{\dfrac{2I^2RL}{100I}}=\frac{3I^2RL}{200\sqrt{3}I}\cdot\frac{100I}{2I^2RL}=\frac{3}{4\sqrt{3}}=\boldsymbol{\frac{\sqrt{3}}{4}}$$

(3)　1)　問題図 2 において負荷平準前の最大電力 P_{m1} は 150 kW である．1 日の平均電力 P_a [kW] を求める．

50 kW を消費している時間：0 ～ 8（8 h），12 ～ 13（1 h），17 ～ 24（7 h）の計 16 時間

150 kW を消費している時間：8 ～ 12（4 h），13 ～ 17（4 h）の計 8 時間

$$P_a=\frac{1\text{日の電力量 [kW·h]}}{1\text{日の時間 [h]}}=\frac{50\times16+150\times8}{24}=\frac{2\,000}{24}=83.33\text{ kW}$$

負荷平準前の負荷率を求める．

$$\text{負荷平準前の負荷率}=\frac{1\text{日の平均電力}}{1\text{日の最大電力}}=\frac{P_a}{P_{m1}}=\frac{83.33}{150}\fallingdotseq0.555\,53\fallingdotseq56\,\%$$

負荷平準後の最大電力 P_{m2} は問題図 2 より 150 − 40 = 110 kW である．1 日の電力量は同じであるため，1 日の平均電力は平準化後も P_a [kW] である．負荷平準後の負荷率を求める．

$$\text{負荷平準後の負荷率}=\frac{P_a}{P_{m2}}=\frac{83.33}{110}\fallingdotseq0.757\,54\fallingdotseq\mathbf{76}\,\%$$

負荷平準化前（対策前）と比較して平準化後の負荷率は高くなる．

2)　問題図 1 の配電系統において電力損失軽減のため配電用変圧器の位置を負荷の近くへ移動する．まず移動前の電力損失 p_{l1} を計算する．条件は変圧器の損失無視，線間電圧は低圧 0.21 kV（210 V），高圧 6.6 kV，平衡三相負荷 150 kW，力率 0.9 とする．また，配電線 1 本当たりの抵抗は低圧 $r_{l1}=0.075\times0.15\ \Omega$，高圧 $r_{h1}=0.85\times0.05\ \Omega$ とする．低圧側負荷電流を I_l および高圧側負荷電流を I_h とすると，電力損失 p_{l1} は，

$$I_l=\frac{150}{\sqrt{3}\times0.21\times0.9}=458.2\text{ A}$$

$$I_h=\frac{150}{\sqrt{3}\times6.6\times0.9}=14.58\text{ A}$$

$$\begin{aligned}p_{l1}&=3r_{l1}I_l^2+3r_{h1}I_h^2\\&=3\times0.075\times0.15\times458.2^2+3\times0.85\times0.05\times14.58^2=7\,113\text{ W}\end{aligned}$$

移動後の電力損失 p_{l2} を計算する．移動後の配電線 1 本当たりの抵抗は低圧 $r_{l2}=0.075$

$\times$ 0.05 Ω，高圧 $r_{h2} = 0.85 \times 0.15$ Ω とする．

$$p_{l2} = 3r_{l2}I_l^2 + 3r_{h2}I_h^2$$

$$= 3 \times 0.075 \times 0.05 \times 458.2^2 + 3 \times 0.85 \times 0.15 \times 14.58^2 = 2\,443 \text{ W}$$

移動後に低減した配電線の電力損失 $p_{l1} - p_{l2}$ を計算する．

$$p_{l1} - p_{l2} = 7\,113 - 2\,443 = 4\,670 \text{ W} \fallingdotseq \mathbf{4.7} \text{ kW}$$

(4) 1) 問題図3において受電設備から分散型電源との接続点までの電圧降下について，分散型電源を連系していないとき（v_{d1}），定格運転で連系したとき（v_{d2}）を計算する．題意から負荷力率100 %，$L/4$ 区間の配電線1線当たりのインピーダンスは抵抗 r [Ω] とし，電流分布は**第1図**を参照する．なお，電圧降下の公式 $v = \sqrt{3}\,I(r\cos\theta + x\sin\theta)$ [V] に力率100 % すなわち，$\cos\theta = 1$，$\sin\theta = 0$ を代入し $v = \sqrt{3}\,Ir$ を使用する．

$$v_{d1} = \sqrt{3}(3I)r + \sqrt{3}(2I)r + \sqrt{3}\,Ir = 6\sqrt{3}\,Ir \text{ [V]}$$

$$v_{d2} = \sqrt{3}(2I)r + \sqrt{3}\,Ir = 3\sqrt{3}\,Ir \text{ [V]}$$

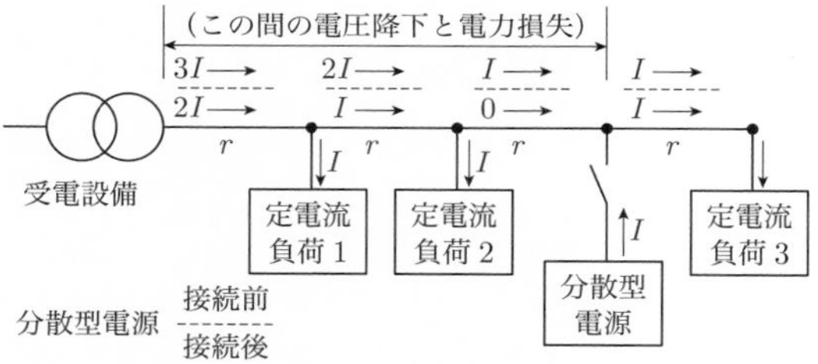

第1図 問題図3に電流・抵抗を追記

上式より，v_{d2} の v_{d1} に対する百分率 [%] を計算する．

$$\frac{v_{d2}}{v_{d1}} = \frac{3\sqrt{3}Ir}{6\sqrt{3}Ir} = \frac{3}{6} = 0.5 = \mathbf{50}\ \%$$

2) 問題図3において受電設備から分散型電源との接続点までの電力損失について分散型電源連系していないとき（p_{d1}），定格運転で連系したとき（p_{d2}）を計算する．題意から $L/4$ 区間の配電線1線当たりのインピーダンスは抵抗 r [Ω] とし，電流分布は第1図を参照する．なお，電力損失の公式 $p = 3I^2r$ [W] を使用する．

$$p_{d1} = 3(3I)^2r + 3(2I)^2r + 3I^2r = 42I^2r \text{ [W]}$$

$$p_{d2} = 3(2I)^2r + 3I^2r = 15I^2r \text{ [W]}$$

上式より p_{d2} の p_{d1} に対する百分率 [%] を計算する．

$$\frac{p_{d2}}{p_{d1}} = \frac{15I^2r}{42I^2r} = \frac{5}{14} \fallingdotseq 0.357\,1 \fallingdotseq \mathbf{36}\ \%$$

問題8 (1) 1―コ，2―キ，3―ケ，4―ウ，5―ウ，6―サ，7―カ，8―キ

(2) A―1 500，B―904，C―86，D―411，E―138，F―6.83

【指導】

(1) 1) 電力の力率向上は，電力損失の減少，電気料金の低減，**系統容量の有効利用**，電圧の改善などに大きく寄与するので，力率管理を的確に行う必要がある．一般に，工場の力率は95 %以上に保持できるよう進相コンデンサが設置されている．また，負荷の増減に応じた力率管理，調整を行う必要があり，そのために力率制御装置を用いる．その制御方式として代表的なものでは，力率の変動パターンが同じで周期的に繰り返される場合に用いられる**時間**制御や，あらかじめ設定した整定値に基づいてコンデンサの投入・開放を行う**無効電力**制御などがある．なお，**無効電力**制御では，軽負荷時に必要な制御容量が，開放される単位コンデンサ容量より小さくなると，投入・遮断を繰り返す**ハンチング**現象を起こすので，制御幅は単位コンデンサ容量より若干大きくする必要がある．

力率管理は，電流および無効電力の低減，電力損失の減少，系統容量の増加や電圧の改善を行うとともに，電気料金の低減を図ることができる．

力率制御装置は，下記の制御方法がある．

① 時間制御（スケジュール制御）：設定した時間に合わせて力率を制御する．

② 無効電力制御：コンデンサなどの投入・遮断制御を行うことで，回路の無効電力を制御する．

②を採用した場合には，コンデンサが投入・遮断を繰り返すハンチング現象に対する配慮が必要である．

2) 電気設備の事故を原因別に分類すると，設計ミス，製作・施工の不良，誤操作，機器や部品の経年劣化，保守の不備および**落雷**などの自然災害に大別することができる．

自然災害による被害以外の事故は，施工後の検査とその後の**点検や保守**によって大きく低減できる．このうち，故障の兆候を早期に見つけて処置することや，経年劣化等による故障が予測される部品を故障前に計画的に交換する予防保全の方法がとられることが多い．

構内電気回路に短絡や地絡などの事故が発生した場合，速やかに事故を検出し，事故点に最も近い保護装置の作動により，事故の影響が他の健全な回路に波及しないように保護協調を行う必要がある．

一般に，高圧受電設備の配電系統における過電流保護では，過電流リレーによる**時限差継電**方式が採用され，受電設備の保護リレーは，その上流の送配電系統の保護リレーの**整定値**に対応して設定されている．

最近の静止形継電器の過電流保護に関しては，強反限時特性などパワーヒューズに類似した特性方式を作りだすことが可能となっている．

また，各継電器をソフトウエア上で模擬することができ，上位系統の整定値をインプットすることで高精度な保護協調が可能となっている．

(2)　1)　不等率γは一般的に次式で表される．

$$\gamma = \frac{\text{各負荷の最大需要電力}}{\text{合成最大需要電力}} \qquad ①$$

上式に題意の数値を代入すると，

$$\gamma = 1.2 = \frac{550 + 400 + 850}{\text{合成最大需要電力 } P_{\mathrm{mo}}}$$

$$P_{\mathrm{mo}} = \frac{1\,800}{1.2} = \mathbf{1\,500}\ \mathrm{kW}$$

2)　題意より合成最大需要電力時の負荷Bの有効電力 P_{B} は，

$$P_{\mathrm{B}} = 1\,500 - 550 - 850 = 100\ \mathrm{kW}$$

力率は負荷に関わらず一定である．そのとき，各負荷の無効電力を求めると，

・負荷A（550 kW）

$$Q_{\mathrm{A}} = \frac{550}{0.9} \times \sqrt{1^2 - 0.9^2} = 266.377\ \mathrm{kvar}$$

・負荷B（100 kW）

$$Q_{\mathrm{B}} = \frac{100}{1} \times \sqrt{1^2 - 1^2} = 0\ \mathrm{kvar}$$

・負荷C（850 kW）

$$Q_{\mathrm{C}} = \frac{850}{0.8} \times \sqrt{1^2 - 0.8^2} = 637.5\ \mathrm{kvar}$$

全体の無効電力 Q は，

$$Q = Q_{\mathrm{A}} + Q_{\mathrm{B}} + Q_{\mathrm{C}} = 266.377 + 0 + 637.5 = 903.877 \fallingdotseq \mathbf{904}\ \mathrm{kvar}$$

総合力率 $\cos\theta$ は，

$$\cos\theta = \frac{1\,500}{\sqrt{1\,500^2 + 903.877^2}} = 0.856\,5 \fallingdotseq \mathbf{86}\ \%$$

3)　力率95 %に改善するためのコンデンサ容量を Q_{C} とすると，

$$0.95 = \frac{1\,500}{\sqrt{1\,500^2 + (903.877 - Q_{\mathrm{C}})^2}}$$

$$1\,500^2 + (903.877 - Q_{\mathrm{C}})^2 = \left(\frac{1\,500}{0.95}\right)^2$$

$Q_{\mathrm{C}} = 410.85 \fallingdotseq$ **411** kvar

4) 力率改善後（95 %）

$$P + \mathrm{j}Q = \sqrt{3}V\bar{\dot{I}}$$

$$1\,500 + \mathrm{j}(903.877 - 410.85) = \sqrt{3} \times 6.6 \times \bar{\dot{I}}$$

$$\dot{I} = 131.215\,97 - \mathrm{j}43.126\,3 \text{ A}$$

$$\left|\dot{I}\right| = \sqrt{131.215\,97^2 + 43.126\,3^2} = 138.12 \fallingdotseq \mathbf{138} \text{ A}$$

5) 題意の簡略式に数値を代入すると，

$$\Delta V = \sqrt{3} \times 138.12 \times (0.8 \times 0.95 + 0.6 \times 0.312\,25) = 226.635 \text{ V}$$

送り出し電圧 V_{s} は，母線電圧 V_{r} とすると，

$$V_{\mathrm{s}} = V_{\mathrm{r}} + \Delta V = 6\,600 + 226.635 = 6\,826.635 \fallingdotseq \mathbf{6.83} \text{ kV}$$

問題9

(1) 1―ケ，2―エ，3―ウ，4―エ，5―ケ，6―ウ

(2) 7―ク，8―サ，9―オ，10―ウ，11―カ，12―ウ

(3) A―3.092，B―2.793，C―299，D―32.7

【指導】

(1) 1) 単相二巻線変圧器を無負荷の状態で一次巻線に周波数 f [Hz] の交流電圧 $\dot{V}_1$ を印可すると一次巻線に**励磁**電流 $\dot{I}_0$ [A] が流れる．題意のとおり鉄損，銅損および磁気飽和はなく，$\dot{I}_0$ のつくる交番磁束 $\dot{\Phi}_0$ はすべて鉄心中を通るものとする．正弦波の $\dot{\Phi}_0$ より巻数 N_1 の一次巻線に $\dot{E}_1$ [V]，巻数 N_2 の二次巻線に $\dot{E}_2$ [V] の誘導**起電力**が発生する．$\dot{\Phi}_0$ の時間関数 $\phi(t)$ からファラデーの法則を使って $\dot{E}_1$，$\dot{E}_2$ の時間関数 $e_1(t)$，$e_2(t)$ は以下で表される．

$$\phi(t) = \Phi_{\mathrm{m}} \cos \omega t = \Phi_{\mathrm{m}} \cos 2\pi f t \text{ [Wb]}$$

ただし，Φ_{m} は磁束の最大値

$$e_1(t) = -N_1 \frac{\mathrm{d}\phi(t)}{\mathrm{d}t} = -N_1 \Phi_{\mathrm{m}} \frac{\mathrm{d}}{\mathrm{d}t} \cos 2\pi f t = -N_1 \Phi_{\mathrm{m}} (-2\pi f \sin 2\pi f t)$$
$$= 2\pi f N_1 \Phi_{\mathrm{m}} \sin 2\pi f t \text{ [V]}$$

$$e_2(t) = -N_2 \frac{\mathrm{d}\phi(t)}{\mathrm{d}t} = -N_2 \Phi_{\mathrm{m}} \frac{\mathrm{d}}{\mathrm{d}t} \cos 2\pi f t = -N_2 \Phi_{\mathrm{m}} (-2\pi f \sin 2\pi f t)$$

$$= 2\pi f N_2 \varPhi_{\mathrm{m}} \sin 2\pi f t \ [\mathrm{V}]$$

上記の 2 式の正弦関数部（sin $2\pi ft$）を除いた数を正弦波の最大値といい，その実効値は最大値を$\sqrt{2}$で割って求められるため，$e_1(t)$，$e_2(t)$ の実効値 E_1，E_2 は以下で表される．

$$E_1 = \frac{2\pi f N_1 \varPhi_{\mathrm{m}}}{\sqrt{2}} = \frac{\mathbf{2\pi}}{\mathbf{\sqrt{2}}} f N_1 \varPhi_{\mathrm{m}} \fallingdotseq 4.44 f N_1 \varPhi_{\mathrm{m}} \ [\mathrm{V}]$$

$$E_2 = \frac{2\pi f N_2 \varPhi_{\mathrm{m}}}{\sqrt{2}} = \frac{\mathbf{2\pi}}{\mathbf{\sqrt{2}}} f N_2 \varPhi_{\mathrm{m}} \fallingdotseq 4.44 f N_2 \varPhi_{\mathrm{m}} \ [\mathrm{V}]$$

2)　二次端子に負荷 $\dot{Z}$ [Ω] を接続すると二次電流 $\dot{I}_2$ [A] が流れる．これにより $N_2\dot{I}_2$ [A] の**起磁力**を生じ磁束を減少させようとする．これに対して最大磁束 $\varPhi_{\mathrm{m}}$ を一定に保つよう一次側に**補償**電流 $\dot{I}_1'$ [A] が新たに流れ，$N_2\dot{I}_2$ の起磁力を打ち消す．一次電流 $\dot{I}_1$ [A] は $\dot{I}_1' + \dot{I}_0$ で表される．$\dot{I}_1'$ に対して $\dot{I}_0$ が非常に小さく無視できるのであれば，$I_1 = I_1'$ とし I_2 から以下で表すことができる．

$N_1 I_1 = N_2 I_2$ より，

$$I_1 = \frac{N_2}{N_1} I_2 \ [\mathrm{A}]$$

ただし，$\dot{I}_0 \ll \dot{I}_1'$

3)　一次または二次巻線のつくる磁束のうち他の巻線と鎖交しない磁束のことを**漏れ磁束**と称し，漏れ磁束によるリアクタンスを漏れリアクタンスという．また，巻線抵抗と合わせて漏れインピーダンスともいう．

(2)　1)　電力用コンデンサ設備においてコンデンサと直列に接続して使用するリアクトル（直列リアクトル）は高調波に対してコンデンサ設備の合成リアクタンスが常に**誘導性**となるようにする．また，リアクトルは電流の急激な変化を抑制することから直列リアクトルの接続によりコンデンサの突入電流を抑制することができる．

コンデンサ設備の合成リアクタンスと高調波の関係をモデル化したものが**第 1 図**である．第 1 図において，高調波発生源は第 n 調波電流 $\dot{I}_n$ の電流源である．コンデンサ設備の合成リアクタンス $\mathrm{j}(X_{\mathrm{l}} - X_{\mathrm{c}})$ と並列の電力系統のリアクタンス $\mathrm{j}X_{\mathrm{s}}$ に流れる高調波電流 $\dot{I}_{ns}$ を求める．

$$\dot{I}_{ns} = \frac{\mathrm{j}(X_{\mathrm{l}} - X_{\mathrm{c}})}{\mathrm{j}(X_{\mathrm{l}} - X_{\mathrm{c}}) + \mathrm{j}X_{\mathrm{s}}} \dot{I}_n = \frac{(X_{\mathrm{l}} - X_{\mathrm{c}})}{(X_{\mathrm{l}} - X_{\mathrm{c}}) + X_{\mathrm{s}}} \dot{I}_n$$

上式において $(X_{\mathrm{l}} - X_{\mathrm{c}})$ が正（誘導性）であった場合，分母は分子よりも大きく $\dot{I}_{ns}$ は $\dot{I}_n$ よりも小さい．一方，$(X_{\mathrm{l}} - X_{\mathrm{c}})$ が負（容量性）であった場合，特に X_{s} と大きさが近くな

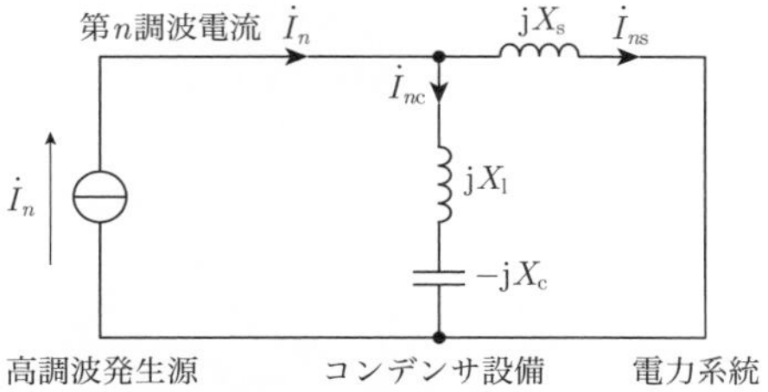

第 1 図　コンデンサ設備と高調波

るほど分母は分子よりも極端に小さくなり $\dot{I}_{ns}$ は $\dot{I}_n$ よりも極めて大きくなる．これを高調波電流の拡大と呼び，回路電圧波形のひずみの原因となるため合成リアクタンスを高調波に対し誘導性となるようにすることが重要である．

2)　第 1 図のコンデンサ設備に流れる高調波電流 $\dot{I}_{nc}$ を求める．

$$\dot{I}_{\mathrm{nc}}=\frac{\mathrm{j}X_\mathrm{s}}{\mathrm{j}(X_\mathrm{l}-X_\mathrm{c})+\mathrm{j}X_\mathrm{s}}\dot{I}_n=\frac{X_\mathrm{s}}{(X_\mathrm{l}-X_\mathrm{c})+X_\mathrm{s}}\dot{I}_n$$

一般的な高圧需要家の負荷設備に高調波源がある場合の対策として，コンデンサ設備に高調波電流を流入しやすくして電力系統側へ流出しにくくする．コンデンサ自体の発生する損失のほとんどはコンデンサ極板間の絶縁物中の**誘電損**である．過熱や焼損等の障害の多くは直列リアクトルで発生し，JIS 規格（JIS C 4902-2：2010）では直列リアクトルの最大許容電流について規定している．6 % の直列リアクトルで許容電流種別 I では第 5 調波含有率 35 % 以内の最大許容電流は定格電流の **120 %**，許容電流種別 II では第 5 調波含有率 **55 %** 以内の最大許容電流は定格電流の 130 % と規定されている．

3)　三相回路の線間電圧 $V_\mathrm{n}=6\,600$ V，直列リアクトルのリアクタンス X_l [Ω] がコンデンサのリアクタンス X_c [Ω] の 6 % であった（**第 2 図**）．このとき，コンデンサの定格設備容量 $Q_\mathrm{n}=300$ kvar とするために必要な三相コンデンサの定格電圧 V_c [V]，コンデンサの定格容量 Q_c [kvar] を求める．

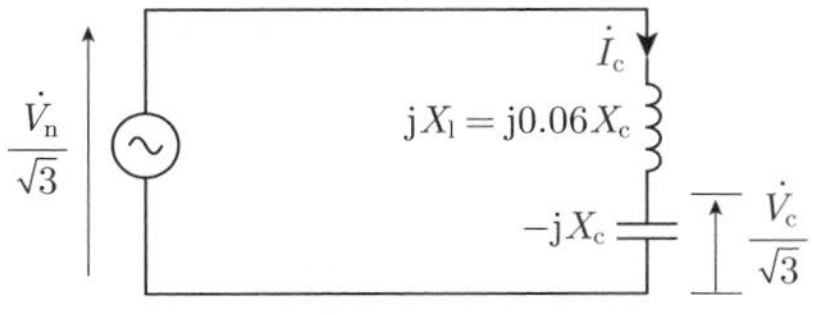

第 2 図　コンデンサと直列リアクトル（1 相分）

第 2 図においてコンデンサに流れる電流 I_c [A] を以下に表す．

$$I_c = \frac{V_n}{\sqrt{3}(X_c - X_l)} = \frac{V_n}{\sqrt{3}(X_c - 0.06X_c)} = \frac{V_n}{0.94\sqrt{3}X_c}\ [\mathrm{A}]$$

第 2 図と上式から三相コンデンサの定格電圧 V_c を表す．

$$\frac{V_c}{\sqrt{3}} = X_c I_c = X_c \frac{V_n}{0.94\sqrt{3}X_c} = \frac{V_n}{0.94\sqrt{3}}\ [\mathrm{V}]$$

$$V_c = \frac{V_n}{0.94} = \frac{6\,600}{0.94} = 7\,021.3 \fallingdotseq \mathbf{7\,020}\ \mathrm{V}$$

一方，Q_n およびコンデンサ設備に加わる電圧 V_n から I_c を表す．

$Q_n = \sqrt{3}V_n I_c$ [var] より，

$$I_c = \frac{Q_n}{\sqrt{3}V_n}\ [\mathrm{A}]$$

V_c および上式から Q_c [kvar] を表す．

$$Q_c = \sqrt{3}V_c I_c = \sqrt{3}\frac{V_n}{0.94}\frac{Q_n}{\sqrt{3}V_n} = \frac{Q_n}{0.94} = \frac{300}{0.94} = 319.15 \fallingdotseq \mathbf{319}\ \mathrm{kvar}$$

(3) 1) 定格容量 S_n = 300 kV·A，定格一次電圧 V_{n1} = 6 600 V，定格二次電圧 V_{n2} = 210 V の単相変圧器に定格容量，力率 $\cos\varphi = 1$（100 %）の負荷を接続したときの効率 η = 98.98 % であった．この運転条件での変圧器の無負荷損 p_i [kW]，負荷損 p_{cr} [kW] とすると，ηは以下のように求めることができる．

$$\eta = \frac{S_n \cos\varphi}{S_n\cos\varphi + p_i + p_{cr}} = \frac{S_n}{S_n + p_i + p_{cr}} = 98.98\ \%$$

上式を変形して $p_i + p_{cr}$ を求める．

$$S_n = \eta\,(S_n + p_i + p_{cr})$$

$$p_i + p_{cr} = \left(\frac{1}{\eta} - 1\right)S_n = \left(\frac{1}{98.98\,\%} - 1\right) \times 300 = 3.091\,5 \fallingdotseq \mathbf{3.092}\ \mathrm{kW}$$

2) 電圧変動率ε [%] は簡略式に題意の力率 $\cos\varphi = 1(\sin\varphi = 0)$を代入して表す．また，百分率抵抗降下 p を V_{n1} [V]，定格一次電流 I_{n1} [A] および一次換算巻線抵抗 r_1 [Ω] によって表す．

$$\varepsilon = p\cos\varphi + q\sin\varphi = p\ [\%]$$

$$p = \frac{r_1 I_{n1}}{V_{n1}} = \frac{I_{n1}}{I_{n1}}\cdot\frac{r_1 I_{n1}}{V_{n1}} = \frac{r_1 {I_{n1}}^2}{V_{n1} I_{n1}} = \frac{p_{cr}}{S_n} = 0.931\ \%$$

ただし，$p_{cr} = r_1 {I_{n1}}^2$，$S_n = V_{n1} I_{n1}$ である．上式から p_{cr} を求める．

$$p_{cr} = S_n \times 0.931\ \% = 300 \times 0.931\ \% = \mathbf{2.793}\ \text{kW}$$

3)　$(p_i + p_{cr})$ および p_{cr} から p_i を求める．

$$p_i = (p_i + p_{cr}) - p_{cr} = 3.092 - 2.793 = 0.299\ \text{kW} = \mathbf{299}\ \text{W}$$

単相変圧器の力率 $\cos\varphi = 1$，任意の負荷率 α（$0 \leqq \alpha \leqq 1$）における効率 η_α [%] を下式で表す．電圧が一定であれば，負荷は電流すなわち α に比例し，負荷損は電流の 2 乗すなわち α の 2 乗に比例する．

$$\eta_\alpha = \frac{\alpha S_n}{\alpha S_n + p_i + \alpha^2 p_{cr}} = \frac{S_n}{S_n + \dfrac{p_i}{\alpha} + \alpha p_{cr}}$$

η_α を最大とする α は上式の分母が最小となればよい．上式の分母の α が存在する第 2，3 項に最小の定理を適用する．$p_i/\alpha + \alpha p_{cr}$ を最小とするには $p_i/\alpha = \alpha p_{cr}$ が成り立つ α を求める．

$$\frac{p_i}{\alpha} = \alpha p_{cr} \quad \rightarrow \quad \alpha^2 = \frac{p_i}{p_{cr}}$$

$$\alpha = \sqrt{\frac{p_i}{p_{cr}}} = \sqrt{\frac{0.299}{2.793}} = 0.327\ 2 \fallingdotseq \mathbf{32.7}\ \%$$

問題10　(1)　1 ―ス，2 ―ウ，3 ―カ，4 ―サ，5 ―コ，6 ―キ，7 ―ウ，8 ―サ，9 ―カ
(2)　10 ―ク，11 ―ケ，12 ―ア，A ― 3.0，B ― 8 020，C ― 8 868，D ― 90.4

【指導】

(1)　1)　誘導電動機の L 形等価回路を**第 1 図**に示す．二次回路の抵抗 r_2/s は滑り s に応じて値が変わり，次式のように始動時は定格時（定格滑りを 0.02 と仮定）に比べて非常に小さい．したがって，始動電流は定格電流に比べて大きいだけでなく，有効分が小さく，**無効分**が大きい．

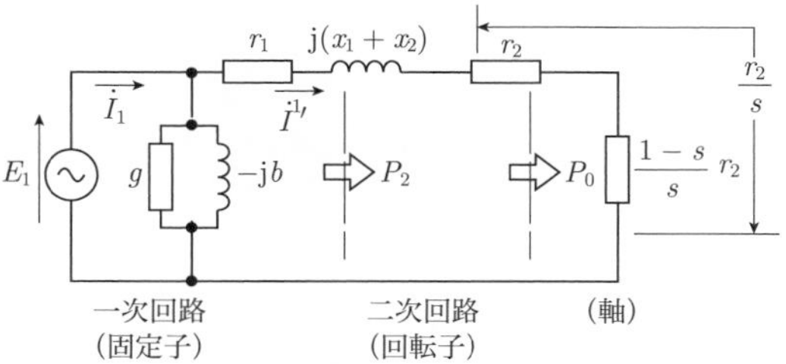

第 1 図　誘導電動機 L 形等価回路

$$始動時（s=1）：\frac{r_2}{s}=\frac{r_2}{1}=r_2\ [\Omega]$$

$$定格時（s=0.02）：\frac{r_2}{s}=\frac{r_2}{0.02}=50r_2\ [\Omega]$$

誘導電動機は始動電流が大きく電源に電圧降下等の悪影響を与える．したがって，始動電流を低下させるための始動方式がいくつか存在する．三相かご形誘導電動機の始動法の一つにリアクトル始動方式がある．これは一次回路に加える電圧を始動時に $1/a$ 倍に下げることで始動電流 I_{1s}' を抑制する．以下に示すように，始動電流は $\boldsymbol{1/a}$ 倍に抑制できるものの，始動トルク T_s は $\boldsymbol{1/a^2}$ 倍に低下する．

$$I_{1s}'=\frac{E_1}{a\sqrt{(r_1+r_2)^2+(x_1+x_2)^2}}\ [\mathrm{A}]$$

$$T_s=\frac{P_0}{\omega}=\frac{P_2(1-s)}{\omega_s(1-s)}=\frac{P_2}{\omega_s}=\frac{3r_2I_1'^2}{\omega_s}=\frac{3r_2E_1{}^2}{a^2\omega_s\{(r_1+r_2)^2+(x_1+x_2)^2\}}\ [\mathrm{N\cdot m}]$$

ただし，電圧 E_1 [V]（相電圧），同期角速度 ω_s [rad/s] である．

インバータを用いて電動機を運転する場合，始動時の**滑り**を定格運転に近い値に保ち，始動電流を定格電流に近い値として始動できる．

巻線形誘導電動機における**二次抵抗法**は回転子巻線と直列にスリップリングを介して外部の可変抵抗器を接続することで，始動電流を小さくすることができる．また一次回路に加える電圧も低減させる必要がないため，大きなトルクを得ることができる．

2） 半導体デバイスを用いた交流電力の周波数変換方式には間接式と直接式がある．

間接式は整流回路とインバータで構成される．交流入力を**順**変換（整流）回路で直流に変換した後，インバータによって別の周波数に変換・出力する．出力周波数はインバータの設定により低～高周波数まで**連続**的に変換できる．

直接式の代表的なものにサイクロコンバータがある．1 相分は通常，**逆並列**に接続された 2 組のサイリスタブリッジ回路で構成される．サイクロコンバータは交流入力周波数に対して低い周波数の交流出力となる．また，2 組のサイリスタブリッジ回路は正負の波形に対応しており三相交流を得るために，位相制御角の**変調**を行う点が他のブリッジ整流回路と異なっている．

⑵ 1） i） 三相形誘導電動機の二次等価回路に関する問題である．問題図中の二次電流 I_2（大きさ），滑り s および二次抵抗 r_2 を使って 3 相分の二次入力 P_2 は以下で表される．

$$P_2 = 3 \times I_2{}^2 \times \left(1 + \frac{1-s}{s}\right) r_2 = 3 \times I_2{}^2 \times \left(\frac{s+1-s}{s}\right) r_2 = \boldsymbol{3 \times I_2{}^2 \times \frac{r_2}{s}} \ [\mathrm{W}]$$

電動機の機械出力 P_0 は問題文中の手順で計算可能であるが，問題図の右端抵抗の消費電力の3倍であり，以下で表される．

$$P_0 = \boldsymbol{3 \times I_2{}^2 \times \frac{1-s}{s} r_2} \ [\mathrm{W}]$$

3相分の二次銅損 P_{c2} は r_2 による消費電力の3倍であり，以下で表される．

$$P_{c2} = 3 \times I_2{}^2 \times r_2 \ [\mathrm{W}]$$

ii） 上記三つの式を比較すると P_2，P_{c2} および P_0 の関係は滑り s のみを用いて以下で表される．

$$P_2 : P_{c2} : P_0 = 1 : s : \boldsymbol{1 - s}$$

2） i） 定格周波数 $f = 50$ Hz，極数 $p = 4$ の誘導電動機の同期回転速度 N_s [min^{-1}] を以下で求める．

$$N_s = \frac{120f}{p} = \frac{120 \times 50}{4} = 1\,500 \ \mathrm{min}^{-1}$$

回転速度 $N = 1\ 455$ min^{-1} にて運転中の誘導電動機の滑り s は以下で求める．

$$s = \frac{N_s - N}{N_s} = \frac{1\,500 - 1\,455}{1\,500} = 0.03 = \mathbf{3.0}\ \%$$

ii） 二次電流 $I_2 = 20$ A，滑り $s = 0.03$，二次抵抗 $r_2 = 0.21\ \Omega$ より本問(2) 1） i）で求めた機械出力 P_0 [W] を以下で求める．

$$P_0 = 3 \times I_2{}^2 \times \frac{1-s}{s} r_2 = 3 \times 20^2 \times \frac{1-0.03}{0.03} \times 0.21 = 8\ 148\ \mathrm{W}$$

軸出力 P は上記 P_0 から機械損 $P_m = 128$ W を引いて求める．

$$P = P_0 - 128 = 8\ 148 - 128 = \mathbf{8\ 020}\ \mathrm{W}$$

iii） 題意および本問(2)1) i)問題文で示す式より二次銅損 P_{c2} を以下で求める．

$$P_{c2} = 3 \times I_2{}^2 \times r_2 = 3 \times 20^2 \times 0.21 = 252\ \mathrm{W}$$

各損失は一次銅損 $P_{c1} = 1.5P_{c2}$，二次銅損 P_{c2}，鉄損 $P_i = 3 \times 30 = 90$ W（3相分），機械損 $P_m = 128$ W である．一次入力 P_1 は軸出力 P に各損失を加えた値であり以下で求める．

$$P_1 = P + 1.5P_{c2} + P_{c2} + P_i + P_m = 8\ 020 + 2.5 \times 252 + 90 + 128$$
$$= \mathbf{8\ 868}\ \mathrm{W}$$

解答
指導

題意から電動機の効率η [%] を以下で求める．

$$\eta = \frac{P}{P_1} = \frac{8\,020}{8\,868} = 0.904\,4 \fallingdotseq \mathbf{90.4}\ \%$$

問題11　(1)　1 ―エ，2 ―エ，3 ―ア，4 ―オ，5 ―コ，6 ―オ，7 ―ウ
(2)　8 ―エ，9 ―ケ，10 ―ア，11 ―エ，12 ―ウ

【指導】

(1)　1)　一次側の電圧 $\dot{V}_1$, 電流 $\dot{I}_1$ の二次側換算式は問題文中に示されている．抵抗 R_1 [Ω] の単位は電圧を電流で割ったのであり，抵抗の換算式は以下で表される．また，インダクタンス l_1 [H] は角周波数を掛けると抵抗の単位となるため抵抗と同じ換算式である．

$$\frac{\dot{V}_1{}'}{\dot{I}_1{}'} = \frac{\dot{V}_1/a}{a\dot{I}_1} = \frac{1}{a^2} \times \frac{\dot{V}_1}{\dot{I}_1}$$

$$R_1{}' = \boldsymbol{\frac{1}{a^2}} \times R_1$$

$$l_1{}' = \boldsymbol{\frac{1}{a^2}} \times l_1$$

2)　問題文の条件を代入して二次電流 $\dot{I}_2$ を以下で表す．

$$\dot{I}_2 = \frac{\dot{V}_0}{\dfrac{R_2}{s}} = \frac{\mathrm{j}s\omega_1\Phi}{R_2} = \mathrm{j} \times \boldsymbol{\frac{s\omega_1\Phi}{R_2}} = \mathrm{j}I_\tau \qquad ⑧$$

ただし，$\dot{V}_0 = \mathrm{j}\omega_1\Phi$

3)　二次入力 P_2，電動機の同期回転速度 N_s よりトルクτを表す式を求める．問題文中の⑦式および⑧式を使う．

$$\tau = \frac{P_2}{\dfrac{2\pi}{60}N_s} = \frac{3V_0I_\tau}{\dfrac{2\pi}{60}\dfrac{120f}{P}} = \frac{3P\omega_1\Phi I_\tau}{2(2\pi f)} = \frac{3}{2}P\frac{\omega_1\Phi I_\tau}{\omega_1} = \frac{3}{2}P \times \boldsymbol{\Phi I_\tau}\ [\mathrm{N \cdot m}]$$

ただし，$\omega_1 = 2\pi f$ [rad/s]，一次周波数 f [Hz]

問題文中の⑧式に⑥式を代入して I_τを表す．

$$I_\tau = \frac{s\omega_1\Phi}{R_2} = \frac{s\omega_1 L_2 I_m}{R_2}\ [\mathrm{A}]$$

上式を変形して滑り角周波数$\omega_s = s\omega_1$ を表す．

$$\omega_s = s\omega_1 = \frac{\boldsymbol{R_2}}{\boldsymbol{L_2}}\frac{\boldsymbol{I_\tau}}{\boldsymbol{I_\mathrm{m}}}\ [\mathrm{rad/s}]$$

一次角周波数ω_1は回転速度ω_mに上式のω_sを加算して決定する．このような制御を**滑り周波数形**ベクトル制御と呼ぶ．

4) ベクトル制御の電源には**インバータ**が広く用いられている．インバータは一定の直流電圧から必要となる三相交流電圧を出力するため **PWM** 制御が行われている．

(2) 1) 加速度αの変化率の最大値は問題文の①式にある式の中で始動時（$0 \leqq t \leqq 1$）の式を微分し，$t = 0$を代入して求める．

$$\left.\frac{\mathrm{d}\alpha}{\mathrm{d}t}\right|_{t=0} = \left.\frac{\mathrm{d}}{\mathrm{d}t}0.9\times\sin\left(\frac{\pi}{2}t\right)\right|_{t=0} = \left.\frac{\pi}{2}0.9\times\cos\left(\frac{\pi}{2}t\right)\right|_{t=0} = \frac{3.14}{2}\times 0.9\times 1$$

$$= 1.413 \fallingdotseq \mathbf{1.41}\ \mathrm{m/s^3}$$

2) 加速終了後の運行速度v_0は以下で計算する．

$$v_0 = \int_0^{t_\mathrm{a}+2}\alpha\,\mathrm{d}t$$

$$= \int_0^1 0.9\times\sin\left(\frac{\pi}{2}t\right)\mathrm{d}t + \int_1^{t_\mathrm{a}+1}0.9\times\mathrm{d}t + \int_{t_\mathrm{a}+1}^{t_\mathrm{a}+2}0.9\times\cos\left\{\frac{\pi}{2}(t-t_\mathrm{a}-1)\right\}\mathrm{d}t$$

$$= 0.9\times\frac{2}{\pi}\left[-\cos\left(\frac{\pi}{2}t\right)\right]_0^1 + 0.9\times\left[t\right]_1^{t_\mathrm{a}+1} + 0.9\times\frac{2}{\pi}\left[\sin\left\{\frac{\pi}{2}(t-t_\mathrm{a}-1)\right\}\right]_{t_\mathrm{a}+1}^{t_\mathrm{a}+2}$$

$$= 0.9\times\frac{2}{\pi}\left\{\cos 0-\cos\left(\frac{\pi}{2}\right)\right\} + 0.9\times(t_\mathrm{a}+1-1) + 0.9\times\frac{2}{\pi}\left\{\sin\left(\frac{\pi}{2}\right)-\sin 0\right\}$$

$$= 0.9\times\frac{2}{\pi} + 0.9t_\mathrm{a} + 0.9\times\frac{2}{\pi} = \mathbf{0.9}\left(\boldsymbol{t_\mathrm{a}}+\frac{\mathbf{4}}{\boldsymbol{\pi}}\right)\ [\mathrm{m/s}] \quad ②$$

運行速度 90 m/min すなわち 90/60 = 1.5 m/s とするためのt_aを②式より求める．

$$t_\mathrm{a} = \frac{1.5}{0.9}-\frac{4}{\pi} = \frac{1.5}{0.9}-\frac{4}{3.14} = 0.392\,8 \fallingdotseq \mathbf{0.393}\ \mathrm{s}$$

3) 加減速区間の平均速度を$v_0/2$ [m/s] とすると，問題図 2 の運転パターンによってエレベータが上昇開始してから停止するまでの上昇距離x_0 [m] は以下で表される．

$$x_0 = \frac{v_0}{2}(t_\mathrm{a}+2) + v_0t_\mathrm{b} + \frac{v_0}{2}(t_\mathrm{a}+2) = v_0(t_\mathrm{a}+2) + v_0t_\mathrm{b}$$

$$= \boldsymbol{v_0(t_\mathrm{a}+t_\mathrm{b}+2)}\ [\mathrm{m}]$$

上式より運行速度 90 m/min（秒速$v_0 = 1.5$ m/s）で距離 48 m 上昇したとき定速度区

解答指導

間の時間 t_b を求める．

$v_0(t_a + t_b + 2) = 48$ m より，

$$t_b = \frac{48}{v_0} - t_a - 2 = \frac{48}{1.5} - t_a - 2 = 30 - t_a$$

上式より，所要時間 $(2t_a + t_b + 4)$ を求める．また，この場合の t_a は0.392 8 s である．

$$2t_a + t_b + 4 = 2t_a + 30 - t_a + 4 = t_a + 34 = 0.392\,8 + 34 = 34.392\,8$$

$$\fallingdotseq \mathbf{34.4}\ \mathrm{s}$$

問題12

(1) 1―カ，2―ク，3―ソ，4―コ，5―ウ，6―エ，7―ウ

(2) 8―カ，A―8.67，9―ウ，B―2.50，C―1.00，D―1.25

【指導】

(1) 1) 走行抵抗 F_t は

$$F_t = m\frac{\mathrm{d}v}{\mathrm{d}t}$$

である．20 s の時点の速度 v' とすると，次式が成り立つ．

$$8 = 200 \times \frac{6 - v'}{20 - 5}$$

$$v' = \mathbf{5.4}\ \mathrm{m/s}$$

2) 全体の走行距離は，題意の図表の面積を算出すればよいから，

$$l = \left(6 \times 5 \times \frac{1}{2}\right) + \left\{(6 - 5.4) \times 15 \times \frac{1}{2} + 5.4 \times 15\right\} + \left(5.4 \times 6 \times \frac{1}{2}\right)$$

$$= 15 + 4.5 + 81 + 16.2 = \mathbf{116.7}\ \mathrm{m}$$

3) 走行抵抗 8 N が作用していることに注目すると，

0 s ～ 5 s（駆動力 F_{05t}）

$$F_{05} = m\frac{\mathrm{d}v}{\mathrm{d}t} = 200 \times \frac{6}{5} = 240\ \mathrm{N}$$

$$F_{05t} = F_{05} + F_t = 240 + 8 = \mathbf{248}\ \mathrm{N}$$

20 s ～ 26 s（駆動力 F_{2026t}）

$$F_{2026} = m\frac{\mathrm{d}v}{\mathrm{d}t} = 200 \times \frac{5.4}{6} = 180\ \mathrm{N}$$

$$F_{2026t} = F_{2026} - F_t = 180 - 8 = \mathbf{172}\ \mathrm{N}$$

4)　走行全体に必要なエネルギー W_{05} は，加速時のみを考えればよい．

加速時の駆動力 F_{05t}，走行距離 l_{05} とすると，次式が成り立つ．

$$W_{05} = F_{05t} l = 248 \text{ N} \times 15 \text{ m} = 3\,720 \text{ J} = \mathbf{3.72} \text{ kJ}$$

5)　回生なし（機械制動エネルギー F_{2026} ＋ 走行抵抗によるエネルギー F_t で走行距離 l_{2026} とする）のときのエネルギー損失 W_{2026t} は，

$$W_{2026t} = (F_{2026} - F_t) \times l_{2026} = (180 - 8) \times 16.2 = 172 \times 16.2 = 2\,786.4 \text{ J} \fallingdotseq \mathbf{2.79} \text{ kJ}$$

回生あり（加速時のエネルギー ＋ 減速時回生）のときの走行全体のエネルギー W_{026} は，

$$W_{026} = W_{05} - W_{2026t} \times 0.9 = 3\,720 - 2\,786.4 \times 0.9 = 1\,212 \text{ J} \fallingdotseq \mathbf{1.21} \text{ kJ}$$

(2)　1)　風量 Q，風圧 H，送風機効率 η^*，軸動力 P [kW] は，次式で表される．

$$P = \frac{9.8QH}{\eta^*} \text{ [kW]}$$

単位法で表記すると，$p = \dfrac{\boldsymbol{qh}}{\boldsymbol{\eta}}$ [p.u.] と表記できる．

2)　ダンパ制御では，$n = 1$ p.u.，風量 $q = 0.5$ p.u. とすると，

$$p = \frac{qh}{\eta} = \frac{0.5 \times 1.3}{0.75} = 0.866\,66 = \mathbf{8.67} \times 10^{-1} \text{ p.u.}$$

次に，題意より，全送風抵抗は，風圧と等しくなる．よって，次式が成り立つ．

風圧 h ＝ 全送風抵抗 ＝ 管路抵抗＋ダンパの送風抵抗 r_d

管路抵抗 ＝ ダンパ全開時の全送風抵抗 r

上記の式より，

$$h = r + r_d = q^2 + r_d$$

$$1.3 = 0.5^2 + r_d$$

$$\therefore \quad r_d = 1.3 - 0.25 = \mathbf{1.05} \text{ p.u.}$$

3)　回転数制御では，風圧と送風抵抗は等しく，風量 q が 50 %となるため，

$$h = r = q^2 = 0.5^2 = 0.25 \text{ p.u.} = \mathbf{2.5} \times 10^{-1} \text{ p.u.}$$

風圧 h の式から回転数 n を求めると，

$$h = 1.2n^2 + 0.6nq - 0.8q^2$$

$$0.25 = 1.2 \times n^2 + 0.6 \times n \times 0.5 - 0.8 \times 0.5^2$$

$$1.2n^2 + 0.3n - 0.45 = 0$$

$$n=\frac{-0.3\pm\sqrt{0.3^2+4\times1.2\times0.45}}{2\times1.2}=-0.75,\ 0.5\Rightarrow0.5$$

次に，送風機効率ηを求めると，

$$\eta=2.0\times\left(\frac{0.5}{0.5}\right)-\left(\frac{0.5}{0.5}\right)^2=2-1=1=\mathbf{1.00}\ \text{p.u.}$$

よって，軸動力pは，

$$p=\frac{qh}{\eta}=\frac{0.5\times0.25}{1}=0.125=\mathbf{1.25}\times10^{-1}\ \ \text{p.u.}$$

問題13
(1) 1―オ，2―ア，3―キ，4―ア，5―オ
(2) 6―イ，7―オ，8―ク，9―イ，10―オ
(3) 11―オ，12―セ，13―サ，14―ケ，15―イ

【指導】

(1) 1) 波長が0.76～1 000 μmの電磁波を利用した加熱方式は**赤外加熱**と呼ばれ，産業分野ではこのうち短波長からほぼ**25** μm位までの範囲が利用されている．この加熱は放射加熱であるため，**温度制御**が容易かつ応答性がよい．

赤外放射は，種々の理由により，さらに細かく，近赤外放射，中赤外放射，遠赤外放射の三つ区分される．高分子物質（プラスチック，ゴムなど）は，2.5 μm～25 μm程度の波長範囲に多く吸収帯をもつ．

2) 抵抗加熱炉のうち，発熱体から発生する熱で被加熱物を加熱する方法を**間接抵抗加熱**方式といい，一般的に，この方式の炉を単に抵抗炉ということもある．この方式において発熱体に発生したジュール熱は，主として放射，**対流**により被加熱物に伝熱される．

抵抗炉は，加熱方式によって間接抵抗加熱方式と直接抵抗加熱方式に分けられる．

間接抵抗加熱方式には，発熱体を用いる炉と塩浴炉などがある．直接抵抗加熱方式には，被熱物に直接電流を流し加熱する黒鉛化炉などがある．

発熱体で生じたジュール熱は，放射，伝導，対流により被加熱物に伝熱される．

(2) 1) 誘電加熱および**マイクロ波加熱**は，誘電体である被加熱物を高周波電界中に置き加熱する方式である．その発生源は，被加熱物が持っている**電気双極子**が高周波電界により振動や回転させることで生じる分子間の**摩擦**である．

マイクロ波加熱（300 MHz～300 GHz）は，誘電加熱と原理は同じであるが，誘電加熱よりも効率がよい．また，その発生源は，誘電体内の分子摩擦による発熱であるから，発熱

量 Q について次式が成り立つ.

$$Q = KfE^2\varepsilon \tan\delta$$

ここで，K：定数，f：周波数，E：電極間の高周波電界，ε：誘電率，$\tan\delta$：誘電損率

しかし，電極間に挟む必要があるため，均一加熱のためには形状に制約を受ける.

2)　加熱，溶解プロセスにおける省エネルギー対策は設備上と操業上の対策に分けられるが，このうち，設備上の対策としては，加熱，溶解時間短縮により熱損失低減を図る設備の**高電力化**や，炉内雰囲気や加熱温度に対する**最適発熱体の採用**が挙げられる.

高電力化にする理由は，電圧の格上げを行い配電線の線路損失低減を図ることができる.また，発熱体の加熱温度を最適にするためには，発熱体の選定を厳密に行う必要がある.

(3)　1)　加熱正味熱量は，

$$590 \times 200 \times (850 - 25) = 97\,350\ \mathrm{kJ}$$

単位換算を行うと，

$$97\,350\ \mathrm{kW\cdot s} \times \frac{1\ \mathrm{h}}{3\,600\ \mathrm{s}} = 27.04 \fallingdotseq \mathbf{27}\ \mathrm{kW\cdot h}$$

2)　被加熱材の電力原単位は，

$$電力原単位 = \frac{80 \times 0.5}{0.2} = \mathbf{200}\ \mathrm{kW\cdot h/t}$$

電気効率 η とすると，

$$(80\,\eta - 20) \times 0.5 = 27.04$$

$$\eta = 0.926 \fallingdotseq \mathbf{93.0}\ \%$$

3)　速度増加前は，

$$vt = l$$

$$\therefore\quad v = \frac{l}{t} \qquad ①$$

速度増加後は，

$$1.1vt' = l \qquad ②$$

②式に①式を代入すると，

$$1.1\frac{l}{t}t' = l$$

$$\therefore\quad t' = \frac{1}{1.1}t = \frac{1}{1.1} \times 30 = 27.272\,7\ \mathrm{min}$$

速度増加後の設備入力を P'，効率ηおよび速度増加後の速度 t' として式を立てると，

$$(P'\eta - 20) \times \frac{t'}{60} = 27.04$$

$$(P' \times 0.926 - 20) \times \frac{27.273}{60} = 27.04$$

$$P' = 85.839\,5 \fallingdotseq \mathbf{86}\ \mathrm{kW}$$

4)　コンデンサ増設前の出力 P とコンデンサ増設後の出力 P'' は，

$$P = \sqrt{3} \times 0.94V \times I \times 0.94 \cos\theta \qquad ③$$

$$P'' = \sqrt{3} \times 0.99V \times I \times 0.99 \cos\theta \qquad ④$$

$$\frac{④式}{③式} = \frac{P''}{P} = \frac{0.99^2}{0.94^2} = 1.109\,2$$

設備入力 P'' は，

$$P'' = P \times 1.109\,2 = 80 \times 1.109\,2 = 88.736\ \mathrm{kW}$$

コンデンサ増設後の時間 T'' として式を立てると，

$$(P''\eta - 20) \times \frac{T''}{60} = 27.04$$

$$(88.736 \times 0.926 - 20) \times \frac{T''}{60} = 27.04$$

$$\therefore\quad T'' = 26.096\ \mathrm{min}$$

昇温時間の短縮の割合は，

$$\frac{30 - 26.096}{30} = 0.130\,12 \fallingdotseq \mathbf{13}\ \%$$

となる．

問題14

(1)　1 ―ケ，2 ―イ，3 ―ス，4 ―エ，5 ―カ

(2)　6 ―ア，7 ―ウ，8 ―キ，9 ―ウ，10 ―カ

(3)　A ― 2.40，B ― 4.80，C ― 4.44×10^2

【指導】

(1)　化学反応速度は，通常，反応物質の温度と濃度で制御することが可能であるが，電極反応ではこれらに加えて電極電位を制御して，反応速度すなわち**電流**を制御できる．

反応速度を大きくするには**過電圧**の絶対値を**大きくする**．

外部から観測できる電流が零になるときは，電極の単位表面積当たりの酸化電流 i_a と還元電流 i_c は等しくなっており，この値を**交換電流密度**と呼ぶ．この値は，**電極触媒能**を表す重要な因子である．

電極化学反応速度論では，電位制御により電流を制御することができる．

電気化学速度におけるターフェル式を下記に示す．

$$\eta = A \times \ln \frac{i}{i_0}$$

ここで，η：過電圧，A：傾き，i：電流密度，i_0：交換電流密度

(2) 1) 燃料電池は，水素，ヒドラジン，アルコール類などの燃料を，電極触媒を賦与した**アノード**で電気化学的に酸化させ，もう一方の電極で**酸素**を酸化剤として還元させることにより，その**化学エネルギーを電気エネルギー**へ直接変換して取り出すデバイスである．

水素一酸素燃料電池を例にとると，負極には燃料（例えば H_2）を，正極には酸化剤（例えば O_2）を連続的に供給し，起電反応を行わせ発電させる方式である．

負極：$H_2 \rightarrow 2H^+ + 2e^-$

正極：$\frac{1}{2}O_2 + 2H^+ + 2e^- \rightarrow H_2O$

2) 燃料電池の**理論熱効率**は，燃料の燃焼のギブズエネルギー変化とエンタルピー変化の比で表される．燃料電池は小形化しても効率が良いので，**分散型発電**としての適用性に優れており，あわせてコージェネレーションシステムとして用いれば熱利用率の向上も期待でき，総合効率のさらなる向上につながる．

燃料電池の理論熱効率ηは，

$$\eta = \frac{\Delta G}{\Delta H}$$

と表される．

ここで，η：理論熱効率，ΔG：ギブズのエネルギー変化，ΔH：エンタルピー変化

(3) 1) リチウム電池 1 個は（3.7 V，8.88 W·h）であるから，次式が成り立つ．

$$8.88\ \mathrm{W \cdot h} = 3.7\ \mathrm{V} \times Ih\ [\mathrm{A \cdot h}]$$

$$\therefore\quad Ih = \frac{8.88}{3.7} = \mathbf{2.40}\ \mathrm{A \cdot h}$$

2) 電池 1 個を充電電流 0.5 A で充電したときに満充電に要する時間 T は，

$$2.4\ \mathrm{A \cdot h} = 0.5\ \mathrm{A} \times T\ [\mathrm{h}]$$

$$\therefore \quad T = \frac{2.4}{0.5} = \mathbf{4.80}\ \mathrm{h}$$

3）この電池100個を直列接続にして満充電したときに2時間使用できたことから，次式が成り立つ．

$$3.7\ \mathrm{V} \times 100 \times \frac{2.4\ \mathrm{A \cdot h}}{2\ \mathrm{h}} = 444 = \mathbf{4.44 \times 10^2}\ \mathrm{W}$$

問題15 ⑴ A — 2.6，B — 7.1，C — 1.0，D — 2.0，E — 50

⑵ 1 —イ，2 —カ，3 —イ，4 —オ，5 —キ，6 —ウ，7 —サ

【指導】

⑴ 1) i）作業場の水平面の平均照度 E_1 [lx] を下式で表し，蛍光ランプ1灯から照射される光束 F_x [lm] を求める．ただし，N：蛍光灯の灯数 2 × 40，U：照明率 0.70，M：保守率 0.70，A：作業場面積 10 × 20 m^2 である．

$$E_1 = \frac{F_x NUM}{A} = \frac{F_x \times 2 \times 40 \times 0.70 \times 0.70}{10 \times 20} = 500\ \mathrm{lx}$$

$$F_x = \frac{500 \times 10 \times 20}{2 \times 40 \times 0.70 \times 0.70} = 2\,551 \fallingdotseq \mathbf{2.6} \times 10^3\ \mathrm{lm}$$

ii）作業面A点の水平照度は $E_2 = 250$ lx となった．A点の照度を $E_1 = 500$ lx とするため点光源を設置する．

点光源による水平照度 E_{hp} [lx] は以下で求める．

$$E_{hp} = E_1 - E_2 = 500 - 250 = 250\ \mathrm{lx}$$

点光源は一様な光度 I_p [cd] を照射するものとし，**第1図**より E_{hp} を表す．

$$E_{hp} = \frac{I_p}{l^2}\cos\theta = \frac{I_p}{(\sqrt{2})^2}\frac{1}{\sqrt{2}} = \frac{I_p}{2\sqrt{2}} = 250\ \mathrm{lx}$$

上式を変形して I_p を求める．

$$I_p = 2\sqrt{2} \times 250 = 1.41 \times 500 = 705$$

$$\fallingdotseq \mathbf{7.1} \times 10^2\ \mathrm{cd}$$

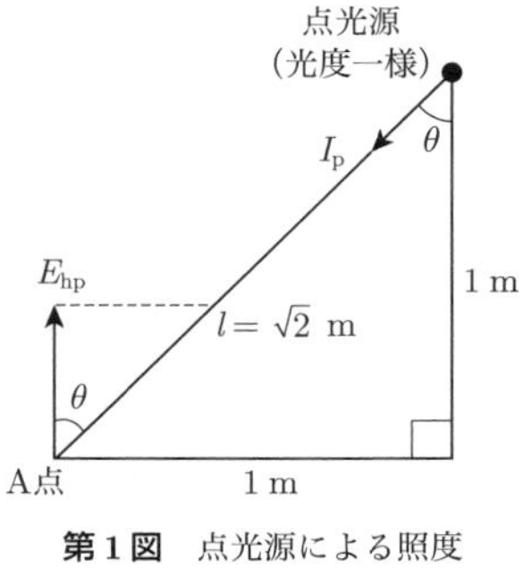

第1図 点光源による照度

2）空の輝度 $L_s = 6\ 500$ cd/m^2，均等拡散面の天窓の透過率 $\tau = 0.5$ とすると，天窓の室内の輝度 L [cd/m^2] は以下で求められる．

$$L = \tau L_s = 0.5 \times 6\ 500 = 3\ 250\ \mathrm{cd/m^2}$$

天窓の室内での光束発散度 M [lm/m²] は以下で求められる．

$$M = \pi L = 3.14 \times 3\ 250 = 10\ 205 = \mathbf{1.0} \times 10^4\ \mathrm{lm/m^2}$$

第2図において $\sin^2\theta$ は以下で求められる．

$$\sin^2\theta = \left(\frac{2}{l_2}\right)^2 = \frac{4}{2^2 + 4^2} = \frac{4}{20} = 0.2$$

L および題意の式により床面B点の水平面照度 E [lx] を求める．

$$E = \pi L \sin^2\theta = 3.14 \times 3\ 250 \times 0.2$$

$$= 2\ 041 \fallingdotseq \mathbf{2.0} \times 10^3\ \mathrm{lx}$$

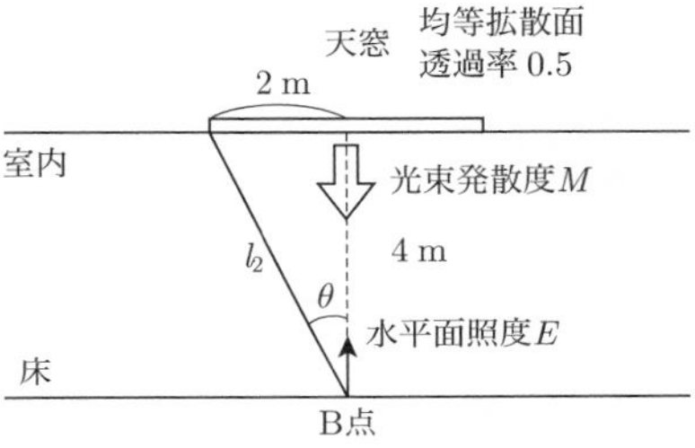

第2図 天窓による照明

3) 題意の布から反射する光束 φ_R [lm] は入射した光束 $\varphi = 500$ lm から透過分および吸収分を引いて求められる．また，透過率 $\tau = 0.4$，吸収率 $\alpha = 0.2$ である．

$$\varphi_R = \varphi(1 - \tau - \alpha) = \varphi(1 - 0.4 - 0.2) = 500 \times 0.4 = 200\ \mathrm{lm}$$

布上の光束発散度 M_R [lm/m²] は布の面積 $S = 1 \times 4$ m² より以下で求められる．

$$M_R = \frac{\varphi_R}{S} = \frac{200}{1 \times 4} = \mathbf{50}\ \mathrm{lm/m^2}$$

(2) 1) 光束 $F = 8 \times 10^4$ lm に必要な電力を直管蛍光灯器具（固有エネルギー消費効率 100 lm/W）における値 P_F [W] および直管LED器具（固有エネルギー消費効率 160 lm/W）における値 P_L [W] についてそれぞれ求める．

$$P_F = \frac{F}{100} = \frac{8 \times 10^4}{100} = 800\ \mathrm{W}$$

$$P_L = \frac{F}{160} = \frac{8 \times 10^4}{160} = 500\ \mathrm{W}$$

上記よりLEDに交換した場合の省エネの効果（$P_F - P_L$）は以下で求められる．

$$P_F - P_L = 800 - 500 = \mathbf{300}\ \mathrm{W}$$

2) 問題文にある尺度は**平均演色評価数**（Ra）のことである．Ra が高いほど色の見え方が自然光の下で見た場合に近い．

JIS規格（JIS Z9110：2010）では屋内作業のやや精密な視作業から Ra**80** 以上が必要と規定され，一般的な室内（住宅，オフィス執務室等）に求められる値である．

3) 蛍光ランプは発光材料として**水銀**を使っているため，廃棄時の取り扱いに難がある．

蛍光ランプは水銀からの 254 nm の**紫外放射**を励起源とし，白色LEDでは **450 nm** 前後にある青色LED光を励起源としている．

エネルギーの高い光（波長が短い）が低い光（波長が長い）へ変換される際のエネルギー損失（ストークスシフト）は励起光の波長が**短い**場合の方が大きくなる．

問題16　⑴　1 — ウ，2 — エ，3 — カ，4 — オ，5 — キ，6 — エ，7 — ウ，8 — イ
⑵　9 — ア，10 — ウ，11 — エ，12 — イ，13 — ク，14 — カ，15 — オ，16 — ア

【指導】

⑴　1)　吸収冷凍サイクルでは，吸湿性の強い吸収溶液のサイクルと冷媒のサイクルを交差させることによって冷熱源として機能する．吸収溶液（吸収剤）には，吸湿性の強い**臭化リチウム**溶液を，冷媒には**水**を使用する．

2)　3 の**再生器**では，吸湿して薄い溶液（希溶液）となっている吸収溶液を加熱して水分蒸発をさせることで，濃い溶液（濃溶液）に再生する．4 の**凝縮器**では，再生器で薄い溶液から蒸発した水蒸気を冷却水で冷却して凝縮させる．5 の**蒸発器**では，凝縮器で凝縮した水を散布して，蒸発するときの蒸発潜熱で空調機器から還ってきた冷水を冷却する．6 の**吸収器**で，噴霧した濃い吸収溶液に水蒸気を吸収させる．このように，吸収溶液に冷媒としての水蒸気を吸収させて薄い溶液にして，それを再生器で加熱して水分蒸発を行い，濃い溶液にするという吸収液のサイクルと，吸収器で吸収溶液に吸収され，再生器で蒸発して蒸気になり，それを凝縮器で冷却して水にして，蒸発器で蒸発させるという冷媒のサイクルから成り立っている．

3)　吸収冷凍サイクルでは，再生器の加熱源として，蒸気を用いたり，ガスを直焚きしたりする．また，吸収器と凝縮器では，蒸気となった冷媒と噴霧した濃い溶液を凝縮させるために，冷却水による冷却が必要になるので，7 は**冷却塔**である．蒸発器で冷媒（水）の蒸発による気化熱で冷却することで，空調機器から還ってきた冷水を冷却するので，8 は**空調機類**である．

⑵　1)　湿り空気の比エンタルピーは，0 °C の乾き空気（絶対湿度が 0 kg/kg(DA) の状態）を基準としているので，t [°C] の乾き空気の比エンタルピーと t [°C] の水蒸気の比エンタルピーの和になる．t [°C] の乾き空気の比エンタルピーは，**乾き空気**の定圧比熱 C_a [kJ/(kg(DA)·K)] に t [°C] を乗じたものである．t [°C] の水蒸気の比エンタルピーは，0 °C の水蒸気の凝縮潜熱 r [kJ/kg] に t [°C] の**水蒸気**の定圧比熱 C_b [kJ/(kg(DA)·K)] × t [°C] を足したものになる．

2)　湿り空気を加熱する場合，絶対湿度は変化せず，乾球温度だけ昇温するので，**右**へ水平移動する（4 → 3）．

3)　湿り空気を減湿する場合は，冷却減湿となるので，冷却して乾球温度が低下すると同時に，絶対湿度が低下する（$1 \to 2$）．

注：$1 \to 2$ の状態変化を意味しているので，左下方向の変化であるが，「減湿」ということなので，「**下**方向」とする．

4)　湿り空気を冷却する過程で，水蒸気の凝縮が始まる温度を**露点温度**（Dew Point Temperature）という．空気冷却器の表面温度が，湿り空気の露点温度より高い場合は，水蒸気の凝縮は発生しないので，顕熱のみの変化（温度変化）である（**3 → 4**）．空気冷却器の表面温度が湿り空気の露点温度より低い場合は，湿り空気は水蒸気の凝縮を伴うことから，**1 → 2** の状態変化（温度変化 + 絶対湿度の変化 = 比エンタルピーの変化）を行う．

このときの冷却に必要な熱量 q は，1 の状態の比エンタルピー h_1 と 2 の状態の比エンタルピー h_2 の差から

$$q = \frac{1.2V}{3.6} \times (\boldsymbol{h_1} - \boldsymbol{h_2})\ [\mathrm{kW}]$$

で表される．これは，乾球温度の変化による顕熱変化だけでなく，絶対湿度の変化としての潜熱変化を伴うからである．

また，3.6 で除するのは，単位時間を [h] から [s] に変換し，[J] から [kJ] に変換して，[kW] で表すためである．

2016 年度（第 38 回）

エネルギー総合管理及び法規（80 分）

問題 1　エネルギーの使用の合理化等に関する法律及び命令

問題 2　エネルギー情勢・政策，エネルギー概論

問題 3　エネルギー管理技術の基礎

問題 1　（エネルギーの使用の合理化等に関する法律及び命令）

次の各問に答えよ．なお，法令は令和 **6** 年 **9** 月 **1** 日時点で施行されているものである．

以下の問題文では

エネルギーの使用の合理化及び非化石エネルギーへの転換等に関する法律を『法』

エネルギーの使用の合理化及び非化石エネルギーへの転換等に関する法律施行令を『令』

エネルギーの使用の合理化及び非化石エネルギーへの転換等に関する法律施行規則を『則』

と略記する．（配点計 **50** 点）

(1) 次の各文章の [1] ～ [4] の中に入れるべき最も適切な字句をそれぞれの解答群から選び，その記号を答えよ．なお，[1] は **3** 箇所あるが，同じ記号が入る．

1) 『法』第 **3** 条第 **1** 項及び第 **2** 項の条文

経済産業大臣は，工場又は事務所その他の事業場（以下「工場等」という．），輸送，建築物，機械器具等に係るエネルギーの使用の合理化及び非化石エネルギーへの転換並びに電気の需要の最適化を総合的に進める見地から，エネルギーの使用の合理化及び非化石エネルギーへの転換等に関する [1] （以下「[1]」という．）を定め，これを公表しなければならない．

2 [1] は，エネルギーの使用の合理化及び非化石エネルギーへの転換のためにエネルギーを使用する者等が講ずべき措置に関する基本的な事項，電気の需要の最適化を図るために電気を使用する者等が講ずべき措置に関する基本的な事項，エネルギーの使用の合理化及び非化石エネルギーへの転換等の促進のための施策に関する基本的な事項その他エネルギーの使用の合理化及び非化石エネルギーへの転換等に関する事項について，［ 2 ］，電気その他のエネルギーの需給を取り巻く環境，エネルギーの使用の合理化及び非化石エネルギーへの転換に関する技術水準その他の事情を勘案して定めるものとする．

〈［ 1 ］及び［ 2 ］の解答群〉

ア エネルギー需給の長期見通し **イ** 技術基準 **ウ** 基本方針
エ 経済成長の見込み **オ** 国民のライフスタイル **カ** 産業構造
キ 分野別指針 **ク** 目標達成計画

2) 『法』第**12**条第**1**項及び第**2**項の条文

第一種特定事業者のうち第**7**条第**1**項各号に掲げる工場等を設置している者（以下「第一種指定事業者」という．）は，経済産業省令で定めるところにより，その設置している当該工場等ごとに，第**9**条第**1**項各号に掲げる者のうちから，第**11**条第**1**項各号に掲げる工場等におけるエネルギーの使用の合理化に関し，エネルギーを消費する設備の維持，エネルギーの使用の方法の改善及び監視その他経済産業省令で定める業務を管理する者（「エネルギー管理員」という．）を選任しなければならない．

2 第一種指定事業者は，第**9**条第**1**項第一号に掲げる者のうちからエネルギー管理員を選任した場合には，経済産業省令で定める期間ごとに，当該エネルギー管理員に経済産業大臣又は指定講習機関が経済産業省令で定めるところにより行うエネルギー管理員の［ 3 ］を図るための講習を受けさせなければならない．

〈［ 3 ］の解答群〉

ア エネルギー管理士免状の更新 **イ** 技能の維持 **ウ** 資格の継続
エ 資質の向上

3) 『法』第**15**条第**1**項の条文

特定事業者は，経済産業省令で定めるところにより，定期に，その設置している工場等について第**5**条第**1**項に規定する判断の基準となるべき事項において定められたエネルギーの使用の合理化の目標に関し，その達成のための［ 4 ］を作成し，主務大臣に提出しなければならない．

〈［ 4 ］の解答群〉

ア 実施計画 **イ** 中長期的な計画 **ウ** 投資計画 **エ** 取組方針

(2) 次の各文章の［ 5 ］～［ 8 ］の中に入れるべき最も適切な字句，数値又は記述をそれぞれの解答群から選び，その記号を答えよ．

『法』第**2**条,『法』第**7**条,『法』第**10**条,『法』第**12**条,『法』第**13**条,『令』第**1**条,『令』第**2**条,『令』第**3**条,『令』第**6**条,『則』第**4**条,『則』第**23**条関連の文章

ある事業者が保有する食品製造工場における前年度の燃料,電気などの使用量は,次の**a**～**e**のとおりであった.また,この事業者には,食品製造工場とは別の事業所として本社事務所があり,そこでの前年度の電気などの使用量は,次の**f**及び**g**のとおりであった.これらが,この事業者の設置している事業所のすべてであり,この事業者は,**a**～**g**以外のエネルギーは使用していなかった.

なお,本社事務所は,専ら事務所として使用されていた.

a:食品製造工場において,ボイラで使用した都市ガスの量を発熱量として換算した量が**6**万**4**千ギガジュール

b:食品製造工場において,**a**のボイラの発生蒸気を利用した後の凝縮水の一部から熱回収して使用した.その回収して使用した熱量が**1**万ギガジュール

c:食品製造工場において,ボイラの燃料として使用したプラスチック廃棄物の発熱量の合計値が**8**千ギガジュール

d:食品製造工場において,風力発電装置を設置して発電し,その電気を工場内で使用した.その電気の量を熱量として換算した量が**4**千ギガジュール

e:食品製造工場において,小売電気事業者から購入して使用した電気の量(**6**%が水力発電で残りは化石燃料を用いた発電による)を熱量として換算した量が**5**万ギガジュール

f:本社事務所において,小売電気事業者から購入して使用した電気の量(化石燃料を用いた発電による)を熱量として換算した量が**2**万ギガジュール

g:本社事務所において,熱供給事業者から都市ガスを燃料として製造した温水及び冷水を購入して使用した熱量を,当該熱を発生するために使用した燃料の発熱量に換算した量が**3**千ギガジュール

1) この食品製造工場が前年度に使用した『法』で定めるエネルギー使用量は,前述の**a**～**e**のうち[5]を合算することになる.

〈[5]の解答群〉

ア aとb　**イ** aとc　**ウ** aとd　**エ** aとe　**オ** aとbとc
カ aとbとd　**キ** aとbとe　**ク** aとcとe

2) この事業者全体での,「前年度に使用したエネルギーの使用量を『法』で定めるところにより原油の数量に換算した量」は,食品製造工場と本社事務所それぞれの「前年度

に使用したエネルギーの使用量を『法』で定めるところにより原油の数量に換算した量」を合算することにより求められる．

この事業者の原油換算エネルギー使用量は［6］キロリットルであり，この事業者は，『法』で定めるエネルギー使用量から判断して特定事業者に該当する．

〈［6］の解答群〉

ア 3 096　**イ** 3 457　**ウ** 3 535　**エ** 3 741　**オ** 3 792　**カ** 3 877
キ 3 999　**ク** 4 102

3）この事業者は，特定事業者に係る指定を受けた後，食品製造工場について［7］を選任しなければならない．その選任は，選任すべき事由が生じた日から［8］行わなければならない．

〈［7］及び［8］の解答群〉

ア 1名のエネルギー管理者　**イ** 2名のエネルギー管理者　**ウ** エネルギー管理員
エ エネルギー管理士　**オ** 3月以内に　**カ** 6月以内に
キ 遅滞することなく　**ク** 次の定期の報告までの間に

(3) 次の各文章の［9］～［11］の中に入れるべき最も適切な字句をそれぞれの解答群から選び，その記号を答えよ．なお，［9］は2箇所あるが，同じ記号が入る．

1）『法』第8条，『則』第9条関連の文章

『法』第8条は，特定事業者は，［9］を選任しなければならないとしている．その［9］が，特定事業者の設置している工場等におけるエネルギーの使用の合理化に関し統括管理する業務は，『法』第8条及び『則』第9条によって規定されている．その業務を次のa～dの項目からすべて挙げると［10］である．

a　二酸化炭素排出量の削減に関すること

b　エネルギーの使用の方法の改善及び監視

c　特定事業者が設置している工場等におけるエネルギーを消費する設備の新設，改造又は撤去に関すること

d　定期の報告に係る報告書の作成事務に関すること

〈［9］及び［10］の解答群〉

ア aとb　**イ** cとd　**ウ** aとbとc　**エ** aとbとd
オ aとcとd　**カ** bとcとd　**キ** エネルギー管理企画推進者
ク エネルギー管理統括者　**ケ** エネルギー管理の推進責任者
コ エネルギー管理の統括責任者

2)『法』第 **149** 条,『令』第 **18** 条関連の文章

『法』第 **149** 条は，特定エネルギー消費機器及び特定関係機器について，そのエネルギー消費性能又はエネルギー消費関係性能の向上に関する判断の基準となるべき事項を定め，公表するものとしている.

この特定エネルギー消費機器として，『令』第 **18** 条が規定している機器を，次の **a**～**d** のうちからすべて挙げると，[11] である.

a 直流電動機

b エアコンディショナー

c 変圧器

d ポンプ

〈[11] の解答群〉

ア a と b　**イ** a と c　**ウ** a と d　**エ** b と c　**オ** b と d
カ c と d　**キ** a と b と C　**ク** a と c と d　**ケ** b と c と d

問題 2（エネルギー情勢・政策，エネルギー概論）

次の各文章の [1] ～ [9] の中に入れるべき最も適切な字句又は数値をそれぞれの解答群から選び，その記号を答えよ.

また，[**A** | **a.b** $\times$ **10^{c}**] に当てはまる数値を計算し，その結果を答えよ．ただし，解答は解答すべき数値の最小位の一つ下の位で四捨五入すること.（配点計 **50** 点）

(1) 国際単位系（**SI**）では，長さ（メートル [**m**]），質量（キログラム [**kg**]），時間（秒 [**s**]），電流（アンペア [**A**]），熱力学温度（ケルビン [**K**]），光度（カンデラ [**cd**]）及び物質量（モル [**mol**]）の **7** 個の量を基本単位としている．力やエネルギーなどの単位は基本単位にはなく，前述の **7** 個の基本単位を組み合わせて表されるので，組立単位と呼ばれている.

圧力の単位は，日常的には［気圧］を用いることもあるが，**SI** では，組立単位であるパスカル [**Pa**] を用いる．パスカルは，基本単位を用いると [1] と表される．標準大気圧（**1** 気圧）は，約 [2] [**Pa**] である.

ダムの水深が **180 m** であり，大気圧が標準大気圧のとき，底部に加わる圧力は [**A** | **a.b** $\times$ **10^{c}**] [**Pa**] である．ただし，水の密度を **1 000 kg/m^3**，重力の加速度を **9.8 m/s^2** とする.

〈[1] 及び [2] の解答群〉

ア 10^3　**イ** 10^4　**ウ** 10^5　**エ** $kg/(m \cdot s^2)$　**オ** $kg/(m^2 \cdot s)$　**カ** $kg/(m^2 \cdot s^2)$

⑵　近年注目されている「再生可能エネルギー」の原語（英語）は［ 3 ］**energy** である．再生可能エネルギーの中で，発電利用の面から，現在，我が国で水力発電に次いで年間発電量が多いのは，ここ数年で急速な増加傾向にある［ 4 ］発電である．また，エネルギー形態の面から，化学エネルギーを貯蔵していると考えられるのは［ 5 ］である．

なお，再生可能エネルギーの発電への利用を促進するため，我が国で **2012** 年 **7** 月に導入されたのが，［ 6 ］である．

〈［ 3 ］～［ 6 ］の解答群〉

ア　**recycle**　**イ**　**regenerative**　**ウ**　**renewable**　**エ**　バイオマス
オ　太陽光　**カ**　地熱　**キ**　風力　**ク**　グリーン投資減税
ケ　固定価格買取制度　**コ**　電力小売自由化　**サ**　発送電分離制度

⑶　一次エネルギーの選択に当たっては，埋蔵量やコスト，供給安定性，環境負荷などが重要な因子である．

埋蔵量については，**2015** 年のエネルギー白書における **2013** 年の統計データによると，主な化石エネルギーである石炭，石油，天然ガスの中で，確認可採埋蔵量を年生産量で除した可採年数が最も長いのは［ 7 ］である．

また，社会情勢を反映した供給安定性について考慮すると，我が国への安定した供給が最も懸念されるのは［ 8 ］である．

一方，環境負荷においては，発電利用で考えると，単位発電量当たりの二酸化炭素排出量が最も多いのは石炭であるが，熱効率向上によりこの点を抑制する新技術として［ 9 ］が期待されている．

〈［ 7 ］～［ 9 ］の解答群〉

ア　石炭　**イ**　石油　**ウ**　天然ガス　**エ**　石炭ガス化複合発電
オ　石炭液化複合発電　**カ**　石炭石油混焼発電

問題 3（エネルギー管理技術の基礎）　改

次の各文章は「工場等におけるエネルギーの使用の合理化に関する事業者の判断の基準」（以下，『工場等判断基準』と略記）の内容及びそれに関連した管理技術の基礎について述べたものである．（『工場等判断基準』は，令和 **5** 年 **9** 月 **1** 日時点で施行されているもの）

これらの文章において，「工場等（専ら事務所その他これに類する用途に供する工場等を除く）における『工場等判断基準』に関する事項」について，

「Ⅰ　エネルギーの使用の合理化の基準」の部分は『基準部分（工場）』

「II　エネルギーの使用の合理化の目標及び計画的に取り組むべき措置」の部分は『目標及び措置部分（工場）』

と略記する．

[1] ～ [12] の中に入れるべき最も適切な字句，数値，式又は記述をそれぞれの解答群から選び，その記号を答えよ．

また [A ab.c] ～ [G ab] に当てはまる数値を計算し，その結果を答えよ．ただし，解答は解答すべき数値の最小位の一つ下の位で四捨五入すること．（配点計 **100** 点）

⑴ 『工場等判断基準』の『基準部分（工場）』は，事業者が遵守すべき基準を示したものであり，次の六つの分野ごとにその基準が示されている．

① 燃料の燃焼の合理化

② [1] の合理化

③ 廃熱の回収利用

④ 熱の動力等への変換の合理化

⑤ 放射，伝導，抵抗等によるエネルギーの損失の防止

⑥ 電気の動力，熱等への変換の合理化

また，**6** 分野に関して，おのおのに「管理及び基準」，「[2]」，「保守及び点検」及び「新設に当たっての措置」の **4** 項目に関する遵守内容が示されている．

⑵ コージェネレーション設備は，エネルギー使用の高効率化や電源供給源の分散化等の目的から，その普及が進んでいる．

『工場等判断基準』の『基準部分（工場）』は，その新設・更新に当たっての措置に関して，「[3] と将来の動向について十分な検討を行い，年間を総合して廃熱及び電力の十分な利用が可能であることを確認し，適正な種類及び規模のコージェネレーション設備の設置を行うこと．」を求めている．

〈[1] ～ [3] の解答群〉

ア 運営及び組織　**イ** エネルギーコストの実績　**ウ** エネルギー情勢

エ エネルギー変換　**オ** 加熱及び放熱　**カ** 加熱及び冷却並びに伝熱

キ 計測及び記録　**ク** 事業者の責務及び義務　**ケ** 熱及び電力の需要実績

⑶ 圧力が **0.5 MPa** の乾き飽和蒸気を，質量が **300 kg** で温度が **20 ℃** の水と混合し，**50 ℃** の温水にするとき，必要な蒸気量は [A ab.c] [kg] である．ただし，圧力 **0.5 MPa** の乾き飽和蒸気の比エンタルピーは **2 748.1 kJ/kg** とする．また，**20℃** の水の比エンタルピーは **83.9 kJ/kg**，**50 ℃** の温水の比エンタルピーは **209.3 kJ/kg** で，混合の際，蒸気の持

つ熱エネルギーは，すべて水の加熱に用いられるものとする．

⑷ 加熱炉が設置されている工場があり，加熱炉外壁の表面温度が **127 °C** のとき，加熱炉外壁から周囲への単位面積，単位時間当たりの放射エネルギーは **[B | a.bc × 10^d]** **[W/m²]** である．ただし，**0 °C = 273 K** とし，この外壁表面の放射率は **0.8**，ステファン・ボルツマン定数は **5.67×10^{-8} W/(m²·K⁴)** とする．

⑸ メタン（$\mathbf{CH_4}$）は都市ガス（**13 A**）の主成分であり，燃焼時の反応式は次のように表すことができる．

$$\mathbf{CH_4 + 2O_2 \rightarrow CO_2 + 2H_2O}$$

反応式より，メタン **1** $\mathbf{m^3_N}$ を燃焼させるときの理論空気量は **[C | a.bc]** [$\mathbf{m^3_N}$] となる．ただし，空気中の酸素濃度は **21 %** とする．ここで，単位 $\mathbf{m^3_N}$ は標準状態の下での体積であることを表す．

⑹ 燃焼設備においては，燃料の燃焼状態を適切に管理することが重要である．

『工場等判断基準』の『基準部分（工場）』は，「燃焼設備ごとに，燃料の供給量，[4]，排ガス中の残存酸素量その他の燃料の燃焼状態の把握及び改善に必要な事項の計測及び記録に関する管理標準を設定し，これに基づきこれらの事項を定期的に計測し，その結果を記録すること．」を求めている．

〈[4]の解答群〉

ア 液中燃焼　**イ** 拡散燃焼　**ウ** 旋回燃焼　**エ** 生産量

オ 燃焼に伴う排ガスの温度　**カ** 燃料の物性

⑺ 蒸気輸送配管系統の計画時等には，放熱面積の低減を考慮する必要がある．

『工場等判断基準』の『基準部分（工場）』は，「熱利用設備を新設・更新する場合には，熱媒体を輸送する配管の経路の合理化，[5]等により，放熱面積を低減すること．」を求めている．

⑻ 廃熱の回収利用は，大きな効果が期待できる省エネルギー対策である．

『工場等判断基準』の『基準部分（工場）』は，廃熱回収設備の新設・更新に当たっての措置として，「廃熱の排出状況等を調査するとともに，廃熱回収率を高めるため，伝熱面の[6]の改善，伝熱面積の増加等の措置を講じること．また，蓄熱設備やヒートポンプ等の採用等により，廃熱利用が可能となる場合にはこれらを採用すること．」を求めている．

〈[5]及び[6]の解答群〉

ア 温度差　**イ** 加熱特性　**ウ** シール性

エ　性状及び形状　　**オ**　熱源設備の集約化　　**カ**　熱源設備の分散化

キ　廃熱回収の実施　　**ク**　ボイラー等の高効率化

⑼　空気調和設備に関して省エネルギーを推進するには，空気調和負荷の低減が重要である．『工場等判断基準』の『基準部分（工場）』は，「工場内にある事務所等の空気調和の管理は，空気調和を施す区画を限定し，ブラインドの管理等による負荷の軽減及び区画の使用状況等に応じた［ 7 ］，室内温度，換気回数，湿度，外気の有効利用等についての管理標準を設定して行うこと．」及び「冷暖房温度については，政府の推奨する設定温度を勘案した管理標準とすること．」を求めている．

〈［ 7 ］の解答群〉

ア　設備の運転時間　　**イ**　熱源機の成績係数　　**ウ**　冷却水温度や冷温水温度

⑽　ある火力発電設備が，**A** 重油を燃料として電気出力 **150 MW** の一定出力で稼動している．**A** 重油の高発熱量を **39 MJ/L**，この発電設備における，高発熱量基準の平均発電端熱効率を **39 %** とすると，**1** 時間当たりの燃料使用量は［**D** | $\mathbf{a.bc \times 10^d}$］ **[L]** である．

⑾　線間電圧が **200 V** の対称三相電源に，平衡三相負荷が接続されている．**Y** 結線された三相負荷の **1** 相分が，**3 Ω**の抵抗と **4 Ω**の誘導性リアクタンスが直列に接続したものであるとき，この三相負荷の消費電力は［**E** | **a.b**］ **[kW]** である．なお，$\sqrt{3} = 1.73$ としてよい．

⑿　ある工場で，節電のために，**14** 時から **14** 時 **30** 分の間の平均電力を **1 000 kW** に抑えることにした．**14** 時から **14** 時 **20** 分までの使用電力量が **350 kW·h** であった．この場合，残りの **14** 時 **20** 分から **14** 時 **30** 分までの間の平均電力は［**F** | **abc**］ **[kW]** にする必要がある．

⒀　工場の受変電設備及び配電設備においては，送配電線路における電力損失を低減するために，力率を高く維持することが求められる．

1)　『工場等判断基準』の『基準部分(工場)』は，「受電端における力率については，［ 8 ］パーセント以上とすることを基準として，別表第 **4** に掲げる設備（同表に掲げる容量以下のものを除く．）又は変電設備における力率を進相コンデンサの設置等により向上させること．」を求めている．

〈［ 8 ］解答群〉

ア　**85**　　**イ**　**90**　　**ウ**　**95**

2)　ある負荷の使用電力を測定したところ，有効電力が **40 kW**，無効電力が **30 kvar** であった．このとき，この負荷の力率は［**G** | **ab**］ **[%]** である．

⒁　流体機械に関しては，要求される使用端圧力及び流量に応じて，流体機械の吐出圧力，

吐出流量を適正に保つことが求められる．

『工場等判断基準』の『基準部分（工場）』は，「ポンプ，ファン，ブロワー，コンプレッサー等の流体機械については，使用端圧力及び吐出量の見直しを行い，負荷に応じた運転台数の選択，［ 9 ］等に関する管理標準を設定し，電動機の負荷を低減すること．なお，負荷変動幅が定常的な場合には，配管やダクトの変更，インペラーカット等の対策を実施すること．」を求めている．

⒂ ファンを用いて空気を搬送するダクト系統において，ダンパを通過する空気量が Q [m^3/min]，空気の密度がρ [kg/m^3]，ダンパによる圧力損失が P [kPa] であったとき，この圧力損失を，単位時間当たりのエネルギーに換算すると，［ 10 ］[kW] となる．ここで，圧力変化による空気の密度変化は無視するものとする．

〈［ 9 ］及び［ 10 ］の解答群〉

ア PQ　**イ** $\dfrac{PQ}{60}$　**ウ** ρPQ　**エ** $\dfrac{\rho PQ}{60}$

オ 回転数の変更　**カ** 圧力変動の低減　**キ** 吐出圧力の高圧化

⒃ 電気加熱には，被加熱物自身の発熱により，内部からの加熱ができる加熱方式がある．内部加熱ができる加熱方式のうち，誘導加熱は，コイルの中に被加熱材を置き，コイルに交流を通じたときに被加熱物に誘起される［ 11 ］を利用するものである．

⒄ 照明設備において，最近，光源のランプ効率の高い **LED** ランプが急速に普及している．現在の直管 **LED** ランプの固有エネルギー消費効率（ランプ総合効率に相当）は，汎用品の大きさ区分 **40** タイプ（昼白色）直管蛍光ランプ相当の照明器具で考えると，［ 12 ］[lm/W] 程度である．

〈［ 11 ］及び［ 12 ］の解答群〉

ア 30 ～ 80　**イ** 130 ～ 200　**ウ** 250 ～ 300

エ 渦電流　**オ** 誘電体損失　**カ** マイクロ波

II

電気の基礎（80 分）

問題 4　電気及び電子理論

問題 5　自動制御及び情報処理

問題 6　電気計測

問題 4（電気及び電子理論）

次の各文章の［ 1 ］～［ 13 ］の中に入れるべき最も適切な数値又は式をそれぞれの解答群から選び，その記号を答えよ．（配点計 **50** 点）

(1)　交流電源回路に，抵抗を接続したときの電圧及び電流を求める過程を考える．なお，図に示されているインピーダンス以外のインピーダンスは無視するものとする．

1)　まず，図 **1** に示すように，電圧 $\dot{E}$ [V] の定電圧源，誘導性リアクタンス X_1 [Ω]，X_2 [Ω] 及び容量性リアクタンス X_3 [Ω] からなる回路を接続した交流電源回路があり，端子 **a** 及び **b** は開放されている状態について考える．

このとき，**a**，**b** 端子間の電圧 $\dot{V}_0$ は次式のように表される．

$$\dot{V}_0 = \boxed{\ 1\ } \times \dot{E}\ [\mathrm{V}]$$

また，定電圧源 $\dot{E}$ の内部インピーダンスは零であるため，**a**，**b** 端子から電源側を見たときのインピーダンス $\dot{Z}_0$ は，次式のように表される．

$$\dot{Z}_0 = \mathrm{j}(\boxed{\ 2\ })\ [\Omega]$$

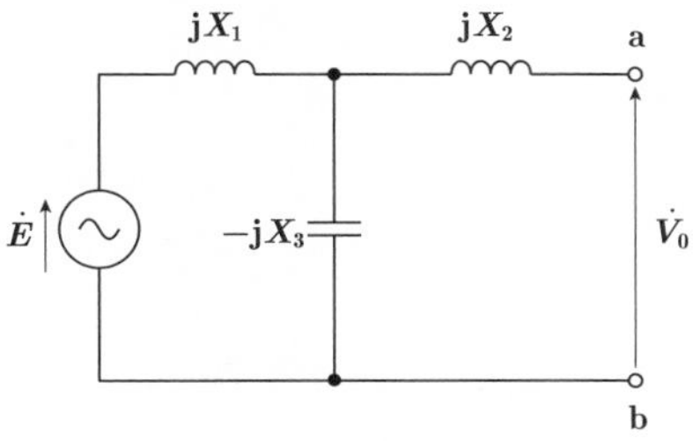

図 **1**

〈［ 1 ］及び［ 2 ］の解答群〉

ア $\dfrac{X_3}{X_1+X_3}$　　イ $\dfrac{-X_3}{X_1-X_3}$　　ウ $\dfrac{\mathrm{j}X_3}{X_1+X_3}$　　エ $\dfrac{-\mathrm{j}X_3}{X_1-X_3}$

オ $\dfrac{X_1X_3}{X_1+X_3}$　カ $\dfrac{-X_1X_3}{X_1-X_3}$　キ $X_2+\dfrac{X_1X_3}{X_1+X_3}$　ク $X_2-\dfrac{X_1X_3}{X_1-X_3}$

2）次に，図 **2** に示すように，図 **1** の交流電源回路に対して，**a**，**b** 端子間に抵抗 R [Ω] を接続したときについて考える．

このとき，R に流れる電流 $\dot{I}_R$ は，テブナンの定理を用いて次式のように表される．

$\dot{I}_R =$ [3] [A]

また，このとき R の両端にかかる $\dot{V}_R$ は，次式のように表される．

$\dot{V}_R =$ [4] [V]

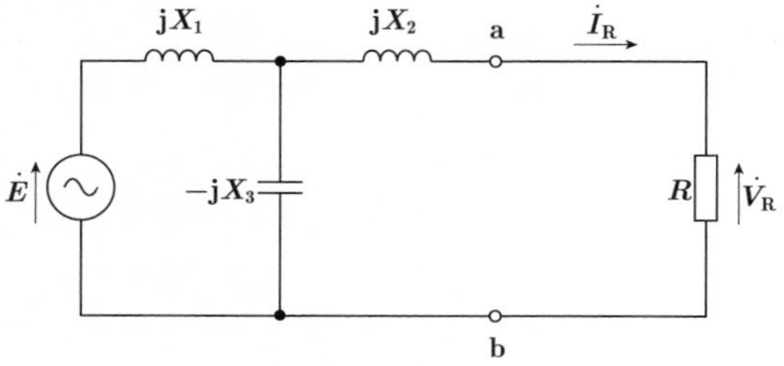

図 2

〈[3]～[4]の解答群〉

ア $\dot{V}_0$　イ $\dfrac{\dot{E}}{\dot{Z}_0}$　ウ $\dfrac{\dot{V}_0}{R}$　エ $\dfrac{R}{\dot{Z}_0}\dot{E}$　オ $\dfrac{\dot{E}}{\dot{Z}_0+R}$　カ $\dfrac{\dot{V}_0}{\dot{Z}_0+R}$

キ $\dfrac{R}{\dot{Z}_0+R}\dot{E}$　ク $\dfrac{R}{\dot{Z}_0+R}\dot{V}_0$

⑵ 接地されていない三相 **3** 線式交流電力は **2** 台の単相電力計を用いて測定することができる．

簡略化のために，図 **3** に示すような対称三相交流電源に平衡三相交流負荷が接続された回路に，**2** 台の電力計 $\mathrm{W_A}$ 及び $\mathrm{W_C}$ を接続して三相交流電力 P_T [W] の値を求める過程を考える．ここで，各部の電源及び電流は図 **3** に示すとおりであり，相順は **a-b-c** とする．また，図 **3** に示されている三相負荷以外のインピーダンスは無視するものとする．

このとき，回路における線間電圧 v_{ab} [V] 及び線電流 i_a [A] を測定すると，図 **4** に示す正弦波の波形であった．

1）まず，測定された線間電圧 v_{ab} は，実効値 **200 V** で角周波数 ω [rad/s] の交流電圧であるので，次式のように表されるとする．

$$V_{ab} = 200\sqrt{2}\ \sin\omega t\ [\mathrm{V}]$$

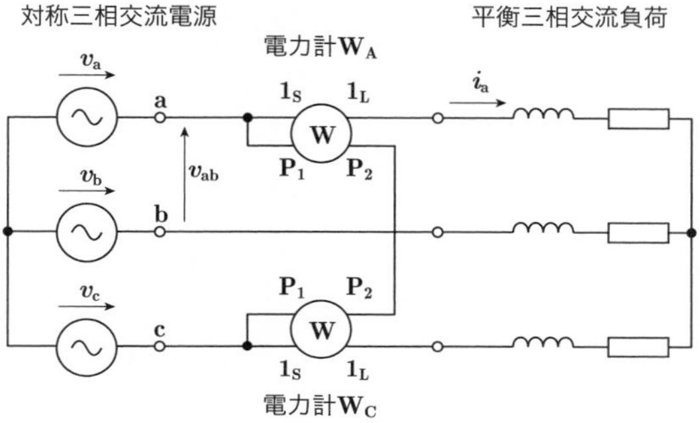

図 3

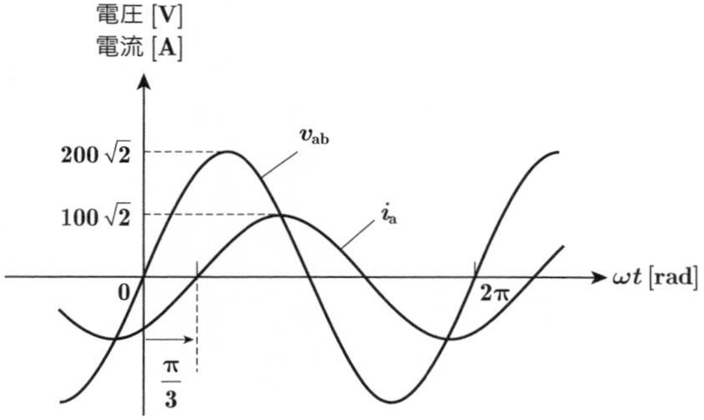

図 4

このとき，線電流 i_a 及び相電圧 v_a は次式のように表される.

$i_a =$ [5] [A]

$v_a =$ [6] [V]

〈[5] 及び [6] の解答群〉

ア $100\sin\left(\omega t+\frac{\pi}{3}\right)$　**イ** $100\sin\left(\omega t-\frac{\pi}{3}\right)$　**ウ** $\frac{200}{\sqrt{3}}\sin\left(\omega t+\frac{\pi}{6}\right)$

エ $\frac{200}{\sqrt{3}}\sin\left(\omega t-\frac{\pi}{6}\right)$　**オ** $100\sqrt{2}\sin\left(\omega t+\frac{\pi}{3}\right)$　**カ** $100\sqrt{2}\sin\left(\omega t-\frac{\pi}{3}\right)$

キ $\frac{200\sqrt{2}}{\sqrt{3}}\sin\left(\omega t+\frac{\pi}{6}\right)$　**ク** $\frac{200\sqrt{2}}{\sqrt{3}}\sin\left(\omega t-\frac{\pi}{6}\right)$

2) 瞬時値表示である線間電圧 v_{ab} は，その実効値による複素数表示である $\dot{V}_{ab}$ [V] に相当する.

ここで，$\dot{V}_a$ [V] の位相を基準の位相とすれば，$\dot{V}_a = |\dot{V}_a|\,e^{j0}$ となり，線間電圧 $\dot{V}_{ab}$

及び線電流 $\dot{I}_a$ は次式のように表される.

$$\dot{V}_{ab} = \boxed{\ 7\ }\ [V]$$

$$\dot{I}_a = \boxed{\ 8\ }\ [A]$$

このとき, $\dot{V}_a$ と $\dot{I}_a$ の間の角度が負荷の力率角である.

〈 7 及び 8 の解答群〉

ア $\dfrac{200}{\sqrt{3}}e^{j0}$　イ $\dfrac{200}{\sqrt{3}}e^{j\frac{\pi}{6}}$　ウ $100e^{j\frac{\pi}{6}}$　エ $100e^{j\left(-\frac{\pi}{6}\right)}$

オ $100e^{j\left(-\frac{\pi}{3}\right)}$　カ $100\sqrt{2}e^{j\left(-\frac{\pi}{6}\right)}$　キ $200e^{j\frac{\pi}{6}}$　ク $200e^{j\left(-\frac{\pi}{6}\right)}$

ケ $200\sqrt{2}e^{j\frac{\pi}{6}}$

3) 電力計 W_A の電力表示 P_A [W] は, 電力計 W_A に入力される電圧, 電流, 及びその間の位相差 θ_A [rad] を用いて, 式①のように表される.

$$P_A = \boxed{\ 9\ }\ [W] \quad \cdots\cdots\cdots ①$$

このときの位相差 θ_A は, 次の値となる.

$$\theta_A = \boxed{\ 10\ }\ [rad]$$

したがって, 式①から求められる電力表示 P_A は, 次の値となる.

$$P_A = \boxed{\ 11\ }\ [W]$$

〈 9 ～ 11 の解答群〉

ア 0　イ $\dfrac{\pi}{6}$　ウ $\dfrac{\pi}{3}$　エ $\dfrac{\pi}{2}$　オ 10 000　カ $10\,000\sqrt{3}$

キ 20 000　ク 30 000　ケ $|\dot{V}_{ab}|\cdot|\dot{I}_a|\cdot\cos\theta_A$

コ $\sqrt{3}|\dot{V}_{ab}|\cdot|\dot{I}_a|\cdot\cos\theta_A$　サ $|\dot{V}_a|\cdot|\dot{I}_a|\cdot\cos\theta_A$

4) また, 電力計 W_C の電力表示 P_C [W] は, 電力計 W_C に入力される電圧, 電流, 及びその間の位相差 θ_C [rad] を用いて, 3) の電力表示 P_A を示す式①と同じように表される.

このときの位相差 θ_C は, 次の値となる.

$$\theta_C = \boxed{\ 12\ }\ [rad]$$

以上から, P_A と同様に電力表示 P_C を計算することができるので, 求める三相交流電力 P_T は, 次の値となる.

$$P_T = \boxed{\ 13\ }\ [W]$$

〈[12] 及び [13] の解答群〉

ア 0　**イ** $\frac{\pi}{6}$　**ウ** $\frac{\pi}{3}$　**エ** $\frac{\pi}{2}$　**オ** 10 000　**カ** $10\,000\sqrt{3}$

キ 20 000　**ク** $10\,000(1+\sqrt{3})$　**ケ** 30 000　**コ** $20\,000\sqrt{3}$

問題 5（自動制御及び情報処理）

次の各問に答えよ．（配点計 **50** 点）

(1) 次の各文章の [1] ～ [5] の中に入れるべき最も適切な字句又は式をそれぞれの解答群から選び，その記号を答えよ．

図 **1** に示すように，質量 m [kg] の質点が長さ l [m] の棒の先についている倒立振子を考える．

倒立振子の姿勢やトルクは時間 t の関数で表され，電動機から棒へトルク $T(t)$ [N·m] を与えることにより，倒立振子を制御する．鉛直上向き方向からの棒の角度を $\theta(t)$ [rad] とし，摩擦はないものとする．ここで，g [m/s^2] は重力の加速度とする．

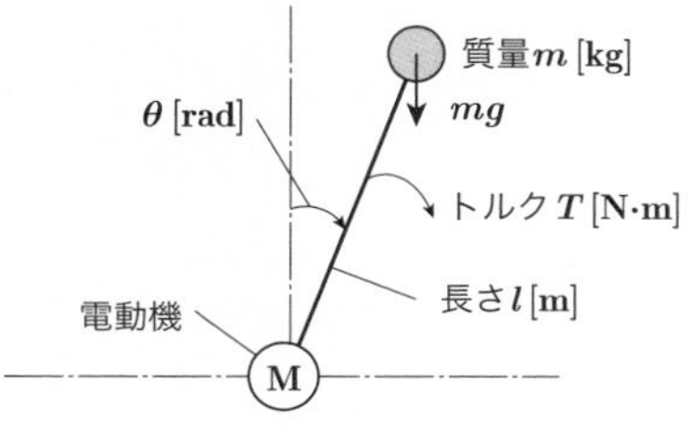

図 **1**

1) 電動機から与えられるトルクと倒立振子の動きの関係は次の運動方程式で表される．

$$J\ddot{\theta}(t) = mgl\sin\theta(t) + T(t) \quad \cdots\cdots ①$$

ここで，J は慣性モーメントである．$|\theta| \ll 1$ のとき，式①は，

$$J\ddot{\theta}(t) = mgl\theta(t) + T(t) \quad \cdots\cdots ②$$

と近似できるので，式②の両辺をラプラス変換し，$\theta(t)$ のラプラス変換を $\theta(s)$，$T(t)$ のラプラス変換を $T(s)$ で表すとき，すべての初期値を零とみなすと，

[1] $= mgl\theta(s) + T(s)$

と表される．このとき，トルク $T(s)$ から $\theta(s)$ までの伝達関数 $G(s)$ は，式 [2] と表される．

〈 1 及び 2 の解答群〉

ア $J\theta(s)$　イ $sJ\theta(s)$　ウ $s^2J\theta(s)$　エ $\dfrac{J}{s}\theta(s)$

オ $\dfrac{J}{s^2}\theta(s)$　カ Js^2+mgl　キ Js^2-mgl　ク $\dfrac{1}{Js^2+mgl}$

ケ $\dfrac{1}{Js^2-mgl}$

2)　いま，θの目標値θ_0を設定し，速度目標値$\dot{\theta}_0$を零にするために，以下のフィードバック制御が考えられる．

$$T(t)=K_1(\theta_0-\theta(t))-K_2\dot{\theta}(t) \quad \cdots\cdots ③$$

ここで，K_1およびK_2はある正の定数である．式③の右辺の二つの項のうち，第一項は 3 と呼ばれる動作，第二項は 4 と呼ばれる動作である．なお，このフィードバック制御を施した系は図2のように示すことができる．

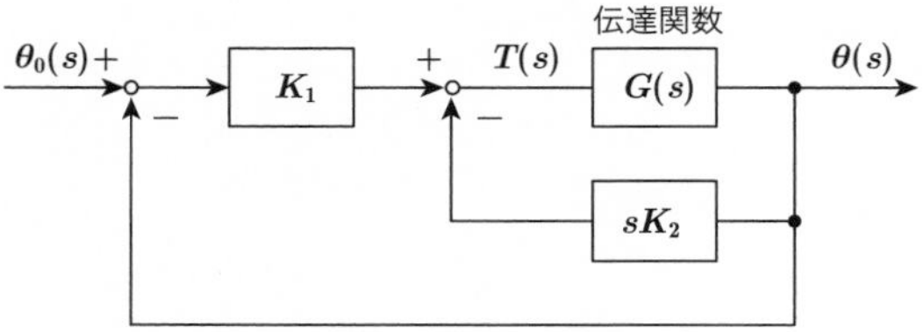

図2

〈 3 及び 4 の解答群〉

ア D動作　イ I動作　ウ P動作　エ ID動作　オ PI動作

3)　2)の図2に示す制御系の$\theta_0(s)$から$\theta(s)$までの伝達関数を$\dfrac{K_1}{s^2+4s+K_1-2}$で表せるとすると，図2は図3のように示される．この系の特性方程式を考慮すると，この系が漸近安定となるためのK_1の条件は 5 である．

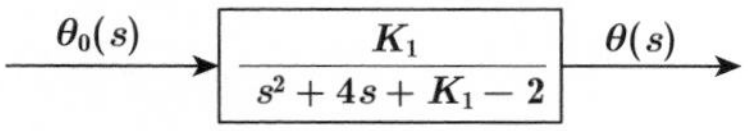

図3

〈 5 の解答群〉

ア $0<K_1$　イ $0<K_1<2$　ウ $K_1=2$　エ $2<K_1$　オ $K_1=6$

(2)　次の各文章の 6 及び 7 に入れるべき最も適切な字句を〈 6 及び 7 の

解答群〉から選び，その記号を答えよ．

1）　現代制御理論では，システムの制御において，内部情報を状態変数で表し，評価関数という関数を定義して，与えられた拘束条件のもとでそれを最小又は最大にする制御手法がある．このような制御を [6] 制御という．

軌道上の **2** 点間を車両が移動する際に，必要な入力エネルギー量を評価関数とし，それを最小とするための最小エネルギー制御などがその例として挙げられる．

2）　システムモデルに基づいた制御設計では，所望の制御性能が得られない場合がある．このようなときには，システムの動特性の変化に対して，制御パラメータの種類若しくは大きさ，又はその両方を変化させ，常に適切な状態で制御を行う．このような制御手法を [7] 制御という．

この制御手法では，複雑な演算を行うが，システム内のあいまいさを同定し，パラメータ固定制御では扱えないような大きな特性変化に対しても用いられる．

〈[6] 及び [7] の解答群〉

ア　PID　　**イ**　シーケンス　　**ウ**　フィードフォワード　　**エ**　最小

オ　最大　　**カ**　最適　　**キ**　追従　　**ク**　適応

⑶　次の文章の [8] ～ [10] の中に入れるべき最も適切な字句を〈[8] ～ [10] の解答群〉から選び，その記号を答えよ．

近年，コンピュータウイルス感染による情報漏洩（ろうえい）や，サイバー攻撃によるシステム停止が社会問題になっている．それら不正行為の目的の一つとして，標的とするネットワークシステムへの不正接続が挙げられる．

無線 **LAN** への不正侵入や傍受などの不正接続に対する予防処置の一つに，通信パケットの暗号化がある．その方式の一つである **WEP-II** は [8] 方式を使用し，[9] 及び **WEP** キーを使用するが，セキュリティ強度が低く脆弱（ぜいじゃく）なため，最近では [10] 機能を備えた **WPA**，**WPA2** など，セキュリティ強度の高い方式が推奨されている．

〈[8] ～ [10] の解答群〉

ア　HTTP　　**イ**　SSID　　**ウ**　VPN　　**エ**　シングルサインオン

オ　ユーザ認証　　**カ**　公開鍵暗号　　**キ**　秘密鍵暗号　　**ク**　量子暗号　　**ケ**　平文

⑷　次の文章の [11] ～ [13] の中に入れるべき最も適切な字句を〈[11] ～ [13] の解答群〉から選び，その記号を答えよ．

エネルギー管理システムの監視操作画面には，インターネットのホームページなどと同じく **Web** ブラウザを使用するものがある．その画面は [11] という形式言語で書かれており，画面を表示する際に，[12]から画面や画像データを受信して表示する．また，画面表示の高速化やデータ通信量削減のため，表示したデータを **Web** ブラウザ側に保存する[13]機能がある．

〈[11]～[13]の解答群〉

ア **HTML**　**イ** **Ruby**　**ウ** **WWW**　**エ** **Web** サーバ　**オ** キャッシュ
カ タブ　**キ** データベースサーバ　**ク** プラグイン　**ケ** ルータ

(5) 次の文章の[14]～[17]の中に入れるべき最も適切な字句又は数値を〈[14]～[17]の解答群〉から選び，その記号を答えよ．

コンピュータのメモリにデータを記憶する場合，**8** ビットで記憶できる符号付き整数データは **10** 進数で[14]から **127** である．負の値には **2** の補数表現を用い，最[15]ビットが[16]となる．

メモリに，**2** 進数表現で $(1111\ 1110)_2$ のデータが格納されている場合，このデータを符号付き整数データとして扱うとすると，その値は，**10** 進数において[17]である．

〈[14]～[17]の解答群〉

ア **−128**　**イ** **−127**　**ウ** **−126**　**エ** **−2**　**オ** **−1**　**カ** **0**　**キ** **1**
ク **2**　**ケ** **126**　**コ** **127**　**サ** **128**　**シ** 下位　**ス** 上位

問題 6（電気計測）

次の各表の[1]～[10]に入れるべき最も適切な字句又は記述をそれぞれの解答群から選び，その記号を答えよ．なお，[10]は **2** 箇所あるが，同じ記号が入る．（配点計 **50** 点）

(1) 次の表 **1** は，各種のアナログ式指示電気計器について，その測定対象と測定原理を示したものである．

表 **1**　各種アナログ式指示電気計器

計器の形式	主な測定対象		測定原理
	回路	対象	
[1]形	・**500 Hz** 程度より低い周波数の交流	電流 電圧	・測定電流によって磁化された金属間の吸引・反発力を利用
[2]形	・直流	電流 電圧	・永久磁石の磁界とコイルに流れる電流の相互作用を利用
[3]形	・直流 ・**1 kHz** 程度までの周波数の交流	電流 電圧 電力	・**2** 組のコイルに流れる電流の電磁力を利用
[4]形	・**10 Hz** から **500 Hz** までの交流	電流 電圧 電力 電力量	・磁界とそれによって生じる渦電流との相互作用を利用

〈[1]～[4]の解答群〉

ア 可動コイル　**イ** 可動鉄片　**ウ** 固定コイル　**エ** 固定鉄片　**オ** 制御ばね
カ 静電　**キ** 整流器　**ク** 電流力計　**ケ** 誘導

(2) 次の表 **2** 及び表 **3** は，各種の流量計について，その測定原理や特徴等を示したものである．

表 **2**　各種流量計（その **1**）

方式		[5]式	容積式	[6]式
測定原理		ベルヌーイの法則	[7]	羽根車の回転数を計測
対象・条件等	測定精度	**±0.5 ～ ±2 %** フルスケール	**±0.5 %** フルスケール	**±0.2 ～ ±0.5 %** 指示値
	測定流体	液体，気体，蒸気	液体	低粘性液体
	温度	**−250 ～ 650 °C**	**−30 ～ 300 °C**	**−250 ～ 500 °C**
	圧力	**42 MPa** 以下	**10 MPa** 以下	**10 MPa** 以下
	圧力損失	大きい	大きい	大きい
特徴	長所	・流体制約が少ない ・構造が簡単で安価	・直管部が不要 ・流体の物性の影響が少ない	・流量に比例したパルスによる計測が可能
	短所	・レンジアビリティが小さい	・[8]	・旋回流に弱い

〈[5]～[8]の解答群〉

ア コリオリ　**イ** タービン　**ウ** 渦　**エ** 差圧　**オ** せき　**カ** 熱
キ カルマン渦の発生数を測定　**ク** コリオリ力によるチューブの捻れ角を計測
ケ 通過面積を変えて差圧を一定にする　**コ** ますの回転数を計測
サ 小流量の計測が困難　**シ** 大流量の計測が困難

表 **3**　各種流量計（その **2**）

方式		電磁式	超音波式
測定原理		ファラデーの法則	超音波の伝搬時間を計測
対象・条件等	測定精度	**±0.5 %** フルスケール	**±1 ～ ±2 %** フルスケール
	測定流体	[9]	液体，気体
	温度	**−10 ～ 150 °C**	**−40 ～ 80 °C**
	圧力	**4 MPa** 以下	
	圧力損失	[10]	[10]
特徴	長所	・スラリー測定が可能	・配管外部から測定可能 ・大口径に適応可能
	短所	・低伝導率流体の測定が不可能	・精度が低い ・液体計測の場合，気泡発生に弱い

〈 9 及び 10 の解答群〉

ア 導電性液体　**イ** 導電性気体　**ウ** 非導電性液体　**エ** 非導電性気体
オ なし　**カ** 比較的小さい　**キ** きわめて大きい

電気設備及び機器（110分）

III

問題7，8　工場配電

問題9，10　電気機器

問題7（工場配電）

次の各問に答えよ．（配点計**50**点）

(1)　次の各文章の［1］～［5］の中に入れるべき最も適切な字句又は数値をそれぞれの解答群から選び，その記号を答えよ．なお，［4］は**2**箇所あるが，同じ記号が入る．

1)　我が国の配電系統に採用される電圧は，「電気設備に関する技術基準を定める省令」によって次の区分で規定されている．

低圧：交流では［1］[V] 以下（直流では［2］[V] 以下）のものをいう．

高圧：低圧の限度を超えて［3］[kV] 以下のものをいう．

特別高圧：高圧の限度を超えるものをいう．

〈［1］～［3］の解答群〉

ア　7　**イ**　8　**ウ**　10　**エ**　200　**オ**　350　**カ**　400　**キ**　550　**ク**　600　**ケ**　750

2)　特別高圧及び高圧配電線の回路方式の一つである非接地三相**3**線配電方式は，三相回路の中性点を接地しない方式である．なお，配電線路の［4］保護のために設けられた接地形計器用変圧器を用いて，一次巻線の中性点を接地する方式も，非接地三相**3**線配電方式として扱われている．

この接地形計器用変圧器を用いて接地を行う方式は，［4］故障時の故障電流が小さいので，近隣の弱電流電線への［5］がほとんど発生しないという特長を持っているが，故障時に得られる零相電圧が，事故点の抵抗値によって大きく左右される．

〈［4］及び［5］の解答群〉

ア　過電圧　**イ**　共振　**ウ**　混触　**エ**　短絡　**オ**　地絡　**カ**　電磁誘導障害

(2)　次の各文章の［6］～［10］の中に入れるべき最も適切な字句をそれぞれの解答群から選び，その記号を答えよ．

1)　避雷器は，受変電設備を雷害による過電圧から保護するためのものである．雷サージから機器を保護するため，避雷器の制限電圧と被保護機器の絶縁強度との間では，［ 6 ］を図る必要があり，一般に **20 %** 以上の裕度を持たせる．また，避雷器は［ 7 ］から機器を保護する役割も担っている．

〈［ 6 ］及び［ 7 ］の解答群〉

ア アーク放電　**イ** コロナ放電　**ウ** 開閉サージ　**エ** 絶縁協調

オ 電圧協調　**カ** 保護協調

2) 遮断器は，［ 8 ］あるいは負荷電流を迅速に遮断し，電路を切り離すために用いられるものであり，遮断器の［ 9 ］方式の違いにより，真空遮断器，$\mathbf{SF_6}$ ガス遮断器などの種別がある．

3) 点検，修理などのための回路の切離しや接続変更に用いられ，充電された電路を開放する装置は［ 10 ］であるが，一般に負荷電流の開閉はできない．

〈［ 8 ］～［ 10 ］の解答群〉

ア 隔離　**イ** 消弧　**ウ** 保護　**エ** 断路器　**オ** 電力ヒューズ

カ 負荷開閉器　**キ** 故障電流　**ク** 迷走電流　**ケ** 誘導電流

(3) 次の各文章の［ 11 ］及び［ 12 ］の中に入れるべき最も適切な字句又は記述を〈［ 11 ］及び［ 12 ］の解答群〉から選び，その記号を答えよ．

また，［**A** **ab.c**］～［**C** **ab.c**］に当てはまる数値を計算し，その結果を答えよ．ただし，解答は解答すべき数値の最小位の一つ下の位で四捨五入すること．

表に示す定格を持つ変圧器 **A** 及び変圧器 **B** の **2** 台の変圧器の並行運転によって，電力を供給している工場がある．また，変圧器の過負荷運転はしないものとしている．この工場の負荷の合計設備容量は **210 kW** であり，日負荷変動は，図に示すとおりである．ただし，力率は **0.8** で一定である．

表　変圧器仕様

項目	容量 [kV·A]	電圧 [V]	短絡インピーダンス [%]	無負荷損 [kW]	定格負荷時の負荷損 [kW]
変圧器 **A**	**100**	**6 600/200**	**3**（定格容量ベース）	**0.2**	**1.2**
変圧器 **B**	**75**	**6 600/200**	**3**（定格容量ベース）	**0.16**	**1.0**

1) **12** 時から **20** 時までの時間帯③において，変圧器 **A** 及び変圧器 **B** によって電力を供給するとき，変圧器 **A** が分担する負荷は［**A** **ab.c**］[**kW**] である．

2) **8** 時から **12** 時までの時間帯②において，変圧器 **A** が単独で電力を供給した場合の全損失電力量は，［**B** **a.bc**］[**kW·h**] である．

3) 図に示す日負荷変動のとき，この工場の需要率は［**C** **ab.c**］[%] となる．

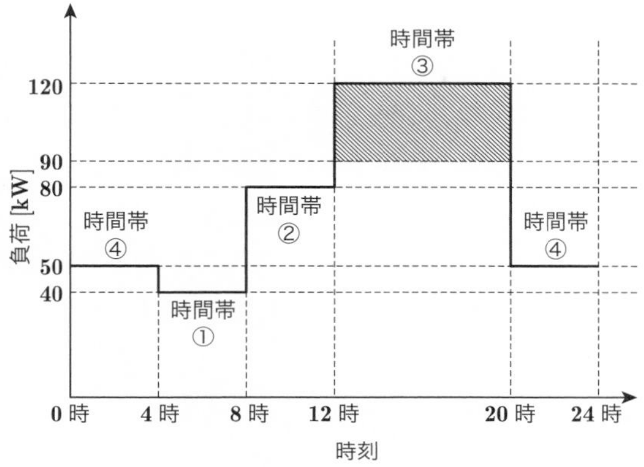

図　工場の日負荷変動

4)　時間帯③の負荷である **120 kW** のうち，図の斜線部で示す **30 kW** を，時間帯①，時間帯②又は時間帯④のいずれか一つの時間帯へシフトし，負荷平準化することで設備の合理化を検討する．このとき，需要率が最も小さくなるのは，[11] へシフトしたときである．また，シフトした結果，最大負荷時に最低限稼動しなければならない変圧器は，[12] となる．

〈[11] 及び [12] の解答群〉

ア　時間帯①　　**イ**　時間帯②　　**ウ**　時間帯④　　**エ**　変圧器 **A** のみ

オ　変圧器 **A** 及び変圧器 **B** の両方　　**カ**　変圧器 **B** のみ

問題 8（工場配電）

次の各問に答えよ．（配点計 **50** 点）

(1)　次の各文章の [1] ～ [6] の中に入れるべき最も適切な字句をそれぞれの解答群から選び，その記号を答えよ．

1)　工場等の負荷設備の大部分は，抵抗負荷と誘導負荷の組み合わせと考えられる．電動機等の誘導負荷は，遅れの [1] 電流が流れることにより力率が低下するので，力率を改善する目的で，進相コンデンサが用いられる．進相コンデンサを用いて力率を改善すると，線路電流が減少し，電力損失が軽減されるとともに，[2] が少なくなる．

なお，夜間などの負荷減少に伴い負荷の無効電力が減少したとき，進相コンデンサを接続したまま運転すると，線路電流が [3] 位相となり，負荷の端子電圧を [4] させることになるので，負荷の増減に応じてコンデンサを自動開閉する力率調整装置が用いられる.

〈 1 〜 4 の解答群〉

ア 維持　**イ** 遅れ　**ウ** 進み　**エ** 上昇　**オ** 低下　**カ** 同一
キ 不平衡　**ク** 無効　**ケ** 励磁　**コ** 線路電圧降下　**サ** 無負荷損
シ 有効電力

2) 自然エネルギーを利用した太陽光発電や風力発電は，化石燃料に代替するエネルギー資源として地球温暖化の抑制に貢献することができることから，国内でも大規模な設備が多く導入されている.

これらは，インバータを用いて配電系統と連系することが多く，電力品質へ悪影響を及ぼさない対策が求められている.

インバータを用いた発電設備が配電系統と連系を行う場合の対策としては， 5 の発生に対する交流フィルタの設置や，風力発電など出力変動が比較的大きい電源の連系を行う場合の電圧変動に対する 6 の設置などがある．また，公衆や作業者などの安全確保のための設備対策としては，配電系統と連系する発電設備の単独運転防止装置の設置などがある.

〈 5 及び 6 の解答群〉

ア 高調波　**イ** 瞬時電圧低下　**ウ** 搬送波　**エ** 自動負荷制限装置
オ 静止型無効電力補償装置　**カ** 転送遮断装置

(2) 次の各文章の 7 及び 8 の中に入れるべき最も適切な字句又は数値を〈 7 及び 8 の解答群〉から選び，その記号を答えよ.

また， **A abc** 〜 **D a** に当てはまる数値を計算し，その結果を答えよ．ただし，解答は解答すべき数値の最小位の一つ下の位で四捨五入すること.

単相 **2** 線式と単相 **3** 線式の線路損失について考える．なお，計算に当たっては，負荷力率は **100 %**，負荷電流は一定とし，線路抵抗以外のインピーダンスは無視するものとする.

1) 単相 **2** 線式は，**2** 線で電源を供給する方式であり，図 **1** に示すように，電線の抵抗が **0.02 Ω**の **100 V** 単相 **2** 線式配電線路において，**50 A** の負荷が接続されている場合，線路損失は **A abc** [W] である.

2) 単相 **3** 線式は，変圧器二次側の中性点を接地し，単相 **2** 線式に中性線 **1** 線を加えて，合計 **3** 線で電源供給する方式である．図 **2**(a)の **100/200 V** 単相 **3** 線式配電線路において，電圧線及び中性線の抵抗が，それぞれ **0.02 Ω**であり，**30 A** 及び **20 A** の二つの負荷が

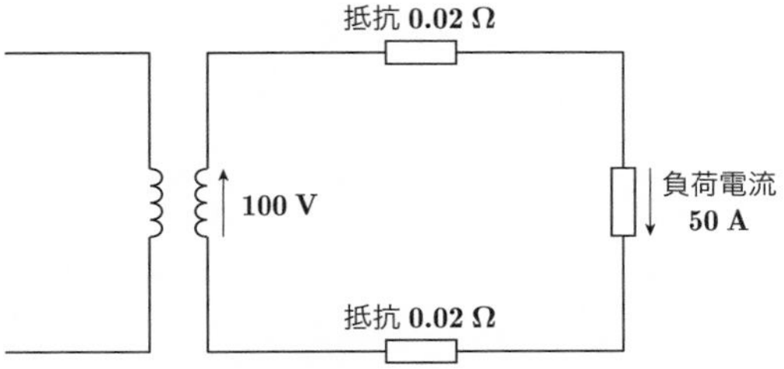

図 1　単相 2 線式

接続されているとき，中性線に流れる電流は [B ab] [A] であるから，3 線合計の線路損失は [C ab] [W] である.

この配電線路において，図 2 (b)のようにバランサを接続した場合，配電線路に流れる電流の [7] が改善され，バランサがない場合に比べ，線路損失は [D a] [W] 減少する．また，図 1 の単相 2 線式と比較すると，線路損失は [8] 倍となる.

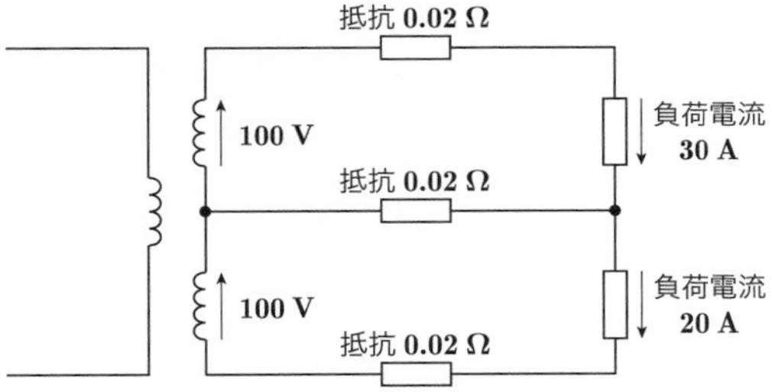

(a)　バランサなし

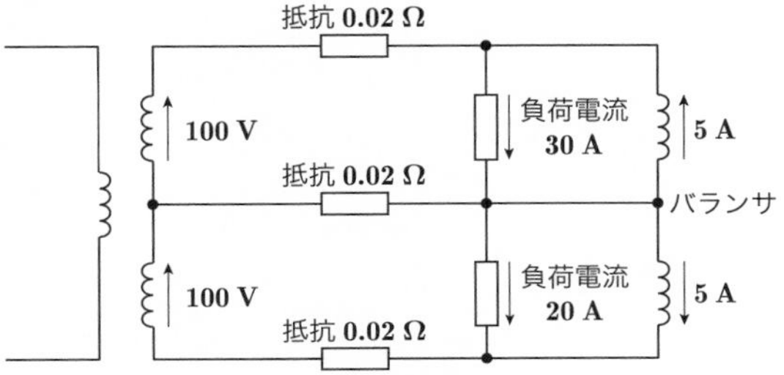

(b)　バランサあり

図 2　単相 3 線式

〈[7] 及び [8] の解答群〉

ア $\frac{1}{4}$　**イ** $\frac{1}{2}$　**ウ** $\frac{1}{\sqrt{2}}$　**エ** 2　**オ** 3　**カ** 高調波　**キ** 不平衡

ク　力率

問題 9（電気機器）

次の各問に答えよ．（配点計 **50** 点）

⑴　次の各文章の［ 1 ］～［ 5 ］の中に入れるべき最も適切な字句を〈［ 1 ］～［ 5 ］の解答群〉から選び，その記号を答えよ．

2 台以上の変圧器を並列接続して負荷の電源とする並行運転においては，次の1)及び2)の条件を考慮することが必要である．

1)　単相変圧器及び三相変圧器共に考慮すべきは次の条件である．

①　循環電流が発生しないこと．

②　負荷電流が変圧器の［ 1 ］に比例して分流すること．

③　各変圧器に流れる電流が［ 2 ］であること．

上記①の対策としては，各変圧器の一次，二次の定格電圧が等しく［ 3 ］を合わせて接続すること，②の対策としては，各変圧器の定格容量基準の短絡インピーダンスを等しくすること，③の対策としては，各変圧器の抵抗とリアクタンスの比を等しくすることが挙げられる．

2)　三相変圧器の並行運転では，1)の条件に加えて，次の条件を満足させることが必要である．

①　一次，二次巻線間の［ 4 ］が等しいこと．

②　［ 5 ］の方向が等しいこと．

並行運転する変圧器の負荷分担は，それぞれの変圧器の短絡インピーダンスによって決まる．

〈［ 1 ］～［ 5 ］の解答群〉

ア　位相変位	**イ**　極数	**ウ**　極性	**エ**　相回転	**オ**　相差角
カ　力率角	**キ**　電圧変動率	**ク**　同期インピーダンス		**ケ**　同相
コ　巻数	**サ**　無効電力	**シ**　無負荷損	**ス**　漏れ磁束	**セ**　容量
ソ　同じ値				

⑵　次の各文章の［ 6 ］～［ 12 ］の中に入れるべき最も適切な字句，数値又は式をそれぞれの解答群から選び，その記号を答えよ．

1)　同期電動機とは「定常運転時に，［ 6 ］と交流周波数で定まる同期速度で回転する交流回転機をいう」と **JEC 2130-2000** で定義されている．

III

2) 三相同期電動機の3相分の出力を P_0 [W]，同期速度を n_s [min^{-1}] とすれば，トルク T は，次式で示され，トルクを出力によって表すことができる．

$$T = \boxed{\ 7\ }\ [\mathrm{N \cdot m}]$$

3) 回転界磁形の三相同期電動機について考える．この電動機の電機子巻線に三相交流電源を供給すると回転磁束が発生する．一方，界磁巻線に直流電流を供給すると，磁極は一方向に磁化される．

同期電動機に負荷をかけた直後から，回転子磁極の位相が電機子の回転磁束よりも遅れ，回転磁束軸と回転子磁極軸との間に $\boxed{\ 8\ }$ と呼ばれる角度 δ [rad] が生じる．δ によって，回転磁束と回転子磁極との間に $\boxed{\ 9\ }$ が生じ，これが回転磁束と同方向の電動機トルクを作り，回転子は δ を保ったまま同期速度で回転を続ける．

〈$\boxed{\ 6\ }$ ～ $\boxed{\ 9\ }$ の解答群〉

ア $\dfrac{60}{n_s}P_0$　イ $\dfrac{n_s}{60}P_0$　ウ $\dfrac{60}{2\pi n_s}P_0$　エ $\dfrac{2\pi n_s}{60}P_0$　オ 角変位

カ 負荷角　キ 力率角　ク 吸引力　ケ 反発力　コ 平衡力

サ 極数　シ 巻数　ス 相数

4) 三相同期電動機では，Y結線の1相分の供給電圧の大きさを V [V]，電機子巻線Y結線の1相分の誘導起電力の大きさを E_0 [V] とすれば，3相分の出力 P_0 は次式で表される．ただし，同期リアクタンス x_s [Ω] に比べて，電機子巻線抵抗 r_a [Ω] は非常に小さいので，これを無視して考え，また，機械損，銅損及び鉄損も無視する．

$$P_0 = \boxed{\ 10\ }\ [\mathrm{W}]$$

よって，δ が零より大きくなるに従って電動機トルクも大きくなり，δ が $\boxed{\ 11\ }$ [rad] のときに最大値 T_m [N·m] となる．δ は負荷トルクが大きいほど大きくなるが，負荷トルクが T_m を超えると，電動機トルクはかえって減少し，電動機は $\boxed{\ 12\ }$ を起こす．

〈$\boxed{\ 10\ }$ ～ $\boxed{\ 12\ }$ の解答群〉

ア $\dfrac{\pi}{2}$　イ $\dfrac{2\pi}{3}$　ウ π　エ $3VE_0x_s\cos\delta$　オ $\dfrac{3V}{E_0x_s}\sin\delta$

カ $\dfrac{3VE_0}{x_s}\sin\delta$　キ 解列　ク 同期外れ　ケ 誘導

(3) 次の各文章の $\boxed{\mathrm{A}\ \mathrm{abcd}}$ ～ $\boxed{\mathrm{E}\ \mathrm{a.bc}}$ に当てはまる数値を計算し，その結果を答えよ．ただし，解答は解答すべき数値の最小位の一つ下の位で四捨五入すること．

図は，定格容量1 000 kV·A，定格一次電圧6 600 V，定格二次電圧210 V，定格周波

数 **50 Hz** の三相変圧器を，**Y** 結線に等価変換したときの **1** 相分の一次換算の等価回路である．この図において，励磁コンダクタンス g_0 は **0.03 mS**，巻線抵抗 r は **0.249 Ω**，漏れリアクタンス x は **1.856 Ω**である．なお，図中の b_0 [Ω] は励磁サセプタンス，$\dot{I}_1$ [A] は一次入力電流，$\dot{V}$ [V] は一次電圧，$\dot{I}_0$ [A] は励磁電流，$\dot{I}_2'$ [A] は二次電流を一次換算した電流を表している．

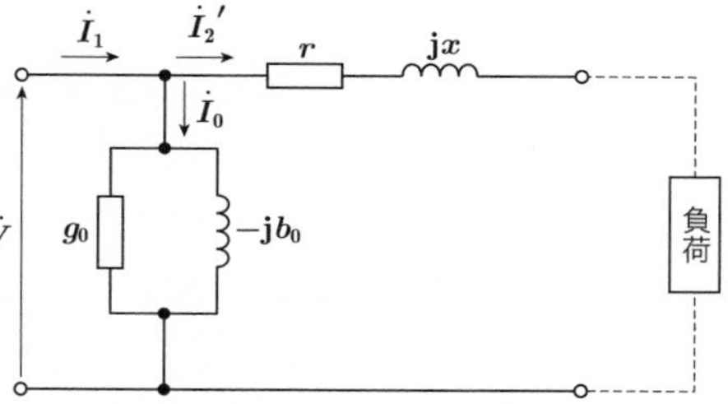

図

1） この変圧器の二次側に **1 000 kV·A**，力率 **0.8**（遅れ）の平衡三相負荷を接続した場合，一次換算した負荷電流 $|\dot{I}_2'|$ は **87.48 A** となるので，この時の変圧器の負荷損は **A abcd** [W] となる．

2） 一方，定格電圧時の無負荷損は **B abcd** [W] であるので，この変圧器を前記1）の条件で運転したときの効率は **C ab.cd** [%] となる．

3） 基準容量 **1 000 kV·A** の **6 600 V** での基準インピーダンスは **D ab.c** [Ω] なので，この変圧器の短絡インピーダンスは **E a.bc** [%] である．

問題 10（電気機器）

次の各問に答えよ．（配点計 **50** 点）

(1) 次の各文章の [1] ～ [5] の中に入れるべき最も適切な字句又は数値を〈[1] ～ [5] の解答群〉から選び，その記号を答えよ．

1） 電気機器は，使用中に内部で生じる [1] により発熱し，発生した熱によって機器各部の温度が上昇する．各部の測定温度と冷媒温度との差を温度上昇という．温度上昇は機器の寿命に関係があり，機器の [2] を定める主要な因子の一つである．

温度上昇を決定するための温度測定法には，抵抗法，埋込温度計法，温度計法があり，目的に応じて使い分けされている．

2） **JEC 2100-2008** では，絶縁物の種類と使い方によって定まる [3] の耐熱性により，実用上十分な寿命を確保するための許容最高温度が定められている．

3) [4] 効率の算定に使用する巻線抵抗では，前述の温度測定法によって得られた温度を用いて，測定した抵抗値を規定の耐熱クラスに対応した基準巻線温度へ補正した値が用いられる．

なお，前述の**JEC**によると，通常，冷媒温度の限度は，空気では**40°C**，水では [5] [°C] である．

〈[1]～[5] の解答群〉

ア **20**	**イ** **25**	**ウ** **30**	**エ** 基準	**オ** 規約
カ 効率	**キ** 絶縁	**ク** 絶縁階級	**ケ** 絶縁協調	**コ** 損失
サ 全日	**シ** 定格	**ス** 導体	**セ** 負荷容量	**ソ** 誘電損失

(2) 次の各文章の [6]～[12] の中に入れるべき最も適切な字句又は数値をそれぞれの解答群から選び，その記号を答えよ．

1) 高効率三相誘導電動機では，定格電圧**1 000 V**以下で，定格出力が**0.75 kW**以上かつ [6] [**kW**] 以下で，その他の付帯条件を満たすものが，「エネルギーの使用の合理化等に関する法律」によって特定機器として定められ，トップランナー基準を遵守する対象として，**2015**年**4**月以降に国内向けに出荷される機器から適用が開始された．この基準は，「低圧三相かご形誘導電動機－低圧トップランナーモータ」（**JIS C 4213-2014**）において規格化されており，国際標準規格で定められた単一速度三相かご形誘導電動機の効率クラス（**IE**コード）における [7] に相当している．

2) このトップランナー基準は，従来の「高効率低圧三相かご形誘導電動機」（**JIS C 4212-2000**）以上の効率を要求するもので，鉄損，銅損などの各損失のバランスに配慮しながら，全損失をより低減する対策が施されている．各損失の低減について，鉄損では [8] を最適化する，低損失鉄心材料を採用するなどの対策があり，銅損では導体断面積を増す，コイル端の長さを短縮するなどの対策がある．さらに，[9] 損については，冷却ファンの小型・低損失化，低損失グリースの採用などの対策がある．

〈[6]～[9] の解答群〉

ア **200**	**イ** **300**	**ウ** **375**	**エ** **IE1**	**オ** **IE2**
カ **IE3**	**キ** ブラシ摩擦	**ク** 回転子溝	**ケ** 機械	**コ** 磁束密度
サ 電流密度	**シ** 漂遊負荷			

3) 高効率化のために，既設のポンプ，送風機などを駆動する誘導電動機を，トップランナー基準機に置き換えると，[10] がより抑制されているため，回転速度が [11] し，仕事量が多くなり，電動機の出力が増加して消費電力が増大することがある．省エネル

ギー対策として用いるためには，不要の仕事量を増加させないために入力を低減するように制御するなど，適切に運用することが肝要である．

また，一般にトップランナー基準機は従来の標準仕様の電動機に比べて [12] 電流が大きい．このため，トップランナー基準機の導入に当たっては，配線器具の容量に注意する必要がある．

〈[10] ～ [12] の解答群〉

ア 回転速度　**イ** 始動　**ウ** 短絡　**エ** 定格　**オ** 発生損失　**カ** 冷却効果
キ 上昇　**ク** 下降

(3) 次の各文章の [**A** ab.cd] ～ [**E** a.bc] に当てはまる数値を計算し，その結果を答えよ．ただし，解答は解答すべき数値の最小位の一つ下の位で四捨五入すること．

定格電圧の **200 V**，定格周波数の **50 Hz** で運転している，**4** 極の **Y** 結線三相かご形誘導電動機がある．この電動機の，**1** 相分の一次換算 **L** 形等価回路を図に示す．ここで $\dot{I}_1$ [A] は一次入力電流，$\dot{I}_0$ [A] は励磁電流，$\dot{I}_2'$ [A] は二次電流を一次換算した電流，s はすべりを表している．なお，励磁回路は，計算を簡単にするために，抵抗とリアクタンスが直列に接続されたものと考える．

この電動機の特性試験結果は，以下のとおりであった．

① 無負荷試験：線間電圧 **200 V**，入力電流 **2.5 A**，入力 **120 W**（**3** 相分）

② 拘束試験：線間電圧 **40 V**，入力電流 **8.0 A**，入力 **240 W**（**3** 相分）

③ 固定子巻線抵抗：**1.0 Ω**（線間，**75 ℃** 換算）

なお，拘束試験時の供給電圧は，定格電圧に比べ非常に低いので，励磁回路の影響は無視できるものとして考える．また，機械損は無視するものとする．

1) 図で示される等価回路における励磁インピーダンス $\dot{Z}_0$ は，無負荷試験データより求めることができる．無負荷試験での供給電圧が **3** 相の線間電圧 V_1 [V] に対して，等価回路は **Y** 結線 **1** 相分の相電圧 $\dot{E}_1$ [V] であることに着目すると，励磁インピーダンス $\dot{Z}_0$ は [**A** ab.cd] [Ω] となる．このとき，励磁回路の抵抗分 r_0 は，測定された入力が **120 W** なので **6.4 Ω**であり，励磁回路のリアクタンス分 x_0 は [**B** ab.c] [Ω] となる．

2) 同様に，拘束試験のデータより，**Y** 結線 **1** 相の **L** 形等価回路における一次巻線と二次巻線の合成インピーダンス $\dot{Z}_s$ は [**C** a.bcd] [Ω] となる．このときの入力 **240 W** から，一次抵抗 r_1 と一次換算の二次抵抗 r_2' の合成抵抗 $(r_1 + r_2')$ は **1.25 Ω**となり，この値と固定子巻線抵抗の測定値から，一次換算の二次抵抗 r_2' は [**D** a.bc] $\times 10^{-1}$ [Ω] となる．また，一次漏れリアクタンス x_1 と一次換算の二次漏れリアクタンス x_2' との合

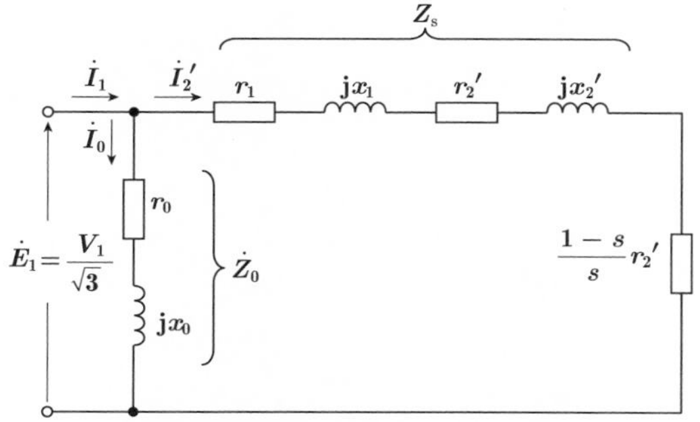

図　誘導電動機の L 形等価回路（1 相分）

成の漏れリアクタンス $(x_1 + x_2')$ の値は **E** a.bc [Ω] となる.

電力応用（110 分）

必須	問題11，12	電動力応用	
選択	問題13	電気加熱	2 問題を選択
選択	問題14	電気化学	
選択	問題15	照　明	
選択	問題16	空気調和	

問題 11（電動力応用）

次の各文章の 1 ～ 10 の中に入れるべき最も適切な字句，数値，式又は記述をそれぞれの解答群から選び，その記号を答えよ．（配点計 50 点）

交流電動機の可変速運転では，電圧，電流の大きさや位相を過渡的に変化させる必要があり，定常状態を対象とした交流フェーザの考え方だけでは不十分である．このため，空間ベクトルを用いた解析が行われるが，以下は永久磁石同期電動機の動作解析を例に，空間ベクトルの考え方を説明したものである．

1) 永久磁石を用いた三相同期電動機（極数 2）において，三相巻線が対象で，インダクタンスが回転子の回転角によらず一定であるとすると，u 相巻線の瞬時電圧 v_u は式①で表すことができる．

ここで，各相の巻線抵抗を r，自己インダクタンスを漏れ成分 l と有効成分 L の和（$l+L$）と表し，巻線間の相互インダクタンスを M，永久磁石による鎖交磁束の最大値を ϕ，永久磁石による磁束の方向を θ（u 相巻線の方向を基準とする）とする．

$$v_u = ri_u + \frac{d}{dt}(l+L)\cdot i_u + \frac{d}{dt}(\phi\cos\theta) + \frac{d}{dt}M\cdot i_v + \frac{d}{dt}M\cdot i_w \cdots\cdots\text{①}$$

式①は，三相巻線間の相互インダクタンスが $L\cos\dfrac{2\pi}{3}$ であること，三相 3 線式では，三つの線電流に関して，式 1 の関係があることを利用し，瞬時電流 i_v，i_w を消去すると式②を得る．

$$v_u = ri_u + \frac{d}{dt}(L_a i_u) + \frac{d}{dt}(\phi\cos\theta) \cdots\cdots\text{②}$$

ただし，$L_{\mathrm{a}} = l + \dfrac{3}{2}L$ とする．

同様の関係式が v 相及び w 相についても成り立つが，巻線の方向が異なるため，式②中のθをそれぞれ［ 2 ］に置き換える必要がある．

三相交流電動機を解析する場合，次式で定義される電圧の空間ベクトル（複素数）が利用される．

$$\boldsymbol{v}_{\alpha\beta} = \sqrt{\frac{2}{3}}\left(v_{\mathrm{u}} + v_{\mathrm{v}}\mathrm{e}^{\mathrm{j}\frac{2\pi}{3}} + v_{\mathrm{w}}\mathrm{e}^{\mathrm{j}\frac{4\pi}{3}}\right) \quad \cdots\cdots③$$

u 相に関する式②及び，同様な v 相，w 相の関係式を式③に代入して整理すると，次式となる．

$$\boldsymbol{v}_{\alpha\beta} = r\boldsymbol{i}_{\alpha\beta} + \frac{\mathrm{d}}{\mathrm{d}t}(L_{\mathrm{a}}\boldsymbol{i}_{\alpha\beta}) + \mathrm{j}\omega\phi_{\mathrm{m}}\mathrm{e}^{\mathrm{j}\theta} \quad \cdots\cdots④$$

ただし，電流の空間ベクトル$\boldsymbol{i}_{\alpha\beta}$を電圧ベクトルと同様に次式で定義した．

$$\boldsymbol{i}_{\alpha\beta} = \sqrt{\frac{2}{3}}\left(i_{\mathrm{u}} + i_{\mathrm{v}}\mathrm{e}^{\mathrm{j}\frac{2\pi}{3}} + i_{\mathrm{w}}\mathrm{e}^{\mathrm{j}\frac{4\pi}{3}}\right) \quad \cdots\cdots⑤$$

また，$\omega = \dfrac{\mathrm{d}\theta}{\mathrm{d}t}$，$\phi_{\mathrm{m}} = \sqrt{\dfrac{3}{2}}\phi$ である．

〈［ 1 ］及び［ 2 ］の解答群〉

ア　$i_{\mathrm{u}} + i_{\mathrm{v}} + i_{\mathrm{w}} = 0$

イ　$i_{\mathrm{u}} + i_{\mathrm{v}}\mathrm{e}^{\mathrm{j}\frac{2\pi}{3}} + i_{\mathrm{w}}{}^{\mathrm{j}\frac{4\pi}{3}} = 0$

ウ　$i_{\mathrm{u}} + i_{\mathrm{v}}\mathrm{e}^{-\mathrm{j}\frac{2\pi}{3}} + i_{\mathrm{w}}{}^{-\mathrm{j}\frac{4\pi}{3}} = 0$

エ　$\theta - \dfrac{\pi}{6}$，$\theta - \dfrac{\pi}{3}$

オ　$\theta - \dfrac{\pi}{3}$，$\theta - \dfrac{2\pi}{3}$

カ　$\theta - \dfrac{2\pi}{3}$，$\theta - \dfrac{4\pi}{3}$

2)　図に三相巻線の方向と，$\alpha\beta$軸の方向の関係を示す．三相交流電動機の解析では回転磁界に同期して回転する同期回転座標（dq 軸）が採用されるため，同図にはその dq 軸も示してある．

なお，永久磁石による磁束の方向を d 軸に一致させている．

次に，同期回転座標から見た空間ベクトルを v_{dq}，i_{dq} と表すと，静止座標（$\alpha\beta$座標）から見た空間ベクトル$\boldsymbol{v}_{\alpha\beta}$，$\boldsymbol{i}_{\alpha\beta}$との間には次の関係が成り立つ．

$$\boldsymbol{v}_{\alpha\beta} = \boldsymbol{v}_{\mathrm{dq}}\,\mathrm{e}^{\mathrm{j}\theta},\ \boldsymbol{i}_{\alpha\beta} = \boldsymbol{i}_{\mathrm{dq}}\,\mathrm{e}^{\mathrm{j}\theta} \quad \cdots\cdots⑥$$

式④に式⑥の関係を代入して整理し，両辺に$\mathbf{e}^{-\mathbf{j}\theta}$を乗じると，次の結果を得る．

$$\boldsymbol{v}_{\mathrm{dq}} = r\boldsymbol{i}_{\mathrm{dq}} + \boxed{\ 3\ } + \mathbf{j}\omega\phi_{\mathrm{m}} \quad \cdots\cdots ⑦$$

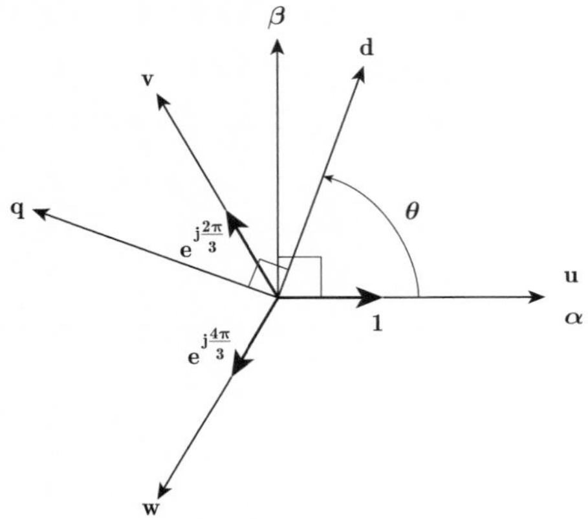

図　座標軸の関係

〈 3 の解答群〉

ア　$\left(\dfrac{\mathbf{d}}{\mathbf{d}t} + \mathbf{j}\omega\right)(L_{\mathrm{a}}\boldsymbol{i}_{\mathrm{dq}})$　　イ　$\left(\dfrac{\mathbf{d}}{\mathbf{d}t} + \omega\right)(L_{\mathrm{a}}\boldsymbol{i}_{\mathrm{dq}})$　　ウ　$\left(\dfrac{\mathbf{d}}{\mathbf{d}t} - \omega\right)(L_{\mathrm{a}}\boldsymbol{i}_{\mathrm{dq}})$

3)　ここまでは，巻線のインダクタンスが回転角に依存しないとしたが，広く用いられている埋込永久磁石形三相同期電動機では，インダクタンスの大きさが磁束の方向に依存する．

d軸方向のインダクタンスをL_{d}，**q**軸方向のインダクタンスをL_{q}とすると，永久磁石を挿入するために，**d**軸方向の等価的なギャップ長が大きくなり，$\boxed{\ 4\ }$ことになる．この場合には，式⑦の中の$L_{\mathrm{a}}\boldsymbol{i}_{\mathrm{dq}}$を$L_{\mathrm{d}}i_{\mathrm{d}} + \mathbf{j}L_{\mathrm{q}}i_{\mathrm{q}}$で置き換える必要がある．この置き換えとともに，$\boldsymbol{i}_{\mathrm{dq}} = i_{\mathrm{d}} + \mathbf{j}i_{\mathrm{q}}$，$\boldsymbol{v}_{\mathrm{dq}} = v_{\mathrm{d}} + \mathbf{j}v_{\mathrm{q}}$として，式⑦より$v_{\mathrm{d}}$，$v_{\mathrm{q}}$を求めると次の結果が得られる．

$$v_{\mathrm{d}} = ri_{\mathrm{d}} + L_{\mathrm{d}}\frac{\mathbf{d}}{\mathbf{d}t}i_{\mathrm{d}} + \boxed{\ 5\ } \quad \cdots\cdots ⑧$$

$$v_{\mathrm{q}} = ri_{\mathrm{q}} + L_{\mathrm{q}}\frac{\mathbf{d}}{\mathbf{d}t}i_{\mathrm{q}} + \boxed{\ 6\ } \quad \cdots\cdots ⑨$$

〈 4 ～ 6 の解答群〉

ア　$\omega L_{\mathrm{q}}i_{\mathrm{q}}$　　イ　$(-\omega L_{\mathrm{d}}i_{\mathrm{d}})$　　ウ　$(-\omega L_{\mathrm{q}}i_{\mathrm{q}})$　　エ　$\omega(L_{\mathrm{d}}i_{\mathrm{d}} + \phi_{\mathrm{m}})$

オ　$\omega(L_{\mathrm{q}}i_{\mathrm{q}} + \phi_{\mathrm{m}})$　　カ　$\omega(-L_{\mathrm{q}}i_{\mathrm{q}} + \phi_{\mathrm{m}})$　　キ　L_{d}とL_{q}は等しい

ク L_d が L_q より小さい　　　**ケ** L_q が L_d より小さい

4) 空間ベクトル $\boldsymbol{i}_{dq}$ と $\boldsymbol{v}_{dq}$ の内積（$\boldsymbol{i}_{dq}\cdot\boldsymbol{v}_{dq}$ と表す）を式⑧及び式⑨の関係を用いて計算することができる.

$$\begin{aligned}\boldsymbol{i}_{dq}\cdot\boldsymbol{v}_{dq} &= i_d v_d + i_q v_q \\ &= r(i_d^2 + i_q^2) + \boxed{\ 7\ } - \omega(L_q - L_d)i_d i_q + \omega\phi_m i_q \quad \cdots\cdots⑩\end{aligned}$$

一方，この内積については，式③及び式④の定義式，及び1）で求めた i_u，i_v，i_w 間の関係式を用いて次の結果を得る.

$$\boldsymbol{i}_{dq}\cdot\boldsymbol{v}_{dq} = \boldsymbol{i}_{\alpha\beta}\cdot\boldsymbol{v}_{\alpha\beta} = i_u v_u + i_v v_v + i_w v_w \quad \cdots\cdots⑪$$

すなわち，$\boldsymbol{i}_{dq}\cdot\boldsymbol{v}_{dq}$ は三相全体の入力電力に相当する．この点を考慮して，式⑩を見ると，銅損となる右辺第一項と，磁気エネルギーの変化に相当する第二項を除く第三項及び第四項が機械的出力となる．電動機の極数が **2** の場合，回転角速度が ω であることから，電動機のトルクは次式で与えられる.

$$\tau = \boxed{\ 8\ } \quad \cdots\cdots⑫$$

もし，極数が $2P$（極対数が P）の場合には，機械系の回転角速度が $\dfrac{\omega}{P}$ となることから，電動機のトルクは式⑫の $\boxed{\ 9\ }$ 倍となる.

電流の大きさ $\sqrt{i_d^2 + i_q^2}$ が同じ条件で，トルクを最大とする i_d と i_q の関係はラグランジュの未定乗数法を用いて求めることができるが，その結果は次式で与えられる.

$$i_d = \frac{\phi_m}{2(L_q - L_d)} - \sqrt{\left\{\frac{\phi_m}{2(L_q - L_d)}\right\}^2 + i_q^2} \quad \cdots\cdots⑬$$

このように i_q の大きさに応じて，適切な大きさの負の i_d を流すことにより，銅損を低減して電動機の効率を改善することができる．また，同じ定格電流に対し，より大きなトルクを発生できる．さらに，負の i_q は減磁運転を行って式⑨の **q** 軸電圧を下げることになり，インバータの出力電圧の飽和が問題となる $\boxed{\ 10\ }$ 時の運転領域を拡大できる利点もある.

〈$\boxed{\ 7\ }$～$\boxed{\ 10\ }$ の解答群〉

ア 2　　**イ** P　　**ウ** $\dfrac{1}{P}$　　**エ** $\{\phi_m + (L_q - L_d)i_q\}i_d$

オ $\{\phi_m + (L_q - L_d)i_d\}i_q$　　**カ** $\{\phi_m - (L_q - L_d)i_d\}i_q$

キ $\dfrac{d}{dt}(L_d i_d^2 + L_q i_q^2)$　　**ク** $\dfrac{d}{dt}\left\{\dfrac{1}{2}(L_d i_d^2 + L_q i_q^2)\right\}$

ケ $\dfrac{\mathrm{d}}{\mathrm{d}t}\left\{\dfrac{1}{2}(L_\mathrm{d}i_\mathrm{d}+L_\mathrm{q}i_\mathrm{q})^2\right\}$　　**コ** 低速　**サ** 始動　**シ** 高速

問題 12（電動力応用）

次の各問に答えよ．（配点計 50 点）

(1) 次の各文章の [1] ～ [5] の中に入れるべき最も適切な式を〈[1] ～ [5] の解答群〉から選び，その記号を答えよ．

エレベータにおいて，積載荷重とかごの重さの合計と，釣り合い重りの重さが等しいときに，図のような運転パターンでかごを上昇させることを考える．

図において，縦軸をエレベータの速度 v [m/s]，横軸を運転開始時からの経過時間 t [s] とし，運転開始からの等加速度運転時間を t_1 [s]，運転停止前の等減速度運転時間を t_2 [s]，運転開始から停止までの経過時間を T [s]，等速度運転区間の速度を v_0 [m/s] とする．

回転系の慣性モーメントを含めたエレベータのすべての等価質量を m [kg] とし，力行時の電気エネルギーから機械エネルギーへの変換効率を η_1，回生時の機械エネルギーから電気エネルギーへの変換効率を η_2 とする．

ここで，η_1 及び η_2 は一定とし，効率 100 % を $\eta = 1.0$ と表す．また，空気抵抗や摩擦の影響は無視できるものとする．

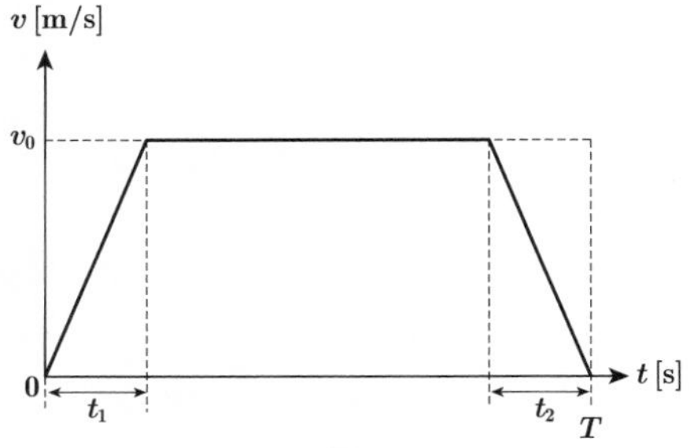

図

1) 加速区間において必要な巻き上げる力 F_1 は，次式により求められる．

$F_1 =$ [1] [N]

2) 加速区間中の時刻 t における入力電力 P_1 は，変換効率を考慮すると次式により求められる．

$P_1 =$ [2] [W]

3) 加速区間全体における損失エネルギー E_1 は，次式により求められる．

$E_1 =$ [3] [J]

4)　総走行距離 L は，次式により求められる．

$L =$ [4] [m]

5)　総走行区間における損失エネルギー E_T は，次式により求められる．

$E_T =$ [5] [J]

〈[1]～[5]の解答群〉

ア　mv_0	イ　mv_0t_1	ウ　$\dfrac{mv_0}{t_1}$
エ　$(1-\eta_1)\dfrac{mv_0^2}{2}$	オ　$\dfrac{1}{\eta_1}\dfrac{mv_0^2}{2}$	カ　$\dfrac{1-\eta_1}{\eta_1}\dfrac{mv_0^2}{2}$
キ　$\left(\dfrac{1}{\eta_1}+\eta_2\right)\dfrac{mv_0^2}{2}$	ク　$\left(\dfrac{1}{\eta_1}-\eta_2\right)\dfrac{mv_0^2}{2}$	ケ　$\left(\dfrac{1}{\eta_1}-\dfrac{1}{\eta_2}\right)\dfrac{mv_0^2}{2}$
コ　$\dfrac{mv_0^2}{t_1^2}t$	サ　$\eta_1\dfrac{mv_0^2}{t_1^2}t$	シ　$\dfrac{1}{\eta_1}\dfrac{mv_0^2}{t_1^2}t$
ス　$v_0(T-t_1-t_2)$	セ　$v_0\left(T+\dfrac{t_1+t_2}{2}\right)$	ソ　$v_0\left(T-\dfrac{t_1+t_2}{2}\right)$

(2)　次の各文章の [A a.bc] 及び [F ab.c] に当てはまる数値を計算し，その結果を答えよ．ただし，解答は解答すべき数値の最小位の一つ下の位で四捨五入すること．

送水ポンプの流量制御の運転効率化について考える．現状では吐出し弁の開度調整によって流量を調整している設備について，これをポンプの回転速度制御による流量調整に切り替えることで省エネルギー化を図りたい．

現状の設備では，定格点において流量 Q_N が 20.4 m³/min，全揚程 H_N が 18 m，回転速度 n_N が 1 500 min⁻¹，ポンプ効率 η_N が 60 % のポンプが備えられている．ここで，水の密度は 1 t/m³ とする．

この設備について調査したところ，ポンプの全揚程と流量の関係，及びポンプ効率と流量の関係は，定格点において正規化すると，それぞれ次の式で表されることが分かっている．

$$h = 1.25n^2 - 0.25q^2$$

$$\eta^* = 2.0\left(\frac{q}{n}\right) - \left(\frac{q}{n}\right)^2$$

ただし，流量 q [p.u.]，全揚程 h [p.u.]，回転速度 n [p.u.]，ポンプ効率 η^* [p.u.] は，

いずれも定格点において正規化された変数とする.

また，吐出し弁全開の状態において，実揚程を含めた管路抵抗 r [p.u.] の特性は次式で表されるものとする.

$$r = 0.5 + 0.3q^2$$

ただし，管路抵抗 r は定格点において正規化された変数とする.

1) 現状の運用において, 弁の開度調整によって流量 q を **0.75 p.u.**, 回転速度 n を **1 p.u.** で運転する場合，ポンプを駆動するのに必要な軸動力 p_1 は [A a.bc] × 10^{-1} [p.u.] である.

2) 一方，弁の開度調整の代わりに，ポンプの回転速度制御によって流量 q を，1)と同じ **0.75 p.u.** として運転する場合には，管路抵抗 r の値が [B a.bc] × 10^{-1} [p.u.] であるから，ポンプの回転速度 n は [C a.bc] × 10^{-1} [p.u.] となる．このとき，ポンプ効率 η^* は [D a.bc] × 10^{-1} [p.u.] になることから，ポンプを駆動するのに必要な軸動力 p_2 は [E a.bc] × 10^{-1} [p.u.] となる.

3) 定格点において必要な正味の軸動力は，$P_N = \dfrac{Q_N H_N}{6.12}\dfrac{100}{\eta_N} = 100$ [kW]であるから，軸動力 p_1 と p_2 との差を考えれば，ポンプの回転速度制御に運転方式を切り替えることで [F ab.c] [kW] の軸動力の低減による省エネルギー化を図ることができる.

問題 13（電気加熱―選択問題）

次の各問に答えよ.（配点計 **50** 点）

(1) 次の各文章の [1] ～ [5] の中に入れるべき最も適切な字句をそれぞれの解答群から選び，その記号を答えよ.

1) 誘電加熱は電気的に [1] に近い，木材やプラスチックなどの加熱に適した加熱方式であり，被加熱物を [2] に置くことで発生する [3] を利用したものである.

〈[1] ～ [3] の解答群〉

ア 渦電流　**イ** 高周波電界　**ウ** 交流磁界　**エ** 直流磁界　**オ** ジュール熱
カ 絶縁物　**キ** 導電体　**ク** 半導体　**ケ** 誘電体損失

2) 赤外加熱に利用される赤外放射は, [4] の一種であり，[5] よりも波長の長い領域にあり，赤外線とも呼ばれる.

〈[4] 及び [5] の解答群〉

ア プラズマ　**イ** 可視光　**ウ** 電磁波　**エ** 電子ビーム　**オ** マイクロ波

カ ラジオ波

(2) 次の各文章の [6] ～ [10] の中に入れるべき最も適切な字句をそれぞれの解答群から選び，その記号を答えよ．

1) 空気や水などの流れの中に置かれた固体表面と流体との間に温度差があると，両者の間で熱移動が生じ，この熱流は近似的に $Q = hS(\theta_1 - \theta_2)$ で表される．h は熱伝達率と呼ばれ，その値は主として流体の物性及び [6] によって変化する．θ_1 及び θ_2 は，それぞれ固体表面の温度と流体の温度を示し，S は固体の [7] である．

〈[6] 及び [7] の解答群〉

ア 厚さ　**イ** 体積　**ウ** 断面積　**エ** 伝熱面積　**オ** 透過率

カ 放射率　**キ** 誘電率　**ク** 流速

2) 加熱炉や溶解炉の熱効率を良くするためには，[8] が小さい炉壁材料を使用して炉内から外部へ逃げる熱損失を低減することや，間欠操業の炉においては，炉壁材料に比熱及び密度の小さい材料を使用し，[9] を削減することが効果的である．また，放射や [10] による熱損失を低減するためには，操業中の炉蓋や扉の開放時間を短縮することも有効である．

〈[8] ～ [10] の解答群〉

ア ステファン・ボルツマン定数　**イ** 貫流　**ウ** 層流　**エ** 対流

オ 潜熱　**カ** 蓄熱量　**キ** 熱抵抗　**ク** 熱伝導率　**ケ** 膨張率

(3) 次の各文章の [11] ～ [15] の中に入れるべき最も適切な数値をそれぞれの解答群から選び，その記号を答えよ．

質量 **200 kg** の金属を **40** 分間で **20 ℃** から **1 200 ℃** まで昇温する加熱炉がある．被加熱物の比熱は **0.477 kJ/(kg·K)** であり，温度に関わらず一定とする．また，この加熱炉は熱的に安定した状態であり，炉からの熱損失は **35 kW** で一定とする．

1) 加熱炉の入力端における電力が **110 kW** で一定の場合，この加熱炉の原単位は [11] **[kW·h/kg]** である．

2) このときの加熱正味熱量は [12] **[kW·h]** であり，加熱炉の電気効率は [13] [%] となる．

〈[11] ～ [13] の解答群〉

ア **0.250**　**イ** **0.367**　**ウ** **0.483**　**エ** **26.5**　**オ** **31.3**　**カ** **38.3**

キ **50.8**　**ク** **68.2**　**ケ** **74.5**

3) 電気効率及び熱損失には変化がないものとすれば，同じ昇温条件で入力端における

電力を **120 kW** に増加すると，加熱時間は［ 14 ］[分] に短縮され，原単位も［ 15 ］[**kW·h/kg**] に低減される．これは，高電力化により加熱時間が短くなったことで，相対的に熱損失が減少したことによる省エネルギー効果を意味するものである．

〈［ 14 ］及び［ 15 ］の解答群〉

ア 0.221　**イ** 0.345　**ウ** 0.426　**エ** 34.5　**オ** 35.3　**カ** 36.7

問題 14（電気化学─選択問題）

次の各問に答えよ．（配点計 **50** 点）

(1) 次の各文章の［ 1 ］～［ 11 ］の中に入れるべき最も適切な字句，数値又は記述をそれぞれの解答群から選び，その記号を答えよ．なお，［ 9 ］は **2** 箇所あるが，同じ記号が入る．

1) 電気エネルギーと化学エネルギーの直接変換を担うのが電気化学システムである．この基本要素である電極は **2** 種類に分けられ，脱電子反応すなわち酸化反応が起こる［ 1 ］と，受電子反応すなわち［ 2 ］反応が起こる［ 3 ］とがある．この電極は電子伝導体であり，電極触媒能とともに電子伝導性が良いことが電極材料の条件となる．この **2** 種の電極間に介在するのがイオン伝導体である［ 4 ］である．このイオン伝導体も良好なイオン伝導性を有する必要がある．

電気化学システムでは，電子伝導体とイオン伝導体界面で起こる電子授受の反応が特徴である．

これらを生かすことにより，電気エネルギーと化学エネルギーの直接変換が可能となる．

2) 電気化学システムを利用して水を分解すると，水素と酸素が得られる．これは，電気エネルギーから化学エネルギーへの変換の一つである．これに基づく産業は古くから水電解工業として存在し，安価な電力の得られるところでは，アンモニア製造等への水素供給を担っている．

水電解反応は次式で表される．

$$2H_2O \rightarrow 2H_2 + O_2$$

このように，水素は水が還元されて生成する．ここで，水素 **1** 分子当たり，反応に関与する電子数は［ 5 ］[個] である．

〈［ 1 ］～［ 5 ］の解答群〉

ア 1　**イ** 2　**ウ** 4　**エ** アノード　**オ** カソード　**カ** 界面
キ 還元　**ク** 酸化　**ケ** 中和　**コ** 気体　**サ** 固体　**シ** 電解質

3) 電気化学システムを用いると，金属を高純度化することもできる.

① 電気化学システムを用いて，金属を高純度化するプロセスは [6] と呼ばれ，これも2)と同様に古くから工業的に活用されている.

② 電線等に利用される銅は，純度が低いと電気抵抗が大きく，この抵抗による電力損失が大きくなる．高純度の銅を得るためには，純度の低い粗銅を**2**種の電極のうちの [7] にして電気分解を行う．このとき，**2**種の電極間のイオン伝導体としては，[8] 水溶液が用いられる．この構成の電気分解により，一段で純度**99.99 %**以上の高純度の銅が生成する.

〈[6]～[8]の解答群〉

ア アノード　**イ** カソード　**ウ** 陰極　**エ** 塩酸　**オ** 水酸化カリウム
カ 硫酸　**キ** 電解精製　**ク** 電解製鉄　**ケ** 電解メッキ

③ この電気分解では，不純物と銅の持つ [9] 傾向の差を利用する．電圧を巧みに制御することにより，[9] 傾向が銅 [10] 不純物は電解液中に残り，純銅上には析出しない．また，溶解しない不純物は溶液中に溶けずに固体として沈殿する.

ここでの反応は次のように表すことができる.

Cu（粗銅）→ **Cu**（純銅）

このとき，銅**1**原子当たり，反応に関与する電子数は [11] [個] である.

〈[9]～[11]の解答群〉

ア **1**　**イ** **2**　**ウ** **3**　**エ** イオン化　**オ** ファラデー化　**カ** 静電力
キ より小さな　**ク** と同程度の　**ケ** より大きな

(2) 次の各文章の [**A** $\mathbf{a.bc \times 10^d}$] ～ [**D** $\mathbf{a.bc \times 10^d}$] に当てはまる数値を計算し，その結果を答えよ.

ただし，解答は解答すべき数値の最小位の一つ下の位で四捨五入すること.

なお，銅の原子量は**63.5**とし，ファラデー定数は**26.8 A·h/mol**とする.

1) 水の電気分解で**2 mol**の水素を作るのに必要な理論電気量は [**A** $\mathbf{a.bc \times 10^d}$] **[A·h]** である.

この電気分解における理論分解電圧が**1.21 V**であるとき，実際の操業電圧は**1.82 V**であった．このときの電圧効率は [**B** $\mathbf{a.bc \times 10^d}$] [%] となる.

2) 純銅を電解で製造するとき，このプロセスで純銅を**5.00 kg**得るのに必要な理論電気量は [**C** $\mathbf{a.bc \times 10^d}$] **[A·h]** である．また，このプロセスで，理論電気量と同じ電気量で電解したところ，実際に得られた純銅は**4.68 kg**であった．このときの電流効率は

D a.bc × 10^{d} [%] である.

問題 15（照明—選択問題）

次の各問に答えよ.（配点計 50 点）

(1) 次の各文章の A a.b ～ E ab に当てはまる数値を計算し，その結果を答えよ. ただし，解答は解答すべき数値の最小位の一つ下の位で四捨五入すること. なお，円周率 $\pi = 3.14$ とする.

1) 400 W の光源を取り付けた投光器がある. 図1に示すように，平面頂角 20° の円錐（えんすい）範囲内に全光束が投射されるとすると，その平均光度は A a.b × 10^{4} [cd] と求まる. ただし，光源の発光効率を 20 lm/W，器具の効率を 80 % とし，$\cos 10° = 0.9848$ とする. なお，半頂角 θ の円錐の立体角 ω は $\omega = 2\pi(1 - \cos\theta)$ で表される.

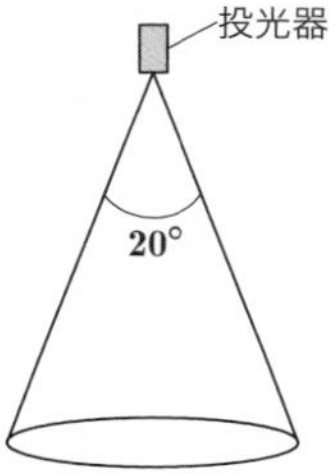

図1

2) 間口 30 m，奥行き 40 m の部屋に，定格電力 500 W，総合効率 50 lm/W の光源が 20 個設置されている. この部屋に，更に定格電力 300 W，総合効率 120 lm/W の光源 n 個を設置し，床面の照度を 350 lx にしたい. 必要最小限の光源数 n は B ab [個] となる. ただし，照明率 0.60，保守率 0.70 とする.

3) 図2に示すように，床面に対する鉛直線 OP 上で床面から 2.5 m 離れた位置に，円の中心が O で直径 50 cm の完全拡散性円板光源が床面と平行に置かれている. ここで，床面上の P 点に，完全拡散性円形板の極めて小さな被照面を考える. この被照面の反射率は 0.7 であり，照度 E は 100 lx である.

このとき，円板光源の光度 I は C a.b × 10^{c} [cd]，輝度 L は D a.b × 10^{c} [cd/m²]，被照面の輝度は E ab [cd/m²] である.

なお，円周上の1点を A とし $\angle APO = \theta$ とすると，光源の輝度と照度の関係は $E = \pi L \sin^2\theta$，光源の面積 S と光度の関係は $SL = I$ で表すことができる.

(2) 次の各文章の 1 ～ 5 の中に入れるべき最も適切な字句，数値又は記述をそれ

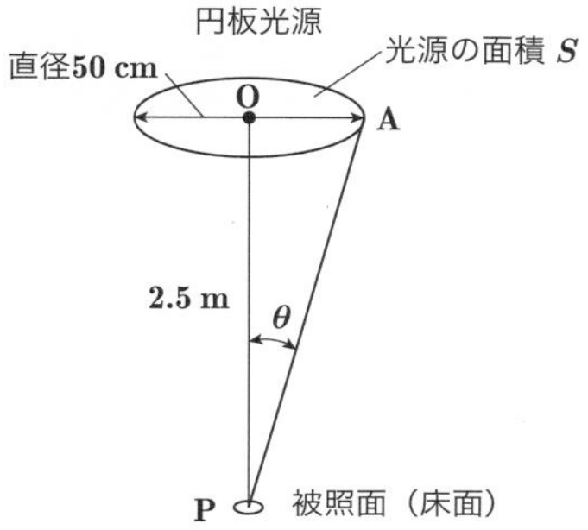

図 2

ぞれの解答群から選び，その記号を答えよ．

1)　照明用の **LED** パッケージは，一般的に [1] の **LED** と，その光で励起される黄色を発光する蛍光体を組み合せて白色を得ている．この白色は，[2] に基づく黒体軌跡から離れていない光色となる．

〈[1] 及び [2] の解答群〉

ア　青色　**イ**　赤色　**ウ**　緑色　**エ**　プランクの放射則

オ　ランベルトの法則　**カ**　標準比視感度曲線

2)　1) の **LED** において，例えば図 **3** に二つの白色 **LED** の相対分光分布特性を示すが，実線で示す(a)は破線で示す(b)に対して相関色温度が [3]，また光の質を表す平均演色評価数 **Ra** の値については，(a)と(b)の差は一概には分からない．

どちらの分光分布も二つのピークを持った形状をしており，一方のピークは **LED** からの直接発光によるもの，もう一方のピークは励起された蛍光体からの発光によるものである．ここで，波長の [4] にある方が **LED** からの直接発光によるものである．

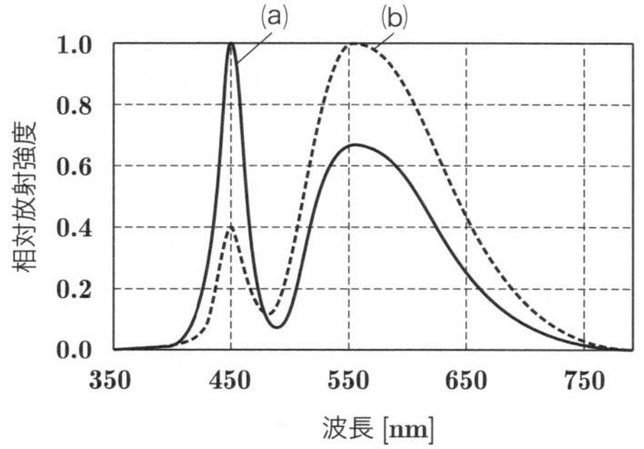

図 3　白色 **LED** の相対分光分布特性

また，**LED** から発せられるピーク波長の光が，蛍光体によって発せられるピーク波長の光に変換された場合のエネルギーロスは [5] [%] 程度である．

〈[3]～[5] の解答群〉

ア 20　**イ** 40　**ウ** 60　**エ** 紫外線領域　**オ** 長い領域
カ 短い領域　**キ** 低く　**ク** 高く

問題 16（空気調和—選択問題）

次の各問に答えよ．（配点計 **50** 点）

⑴ 次の表の [1]～[6] の中に入れるべき最も適切な字句を〈[1]～[6] の解答群〉から選び，その記号を答えよ．

空調設備に関しては，種々のエネルギー評価指標を用いて，工場等のエネルギーの使用状況やエネルギー性能等の評価を行うことができる．次の表は，それらのエネルギー評価指標の例を示したものである．

表　エネルギー評価指標の例

		評価指標の例 指数（X）	評価指数 $X=\frac{B}{A}$ 分母（A）	分子（B）
原単位評価		単位面積当たり年間熱負荷	延床面積 空調面積他	年間熱負荷
		単位面積当たり時間最大熱負荷		時間最大熱負荷
		[1]	室内周囲空間の床面積 [m^2]	室内周囲空間の年間熱負荷 [MJ/ 年]
効率評価	効率	ボイラ効率	[2]	発生熱量
		全熱交換器効率	排熱量	[3]
	成績係数	[4]	入力エネルギー	出力エネルギー
		APF（エアコンディショナ）	期間入力エネルギー	期間出力エネルギー
		[5]（主に中大型冷凍機）		
	環境効率	[6]（環境性能効率）	建築物の環境負荷（L）	建築物の環境品質（Q）

〈[1]～[6] の解答群〉

ア BEE　**イ** BOD　**ウ** CEC　**エ** CFC　**オ** COP
カ IPLV　**キ** ODP　**ク** PAL　**ケ** SPLV　**コ** 回収熱量
サ 損失熱量　**シ** 燃料の熱量　**ス** 蒸気量

⑵ 次の各文章の [7]～[16] の中に入れるべき最も適切な字句又は数値をそれぞれの解答群から選び，その記号を答えよ．

空気調和において，新鮮な外気の取り入れによる換気は，室内の良好な空気質の維持のためには必要不可欠であるが，一方で，外気の導入は大きな空調負荷となることから，空気質の維持と省エネルギーの両立を図るためには，適正な換気量を維持することが極めて重要である．

ここで，室内における適正な換気量について考える．

1） 室内に汚染質の発生があり，換気のために導入している外気中にも一定の汚染質が含まれているとき，定常状態における室内の汚染質の濃度$\boldsymbol{\sigma}$は，拡散を［ 7 ］と仮定すると，次の式で表される．ただし，単位は汚染質が気体の場合の例とする．

$$\sigma = \sigma_0 + \frac{q}{Q}\ [\mathrm{m^3/m^3}] \qquad \cdots\cdots①$$

ここで，σ_0 [m³/m³] は［ 8 ］，q [m³/h] は［ 9 ］，Q [m³/h] は［ 10 ］を示す．

〈［ 7 ］～［ 10 ］の解答群〉

ア 汚染質発生量　**イ** 外気汚染質濃度　**ウ** 室内初期濃度　**エ** 換気量
オ 完全拡散　**カ** 不完全拡散

2） 一般に，事務所ビルなどの居室の室内換気量は，居住者から呼吸により排出されるCO_2を汚染質の対象として，その濃度が法で定める基準値以下となるように決められる．CO_2濃度に関する居室の室内環境基準値は，「建築基準法」や「建築物における衛生的環境の確保に関する法律」によって，［ 11 ］[ppm] 以下と定められている．

3） 室内換気量は，1）の式①において，環境基準値を満たす室内CO_2濃度の許容値，室内のCO_2発生量，及び外気のCO_2濃度を設定することにより算出できる．ここで，外気のCO_2濃度について，従来は，一般に300 ppm程度として算出していた．しかしながら，近年，大気中のCO_2濃度は世界平均で約［ 12 ］[ppm] にまで上昇しているのが実態である．

〈［ 11 ］及び［ 12 ］の解答群〉

ア 100　**イ** 200　**ウ** 300　**エ** 400　**オ** 500　**カ** 1 000　**キ** 2 000

4） CO_2濃度の許容値を2）で示した法的な環境基準値とし，3）で示した外気のCO_2濃度の現状を考慮すると，室内換気量は，外気のCO_2濃度が300 ppmのときと比べて，外気の濃度変化だけの単純計算では，約［ 13 ］倍に［ 14 ］させる必要があることが分かる．

5） また，1）の式①において，換気量を［ 15 ］倍にするか，あるいは汚染質の発生量を［ 16 ］倍にすることで，汚染物質による外気濃度からの濃度の増加分を半分に抑えられることが分かる.

〈 13 ～ 16 の解答群〉

ア **0.1**　**イ** **0.5**　**ウ** **1.1**　**エ** **1.2**　**オ** **1.5**　**カ** **2**　**キ** **4**
ク **10**　**ケ** 増加　**コ** 減少

解答・指導

問題1

(1) 1—ウ，2—ア，3—エ，4—イ

(2) 5—エ，6—ウ，7—ウ，8—カ

(3) 9—ク，10—カ，11—エ

【指導】

(1) 1) 法第3条第1項では，「…エネルギーの使用の合理化及び非化石エネルギーへの転換等に関する**基本方針**（以下「基本方針」という.）を定め，…」と規定されている.

また，第2項では，「…エネルギーの使用の合理化及び非化石エネルギーへの転換等に関する事項について，**エネルギー需給の長期見通し**，電気その他のエネルギーの需給を…」と規定されている.

2) 法第12条第2項では，「…エネルギー管理員の**資質の向上**を図るための講習を…」と規定されている.

3) 法第15条第1項では，「…エネルギーの使用の合理化の目標に関し，その達成のための**中長期的な計画**を作成し，…」と規定されている.

(2) 1) 法第2条, 令第1条, 則第4条において, エネルギーの使用量は, 使用した燃料の量, 他人から供給された熱・電気の量が対象とされる.

この食品製造工場でのエネルギー使用量は，cの廃プラスチック廃棄物からの発熱量やdの風力発電装置からの発生電力は燃料から除外（法第2条，則第2条，第3条参照）されるので，**aとe**の合算値となる.

2) この事業者全体での原油換算量は，0.025 8 kL/GJ を考慮して，

$$(64\ 000 + 50\ 000 + 20\ 000 + 3\ 000) \times 0.025\ 8 = 3\ 534.6 \fallingdotseq \mathbf{3\ 535}\ \mathrm{kL}$$

3) 一方，食品製造工場での原油換算量は，

$$(64\ 000 + 50\ 000) \times 0.025\ 8 = 2\ 941.2\ \mathrm{kL}$$

であるので，第2種エネルギー管理指定工場（法第17条第1項，令第6条参照）となり，**エネルギー管理員**の選任が必要である（法第13条参照).

また，その選任は，選任すべき事由が生じた日から**6月以内**に行うこととされている.（則第23条参照）

⑶　1)　法第8条では，「特定事業者は，…エネルギーの使用の方法の改善及び監視その他経済産業省令で定める業務を統括管理する者（以下この条及び次条第1項において「**エネルギー管理統括者**」という.）を選任しなければならない.」と規定されている.

また，則第9条では，エネルギー管理統括者の業務が規定されているが，その内容は，①特定事業者が設置している工場等におけるエネルギーを消費する設備の新設，改造または撤去に関すること，②特定事業者が設置している工場等におけるエネルギーの使用の合理化等に関する設備の維持および新設，改造又は撤去に関すること，③エネルギー管理者およびエネルギー管理員等に対する指導等，④定期報告書などの報告書の作成事務に関すること，となっている.

上記から，エネルギー管理統括者の業務は，題意の **bとcとd** となる.

2)　令第18条では，特定エネルギー消費機器が示されているが，題意で与えられている機器では，**bとc** の「エアコンディショナー」と「変圧器」である.

問題2

⑴　1―エ，2―ウ　A―1.9×10^6

⑵　3―ウ，4―オ，5―エ，6―ケ

⑶　7―ア，8―イ，9―エ

【指導】

⑴　力 F [N] をSI基本単位によって表すと，質量 m [kg]，加速度α [m/s^2] から，$F=m\alpha$ より，F [kg·m/s^2] となる．また，力の加わる面積は S [m^2] である．パスカル P [Pa] は，$P=F/S$ なので，

$$[\mathrm{Pa}]=[\mathrm{N/m^2}]=[(\mathrm{kg\cdot m/s^2})/\mathrm{m^2}]=[\mathbf{kg/(m\cdot s^2)}]$$

と表すことができる.

標準大気圧（1気圧）P_{S} は，$P_{\mathrm{S}}=101\ 325$ Pa，約10^5 [Pa] である．通常，大きさを表す接頭語ヘクト h（$\times10^2$）を使って，$P_{\mathrm{S}}=101\ 325\fallingdotseq1\ 013$ hPa という.

ダムの水深180 mのときダム底部に加わる圧力 P_{x} は，力の加わる面積を1 m^2，また標準大気圧が加わっているものとして計算すると次のように求まる.

$$P_{\mathrm{x}}=9.8\times1\ 000\times180+P_{\mathrm{S}}=1.764\times10^6+0.101\ 325\times10^6$$
$$=1.865\times10^6\fallingdotseq\mathbf{1.9\times10^6}\ \mathrm{Pa}$$

⑵　再生可能エネルギーは英語で **renewable** energy である．現在，わが国において再生可能エネルギー発電を発電電力量が多い順に列挙すると，小水力，太陽光，バイオマス，風力，地熱発電である.

この再生可能エネルギー発電の中で化学エネルギーを貯蔵していると考えられるのは**バイオマス**発電である．

再生可能エネルギー発電を促進するため，わが国で2012年7月から導入されたものが**固定価格買取制度**である．

⑶ 問題文にあるエネルギー白書によると，可採年数は**石炭**113年，石油53.3年，天然ガス54.8年であり，年数が最も長いのは石炭である．

中東地域は現在，政情が安定した地域といい難く，わが国への安定したエネルギー供給には懸念がもたれている．中東からの輸入割合，いわゆる中東依存度が高い順に**石油**（83.6％），LNG（29.8％），石炭（≒0％）である．

石炭は炭素含有量が8割程度と比較的高いため，単位発電量当たりの二酸化炭素排出量がこの3種のうちで最も多い．熱効率の向上により二酸化炭素排出量を抑制する新技術として**石炭ガス化複合発電**がある．

問題3 1―カ，2―キ，3―ケ，A―14.8，B―1.16×10^3，C―9.52，4―オ，5―カ，6―エ，7―ア，D―3.55×10^4，E―4.8，F―900，8―ウ，G―80，9―オ，10―イ，11―エ，12―イ

【指導】

⑴ 「工場等判断基準」の「基準部分（工場）」は，事業者が遵守すべき基準を示したもので，以下の6分野からなる．

① 燃料の燃焼の合理化

② **加熱及び冷却並びに伝熱**の合理化

③ 廃熱の回収利用

④ 熱の動力等への変換の合理化

⑤ 放射，伝導，抵抗等によるエネルギーの損失の防止

⑥ 電気の動力，熱等への変換の合理化

また，6分野に関して，各々に「管理及び基準」「**計測及び記録**」，「保守及び点検」及び「新設に当たっての措置」の4項目に関する遵守内容が記載されている．

⑵ 「工場等判断基準」の「基準部分（工場）」では，コージェネレーション設備の新設・更新においては，**熱及び電力の需要実績**と将来動向について十分な検討を行い，適正な種類及び規模の設置を求めている．

⑶ 求める蒸気量をq [kg] とし，熱収支に注目すると次式が成立する．

$$300 \times 83.9 + q \times 2\,748.1 = (300 + q) \times 209.3$$

$$q \fallingdotseq 14.82 \fallingdotseq 14.8 \text{ kg}$$

(4) ステファン・ボルツマンの法則より，物体からの放射エネルギー E [W/m^2] は，物体の絶対温度を T [K]，放射率をε，ステファン・ボルツマン定数をσ [W/(m^2·K^4)] とすると，次式で表される．

$$E = \varepsilon\sigma T^4 \text{ [W/m}^2\text{]}$$

上式に数値を代入して，

$$E = 0.8 \times 5.67 \times 10^{-8} \times (273 + 127)^4 \fallingdotseq 1.16 \times 10^3 \text{ W/m}^2$$

(5) 燃焼時の反応式より，メタン 1 mol 燃焼させるに必要な酸素は 2 mol であるから，メタン 1 $\text{m}^3{}_\text{N}$ 燃焼させるときの必要酸素量は 2 $\text{m}^3{}_\text{N}$ なので，理論空気量 A_0 [$\text{m}^3{}_\text{N}$] は，

$$A_0 = 2 \times \frac{1}{0.21} \fallingdotseq 9.523\,8 \fallingdotseq 9.52 \text{ m}^3{}_\text{N}$$

(6) 「工場等判断基準」の「基準部分（工場）」では，燃料の燃焼の管理に関して，燃焼設備ごとに，燃料の供給量，**燃焼に伴う排ガスの温度**などの記録に関する管理標準を設定し，この管理標準に基づき，定期的な計測とその記録を求めている．

(7) 「工場等判断基準」の「基準部分（工場）」では，熱利用設備を新設・更新する場合には，熱媒体を輸送する配管径路の合理化，**熱源設備の分散化**等により，放熱面積を低減することを求めている．

(8) 「工場等判断基準」の「基準部分（工場）」では，廃熱回収設備の新設・更新に当たっての措置として，廃熱回収率を高めるように**伝熱面の性状及び形状**の改善を行い，伝熱面積の増加等を求めている．

(9) 「工場等判断基準」の「基準部分（工場）」では，空気調和に関して，区画の使用状況等に応じた**設備の運転時間**，室内温度，換気回数などについて，管理標準の設定を求めている．

(10) 求める燃料使用量を Q [L] として，1 h = 3 600 s のエネルギー収支を考えると，次式が成立する．

$$150 \text{ MW}(= \text{MJ/s}) \times 3\,600 \text{ s} = 39 \text{ MJ/L} \times Q \text{ [L]} \times 0.39$$

$$\therefore \quad Q \fallingdotseq 35\,500 = 3.55 \times 10^4 \text{ L}$$

(11) この回路の 1 相当たりの，インピーダンス Z [Ω] は，

$$Z = \sqrt{R^2 + X^2} = \sqrt{3^2 + 4^2} = 5 \ \Omega$$

したがって，相電流 I [A] は，相電圧 $V = \dfrac{200}{\sqrt{3}}$ V なので，

$$I = \frac{V}{Z} = \frac{\frac{200}{\sqrt{3}}}{5} = \frac{40}{\sqrt{3}}\ \mathrm{A}$$

よって，負荷の消費電力 P [W] は，

$$P = 3I^2R = 3 \times \left(\frac{40}{\sqrt{3}}\right)^2 \times 3 = 4\,800\ \mathrm{W} = 4.8\ \mathrm{kW}$$

⑿　求める平均電力を P [kW] とすれば，次式が成立する．

$$350\ \mathrm{kW \cdot h} + P\ [\mathrm{kW}] \times \frac{1}{6}\ \mathrm{h} = 1\,000\ \mathrm{kW} \times \frac{1}{2}\ \mathrm{h}$$

$$\therefore\quad P = 900\ \mathrm{kW}$$

⒀　1）「工場等判断基準」の「基準部分（工場）」では，受電端における力率については，95 % 以上とすることを基準としている．

2）有効電力が P [kW]，無効電力が Q [kvar] のときの力率 $\cos\theta$ は，

$$\cos\theta = \frac{P}{\sqrt{P^2 + Q^2}} = \frac{40}{\sqrt{40^2 + 30^2}} = 0.8 = 80\ \%$$

⒁「工場等判断基準」の「基準部分（工場）」では，流体機械については，負荷に応じた運転台数の選択，**回転数の変更**等に関する管理標準の設定を求めている．

⒂　単位時間当たりのエネルギー W [J/s = W] は，空気量が Q [m^3/min = m^3/60 s]，圧力損失が P [kPa = kN/m^2] であるから，

$$W = P \times Q = \frac{PQ}{60}\left[\frac{\mathrm{kN \cdot m}}{\mathrm{s}} = \frac{\mathrm{kJ}}{\mathrm{s}} = \mathrm{kW}\right]$$

$$\therefore\quad W = \frac{PQ}{60}\ \mathrm{kW}$$

⒃　誘導加熱は，電磁誘導作用によって被加熱材に誘起される**渦電流**を利用した加熱方式である．

⒄　直管 LED ランプの固有エネルギー消費効率（汎用 40 タイプ（昼白色）直管蛍光ランプ相当）は，**130 〜 200** lm/W 程度である．

問題4

⑴　1 ─ イ，2 ─ ク，3 ─ カ，4 ─ ク

⑵　5 ─ カ，6 ─ ク，7 ─ キ，8 ─ エ，9 ─ ケ，10 ─ ウ，11 ─ オ，12 ─ ア，13 ─ ケ

【指導】

(1)　1)　a, b 端子間の電圧 $\dot{V}_0$ は, $\mathrm{j}X_2$ に電流が流れないため, $-\mathrm{j}X_3$ に加わる電圧であり, **第1図**より,

$$\dot{V}_0 = \frac{-\mathrm{j}X_3}{\mathrm{j}X_1 - \mathrm{j}X_3} \times \dot{E} = \boldsymbol{\frac{-X_3}{X_1 - X_3}} \times \dot{E}\ [\mathrm{V}]$$

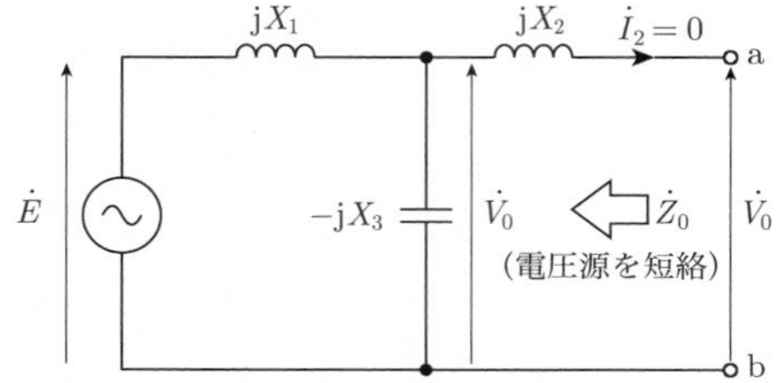

第1図

電圧源を短絡除去した後, a, b 端子から電源側を見たインピーダンス $\dot{Z}_0$ は

$$\dot{Z}_0 = \mathrm{j}X_2 + \frac{\mathrm{j}X_1(-\mathrm{j}X_3)}{\mathrm{j}X_1 - \mathrm{j}X_3} = \mathrm{j}X_2 + \frac{\mathrm{j}X_1(-X_3)}{X_1 - X_3} = \mathrm{j}\left(\boldsymbol{X_2 - \frac{X_1X_3}{X_1 - X_3}}\right)[\Omega]$$

2)　a, b 間に抵抗 $R\,[\Omega]$ を接続した場合, R に流れる電流 $\dot{I}_\mathrm{R}$ は, 鳳・テブナンの定理より,

$$\dot{I}_\mathrm{R} = \boldsymbol{\frac{\dot{V}_0}{\dot{Z}_0 + R}}\ [\mathrm{A}]$$

R の両端に加わる電圧 $\dot{V}_\mathrm{R}$ は,

$$\dot{V}_\mathrm{R} = \dot{I}_\mathrm{R}R = \boldsymbol{\frac{R}{\dot{Z}_0 + R}\dot{V}_0}\ [\mathrm{V}]$$

(2)　1)　問題の図4において線間電圧 v_ab を基準とするとき, 線電流 i_a は v_ab に対して π/3 rad 遅れていることから, 次式となる.

$$i_\mathrm{a} = \boldsymbol{100\sqrt{2}\sin\left(\omega t - \frac{\pi}{3}\right)}\ [\mathrm{A}]$$

また, **第2図**より相電圧 v_a は, 線間電圧 v_ab に対して 30°= π/6 rad 遅れていること, および大きさは$1/\sqrt{3}$ 倍であることから, 次式となる.

$$v_\mathrm{a} = \boldsymbol{\frac{200\sqrt{2}}{\sqrt{3}}\sin\left(\omega t - \frac{\pi}{6}\right)}\ [\mathrm{V}]$$

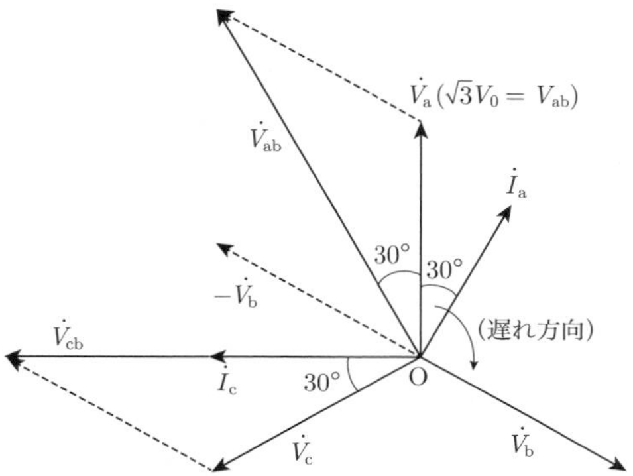

第 2 図 相電圧と線間電圧

2) 次に基準を相電圧に変えて瞬時値表示から複素数表示により表す．$v_{\rm a}$ に対する $\dot{V}_{\rm a}$，$v_{\rm ab}$ に対する $\dot{V}_{\rm ab}$ および，$i_{\rm a}$ に対する $\dot{I}_{\rm a}$ とすると，$i_{\rm a}$ と $\dot{V}_{\rm ab}$ の位相関係に注意して，

$$\dot{V}_a = \frac{200}{\sqrt{3}}\,{\rm e}^{{\rm j}0}\ [{\rm V}]$$

$$\dot{V}_{\rm ab} = \mathbf{200e}^{\mathbf{j}\frac{\boldsymbol{\pi}}{\mathbf{6}}}\ [{\rm V}]$$

$$\dot{I}_{\rm a} = \mathbf{100e}^{-\mathbf{j}\frac{\boldsymbol{\pi}}{\mathbf{6}}}\ [{\rm A}]$$

となり，負荷の力率角（$\dot{V}_{\rm a}$ と $\dot{I}_{\rm a}$ の間の位相角度）は$-\pi/6$ rad（遅れ）である．

3) 問題の図 3 において電力計 $W_{\rm A}$ の正方向に入力される電圧は $\dot{V}_{\rm ab}$，電流は $\dot{I}_{\rm a}$ である．両者の位相差を $\theta_{\rm A}$ [rad] とすると，電力表示 $P_{\rm A}$ [W] は

$$P_{\rm A} = \left|\dot{\boldsymbol{V}}_{\mathbf{ab}}\right|\cdot\left|\dot{\boldsymbol{I}}_{\mathbf{a}}\right|\cdot \mathbf{cos}\ \boldsymbol{\theta}_{\mathbf{A}}\ [{\rm W}]$$

問題の図 4 より，位相差 $\theta_{\rm A}$ [rad] は，

$$\theta_{\rm A} = \frac{\boldsymbol{\pi}}{\mathbf{3}}\ {\rm rad}\quad（遅れ）$$

である．したがって，数値を代入して得られる電力表示 $P_{\rm A}$ [W] は，

$$P_{\rm A} = 200 \times 100 \cdot \cos\frac{\pi}{3} = 200 \times 100 \times 0.5 = \mathbf{10\,000}\ {\rm W}$$

4) 電力計 $W_{\rm C}$ の正方向に入力される電圧は $\dot{V}_{\rm cb}$，電流は $\dot{I}_{\rm c}$ である．両者の位相差を $\theta_{\rm C}$ [rad] とすると，第 2 図より，$\theta_{\rm C} = \mathbf{0}$ rad である．また，電力表示 $P_{\rm C}$ [W] は，

$$P_{\rm C} = 200 \times 100 \cdot \cos 0 = 200 \times 100 \times 1 = 20\,000\ {\rm W}$$

よって，三相交流電力 P_{T} [W] は，

$$P_{\mathrm{T}} = P_{\mathrm{A}} + P_{\mathrm{C}} = 10\,000 + 20\,000 = \mathbf{30\,000}\ \mathrm{W}$$

となる．なお，特異な角度における三角比の求め方を**第3図**に示す．

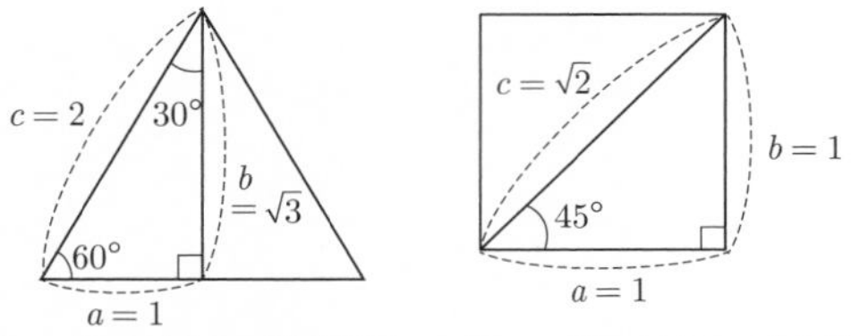

(a)　一辺の長さ2の正三角形　　(b)　一辺の長さ1の正方形

第3図　特異角度における三角比

第3図(a)より，

$$\cos 30° = \cos\frac{\pi}{6} = \frac{b}{c} = \frac{\sqrt{3}}{2} \quad (= \sin 60°)$$

$$\cos 60° = \cos\frac{\pi}{3} = \frac{a}{c} = \frac{1}{2} \quad (= \sin 30°)$$

および第3図(b)より，

$$\cos 45° = \cos\frac{\pi}{4} = \frac{a}{c} = \frac{1}{\sqrt{2}} \quad (= \sin 45°)$$

となる．試験会場では関数電卓が使えないため，暗記に頼らず導出できるようにしておきたい．

問題5

(1)　1 ―ウ，2 ―ケ，3 ―ウ，4 ―ア，5 ―エ

(2)　6 ―カ，7 ―ク

(3)　8 ―キ，9 ―イ，10 ―オ

(4)　11 ―ア，12 ―エ，13 ―オ

(5)　14 ―ア，15 ―ス，16 ―キ，17 ―エ

【指導】

(1)　1)　$J\ddot{\theta}(t)$ は $J\dfrac{\mathrm{d}^2\theta(t)}{\mathrm{d}t^2}$ のことである．問題文中の②式を初期値0でラプラス変換すると，

$$\boldsymbol{s^2 J\theta(s)} = mgl\,\theta(s) + T(s) \qquad (1)$$

となる．

2)　(1)式を変形し，入力 $T(s)$ に対する出力 $\theta(s)$ の伝達関数 $G(s)$ を求める．

$$\theta(s)(Js^2 - mgl) = T(s)$$

$$G(s) = \frac{\theta(s)}{T(s)} = \frac{\mathbf{1}}{\boldsymbol{Js^2 - mgl}}$$

3) 問題文中の③式の第1項は比例定数 K_1 を掛けているため比例，すなわち**P 動作**である．第2項は一階微分（$\dot{\theta}(t)$）があるため微分，すなわち**D 動作**である．

4) 問題の図3の伝達関数に対する特性方程式は

$$s^2 + 4s + K_1 - 2 = 0$$

である．漸近安定条件とは特性方程式の解（根）の実数部が負であることで，入力に対する出力は時間の経過により次第に0に近づく．根を求めると次のようになる．

$$s_1, s_2 = \frac{-4 \pm \sqrt{16 - 4(K_1 - 2)}}{2} = \frac{-4 \pm 2\sqrt{6 - K_1}}{2} = -2 \pm \sqrt{6 - K_1} \qquad (2)$$

よって，$\sqrt{6 - K_1}$ が正（$K_1 < 6$）であった場合，(2)式が常に0よりも小さいことが安定条件である．また，負（$K_1 > 6$）のときは振動性をもつが，第1項の -2 より，出力は次第に0となる．したがって，$\sqrt{6 - K_1}$ が正の場合で条件を求める．

$$-2 + \sqrt{6 - K_1} < 0$$

$$(\sqrt{6 - K_1})^2 < 2^2$$

$$6 - K_1 < 4$$

$$\therefore \ \boldsymbol{2 < K_1}$$

がこの系が漸近安定となる条件である．

(2) 1) 問題文中にある評価関数を定義し，与えられた拘束条件のもとで，その評価関数の値を最小または最大にする制御方法を**最適**制御という．

2) 問題文中にあるシステムの動特性の変化に対して制御パラメータの種類・大きさを変化させる制御方法を**適応**制御という．

(3) 無線 LAN のセキュリティ方式の一つである WEP はデータの暗号化に**秘密鍵暗号**方式を使用し，通信対象を識別するための **SSID** およびデータ復元に WEP キーを使用する．問題文のとおりセキュリティ強度が低く，悪意ある第3者による侵入・データ不正取得をされやすい欠点がある．WEP2（WEP-II）は WEP キーの桁数を増やして暗号解読をされにくくしたものであるが，WEP と同じ欠点をもつ．したがって，最近では**ユーザ認証**機能を備え，上記の欠点を改善し，セキュリティ強度の高い WPA，WPA2 等が推奨されている．

(4) インターネットのホームページなどを閲覧するためのソフトウェアを Web ブラウザという．ホームページの画面は **HTML** という形式言語で書かれている．ホームページの画面をパソコンで表示する場合，**Webサーバ**から画面・画像データを受信して表示する．画面表示の高速化，データ通信量の削減を図るためWebブラウザ(パソコン)側で表示したデータを保存する機能を**キャッシュ**機能という．

(5) 問題にある「負の値には2の補数表現」を10進数に変換する手順を以下に示す．

2進数の2の補数表現例

① $(1001\ 1011)_2$ →最上位桁が1なので負→すべての桁の0, 1を入れ替える(ビット反転)

② $(0110\ 0100)_2$ →1を加える

③ $(0110\ 0101)_2$（絶対値）

$$10進数 = 2^7 \times 0 + 2^6 \times 1 + 2^5 \times 1 + 2^4 \times 0 + 2^3 \times 0 + 2^2 \times 1 + 2^1 \times 0 + 2^0 \times 1$$
$$= 101 \to -101$$

正の最大値は $(0111\ 1111)_2$ の127である．

負で最大の絶対値をもつ値は2の補数表現で表すと，

① $(1000\ 0000)_2$ である．上記例を参考にビット反転

② $(0111\ 111)_2$ →1を加えて

③ $(1000\ 0000)_2$（絶対値）

この10進数は $2^7 \times 1 = 128 \to$ **−128** となる．

この負の値の2の補数表現は計算機内で扱いが容易なため採用される場合が多い．8ビットすなわち2進数8桁の符号付き整数データの場合，2進数7桁の情報で数値を表し，左端の最**上位**桁（ビット）の0，1で正負を示し，**1**であれば負である．問題文中のデータは2の補数表現であり，これを10進数で示すと，次のようになる．

① $(1111\ 1110)_2$ →最上位桁が1なので負→すべての桁の0, 1を入れ替える(ビット反転)

② $(0000\ 0001)_2$ →1を加える

③ $(0000\ 0010)_2$（絶対値）

$$10進数 = 2^1 \times 1 = 2 \to \mathbf{-2}$$

問題6

(1) 1—イ，2—ア，3—ク，4—ケ

(2) 5—エ，6—イ，7—コ，8—シ，9—ア，10—オ

【指導】

(1) ① 測定電流によって磁化された金属間の吸引・反発力を利用した計器は，**可動鉄片**形である．可動鉄片形計器は，主に商用周波の交流電圧計・電流計に使用され，構造が簡単で丈夫である．

② 永久磁石の磁界とコイルに流れる電流の相互作用を利用した計器は，**可動コイル**形である．可動コイル形計器は，直流用の電圧計・電流計に広く使用され，強力な永久磁石を搭載しているので，外部磁界の影響を受けにくい．

③ 2組のコイルに流れる電流の電磁力を利用した計器は，**電流力計**形である．

電流力計形計器は，商用周波の交流測定の標準用計器として使用されているが，外部磁界の影響を受けやすい欠点がある．

④ 磁界とそれによって生じる渦電流との相互作用を利用した計器は，**誘導**形である．誘導形計器は，主に電力量の計量に使用されている．

(2) ① **差圧**式流量計は，ベルヌーイの法則を応用して，管内の2点間の圧力差から，流量を求める方式である．圧力差を検出させるため，オリフィスやベンチュリなどが使用されるが，絞り機構としてはオリフィスプレートが一般的である．

適用範囲は広く液体，気体，工夫次第ではスラリーの測定も可能であり，小流量から大流量まで測定範囲も広い．また，構造が簡単で，低価格である．

② 容積式流量計は，流体の容積を**ますの回転数を計測**して，流量を求める方式である．流体の物性（圧力・温度・粘性など）の影響を受けにくいが，構造が複雑なので，**大流量の計測が困難**である．また，定期的に分解整備する保守の必要性があるので，その費用負担は大きい．

③ **タービン**式は，流路に設置された羽根車の回転数を計測して，流量を求める方式である．主として，低粘性液体の流量測定に適しているが，高粘性液では，羽根の周りに液がへばりつき，特性が悪くなり，不適である．

④ 電磁式は，磁界と直角方向に**導電性液体**の流速があるとき，両者に直角方向に起電力が生じることを利用して，流量を求める方式である．測定可能な流量範囲は広く，口径も2.5 mmから2 000 mmを超えるものまで，広範囲の口径に適用できる．また，**圧力損失を生じない**ことも重要な特徴の一つである．

⑤ 超音波式は，流体の上流側と下流側で超音波の送受信を行い，伝搬時間を計測して流量を求める方式である．

超音波流量計の流量信号は，体積流量に比例し，密度や粘度の影響を受けない．また，電磁流量計と同様に**圧力損失を生じない**．

問題7

(1) 1—ク，2—ケ，3—ア，4—オ，5—カ

(2) 6—エ，7—ウ，8—キ，9—イ，10—エ

⑶　A ― 68.6，B ― 5.60，C ― 57.1，11 ―ウ，12 ―オ

【指導】

⑴　1）　わが国の電気設備に関する電圧は「電気設備に関する技術基準を定める省令第 2 条（電圧の種別等）」より以下に定義される．

低圧：交流 **600** V 以下（直流 **750** V 以下）のもの．

高圧：低圧を超え **7** kV 以下のもの．

特別高圧：高圧を超えるもの．

2）　非接地三相 3 線配電方式は三相回路の中性点を接地しない方式である．接地形計器用変圧器は配電線路の**地絡**保護のため用いられる．なお接地形計器用変成器の一次巻線の中性点を接地しても地絡故障時の故障（地絡）電流が十分小さいため非接地として扱う．また，地絡電流が小さいため，近隣の弱電流電線への**電磁誘導障害**がほとんど発生しない．

⑵　1）　避雷器は受変電設備を過電圧から保護するものである．雷サージなどの高電圧が受変電設備に侵入した際，避雷器はある電圧値以下となるよう電圧を制限する．この電圧を制限電圧といい，避雷器によって保護される機器の絶縁強度を制限電圧以上にすることで機器を高電圧から保護する．この避雷器の制限電圧と機器の絶縁強度との関係を**絶縁協調**という．避雷器が保護すべき高電圧は雷サージのほかに**開閉サージ**と呼ばれているものもある．

2）　遮断器は三相短絡電流などの**故障電流**および負荷電流を遮断し，電路から切り離すことができる．遮断器内部の接触子が高速で離れることにより電流を遮断するが，遮断の直後，電流はアークとなって接触子間を通電し，やがてアークが消え（消弧）電路から切り離される．遮断器はこの**消弧**方式の違いより，真空，SF_6 ガス，磁気，空気，油遮断器等，各種類が存在する．

3）　充電された電路から他の電路・機器を開放することのみ可能な機器は**断路器**である．無負荷充電電流等，小電流であれば開放可能なものもあるが，遮断器と違い消弧能力がないため，負荷電流の開閉はできない．

⑶　1）　基準容量 100 kV·A における変圧器 A, B の短絡インピーダンス $\%Z_{sA}$, $\%Z_{sB}$ [%] は題意より，

$$\%Z_{sA} = 3\ \%$$

$$\%Z_{sB} = \frac{100}{75} \times 3 = 4\ \%$$

となる．また，題意にないが A，B の短絡インピーダンスの抵抗分とリアクタンス分の比は等しいとする．

負荷 P に対する各変圧器の分担 P_A, P_B [kV·A] の式を表す．**第1図**より

$$P_A = \frac{\%Z_{sB}}{\%Z_{sA}+\%Z_{sB}}P = \frac{4}{3+4}P = \frac{4}{7}P \ [\mathrm{kW}] \quad (1)$$

$$P_B = \frac{\%Z_{sA}}{\%Z_{sA}+\%Z_{sB}}P = \frac{3}{3+4}P = \frac{3}{7}P \ [\mathrm{kW}] \quad (2)$$

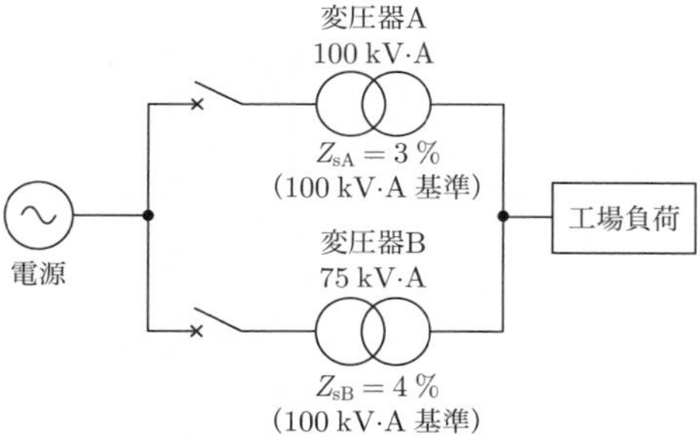

第1図　変圧器と工場負荷

問題の図の時間帯③において変圧器 A の分担負荷 P_{A3} は(1)式より計算する．

$$P_{A3} = \frac{4}{7}\times 120 = 68.571 ≒ \mathbf{68.6}\ \mathrm{kW}$$

2)　問題図の時間帯②（4 時間）において変圧器 A が単独で電力を供給した場合の全損失電力量を w_{A2} [kW·h] とする．題意から w_{A2} を無負荷損 0.2 kW，定格負荷（100 kV·A）銅損 1.2 kW および負荷の力率 0.8 より計算する．

$$w_{A2} = \left\{0.2 + \left(\frac{80/0.8}{100}\right)^2 \times 1.2\right\}\times 4 = 5.6 ≒ \mathbf{5.60}\ \mathrm{kW\cdot h}$$

3)　問題図において，この工場の需要率を計算する．(3)式から最大需要電力 = 120 kW，合計設備容量 = 210 kW より，

$$需要率 = \frac{最大需要電力}{合計設備容量} \quad (3)$$

$$= \frac{120}{210} = 0.571\,4 ≒ \mathbf{57.1}\ \%$$

4)　問題の図において時間帯③（8 時間）の負荷 30 kW を別の時間帯に移すことを考える．そのときの時間帯③の負荷

$$P_3' = 120 - 30 = 90\ \mathrm{kW}$$

となる．別の時間帯では 30 × 8 = 240 kW·h の一定負荷が増加することになる．各場合の

最大負荷を計算すると，

$$時間帯①（4時間）：P_1'=\frac{40\times4+240}{4}=100\ \mathrm{kW}，最大負荷\ P_1'=100\ \mathrm{kW}$$

$$時間帯②（4時間）：P_2'=\frac{80\times4+240}{4}=140\ \mathrm{kW}，最大負荷\ P_2'=140\ \mathrm{kW}$$

$$時間帯④（8時間）：P_4'=\frac{50\times8+240}{8}=80\ \mathrm{kW}，最大負荷\ P_4'=90\ \mathrm{kW}$$

となる．したがって，(3)式に示す需要率が最も小さくなるのは，負荷を**時間帯④**にシフトしたときである．

最大需要電力とは，ある期間中（本問は1日）に最も多く使用した電力（最大負荷）をいい，時間帯④にシフトしたとき90 kWである．最大負荷時の容量は力率0.8より90/0.8 = 112.5 kV·Aであり，最大容量の変圧器A（容量100 kV·A）であっても単独運転では過負荷となる．よって過負荷とならないよう，**変圧器Aおよび変圧器Bの両方**を用いる必要がある．

問題8
(1) 1—ク，2—コ，3—ウ，4—エ，5—ア，6—オ
(2) A—100，B—10，C—28，7—キ，D—3，8—ア

【指導】

(1) 1) 工場の負荷設備の大部分は，抵抗負荷と誘導負荷の組み合わせと考えられている．電動機等の誘導負荷は，一般に遅れ**無効**電流が大半を占めており，これが原因で力率が低下する．

力率を改善する目的で，進相コンデンサが使用されている．進相コンデンサを設置して力率を改善すると，無効電力が減少し，その結果，電力損失が減少し，**線路電圧降下**を低減することができる．

夜間などの軽負荷時に進相コンデンサを接続したまま運転をすると，遅れ無効電流が減少した負荷に対して，進相コンデンサの進み無効電流を供給することとなるため，線路電流が**進み**位相となる．

この状態では，負荷の端子電圧を**上昇**させることとなるため，力率調整装置などを用い，進相コンデンサを自動開閉する方法が行われている．

2) 自然エネルギーを利用した太陽光発電や風力発電は，化石燃料に代替するエネルギー資源として，国内でも急速に普及が進んでいる．

これらは，インバータを用いて配電系統と連系することが多く，電力品質の面から悪影響を及ぼさない以下の対策が求められている．

① インバータを用いた発電設備が配電系統と連系する場合の対策

・**高調波**の発生に対する交流フィルタの設置

・電圧変動に対する**静止形無効電力補償装置**の設置

② 公衆や作業者などの安全確保のための設備対策

・単独運転防止装置の設置

⑵ **第 1 図**の単相 2 線式配電線路の線路損失を求めると，

$$0.02 \times 50^2 + 0.02 \times 50^2 = \mathbf{100}\ \mathrm{W} \qquad (1)$$

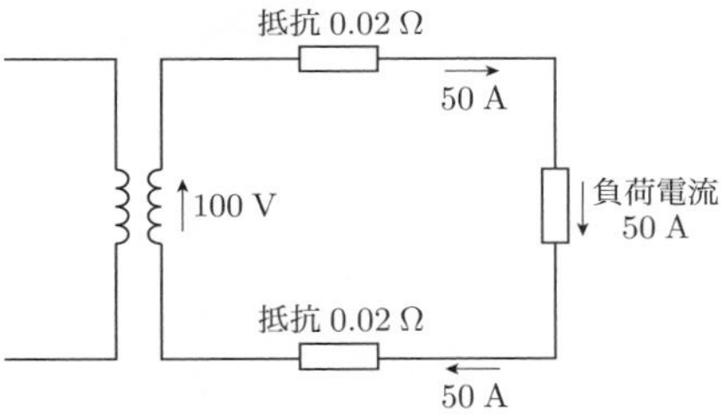

第 1 図

次に，**第 2 図**の単相 3 線式配電線路の中性線に流れる電流は，

$$30 - 20 = \mathbf{10}\ \mathrm{A}$$

となる．

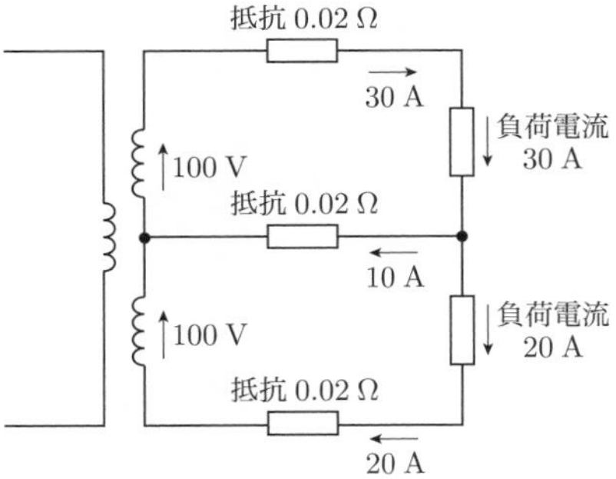

第 2 図

よって，3 線合計の線路損失は，

$$0.02 \times 30^2 + 0.02 \times 10^2 + 0.02 \times 20^2 = \mathbf{28}\ \mathrm{W} \qquad (2)$$

この単相 3 線式配電線路にバランサを取り付けた場合を**第 3 図**に示す．

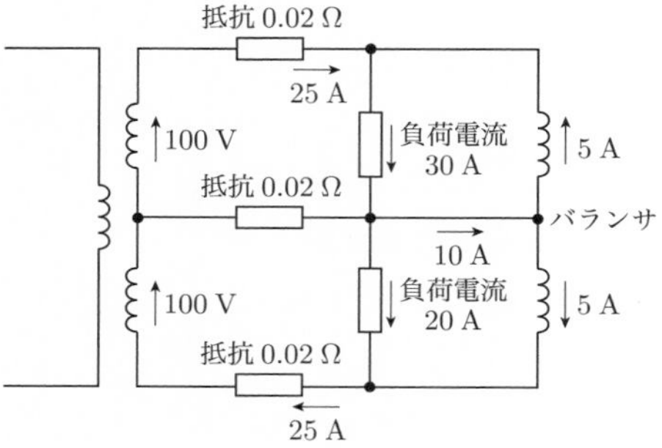

第 3 図

第 2 図と比較すると，配電線路に流れる電流の**不平衡**を改善することができることがわかる．

また，第 3 図の場合の全線路損失は，

$$0.02 \times 25^2 + 0.02 \times 0^2 + 0.02 \times 25^2 = 25 \text{ W} \tag{3}$$

よって，バランサがない場合に比べ，

$$(2)\text{式} - (3)\text{式} = 28 - 25 = \mathbf{3} \text{ W}$$

減少することがわかる．

また，単相 2 線式と比較すると，線路損失は，

$$\frac{25}{100} = \frac{\mathbf{1}}{\mathbf{4}} \text{ [倍]}$$

となる．

問題9

(1)　1 — セ，2 — ケ，3 — ウ，4 — ア，5 — エ

(2)　6 — サ，7 — ウ，8 — カ，9 — ク，10 — カ，11 — ア，12 — ク

(3)　A — 5 717，B — 1 307，C — 99.13，D — 43.6，E — 4.30

【指導】

(1)　1)　単相変圧器および三相変圧器を並列接続して運転する場合（並行運転）ではともに以下の条件が必要となる．

①　循環電流が発生しない．

②　負荷電流が各変圧器の**容量**に比例して分流する．

③　各変圧器に流れる電流が**同相**である．

上記①の対策は各変圧器の一次，二次定格電圧が等しく，**極性**を合わせて接続する．②の

対策は各変圧器の自己容量基準の短絡インピーダンスを定格容量基準に換算した短絡インピーダンスを等しくする．③の対策は各変圧器の抵抗とリアクタンスの比を等しくする．

2)　三相変圧器の並行運転では，1) に加えて以下の条件が必要となる．

①　一次，二次巻線間の**位相変位**が等しい．

②　**相回転**の方向が等しい．

(2)　1)　同期電動機の回転速度（同期速度）n_s [min^{-1}] は極数を p，周波数を f [Hz] とすると，

$$n_s = \frac{120f}{p} \ [\mathrm{min}^{-1}] \tag{1}$$

である．よって，**極数**と交流周波数により回転速度は定まる．

2)　三相同期電動機の出力を P_0 [W], 同期速度を n_s [min^{-1}] とすれば，トルク T [N·m] は，

$$T = \frac{P_0}{\omega_s} = \frac{P_0}{2\pi \frac{n_s}{60}} = \boldsymbol{\frac{60}{2\pi n_s} P_0} \ [\mathrm{N \cdot m}] \tag{2}$$

である．なお，ω_s は同期角速度 [rad/s] といい，n_s [min^{-1}] との関係は

$$\omega_s = 2\pi \frac{n_s}{60} \ [\mathrm{rad/s}]$$

である．

3)　回転界磁形の同期電動機は電機子巻線に交流電源を供給すると，回転磁界が発生する．一方，界磁巻線に直流電源を供給すると，回転子である磁極は一方向に磁化される．電動機が無負荷の場合，回転磁界の磁束軸と回転子磁極軸との間に遅れはない．しかし，電動機に負荷を与えると，回転子磁極軸が遅れ，**負荷角**と呼ばれる角度 δ [rad] が生じる．δ によって回転磁界の磁束と回転子磁極との間に**吸引力**が生じ，これが電動機トルクとなり，電動機は回転をする．

4)　三相同期電動機

第 1 図は円筒形三相同期電動機の 1 相分の等価回路である．第 1 図を元に描いたフェーザ（ベクトル）が**第 2 図**である．端子（相）電圧 V [V] に対して電機子電流 I [A] は ϕ [rad] 遅れている．

三相出力 P_0 [W] は，V [V] が相電圧であることを考慮すると，

$$P_0 = 3VI\cos\phi \ [\mathrm{W}] \tag{3}$$

である．また，第 2 図にある 2 本の縦太線部に着目すると，両者が等しいことがわかる．

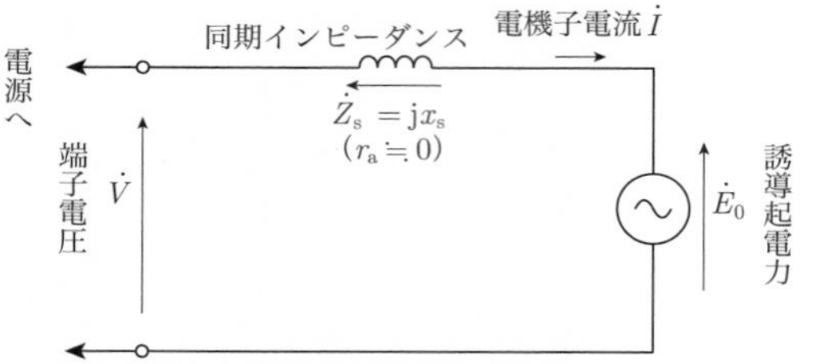

第1図　円筒形同期電動機（1相分）等価回路

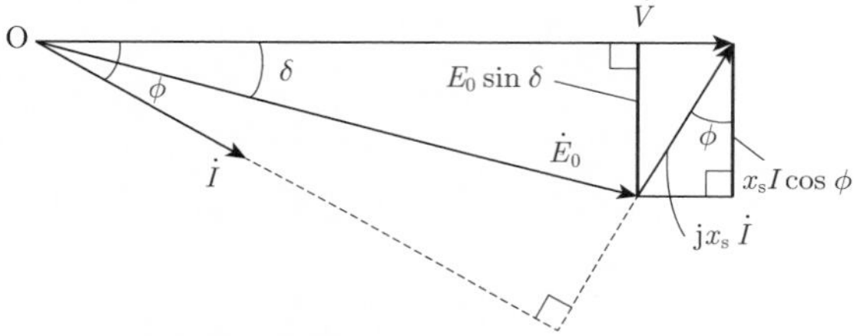

第2図　同期電動機（1相分）フェーザ（ベクトル）図

$$E_0 \sin \delta = x_s I \cos \phi \rightarrow I \cos \phi = \frac{E_0 \sin \delta}{x_s} \tag{4}$$

(3)式に(4)式を代入して整理すると，

$$P_0 = 3V \frac{E_0 \sin \delta}{x_s} = \boldsymbol{\frac{3VE_0}{x_s} \sin \delta} \ \ [\mathrm{W}] \tag{5}$$

となる．よって，(2)式，(5)式より，δが大きくなると電動機トルク T は大きくなり，δが 90° すなわち **π/2** rad のときに最大値 T_m となる．さらにδが 90° を超えると電動機トルクは減少し，電動機は同期速度を維持できなくなり，**同期外れ**（脱調ともいう）を起こす．

(3)　1)　問題の図より一次側に換算した二次電流 I_2' [A] によって抵抗 r [Ω] に生じる抵抗損が負荷損 p_c [W] になる．三相であることに注意して求める．

$$p_c = 3rI_2'^2 = 3 \times 0.249 \times 87.48^2 = 5\,716.6 \fallingdotseq \mathbf{5\,717}\ \mathrm{W}$$

2)　定格電圧時の無負荷損 p_i [W] は，問題の図の定格一次相電圧 V [V] のとき，励磁コンダクタンス g_0 [S] に生じる抵抗損である．三相であることに注意して求める．

$$p_i = 3g_0V^2 = 3 \times 0.03 \times 10^{-3} \times \left(\frac{6600}{\sqrt{3}}\right)^2 = 1\,306.8 \fallingdotseq \mathbf{1\,307}\ \mathrm{W}$$

1)の負荷 P [kW] は題意より皮相電力 $S = 1\,000$ kV·A，$\cos \theta = 0.8$ より，

$$P = S \cos \theta = 1\,000 \times 0.8 = 800.00\ \mathrm{kW}$$

となる．したがって，効率η [%] は以下のように求めることができる．

$$\eta = \frac{P}{P + p_{\mathrm{i}} + p_{\mathrm{c}}} = \frac{800.00 \times 10^3}{800.00 \times 10^3 + 1\,306.8 + 5\,716.6} = 0.991\,30 \fallingdotseq \mathbf{99.13}\ \%$$

3)　基準容量 $S_{\mathrm{B}} = 1\ 000$ kV·A，基準電圧 $V_{\mathrm{B}} = 6\ 600$ V のとき，基準電流 I_{B} [A] は，

$$I_{\mathrm{B}} = \frac{S_{\mathrm{B}}}{\sqrt{3} \cdot V_{\mathrm{B}}} = \frac{1\,000 \times 10^3}{\sqrt{3} \times 6\,600} = 87.477\ \mathrm{A}$$

したがって，基準インピーダンス Z_{B} [Ω] は相電圧 / 基準電流より，

$$Z_{\mathrm{B}} = \frac{V_{\mathrm{B}}/\sqrt{3}}{I_{\mathrm{B}}} = \frac{6\,600/\sqrt{3}}{87.477} = 43.560 \fallingdotseq \mathbf{43.6\ \Omega}$$

したがって，この変圧器の短絡インピーダンス $\%Z_{\mathrm{t}}$ [%] は Z_{B} [Ω] に対する変圧器インピーダンス Z_{t} [Ω] の百分率である．題意より，

$$Z_{\mathrm{t}} = \sqrt{r^2 + x^2} = \sqrt{0.249^2 + 1.856^2} = 1.872\,6\ \Omega$$

$$\%Z_{\mathrm{t}} = \frac{Z_{\mathrm{t}}}{Z_{\mathrm{B}}} = \frac{1.872\,6}{43.560} = 0.042\,98 \fallingdotseq \mathbf{4.30}\ \%$$

問題10

(1)　1―コ，2―シ，3―キ，4―オ，5―イ

(2)　6―ウ，7―カ，8―コ，9―ケ，10―オ，11―キ，12―イ

(3)　A―46.19，B―45.7，C―2.887，D―7.50，E―2.60

【指導】

(1)　1)　電気機器の内部で生じる**損失**は主に鉄損と銅損に分けられ，熱として発生し各部に温度上昇を生じる．鉄損は電圧・周波数一定であれば一定である．銅損は負荷電流の 2 乗に比例する電機子巻線等の抵抗損である．電気機器の温度上昇は，鉄損が一定のため，銅損すなわち負荷電流によって，変化する．定格電流は事前に計画した機器の寿命に影響を与えない限度以下となるよう設計される．よって，温度上昇は機器の**定格**（電流）を定める主要因の一つである．

2)　JEC-2100-2008 回転電気機械一般において**絶縁**物の耐熱クラスに関する規定があり，実用上十分な寿命を確保するための許容最高温度が定められている．

3)　**規約**効率の算定に使用する巻線抵抗は問題文中の温度測定法により得られた温度と測定した抵抗値を規定の耐熱クラスに対応した基準巻線温度に補正した値を使用する．JEC-2100-2008 では通常，冷媒温度の限度は空気 40°C，水では **25**°C である．

(2)　1)　三相かご形誘導電動機について定格電圧 1 000 V 以下，定格出力 0.75 kW 以上

から **375** kW 以下の範囲かつその他の条件を満たすものは効率クラス IE3(プレミアム効率) が適用される．効率クラス **IE3** が最も効率が高く，他には IE2（高効率），IE1（標準効率）がある．また，IE4，IE5 などさらに高効率化が進められている．

2)　電気機器の効率向上のためには全損失の低減を図ることが必要となる．鉄損の低減には**磁束密度**の最適化，鉄心断面積の増加，低損失鉄心材料の採用等を行う．銅損の低減には巻線抵抗の低下を図るため導体断面積の増加，コイル端長さの低減等を行う．**機械**損の低減には冷却ファンの小形・低損失化，軸受部の低損失化等を行う．

3)　従来の効率の誘導電動機から高い効率のものに置き換えた場合，問題点として以下のものがある．新しい電動機は**発生損失**がより抑制されているため，回転速度が**上昇**し，ポンプ・ファン等負荷の仕事量の増加により電動機の出力すなわち消費電力が増加することがある．プレミアム効率の電動機は標準効率の電動機に比べ**始動**電流が大きい．電動機のサイズ・質量ともに大きくなる．

上記の対策として，回転速度の増加に伴う負荷の増加については，ダンパ・バルブ等により入力調整を行う，インバータ駆動の場合，回転速度を下げる等を行う．始動電流の増加に対しては，配線用遮断器，保護継電器，配線等の見直し検討を行う．電動機のサイズ・質量の増加に対しては電動機の基礎，配置等の見直し検討を行う．

(3)　1)　問題の無負荷および拘束試験を表すものが**第 1 図**である．図(a)および題意より，無負荷試験時（$I_2{}'=0$）に加える電圧 E_1 [V]（相電圧），入力電流 I_0 [A] より，励磁インピーダンス $\dot{Z}_0$ の大きさ Z_0 [Ω] を求めると

$$Z_0=\frac{E_1}{I_0}=\frac{200/\sqrt{3}}{2.5}=46.188\fallingdotseq \mathbf{46.19}\ \Omega$$

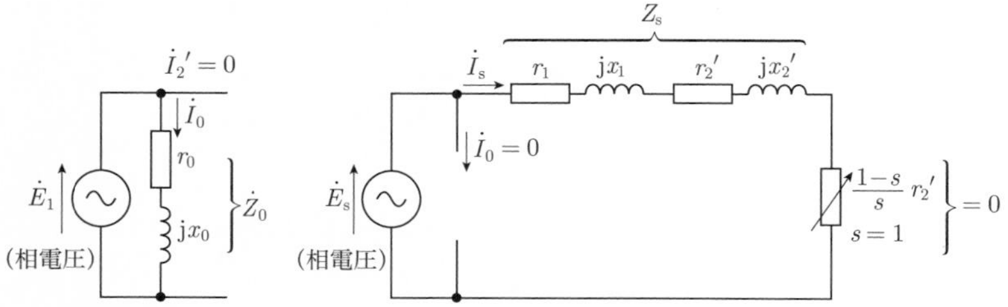

(a)　無負荷試験　　(b)　拘束試験

第 1 図　試験回路

入力 120 W（3 相分）に相当する励磁回路の抵抗分 r_0 [Ω] より，

$$120=3r_0I_0{}^2\ [\mathrm{W}]$$

これを変形して

$$r_0 = \frac{120}{3I_0^2} = \frac{120}{3\times 2.5^2} = 6.4\ \Omega$$

Z_0 は抵抗 r_0 とリアクタンス分 x_0 との直列回路である．よって，x_0 [Ω] は

$$x_0 = \sqrt{Z_0^2 - r_0^2} = \sqrt{46.188^2 - 6.4^2} = 45.742 \fallingdotseq \mathbf{45.7}\ \Omega$$

2)　拘束試験時は題意より励磁回路の影響を無視（$I_0 = 0$）することができる．図(b)および題意より拘束試験時（$s = 1$）に加える電圧 E_s [V]（相電圧），入力電流 I_s [A] より，一次，二次巻線の合成インピーダンス $\dot{Z}_s$ の大きさ Z_s を求めると，

$$Z_s = \frac{E_s}{I_s} = \frac{40/\sqrt{3}}{8.0} = 2.886\,8 \fallingdotseq \mathbf{2.887}\ \Omega$$

入力 240 W（3 相分）に相当する一次，二次巻線の抵抗分 $r_1 + r_2'$ [Ω] より，

$$240 = 3(r_1 + r_2')I_s^2\ [\mathrm{W}]$$

これを変形して，

$$(r_1 + r_2') = \frac{240}{3I_s^2} = \frac{240}{3\times 8.0^2} = 1.25\ \Omega$$

一次巻線の抵抗 r_1 は 1 相分であり，題意の線間測定値 1.0 Ω の 1/2，すなわち，$r_1 = 0.5$ Ω である．よって，二次巻線の抵抗分 r_2' [Ω] は上式より，

$$r_2' = 1.25 - r_1 = 1.25 - 0.5 = 0.75 \fallingdotseq \mathbf{7.50} \times 10^{-1}\ \Omega$$

Z_s は抵抗 $r_1 + r_2'$ とリアクタンス分 $x_1 + x_2'$ との直列回路である．よって，$x_1 + x_2'$ [Ω] は下式で求めることができる．

$$x_1 + x_2' = \sqrt{Z_s^2 - (r_1 + r_2')^2} = \sqrt{2.886\,8^2 - 1.25^2} = 2.602\,1 \fallingdotseq \mathbf{2.60}\ \Omega$$

問題11　1―ア，2―カ，3―ア，4―ク，5―ウ，6―エ，7―ク，8―カ，9―イ，10―シ

【指導】

1)　三相 3 線式では各線の線電流に関して

$$\boldsymbol{i_u + i_v + i_w = 0}$$

の関係がある．

永久磁石による磁束の方向 θ [rad] に対して u 相の巻線の位置は 0 rad なので，位相差 $\theta - 0 = \theta$ [rad] である．また，v 相の巻線位置は 2π/3 rad なので，位相差 $\boldsymbol{\theta - \frac{2\pi}{3}}$ [rad]

であり，w 相の巻線位置は 4π/3 rad なので，位相差 $\boldsymbol{\theta - \frac{4\pi}{3}}$ [rad] である．

2)　問題の④式に⑥式を代入する．

$$\boldsymbol{v}_{\mathrm{dq}}\mathrm{e}^{\mathrm{j}\theta} = r\boldsymbol{i}_{\mathrm{dq}}\mathrm{e}^{\mathrm{j}\theta} + \frac{\mathrm{d}}{\mathrm{d}t}(L_{\mathrm{a}}\boldsymbol{i}_{\mathrm{dq}}\mathrm{e}^{\mathrm{j}\theta}) + \mathrm{j}\omega\phi_{\mathrm{m}}\mathrm{e}^{\mathrm{j}\theta}$$

右辺第 2 項の微分は $\boldsymbol{i}_{\mathrm{dq}}$ と $\mathrm{e}^{\mathrm{j}\theta} = \mathrm{e}^{\mathrm{j}\omega t}$ の積であることに注意して変形する．

$$\boldsymbol{v}_{\mathrm{dq}}\mathrm{e}^{\mathrm{j}\theta} = r\boldsymbol{i}_{\mathrm{dq}}\mathrm{e}^{\mathrm{j}\theta} + \left(\mathrm{e}^{\mathrm{j}\theta}\frac{\mathrm{d}}{\mathrm{d}t}\boldsymbol{i}_{\mathrm{dq}} + \mathrm{j}\omega\boldsymbol{i}_{\mathrm{dq}}\mathrm{e}^{\mathrm{j}\theta}\right)L_{\mathrm{a}} + \mathrm{j}\omega\phi_{\mathrm{m}}\mathrm{e}^{\mathrm{j}\theta}$$

$$\boldsymbol{v}_{\mathrm{dq}}\mathrm{e}^{\mathrm{j}\theta}\cdot\mathrm{e}^{-\mathrm{j}\theta} = \left\{r\boldsymbol{i}_{\mathrm{dq}}\,\mathrm{e}^{\mathrm{j}\theta} + \left(\frac{\mathrm{d}}{\mathrm{d}t} + \mathrm{j}\omega\right)(L_{\mathrm{a}}\boldsymbol{i}_{\mathrm{dq}})\mathrm{e}^{\mathrm{j}\theta} + \mathrm{j}\omega\phi_{\mathrm{m}}\,\mathrm{e}^{\mathrm{j}\theta}\right\}\mathrm{e}^{-\mathrm{j}\theta}$$

$(\mathrm{e}^{\mathrm{j}\theta}\cdot\mathrm{e}^{-\mathrm{j}\theta} = 1)$

$$\boldsymbol{v}_{\mathrm{dq}} = r\boldsymbol{i}_{\mathrm{dq}} + \boldsymbol{\left(\frac{\mathrm{d}}{\mathrm{d}t} + \mathrm{j}\omega\right)(L_{\mathrm{a}}i_{\mathrm{dq}})} + \mathrm{j}\omega\phi_{\mathrm{m}} \qquad ⑦$$

3)　磁気回路においてギャップの増加は磁気抵抗 R_{m} の増加を示す（**第 1 図**参照）．第 1 図に示す巻数 N の巻線の自己インダクタンス L_{d} を表すと，

$$L_{\mathrm{d}} = \frac{N^2}{R_{\mathrm{m}}}$$

となって R_{m} に反比例する．問題文中の d 軸方向のギャップ長が大きくなると磁気抵抗が増加し，d 軸方向インダクタンス L_{d} は小さくなる．結果，q 軸方向のインダクタンスを L_{q} とすると，**L_{d} が L_{q} より小さい**ことになる．

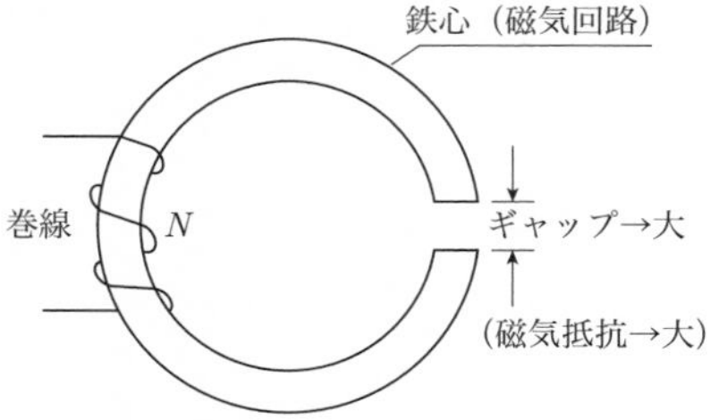

第 1 図　磁気抵抗とギャップ

⑦式において $L_{\mathrm{a}}\boldsymbol{i}_{\mathrm{dq}} = L_{\mathrm{d}}i_{\mathrm{d}} + \mathrm{j}L_{\mathrm{q}}i_{\mathrm{q}}$，$\boldsymbol{i}_{\mathrm{dq}} = i_{\mathrm{d}} + \mathrm{j}i_{\mathrm{q}}$，$\boldsymbol{v}_{\mathrm{dq}} = v_{\mathrm{d}} + \mathrm{j}v_{\mathrm{q}}$ として，実数部 v_{d}，虚数部 v_{q} をそれぞれ求める．

$$\boldsymbol{v}_{\mathrm{dq}} = r\boldsymbol{i}_{\mathrm{dq}} + \left(\frac{\mathrm{d}}{\mathrm{d}t} + \mathrm{j}\omega\right)(L_{\mathrm{a}}\boldsymbol{i}_{\mathrm{dq}}) + \mathrm{j}\omega\phi_{\mathrm{m}}$$

$$= r(i_\mathrm{d} + \mathrm{j}i_\mathrm{q}) + \left(\frac{\mathrm{d}}{\mathrm{d}t} + \mathrm{j}\omega\right)(L_\mathrm{d}i_\mathrm{d} + \mathrm{j}L_\mathrm{q}i_\mathrm{q}) + \mathrm{j}\omega\phi_\mathrm{m}$$

$$= r(i_\mathrm{d} + \mathrm{j}i_\mathrm{q}) + \frac{\mathrm{d}}{\mathrm{d}t}L_\mathrm{d}i_\mathrm{d} - \omega L_\mathrm{q}i_\mathrm{q} + \mathrm{j}\frac{\mathrm{d}}{\mathrm{d}t}L_\mathrm{q}i_\mathrm{q} + \mathrm{j}\omega L_\mathrm{d}i_\mathrm{d} + \mathrm{j}\omega\phi_\mathrm{m}$$

$$v_\mathrm{d} = ri_\mathrm{d} + L_\mathrm{d}\frac{\mathrm{d}}{\mathrm{d}t}i_\mathrm{d} + \boldsymbol{(-\omega L_\mathrm{q} i_\mathrm{q})} \text{（実数部）} \quad ⑧$$

$$v_\mathrm{q} = ri_\mathrm{q} + L_\mathrm{q}\frac{\mathrm{d}}{\mathrm{d}t}i_\mathrm{q} + \boldsymbol{\omega(L_\mathrm{d}i_\mathrm{d} + \phi_\mathrm{m})} \text{（虚数部）} \quad ⑨$$

解答
指導

4)　二つの空間ベクトルの内積は問題文のとおり同相成分同士の掛け算の和である．⑧，⑨式より，

$$i_\mathrm{d}v_\mathrm{d} + i_\mathrm{q}v_\mathrm{q}$$

$$= i_\mathrm{d}\left(ri_\mathrm{d} + L_\mathrm{d}\frac{\mathrm{d}}{\mathrm{d}t}i_\mathrm{d} - \omega L_\mathrm{q}i_\mathrm{q}\right) + i_\mathrm{q}\left\{ri_\mathrm{q} + L_\mathrm{q}\frac{\mathrm{d}}{\mathrm{d}t}i_\mathrm{q} + \omega(L_\mathrm{d}i_\mathrm{d} + \phi_\mathrm{m})\right\}$$

$$= ri_\mathrm{d}^2 + L_\mathrm{d}i_\mathrm{d}\frac{\mathrm{d}}{\mathrm{d}t}i_\mathrm{d} - \omega L_\mathrm{q}i_\mathrm{d}i_\mathrm{q} + ri_\mathrm{q}^2 + L_\mathrm{q}i_\mathrm{q}\frac{\mathrm{d}}{\mathrm{d}t}i_\mathrm{q} + \omega L_\mathrm{d}i_\mathrm{d}i_\mathrm{q} + \omega\phi_\mathrm{m}i_\mathrm{q}$$

$$= r(i_\mathrm{d}^2 + i_\mathrm{q}^2) + \frac{1}{2}L_\mathrm{d}\frac{\mathrm{d}}{\mathrm{d}t}i_\mathrm{d}^2 + \frac{1}{2}L_\mathrm{q}\frac{\mathrm{d}}{\mathrm{d}t}i_\mathrm{q}^2 - \omega(L_\mathrm{q} - L_\mathrm{d})i_\mathrm{d}i_\mathrm{q} + \omega\phi_\mathrm{m}i_\mathrm{q} \text{※}$$

$$= r(i_\mathrm{d}^2 + i_\mathrm{q}^2) + \boldsymbol{\frac{\mathrm{d}}{\mathrm{d}t}\left\{\frac{1}{2}(L_\mathrm{d}i_\mathrm{d}^2 + L_\mathrm{q}i_\mathrm{q}^2)\right\}} - \omega(L_\mathrm{q} - L_\mathrm{d})i_\mathrm{d}i_\mathrm{q} + \omega\phi_\mathrm{m}i_\mathrm{q} \quad ⑩$$

※　以下の微分公式を使用して微分部分を変形した．

$$\frac{\mathrm{d}}{\mathrm{d}x}(y^2) = y\frac{\mathrm{d}}{\mathrm{d}x}y + y\frac{\mathrm{d}}{\mathrm{d}x}y = 2y\frac{\mathrm{d}}{\mathrm{d}x}y$$

$$\therefore \quad y\frac{\mathrm{d}}{\mathrm{d}x}y = \frac{1}{2}\frac{\mathrm{d}}{\mathrm{d}x}(y^2)$$

電動機のトルクτは機械的出力 P_0（⑩式の第３項，４項）と回転角速度ωから，

$$\tau = \frac{P_0}{\omega} = \frac{-\omega(L_\mathrm{q} - L_\mathrm{d})i_\mathrm{d}i_\mathrm{q} + \omega\phi_\mathrm{m}i_\mathrm{q}}{\omega} = \left\{\phi_\mathrm{m} - (L_\mathrm{q} - L_\mathrm{d})i_\mathrm{d}\right\}i_\mathrm{q}$$

となる．

もし，上記の極数＝２を $2P$ に変えた場合，回転角速度は極数に反比例するので，変化後のトルクτ'は，

$$\tau' = \frac{P_0}{\omega / P} = \frac{P_0}{\omega} P \qquad ⑪$$

となり，元のτに対して $\boldsymbol{P}$ 倍となる．

インバータの出力電圧の飽和が問題となるのは，V/f一定運転を行った場合，周波数に比例して出力電圧を増加する必要のある**高速**時においてである．

問題12

(1) 1 ―ウ，2 ―シ，3 ―カ，4 ―ソ，5 ―ク

(2) A ― 8.88，B ― 6.69，C ― 8.05，D ― 9.95，E―5.04，F ― 38.4

【指導】

1） 加速区間における巻き上げる力 F_1 は，**第 1 図**および**第 2 図**より，

$$F_1 = mx = \boldsymbol{m}\frac{\boldsymbol{v_0}}{\boldsymbol{t_1}} \text{ [N]} \qquad (1)$$

と表される．

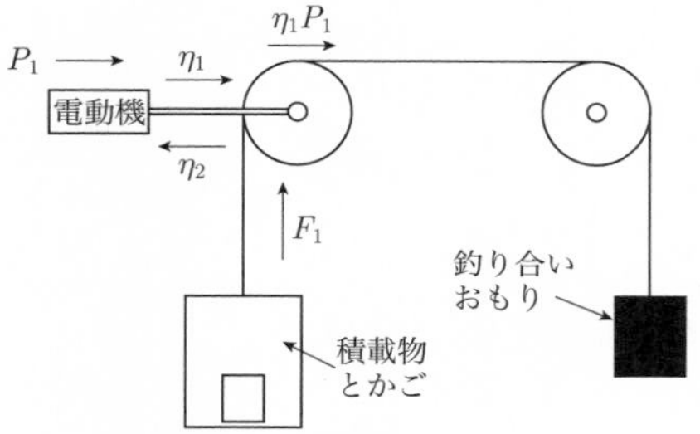

第 1 図

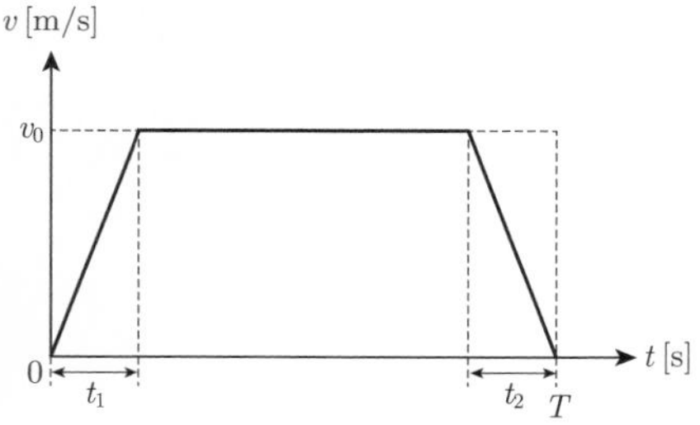

第 2 図

2） 加速期間中の入力電力 P_1 は，第 1 図および**第 3 図**より，時刻 t のときの速度を v とするなら，

$$\eta_1 P_1 = F_1 v \qquad (2)$$

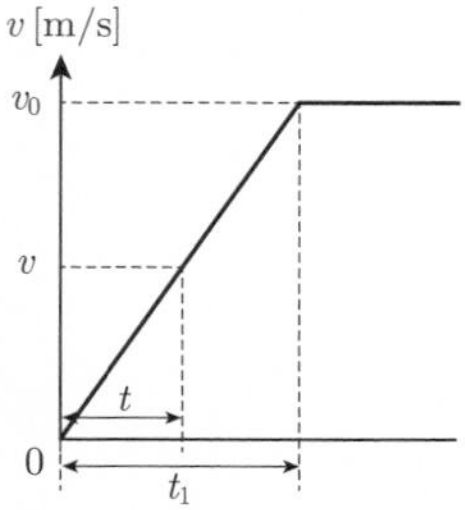

第 3 図

と表される．

また，v [m/s] は，等加速しているため，

$$v = \frac{v_0}{t_1} \times t \ [\mathrm{m/s}] \tag{3}$$

と表される．

(2)式に(1)式および(3)式を代入すると，

$$P_1 = \boldsymbol{\frac{m{v_0}^2}{\eta_1 {t_1}^2} t} \ [\mathrm{W}]$$

となる．

3)　加速期間中全体における全エネルギー W_1，運動エネルギー W_{11} から損失エネルギー E_1 を求める．

$$W_1 = \int_0^{t_1} P_1 \, \mathrm{d}t = \int_0^{t_1} \frac{m{v_0}^2}{\eta_1 {t_1}^2} t \, \mathrm{d}t = \frac{m{v_0}^2}{\eta_1 {t_1}^2} \left[\frac{t^2}{2}\right]_0^{t_1} = \frac{m{v_0}^2}{2\eta_1} \ [\mathrm{J}]$$

$$W_{11} = \frac{1}{2} m{v_0}^2 \ [\mathrm{J}] \quad (\text{物体の運動エネルギー})$$

よって，損失エネルギー E_1 は，

$$E_1 = W_1 - W_{11} = \frac{m{v_0}^2}{2\eta_1} - \frac{m{v_0}^2}{2} = \boldsymbol{\left(\frac{1-\eta_1}{\eta_1}\right)\frac{m{v_0}^2}{2}} [\mathrm{J}]$$

4)　総走行距離 L は，第 2 図より，

$$L = \frac{v_0 t_1}{2} + v_0 (T - t_1 - t_2) + \frac{v_0 t_2}{2} = v_0 \left(T - \frac{t_1}{2} - \frac{t_2}{2}\right) = \boldsymbol{v_0 \left(T - \frac{t_1 + t_2}{2}\right)} [\mathrm{m}]$$

5)　総走行区間における損失エネルギー E_T を求める．

まず，等加速度区間の損失 E_1 は，3) より，

$$E_1 = \left(\frac{1-\eta_1}{\eta_1}\right)\frac{m{v_0}^2}{2} \ [\mathrm{J}] \tag{4}$$

次に，等速度区間の巻き上げる力 F_0 は，

$$F_0 = m \frac{v_0}{T - t_1 - t_2} \ [\mathrm{N}]$$

よって，等速度区間の全エネルギー W_0 は，

$$W_0 = F_0 \times v_0 \times (T - t_1 - t_2) = \frac{m v_0}{T - t_1 - t_2} \times v_0 \times (T - t_1 - t_2) = m{v_0}^2 \ [\mathrm{J}]$$

ここで，物体の運動エネルギー W_{01} は

$$W_{01}=\frac{1}{2}mv_0^{\,2}\ [\mathrm{J}]$$

であるから，等速度区間の損失エネルギー E_0 は，

$$E_0=W_0-W_{01}=\frac{1}{2}mv_0^{\,2}\ [\mathrm{J}] \tag{5}$$

また，等減速度区間の損失 E_2 は，回生時であるから，等減速度区間直前の運動エネルギー W_2 は，$W_2=\dfrac{1}{2}mv_0^{\,2}$ [J] であり，このエネルギーがすべて電源側へ回生すると考える．そのときの等減速度区間の損失 E_2 は，

$$E_2=-\eta_2W_2=-\frac{\eta_2mv_0^{\,2}}{2}\ [\mathrm{J}] \tag{6}$$

したがって，総走行区間における損失エネルギー E_{T} は，(4)式＋(5)式＋(6)式であるから，

$$E_{\mathrm{T}}=E_1+E_0+E_2=\left(\frac{mv_0^{\,2}}{2\eta_1}-\frac{mv_0^{\,2}}{2}\right)+\left(\frac{mv_0^{\,2}}{2}\right)+\left(-\frac{\eta_2mv_0^{\,2}}{2}\right)$$

$$=\frac{mv_0^{\,2}}{2\eta_1}-\frac{\eta_2mv_0^{\,2}}{2}=\boldsymbol{\left(\frac{1}{\eta_1}-\eta_2\right)\frac{mv_0^{\,2}}{2}}\,[\mathrm{J}]$$

(2)　1)　弁の開度調整によって運転する場合のポンプを駆動するのに必要な軸動力 p_1 を求める．

題意の式に条件を代入すると，

$$h=1.25n^2-0.25q^2=1.25\times1^2-0.25\times0.75^2=1.109\,4\ \mathrm{p.u.} \tag{1}$$

$$\eta^*=2.0\left(\frac{q}{n}\right)-\left(\frac{q}{n}\right)^2=2.0\times\left(\frac{0.75}{1}\right)-\left(\frac{0.75}{1}\right)^2=0.937\,5\ \mathrm{p.u.} \tag{2}$$

次に軸動力 P [kW] は，揚程 H [m]，効率η，流量 Q [m^3/s] とすれば，

$$P=\frac{9.8QH}{\eta}\ [\mathrm{kW}]$$

と表される．この式を [p.u.] 表記した式 p_1 に(1)式と(2)式を代入すると，

$$p_1=\frac{qh}{\eta^*}=\frac{0.75\times1.109\,4}{0.937\,5}=0.887\,5\ \mathrm{p.u.}\fallingdotseq\mathbf{8.88}\times10^{-1}\ \mathrm{p.u.}$$

2)　ポンプの回転速度制御により運転する場合には，題意より管路抵抗 r は，

$$r=0.5+0.3q^2=0.5+0.3\times0.75^2=0.668\,8\ \mathrm{p.u.}\fallingdotseq\mathbf{6.69}\times10^{-1}\,\mathrm{p.u.}$$

吐出し弁全開状態における管路抵抗 r は，実揚程を含めた値であるから，

$$h = r = 0.668\,8 \text{ p.u.} \tag{3}$$

(3)式を使い，題意の式の h と η^* を算出すると，

$$h = 0.668\,8 = 1.25n^2 - 0.25 \times 0.75^2$$

より，ポンプの回転速度 n について解くと，

$$n = 0.804\,7 \text{ p.u.} \fallingdotseq \mathbf{8.05} \times 10^{-1} \text{ p.u.}$$

次に，ポンプ効率は，

$$\eta^* = 2.0\left(\frac{q}{n}\right) - \left(\frac{q}{n}\right)^2 = 2.0 \times \left(\frac{0.75}{0.804\,7}\right) - \left(\frac{0.75}{0.804\,7}\right)^2 = 0.995\,4 \text{ p.u.}$$

$$\fallingdotseq \mathbf{9.95} \times 10^{-1} \text{ p.u.}$$

よって，ポンプを駆動するのに必要な軸動力 p_2 は，

$$p_2 = \frac{qh}{\eta^*} = \frac{0.75 \times 0.668\,8}{0.995\,4} = 0.503\,9 \text{ p.u.} \fallingdotseq \mathbf{5.04} \times 10^{-1} \text{ p.u.}$$

3)　定格時の軸動力 P_{N} は，100 kW であるから，弁の開度調整による軸動力 P_1 は，

$$P_1 = 100 \times 0.887\,5 = 88.75 \text{ kW} \tag{4}$$

ポンプの回転速度制御による軸動力 P_2 は，

$$P_2 = 100 \times 0.503\,9 = 50.39 \text{ kW} \tag{5}$$

したがって，

$$(4)\text{式} - (5)\text{式} = 88.75 - 50.39 = 38.36 \text{ kW} \fallingdotseq \mathbf{38.4} \text{ kW}$$

の軸動力の削減を図ることができる．

問題13　(1)　1―カ，2―イ，3―ケ，4―ウ，5―イ

(2)　6―ク，7―エ，8―ク，9―カ，10―エ

(3)　11―イ，12―オ，13―ケ，14―エ，15―イ

【指導】

(1)　1)　誘電加熱は電気的に**絶縁物**に近い，木材やプラスチックなどの加熱に適した加熱方式であり，被加熱物を**高周波電界**に置くことで発生する**誘電体損失**を利用したものである．したがって，他の加熱方式が放射・伝導・対流による外部からの熱源からの熱の移動に依存するのに対し，誘電加熱では被加熱物自身の発熱によるものである．

2)　赤外加熱に利用される赤外放射は，**電磁波**の一種であり，**可視光**よりも波長の長い領域にあり，赤外線とも呼ばれる．波長としては，0.76～1 000 μm の範囲で使用されており，

赤外放射源には，赤外電球，遠赤外線で用いられるセラミックヒータ等がある．

⑵　1)　空気や水などの流れの中に置かれた固体表面と流体との間に温度差があると，両者の間で熱移動が生じ，この熱源は近似的に $Q = hS(\theta_1 - \theta_2)$ で表される．h は熱伝達率と呼ばれ，その値は主として流体の物性および**流速**によって変化する．θ_1 および θ_2 は，それぞれ固体表面の温度と流体の温度を示し，S は固体の**伝熱面積**である．

2)　加熱炉や溶解炉の熱効率を良くするためには，**熱伝導率**が小さい（つまり，熱抵抗が大きい）炉壁材料を使用して炉内から外部へ逃げる熱損失を低減することや，間欠操業の炉においては，炉壁材料に比熱および密度の小さい材料を使用し，**蓄熱量**を削減することが効果的である．また，放射や**対流**による熱損失を低減するためには，操業中の炉ぶたや扉の開放時間を短縮することも有効である．

⑶　加熱炉の入力端における電力 110 kW より，質量 200 kg の金属を加熱するため，1 kg 当たりの電力 [kW/kg] を算出すると，

$$\frac{110}{200} = 0.55\ \mathrm{kW/kg} \qquad (1)$$

⑴式に加熱に要した時間 [h] を掛けた値を求めると，

$$(1)\text{式} \times \frac{40}{60}\ \mathrm{h} = 0.55 \times \frac{40}{60} = 0.366\,6\ \mathrm{kW{\cdot}h/kg} \fallingdotseq \mathbf{0.367}\ \mathrm{kW{\cdot}h/kg}$$

2)　加熱正味熱量は，比熱，温度を使用して算出する．よって，

$$0.477 \times 200 \times (1\,200 - 20) = 112\,572\ \mathrm{kJ} \qquad (2)$$

⑵式は，112 572 kW·s とも表され，単位を [kW·h] と表すと，

$$112\,572 \times \frac{1}{3\,600} = 31.27 \fallingdotseq \mathbf{31.3}\ \mathrm{kW{\cdot}h} \qquad (3)$$

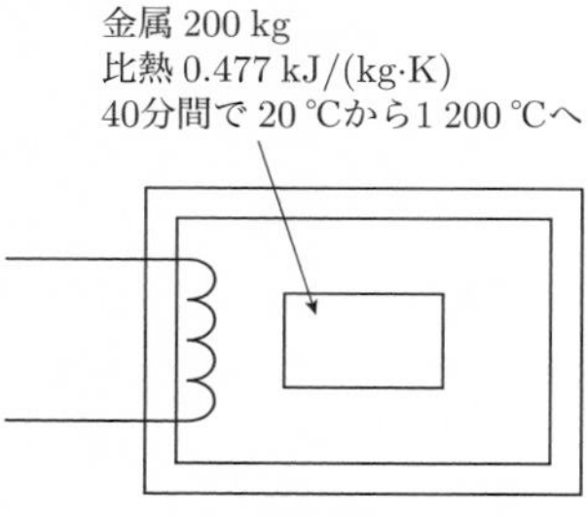

第 1 図　加熱炉

次に，**第 2 図**より，加熱炉内の電力の関係は，熱損失が 35 kW および電気効率 η を考慮し，式を立てると，

$$(110\eta-35)\times\frac{40}{60}=73.33\eta-23.33\ \text{kW·h} \tag{4}$$

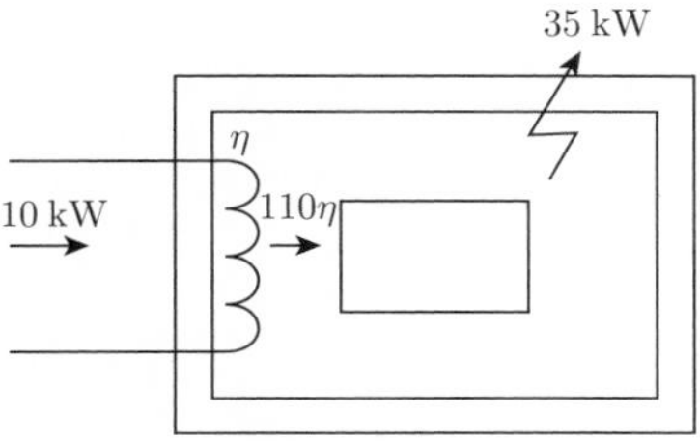

第 2 図　加熱炉

(4)式と(3)式は同一となるため，

$$73.33\,\eta-23.33=31.27$$

$$\eta=\frac{31.27+23.33}{73.33}=0.744\,5\fallingdotseq\mathbf{74.5}\ \%$$

3)　題意より，電気効率および熱損失に変化がないから，

第 3 図を基に式を立てる．要する時間を T [min] とおくと，

$$(120\times0.744\,5-35)\times\frac{T}{60}=31.27$$

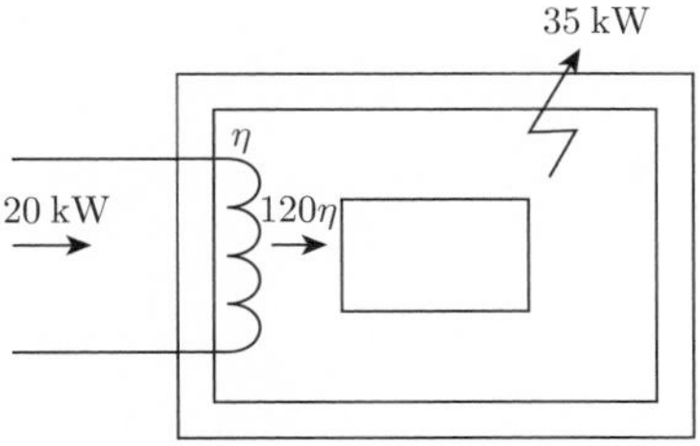

第 3 図　加熱炉

(5)式を算出すると，

$$T(89.34-35)=1\,876.2$$

$$T=\frac{1\,876.2}{54.34}=34.527\fallingdotseq\mathbf{34.5}\ \text{min}$$

よって，このときの原単位 [kW·h/kg] は，

$$\frac{120 \times \frac{34.527}{60}}{200} = 0.345\,27 \fallingdotseq \mathbf{0.345}\ \mathrm{kW \cdot h/kg}$$

問題14　(1)　1—エ，2—キ，3—オ，4—シ，5—イ，6—キ，7—ア，8—カ，9—エ，10—ケ，11—イ

(2)　A — 1.07×10^2，B — 6.65×10^1，C — 4.22×10^3，D — 9.36×10^1

【指導】

(1)　1)　電気化学システムは，**第1図**に示すとおり，

①　化学エネルギーから電気エネルギーを得る電池システム

②　電気エネルギーから化学エネルギーを得る電気分解（電解）システム

に大別される．

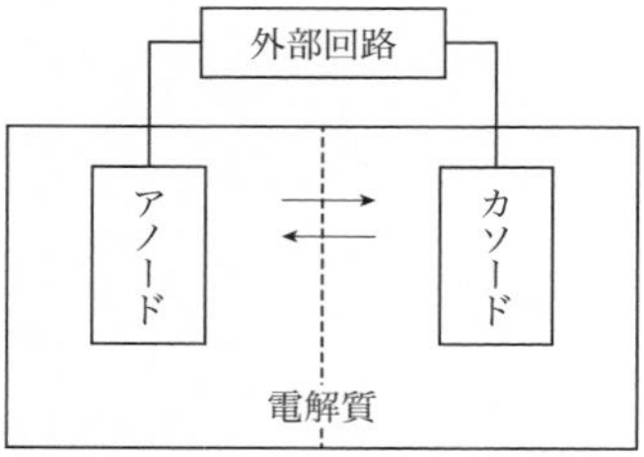

第1図　電気化学システム

基本要素である電極は，2種類に分けられる．

アノード電極：脱電子反応（酸化反応）

カソード電極：受電子反応（**還元**反応）

また，**電解質**はイオン伝導体である．

2)　水の電気分解の反応式を以下に示す（ここで，e^- は電子を示す．）．

カソード極：$2H^+ + 2e^- \rightarrow H_2$

アノード極：$2H_2O \rightarrow O_2 + 4H^+ + 4e^-$

全体反応式：$2H_2O \rightarrow 2H_2 + O_2$

上記のカソード極の反応式より，水素1分子当たりに必要な電子数は，**2**個であり，アノード極の反応式より，酸素1分子当たりに必要な電子数は4個である．

3)　電気化学システムを用いて，金属を高純度化するプロセスは**電解精製**と呼ばれている．

高純度の銅を得るためには，純度の低い粗銅を**アノード**極として電気分解を行う．電解質

は**硫酸**水溶液が用いられる．

この電気分解では，不純物と銅のもつ**イオン化**傾向の差を利用する．イオン化傾向が**銅より大きな**不純物は電解液中に残り，イオン化傾向が銅よりも小さな不純物は溶解せずアノード極に残留するか，沈殿物（アノードスライム）となる．

銅の電解精製の反応式を以下に示す．

電極①：$Cu^{2+} + 2e^- \rightarrow Cu$

電極②：$Cu \rightarrow Cu^{2+} + 2e^-$

全体反応式：Cu（粗銅）→ Cu（純銅）

上記式より，この反応に関与している電子数は**2**個である．

⑵　1)　水の電気分解で 2 mol の水素をつくるのに必要な理論電気量 Q_1 は，カソード極の反応式（$2H^+ + 2e^- \rightarrow H_2$）より，反応に関与する電子数は 2 であるため，

$$Q_1 = 26.8 \times 2 \times 2 = 107.2\ \mathrm{A \cdot h} \fallingdotseq \mathbf{1.07 \times 10^2}\ \mathrm{A \cdot h}$$

次に，電圧効率は以下の式で表される．

$$\text{電圧効率} = \frac{\text{理論電解電圧}}{\text{実際槽に加えた電圧}} = \frac{1.21}{1.82} = 0.664\,83 = 66.48\ \% \fallingdotseq \mathbf{6.65 \times 10^1}\ \%$$

2)　純銅を電気分解で製造するとき，純銅 5.00 kg 得るのに必要な理論電気量 Q_2 は，銅の原子量 63.5 およびこの反応に関与する電子数が 2 であることを考慮して式を立てると，

$$Q_2 = 26.8 \times \frac{5\,000}{63.5} \times 2 = 4\,220.47 \fallingdotseq \mathbf{4.22 \times 10^3}\ \mathrm{A \cdot h}$$

次に，電流効率は以下に示す式で表される．

$$\text{電流効率} = \frac{\text{実際析出量}}{\text{理論析出量}} = \frac{4.68}{5.00} = 0.936 = 93.6\ \% \fallingdotseq \mathbf{9.36 \times 10^1}\ \%$$

問題15　⑴　A ― 6.7，B ― 14，C ― 6.3×10^2，D ― 3.2×10^3，E ― 22

⑵　1 ― ア，2 ― エ，3 ― ク，4 ― カ，5 ― ア

【指導】

⑴　1)　問題図 1 の投光器から照射される光束 F [lm] を求める．

$$F = 400 \times 20 \times 0.8 = 6\,400\ \mathrm{lm}$$

題意の平面頂角 20° は半頂角 θ =10° であり，その円すいの立体角 ω [sr] を求める．

$$\omega = 2\pi(1 - \cos\theta) = 2\pi(1 - \cos 10°) = 2\pi(1 - 0.984\,8) = 0.095\,456\ \mathrm{sr}$$

平均光度 I [cd] を求める．

$$I = \frac{F}{\omega} = \frac{6\,400}{0.095\,456} = 67\,046 \fallingdotseq \mathbf{6.7} \times 10^4 \text{ cd}$$

2) 光束法の所要平均照度 E を求める．

$$E = \frac{F \cdot N \cdot U \cdot M}{A} \text{ [lx]}$$

ここで，所要平均照度 $E = 350$ lx，新旧器具を含む全光束 $F \cdot N$ [lm]，照明率 $U = 0.60$，保守率 $M = 0.70$ および部屋（被照明）面積 $= 30 \times 40 = 1\,200$ m^2 である．したがって，

$$F \cdot N = \frac{E \cdot A}{U \cdot M} = \frac{350 \times 1\,200}{0.60 \times 0.70} = 1.000\,0 \times 10^6 \text{ lm}$$

である．次に新旧器具 1 台当たりの光束 F_1，F_2 [lm/個]，新旧器具台数 N_1，N_2 [個]として，$F \cdot N = F_1N_1 + F_2N_2$，$F_1N_1 = 500 \times 50 \times 20$ lm，$F_2 = 300 \times 120$ lm/個より N_2 [個]を求める．

$$N_2 = \frac{1.000\,0 \times 10^6 - F_1N_1}{F_2} = \frac{1.000\,0 \times 10^6 - 500 \times 50 \times 20}{300 \times 120} = 13.889 \fallingdotseq \mathbf{14} \text{ 個}$$

3) 問題の図 2 において P 点の水平面照度 $E = 100$ lx である．また，同図で示す光源の半径 0.25 m，光源の O 点から被照面の P 点間の距離 2.5 m より，

$$\sin\theta = \frac{0.25}{\sqrt{2.5^2 + 0.25^2}} = 0.099\,504$$

である．光源の輝度 L [cd/m^2] は問題の式で示す立体角投射の法則より

$$L = \frac{E}{\pi \sin^2\theta} = \frac{100}{\pi \times 0.099\,504^2} = 3.216\,5 \times 10^3 \fallingdotseq \mathbf{3.2 \times 10^3} \text{ cd/m}^2$$

となる．光源の面積 $S = \pi \times 0.25^2$ m^2 から光源の光度 I [cd] を求める．

$$I = SL = \pi \times 0.25^2 \times 3.216\,5 \times 10^3 = 631.24 \fallingdotseq \mathbf{6.3 \times 10^2} \text{ cd}$$

被照面の光束発散度 M_1 [lm/m^2] は，反射率 $\rho_1 = 0.7$ より，

$$M_1 = \rho_1 E = 0.7 \times 100 = 70 \text{ lm/m}^2$$

となる．題意より被照面も完全拡散面であり，M_1 を π で割ると，被照面の輝度 L_1 [cd/m^2] が得られる．

$$L_1 = \frac{M_1}{\pi} = \frac{70}{\pi} = 22.292 \fallingdotseq \mathbf{22} \text{ cd/m}^2$$

(2) 問題にある照明用の LED パッケージの概要を**第 1 図**に示す．発光源となる LED チップは，一般的に**青色** LED であり，その青色光を上面の透明な封止樹脂中にある黄色発光蛍

光体に当てることで白色を得ている．また，パッケージの名のとおり給電用の電極および放熱用のヒートシンクと一体のケースとなっている．

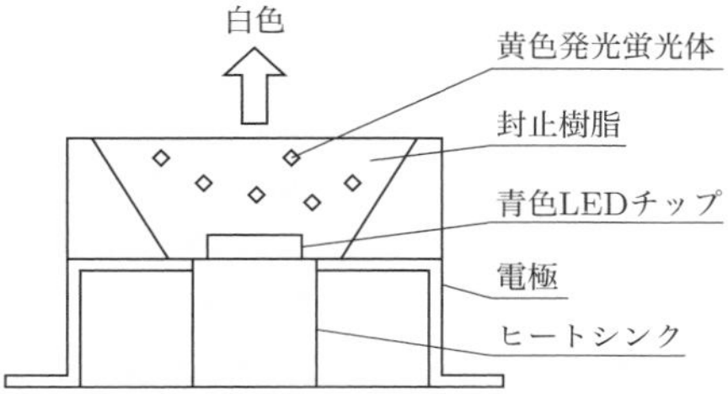

第1図 LEDパッケージ概要図

黒体に関する熱放射の基本的な法則は**プランクの放射則**である．黒体の絶対温度と光色との関係を示す特性に黒体軌跡があり，白色LED等の照明はこの軌跡と完全に一致しないが，近似している光色である．

2) 問題の図3の分光分布特性において(a)は青色の波長（450 nm付近）のピークが(b)に比べて大きいため(b)よりも相関色温度が**高く**なっている．図3の分光分布特性の二つのピークは波長の**短い領域**（左側）が青色LEDからの直接発光であり，波長の長い領域（右側）が黄色発光蛍光体からのものである．

また，青色LEDからの直接発光が黄色発光蛍光体によって変換された場合のエネルギーロス（ストークスロス）は**20**％程度である．

問題16

(1) 1―ク，2―シ，3―コ，4―オ，5―カ，6―ア

(2) 7―オ，8―イ，9―ア，10―エ，11―カ，12―エ，13―エ，14―ケ，15―カ，16―イ

【指導】

(1) 空調設備は，多面的な評価が求められることから，さまざまなエネルギー指標がある．

PAL（Perimeter Annual Load：年間熱負荷係数）は，省エネルギー法（エネルギーの使用の合理化等に関する法律）で定められた原単位評価で，建物の外皮から5 m（最上階は全床面積，下階にピロティがあるときはその床面積）の室内周囲空間（ペリメータ・ゾーン）における床面積当たりの年間熱負荷 [MJ/(m^2·年)]，すなわち外皮の断熱性能を示す．

全熱交換器効率は，全熱交換器によって，排気から回収された全熱の熱量（比エンタルピー差）を排熱量（排気と室内空気の比エンタルピー差）で除したものである．

熱源機器の成績係数は，COP（Coefficient Of Performance）と呼ばれ，出力エネルギー

（蒸発器または凝縮器の発生熱量）を入力エネルギー（圧縮機の仕事）で除したものである．

ボイラ効率は，ボイラの発生熱量を燃料の低位発熱量（燃料の発生熱量から水蒸気の凝縮熱を除いた熱量）で除したものである．

IPLV は，Integrated Part Load Value のことであり，COP は常に一定ではなく，部分負荷率や外気条件などによって変化することから，各部分負荷率の COP に，発生頻度の重み付けをして評価したものである．

BEE は，CASBEE（建築物総合環境性能評価システム）で定義された環境効率で，Building Environmental Efficiency のことであり，環境性能効率を意味する．BEE は，建築物の環境品質・性能（Q）を建築物の環境負荷（L）で除したものであり，S，A，B^+，B^-，C に格付けされる．

(2) 新鮮外気の取り入れは，室内空気質の維持に不可欠であるが，外気の導入は外気負荷として空調熱負荷になることから，省エネルギーを考慮すると，外気量を可能な限り抑制する必要がある．

1) 室内で汚染物質が q [m^3/h] 発生するとき，完全拡散（瞬時一様拡散）を仮定すると，定常状態における室内汚染物質濃度を σ [m^3/m^3]，外気の汚染物質濃度を σ_0 [m^3/m^3]，換気量を Q [m^3/h] とすると，ザイデルの式から，

$$\sigma = \sigma_0 + \frac{q}{Q} \ [\mathrm{m^3/m^3}]$$

となる．

2) 一般に，居室の必要外気量は，居住者の呼気に含まれる二酸化炭素量（15 L/h）を汚染物質の対象として，その濃度が完全拡散によって基準濃度以下になるように法律で定めている．二酸化炭素の室内環境基準は，建築基準法および建築物における衛生的環境の確保に関する法律で 1 000 ppm 以下となっている

3) 法律では，外気の二酸化炭素濃度を 300 ppm として，必要外気量を在室者一人当たり 20 m^3/h と定めている．しかし，最近では世界の大気中の二酸化炭素濃度の平均値は 400 ppm を超えている．そのため，二酸化炭素濃度を基準とした必要外気量を見直す必要がある．

4) 外気の二酸化炭素濃度を 300 ppm としたときの必要外気量 Q_1 は，

$$Q_1 = \frac{q}{(1\,000 - 300) \times 10^{-6}} \ [\mathrm{m^3/h}]$$

であり，外気の二酸化炭素濃度を 400 ppm としたときの必要外気量 Q_2 は，

$$Q_2 = \frac{q}{(1\,000 - 400) \times 10^{-6}} \ [\mathrm{m^3/h}]$$

である．したがって，

$$Q_2 = \frac{700}{600} Q_1 \fallingdotseq 1.2 Q_1$$

となり，約 1.2 倍の外気量が必要になる．

5) $\Delta\sigma = \sigma - \sigma_0 = \dfrac{q}{Q}$ から，換気量 Q を 2 倍にするか，あるいは汚染物質発生量 q を 0.5 倍にすることで，汚染物質濃度の増加分$\Delta\sigma$を半分に抑制することができる．

2015年度（第37回）

エネルギー総合管理及び法規（80分）

問題1　エネルギーの使用の合理化等に関する法律及び命令
問題2　エネルギー情勢・政策，エネルギー概論
問題3　エネルギー管理技術の基礎

問題1　（エネルギーの使用の合理化等に関する法律及び命令）

次の各問に答えよ．なお，法令は令和**6**年**9**月**1**日時点で施行されているものである．
以下の問題文では

エネルギーの使用の合理化及び非化石エネルギーへの転換等に関する法律を「法」
エネルギーの使用の合理化及び非化石エネルギーへの転換等に関する法律施行令を「令」
エネルギーの使用の合理化及び非化石エネルギーへの転換等に関する法律施行規則を「則」

と略記する．（配点計**50**点）

(1)　次の各文章の［1］～［4］の中に入れるべき最も適切な字句をそれぞれの解答群から選び，その記号を答えよ．

1)　「法」第**2**条第**6**項の条文

この法律において「電気の需要の最適化」とは，［1］又は時間帯による電気の需給の状況の変動に応じて電気の需用量の増加又は減少をさせることをいう．

2)　「法」第**16**条第**1**項の条文

特定事業者は，毎年度，経済産業省令で定めるところにより，その設置している工場等におけるエネルギーの使用量その他エネルギーの使用の状況（エネルギーの使用の効率及びエネルギーの使用に伴って発生する二酸化炭素の排出量に係る事項を含む．）並びにエネルギーを消費する設備及び［2］に関する設備の設置及び改廃の状況に関し，経済産業省令で定める事項を主務大臣に報告しなければならない．

〈[1]及び[2]の解答群〉

ア　エネルギーの供給　**イ**　エネルギーの使用の合理化　**ウ**　エネルギーの貯蔵
エ　エネルギーの変換　**オ**　前年度に対する変化　**カ**　増加を防止すること
キ　季節　**ク**　総量

3)　「法」第**17**条第**1**項の条文

主務大臣は，特定事業者が設置している工場等におけるエネルギーの使用の合理化の状況が第**5**条第**1**項に規定する[3]に照らして著しく不十分であると認めるときは，当該特定事業者に対し，当該特定事業者のエネルギーを使用して行う事業に係る技術水準，同条第**3**項に規定する指針に従って講じた措置の状況その他の事情を勘案し，その判断の根拠を示して，エネルギーの使用の合理化に関する計画（以下「合理化計画」という．）を作成し，これを提出すべき旨の指示をすることができる．

4)　「法」第**159**条第**1**項の条文の一部

電気事業者（経済産業省令で定める要件に該当する者を除く．次項において同じ．）は，基本方針の定めるところに留意して，次に掲げる措置その他の電気を使用する者による電気の需要の最適化に資する取組の効果的かつ効率的な実施に資するための措置の実施に関する計画を作成しなければならない．

一　その供給する電気を使用する者による電気の需要の最適化に資する取組を促すための[4]その他の供給条件の整備

二　（以下略）

〈[3]及び[4]の解答群〉

ア　蓄電設備　**イ**　配電設備　**ウ**　発電効率　**エ**　目標水準　**オ**　電気の料金
カ　義務　**キ**　報告すべき事項　**ク**　判断の基準となるべき事項

(2)　次の各文章の[5]～[7]の中に入れるべき最も適切な字句又は数値をそれぞれの解答群から選び，その記号を答えよ．

「法」第**2**条,「法」第**7**条,「法」第**10**条,「法」第**11**条,「法」第**12**条,「法」第**13**条,「法」第**14**条，「令」第**1**条，「令」第**2**条，「令」第**3**条，「令」第**6**条，「則」第**4**条関連の文章

ある事業者が保有する食品工場における前年度の燃料，電気などの使用量は次の**a**～**f**のとおりであった．また，この事業者には，食品工場のほかに，別の事業所として本社事務所があり，そこでの前年度の電気使用量は，次の**g**であった．これらが，この事業者の設置している事業所のすべてであり，この事業者は，**a**～**g**以外のエネルギーは使用して

いなかった．また，本社事務所は事務所としてのみ使用されていた．

a：食品工場で，小売電気事業者から購入して使用した電気の量を熱量に換算した量が **4** 万 **8** 千ギガジュール

b：食品工場で，乾燥設備及びその他の設備で燃料として使用した **A** 重油の量を熱量に換算した量が **3** 万 **8** 千ギガジュール

c：食品工場で，都市ガスの供給を受けてコージェネレーション設備によって発電を行って，その電気を使用し，また熱を蒸気として使用した．そのコージェネレーション設備で使用した都市ガスの量を熱量に換算した量が **2** 万 **5** 千ギガジュール

d：食品工場で，**c** のコージェネレーション設備によって発電され，使用した電気の量を熱量に換算した量が **8** 千ギガジュール

e：食品工場で，**c** のコージェネレーション設備によって製造され，使用した蒸気の熱量が **1** 万ギガジュール

f：食品工場で，太陽光発電装置を設置して，そこで発電した電気は全量を工場内で使用した．その電気の量を熱量に換算した量が **2** 千ギガジュール

g：本社事務所で，小売電気事業者から購入して使用した電気の量を熱量に換算した量が **1** 万 **5** 千ギガジュール

1) この事業者全体での，前年度に使用したエネルギー使用量を「法」で定めるところにより原油の数量に換算した量は，[5] キロリットルとなり，この事業者は，そのエネルギー使用量から判断して特定事業者に該当する．

〈[5] の解答群〉

ア **2 659**　**イ** **2 701**　**ウ** **3 165**　**エ** **3 251**　**オ** **3 302**　**カ** **3 504**
キ **3 818**　**ク** **3 870**　**ケ** **4 159**　**コ** **4 215**

2) 前年度に使用した「法」で定めるエネルギー使用量から判断して，この食品工場は，[6] エネルギー管理指定工場等に該当する．

3) 1)及び2)によって当該の指定を受けた後，この事業者が選任しなければならないのは，次に示す①から⑥のうちの [7] である．

① 食品工場のエネルギー管理員

② 食品工場のエネルギー管理者

③ 本社事務所のエネルギー管理員

④ 本社事務所のエネルギー管理者

⑤ エネルギー管理企画推進者

⑥　エネルギー管理統括者

〈 6 及び 7 の解答群〉

ア　特定　**イ**　第一種　**ウ**　第二種　**エ**　第三種

オ　①と③と⑤　**カ**　①と③と⑥　**キ**　①と⑤と⑥　**ク**　②と③と⑥

ケ　②と⑤と⑥　**コ**　②と③と⑤と⑥　**サ**　②と④と⑤と⑥

(3)　次の各文章の 8 ～ 11 の中に入れるべき最も適切な字句をそれぞれの解答群から選び，その記号を答えよ．なお， 10 は**2**箇所あるが，同じ記号が入る．

1)　「法」第**11**条，「則」第**17**条関連の文章

第一種特定事業者は，第一種エネルギー管理指定工場等ごとに， 8 の交付を受けている者のうちから，第一種エネルギー管理指定工場等におけるエネルギーの使用の合理化に関し，エネルギーを消費する設備の維持，エネルギーの使用の方法の改善及び監視その他経済産業省令で定める業務を管理する者（次項において「エネルギー管理者」という.）を選任しなければならない．ただし，製造業その他政令で定める業種以外の業種に属する事業の用に供する工場等や，製造業その他政令で定める業種に属する事業の用に供する工場等であっても，専ら事務所その他これに類する用途に供するもののうち政令で定めるものは除く．

エネルギー管理者の選任は，エネルギー管理者を選任すべき事由が生じた日から**6**月以内に選任しなければならない．

2)　「法」第**149**条，「令」第**18**条関連の文章

エネルギー消費機器等のうち，特定エネルギー消費機器及び特定関係機器については，経済産業大臣（自動車及びこれに係る特定関係機器にあっては経済産業大臣及び国土交通大臣.）は，特定エネルギー消費機器及び特定関係機器ごとに，そのエネルギー消費性能又はエネルギー消費関係性能の向上に関しエネルギー消費機器等製造事業者等の判断の基準となるべき事項を定め，公表するものとされているが，この特定エネルギー消費機器には， 9 が含まれている．

〈 8 及び 9 の解答群〉

ア　エレベータ　**イ**　交流電動機　**ウ**　小型貫流ボイラ　**エ**　床暖房機器

オ　エネルギー管理研修修了証　**カ**　エネルギー管理講習修了証

キ　エネルギー管理士試験合格証　**ク**　エネルギー管理士免状

3)　「法」第**156**条，「則」第**95**条関連の文章

 10 建築材料製造事業者等は，特定 10 建築材料のうちの断熱材については，経

済産業大臣が定める方法により測定した[11]を表示しなければならない.

〈[10]及び[11]の解答群〉

ア 熱損失防止　**イ** 強度　**ウ** 蓄熱可能量　**エ** 熱伝導率　**オ** 密度
カ 外装用　**キ** 蓄熱用　**ク** 内装用

問題 2（エネルギー情勢・政策，エネルギー概論）

次の各文章の[1]～[10]の中に入れるべき最も適切な字句又は数値をそれぞれの解答群から選び，その記号を答えよ．なお，[1]は **3** 箇所，[2]は **2** 箇所あるが，それぞれ同じ記号が入る.

また，[[A | a.b × 10^c]]に当てはまる数値を計算し，その結果を答えよ．ただし，解答は解答すべき数値の最小位の一つ下の位で四捨五入すること．なお，円周率 $\pi = 3.14$ とする.
（配点計 **50** 点）

(1) 国際単位系（**SI**）では，長さ（メートル [**m**]），質量（キログラム [**kg**]），時間（秒 [**s**]），電流（アンペア [**A**]），熱力学温度（ケルビン [**K**]），光度（カンデラ [**cd**]）及び物質量（モル [**mol**]）の **7** 個の量を基本単位としている．基本単位にはない力やエネルギーなどの単位は，前述の **7** 個の基本単位を組み合わせて表されるので組立単位と呼ぶ.

組立単位の一つである[1]は，「全ての方向に対して **1** カンデラの光度を持つ標準の点光源が，**1** ステラジアンの立体角内に放出する光束を **1** [1]とする」と定義される．したがって，**60 W** 級白熱電球が発する全光束が **800** [1]の場合，電球が点光源からなる完全な球であるとすると，光源の光度は[[A | a.b × 10^c]] [**cd**] である．なお，球に対する全立体角は，円に対する全平面角が円周長さを半径で除したものであるのと同様に，球表面積を半径の **2** 乗で除したものである.

〈[1]の解答群〉

ア ガウス [**G**]　**イ** ルーメン [**lm**]　**ウ** ルクス [**lx**]

(2) 家庭用の高効率コージェネレーションシステムとして徐々に普及が始まっている燃料電池には[2]形や[3]形があり，燃料にはいずれも都市ガスなどの燃料ガスを[4]して得られる水素を用いる．一方，**2014** 年末に市販が開始された燃料電池乗用車に搭載される燃料電池は[2]形であり，搭載される水素燃料は約[5] [**MPa**] の圧力で圧力容器に充填される.

〈[2]～[5]の解答群〉

ア 固体高分子　**イ** 固体酸化物　**ウ** リン酸　**エ** 圧力スイング吸着

オ　改質　　**カ**　深冷分離　　**キ**　7　　**ク**　70　　**ケ**　700

(3)　発電関連機器の性能向上には，冷却が重要な役割を果たすことが少なくない．

コンバインドサイクルの高温側であるガスタービンでは，従来から圧縮空気による膜冷却が広く用いられてきたが，最新鋭機では［ 6 ］冷却も導入されている．

また，大容量の発電機の冷却には，気体でも熱伝導率の高い［ 7 ］も用いられている．

〈［ 6 ］及び［ 7 ］の解答群〉

ア　水蒸気　　**イ**　水素　　**ウ**　窒素　　**エ**　アルゴン　　**オ**　ヘリウム

(4)　原油量の単位としてはバレルが用いられる．**1** バレルは約［ 8 ］リットルである．また，原油の価格は，エネルギー・経済統計要覧などで報告されているように，**2011** ～ **2013** 年には **1** バレル当たり［ 9 ］ドル付近で推移していた．その後，**2014** 年には原油安の進行が見られるが，これは［ 10 ］の増産が一因となっていると考えられる．

〈［ 8 ］～［ 10 ］の解答群〉

ア　天然ガス　　**イ**　シェールオイル　　**ウ**　メタンハイドレート　　**エ**　50

オ　100　　**カ**　160　　**キ**　230

問題 3（エネルギー管理技術の基礎）

次の各文章は「工場等におけるエネルギーの使用の合理化に関する事業者の判断の基準」（以下，「工場等判断基準」と略記）の内容に関連したもので，令和 **4** 年 **10** 月 **1** 日時点で施行されているものである．これらの文章において「工場等（専ら事務所その他これに類する用途に供する工場等を除く）に関する事項」について，

「Ⅰ　エネルギーの使用の合理化の基準」の部分は「基準部分（工場）」

「Ⅱ　エネルギーの使用の合理化の目標及び計画的に取り組むべき措置」の部分は「目標及び措置部分（工場）」

と略記する．

［ 1 ］～［ 13 ］の中に入れるべき最も適切な字句，数値又は式をそれぞれの解答群から選び，その記号を答えよ．なお，［ 1 ］は **2** 箇所あるが，同じ記号が入る．

また，［**A** abc］～［**G** abc］に当てはまる数値を計算し，その結果を答えよ．ただし，解答は解答すべき数値の最小位の一つ下の位で四捨五入すること．（配点計 **100** 点）

(1)　「工場等判断基準」の「基準部分（工場）」は，事業者が遵守すべき基準を示したものであり，次の **6** つの分野ごとにその基準が示されている．

①　燃料の燃焼の合理化

② 加熱及び冷却並びに伝熱の合理化

③ 廃熱の回収利用

④ 熱の動力等への［1］

⑤ 放射，伝導，抵抗等によるエネルギーの損失の防止

⑥ 電気の動力，熱等への［1］

また，「Ⅱエネルギーの使用の合理化の目標及び計画的に取り組むべき措置」は，その設置している全ての工場等におけるエネルギー消費原単位及び電気需要最適化評価原単位を管理し，その設置している全ての工場等全体として又は工場等ごとにエネルギー消費原単位又は電気需要最適化評価単位を中長期的にみて年平均［2］パーセント以上低減させることを目標として，技術的かつ経済的に可能な範囲内で，「**1** エネルギー消費設備等に関する事項」及び「**2** その他エネルギーの使用の合理化に関する事項」に掲げる諸目標及び措置の実現に努めるものとしている．

⑵ 廃熱の回収利用を図ることは，有効な省エネルギー対策である．

「工場等判断基準」の「基準部分（工場）」は，廃熱を排出する設備から廃熱回収設備に廃熱を輸送する煙道，管等を新設・更新する場合には，空気の侵入の防止，断熱の強化その他の廃熱の温度を高く維持するための措置を講じること，を求めている．また，加熱された固体若しくは流体が有する顕熱，潜熱，［3］，可燃性成分等の回収利用は，回収を行う範囲について管理標準を設定して行うこと，を求めている．

〈［1］～［3］の解答群〉

ア 圧力　**イ** 放射熱　**ウ** 変換損失の防止　**エ** 変換の高度化
オ 変換の合理化　**カ** エントロピー　**キ** **0.5**　**ク** **1**　**ケ** **3**　**コ** **5**

⑶ 圧力 **0.5 MPa** の乾き飽和蒸気と，同じ圧力で乾き度が **0.9** の湿り蒸気の比エンタルピーの差は，［**A abc**］ **[kJ/kg]** である．ただし，同圧力の，飽和水の比エンタルピーは **640.2 kJ/kg**，乾き飽和蒸気の比エンタルピーは **2 748.1 kJ/kg** とする．

⑷ 熱処理炉に厚さ **400 mm** の耐火断熱材を施工している．耐火断熱材の炉内側表面温度が **950 ℃**，炉外側表面温度が **90 ℃** で，耐火断熱材を平板状とした場合，厚さ方向の熱流束は［**B abc**］ **[W/m²]** である．ただし，耐火断熱材の熱伝導率は **0.35 W/(m·K)** とする．

⑸ 燃焼設備においては，空気比を低くし過ぎると不完全燃焼による未燃損失が発生し，高くし過ぎると排ガス顕熱損失が増大する．したがって，燃焼設備の管理では，未燃損失がないようにするとともに，できるだけ排ガス顕熱損失を少なくすることが重要である．

「工場等判断基準」の「基準部分（工場）」は，燃料の燃焼の管理に関して，燃焼設備及

び［ 4 ］に応じて，空気比についての管理標準を設定して行うこと，を求めている．

〈［ 4 ］の解答群〉

ア 使用する燃料の種類　**イ** 蒸気負荷等の変動　**ウ** 外気温の条件

(6) 熱交換器の交換熱量は，熱通過率，伝熱面積，対数平均温度差の積で表される．Δt_1，Δt_2 を熱交換器の両端部での流体間温度差とすると，対数平均温度差 Δt_m は，$\Delta t_m = \dfrac{\Delta t_1 - \Delta t_2}{\ln \dfrac{\Delta t_1}{\Delta t_2}}$ で表される．

高温側と低温側が同一の流体で，比熱が温度によらず一定の場合，図に示すように，高温側の入口温度が 250 °C，出口温度が 150 °C，低温側の入口温度が 50 °C で流量比 $= \dfrac{\text{高温側流量}(Q_H)}{\text{低温側流量}(Q_L)} = 1.5$ のとき，対数平均温度差は［C ab.c］[K] となる．

ただし，熱交換器は定常状態で外部への放熱はないものとする．また，対数の計算においては表の値を用いること．

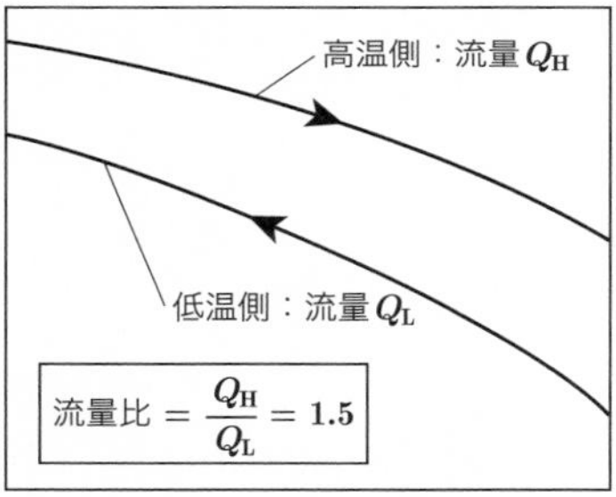

図　熱交換流体の温度変化

表　対数の値

N	$\frac{1}{2}$	$\frac{1}{1.5}$	1.5	2
$\ln N$	−0.693 1	−0.405 5	0.405 5	0.693 1

(7) 加熱，熱処理を行う工業炉に関しては，生産負荷等が変化する場合があり，常に，条件に応じた管理の最適化が必要である．

「工場等判断基準」の「基準部分（工場）」は，加熱，熱処理等を行う工業炉については，設備の構造，［ 5 ］，加熱，熱処理等の前後の工程等に応じて，熱効率を向上させるように管理標準を設定し，ヒートパターン（被加熱物の温度の時間の経過に対応した変化の態様をいう）を改善すること，を求めている．

〈 5 の解答群〉

ア 燃料の使用量　**イ** 設備の運転時間　**ウ** 被加熱物の特性

(8) ボイラの水質管理が不適切であると，伝熱管の内部にスケールが付着するようになる．例えば，スケールの熱伝導率が **0.5 W/(m·K)** の場合，鋼管の熱伝導率に比べて概ね 6 程度であるので，伝熱性能の低下に加えて，最悪の場合，伝熱管の過熱により材質が劣化して設備トラブル等に至る場合もある．

「工場等判断基準」の「基準部分（工場）」は，ボイラへの給水は，伝熱管へのスケールの付着及びスラッジ等の沈殿を防止するよう水質に関する管理標準を設定して行うこと，を求めている．

(9) 工場等において，加熱等に用いる蒸気については，乾き度の維持が重要である．

「工場等判断基準」の「目標及び措置部分（工場）」は，加熱等を行う設備で用いる蒸気であって，乾き度を高めることによりエネルギーの使用の合理化が図れる場合には，輸送段階での放熱防止及び 7 の採用により熱利用設備での乾き度を高めることを検討すること，を求めている．

〈 6 及び 7 の解答群〉

ア アキュムレータ　**イ** スチームセパレータ　**ウ** 温度センサ　**エ** $\frac{1}{1\,000}$

オ $\frac{1}{100}$　**カ** $\frac{1}{10}$　**キ** $\frac{1}{3}$

(10) ある火力発電所の **1** 時間の発生電力量が **150 000 [kW·h]** で，高発熱量が **40 MJ/L** である燃料のこの時間における使用量が **34 kL** であった．このときの火力発電所の高発熱量ベースの平均熱効率は **D ab.c** [%] である．

(11) 我が国では，近年，業務部門や家庭部門のエネルギー使用量の増加が顕著であり，特に，エネルギー使用量の多い空気調和設備における省エネルギーを図ることが求められている．

1) 「エアコンディショナーのエネルギー消費性能の向上に関するエネルギー消費機器等製造事業者等の判断の基準等」（平成 **31** 年 **3** 月 **29** 日告示）に定められている業務用のエアコンディショナの導入を図ることにした．対象となるエアコンディショナは，冷房能力 **14 kW**，暖房能力 **16 kW** で，通年エネルギー消費効率が **6.0**，冷房の定格時成績係数が **3.5**，暖房の定格時成績係数が **3.9** であった．法で定められている通年エネルギー消費効率の算定に用いられる条件と同じ条件で運転したときの，冷房時の期間負荷を**10 240 kW·h**，暖房時の期間負荷を**8 900 kW·h**としたとき，このエアコンディショナの年間使用電力量は **[E a.bc]** × 10^3 [kW·h] となる．

2) 空気調和設備は，外気条件の変化などによる軽負荷時には，それに合った高効率運転を行うことが必要である．

「工場等判断基準」の「基準部分（工場）」は，空気調和設備を構成する熱源設備，熱搬送設備，空気調和機設備の管理は，外気条件の季節変動等に応じ，[8]，圧力等の設定により，空気調和設備の総合的なエネルギー効率を向上させるように管理標準を設定して行うこと，を求めている．

〈[8] の解答群〉

ア 冷却水温度や冷温水温度　**イ** 室内の湿度　**ウ** 二酸化炭素濃度

⑿ 負荷としての交流電気設備は，抵抗と誘導性リアクタンスを直列に接続したものとして表されるものが多い．抵抗が**40 Ω**，誘導性リアクタンスが**30 Ω**である単相負荷の力率は **[F ab]** [%] である．

⒀ 電動機は，一般に，負荷が低くなると効率が低くなる特性がある．

「工場等判断基準」の「基準部分（工場）」は，電動力応用設備において，複数の電動機を使用するときは，それぞれの電動機の部分負荷における効率を考慮して，電動機全体の効率が高くなるように管理標準を設定し，[9] 及び負荷の適正配分を行うこと，を求めている．

⒁ 工場の受変電設備及び配電設備においては，線路抵抗の低減や線路電流の低減により配電損失を低減することが望まれる．

「工場等判断基準」の「基準部分（工場）」は，受変電設備の配置の適正化及び配電方式の変更による配電線路の短縮，[10] 等について管理標準を設定し，配電損失を低減すること，を求めている．

〈[9] 及び [10] の解答群〉

ア 入力電圧の調整　**イ** 力率の調整　**ウ** 稼働台数の調整

エ 電気の使用の平準化　**オ** 電圧不平衡の防止　**カ** 配電電圧の適正化

⒂ ある工場で，節電のために，**14**時から**15**時の間の平均電力を**500 kW**（この時間の使用電力量を**500 kW·h**）に抑えることにした．このとき，**14**時から**14**時**40**分までの使用電力量が**350 kW·h**であったとすると，残りの**14**時**40**分から**15**時までの平均電力は **[G abc]** [kW] にする必要がある．

(16) 変圧器の損失は無負荷損と負荷損に分けられる．無負荷損は負荷の大きさによらず一定であり，負荷損は負荷電流の大きさの［11］に比例する．その結果，変圧器の効率は，無負荷損と負荷損の大きさが等しい負荷のときに最大となる．

(17) 電気化学反応では電極界面において，イオンと電子の間で電気のやり取りが行われる．ファラデーの法則によれば，電流が通過することにより電極上において析出又は溶解する化学物質の質量は，通過する電気量に比例する．また，同じ電気量によって析出又は溶解する化学物質の質量は，その物質の式量 $\boldsymbol{M}$ と反応電子数 $\boldsymbol{z}$ で決まり，［12］に比例する．

〈［11］及び［12］の解答群〉

ア $\frac{1}{2}$乗　**イ** 1乗　**ウ** 2乗　**エ** Mz　**オ** $\frac{M}{z}$　**カ** $\frac{z}{M}$

(18) 照明設備において，光源の下に水平な被照面がある．被照面上の光源の真下の点 **P** における照度は，光源と被照面上の点 **P** との距離の［13］に反比例する．ここで，簡単のために，光源は点光源であり，光束は全方位に均等に発散されるものとし，また，壁や天井などでの反射は考えない．

〈［13］の解答群〉

ア 1乗　**イ** 2乗　**ウ** 3乗

電気の基礎（80 分）

問題 4　電気及び電子理論

問題 5　自動制御及び情報処理

問題 6　電気計測

問題 **4**（電気及び電子理論）

次の各文章の［ 1 ］～［ 10 ］の中に入れるべき最も適切な数値又は式をそれぞれの解答群から選び，その記号を答えよ．（配点計 **50** 点）

(1)　図 **1** に示すように，電圧が $\dot{E} = 100 + \mathrm{j}0$ [V] の交流電源に，誘導性リアクタンス $X_1 = 0.8$ [Ω]，容量性リアクタンス $X_2 = 1$ [Ω] 及び抵抗 $R = 2$ [Ω] を接続した回路がある．この回路において，図の位置に挿入した電力計 **1** 及び電力計 **2** の二つの電力計が表示する指示値を求める過程を考える．なお，図に示されているインピーダンス以外のインピーダンスは無視するものとする．

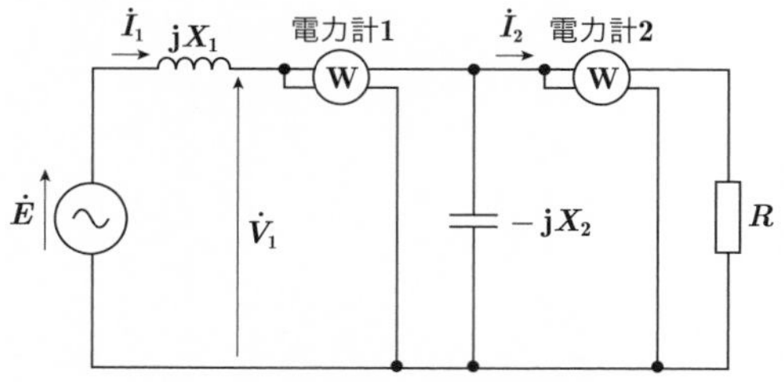

図 **1**　電力計のある電気回路

1)　電源側から見たこの回路の合成インピーダンス $\dot{Z}$ は次式のように表される．

$$\dot{Z} = \mathrm{j}X_1 + \boxed{\ 1\ }\ [\Omega]$$

したがって，電源から流れ込む電流 $\dot{I}_1$ の値は次のようになる．

$$\dot{I}_1 = \boxed{\ 2\ }\ [\mathrm{A}] \quad \cdots\cdots\cdots\cdots ①$$

〈［ 1 ］及び［ 2 ］の解答群〉

ア　$\dfrac{R + \mathrm{j}X_2}{\mathrm{j}RX_2}$　　イ　$\dfrac{R - \mathrm{j}X_2}{-\mathrm{j}RX_2}$　　ウ　$\dfrac{\mathrm{j}RX_2}{R + \mathrm{j}X_2}$　　エ　$\dfrac{-\mathrm{j}RX_2}{R - \mathrm{j}X_2}$

オ　$-250 + \mathrm{j}0$　　カ　$15 - \mathrm{j}60$　　キ　$40 + \mathrm{j}0$　　ク　$50 + \mathrm{j}5$

ケ　250 + j0

2)　電力計は，電力計に入力される有効電力を表示するものである．

まず電力計 **1** では，入力される電圧 $\dot{V}_1$ の値は次のようになる．

$\dot{V}_1 =$ [3] [V] ……………………②

電力計 **1** に入力される電力を複素電力 $\dot{P}_{C1} = P_1 - \mathrm{j}Q_1 = \overline{\dot{V}_1} \cdot \dot{I}_1$ で表す．ここで Q_1 [var] は無効電力を示し，誘導性無効電力の場合を正とする．また，$\overline{\dot{V}_1}$ は $\dot{V}_1$ の共役複素数を示す．以上から，$\dot{P}_{C1}$ の値は次のようになる．

$\dot{P}_{C1} =$ [4] + j50 000 ……………………③

電力計 **1** が表示する有効電力 P_1 [W] は，③で示される $\dot{P}_{C1}$ の実数部分に相当する．

〈[3] 及び [4] の解答群〉

ア　−100 + j200	イ　16 − j32	ウ　24 − j38	エ　100 − j200
オ　100 + j200	カ　640	キ　4 000	ク　6 000
ケ　25 000	コ　50 000		

3)　次に電力計 **2** では，入力される電圧 $\dot{V}_1$ は②と同じであり，電流 $\dot{I}_2$ の値は次のようになる．

$\dot{I}_2 =$ [5] [A] ……………………④

電力計 **2** に入力される電力を複素電力 $\dot{P}_{C2}$ で表すと，その値は次のようになる．

$\dot{P}_{C2} =$ [6] − j0 ……………………⑤

電力計 **2** が表示する有効電力 P_2 [W] は，⑤で示される $\dot{P}_{C2}$ の実数部分に相当する．

〈[5] 及び [6] の解答群〉

ア　−50 + j100	イ　12 − j19	ウ　50 − j100	エ　50 + j100
オ　200 + j100	カ　4 000	キ　15 000	ク　20 000
ケ　25 000	コ　50 000		

(2)　図 **2** に示すように，相電圧 $\dot{E}_a$ [V]，$\dot{E}_b$ [V]，$\dot{E}_c$ [V] の対称三相交流電源に，インピーダンス $\dot{Z}_a$ [Ω]，$\dot{Z}_b$ [Ω]，$\dot{Z}_c$ [Ω] を **Y** 結線した不平衡三相負荷を接続し，電源の中性点 **O** と負荷の中性点 **N** をスイッチ **S** を介して接続した回路がある．この回路において，**O** 点の電位を **0 V**，**N** 点の電位を $\dot{V}_N$ [V] として，スイッチ **S** を開閉したときの，定常状態における電圧，電流などの直を求める過程を考える．ここで，相回転は **a**−**b**−**c** の順であり，図に示されているインピーダンス以外のインピーダンスは無視するものとする．

1)　まず，スイッチ **S** が閉の場合を考える．この場合の **a** 相の線電流 $\dot{I}_a$ は次式のように表される．

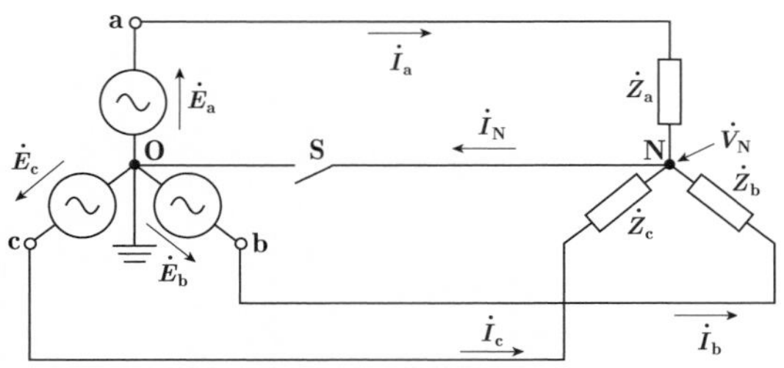

図 **2**　負荷を接続した電気回路

$\dot{I}_a =$ [7] [A] ……………………………⑥

b 相，**c** 相の線電流 $\dot{I}_b$，$\dot{I}_c$ も同様にして求められる．

また，図の矢印の方向を正とした中性線電流 $\dot{I}_N$ は次式のように表される．

$\dot{I}_N =$ [8] [A] ……………………………⑦

このとき，不平衡三相負荷であるので一般に $\dot{I}_N$ は **0 A** ではなく，また，**N** 点の電位 $\dot{V}_N$ はスイッチ **S** を通して電源の中性点 **O** に接続されているので **0 V** である．

〈[7] 及び [8] の解答群〉

ア $3\dot{I}_a$　**イ** $\dot{I}_a + \dot{I}_b + \dot{I}_c$　**ウ** $-(\dot{I}_a + \dot{I}_b + \dot{I}_c)$　**エ** $\dfrac{\dot{I}_a + \dot{I}_b + \dot{I}_c}{3}$

オ $\dfrac{\dot{E}_a}{\dot{Z}_a}$　**カ** $\dfrac{3\dot{E}_a}{\dot{Z}_a}$　**キ** $\dfrac{\dot{E}_a}{3\dot{Z}_a}$　**ク** $\dfrac{\dot{E}_a - \dot{E}_b}{\dot{Z}_a + \dot{Z}_b}$

2)　次に，スイッチ **S** が開の場合を考える．この場合の **a** 相の線電流 $\dot{I}_a$ は次式のように表される．

$\dot{I}_a =$ [9] [A] ……………………………⑧

b 相，**c** 相の線電流 $\dot{I}_b$，$\dot{I}_c$ も同様にして求められる．

スイッチ **S** が開のため $\dot{I}_N = 0$ となるので，**N** 点の電位 $\dot{I}_N$ は次式のように表される．

$\dot{V}_N =$ [10] [V] ……………………………⑨

⑨式の結果を⑧式に代入して，線電流 $\dot{I}_a$ を求めることができ，$\dot{I}_b$，$\dot{I}_c$ も同様にして求められる．

〈[9] 及び [10] の解答群〉

ア $\dfrac{\dot{E}_a + \dot{E}_b + \dot{E}_c}{3}$　**イ** $\dfrac{\dot{E}_a + \dot{V}_N}{\dot{Z}_a}$　**ウ** $\dfrac{\dot{E}_a - \dot{V}_N}{\dot{Z}_a}$　**エ** $\dfrac{\dot{E}_a - \dot{E}_b}{\dot{Z}_a + \dot{Z}_b}$

オ　$\dfrac{2\dot{E}_a - \dot{E}_b - \dot{E}_c}{3\dot{Z}_a}$　カ　$\dfrac{\dfrac{\dot{E}_a}{\dot{Z}_a}+\dfrac{\dot{E}_b}{\dot{Z}_b}+\dfrac{\dot{E}_c}{\dot{Z}_c}}{\dfrac{1}{\dot{Z}_a}+\dfrac{1}{\dot{Z}_b}+\dfrac{1}{\dot{Z}_c}}$　キ　$-\dfrac{\dfrac{\dot{E}_a}{\dot{Z}_a}+\dfrac{\dot{E}_b}{\dot{Z}_b}+\dfrac{\dot{E}_c}{\dot{Z}_c}}{\dfrac{1}{\dot{Z}_a}+\dfrac{1}{\dot{Z}_b}+\dfrac{1}{\dot{Z}_c}}$

ク　$\dfrac{1}{\dot{Z}_a+\dot{Z}_b+\dot{Z}_c}\left(\dfrac{\dot{E}_a-\dot{E}_b}{\dot{Z}_a+\dot{Z}_b}+\dfrac{\dot{E}_b-\dot{E}_c}{\dot{Z}_b+\dot{Z}_c}+\dfrac{\dot{E}_c-\dot{E}_a}{\dot{Z}_c+\dot{Z}_a}\right)$

問題 5（自動制御及び情報処理）

次の各問に答えよ．（配点計 **50** 点）

(1)　次の各文章の［1］～［5］の中に入れるべき最も適切な字句又は式をそれぞれの解答群から選び，その記号を答えよ．

図 **1** に示すように，電圧 $e(t)$ [V] の電源に，抵抗 R [Ω]，インダクタンス L [H] 及びキャパシタンス C [F] を直列に接続した電気回路がある．

この電気回路において，電流を $i(t)$ [A] とすると次のような微分方程式が成り立つ．

$$Ri(t)+L\frac{\mathrm{d}i(t)}{\mathrm{d}t}+\frac{1}{C}\int_0^t i(\tau)\mathrm{d}\tau=e(t) \qquad \cdots\cdots①$$

この微分方程式について，ラプラス変換を用いて考える．

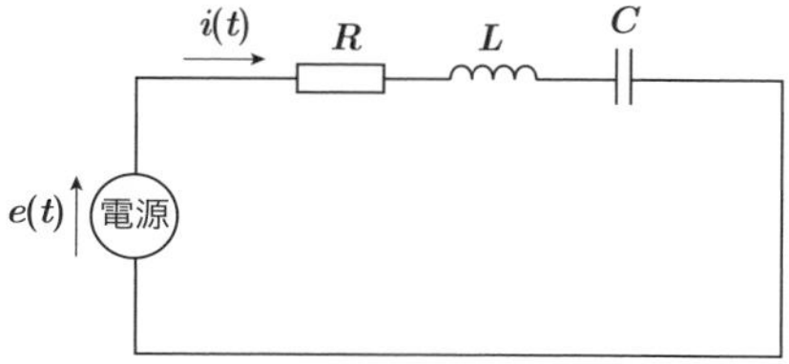

図 1　電気回路

1)　①式をラプラス変換し，$i(t)$ のラプラス変換を $I(s)$，$e(t)$ のラプラス変換を $E(s)$ で表すとき，すべての初期値を **0** とみなすと，

$$RI(s)+L\times\boxed{\ 1\ }+\boxed{\ 2\ }=E(s) \qquad \cdots\cdots②$$

を得る．

〈［1］及び［2］の解答群〉

ア　$I(s)$　イ　$sI(s)$　ウ　$\dfrac{1}{I(s)}$　エ　$\dfrac{s}{I(s)}$　オ　$\dfrac{I(s)}{s}$

カ $\dfrac{sI(s)}{C}$　**キ** $\dfrac{I(s)}{Cs}$　**ク** $\dfrac{I(s)}{Cs^2}$　**ケ** $\dfrac{s}{CI(s)}$　**コ** $\dfrac{C}{sI(s)}$

2)　②式より求められる $E(s)$ から $I(s)$ までの伝達関数 $G(s)$ は式 [3] となる.

3)　$e(t)$ として 1 V のステップ入力を加えたとき，$I(s)$ は式 [4] となる．この応答はパラメータの大きさにもよるが，一般的な [5] 要素にインパルス入力を加えたときと同様の挙動となる.

〈[3]～[5] の解答群〉

ア 一次遅れ　**イ** 二次遅れ　**ウ** 積分　**エ** 微分

オ 比例　**カ** $\dfrac{C}{s^2+LCs+RC}$　**キ** $\dfrac{Cs}{s^2+LCs+RC}$

ク $\dfrac{C}{LCs^2+RCs+1}$　**ケ** $\dfrac{s}{LCs^2+RCs+1}$　**コ** $\dfrac{Cs}{LCs^2+RCs+1}$

(2)　次の文章の [6] の中に入れるべき最も適切な記述を〈[6] の解答群〉から選び，その記号を答えよ.

ある電気回路において，電圧 $e(t)$ [V] のラプラス変換を $E(s)$，電流 $i(t)$ [A] のラプラス変換を $I(s)$ で表すとき，図 2 に示すように，$E(s)$ から $I(s)$ までの伝達関数を $\dfrac{3s}{s^2+9}$ で表すことができたとする．この電気回路の電圧 $e(t)$ として 1 V のステップ入力を加えたとき，十分な時間経過後，$i(t)$ は [6].

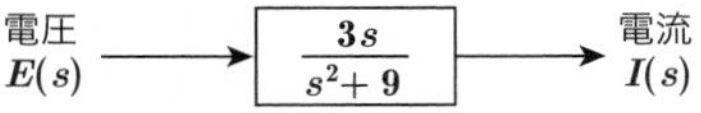

図 2　ブロック線図

〈[6] の解答群〉

ア 常に一定である　**イ** 持続的に同じ振幅で振動する

ウ 振動しながらある一定値になる　**エ** 単調に増加してある一定値になる

オ 無限大に発散する

(3)　次の文章の [7] 及び [8] の中に入れるべき最も適切な字句を〈[7] 及び [8] の解答群〉から選び，その記号を答えよ.

プロセス制御などでは，フィードバック制御の一つである PID 制御が多く用いられている.

PID 制御の操作量 $u(t)$ は，一般に，

$$u(t) = K_1 e(t) + K_2 \int_0^t e(\tau)\,\mathrm{d}\tau + K_3 \frac{\mathrm{d}e(t)}{\mathrm{d}t} \quad \cdots\cdots③$$

と表される．ここで，K_1，K_2，K_3 はある定数であり，$e(t)$ は制御量の目標値と現在値との偏差である．③式の右辺の第一項は［7］と呼ばれる動作による操作量である．しかし，この動作だけの場合，定常偏差が残ることもあるので，それを除去するために，［8］と呼ばれる動作による操作量である第二項を加える．さらに，制御量の急激な変化に対応するために，第三項にあるように，変化の割合に対応した操作量を加えている．

〈［7］及び［8］の解答群〉

ア　D 動作　　**イ**　I 動作　　**ウ**　P 動作　　**エ**　PD 動作　　**オ**　PI 動作

(4)　次の文章の［9］～［14］の中に入れるべき最も適切な字句又は数値を〈［9］～［14］の解答群〉から選び，その記号を答えよ．なお，同じ記号を **2** 回以上使用してもよい．

図 **3** は，システムの運転と停止の操作を示すリレーシーケンス制御回路である．押しボタン $\mathrm{PS_1}$ は起動ボタン，$\mathrm{PS_2}$ は停止ボタンであり，両方とも自動復帰接点を使用している．押しボタンの自動復帰接点は，人が指で押している間だけ働くもので，その間だけ **a** 接点（メーク接点）はオン，**b** 接点（ブレーク接点）はオフとなり，指を離すと押しボタンは元の位置に戻る．

この回路の動きとしては，$\mathrm{PS_2}$ が押されていない状態で $\mathrm{PS_1}$ を押すと，コイル **R** が励磁されてリレー接点 **R** がオンとなる．$\mathrm{PS_1}$ は元の位置に戻るが，コイルはリレー接点 **R** によって励磁されたままになる．このような働きの回路をリレー回路では［9］回路という．また，$\mathrm{PS_2}$ を押せば，$\mathrm{PS_1}$ の状態にかかわらず，基本論理回路のうちの［10］回路の原理により，コイルの励磁が解かれる．

表は，この回路の真理値表であり，表中の項目 **A** の状態から **B** の操作を行ったときの **C** の真理値を示したものである．ここで，「押」は「押しボタンを押す」，「×」は「押しボタンを押さない」操作を示す．

このとき，表中の項目 **C** の［X］，［Y］及び［Z］の真理値は次のようになる．

［X］の真理値＝［11］

［Y］の真理値＝［12］

［Z］の真理値＝［13］

電子回路において，これと同様な動作をする回路として，コンピュータの記憶装置や計数回路に用いられ，**1** ビットの情報を記憶する回路は［14］回路として知られている．

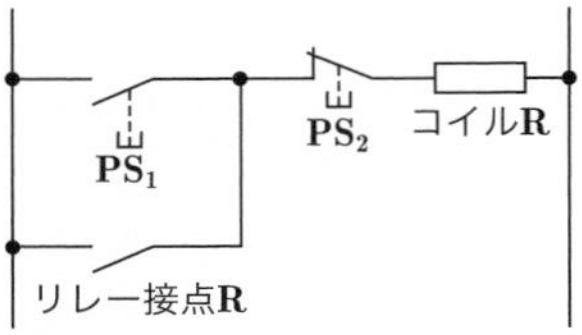

図 **3**　リレーシーケンス制御回路

表　真理値表

項目 ＼ 操作パターン			i	ii	iii	iv	v	vi	vii	viii
A	操作前のリレー **R** の真理値		**0**	**1**	**0**	**1**	**0**	**1**	**0**	**1**
B	操作	$\mathbf{PS_1}$	×	×	×	×	押	押	押	押
		$\mathbf{PS_2}$	×	×	押	押	×	×	押	押
C	操作後のコイル **R** の真理値		**0**	**X**	**0**	**Y**	**Z**	**1**	**0**	**0**

〈 9 ～ 14 の解答群〉

ア　自己保持　　**イ**　インタロック　　**ウ**　カウンタ　　**エ**　シフト
オ　トリップロック　　**カ**　フリップフロップ　　**キ**　**AND**　　**ク**　**NOR**
ケ　**NOT**　　**コ**　**OR**　　**サ**　**0**　　**シ**　**1**

(5)　次の各文章の 15 ～ 17 中に入れるべき最も適切な字句を〈 15 ～ 17 の解答群〉から選び，その記号を答えよ．

また， **A a.b** に当てはまる数値を計算し，その結果を答えよ．ただし，解答は解答すべき数値の最小位の一つ下の位で四捨五入すること．

1)　業務用ビル等において，室内環境・エネルギー使用状況を把握し，機器又は設備等の適正な運転管理によってエネルギー使用の合理化を図るためのシステムを 15 といい，一般に計測・計量装置，制御装置，監視装置，データ保存装置，データ分析・診断装置などで構成される．

住宅において同様にエネルギー使用の合理化を図るシステムを 16 といい，従来機器，太陽光発電などの創エネ機器，及び蓄電池，電気自動車などの蓄エネ機器のネットワーク化による管理機能や，居住者のためのデータの「見える化」などの機能も含まれる．

また，工場において同様にエネルギー使用の合理化を図るシステムを 17 といい，生産設備のエネルギー使用状況・稼働状況を把握し，エネルギー使用の合理化や工場内設備・機器のトータルライフサイクル管理の最適化を図るためなどの目的で導入される．

2)　エネルギー管理システムを構成する計測・計量装置でのデータ伝送において，**1** 回路

II

当たり8バイトで構成される電力計測データを60回路分一括して，伝送速度19 200 bpsの回線で転送すると，転送にかかる時間は [A a.b] $\times 10^{-1}$ [s]となる．ただし，伝送効率は30 %とする．

〈[15]～[17]の解答群〉

ア　スマートメータ　イ　BEMS　ウ　CEMS　エ　DSM　オ　FEMS
カ　HEMS　キ　MEMS　ク　ZEB　ケ　ZEH

問題6（電気計測）

次の各文章の[1]～[12]の中に入れるべき最も適切な字句又は式をそれぞれの解答群から選び，その記号を答えよ．なお，[1]および[2]は2箇所あるが，それぞれ同じ記号が入る．（配点計50点）

(1)　計測器は大きくアナログ計測器とディジタル計測器に分けられる．

一般に測定対象が[1]量である場合によく利用され，測定された量を主としてアナログ量で扱い，計測結果をアナログ表示させるものを，ここではアナログ計測器と呼ぶ．アナログ表示のため，測定値の挙動が直観的に理解しやすいのがアナログ計測器の大きな特徴である．

一方，測定対象自体が[2]量であるものや，[1]量であっても[2]化した方が実際的で便利な場合に，測定された量を主としてディジタル量で扱い，計測結果をディジタル表示させるものを，ここではディジタル計測器と呼ぶ．

ディジタル計測器には次のような特徴がある．

①　計測の自動化や大量の情報処理に向いている．

②　ディジタル表示では[3]が存在しないため耐久性が高く，高速計測，反復計測も容易である．

③　一般に入力部は電源部やインタフェース部と電気的に絶縁されており，また[4]の入力回路が組み込まれているので，測定対象へ影響を及ぼさずに測定ができる．

④　測定結果をディジタル表示することで，読み取り時の[5]が少ない．

近年は，ディジタル計測器が信号処理の高度化，小型化，表示部の多様化，価格の低下などにより，アナログ計測器に取って代わりつつある．

〈[1]～[5]の解答群〉

ア　予測できない　イ　離散　ウ　連続　エ　一定
オ　周期的　カ　単調減少　キ　可動指針　ク　固定部分

ケ　ディジタル表示部　**コ**　高アドミタンス　**サ**　高インピーダンス
シ　低インピーダンス　**ス**　偶然誤差　**セ**　個人誤差
ソ　測定対象への影響

⑵　配線や電気機器の絶縁抵抗を測定する場合，一般には測定機器として［ 6 ］を用いる．高電圧の配電設備などにおいては，安全確保のため，配線間，及び配線と［ 7 ］の間で比較的高い電圧をかけて，所定の抵抗値があることを確認しておく必要がある．

被測定回路が大きな［ 8 ］を持つ場合，測定開始直後は低い抵抗を示すことがある．このような場合は，被測定図路を遮断器や開閉器を用い可能な限り分割すること，メータの指針が上昇し，止まるのを待ってから読み取ること，測定電圧を被測定回路に影響がない範囲で上げることなどが必要である．

〈［ 6 ］～［ 8 ］の解答群〉
ア　静電容量　**イ**　測定機器　**ウ**　大地　**エ**　抵抗
オ　ディジタルマルチメータ　**カ**　メガー　**キ**　インダクタンス
ク　**LCR** メータ

⑶　図に示すような交流ブリッジの各辺に $\boldsymbol{R_1}$ [Ω]，$\boldsymbol{R_2}$ [Ω]，$\boldsymbol{R_3}$ [Ω] 及び $\boldsymbol{R_4}$ [Ω] の適切な抵抗と，$\boldsymbol{L_1}$ [H] 及び $\boldsymbol{L_3}$ [H] の適切なインダクタンスを接続したところ，検流器 **D** の指示値が **0** となった．この様な状態を［ 9 ］と呼ぶ．このとき，電源電圧を $\boldsymbol{V}$ [V]，電源の角周波数を ω [rad/s] とすると，これらのインピーダンスの関係は ω を用いて，式［ 10 ］と表すことができる．この式から，抵抗とインダクタンスには式［ 11 ］で示す比例関係があることが分かる．また，［ 12 ］は抵抗とインダクタンスの比例関係に影響を与えないことも説明できる．このように，ブリッジの原理を利用して各種インピーダンスの測定が行われる．

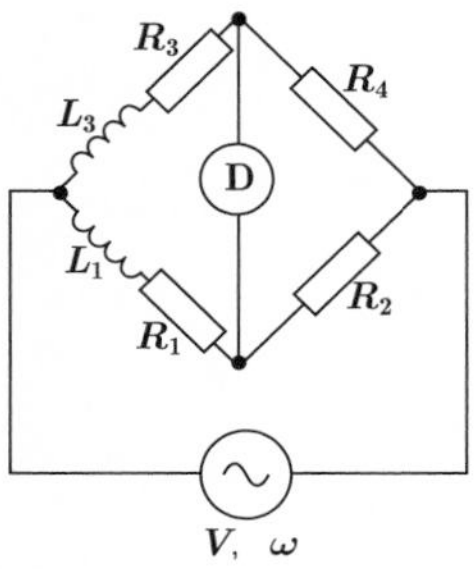

図　交流ブリッジ

〈 9 ～ 12 の解答群〉

ア 充電状態　**イ** 発振状態　**ウ** 平衡状態　**エ** 検流器の零点ドリフト

オ 電源電圧の変動　**カ** 配線抵抗　**キ** $R_2R_3 + j\omega R_2L_3 = R_4R_1 + j\omega R_4L_1$

ク $R_2R_4 + j\omega R_2L_3 = R_3R_1 + j\omega R_4L_1$

ケ $R_4R_3 + j\omega R_4L_3 = R_2R_1 + j\omega R_2L_1$

コ $\dfrac{R_2}{R_4} = \dfrac{R_1}{R_3} = \dfrac{L_1}{L_3}$　**サ** $\dfrac{R_2}{R_4} = \dfrac{R_1}{R_3} = \dfrac{L_3}{L_1}$　**シ** $\dfrac{R_2}{R_4} = \dfrac{R_3}{R_1} = \dfrac{L_1}{L_3}$

電気設備及び機器（110分）

問題7，8　工場配電

問題9，10　電気機器

問題7（工場配電）

次の各問に答えよ．（配点計**50**点）

(1) 次の文章の［1］～［5］の中に入れるべき最も適切な字句を〈［1］～［5］の解答群〉から選び，その記号を答えよ．

不意の停電は生産機能の阻害・停止，製品不良の発生など，生産活動に多大な影響を及ぼすため，事故や故障による停電を未然に防止する目的で行う［1］が重要となる．

その一方で，自家用構内の電気系統に事故や故障が発生した際には，事故や故障が発生した回路だけを狭い範囲で素早く遮断し，自家用構内の他の回路や自家用構外へ波及させない方策を講じることも求められる．そのため，自家用構内系統の各回路に設置する保護リレーは，［2］と動作時限を適切に整定して，回路間や電力会社の送配電線との［3］をとらなければならない．

一般的に，自家用構内における短絡・地絡事故を構外へ波及させないため，受電設備の保護リレーには時限差継電方式が採用される．これは，電力会社の送配電線の遮断時間と比べて［4］時限で自家用構内の短絡・地絡事故点を遮断させるべく，受電設備の保護リレーを動作させる方式である．

また，受電変圧器により電力系統と絶縁された自家用構内における地絡事故については，絶縁された回路単位で考えればよい．例えば，配電用変圧器の二次側に接地工事が施された低圧配線回路における地絡事故に対しては，感電災害や火災を防止する観点から，一般に電流動作形の［5］が設置される．

〈［1］～［5］の解答群〉

ア	短い	**イ**	同一の	**ウ**	工程管理	**エ**	負荷管理
オ	保全管理	**カ**	過電流遮断器	**キ**	限流ヒューズ	**ク**	漏電遮断器
ケ	検出感度	**コ**	保護協調	**サ**	絶縁協調	**シ**	絶縁強度

(2) 次の各文章の［6］～［10］の中に入れるべき最も適切な字句又は数値を〈［6］～

III

[10] の解答群〉から選び，その記号を答えよ．

現在，工場や事業場に対する電力供給システムは，電力会社の大規模集中発電によるものが主流であるが，近年，電力の需要の平準化が求められる中で，次のような再生可能エネルギーなどを利用した分散電源の普及への期待が高まっている．

1) 太陽光発電は，地球上に到達する太陽の光エネルギーを利用している．我が国において，快晴の日に太陽に正対する面で受け取る太陽光エネルギーは，最大で約 [6] [kW/m²] である．

太陽光発電は，このエネルギーを電気エネルギーに変換する発電方式で，変換のために太陽電池が使用される．太陽光エネルギーによる電力は [7] に比例する．

2) 風力発電は，風の運動エネルギーを，風車の回転運動エネルギーに変換して発電機を駆動することにより発電するもので，無尽蔵かつ排出物が無いクリーンな発電システムである．風車が受ける運動エネルギーは，風速の [8] 乗に比例する．

3) 燃料電池は，化学エネルギーを電気エネルギーに変換する装置で，乾電池や蓄電池のように内部エネルギーとして保存するものではなく，外部から燃料と [9] を供給することにより，発電を行うものである．

4) 太陽光発電や風力発電などの分散電源を電力系統に連系する場合には，「電力品質確保に係る系統連系技術要件ガイドライン」により，連系される系統の区分ごとに，電圧変動，短絡容量，力率，連絡体制などに関する技術要件が示されている．このガイドラインでは，連系点における力率を，原則として [10] [%] 以上とし，かつ系統から見て進み力率にならないよう求めている．

〈[6]～[10] の解答群〉

ア	還元剤	**イ**	酸化剤	**ウ**	中和剤	**エ**	日射の強さ	**オ**	日照時間
カ	誘電率	**キ**	0.1	**ク**	0.5	**ケ**	1	**コ**	2
サ	3	**シ**	5	**ス**	80	**セ**	85	**ソ**	90

(3) 次の各文章の [11]～[13] の中に入れるべき最も適切な字句を〈[11]～[13] の解答群〉から選び，その記号を答えよ．

また，[A | ab.c] 及び [B | abc] に当てはまる数値を計算し，その結果を答えよ．ただし，解答は解答すべき数値の最小位の一つ下の位で四捨五入すること．

1) 工場における負荷設備の電力使用状況を表す指標として，負荷に関する諸係数が用いられる．

ある期間中に最も多く使用した電力を最大需要電力，一定期間中の電力量をその期間中の総時間で除したものを平均電力といい，それらを用いて，負荷設備の特性を表す諸係数は，以下の式で表される．

$$\boxed{\ 11\ } = \frac{\text{最大需要電力}}{\text{合計設備容量}} \times 100\ [\%]$$

$$\text{負荷率} = \frac{\text{ある期間の平均電力}}{\text{最大需要電力}} \times 100\ [\%]$$

$$\boxed{\ 12\ } = \frac{\text{個々の負荷の最大需要電力の合計}}{\text{全負荷の最大需要電力}}$$

2）エネルギーを使用して事業を営む者は，「エネルギーの使用の合理化等に関する法律」により，電気の需要の平準化に資する措置を講ずることが求められている．

図は，空調熱源として電気が使用されている，ある工場の電力の日負荷曲線を示したものである．この工場において，電気の需要の平準化に資する措置として蓄熱空調方式を導入することを考える．

蓄熱空調方式により，最大需要電力の生じる**13**時から**17**時における空調熱源電力の一部を，電力負荷の少ない**22**時から翌日**8**時に移行することで，電力の負荷率を改善することができる．

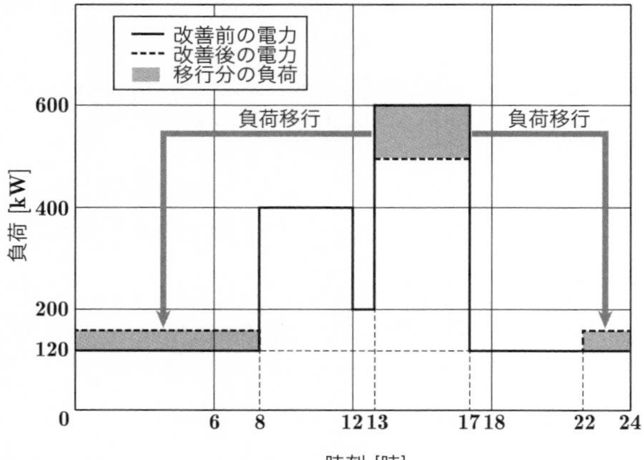

図　電力の日負荷曲線

負荷移行前の電力の負荷率は **A ab.c** [%] であるが，負荷率を**50** % まで改善するためには，図のように**13**時から**17**時において，各時間均等に**4**時間の合計で **B abc** [kW·h] の電力量を**22**時から翌日**8**時の間に移行すればよいことになる．ただし，負荷移行の前後で総消費電力量は変わらないものとする．

また，これにより電力会社との［13］の見直しが可能となり，電気料金の低減も図ることができる．

〈［11］～［13］の解答群〉

ア 契約期間　イ 契約電力　ウ 力率割引　エ 安全率
オ 需要率　カ 不等率　キ 不平衡率　ク 利用率

問題 8（工場配電）

次の各問に答えよ．（配点計 **50** 点）

(1) 次の各文章の［1］～［7］の中に入れるべき最も適切な字句又は数値をそれぞれの解答群から選び，その記号を答えよ．

1) 工場や事業場の電力負荷設備の電力量管理は，維持管理にとって重要な管理手法の一つである．

電力量管理の目的は，工場や事業場の生産活動や業務活動を円滑に遂行し，経済的で合理的に電力を使用することで電力量の低減を図り，製品の［1］を改善させることである．

電力量の低減を図る方法としては，無駄な電力消費の排除，機器の高効率運転などが挙げられる．

無駄な電力消費を排除する対策としては，負荷に合わせて機器を整理統合し，台数を少なくして運転する方法がある．また，電気機器の効率は定格電圧付近で最高となる場合が多いので，変圧器の［2］や電圧調整装置などにより適正電圧に調整することも高効率運転に寄与する．

2) 電力系統への落雷，風雨，氷雪などで系統事故が発生すると，この異常を保護リレーなどが検知し，［3］により事故点を電力系統から切り離すが，切り離されるまでの間，事故電流により，事故点を中心に広範囲に電圧低下が発生する．このような，系統の電圧が瞬時的に低下する現象を瞬時電圧低下と呼んでいる．瞬時電圧低下により影響を受ける機器側で行う対策としては，一般に，電力変換装置と蓄電池から構成された［4］が使用される．

〈［1］～［4］の解答群〉

ア 遮断器　イ 断路器　ウ 負荷開閉器　エ 高効率化
オ 台数調整　カ タップ切換　キ 電力原単位　ク 品質

ケ　歩留まり　　**コ**　PCS　　**サ**　UPS　　**シ**　VVVF

3)　フリッカ抑制対策は，発生源であるアーク炉，溶接機などの運転条件の改善が基本であるが，その他の対策としては，発生源に［5］を取付ける方法や，フリッカが問題となる地点より電源側に直列コンデンサを挿入し，問題地点での見かけ上の短絡容量を増大させる方法などがある．なお，我が国でのフリッカは，電圧変動の周波数成分を，電圧変動によって起こる照明の照度変化に対して人間の目が最もちらつきを感じる［6］[Hz] の周波数成分に補正した数値で評価される．

4)　電気の環境基準の一つである「高調波環境目標レベル」では，高調波環境の目標値が示されており，例えば高圧配電系統における総合電圧ひずみ率は［7］[%] 以下に維持することとされている．さらに，資源エネルギー庁が制定した「高圧又は特別高圧で受電する需要家の高調波抑制対策ガイドライン」においては，高調波対策を行う際の技術要件が定められている．

〈［5］～［7］の解答群〉

ア　パッシブフィルタ　　**イ**　サイリスタ整流装置　　**ウ**　無効電力補償装置

エ　3　　**オ**　5　　**カ**　7　　**キ**　10　　**ク**　20　　**ケ**　50

(2)　次の各文章の［**A** ab.c］～［**D** ab］に当てはまる数値を計算し，その結果を答えよ．

ただし，解答は解答すべき数値の最小位の一つ下の位で四捨五入すること．なお，$\sqrt{2} = 1.414$，$\sqrt{3} = 1.732$，$\sqrt{5} = 2.236$ とする．

図のような三相 **3** 線式 **2** 回線ループ配電線路がある．回線 **A**，**B** の線路インピーダンスは等しく平衡しており，電線 **1** 線当たりの抵抗は **0.06 Ω**でリアクタンスは無視できるものとする．また，工場 **a**，**b** の負荷は定電流特性を有しており，**1** 相当たりの負荷電流は工場 **a** で **200 A**（力率 **100 %**），工場 **b** で **160 − j120 [A]**（遅れ力率 **80 %**）である．

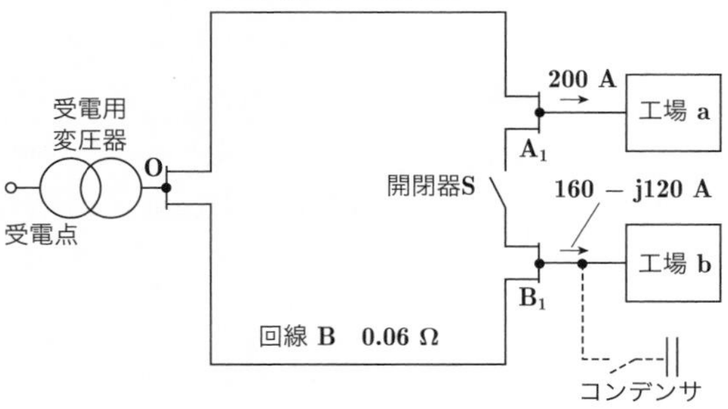

図　工場配電系統

III

ここで，すべての電流は，受電用変圧器の二次側電圧の位相を基準として表すものとする．

このときの線路損失について考える．ただし，線路は回線 **A** の **O** ～ $\mathbf{A_1}$ 及び回線 **B** の **O** ～ $\mathbf{B_1}$ のみについて考えることとし，それ以外の線路損失及び受電用変圧器のインピーダンスは無視できるものとする．

1) 開閉器 **S** が開いた状態における線路損失を求める．

回線 **A** と回線 **B** の線路損失の合計値は [**A** | **ab.c**] [kW] となる．

2) 開閉器 **S** を閉じてループ運転を行った場合の線路損失を求める．

開閉器 **S** を流れる電流の大きさは定常状態で [**B** | **ab**] [A] となる．ループ運転を行うことにより，回線 **A** と回線 **B** の線路損失の合計値は，ループ運転を行う前よりも [**C** | **a.bc**] [kW] 低減できる．

3) コンデンサを接続して線路損失を低減することを考える．

ループ運転を行う代わりに，開閉器 **S** が開いた状態で工場 **b** にコンデンサを接続することで，回線 **A** と回線 **B** の線路損失の合計値をループ運転時の値まで低減させた場合，コンデンサに流れる電流は [**D** | **ab**] [A] となる．ただし，工場 **b** にコンデンサを接続した後の回線 **B** に流れる電流は進み力率にさせないものとする．

問題 9（電気機器）

次の各問に答えよ．（配点計 **50** 点）

(1) 次の各文章の [1] ～ [11] の中に入れるべき最も適切な字句をそれぞれの解答群から選び，その記号を答えよ．なお，[9] は **2** 箇所あるが，同じ記号が入る．

1) かご形誘導電動機の回転子は，二次巻線がスロット内に納められた多数の銅またはアルミニウムの棒状の [1] と，これらを接続する端絡環からなる．回転子の形状によって，普通かご形と特殊かご形がある．

特殊かご形誘導電動機は [2] を制限し，[3] を大きくするために二次巻線を特殊構造としたものであり，二重かご形電動機や深溝かご形電動機等がある．

巻線形誘導電動機においては，二次巻線は絶縁された三相巻線である．巻線はコイル終端部でリード線に接続され，リード線は軸内部を通って軸端に設けられた [4] に接続され，[5] を経て，速度制御用の抵抗器に至る．

〈[1] ～ [5] の解答群〉

ア 永久磁石	**イ** 固定子	**ウ** 磁性体	**エ** 絶縁体
オ 導体	**カ** 残留磁束密度	**キ** 始動電流	**ク** 始動トルク

ケ　熱伝導率　**コ**　熱流束　**サ**　保持力　**シ**　スリップリング
ス　ハウジング　**セ**　ブラシ　**ソ**　ベアリング

2）　汎用インバータの交流電源側にはダイオードを用いた三相ブリッジ結線の整流回路があり，負荷側（電動機側）にはインバータ部がある．通常，この組み合わせを一括してインバータと呼んでいる．インバータ部の直流側には［6］が接続され，直流［7］を平滑化している．

汎用インバータにより電動機の速度制御を行う場合，速度検出器を用いることなく容易に速度制御を可能とする［8］制御方式が多く用いられる．この方式では，電動機の速度は開ループ制御であり，誘導電動機の回転速度は必ずしもインバータ出力の［9］に比例関係になっていない．このため，加速時に［9］の立ち上げを急速に行うと，電動機の回転速度とインバータ出力に相当する［10］速度との差が大きくなる．また，通常，制御機能として持っているインバータ部の電流制限もあり，加速ができず失速状態となる．このように，誘導電動機が加速できずに最終的に静止してしまうことを［11］という．

〈［6］～［11］の解答群〉

ア　周波数　**イ**　滑り周波数　**ウ**　搬送周波数　**エ**　滑り　**オ**　制動
カ　相対　**キ**　同期　**ク**　電圧　**ケ**　電流　**コ**　電流脈動
サ　抵抗　**シ**　コンデンサ　**ス**　リアクトル　**セ**　ストール
ソ　スリッピング　**タ**　ベクトル　**チ**　**PWM** 制御　**ツ**　V/f

(2)　次の文章の［**A** abcd］～［**E** ab.c］に当てはまる数値を計算し，その結果を答えよ．ただし，解答は解答すべき数値の最小位の一つ下の位で四捨五入すること．なお，円周率 $\pi = 3.142$，$\sqrt{3} = 1.732$ とする．

4極の誘導電動機が**50 Hz**で運転するときの同期回転速度は［**A** abcd］[min^{-1}]である．

定格電圧**200 V**，定格出力**2.2 kW**，定格周波数**50 Hz**で**4**極の三相誘導電動機があり，定格回転速度が**1 460 min^{-1}**であるとすると，この電動機の滑り s は［**B** a.bc］[%]である．

この電動機を定格条件で運転しているときの電流が**9.5 A**で，力率が**75 %**とすると，一次入力は［**C** a.bc］[kW]であり，この電動機の効率は［**D** ab.c］[%]となる．

また，この電動機のトルクは［**E** ab.c］[N·m]となる．

III

問題 10（電気機器）

次の各問に答えよ．（配点計 **50** 点）

(1) 次の各文章の [1] ～ [12] の中に入れるべき最も適切な字句又は式をそれぞれの解答群から選び，その記号を答えよ．

1) 変圧器の規約効率の算定に用いられる全損失は，鉄損と [1] などの和である無負荷損，及び [2] と漂遊負荷損の和である負荷損で構成される．無負荷損の大部分を占める鉄損は，ヒステリシス損と渦電流損に分けられる．ヒステリシス損は，鉄心の磁化ヒステリシス現象により生じる損失で，交番磁界のもとでは [3] の **1** 乗と，[4] の **1.6** ～ **2** 乗に比例するものとして表すことができる．また，渦電流損は，鉄心中で磁束の変化に起因して発生する [5] 損である．

〈[1] ～ [5] の解答群〉

ア 機械損	**イ** 銅損	**ウ** 補機損	**エ** 誘電体損	**オ** 風損
カ 印加電圧	**キ** 最大磁束密度	**ク** 残留磁束	**ケ** コロナ	**コ** 高調波
サ 抵抗	**シ** 周波数	**ス** 磁歪（じわい）	**セ** 電流密度	
ソ 誘導起電力				

2) 同期発電機が無負荷，定格回転速度で運転しているときの界磁電流と無負荷 [6]（= 誘導起電力）との関係を示す曲線を無負荷飽和曲線という．また，同期発電機の三相全端子を短絡し，定格回転速度で運転しているときに界磁電流を流し，界磁電流と [7] との関係を求めた曲線を三相短絡曲線という．三相短絡曲線は [8] となる．

無負荷飽和曲線上で定格電圧を発生するのに要する界磁電流を I_{f1}，三相短絡曲線上で定格電流を発生するのに要する界磁電流を I_{f2} とすれば，短絡比 K_s は次式で表される．

$$K_s = \boxed{\ 9\ }$$

K_s の大きな機械を鉄機械，小さな機械を銅機械という．鉄機械はリアクタンスが小さくて電圧変動率が小さく，安定度が良好で，線路 [10] 容量が大きい．また，同期電動機の場合では大きな [11] トルクを得ることができる．反面，機械の形状が大きく，鉄損及び機械損が大きくて効率が低い．K_s の逆数が単位法で表した [12] インピーダンスとなる．

〈[6] ～ [12] の解答群〉

ア 過渡	**イ** 始動	**ウ** 充電	**エ** 脱出
オ 地絡	**カ** 停動	**キ** 同期	**ク** 放電
ケ 過渡短絡電流	**コ** 電機子電流	**サ** 励磁電流	**シ** 端子電圧

ス 飽和電圧　**セ** 励磁電圧　**ソ** 直線　**タ** 放物線

チ 飽和曲線　**ツ** $\dfrac{I_{f1}}{I_{f2}}$　**テ** $\dfrac{I_{f2}}{I_{f1}}$　**ト** $\dfrac{I_{f1}\times I_{f2}}{I_{f1}+I_{f2}}$

⑵ 次の文章の [A ab.c] ～ [F a.bc] に当てはまる数値を計算し，その結果を答えよ．ただし，解答は解答すべき数値の最小位の一つ下の位で四捨五入すること．

定格容量 **200 kV·A** の変圧器があり，無負荷損は **710 W**，定格時の負荷損は **3 370 W** である．

この変圧器に遅れ力率 **0.8** で，二次側に定格電流を流したときの電圧変動率が **3.4 %** であった．

この変圧器に定格容量で力率 **1.0** の負荷を接続したときの効率 $\eta_{1.0}$ は [A ab.c] [%] である．

この変圧器に，遅れ力率 **0.8** の負荷を接続したとき，最大効率となるのは変圧器定格容量の [B ab.c] [%] の負荷を接続したときであり，その時の効率 $\eta_{0.8-\mathrm{max}}$ は [C ab.c] [%] となる．

この変圧器の負荷損が **3 370 W** であることから，この変圧器の百分率抵抗降下 p は，[D a.bc] [%] となる．また，遅れ力率 **0.8** のときの電圧変動率が **3.4 %** であることから，百分率リアクタンス降下 q は [E a.bc] [%] と計算される．したがって，この変圧器の短絡インピーダンス z は，[F a.bc] [%] となる．

電力応用（110分）

必須	**問題11，12**	**電動力応用**	
選択	**問題13**	**電気加熱**	**2問題を選択**
選択	**問題14**	**電気化学**	
選択	**問題15**	**照　　明**	
選択	**問題16**	**空気調和**	

問題11（電動力応用）

次の各文章の［1］～［12］の中に入れるべき最も適切な数値又は式をそれぞれの解答群から選び，その記号を答えよ．（配点計**50**点）

(1)　図**1**は三相誘導電動機の星形**1**相分の等価回路（定常状態）を示したものである．なお，漏れインダクタンスが一次側に集中するように，適切な変換比を用いて二次側の諸量を一次側へ換算したものである．また，簡単のため鉄損を省略している．ここで，電源の相電圧を$\dot{V}_1$，一次電流を$\dot{I}_1$，一次抵抗をr_1及び漏れインダクタンスをlとする．

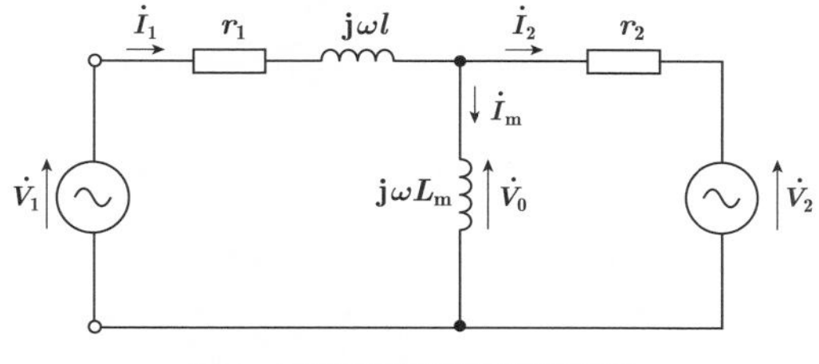

図**1**　三相誘導電動機の等価回路

1)　まず，図**1**の誘導機の逆起電力$\dot{V}_2$について考える．

通常の等価回路では二次抵抗r_2と逆起電力$\dot{V}_2$を一まとめにして，等価的な抵抗［1］で表わすことが多い．ただし，sは滑りで，電源の角周波数ωと回転子の回転角速度ω_m（電気角換算）より次式で定まる．

$s =$［2］　…………………………①

励磁電流を$\dot{I}_\mathrm{m}$，励磁インダクタンスをL_mとすると，励磁インダクタンスの電圧は$\dot{V}_0 = \mathrm{j}\omega L_\mathrm{m}\dot{I}_\mathrm{m}$であることから，二次電流$\dot{I}_2$及び逆起電力$\dot{V}_2$は次式のように計算され，

$\dot{I}_m$ との関係が得られる．

$$\dot{I}_2 = \frac{\dot{V}_0}{\left(\dfrac{r_2}{s}\right)} = \frac{s\dot{V}_0}{r_2} = \frac{\mathrm{j}(\omega - \omega_m)L_m\dot{I}_m}{r_2} \quad \cdots\cdots ②$$

$$\dot{V}_2 = \dot{V}_0 - r_2\dot{I}_2 = (1-s)\dot{V}_0 = \boxed{\ 3\ } \quad \cdots\cdots ③$$

二次電流 $\dot{I}_2$ と逆起電力 $\dot{V}_2$ の位相はともに，励磁電流に対して**90**度進みとなる．逆起電力に供給される電力（三相分）をω_m で除すことにより発生トルクτ_m（電気角換算）を求めることができ，その結果は次式となる．なお，簡単のため，励磁電流を位相の基準にとり，$\dot{I}_m = I_m$，$\dot{I}_2 = \mathrm{j}I_2$ とする．

$$\tau_m = \boxed{\ 4\ } \quad \cdots\cdots ④$$

〈$\boxed{\ 1\ }$～$\boxed{\ 4\ }$の解答群〉

ア $\mathrm{j}\omega_m L_m \dot{I}_m$	**イ** $\mathrm{j}s\omega_m L_m \dot{I}_m$	**ウ** $\mathrm{j}(1-s)\omega_m L_m \dot{I}_m$	**エ** $3L_m I_m I_2$
オ $3sL_m I_m I_2$	**カ** $3s\omega L_m I_m I_2$	**キ** $\dfrac{r_2}{s}$	**ク** $\dfrac{r_2(1-s)}{s}$
ケ $\dfrac{r_2 s}{1-s}$	**コ** $\dfrac{\omega_m}{\omega}$	**サ** $\dfrac{\omega-\omega_m}{\omega}$	**シ** $\dfrac{\omega-\omega_m}{\omega_m}$

2）次に，三相誘導電動機での損失について考える．

電動機での損失（一次銅損と二次銅損の和）は次式で与えられる．

$$W = 3r_1(I_m^2 + I_2^2) + 3r_2I_2^2 = 3r_1I_m^2 + 3(r_1 + r_2)I_2^2$$

$$= 3\left\{\sqrt{r_1}I_m - \sqrt{r_1+r_2}\,|I_2|\right\}^2 + 6\sqrt{r_1(r_1+r_2)}I_m\,|I_2| \quad \cdots\cdots ⑤$$

なお，回生運転では I_2 が負となるため，I_2 の絶対値 $|I_2|$ を用いている．

⑤式において，右辺**2**行目の第**1**項で$\sqrt{r_1}I_m - \sqrt{r_1+r_2}\,|I_2| = 0$ となるよう励磁電流の大きさを調整することで，同じ発生トルクに対して銅損を最小にできる．その条件は次式で表される．

$$I_m = k|I_2| \quad \cdots\cdots ⑥$$

ただし，k は次式で与えられる．

$$k = \boxed{\ 5\ } \quad \cdots\cdots ⑦$$

この結果より，二次電流の大きさに合わせて励磁電流を調整すると銅損を最小とすることができ，省エネルギーとなることが分かる．

〈 5 の解答群〉

ア $\sqrt{\dfrac{r_1}{(r_1+r_2)}}$　　イ $\sqrt{\dfrac{r_2}{(r_1+r_2)}}$　　ウ $\sqrt{\dfrac{(r_1+r_2)}{r_1}}$

(2) 蓄電池を電源として，平坦な直線上の **2** 点間を移動する車輪駆動式搬送機がある．搬送機の質量は，積載荷重を含めて M [kg] である．この搬送機が，図 **2** に示すような運転パターンで，始点での静止状態から T_1 [s] の間，駆動力 F [N] で加速走行し，その後，T_2 [s] の間，駆動力を働かせずに惰行走行し，更にその後，T_3 [s] の間，駆動力 $-F$ [N] で減速走行して停止した．

このときの，搬送機の運動について考える．ただし，この搬送機には移動中，常に R [N] の抵抗力が生じているものとする．

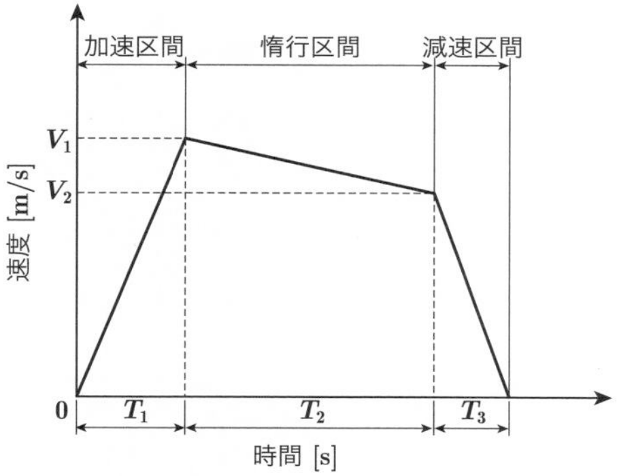

図 **2**　搬送機の運転パターン

1) 搬送機の加速度を求める．

加速区間における加速度は $\dfrac{F-R}{M}$ [m/s²] であり，惰行区間における加速度は 6 [m/s²]，減速区間における加速度は 7 [m/s²] である．

〈 6 及び 7 の解答群〉

ア $\dfrac{F}{M}$　　イ $-\dfrac{R}{M}$　　ウ $-\dfrac{F+R}{M}$　　エ $\dfrac{F-R}{M}$　　オ $-\dfrac{F-R}{M}$　　カ 0

2) 次に搬送機の速度を求める．

加速区間終点における速度 V_1 は $\dfrac{(F-R)T_1}{M}$ [m/s] であり，惰行区間終点における速度 V_2 は， 8 [m/s] である．

3) 搬送機の走行区間の距離を求める.

加速区間の距離は $\dfrac{(F-R)T_1^2}{2M}$ [m/s] であり，惰行区間の距離は [9] [m] となる.

〈[8] 及び [9] の解答群〉

ア $\dfrac{(F-R)T_3}{M}$　イ $-\dfrac{(F-R)T_3}{M}$　ウ $\dfrac{(F-R)T_1T_2}{2M}-\dfrac{RT_2^2}{2M}$

エ $\dfrac{(F-R)T_1T_2}{M}-\dfrac{RT_2^2}{2M}$　オ $\dfrac{(F-R)T_1}{M}-\dfrac{RT_2}{M}$　カ $\dfrac{(F-R)T_1}{M}+\dfrac{RT_2}{M}$

4) 搬送機の走行時のエネルギーを求める.

加速区間終点でのこの搬送機の運動エネルギーは $\dfrac{(F-R)^2T_1^2}{2M}$ [J] である．また，加速区間において電源が与えたエネルギーは [10] [J] である.

この搬送機が蓄電池により駆動されているとすると，減速区間に働く負の駆動力は駆動用電動機の回生運転により得ることができ，エネルギーを回収することが可能である．走行抵抗以外の損失がすべて無視できるとしたとき，蓄電池が回収できるエネルギーは [11] [J] であり，走行抵抗で損失になるエネルギーは [12] [J] である.

〈[10] ～ [12] の解答群〉

ア $\dfrac{F^2T_1^2}{2M}$　イ $\dfrac{R^2T_2^2}{2M}$　ウ $\dfrac{FRT_2^2}{2M}$

エ $\dfrac{(F-R)FT_1^2}{2M}$　オ $\dfrac{(F-R)RT_1^2}{2M}$　カ $\dfrac{(F+R)RT_2^2}{2M}$

キ $\dfrac{(F+R)FT_3^2}{2M}$　ク $\dfrac{(F+R)RT_3^2}{2M}$　ケ $\dfrac{(F+R)^2T_3^2}{2M}$

問題 12（電動力応用）

次の各文章の [1] ～ [8] の中に入れるべき最も適切な字句又は式をそれぞれの解答群から選び，その記号を答えよ.

また，[A | a.bc] ～ [H | abc] に当てはまる数値を計算し，その結果を答えよ．ただし，解答は解答すべき数値の最小位の一つ下の位で四捨五入すること．（配点計 **50** 点）

(1) 図 **1** に示すロープトラクション式のエレベータを考える．かごの質量は M_c [kg]，釣合いおもりの質量は M_w [kg]，積荷の質量は M_p [kg] である．ここで，電動機の慣性モーメント，ロープの質量，空気抵抗及び摩擦は無視する．また，鉛直下向きの重力加速度の大きさを g [m/s²] とする．

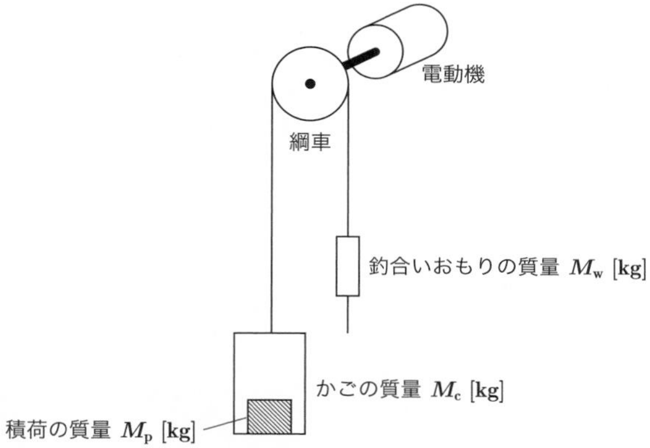

図 1　ロープトラクション式エレベータ

1)　はじめ，かごは静止状態にあり，時刻 $t = 0$ [s] から，かごが一定加速度 α [m/s²] で上向きに加速している状況を考える．このとき，積荷に働く鉛直下向きの力は［ 1 ］[N] である．また，時刻 t [s] において，電動機が行う仕事率は［ 2 ］[W] である．

〈［ 1 ］及び［ 2 ］の解答群〉

ア $M_p\alpha$　**イ** $M_p g$　**ウ** $M_p(\alpha - g)$　**エ** $M_p(\alpha + g)$

オ $(M_c + M_p - M_w)g\alpha t$　**カ** $(M_c + M_p + M_w)\alpha^2 t$

キ $(M_c + M_p + M_w)(\alpha + g)\alpha t$

ク $\{(M_c + M_p)(\alpha + g) + M_w(\alpha - g)\}\alpha t$

2)　時刻 t [s] までに電動機が行った仕事は［ 3 ］[J] となる．

3)　また，時刻 t [s] における，かご，積荷，釣合いおもりの運動エネルギーの合計は［ 4 ］[J]，位置エネルギーの合計は［ 5 ］[J] である．

〈［ 3 ］～［ 5 ］の解答群〉

ア $\dfrac{1}{2}(M_c + M_p - M_w)\alpha^2 t^2$　**イ** $\dfrac{1}{2}(M_c + M_p + M_w)\alpha^2 t^2$

ウ $\dfrac{1}{2}(M_c + M_p - M_w)g\alpha t^2$　**エ** $\dfrac{1}{2}(M_c + M_p + M_w)g\alpha t^2$

オ $\dfrac{1}{2}(M_c + M_p - M_w)(\alpha - g)\alpha t^2$　**カ** $\dfrac{1}{2}(M_c + M_p + M_w)(\alpha - g)\alpha t^2$

キ　$\dfrac{1}{2}(M_c + M_p - M_w)(\alpha + g)\,\alpha\, t^2$　　ク　$\dfrac{1}{2}(M_c + M_p + M_w)(\alpha + g)\alpha t^2$

ケ　$\dfrac{1}{2}(M_c + M_p - M_w)(\alpha + g)^2 t^2$　　コ　$\dfrac{1}{2}(M_c + M_p + M_w)(\alpha + g)^2 t^2$

サ　$\dfrac{1}{2}\{(M_c + M_p)(\alpha + g) - M_w(\alpha - g)\}\alpha t^2$

シ　$\dfrac{1}{2}\{(M_c + M_p)(\alpha + g) + M_w(\alpha - g)\}\alpha t^2$

(2)　ある工場の送風設備（送風機定格出力 **30 kW**）において，現状では吐き出しダンパの開度制御によって風量調節を行っている．これから，この設備に汎用インバータによる速度制御を導入することで，省エネルギー化を図ることを考える．

現状の運用では，**1** 日のうち **10** 時間は定格風量の **80** % で，**14** 時間は定格風量の **50** % で運転しており，この設備の更新後も同じ運用を行う．

現状の設備では，送風機の定格動作点での効率（実際値）が **80** % であり，電動機（誘導電動機）の効率は **85** %（動作点によらず一定）である．電動機を三相交流電源に直接接続して定格速度で運転しており，吐き出しダンパ制御によって必要な風量（**80** % 又は **50** %）を得ている．

この送風設備の風圧一風量特性，風道の送風抵抗曲線及び送風機効率は，それぞれ以下の式で表される．

$$h = 1.2n^2 + 0.5nq - 0.7q^2 \quad \cdots\cdots ①$$

$$r = q^2 \quad \cdots\cdots ②$$

$$\eta = 2.0\left(\frac{q}{n}\right) - \left(\frac{q}{n}\right)^2 \quad \cdots\cdots ③$$

ここで，h は風圧，n は回転速度，q は風量，r は送風抵抗，η は送風機効率であり，いずれも送風機定格点での値で正規化した（**p.u.** で表した）ものである．図 **2** に，①式及び②式で与えられる送風機の風圧－風量特性，及び送風抵抗曲線を表す．

1)　現状の設備における **1** 日の消費電力量について考える．

吐き出しダンパを開度制御して定格風量の **80** % で運転する **10** 時間においては，図 **2** 中の動作点 [6] で運転している．このとき，$h = 1.15$ [p.u.]，$\eta =$ [A | a.bc] $\times 10^{-1}$ [p.u.]，送風機軸入力 $p = 0.960$ [p.u.] となる．

また，定格風量の **50** % で運転する **14** 時間においては，図中の動作点 [7] で運

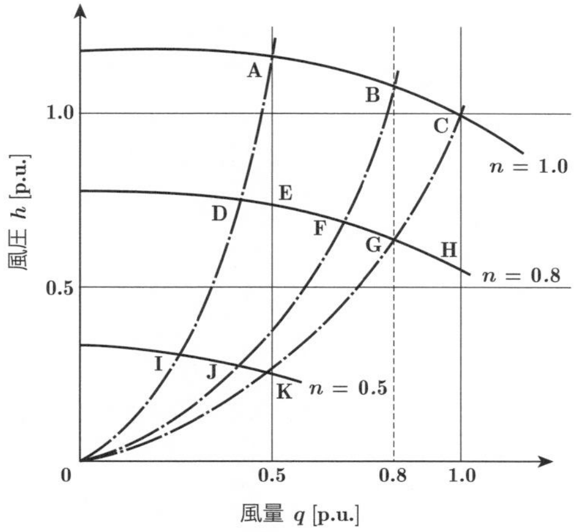

図 2　送風機の風圧―風量特性，送風抵抗曲線

転しており，このとき，$h =$ **B a.bc** [p.u.]，$\eta = 0.75$ [p.u.]，送風機軸入力 $p =$ **C a.bc** $\times 10^{-1}$ [p.u.] となる．

送風機の定格出力が 30 kW，送風機効率が 80 %，電動機効率が 85 % なので，風量 80 % の 10 時間における消費電力量は 424 [kW·h] となり，風量 50 % の 14 時間における消費電力量は **D abc** [kW·h] となる．

2)　汎用インバータによる速度制御を導入した場合の消費電力量について考える．

電動機は更新せずに，汎用インバータ（インバータ効率 95 %）による速度制御を導入し，吐き出しダンパは全開して，速度制御によって必要な風量（80 % 又は 50 %）を得ることとする．

なお，速度制御の導入後も①〜③式は成り立つものとする．

定格風量の 80 % で運転する 10 時間においては，図中の動作点 G で運転している．このとき，$h =$ **E a.bc** $\times 10^{-1}$ [p.u.]，$\eta = 1.0$ [p.u.]，送風機軸入力 $p =$ **F a.bc** $\times 10^{-1}$ [p.u.] となる．

また，定格出力の 50 % で運転する 14 時間においては，図中の動作点 [8] で運転しており，このとき，$h = 0.25$ [p.u.]，$\eta = 1.0$ [p.u.]，送風機軸入力 $p =$ **G a.bc** $\times 10^{-1}$ [p.u.] となる．

設備の更新前と同様に，送風機の定格出力が 30 kW で，送風機効率が 80 %，電動機効率が 85 % として，更にインバータ効率が 95 % なので，1 日の消費電力量は **H abc** [kW·h] となる．

以上を踏まえると，汎用インバータによる速度制御を導入することにより，**1**日当たりの消費電力量は，現状のおよそ**3**分の**1**まで低減されることが分かる．

〈［6］～［8］の解答群〉

ア A　**イ** B　**ウ** C　**エ** D　**オ** E　**カ** F　**キ** G　**ク** H
ケ I　**コ** J　**サ** K

問題13（電気加熱—選択問題）

次の各問に答えよ．（配点計**50**点）

(1) 次の各文章の［1］～［5］の中に入れるべき最も適切な字句を〈［1］～［5］の解答群〉から選び，その記号を答えよ．

1) 電子ビーム加熱は，［1］で高速に加熱した電子流を被加熱材に衝突させ，その際に発生する熱を利用する加熱である．高密度エネルギーが得られることから，高融点金属の溶接やセラミックの［2］などに利用される．

2) アークプラズマの代表的応用例としては，セラミックや合金の粉末を素材表面に吹き付ける［3］がある．そのほかの用途として，不活性ガス雰囲気を利用した，金属の溶解や精錬などが挙げられる．

3) 赤外加熱では，被加熱物の分光吸収率が高い領域の波長を有する放射源が用いられる．一般的な放射源として，赤外電球は［4］域に高い分光吸収率を有する物体の加熱に適しており，セラミックヒータは［5］域に高い分光吸収率を有する物体の加熱に適している．

〈［1］～［5］の解答群〉

ア 加圧空気中　**イ** 真空中　**ウ** 大気中　**エ** 撹拌（かくはん）　**オ** 窒化処理
カ 微細加工　**キ** 溶射　**ク** 遠赤外　**ケ** 可視光　**コ** 近赤外
サ 中赤外　**シ** マイクロ波　**ス** ミリ波　**セ** 炭化けい素炉
ソ ホットプレス

(2) 次の各文章の［6］～［10］の中に入れるべき最も適切な字句をそれぞれの解答群から選び，その記号を答えよ．なお，［7］及び［10］は**2**箇所あるが，それぞれ同じ記号が入る．

電気加熱には加熱の方法によって種々の方式があるが，誘導加熱は電磁誘導作用を利用する加熱方式である．

1) 誘導加熱は，被加熱物の周りにコイルを巻き，これに［6］を流すことで発生する交番磁束により被加熱物に誘導される［7］を利用する方式である．この［7］の密度は，表皮効果により表面から内部に進むにつれて指数関数的に減少し，その値が表面での値の $\frac{1}{e}$ (= 0.368) になる位置を電流浸透深さと呼ぶ.

〈 6 及び 7 の解答群〉

ア 渦電流　**イ** 交流電流　**ウ** 直流電流　**エ** 電磁波　**オ** 誘電体損
カ ピンチ

2) 電流浸透深さ δ は次式で表される.

$$\delta = 503 \times \sqrt{\frac{A}{BC}} \ [\mathrm{m}]$$

ここで，A は 8 ，B は 9 ，C は 10 である.

よって，誘導加熱においては，加熱目的，被加熱物の材質，形状，寸法などに応じて，電流浸透深さを考慮し，最適な 10 を選定しなければならない.

〈 8 ～ 10 の解答群〉

ア 回路の電流 [A]　**イ** 電界強度 [V/m]　**ウ** 電源の周波数 [Hz]
エ 電源の電圧 [V]　**オ** 被加熱物の抵抗率 [Ω·m]　**カ** 被加熱物の導電率 [S/m]
キ 被加熱物の比透磁率　**ク** 被加熱物の比熱比　**ケ** 被加熱物の比誘電率

(3) 次の各文章の 11 ～ 13 の中に入れるべき最も適切な数値を〈 11 ～ 13 の解答群〉から選び，その記号を答えよ.

また，**A ab.c** 及び **B ab.c** に当てはまる数値を計算し，その結果を答えよ．ただし，解答は解答すべき数値の最小位の一つ下の位で四捨五入すること.

金属を溶解するある誘導炉設備について，現状の運転による場合と，熱損失を改善して運転した場合について考える．ここで，次の項目は改善前後における共通の条件とする.

設備の定格電力 $P = 6$ [MW]

力率 $\cos\varphi = 75$ [%]（負荷の変化によらず一定とする）

全電気効率 $\eta = 95$ [%]（負荷の変化によらず一定とする）

1) 誘導炉の現状の運転について考える.

現状の入力電力及び設備の熱損失は次のとおりとする.

入力電力 $P_1 = 6$ [MW]

設備の熱損失 $L_1 = 500$ [kW]（負荷によらず一定とする）

① 定格電力 P がこの設備の最大需要電力であるとすると，この設備へ給電するために必要な変圧器容量は 11 [MV·A] である.

② 入力電力 P_1 のとき，被加熱材の溶解に寄与する正味の電力は [12] [MW] である．

③ 入力電力 P_1 で，加熱時間 50 分のとき，被加熱材 $W = 10$ [t] を溶解処理できた．このときの電力原単位は [13] [kW·h/t] である．

〈[11] ～ [13] の解答群〉

ア 4.0 **イ** 5.2 **ウ** 5.5 **エ** 5.7 **オ** 6.0 **カ** 8.0

キ 8.4 **ク** 475 **ケ** 500 **コ** 600

2) 誘導炉の熱損失を現状から改善した場合について考える．ここで，改善後の熱損失は次のとおりとする．

設備の熱損失 $L_2 = 200$ [kW]（負荷によらず一定とする）

① 加熱時間を現状から変えずに運転すれば，熱損失の改善によって，入力電力を現状の運転時の [A | ab.c] [%] まで低減できる．

② 入力電力を現状の P_1 から変えずに運転すれば，熱損失の改善によって，加熱時間を現状の 50 分から [B | ab.c] [分] まで短縮することができる．

問題 14（電気化学─選択問題）

次の各問に答えよ．（配点計 50 点）

(1) 次の各文章の [1] ～ [8] の中に入れるべき最も適切な字句又は式をそれぞれの解答群から選び，その記号を答えよ．なお，一つの解答群から同じ記号を 2 回以上使用してもよい．

1) 電気化学システムは二つの電極と，[1] である電解質，及び外部回路から成り立っており，必要に応じて二つの電極を分離するために隔膜が用いられる．二つの電極では酸化反応と [2] が別々の電極で起こることが特徴であり，これにより電気エネルギーと化学エネルギーの直接変換が可能となる．

電気エネルギーを化学エネルギーに変換するシステムは電解と呼ばれ，我が国では，食塩水を電気分解してビニルの原料である [3] を作り出すプロセスの電力消費量が大きい．

化学エネルギーから電気エネルギーを得るシステムは電池と呼ばれ，[4] に代表される一次電池，リチウムイオン電池に代表される二次電池がある．

〈[1] ～ [4] の解答群〉

ア 塩素 **イ** 酸素 **ウ** リチウム **エ** 電子伝導体

オ 半導体 **カ** イオン伝導体 **キ** 還元反応 **ク** 酸化反応

ケ　中和反応　**コ**　鉛蓄電池　**サ**　アルカリ蓄電池　**シ**　マンガン乾電池

2)　水を電気分解して酸素と水素を得る反応と，酸素と水素から水を生成して同時に電気エネルギーを得る反応を考えてみる.

この反応は次のように表すことが出来る.

$$2H_2 + O_2 \underset{\text{電解反応}}{\overset{\text{電池反応}}{\rightleftarrows}} 2H_2O \quad \cdots\cdots①$$

ここで，電池反応と電解反応を比較して，いくつかの因子の大小を考えてみる．理論電圧については [5] の関係がある．絶対値が同じ大きさの電流が流れたときの電極間電圧については [6] の関係があり，さらに，このときの電解反応に要する電気エネルギーと，電池反応で生成する電気エネルギーの大きさには [7] の関係がある.

また，この①式の右向きの反応を用いるシステムは [8] システムと呼ばれ，家庭用分散形発電，電気自動車の駆動源として実用化が始まっている.

各プロセスで電圧に関しては電圧効率，電気量に関しては電流効率として計算される．多くの電解槽では，最適設計をすることにより，電流効率を **100** % に近づけることは可能であるが，電圧効率を **100** % に近づけることは難しい.

〈[5]～[8]の解答群〉

ア　燃料電池　**イ**　水電解　**ウ**　ハイブリッド　**エ**　電池反応 = 電解反応

オ　電解反応 > 電池反応　**カ**　電池反応 > 電解反応

(2)　次の各文章の [9] ～ [13] の中に入れるべき最も適切な字句，数値又は記述をそれぞれの解答群から選び，その記号を答えよ.

いま，公称電圧が **3.6 V** で公称容量が **2.5 A·h** のリチウムイオン電池について考える.

1)　この電池 **1** 個の持つ電気エネルギーは [9] [**W·h**] である．また，このリチウムイオン電池は他の二次電池と比較してエネルギー密度は [10].

〈[9]及び[10]の解答群〉

ア　低い　**イ**　高い　**ウ**　同程度である　**エ**　**0.15**　**オ**　**4.5**　**カ**　**9.0**

2)　この電池の **5** 時間率での充電電流は [11] [**A**] である.

3)　この電池を **50** 個直列に接続したとすると，満充電状態から取り出せる電気エネルギーは [12] [**W·h**] となるので，**50** 個直列に接続した電池（スタック）を満充電にしておけば，消費電力 **500 W** の負荷を [13] 分間用いることができる.

〈[11]～[13]の解答群〉

ア　**0.5**　**イ**　**0.72**　**ウ**　**7.5**　**エ**　**54**　**オ**　**60**　**カ**　**67**

キ **90**　**ク** **125**　**ケ** **180**　**コ** **225**　**サ** **450**

問題15（照明─選択問題）

次の各問に答えよ．（配点計**50**点）

(1)　次の各文章の[1]～[4]の中に入れるべき最も適切な数値を〈[1]～[4]の解答群〉から選び，その記号を答えよ．

また，[[A | a.b × 10^c]]に当てはまる数値を計算し，その結果を答えよ．ただし，解答は解答すべき数値の最小位の一つ下の位で四捨五入すること．なお，円周率$\pi = 3.14$とする．

1)　半径**0.2 m**で透過率$\tau = 20$ [%]，吸収率$\alpha = 20$ [%]の乳白色硝子を$\Phi = 500$ [lm]の光束で一様に照射した場合，裏面での光束発散度は[1] [$\mathrm{lm/m^2}$]となる．また，表面の輝度L_1と裏面の輝度L_2の比$\dfrac{L_1}{L_2}$は[2]となる．

2)　間口**6 m**，奥行**7 m**，高さ**2.5 m**の事務所に，**40 W**蛍光ランプ**2**灯用下面開放埋め込み天井灯（カバー無し）照明器具を**10**台取り付けた場合，床面より**0.85 m**上の作業面の平均照度を**620 lx**にしたい．このときの室指数は約[3]，**1**灯のランプ光束は約[[A | a.b × 10^c]] [lm]となる．ただし，保守率は**0.74**，室内の反射率が天井**70 %**，壁**50 %**，床**30 %**の室とし，照明率は表**1**の値を用いること．

表1　照明率表

照明率		
反射率＼室指数	天井	70 %
	壁	50 %
	床	30 %
0.6	0.35	
0.8	0.41	
1.0	0.50	
2.0	0.67	
5.0	0.81	

3)　あらゆる方向への光度が等しい光源を**10**個使用し，面積**10** $\mathrm{m^2}$の作業面を照射している．この光源の**80 %**が作業面上に入射しているものとすれば，作業面上の平均照度を**500 lx**にするためには**1**個の光源の光度は[4] [cd]となる．

〈[1]～[4]の解答群〉

ア **0.8**　**イ** **1.0**　**ウ** **1.5**　**エ** **2.0**　**オ** **3.0**　**カ** **4.9**

キ **5.0**　**ク** **50**　**ケ** **196**　**コ** **796**　**サ** **2 387**　**シ** **3 980**

(2)　次の文章及び表の[5]～[9]の中に入れるべき最も適切な字句又は数値を〈[5]

～ 9 の解答群〉から選び，その記号を答えよ．なお， 5 は 2 箇所あるが，同じ記号が入る．

表 2 に示す 3 種類の光源は，いずれも商用電源に直結したエジソンタイプのソケットに装着できるランプである．最も発光効率の低い白熱電球から，最も発光効率の高い 5 に置き換えることで，ランプ 1 個当たり 6 [W] の消費電力を削減することができる．

白熱電球の特長として演色性の高いことが挙げられるが，演色性とは 7 が等しい基準光源との比較において，被照射物体の色の 8 を評価する指標のことである．

表 2　光源の種類と性能

光源の種類	ランプ効率	全光束	平均演色評価数	光束立ち上がり特性
白熱電球	15 lm/W	810 lm	100	非常に速い
5	100 lm/W	810 lm	80	非常に速い
9	68 lm/W	810 lm	80	比較的遅い

〈 5 ～ 9 の解答群〉

ア 片口金形ハロゲンランプ　**イ** 蛍光水銀ランプ　**ウ** 直管 LED ランプ
エ 電球形 LED ランプ　**オ** 電球形蛍光ランプ
カ 両口金形ハロゲンランプ　**キ** 光束発散度　**ク** 彩度
ケ 相関色温度　**コ** 忠実性　**サ** 直下光度
シ 明度　**ス** 20　**セ** 46　**ソ** 85

問題 16（空気調和―選択問題）

次の各問に答えよ．（配点計 50 点）

(1) 次の各文章の 1 ～ 10 の中に入れるべき最も適切な字句，数値又は記述をそれぞれの解答群から選び，その記号を答えよ．

1) 蒸気圧縮式冷凍機は，圧縮機，蒸発器，凝縮器などで構成され，冷房運転時には，蒸発器で冷媒を蒸発させて水や空気を冷却する． 1 の低い中間期などには 2 の回転速度を制御して，高い成績係数（COP）を確保することができるものもあり，冷水温度 7 °C 仕様で最高 COP は 3 前後に達する．COP の値は運転条件によって変わり，蒸発温度が等しい場合，凝縮温度が 4 ほど大きくなる．

〈 1 ～ 4 の解答群〉

ア 低い　**イ** 高い　**ウ** 圧縮機　**エ** 凝縮器　**オ** 蒸発器
カ 室内温度　**キ** 冷却水温度　**ク** 8　**ケ** 12　**コ** 18

2） 吸収式冷凍機は，冷媒と吸収液を使用する冷凍機で，蒸発器で蒸発した冷媒を吸収液に吸収させ，これを [5] で加熱して冷媒を [6] 分離する．加熱にはボイラなどからの蒸気や温水を用いるものと，燃料を機内で燃焼させるものがある．また，機器の構成により一重効用式，二重効用式などがある．そのうち [7] は，成績係数は大きいが高温の熱源が必要であり，高圧蒸気や高温水を利用したり直焚式として用いられる．

主要なエネルギー源としては燃料を使用し，補機用に電力を使用する．このため，成績係数としては [8] のものが用いられる．

一般には吸収材として [9]，冷媒として [10] を使用するものが多い．

〈[5]～[10] の解答群〉

ア 凝縮して　**イ** 沸騰させて　**ウ** 濾過して　**エ** 圧縮機
オ 凝縮器　**カ** 再生器　**キ** 一重効用式　**ク** 二重効用式
ケ 一次エネルギー基準　**コ** 二次エネルギー基準
サ 水　**シ** アンモニア　**ス** 酢酸エチル水溶液
セ 臭化リチウム水溶液　**ソ** 代替フロン
タ フッ化カルシウム水溶液

(2) 次の各文章及び表の [11]～[23] の中に入れるべき最も適切な字句をそれぞれの解答群から選び，その記号を答えよ．なお，[11] 及び [18] は **3** 箇所，[15] は **2** 箇所あるが，それぞれ同じ記号が入る．

一般的なオフィスの空調機の熱負荷は，室負荷とその他の負荷に分類され，室負荷は更に外からの侵入熱あるいは外への放出熱と室内発生熱に分けられる．また，負荷の性質としては大きく，顕熱負荷と潜熱負荷に分けられる．ここで，冷房時における空調機の熱負荷について考える．

1） 外部から侵入する室顕熱負荷

冷房時において外部から侵入する単位時間当たりの主な顕熱負荷とその算定式は次の表 **1** のように示すことができる．

ここで，[11] については断熱材の使用によって，[15] については，ブラインドや

表 **1** 外部からの顕熱負荷と算定式

負　荷	負荷算定式
① 窓の貫流熱	窓の [11] × 窓面積 ×([12] − [13])
② 外壁の貫流熱（日射等影響含む）	外壁の [11] × 外壁面積× [14]
③ 窓から入る日射熱	[15] × 窓面積 × [16]
④ 侵入外気の熱負荷	空気の比熱 × 侵入外気量 × [17]

カーテン，熱線反射フィルムなどを用いることによって低く抑えることができ，結果として大幅な負荷の低減が可能となる．

〈 11 ～ 17 の解答群〉

ア 室温　**イ** 外気温　**ウ** 外壁面温度　**エ** 室内外温度差

オ 実効温度差　**カ** 室内外絶対湿度差　**キ** 熱貫流（通過）率

ク 熱貫流（通過）抵抗　**ケ** 熱伝達率　**コ** 日射熱取得率

サ 日射反射率　**シ** 日照時間

ス 窓に入射する単位面積当たり日射量

2)　室内で発生する室顕熱負荷

冷房時において室内で発生する単位時間当たりの主な顕熱負荷とその算定式は次の表**2**のように示すことができる．

ここで， 18 については，**LED**の使用，設定照度の抑制，昼光利用などにより低く抑えることができ，負荷の低減が可能となる．また， 18 はすべて室負荷とならない場合もある．

表**2**　室内で発生する顕熱負荷と算定式

負　荷	負荷算定式
⑤　照明発熱	18 × 19
⑥　人体発熱	一人当たりの顕熱×在室人数

〈 18 及び 19 の解答群〉

ア 照明器具**1**台の電力　**イ** 照明器具**1**台の受持ち面積

ウ 床面積当たり照明用電力消費量　**エ** 照度　**オ** 照明率　**カ** 床面積

3)　室潜熱負荷

1)及び2)で顕熱負荷として示した表**1**及び表**2**の①～⑥の負荷の中で，更に潜熱負荷としても考慮する必要があるものは， 20 及び 21 である．

〈 20 及び 21 の解答群〉

ア ①　**イ** ②　**ウ** ③　**エ** ④　**オ** ⑤　**カ** ⑥

4)　その他の空調機負荷

空調機で処理する熱負荷は，室負荷だけでなくその他の負荷として，顕熱負荷と潜熱負荷の双方を持つ 22 負荷や顕熱負荷のみの 23 負荷などを加えたものになる．

〈 22 及び 23 の解答群〉

ア 送風機発熱　**イ** ポンプ発熱　**ウ** 配管からの損失熱

エ　非空調室壁からの熱　　**オ**　取入れ外気　　**カ**　**OA**機器発熱

解答・指導

問題1

(1) 1—キ，2—イ，3—ク，4—オ

(2) 5—エ，6—ウ，7—キ

(3) 8—ク，9—イ，10—ア，11—エ

【指導】

(1) 1) 法第2条第6項において，「…『電気の需要の最適化』とは，電気の需要量の**季節**又は時間帯による…」と規定されている．

2) 法第16条第1項において，「…エネルギーを消費する設備及び**エネルギーの使用の合理化**に関する設備の…」と規定されている．

3) 法第17条第1項において，「…第5条第1項に規定する**判断の基準となるべき事項**に照らして…」と規定されている．

4) 法第159条第1項において，「…最適化に資する取組を促すための**電気の料金**その他の…」と規定されている．

(2) 1) 法第2条，令第1条，則第4条において，エネルギーの使用量は，使用した燃料の量，他人から供給された熱・電気の量が対象とされる．この事業所全体でのエネルギーの使用量は，fの太陽光発電装置からの発生電力は燃料から除外（法第2条参照）されるので，原油換算量は，0.025 8 kL/GJ を考慮して，

$$(48\ 000 + 38\ 000 + 25\ 000 + 15\ 000) \times 0.025\ 8 = 3\ 250.8 \fallingdotseq \mathbf{3\ 251}\ \mathrm{kL}$$

2) 食品工場の原油換算量は，

$$(48\ 000 + 38\ 000 + 25\ 000) \times 0.025\ 8 = 2\ 863.8\ \mathrm{kL}$$

であるので，**第二種**エネルギー管理指定工場となる（法第13条第1項，令第6条参照）．

3) この事業者が選任しなければならないのは，次のとおりとなる．

ア．**食品工場のエネルギー管理員**（法第12条参照）

イ．**エネルギー管理企画推進者**（法第9条参照）

ウ．**エネルギー管理統括者**（法第8条参照）

(3) 1) 法第11条において，「…第一種エネルギー管理指定工場等ごとに，政令で定める基準に従って，**エネルギー管理士免状**の交付を受けている者のうちから，…」と規定され

ている．

2)　令第18条においては，特定エネルギー消費機器として，**交流電動機**が含まれている．

3)　法第94条では，「特定**熱損失防止**建築材料」についての性能表示義務について規定されている．

則第95条関連である別表第5では，「経済産業大臣が定める方法により測定した**熱伝導率**をワット毎メートル毎ケルビンで表した数値」を記載することとしている．

問題2

(1)　1―イ，A―6.4×10^1

(2)　2―ア，3―イ，4―オ，5―ク

(3)　6―ア，7―イ

(4)　8―カ，9―オ，10―イ

【指導】

(1)　任意の立体角 $d\omega$ [sr] 中の光束 dF [lm]（**ルーメン**）が一様であれば，光度 I [cd] は光束の立体角当たりの密度，すなわち $I = \dfrac{dF}{d\omega}$ として表される．$I = 1$ cd，$d\omega = 1$ sr のとき，光束は式を変形して

$$dF = I\,d\omega = 1 \times 1 = 1 \text{ lm}$$

また，光源の全光束800 lm，光源を点光源とみなすと，全球の立体角は $\omega_1 = 4\pi$ sr より，光源の光度 I_1 [cd] は，

$$I_1 = \frac{F_1}{\omega_1} = \frac{800}{4\pi} = \frac{800}{4 \times 3.14} = 63.69 \fallingdotseq \mathbf{6.4} \times 10^1 \text{ cd}$$

となる．

(2)　家庭用のコージェネレーションシステムの燃料電池は**固体高分子形**や**固体酸化物形**である．燃料電池の動作には純粋な水素が必要なため，都市ガスなどの一般燃料を「**改質**」する．燃料電池自動車の燃料電池は**固体高分子形**であり，水素燃料は約**70** MPaの圧力で圧力容器に充てんされる．これは大気圧（約0.1 MPa）の約700倍の圧力である．

(3)　コンバインドサイクルのガスタービンは高温の燃焼ガスの入口温度に耐えうるタービン羽根の耐熱温度の向上と冷却が課題である．従来から圧縮空気による膜冷却が採用されてきた．最新鋭機では効率向上のため，燃焼ガス入口温度を従来の約1 100～1 300 ℃に対して約1 500 ℃とさらに高温化しており，新しい冷却方式として**水蒸気冷却**も採用されている．

大容量かつ高速のタービン発電機では冷却と風損を減少させるため従来から**水素**による冷却が採用されている.

(4) 原油量の単位として1バレルは158.99 L ≒ **160** Lである.

石油価格の代表的な指標の一つであるWTI原油先物価格は2011 ～ 2013年には1バレル当たり**100**ドル付近で推移していた. その後2014年には原油価格の下落が見られた. この原因の一つとして, 主にシェールガス・**シェールオイル**の増産が考えられる.

問題3 1 — オ, 2 — ク, 3 — ア, A — 211, B — 753, 4 — ア, C — 72.1, 5 — ウ, 6 — オ, 7 — イ, D — 39.7, E — 3.19, 8 — ア, F — 80, 9 — ウ, 10 — カ, G — 450, 11 — ウ, 12 — オ, 13 — イ

【指導】

(1) 「工場等判断基準」の「基準部分（工場）」は, 事業者が遵守すべき基準を示したもので, 以下の6分野からなる.

① 燃料の燃焼の合理化

② 加熱及び冷却並びに伝熱の合理化

③ 廃熱の回収利用

④ 熱の動力等への**変換の合理化**

⑤ 放射, 伝導, 抵抗等によるエネルギーの損失の防止

⑥ 電気の動力, 熱等への**変換の合理化**

また,「目標及び措置部分（工場）」では, その設置している全ての工場等におけるエネルギー消費原単位及び電気需要最適化評価原単位を管理することと, それらを中長期的にみて年平均**1** %以上低減させることを目標として, 技術的かつ経済的に可能な範囲内でその目標の実現に努めることを求めている.

ここで, エネルギー消費原単位とは, 単位量の製品を生産するのに必要な電気・熱（燃料）などエネルギー消費量のことをいう.

(2) 「工場等判断基準」の「基準部分（工場）」では, 加熱された固体若しくは流体が有する顕熱, 潜熱, **圧力**, 可燃性成分等の回収利用は, 回収を行う範囲について管理標準を設定して行うことが求められている.

(3) 求める蒸気の比エンタルピー差 Δi [kJ/kg] は,

$$\Delta i = 2\,748.1 - (2\,748.1 \times 0.9 + 640.2 \times 0.1) = 210.79 \fallingdotseq \mathbf{211}\ \mathrm{kJ/kg}$$

となる.

(4)　**第1図**に示す平板物体において，単位面積当たりの熱流 Q [W/m^2] は，平板の温度差 $\theta_1-\theta_2$ [℃] に比例し，厚さ d [m] に反比例する．

$$Q=\lambda\frac{\theta_1-\theta_2}{d}\ [\mathrm{W/m^2}] \qquad (1)$$

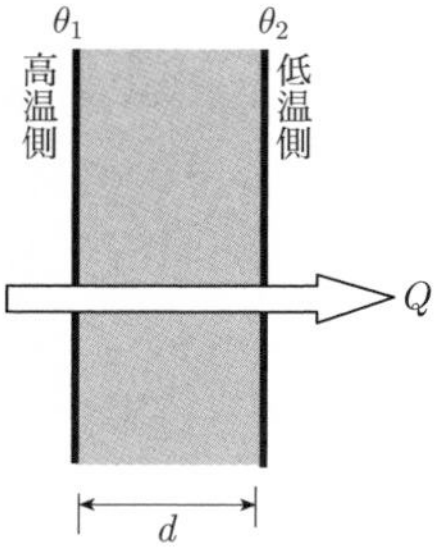

第1図

ここで，λは物体で決まる熱伝導率である．

(1)式に題意の数値を代入する．

$$Q=0.35\times\frac{950-90}{0.4}=752.5\fallingdotseq\mathbf{753}\ \mathrm{W/m^2}$$

(5)　「工場等判断基準」の「基準部分（工場）」では，燃料の燃焼の管理に関して，燃焼設備及び**使用する燃料の種類**に応じて，空気比についての管理標準の設定を求めている．

(6)　低温側出口温度を t_0 [°C] とすれば，高温側と低温側の熱収支が等しいので，

$$Q_{\mathrm{H}}\times(250-150)=Q_{\mathrm{L}}\times(t_0-50)$$

より，

$$\frac{Q_{\mathrm{H}}}{Q_{\mathrm{L}}}(250-150)=t_0-50$$

$$1.5\times(250-150)=t_0-50$$

$$\therefore\quad t_0=200\ ^\circ\mathrm{C}$$

よって，$\Delta t_1=150-50=100$ K，$\Delta t_2=250-200=50$ K として，

$$\Delta t_{\mathrm{m}}=\frac{\Delta t_1-\Delta t_2}{\ln\dfrac{\Delta t_1}{\Delta t_2}}=\frac{100-50}{\ln\dfrac{100}{50}}=\frac{50}{\ln 2}=\frac{50}{0.6931}\fallingdotseq 72.14\fallingdotseq\mathbf{72.1}\ \mathrm{K}$$

(7)　「工場等判断基準」の「基準部分（工場）」では，加熱，熱処理を行う工業炉については，設備の構造，**被加熱物の特性**，加熱，熱処理等の前後の工程等に応じて，熱効率を向上させるように管理標準を設定し，ヒートパターンの改善を求めている．

(8)　鋼管の素材である炭素鋼の熱伝導率は，50 W/(m·K) 程度であるので，スケールの熱伝導率は，鋼管に比べて，おおむね **1/100** 程度である，

(9)　「工場等判断基準」の「基準部分（工場）」では，加熱等を行う設備で用いる蒸気であって，乾き度を高めることによりエネルギーの使用の合理化が図れる場合には，輸送段階での放熱防止及び**スチームセパレータ**の採用により熱利用設備での乾き度を高める検討が求められている．

解指

⑽ 求める効率をηとすると，次式が成立する．

$$40\ \mathrm{MJ/L} \times 34\ \mathrm{kL} \times \eta = 150\ 000\ \mathrm{kW{\cdot}h}$$

$$40 \times 10^3\ \mathrm{kJ/L} \times 34 \times 10^3\ \mathrm{L} \times \eta = 150 \times 10^3 \times 3\ 600\ \mathrm{kJ}$$

$$\therefore\quad \eta \fallingdotseq 0.397\ 0 = \mathbf{39.7}\ \%$$

⑾ 1) 通年エネルギー消費効率（APF）は，「年間の冷暖房に使用した入力エネルギー量に対する年間の発揮した能力のエネルギー量」で定義されているので，年間使用電力量W [kW·h] は，次のように求まる．

$$W = \frac{10\ 240 + 8\ 900}{6} = 3\ 190 = \mathbf{3.19} \times 10^3\ \ \mathrm{kW \cdot h}$$

2) 「工場等判断基準」の「基準部分（工場）」では，空気調和設備を構成する熱源設備，熱搬送設備，空気調和機設備の管理は，外気条件の季節変動等に応じ，**冷却水温度や冷温水温度**，圧力等の設定により，空気調和機設備の総合的なエネルギー効率を向上させるように管理標準の設定を求めている，

⑿ 抵抗$R = 40\ \Omega$，リアクタンス$X = 30\ \Omega$を直列に接続した回路の力率を$\cos\theta$とすると次のように求まる．

$$\cos\theta = \frac{R}{\sqrt{R^2 + x^2}} = \frac{40}{\sqrt{40^2 + 30^2}} = 0.8 = \mathbf{80}\ \%$$

⒀ 「工場等判断基準」の「基準部分（工場）」では，電動力応用設備において，複数の電動機を使用するときは，それぞれの電動機の部分負荷における効率を考慮して，電動機全体の効率が高くなるように管理標準を設定し，**稼働台数の調整**及び負荷の適正配分が求められている．

⒁ 「工場等判断基準」の「基準部分（工場）」では，受変電設備の配置の適正化及び配電方式の変更による配電線路の短縮，**配電電圧の適正化**等について管理標準を設定し，配電損失の低減が求められている．

⒂ 求める平均電力をP [kW] とすれば，次式が成立する．

$$500\ \mathrm{kW} \times 1\ \mathrm{h} = 350\ \mathrm{kW{\cdot}h} + P\ [\mathrm{kW}] \times \frac{1}{3}\ \mathrm{h}$$

$$\therefore\quad P = \mathbf{450}\ \mathrm{kW}$$

⒃ 変圧器の負荷損は，変圧器巻線の抵抗r [Ω] に負荷電流I [A] が流れたときに生じる電力損失P_{L} [W] である．

すなわち，$P_{\mathrm{L}} = I^2 r$ [W] のジュール熱として放熱されるので，負荷損は負荷電流の大きさ

の**2乗**に比例する．

⒄ 電気化学反応におけるファラデーの法則によれば，電極上に析出または溶解する化学物質の質量は，通過する電気量に比例する，また，同じ電気量によって析出または溶解する化学物質の質量 W は，次式で与えられる．

$$W = \frac{1}{F} \times \frac{M}{z} \times Q$$

ここで，z：反応電子数，M：式量，Q：流した電気量（電流 × 時間），F：ファラデー定数（96 500 C/mol = 26.8 A·h/mol）

したがって，W は，$\boldsymbol{\frac{M}{z}}$ に比例する．

⒅ 半径 r [m] の球体の中心に全光束 F [lm] の点光源を置いたとき，この球体の内面の照度 E [lx]（$= \mathrm{lm/m^2}$）は，球体の表面積が $S = 4\pi r^2$ [m^2] であるので，次のように表される．

$$E = \frac{F}{4\pi r^2} \text{ [lx]}$$

一方，点Pは，この球体の内面の任意の一点と考えられるので，点Pの照度は，光源と点Pとの距離の**2乗**に反比例する．

問題4
(1) 1―エ，2―ケ，3―エ，4―ケ，5―ウ，6―ケ
(2) 7―オ，8―イ，9―ウ，10―カ

【指導】

(1) 1) 電源側から見た回路の合成インピーダンス $\dot{Z}$ は**第1図**より，次式となる．

$$\dot{Z} = \mathrm{j}X_1 + \frac{1}{\dfrac{1}{R} + \dfrac{1}{-\mathrm{j}X_2}} = \mathrm{j}X_1 + \frac{-\mathrm{j}RX_2}{\left(\dfrac{1}{R} + \dfrac{1}{-\mathrm{j}X_2}\right) \cdot -\mathrm{j}RX_2} = \mathrm{j}X_1 + \boldsymbol{\frac{-\mathrm{j}RX_2}{R - \mathrm{j}X_2}} \ [\Omega]$$

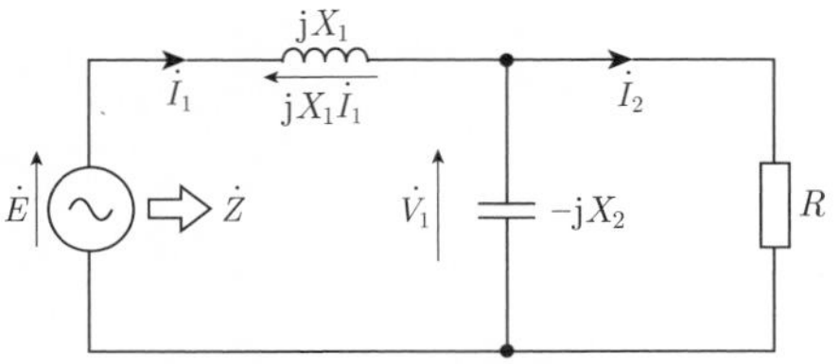

第1図 問題図から電力計を省略したもの

上式に数値 $X_1 = 0.8\ \Omega$，$X_2 = 1.0\ \Omega$および $R = 2.0\ \Omega$を代入すると，

$$\dot{Z} = \mathrm{j}0.8 + \frac{-\mathrm{j}2.0\times 1.0}{2.0-\mathrm{j}1.0} = \mathrm{j}0.8 + \frac{-\mathrm{j}2.0\times(2.0+\mathrm{j}1.0)}{2.0^2+1.0^2} = \mathrm{j}0.8 + \frac{2.0-\mathrm{j}4.0}{5.0}$$
$$= \mathrm{j}0.8 + 0.4 - \mathrm{j}0.8 = 0.4 + \mathrm{j}0\ \Omega$$

よって，電流 $\dot{I}_1$ は題意の電圧 $\dot{E}$ および得られた $\dot{Z}$ から，

$$\dot{I}_1 = \frac{\dot{E}}{\dot{Z}} = \frac{100+\mathrm{j}0}{0.4+\mathrm{j}0} = \mathbf{250 + j0}\ \mathrm{A}$$

となる．

2) 第１図より $\dot{E} = \mathrm{j}X_1\dot{I}_1 + \dot{V}_1$ となるので，これを変形し，$\dot{V}_1$ を求め，数値を代入する．

$$\dot{V}_1 = \dot{E} - \mathrm{j}X_1\dot{I}_1 = 100 + \mathrm{j}0 - \mathrm{j}0.8\times(250+\mathrm{j}0) = \mathbf{100 - j200}\ \mathrm{V}$$

$\dot{P}_{C1}$ は題意より，次のように求まる．

$$\dot{P}_{C1} = \overline{\dot{V}_1}\dot{I}_1 = (100+\mathrm{j}200)\times(250+\mathrm{j}0) = \mathbf{25\,000} + \mathrm{j}50\,000$$

3) 電流 $\dot{I}_2$ は $\dot{V}_1$ および R より，

$$\dot{I}_2 = \frac{\dot{V}_1}{R} = \frac{100-\mathrm{j}200}{2} = \mathbf{50 - j100}\ \mathrm{A}$$

$\dot{P}_{C2}$ も $\dot{P}_{C1}$ と同様に，次のように求まる．

$$\dot{P}_{C2} = \overline{\dot{V}_{11}}\dot{I}_2 = (100+\mathrm{j}200)\times(50-\mathrm{j}100)$$
$$= 5\,000 + 20\,000 + \mathrm{j}10\,000 - \mathrm{j}10\,000 = \mathbf{25\,000} + \mathrm{j}0$$

(2) 1) 問題図２においてスイッチが閉じている場合，中性線が接続され，各インピーダンス $\dot{Z}_a$，$\dot{Z}_b$ および $\dot{Z}_c$ に加わる電圧はそれぞれ $\dot{E}_a$，$\dot{E}_b$ および $\dot{E}_c$ となる．したがって，各線電流 $\dot{I}_a$，$\dot{I}_b$ および $\dot{I}_c$ は，

$$\dot{I}_a = \frac{\dot{\boldsymbol{E}}_{\mathbf{a}}}{\dot{\boldsymbol{Z}}_{\mathbf{a}}}\ [\mathrm{A}],\quad \dot{I}_b = \frac{\dot{E}_b}{\dot{Z}_b}\ [\mathrm{A}],\quad \dot{I}_c = \frac{\dot{E}_c}{\dot{Z}_c}\ [\mathrm{A}]$$

問題図２から各線電流は N 点で合流して $\dot{I}_N$ になる．したがって，$\dot{I}_N$ は次式となる．

$$\dot{I}_N = \dot{\boldsymbol{I}}_{\mathbf{a}} + \dot{\boldsymbol{I}}_{\mathbf{b}} + \dot{\boldsymbol{I}}_{\mathbf{c}}\ [\mathrm{A}]$$

2) 次にスイッチ S が開いているときは，問題図２を変形した**第２図**の等価回路を考える．

第２図より，$\dot{E}_a = \dot{Z}_a\dot{I}_a + \dot{V}_N$，また，$\dot{Z}_a\dot{I}_a = \dot{E}_a - \dot{V}_N$ となる．ただし，$\dot{V}_N$ は N 点の電位である．上式を変形して，

$$\dot{I}_a = \frac{\dot{\boldsymbol{E}}_{\mathbf{a}} - \dot{\boldsymbol{V}}_{\mathbf{N}}}{\dot{\boldsymbol{Z}}_{\mathbf{a}}}\ [\mathrm{A}]$$

となる．$\dot{V}_N$ は第２図に帆足・ミルマンの定理を適用して，

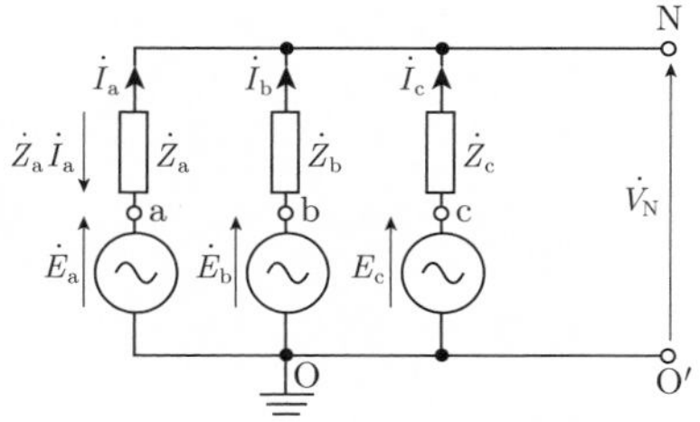

第2図　スイッチS開時の等価回路

$$\dot{V}_N = \frac{\dfrac{\dot{\boldsymbol{E}}_a}{\dot{\boldsymbol{Z}}_a} + \dfrac{\dot{\boldsymbol{E}}_b}{\dot{\boldsymbol{Z}}_b} + \dfrac{\dot{\boldsymbol{E}}_c}{\dot{\boldsymbol{Z}}_c}}{\dfrac{\boldsymbol{1}}{\dot{\boldsymbol{Z}}_a} + \dfrac{\boldsymbol{1}}{\dot{\boldsymbol{Z}}_b} + \dfrac{\boldsymbol{1}}{\dot{\boldsymbol{Z}}_c}} \ [\mathrm{V}]$$

となる．

問題5

(1)　1—イ，2—キ，3—コ，4—ク，5—イ

(2)　6—イ

(3)　7—ウ，8—イ

(4)　9—ア，10—キ，11—シ，12—サ，13—シ，14—カ

(5)　15—イ，16—カ，17—オ，A—6.7

【指導】

(1)　1)　問題図1の電気回路を初期値0でラプラス変換すると，次式となる．

$$RI(s) + L \times \boldsymbol{sI(s)} + \frac{\boldsymbol{I(s)}}{\boldsymbol{Cs}} = E(s)$$

2)　上式を変形し，入力 $E(s)$ に対する出力 $I(s)$ の伝達関数 $G(s)$ を求める．

$$I(s)\left(R + sL + \frac{1}{Cs}\right) = E(s)$$

$$G(s) = \frac{I(s)}{E(s)} = \frac{1}{R + sL + \dfrac{1}{Cs}} = \frac{Cs}{\left(R + sL + \dfrac{1}{Cs}\right)Cs} = \frac{\boldsymbol{Cs}}{\boldsymbol{LCs^2 + RCs + 1}}$$

3)　ステップ入力の電圧 $e(t) = 1$ V はラプラス変換すると，$E(s) = \dfrac{1}{s}$ である．よって，

$$I(s)=G(s)\cdot E(s)=\frac{Cs}{LCs^2+RCs+1}\cdot\frac{1}{s}=\frac{\boldsymbol{C}}{\boldsymbol{LCs^2+RCs+1}}$$

となる．また，上式をさらに変形すると，

$$\frac{\dfrac{C}{LC}}{\dfrac{LCs^2+RCs+1}{LC}}=\frac{\dfrac{C}{LC}}{s^2+\dfrac{R}{L}s+\dfrac{1}{LC}}$$

の形となり，この応答は一般的な**二次遅れ**要素の式にインパルス応答を加えたものと同様な挙動となる．

$$\frac{K\omega_{\mathrm{n}}}{s^2+2\zeta\omega_{\mathrm{n}}s+{\omega_{\mathrm{n}}}^2}\cdot E(s)=\frac{K\omega_{\mathrm{n}}}{s^2+2\zeta\omega_{\mathrm{n}}s+{\omega_{\mathrm{n}}}^2}\times 1=\frac{K\omega_{\mathrm{n}}}{s^2+2\zeta\omega_{\mathrm{n}}s+{\omega_{\mathrm{n}}}^2}$$

ただし，Kをゲイン定数，ζを減衰定数，ω_{n}を固有角周波数とする．

(2) 問題図2において入力は1 Vのステップ入力で，ラプラス変換後の入力は $E(s)=\dfrac{1}{s}$ である．出力 $I(s)$ は

$$I(s)=G(s)\cdot E(s)=\frac{3s}{s^2+9}\cdot\frac{1}{s}=\frac{3}{s^2+3^2}$$

となる．$I(s)$ を逆ラプラス変換して時間関数 $i(t)$ を求めると，下式のように正弦波となる．

$$i(t)=\mathfrak{L}^{-1}\{I(s)\}=\mathfrak{L}^{-1}\left\{\frac{3}{s^2+3^2}\right\}=\sin 3t\ [\mathrm{A}]$$

よって，$i(t)$ は**持続的に同じ振幅で振動する**ことがわかる．

(3) 問題文中③式の右辺の第1項は $e(t)$ に定数 K_1 を掛けるので比例要素（proportional element）で**P動作**とも呼ばれている．第2項は積分要素（integrating element）で**I動作**とも呼ばれている．

(4) 問題図3の回路は**自己保持**回路と呼んでいる．起動ボタン$\mathrm{PS_1}$を押してコイルRを励磁させて，$\mathrm{PS_1}$を離しても，$\mathrm{PS_1}$と並列のコイルRのa接点が導通するので，コイルRの励磁が継続する．コイルRの励磁を解くには停止ボタン$\mathrm{PS_2}$を押すと，**AND**回路の1端子に0が入力されて，AND出力が0となり，コイルRの励磁が解かれる（**第1図**参照）．

問題表中のXは第1図を参考にリレーRが励磁中で，$\mathrm{PS_2}$を押していないため，**1**である．Yはリレー Rが動作中で，PS2を押したため，**0**である．ZはリレーRが非励磁中で，$\mathrm{PS_1}$を押し，$\mathrm{PS_2}$を押していないため**1**である．

電子回路で自己保持回路と同様な1ビットの情報を記憶する回路に**フリップフロップ**回路

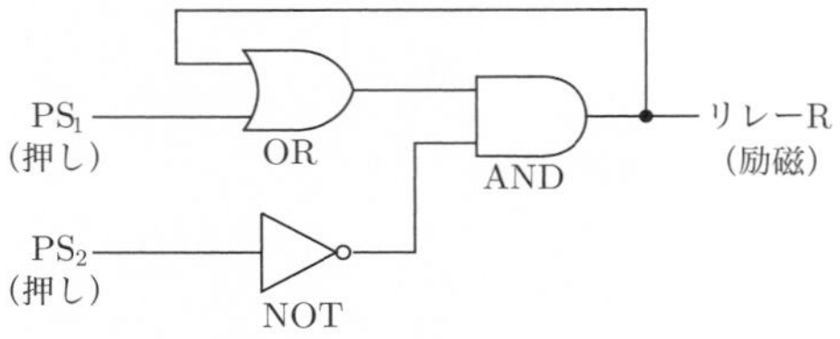

第1図　問題図3のロジック回路

がある．

(5)　エネルギーマネジメントシステム（Energy Management System）略してEMSについての記述である．EMSの前に対象物の頭文字をもってくるため，ビル（Building）は**BEMS**，家庭（Home）は**HEMS**および工場（Factory）は**FEMS**と呼ぶ．

1回路8バイトで60回路をビットにすると，

$$8 \times 8 \times 60 = 3\,840 \text{ ビット}$$

である．回線は19 200 bpsの30 %すなわち，1秒当たり$0.3 \times 19\,200 = 5\,760$ビット伝送できる．したがって，伝送に必要な時間は，次のようになる．

$$\frac{3\,840}{5\,760} = 0.667 \fallingdotseq \mathbf{6.7} \times 10^{-1} \text{ s}$$

問題6
(1)　1—ウ，2—イ，3—キ，4—サ，5—セ
(2)　6—カ，7—ウ，8—ア
(3)　9—ウ，10—キ，11—コ，12—オ

【指導】

(1)　アナログ計測器は，測定対象が**連続**量である場合によく利用される．

一方，ディジタル計測器は，測定対象自体が**離散**量であるものや，連続量であっても離散化した方が実用的である場合に利便性がある．

ディジタル計測器の特徴は，「**指針が存在しない**こと」，「入力インピーダンスが**高インピーダンス**のため，測定対象への影響を及ぼさないこと」，「ディジタル表示のため読み取り時の**個人誤差**が少ないこと」などが挙げられる．

(2)　配線などの絶縁抵抗を測定する計器として，一般的に**メガー**を用いる．高電圧の配電設備などにおいては，安全上，配線間，配線と**大地**間で所定の抵抗値があること（絶縁が確保されていること）の確認が重要である．

また，被測定回路に大きな**静電容量**が存在すると，測定開始時には大きな電流が流れ込む

こととなり，等価的に低抵抗状態となる．このような場合は，指針が安定するまで十分な時間を確保することや，並列回路数を分割して低抵抗な状態を回避するなどの対策が必要である．

(3) 題意の図において，検流器Dの指示値が0となった状態を**平衡状態**と呼ぶ．平衡状態においては，次式が成立する．

$$(R_3 + \mathrm{j}\omega L_3) \times R_2 = R_4 \times (R_1 + \mathrm{j}\omega L_1) \qquad (1)$$

$$\therefore \quad \boldsymbol{R_2R_3 + \mathrm{j}\omega R_2L_3 = R_4R_1 + \mathrm{j}\omega R_4L_1} \qquad (2)$$

(2)式において，実数項，虚数項をそれぞれ等しいとおいて，

$$R_2R_3 = R_4R_1 \qquad (3)$$

$$\omega R_2L_3 = \omega R_4L_1 \qquad (4)$$

(3)，(4)式より，

$$\boldsymbol{\frac{R_2}{R_4} = \frac{R_1}{R_3} = \frac{L_1}{L_3}}$$

を得る．

また，上記の比例関係は，**電源電圧**の変動に影響しない．

問題7

(1) 1—オ，2—ケ，3—コ，4—ア，5—ク

(2) 6—ケ，7—エ，8—サ，9—イ，10—セ

(3) 11—オ，12—カ，A—41.7，B—400，13—イ

【指導】

(1) 電気設備が経年劣化等により，当初の機能が低下して停電が発生した場合，以下の問題が発生する．稼働中の生産ライン停止の損失，故障した設備の代替品もしくは交換部品の手配による停電の長期化等である．よって，電気設備等を健全な状態に保つ**保全管理**は重要である．

自家用構内（自社責任範囲内）にて発生した短絡・地絡事故において，構内の保護リレーは故障範囲の除去（停電）を行うとともに，事故を構外へ波及させない．構内の事故では，構外の電力会社の保護リレーよりも先に動作させる．すなわち，**検出感度**と動作時限を適切に整定する**保護協調**をとる必要がある．

短絡・地絡保護において自家用構内の保護リレーは電力会社の保護リレー（の動作による送配電線の停電）よりも**短い**時限で故障範囲を除去することが必要になる．

送配電線から変圧器により降圧され，二次側の1端子または中性線が接地された構内の低

圧回路においては，地絡事故に対する保護は一般に電流動作形の**漏電遮断器**が使用される．

⑵　1)　太陽光発電は太陽電池により太陽光エネルギーを電気エネルギーに変える．太陽から受ける太陽光エネルギーはわが国の快晴において太陽と正対する面で最大約 **1** kW/m^2 である．太陽電池の発電電力は太陽の**日射の強さ**に比例する．

2)　風力発電は風の持つ運動エネルギーを風車により電気エネルギーに変える．風車の受ける運動エネルギーは風速の **3** 乗に比例する．

3)　燃料電池は化学エネルギーを電気エネルギーに変える．内部に化学エネルギーを蓄える乾電池や蓄電池とは違い，電池の外部から燃料（H_2）と**酸化剤**（O_2）を供給することで発電する（**第1図**）．

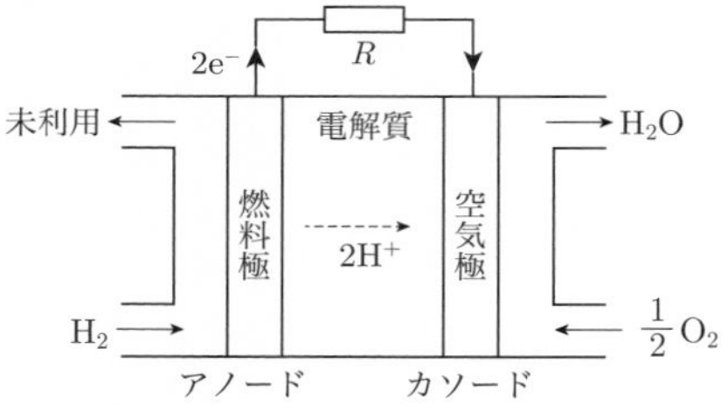

第1図　燃料電池

4)　「電力品質確保に係る系統連系技術要件ガイドライン」では，連系点における力率を原則として **85** % 以上，かつ系統から見て進み力率とならないようと求めている．

⑶　1)　需要率，負荷率，不等率については下式を参照．

$$\textbf{需要率} = \frac{\text{最大需要電力}}{\text{合計設備容量}} \ [\%]$$

$$\text{負荷率} = \frac{\text{ある期間の平均電力}}{\text{最大需要電力}} \ [\%]$$

$$\textbf{不等率} = \frac{\text{個々の負荷の最大需要電力の合計}}{\text{全負荷の最大需要電力}}$$

ただし，最大需要電力とは，ある期間中に最も多く使用した電力をいう．

2)　問題図の電力日負荷曲線より最大需要電力は 600 kW である．1日の平均電力は負荷の消費電力量（kW·h）を 24 h で割った値である．

負荷の消費電力量（1日）は，

$$120 \times (8-0) + 400 \times (12-8) + 200 \times (13-12) + 600 \times (17-13)$$
$$+ 120 \times (24-17)$$

$$= 6\,000\ \text{kW·h}$$

$$1\,日の平均電力 = \frac{6\,000}{24} = 250\ \text{kW}$$

よって，負荷移行前の負荷率は，

$$\frac{250}{600} \fallingdotseq 0.416\,7 \fallingdotseq \mathbf{41.7}\ \%$$

題意から，負荷の消費電力量すなわち平均電力を変えずに負荷率を 50 % とするには，最大需要電力 P_1 [kW] を

$$負荷移行後の負荷率 = \frac{250}{P_1} = 50\ \% = 0.5$$

とすればよい．上式を満たす P_1 は，次のようになる．

$$P_1 = \frac{250}{0.5} = 500\ \text{kW}$$

問題図の最大需要電力（600 kW）が継続する 13 〜 17 時までの 4 時間を 500 kW とすればよい．すなわち，移行する電力量は，

$$移行電力量\ (600 - 500) \times 4 = \mathbf{400}\ \text{kW·h}$$

である．

電力料金は過去 1 年間の最大需要電力（30 分値）に比例する基本料金と，使用電力量に比例する使用料金からなっている．過去 1 年間の最大需要電力のことを**契約電力**ともいい，負荷移行により最大需要電力が下がることで契約電力を見直して基本料金分の低減が可能となる．

問題8

(1)　1 ─ キ，2 ─ カ，3 ─ ア，4 ─ サ，5 ─ ウ，6 ─ キ，7 ─ オ

(2)　A ─ 14.4，B ─ 63，C ─ 1.44，D ─ 40

【指導】

(1)　1)　経済的で，合理的に電力を使用することで，電力量の低減を図ることは，製造業などでの製品の電力原単位の改善に寄与する．

また，電気機器の定格電圧付近での運用は，高効率運転に寄与するため，変圧器のタップ切換や電圧調整装置などにより適正電圧に調整されることが重要である．

2)　電力系統に事故が生じると，保護リレーの信号を検知して，遮断器により事故点を系統から切り離す．

また，瞬時電圧低下における，機器側の対策としては，電力変換装置と蓄電池から構成されるUPS（無停電電源装置）が，一般的に使用されている．

3)　フリッカ抑制対策は，発生源の運転条件の改善が基本となるが，発生源に無効電力補償装置を取付けて，負荷の無効電力変動分を補償し，電圧変動を抑制する．

また，フリッカによって，照明の照度変化が生じるが，人間の目が最もちらつきを感じる周波数は，10 Hz である．

4)　高調波環境目標レベルでは，高圧配電系統における総合電圧ひずみ率は，5 % 以下に維持することとされている．

解指

(2)　1)　回線 A と回線 B の線路損失の合計値 P_L [kW] は，**第1図**より，

$$P_L = P_A + P_B = 3|\dot{I}_a|^2 r + 3|\dot{I}_b|^2 r = 3\times 200^2 \times 0.06 + 3\times 200^2 \times 0.06$$
$$= 7\,200 + 7\,200 = 14\,400\ \text{W} = \mathbf{14.4}\ \text{kW}$$

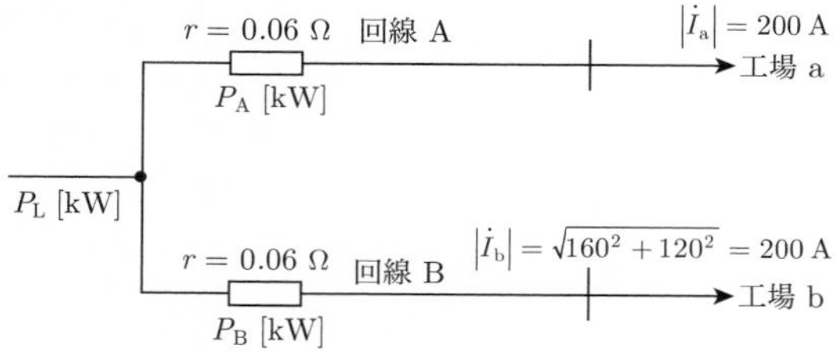

第1図

2)　**第2図**において，$\dot{I}_A'$ [A] と $\dot{I}_B'$ [A] がそれぞれ，

$$\dot{I}_A' = \dot{I}_a + \dot{I}_s = 200 + \dot{I}_s \tag{1}$$

$$\dot{I}_B' = \dot{I}_b - \dot{I}_s = 160 - \text{j}120 - \dot{I}_s \tag{2}$$

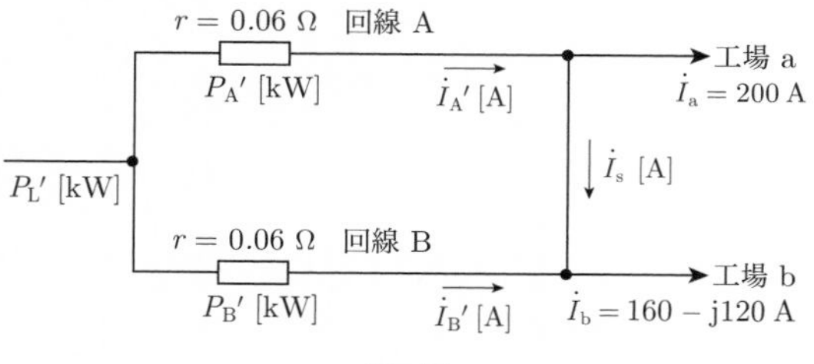

第2図

と表される．

また，回線 A と回線 B の 1 線当たりの電圧降下が等しいから，

$$\dot{I}_A' r = \dot{I}_B' r$$

$\therefore\quad \dot{I}_{\mathrm{A}}{}' = \dot{I}_{\mathrm{B}}{}'$　　(3)

(3)式に(1)，(2)式を代入して，

$$200 + \dot{I}_{\mathrm{s}} = 160 - \mathrm{j}120 - \dot{I}_{\mathrm{s}}$$

$$\dot{I}_{\mathrm{s}} + \dot{I}_{\mathrm{s}} = 160 - \mathrm{j}120 - 200$$

$$2\dot{I}_{\mathrm{s}} = -40 - \mathrm{j}120$$

$$\dot{I}_{\mathrm{s}} = -20 - \mathrm{j}60 \qquad (4)$$

$$\therefore\quad |\dot{I}_{\mathrm{s}}| = \sqrt{20^2 + 60^2} \fallingdotseq 63.25 \fallingdotseq \mathbf{63}\ \mathrm{A}$$

一方，(1)，(4)式より，

$$\dot{I}_{\mathrm{A}}{}' = 200 + \dot{I}_{\mathrm{s}} = 200 + (-20 - \mathrm{j}60) = 180 - \mathrm{j}60\ \mathrm{A}$$

また，(3)式より，

$$\dot{I}_{\mathrm{B}}{}' = \dot{I}_{\mathrm{A}}{}' = 180 - \mathrm{j}60\ \mathrm{A}$$

このときの線路損失の合計値 $P_{\mathrm{L}}{}'$ [kW] は，

$$P_{\mathrm{L}}{}' = P_{\mathrm{A}}{}' + P_{\mathrm{B}}{}' = 3\left|\dot{I}_{\mathrm{A}}{}'\right|^2 r + 3\left|\dot{I}_{\mathrm{B}}{}'\right|^2 r$$

$$= 3\times(180^2 + 60^2)\times 0.06 + 3\times(180^2 + 60^2)\times 0.06$$

$$= 12\,960\ \mathrm{W} = 12.96\ \mathrm{kW}$$

よって，求める低減電力ΔP_{L} [kW] は，

$$\Delta P_{\mathrm{L}} = P_{\mathrm{L}} - P_{\mathrm{L}}{}' = 14.4 - 12.96 = \mathbf{1.44}\ \mathrm{kW}$$

3)　**第3図**より，$P_{\mathrm{B}}{}''$ [kW] は，

$$P_{\mathrm{B}}{}'' = P_{\mathrm{L}}{}' - P_{\mathrm{A}} = 12.96 - 7.2 = 5.76\ \mathrm{kW} = 5\ 760\ \mathrm{W}$$

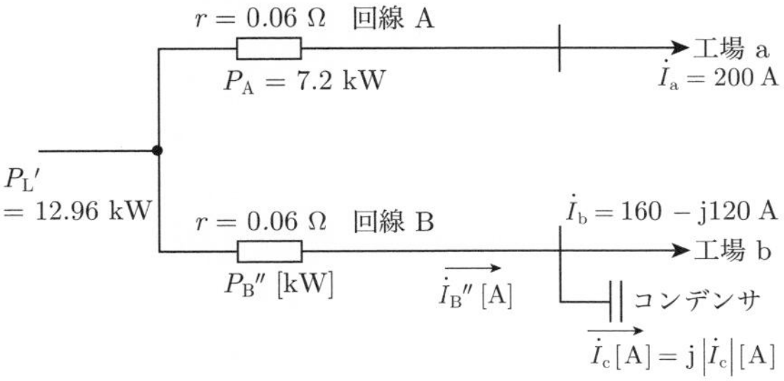

第3図

また，$P_{\mathrm{B}}{}'' = 3\left|\dot{I}_{\mathrm{B}}{}''\right|^2 r$ より，

$$\left|\dot{I}_{\mathrm{B}}{}''\right|^2 = \frac{P_{\mathrm{B}}{}''}{3r} = \frac{5\,760}{3\times 0.06} = 32\,000$$

$$\therefore\quad \left|\dot{I}_{\mathrm{B}}{}''\right| \fallingdotseq 178.9\ \mathrm{A}$$

一方，

$$\dot{I}_B{}'' = \dot{I}_b + \dot{I}_c = 160 - j120 + j\left|\dot{I}_c\right| = 160 - j\left(120 - \left|\dot{I}_c\right|\right)$$

$$\therefore\quad \left|\dot{I}_B{}''\right|^2 = 160^2 + \left(120 - \left|\dot{I}_c\right|\right)^2$$

$$32\,000 = 25\,600 + \left(120 - \left|\dot{I}_c\right|\right)^2$$

$$\left(120 - \left|\dot{I}_c\right|\right)^2 = 32\,000 - 25\,600 = 6\,400$$

$$120 - \left|\dot{I}_c\right| = \sqrt{6\,400} = 80$$

$$\therefore\quad \left|\dot{I}_c\right| = 120 - 80 = \mathbf{40}\ \mathrm{A}$$

問題9　(1)　1―オ，2―キ，3―ク，4―シ，5―セ，6―シ，7―ク，8―ツ，9―ア，10―キ，11―セ

(2)　A―1 500，B―2.67，C―2.47，D―89.1，E―14.4

【指導】

(1)　1)　かご形誘導電動機は固定子と回転子から構成される．**第1図**(a)のように回転子の二次巻線は銅またはアルミの棒状の**導体**とこれを接続する端絡環からなる．回転子鉄心を取り除くと，リス等の小動物を運動させるためのかご状に見える．

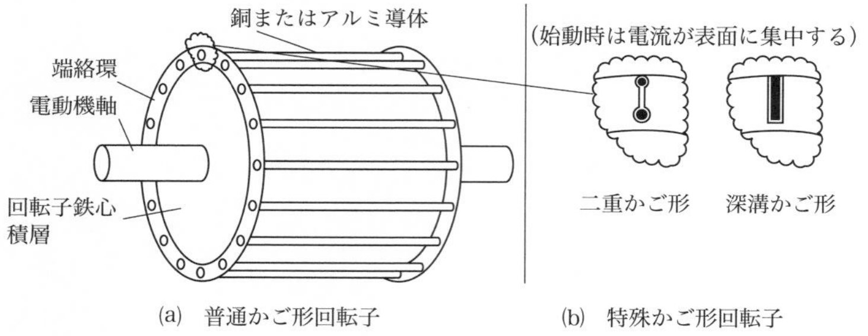

第1図　かご形誘導電動機の回転子の概要

誘導電動機は構造が単純で堅ろうで取り扱いが簡単といった長所がある反面，大きな始動電流に対して始動トルクが比較的小さいという欠点をもっている．特殊かご形誘導電動機はこの欠点を改良するため，第1図(b)に示すような，かご形導体の構造を工夫したものである．二重かご形および深溝形電動機はどちらも始動時にかご形表面の二次抵抗の高い導体へ電流を流すことで見かけ上の抵抗を高くしている．その結果，特殊かご形電動機は**始動電流**を制限し，**始動トルク**を大きくすることが可能である．

巻線形誘導電動機において，固定子の構造はかご形と同様である．回転子の二次巻線は絶縁された三相巻線である．二次巻線から延長したリード線は軸内部を通って，**スリップリン**

グ，**ブラシ**を経て外部可変抵抗器に接続されている．この可変抵抗器の抵抗値を変化させることで，始動トルクを大きく，始動電流を制限する．また，トルクー滑り特性を変化させることで，速度制御も可能である．

2) 汎用インバータの構成は**第2図**のとおり交流を整流（順変換）するコンバータ部，整流した直流を平滑する平滑部および直流を交流に換える（逆変換）インバータ部の三つに分けることができる．問題文のインバータ部の直流側は平滑部のことであり，汎用インバータの平滑部には**コンデンサ**が接続され，直流**電圧**を平滑する．

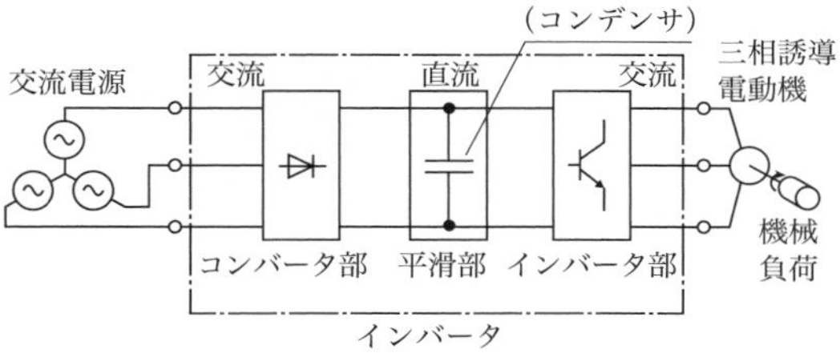

第2図　汎用インバータの構成

汎用インバータで電動機速度制御を行う場合，容易に速度制御が可能な V/f 制御方式が多く用いられる．インバータ(電源)**周波数**に比例しているのは誘導電動機の同期速度であり，実際の回転速度ではない．誘導電動機の回転速度は同期速度から負荷トルクに対応した滑り分を引いた値となる．加速時に急激に**周波数**を上昇させると電動機の回転速度とインバータ周波数の**同期**速度との差が大きくなり過ぎて加速に失敗する**ストール**現象を引き起こすことがある．

(2) 極数 $p = 4$ の三相誘導電動機を周波数 $f = 50$ Hz で運転するときの同期回転速度 [min^{-1}] は，

$$N_{\mathrm{s}} = \frac{120f}{p} = \frac{120 \times 50}{4} = \mathbf{1\ 500}\ \mathrm{min}^{-1}$$

である．定格回転速度 $N = 1\ 460\ \mathrm{min}^{-1}$ の電動機の滑り s [%] は

$$s = \frac{N_{\mathrm{s}} - N}{N_{\mathrm{s}}} \times 100 = \frac{1\,500 - 1\,460}{1\,500} \times 100 = 2.667 \fallingdotseq \mathbf{2.67}\ \%$$

である．電動機の電圧 $V_{\mathrm{n}} = 200$ V，電流 $I = 9.5$ A，力率 $\cos\theta = 0.75$（75 %）のときの電動機一次入力 P_1 [kW] は，

$$P_1 = \sqrt{3}\, V_{\mathrm{n}} I \cos\theta \times 10^{-3} = 1.732 \times 200 \times 9.5 \times 0.75 \times 10^{-3}$$
$$\fallingdotseq 2.468 \fallingdotseq \mathbf{2.47}\ \mathrm{kW}$$

である．電動機の出力は定格出力 $P_n = 2.2$ kW であり，電動機の効率 η [%] は，

$$\eta = \frac{P_n}{P_1} = \frac{2.2}{2.468} \fallingdotseq 0.891\,4 \fallingdotseq \mathbf{89.1}\,\%$$

である．電動機のトルク T_M [N･m] は電動機出力 $P_n = 2.2$ kW および定格回転速度 $N = 1\,460\ \mathrm{min}^{-1}$ より，

$$T_M = \frac{P_n \times 10^3}{2\pi \dfrac{N}{60}} = \frac{2.2 \times 10^3}{2 \times 3.142 \times \dfrac{1\,460}{60}} \fallingdotseq 14.39 \fallingdotseq \mathbf{14.4}\ \mathrm{N \cdot m}$$

である．

問題10 (1) 1 — エ，2 — イ，3 — シ，4 — キ，5 — サ，6 — シ，7 — コ，8 — ソ，9 — ツ，10 — ウ，11 — エ，12 — キ

(2) A — 98.0，B — 45.9，C — 98.1，D — 1.69，E — 3.42，F — 3.81

【指導】

(1) 1) 変圧器の損失は**第 1 図**のように分類される．

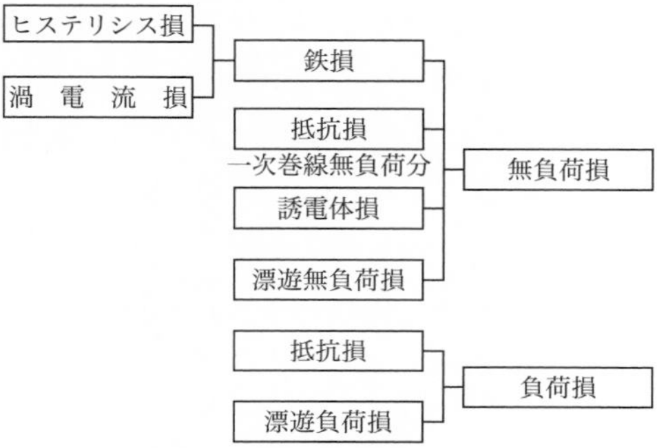

第 1 図 変圧器損失の分類

無負荷損は鉄損と**誘電体損**等の和である．また，無負荷電流が一次巻線に流れたときの抵抗損および漂遊無負荷損は計算上無視することが多い．負荷損は**銅損**と漂遊負荷損の和である．無負荷損は鉄損が大部分を占める．ヒステリシス損 P_h，渦電流損 P_e はそれぞれ，

$$P_h = k_h f B_m{}^{1.6\sim2.0}\ [\mathrm{W/m^3}]$$

$$P_e = k_e (t f B_m)^2\ [\mathrm{W/m^3}]$$

と表される．ただし，k_h，k_e は材料，磁束によって定まる定数，f は周波数，B_m は最大磁束密度および t は鉄心板厚である．したがって，ヒステリシス損は**周波数**の 1 乗と**最大磁束**

密度の 1.6 ～ 2.0 乗に比例する．渦電流損は鉄心中で磁束の変化に起因する渦電流が流れることによる**抵抗損**（ジュール損）である．

2)　同期発電機の無負荷飽和曲線は無負荷，定格回転速度で運転中の同期発電機の**端子電圧**（誘導起電力）と励磁電流の関係を表す．三相短絡曲線は同期発電機の三相を短絡して定格回転速度で運転したときの**電機子電流**（短絡電流）と励磁電流の関係を表す．無負荷飽和曲線と三相短絡曲線を**第 2 図**に示す．第 2 図から三相短絡曲線は**直線**となる．

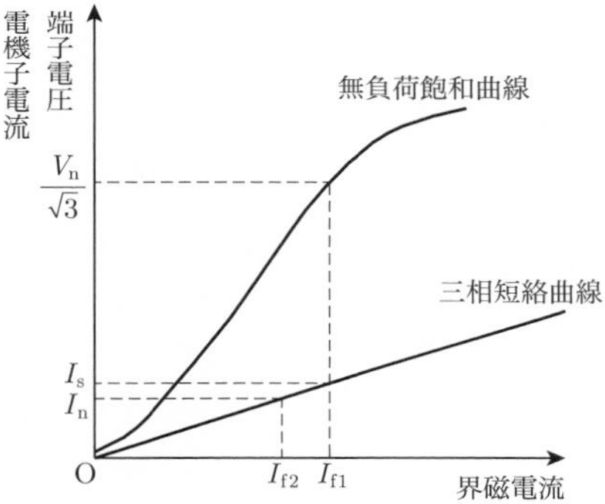

第 2 図　無負荷飽和曲線と三相短絡曲線

短絡比 K_s は第 2 図の I_{f1} および I_{f2} から，

$$K_s = \frac{\boldsymbol{I_{f1}}}{\boldsymbol{I_{f2}}}$$

と表される．K_s の大きな機械は鉄機械と呼ばれる．リアクタンス（インピーダンス）が小さいため，電圧変動率が小さく，安定度が良好で，線路**充電**容量が大きい．

同期電動機のトルクは円筒機の場合，

$$T = \frac{P}{\omega} = \frac{VE}{\omega x_s} \sin\delta$$

と表される．上式で $\sin\,\delta = 1.0$ のときのトルクを**脱出**トルクといい，リアクタンス x_s（抵抗分を無視した同期インピーダンス）が小さいほど脱出トルクは大きい．ここで，ω は電動機の回転角速度 [rad/s]，V は電動機端子電圧 [V]，E は無負荷誘導起電力 [V] および δ は V と E との位相差で負荷角 [rad] である．

同期インピーダンス Z_s [Ω] を定格電圧 V_n [V]，定格電流 I_n [A] に対する単位法で表したものを Z_s' [p.u.] とする．

$$Z_s{}' = \frac{I_n Z_s}{\frac{V_n}{\sqrt{3}}}\,[\text{p.u.}] \to \frac{1}{Z_s{}'} = \frac{\frac{V_n}{\sqrt{3}}}{I_n Z_s}$$

短絡電流 I_s [A] から K_s を表すと，

$$I_s = \frac{\frac{V_n}{\sqrt{3}}}{Z_s} = \frac{\frac{V_n}{\sqrt{3}}}{Z_s}\frac{I_n}{I_n} = \frac{1}{Z_s{}'}I_n\,[\text{A}]$$

$$K_s = \frac{I_s}{I_n} = \frac{1}{I_n}\frac{1}{Z_s{}'}I_n = \frac{1}{Z_s{}'} \to Z_s{}' = \frac{1}{K_s}$$

となり，K_s の逆数は単位法で表した**同期**インピーダンスである．

(2) 変圧器の定格容量 $S_n = 200$ kV·A，無負荷損 $p_i = 710$ W，定格時の負荷損 $p_c = 3\,370$ W である．定格容量で力率 $\cos\theta = 1.0$ のときの効率$\eta_{1.0}$ [%] を計算する．

$$\eta_{1.0} = \frac{\alpha S_n \cos\theta \times 10^3}{\alpha S_n \cos\theta \times 10^3 + p_i + \alpha^2 p_c} = \frac{1.0\times 200\times 1.0\times 10^3}{1.0\times 200\times 1.0\times 10^3 + 710 + 1.0^2\times 3\,370}$$

$$\fallingdotseq 0.980\,0 = \mathbf{98.0}\ \%$$

である．またαは負荷の定格容量に対する比率で，上式の場合，1.0 である．

この変圧器に遅れ力率 0.8 の負荷を接続した場合，最大効率となるには，αと p_i および p_c に対して，

$$p_i = \alpha^2 p_c$$

の関係が成立すればよい．上式を変形して

$$\alpha^2 = \frac{p_i}{p_c} \to \alpha = \sqrt{\frac{p_i}{p_c}} = \sqrt{\frac{710}{3\,370}} \fallingdotseq 0.459\,0 = \mathbf{45.9}\,\%$$

の負荷を接続すればよい．したがって，$\eta_{0.8-\max}$ [%] は$\eta_{1.0}$ と同様に

$$\eta_{0.8-\max} = \frac{0.459\,0\times 200\times 0.8\times 10^3}{0.459\,0\times 200\times 0.8\times 10^3 + 2\times 710} \fallingdotseq 0.981\,0 = \mathbf{98.1}\ \%$$

変圧器の百分率抵抗降下 p [%] は負荷損 p_c および定格容量 S_n より，

$$p = \frac{I_n r}{V_n} = \frac{I_n}{I_n}\frac{I_n r}{V_n} = \frac{I_n{}^2 r}{V_n I_n} = \frac{p_c}{S_n} = \frac{3\,370}{200\times 10^3} = 0.016\,85 \fallingdotseq \mathbf{1.69}\,\%$$

である．また，巻線抵抗 r [Ω]，定格電圧 V_n [V] および定格電流 I_n [A] とした．

遅れ力率 0.8 のときの電圧変動率$\varepsilon = 3.4$ % は，

$$\varepsilon = p\cos\theta + q\sin\theta = 1.685\times 0.8 + q\times 0.6 = 3.4\ \%$$

解答指針

ただし，変圧器の百分率リアクタンス降下 q %，$\sin\theta = 0.6$ である．よって，上式を変形して q を計算すると，

$$q = \frac{3.4\,\% - 1.685\,\% \times 0.8}{0.6} = 3.420\,\% \fallingdotseq \mathbf{3.42}\,\%$$

である．したがって，この変圧器の短絡インピーダンス z [%] は次のように求まる．

$$z = \sqrt{p^2 + q^2} = \sqrt{(1.685\,\%)^2 + (3.420\,\%)^2} \fallingdotseq 3.813\,\% \fallingdotseq \mathbf{3.81}\,\%$$

問題11　(1)　1—キ，2—サ，3—ア，4—エ，5—ウ
(2)　6—イ，7—ウ，8—オ，9—エ，10—エ，11—キ，12—ク

【指導】

(1)　1)　問題図1の等価回路に出力相当の抵抗を追記したものを**第1図**に示す．

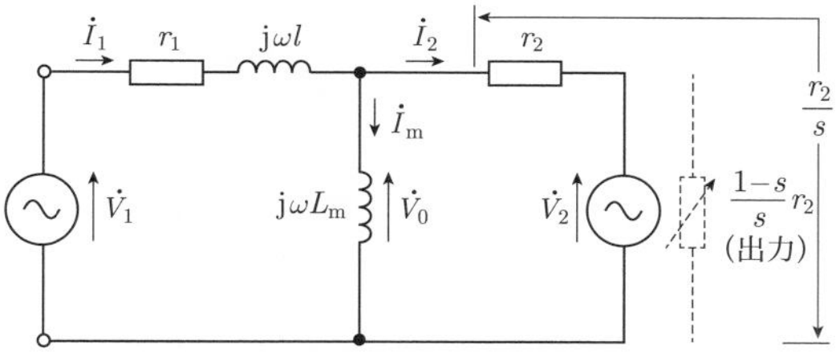

第1図　三相誘導電動機等価回路（出力相当分抵抗追記）

問題図での電圧 $\dot{V}_2$ は，通常の等価回路では第1図に示す抵抗 $\frac{1-s}{s}r_2$ として示されることが多い．また，r_2 とまとめて，

$$r_2 + \frac{1-s}{s}r_2 = \boldsymbol{\frac{r_2}{s}}$$

と表すことが多い．滑り s は電源角周波数 ω と回転子角速度 ω_m より，

$$s = \boldsymbol{\frac{\omega - \omega_\mathrm{m}}{\omega}}$$

$$\omega = \frac{\omega_\mathrm{m}}{1-s}$$

である．$\dot{V}_2$ は問題文中の③式および上式から，

$$\dot{V}_2 = (1-s)\dot{V}_0 = (1-s)\mathrm{j}\omega L_\mathrm{m}\dot{I}_\mathrm{m} = \mathrm{j}(1-s)\frac{\omega_\mathrm{m}}{1-s}L_\mathrm{m}\dot{I}_\mathrm{m} = \boldsymbol{\mathrm{j}\omega_\mathrm{m}L_\mathrm{m}\dot{I}_\mathrm{m}}$$

である．発生トルクτ_{m}を計算する．$\dot{V}_2$ と $\dot{I}_2$ は同相のため，

$$\tau_{\mathrm{m}} = \frac{3V_2 I_2}{\omega_{\mathrm{m}}} = \frac{3\omega_{\mathrm{m}} L_{\mathrm{m}} I_{\mathrm{m}} I_2}{\omega_{\mathrm{m}}} = \boldsymbol{3L_{\mathrm{m}} I_{\mathrm{m}} I_2}$$

である．

2)　問題文中の式から必要分を示すと，

$$\sqrt{r_1} I_{\mathrm{m}} - \sqrt{(r_1 + r_2)} \left| I_2 \right| = 0$$
$$I_{\mathrm{m}} = k \left| I_2 \right|$$

である．上の 2 式から k を求める．

$$\sqrt{r_1} I_{\mathrm{m}} = \sqrt{(r_1 + r_2)} \left| I_2 \right|$$
$$\frac{I_{\mathrm{m}}}{\left| I_2 \right|} = \frac{\sqrt{(r_1 + r_2)}}{\sqrt{r_1}} = \sqrt{\frac{(r_1 + r_2)}{r_1}}$$
$$k = \frac{I_{\mathrm{m}}}{\left| I_2 \right|} = \sqrt{\frac{\boldsymbol{(r_1 + r_2)}}{\boldsymbol{r_1}}}$$

(2)　搬送機は常にニュートンの第 2 法則

$$F = M\alpha \ [\mathrm{N}]$$

が成立している．ここで，F は搬送機に働く力 [N]，M は搬送機の質量 [kg] およびαは搬送機の加速度 [m/s^2] である．αが正の場合，搬送機は加速し，F は正である．αが負の場合，搬送機は減速し，F は負である．本問では一区間中の加速度（減速度）は一定のため，一区間中の速度変化の傾きは一定である．

1)　搬送機の加速度

・加速区間

題意から，駆動力 F [N] と走行抵抗$-R$ [N]（減速させるので負）が M [kg] に働くため，

加速度 $\alpha_1 = \dfrac{F - R}{M} [\mathrm{m/s^2}]$ である．

・惰行区間

題意から，走行抵抗$-R$ [N]（減速させるので負）のみ M [kg] に働くため，加速度α_2 $= -\dfrac{\boldsymbol{R}}{\boldsymbol{M}}$ [m/s^2] である．

・減速区間

題意から，駆動力$-F$ [N] と走行抵抗$-R$ [N]（減速させるので負）が M [kg] に働くため，

加速度$\alpha_3 = -\boldsymbol{\dfrac{F+R}{M}}$ [m/s^2] である．

2)　搬送機の速度

加速区間終点における速度 V_1 [m/s] は題意から，

$$V_1 = \frac{(F-R)T_1}{M}\,[\mathrm{m/s}]$$

である．また，惰行区間における加速度α_2 [m/s^2] および惰行時間を T_2 とすると，終点における速度 V_2 [m/s] は，

$$V_2 = V_1 + \alpha_2 T_2 = \boldsymbol{\frac{(F-R)T_1}{M} - \frac{RT_2}{M}}\ [\mathrm{m/s}]$$

である．

3)　搬送機の走行区間の距離

各運転区間の距離は問題図 2 の速度曲線と時間軸でつくる面積に等しい．

加速区間の距離 L_1 [m] は速度 V_1 [m/s] および加速時間 T_1 [s] とすると，

$$L_1 = \frac{1}{2}V_1T_1 = \frac{1}{2}\frac{(F-R)T_1}{M}T_1 = \frac{(F-R)T_1^2}{2M}\,[\mathrm{m}]$$

である．

惰行区間の距離 L_2 [m] は V_1，V_2 [m/s] および惰行時間 T_2 [s] とすると，次式となる．

$$L_2 = \left\{\frac{1}{2}(V_1 - V_2) + V_2\right\}T_2 = \frac{1}{2}\left(\frac{(F-R)T_1}{M} + \frac{(F-R)T_1}{M} - \frac{RT_2}{M}\right)T_2$$

$$= \boldsymbol{\frac{(F-R)T_1T_2}{M} - \frac{RT_2{}^2}{2M}}\ [\mathrm{m}]$$

減速区間の距離 L_3 [m] を求める．減速時間 T_3 [s]，減速区間の加速度α_3 [m/s^2] および惰行区間終点における速度 V_2 [m/s] との関係は，減速区間の最終で速度が 0 になることから

$$V_2 + \alpha_3 T_3 = 0 \rightarrow -\alpha_3 T_3 = V_2$$

$$V_2 = -\alpha_3 T_3 = \frac{F+R}{M}T_3$$

である．よって，L_3 は V_2 より，

$$L_3 = \frac{1}{2}V_2T_3 = \frac{1}{2}\left(\frac{F+R}{M}T_3\right)T_3 = \frac{F+R}{2M}T_3{}^2\,[\mathrm{m}]$$

である．

4)　搬送機の走行エネルギー

加速区間終了時点での速度 V_1 [m/s]，質量 M [kg] の搬送機がもつ運動エネルギー W_1 [J] は題意より，

$$W_1 = \frac{1}{2}MV_1^2 = \frac{1}{2}M\left(\frac{(F-R)T_1}{M}\right)^2 = \frac{1}{2}M\frac{(F-R)^2T_1^2}{M^2} = \frac{(F-R)^2T_1^2}{2M}\,[\mathrm{J}]$$

である．運動する搬送機には速度に関係なく走行抵抗 R [N] が働く．加速度区間の R によるエネルギー損失 w_{11} [J] は

$$w_{11} = RL_1 = R\frac{(F-R)T_1^2}{2M}\,[\mathrm{J}]$$

である．

加速区間中に電源が与えたエネルギー $W_{1\mathrm{S}}$ [J] は W_1 に w_{11} を加えた値である．

$$W_{1\mathrm{S}} = W_1 + w_{11} = \frac{(F-R)^2T_1^2}{2M} + R\frac{(F-R)T_1^2}{2M}$$

$$= \frac{(F^2-2FR+R^2+FR-R^2)T_1^2}{2M} = \frac{(F^2-FR)T_1^2}{2M} = \boldsymbol{\frac{(F-R)FT_1^2}{2M}}\,[\mathrm{J}]$$

減速区間において蓄電池の回収エネルギー $W_{3\mathrm{R}}$ [J]は減速区間の長さ L_3 [m]，駆動用電動機に働く力 F [N]より，

$$W_{3\mathrm{R}} = FL_3 = F\left(\frac{F+R}{2M}T_3^2\right) = \boldsymbol{\frac{(F+R)FT_3^2}{2M}}\,[\mathrm{J}]$$

である．ただし，損失は無視する．また，走行抵抗 R [N] による損失エネルギー w_{31} [J] は上記と同様に，

$$w_{31} = RL_3 = R\left(\frac{F+R}{2M}T_3^2\right) = \boldsymbol{\frac{(F+R)RT_3^2}{2M}}\,[\mathrm{J}]$$

である．

注意点として，L_3 を求める計算で，V_2 を2) で求めた $\dfrac{(F-R)T_1}{M} - \dfrac{RT_2}{M}$ を使うと，選択肢にたどり着けない．3) の手順で V_2 を再度計算して L_3 を求める必要がある．

問題12

(1)　1 ―イ，エ，2 ―ク，3 ―シ，4 ―イ，5 ―ウ

(2)　6 ―イ，A ― 9.60，7 ―ア，B ― 1.28，C ― 8.50，D ― 525，E ― 6.40，F ― 5.12，8 ―サ，G ― 1.25，H ― 319

【解き方】

(1) 1) 積荷に働く鉛直下向きの力 f_{p} [N] は，かごが上向きに加速しているので，エレベータ内部からみた場合，積荷には下向きの慣性力も生じるから，重力加速度による力との和で表され，

$$f_{\mathrm{p}} = M_{\mathrm{p}}\alpha + M_{\mathrm{p}}g = \boldsymbol{M_{\mathrm{p}}(\alpha + g)}\ [\mathrm{N}]$$

一方，地上から見た場合には M_{p} には，重力加速度による力のみなので，

$$f_{\mathrm{p}} = \boldsymbol{M_{\mathrm{p}}g}\ [\mathrm{N}]$$

このエレベータに働く力 F_0 [N] は，加速に要する力 f_α [N] と重力加速度による力 f_g [N] の和で表され，

$$F_0 = f_\alpha + f_g$$

$$F_0 = (M_{\mathrm{c}} + M_{\mathrm{p}} + M_{\mathrm{w}})\alpha + (M_{\mathrm{c}} + M_{\mathrm{p}} - M_{\mathrm{w}})g$$

$$\therefore\ F_0 = (M_{\mathrm{c}} + M_{\mathrm{p}})(\alpha + g) + M_{\mathrm{w}}(\alpha - g)\ [\mathrm{N}]$$

一方，このエレベータの時刻 t [s] における速度 v [m/s] は，

$$v = \alpha t\ [\mathrm{m/s}]$$

となるので，時刻 t [s] における電動機が行う仕事率（動力）P [W] は，

$$P = F_0 v = \boldsymbol{\{(M_{\mathrm{c}} + M_{\mathrm{p}})(\alpha + g) + M_{\mathrm{w}}(\alpha - g)\}\alpha t}\ [\mathrm{W}]$$

2) 時刻 t [s] までに電動機が行った仕事 W [J] は，

$$W = \int_0^t P\,\mathrm{d}t = \int_0^t \{(M_{\mathrm{c}} + M_{\mathrm{p}})(\alpha + g) + M_{\mathrm{w}}(\alpha - g)\}\alpha t\,\mathrm{d}t$$

$$= \boldsymbol{\frac{1}{2}\{(M_{\mathrm{c}} + M_{\mathrm{p}})(\alpha + g) + M_{\mathrm{w}}(\alpha - g)\}\alpha t^2}\ [\mathrm{J}]$$

3) 時刻 t [s] における，かご，積荷，釣合いおもりの運動エネルギーの合計 W_{v} [J] は，

$$W_{\mathrm{v}} = \frac{1}{2}(M_{\mathrm{c}} + M_{\mathrm{p}} + M_{\mathrm{w}})v^2 = \boldsymbol{\frac{1}{2}(M_{\mathrm{c}} + M_{\mathrm{p}} + M_{\mathrm{w}})(\alpha t)^2}\ [\mathrm{J}]$$

位置エネルギーの合計 W_{p} [J] は，基準点から t [s] 後の変位 h [m] が，

$$h = \frac{1}{2}\alpha t^2\ [\mathrm{m}]$$

と表され，かごと積荷は，位置エネルギーが増加し，おもりは，位置エネルギーが減少するので，

$$W_{\mathrm{p}} = (M_{\mathrm{c}} + M_{\mathrm{p}})gh - M_{\mathrm{w}}gh = (M_{\mathrm{c}} + M_{\mathrm{p}})g\frac{1}{2}\alpha t^2 - M_{\mathrm{w}}g\frac{1}{2}\alpha t^2$$

$$=\frac{\mathbf{1}}{\mathbf{2}}(\boldsymbol{M}_{\mathrm{c}}+\boldsymbol{M}_{\mathrm{p}}-\boldsymbol{M}_{\mathrm{w}})\boldsymbol{g\alpha t^2}\ [\mathrm{J}]$$

(2)　1)　定格風量の 80 % 時の動作点は，風量 0.8 p.u.，$n = 1.0$ の交点 **B** である．

このとき，③式より，

$$\eta = 2.0\left(\frac{q}{n}\right)-\left(\frac{q}{n}\right)^2 = 2.0\times\left(\frac{0.8}{1}\right)-\left(\frac{0.8}{1}\right)^2 = 0.96 = \mathbf{9.60}\times 10^{-1}\ \text{p.u.}$$

また，定格風量の 50 % 時の図 2 の動作点は，風量 0.5 p.u.，$n = 1.0$ の交点 **A** である．

このとき，①式より，

$$h = 1.2n^2 + 0.5nq - 0.7q^2 = 1.2\times 1^2 + 0.5\times 1\times 0.5 - 0.7\times 0.5^2$$

$$= 1.275 \fallingdotseq \mathbf{1.28}\ \text{p.u.}$$

送風機軸入力 p は，

$$p = \frac{qh}{\eta} = \frac{0.5\times 1.275}{0.75} = 0.85 \rightarrow \mathbf{8.50}\times 10^{-1}\ \text{p.u.}$$

この送風機の定格運転時の電動機入力 p_{i} [kW] は，

$$p_{\mathrm{i}} = \frac{30}{0.8\times 0.85} = 44.117\,6\ \text{kW}$$

であるから，定格風量の 50 % 時の消費電力量 W_{50} [kW·h] は，運転時間 $T = 14$ h であるから，

$$W_{50} = pp_{\mathrm{i}}T = 0.85\times 44.117\,6\times 14 \fallingdotseq \mathbf{525}\ \text{kW·h}$$

2)　動作点 G での h および p は，

$$h = 1.2n^2 + 0.5nq - 0.7q^2 = 1.2\times 0.8^2 + 0.5\times 0.8\times 0.8 - 0.7\times 0.8^2$$

$$= 0.64 \fallingdotseq \mathbf{6.40}\times 10^{-1}\ \text{p.u.}$$

$$p = \frac{qh}{\eta} = \frac{0.8\times 0.64}{1.0} = 0.512 \rightarrow \mathbf{5.12}\times 10^{-1}\ \text{p.u.}$$

また，定格出力 50 % 時の動作点は，**K** である．

このときの p は，

$$p = \frac{qh}{\eta} = \frac{0.5\times 0.25}{1} = 0.125 \rightarrow \mathbf{1.25}\times 10^{-1}\ \text{p.u.}$$

したがって，インバータ導入時の 1 日の消費電力量 W_{IT} [kW·h] は，インバータ効率 $\eta_{\mathrm{I}} = 0.95$ であるから，

$$W_{\mathrm{IT}} = \frac{\Sigma pp_{\mathrm{i}}T}{\eta_{\mathrm{I}}} = \frac{0.512 \times 44.1176 \times 10 + 0.125 \times 44.1176 \times 14}{0.95}$$

$$\fallingdotseq \mathbf{319}\ \mathrm{kW \cdot h}$$

【指導】

(1) 慣性力

エレベータが上昇し始めるとき，中にいる人は，体重が重くなったように感じる．これは，エレベータが上向きに加速度α [m/s²] で上昇すると，中にいる体重 m [kg] の人は，下向きの慣性力 $m\alpha$ [N] を同時に受けるからである．

このほか，車に乗車していて，加速時には，私たちの体は，後方に力が作用していることを経験するが，これも慣性力の一例である．このように，慣性力は，加速度を生じている乗り物などの内部で生じる力である．

本問においては，座標系（エレベータの内部から見ているのか，外部から見ているのか）の条件記載がなかったため，正解は「イ」，「エ」の二つとした．

(2) エネルギー収支

本問(1) 2)，3) では，それぞれ，電動機がつくった仕事 W [J]，運動エネルギー W_{v} [J]，位置エネルギー W_{p} [J] として求めたが，これらの間には，

$$W = W_{\mathrm{v}} + W_{\mathrm{p}}\ [\mathrm{J}]$$

の関係がある．

$$W_{\mathrm{p}} = W - W_{\mathrm{v}}$$

$$= \frac{1}{2}\{(M_{\mathrm{c}} + M_{\mathrm{p}})(\alpha + g) + M_{\mathrm{w}}(\alpha - g)\}\alpha t^2 - \frac{1}{2}(M_{\mathrm{c}} + M_{\mathrm{p}} + M_{\mathrm{w}})(\alpha t)^2$$

$$= \frac{1}{2}(M_{\mathrm{c}} + M_{\mathrm{p}} - M_{\mathrm{w}})g\alpha t^2\ [\mathrm{J}]$$

として求めてもよい．

問題13

(1) 1—イ，2—カ，3—キ，4—コ，5—ク

(2) 6—イ，7—ア，8—オ，9—キ，10—ウ

(3) 11—カ，12—イ，13—ケ，A—94.7，B—47.3

【指導】

(1) 1) 電子ビーム加熱は，空気中の酸素による酸化防止のため，電子流の発生は真空中で処理される．応用例は，電子ビームのエネルギー密度が高いことから高融点金属の溶接や

セラミックの微細加工などに適している．

2)　アークプラズマの代表的応用例としては，5 000 K ～ 20 000 K の超高温を容易に発生させることができるため，セラミックや合金の粉末を素材表面に吹き付ける溶射が可能である．

3)　赤外電球の放射波長（0.8 μm ～ 2.5 μm）は，近赤外域であり，セラミックヒータの放射波長（2 μm ～ 25 μm）は，遠赤外域である．

(2)　1)　誘導加熱は，被加熱物の周りにコイルを巻き，これに交流電流を流すことで発生する交番磁束による渦電流を利用し，この渦電流によるジュール熱で被加熱物を加熱させる方式である．

2)　電流浸透深さδ [m] は，

$$\delta = 503 \times \sqrt{\frac{\rho}{\mu_r f}}\ [\mathrm{m}]$$

で表される．

ここで，ρは被加熱物の抵抗率 [Ω·m]，μ_r は被加熱物の比透磁率，fは電源の周波数（Hz）である．

また，誘導加熱においては，この電流浸透深さを考慮して最適な周波数選定を行うことが重要である．

(3)　1)　①　変圧器容量を S [MV·A] として，次式を得る．

$$P = S\cos\varphi$$

$$\therefore \quad S = \frac{P}{\cos\varphi} = \frac{6}{0.75} = 8.0\,\mathrm{MV \cdot A}$$

②　溶解に寄与する正味の電力 P_0 [MW] は，

$$P_0 = P_1\eta - L_1 = 6 \times 0.95 - 0.5 = 5.2\ \mathrm{MW}$$

③　電力原単位 M [kW·h/t] は，加熱時間 $T = 50\ \mathrm{min} = \frac{50}{60}\ \mathrm{h}$ であるから，

$$M = \frac{P_1 T}{W} = \frac{6 \times 10^3 \times \frac{50}{60}}{10} = 500\,\mathrm{kW \cdot h/t}$$

2)　①　熱損失改善後の入力電力を P_1' [MW] とすれば，題意より，

$$P_0 = P_1'\eta - L_2$$

$$\therefore \quad P_1' = \frac{P_0 + L_2}{\eta} = \frac{5.2 + 0.2}{0.95} \fallingdotseq 5.684\,\mathrm{MW}$$

よって，改善前後の入力電力比率αは，

$$\alpha = \frac{P_1{}'}{P_1} = \frac{5.684}{6} \fallingdotseq 0.9473 \fallingdotseq 94.7\,\%$$

② 熱損失改善後の溶解に寄与する正味の電力 $P_0{}'$ [MW] は，

$$P_0{}' = P_1\eta - L_2 = 6 \times 0.95 - 0.2 = 5.5\ \text{MW}$$

このときの加熱時間を T' [min] とすれば，次式が成立する．

$$T : \frac{1}{P_0} = T' : \frac{1}{P_0{}'}$$

$$T' = \frac{P_0}{P_0{}'} \times T = \frac{5.2}{5.5} \times 50 \fallingdotseq 47.27 \fallingdotseq 47.3\ \text{min}$$

問題14 (1) 1—カ，2—キ，3—ア，4—シ，5—エ，6—オ，7—オ，8—ア
(2) 9—カ，10—イ，11—ア，12—サ，13—エ

【指導】

(1) 1) 電気化学システムは，二つの電極とイオン伝導体である電解質，および外部回路から成り立っている．電子伝導体である二つの電極では，酸化反応と還元反応が別々の電極で生じている．

わが国では，食塩水を電気分解して塩素を製造しているが，プロセスの電力消費量は大きい．また，電池には，再度充電状態に戻せない一次電池と充放電を繰り返すことができる二次電池があるが，一次電池の代表として，マンガン乾電池が挙げられる．

2) 理論電圧は，電池反応と電解反応とは等しい関係となる．同じ大きさの電流が流れたときの電極間電圧は，**第1図**に示すとおり，内部抵抗による電圧降下の向きが反対となるため，電解反応では，理論電圧より高くなり，電池反応では，理論電圧より低くなる．また，

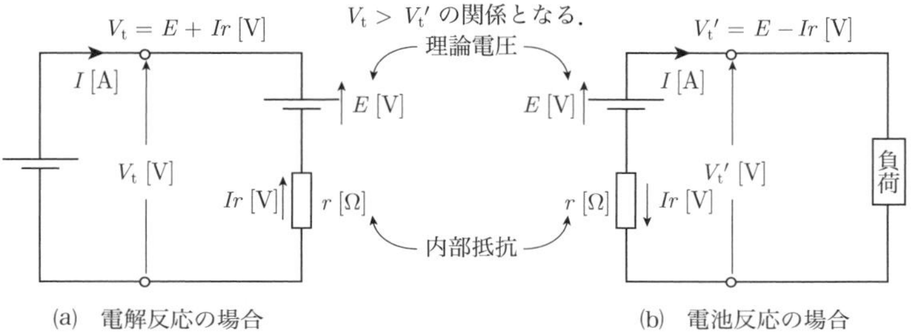

第1図 電解反応と電池反応の電極間電圧比較

電気エネルギーの比較では，電流が一定であるので，電気エネルギーが電極間電圧に比例するため，電解反応は，電池反応より大きくなる．

水素と酸素から水を生成する反応を用いるシステムは，燃料電池システムである．

(2) 1) この電池1個のもつ電気エネルギー W [W·h] は，公称電圧 $E = 3.6$ V，公称容量 $Q = 2.5$ A·h であるから，

$$W = E \times Q = 3.6 \times 2.5 = 9.0 \text{ W·h}$$

リチウムイオン電池は，他の二次電池と比較して，携帯電話やスマートフォンの電源にも使用されている事例からもわかるとおり，小形・軽量であるため，エネルギー密度は高い．

ちなみに，リチウムイオン電池のエネルギー密度は，200 W·h/kg 程度であるのに対して，他の二次電池の一例である鉛蓄電池のエネルギー密度は，40 W·h/kg 程度である．

2) この電池の5時間率での充電電流 I [A] は，$T = 5$ h として，$Q = IT$ [A·h] より，

$$I = \frac{Q}{T} = \frac{2.5}{5} = 0.5 \text{ A}$$

3) この電池を50個直列接続したときの満充電状態から取り出せる電気エネルギー W_s [W·h] は，

$$W_s = (50 \times E) \times Q = (50 \times 3.6) \times 2.5 = 450 \text{ W·h}$$

となるので，消費電力 $P = 500$ W の負荷の使用時間を T_s として，$W_s = PT_s$ [W·h] より，

$$T_s = \frac{W_s}{P} = \frac{450}{500} = 0.9 \text{ h} = 54 \text{ min}$$

問題15
(1) 1—コ，2—オ，3—エ，A—2.6×10^3，4—ク
(2) 5—エ，6—セ，7—ケ，8—コ，9—オ

【指導】

(1) 1) **第1図**に示す円形乳白色ガラス（問題文中に記載がない箇所は一部推定）により問題を解く．

表面から照射される光束 $\Phi = 500$ lm が透過率 $\tau = 0.2$（$= 20$ %）のガラスを透過して裏面から出る光束 Φ_2 [lm] を求めると，

$$\Phi_2 = \tau\Phi = 0.2 \times 500 = 100 \text{ lm}$$

である．Φ_2 を乳白色ガラスの裏面の面積で割ると，裏面の光束発散度 M_2 [lm/m^2] が得られる．

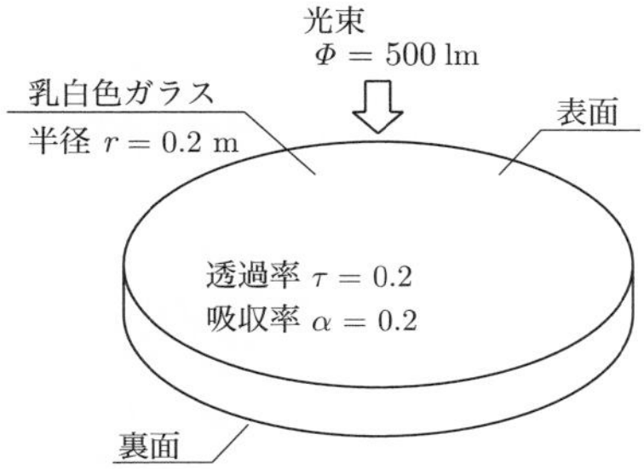

第 1 図　円形乳白色ガラス

$$M_2 = \frac{\Phi_2}{\pi r^2} = \frac{100}{3.14 \times 0.2^2} \fallingdotseq 796.2 \fallingdotseq \mathbf{796}\ \mathrm{lm/m^2}$$

裏面の輝度 L_2 [cd/m^2] は乳白色ガラスを完全拡散面と推定すると，

$$L_2 = \frac{M_2}{\pi} = \frac{796.2}{\pi}\ \mathrm{cd/m^2}$$

である．次にこのガラスの反射率 ρ は τ および吸収率 $\alpha = 0.2$（$= 20$ %）より，

$$\rho = 1 - \tau - \alpha = 1 - 0.2 - 0.2 = 0.6$$

である．表面から出る（反射する）光束 Φ_1 [lm] を求めると，

$$\Phi_1 = \rho\Phi = 0.6 \times 500 = 300 = 3\Phi_2\ [\mathrm{lm}]$$

である．Φ_1 を乳白色ガラスの表面の面積で割ると，表面の光束発散度 M_1 [lm/m^2] が得られる．

$$M_1 = \frac{\Phi_1}{\pi r^2} = 3M_2\ \mathrm{lm/m^2}$$

M_1 を π で割ると，表面輝度 L_1 [cd/m^2] が得られる．

$$L_1 = \frac{M_1}{\pi} = \frac{3M_2}{\pi} = 3L_2$$

したがって，求める L_1 と L_2 の比は，

$$\frac{L_1}{L_2} = \frac{3L_2}{L_2} = \mathbf{3.0}$$

である．

2)　問題文に記載された事務所を**第 2 図**に示す．

第 2 図において X：間口（6 m），Y：奥行き（7 m）および H：被照面から光源までの高さ（2.5 − 0.85 m）である．照明率を求めるため，室指数 K_{r} を計算する．

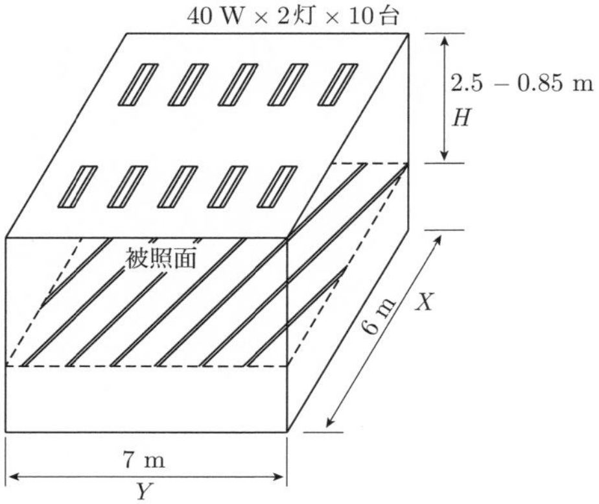

第2図　事務所照度計算図

$$K_{\mathrm{r}}=\frac{X\cdot Y}{H\cdot(X+Y)}=\frac{6\times7}{(2.5-0.85)\times(6+7)}\fallingdotseq1.958\fallingdotseq\mathbf{2.0}$$

照明率は問題文中の表1より0.67を採用する．作業面の平均照度 E [lx] の計算式は，

$$E=\frac{F\cdot N\cdot U\cdot M}{A}\,[\mathrm{lx}]$$

ただし，N：ランプ台数，U：照明率，M：保守率および A：被照面の面積 [m^2] である．

上式を変形して1灯のランプ光束 F [lm] を求める．2灯用ランプであることに注意して，

$$F=\frac{E\cdot A}{N\cdot U\cdot M}=\frac{620\times(6\times7)}{(2\times10)\times0.67\times0.74}\fallingdotseq2\,626\fallingdotseq\mathbf{2.6\times10^3}\ \mathrm{lm}$$

である．

3)　光源1灯当たりの光度を I [cd] とする．題意より光は全立体角 4π [sr] へ均等に照射する．光束は光度 × 立体角なので，光源1灯当たりの光束 F_1 [lm] は，

$$F_1=4\pi I\,[\mathrm{lm}]$$

である．作業面に照射する光束 F_0 [lm] は F_1 の 80 % × 10 個分

$$F_0=F_1\times0.8\times10=4\pi I\times0.8\times10\ \mathrm{lm}$$

である．F_0 が作業面 $S=10\ \mathrm{m}^2$ に照射して平均照度 $E=500$ lx となった場合，

$$E=\frac{F_0}{S}\,[\mathrm{lx}]\rightarrow F_0=E\cdot S=500\times10$$

$4\pi I\times0.8\times10=500\times10$ を変形して，

$$I = \frac{500 \times 10}{4\pi \times 0.8 \times 10} \fallingdotseq 49.76 \fallingdotseq \mathbf{50}\ \mathrm{cd}$$

である．

(2) 問題文中の表2で最も発光効率の高い光源の空欄に該当するものは**電球形 LED ランプ**である．白熱電球から電球形 LED ランプに置き換えることで，

$$白熱電球消費電力 = \frac{810}{15} = 54\ \mathrm{W}/ 個$$

$$\mathrm{LED}\ 消費電力 = \frac{810}{100} = 8.1\ \mathrm{W}/ 個$$

よって，ランプ1個当たり $54 - 8.1 = 45.9 \fallingdotseq \mathbf{46}$ W の消費電力を削減することができる．

演色性とは**相関色温度**が等しい基準光源と比較して，照射された物体の色の**忠実性**を評価する指標である．

表2の空欄9に該当するものは**電球形蛍光ランプ**である．

問題16 (1) 1―キ，2―ウ，3―コ，4―ア，5―カ，6―イ，7―ク，8―ケ，9―セ，10―サ

(2) 11―キ，12―イ，13―ア，14―オ，15―コ．16―ス，17―エ，18―ウ，19―カ，20―エ，21―カ，22―オ，23―ア（20，21の順序は不問）

【指導】

(1) 1) 蒸気圧縮式冷凍機は，圧縮機，凝縮器，膨張弁，蒸発器による冷凍サイクルで構成されている．冷房運転時は，蒸発器で冷媒を蒸発させて，気化熱により水や空気を冷却する．ヒートポンプによる暖房運転では，凝縮器の排熱を利用して，水や空気を加熱する．外気温度の低い中間期には，冷却水温度が低くなることから，凝縮温度を下げることで，成績係数（COP）を大きくすることができる．冷水温度7℃の条件では，特にターボ冷凍機で最高18程度の成績係数を得ることができる．蒸発温度が一定のとき，凝縮温度を下げると，$P - h$ 線図より冷媒の凝縮器出入口の比エンタルピー差が大きくなることから，冷凍機の成績係数は大きくなる．

2) 吸収式冷凍機は，吸収液と冷媒を使用した吸収サイクルで構成される冷凍機である．一般に，吸収液には水を吸収しやすい臭化リチウム水溶液，冷媒には水が使用される．吸収器では吸収液の濃溶液を噴霧して，冷媒を吸収し，希溶液となった吸収液を再生器で加熱して，冷媒を蒸発させる．蒸発した冷媒は，凝縮器で冷却水により冷却されて凝縮する．凝縮した

冷媒は蒸発器で噴霧されて気化するが，そのときの気化熱で伝熱管内の冷水を冷却する．再び，気化した冷媒は吸収器で吸収液に吸収される．

再生器では，希溶液を加熱するための熱源が必要であるが，外部の熱源で製造した蒸気や温水を使用するものと，燃料を冷凍機内部で燃焼させて，直接加熱するものがある．この冷媒の再生過程を1回で行うものを一重効用式（単効用式）といい，高温再生器と低温再生器で2回に分けて行うものを二重効用式という．二重効用式では，高温再生器で用いた加熱エネルギー（蒸気・高温水）が低温再生器で再利用できるので，省エネルギー性が高い．

吸収式冷凍機では，エネルギー源としては，再生器を加熱する都市ガスなどの燃料と，溶液ポンプや冷媒ポンプの電力の両方が用いられることから，成績係数の算出には一次エネルギー基準が用いられる．

⑵　一般的なオフィスビルの中央方式空調設備において，空調機の熱負荷（装置熱負荷）は，室内負荷，外気負荷，送風機発熱などからなる．室内負荷は，冷房運転時の熱取得，暖房運転時の熱損失，および冷房運転時のみ考慮する室内発熱に分けられる．以上の熱負荷には，顕熱負荷と潜熱負荷がある．

1)　冷房運転時に熱取得として外部から侵入する顕熱負荷を考える．

窓は透明外壁であり，室内外温度差による貫流熱と日射透過熱の両方が侵入する．窓の貫流熱は，窓の熱貫流率に窓面積と室内外温度差を乗じたものになる．また，日射透過熱は，日射熱取得率（日射遮へい係数）に窓面積と単位面積当たりの日射量を乗じた値になる．

外壁（不透明外壁）では，室内外温度差だけでなく，日射の影響と蓄熱による時間遅れを伴った貫流熱を考慮する必要がある．そのため，外壁の貫流熱は，外壁の熱貫流率に外壁の面積と実効温度差を乗じたものになる．実効温度差は，室温を26 ℃としたときの，外壁の仕様別，方位別，時刻別の，外気温度と日射量及び蓄熱による時間遅れを考慮した温度差である．

隙間風による侵入外気の顕熱負荷は，空気の定圧比熱に侵入外気量と室内外温度差を乗じた値になるが，オフィスビルでは考慮しないことが多い．

透明外壁では，複層ガラスを使用したり，複層ガラスの空気層を真空にしたりすることで熱貫流率が小さくなる．不透明外壁では，壁の厚さを厚くしたり，断熱材を使用したりすることで熱貫流率が小さくなる．日射熱取得率（日射遮へい係数）は，ブラインド，ルーバ，カーテン，熱線反射フィルム，Low-eガラスなどを使用することで小さくすることができる．

2)　室内で発生する顕熱負荷は，照明発熱，人体負荷，そして問題には記載されていないが，コンピュータ・コピー機・プリンタなどの機器発熱がある．

照明負荷は，床面積当たりの照明用電力消費量に床面積を乗じることで得られる．そのため，蛍光灯からLEDに変更したり，照度を低くしたり，昼光照明を利用したりすると，照明負荷が低減できる．また，トロッファのように，換気で照明器具の発熱を除去することによって，照明負荷を軽減することもできる．

3)　侵入外気の負荷としては，室内外で絶対湿度の差があることから，顕熱負荷だけでなく潜熱負荷も存在する．また，人体からは呼気および皮膚表面からの水蒸気の発生があるので，潜熱負荷を考える．

4)　室内負荷以外では，外気導入による外気負荷があるが，外気と室内空気では，温度差だけでなく絶対湿度差があるので，潜熱負荷も考慮しなくてはならない．また，給気をするために必要な送風機の発熱は，顕熱だけ考慮する．

2014 年度（第 36 回）

エネルギー総合管理及び法規（80 分）

問題 1　エネルギーの使用の合理化等に関する法律及び命令

問題 2　エネルギー情勢・政策，エネルギー概論

問題 3　エネルギー管理技術の基礎

問題 1（エネルギーの使用の合理化等に関する法律及び命令）

次の各問に答えよ．なお，法令は令和 6 年 9 月 1 日時点で施行されているものである．

以下の問題文では

エネルギーの使用の合理化及び非化石エネルギーへの転換等に関する法律を「法」

エネルギーの使用の合理化及び非化石エネルギーへの転換等に関する法律施行令を「令」

エネルギーの使用の合理化及び非化石エネルギーへの転換等に関する法律施行規則を「則」

と略記する．（配点計 50 点）

(1)　次の各文章の［ 1 ］～［ 4 ］の中に入れるべき最も適切な字句又は記述を〈［ 1 ］～［ 4 ］の解答群〉から選び，その記号を答えよ．

1）「法」第 5 条の条文の一部

主務大臣は，工場等におけるエネルギーの使用の合理化の適切かつ有効な実施を図るため，次に掲げる事項並びにエネルギーの使用の合理化の目標（エネルギーの使用の合理化が特に必要と認められる業種において達成すべき目標を含む．）及び当該目標を達成するために［ 1 ］取り組むべき措置に関し，工場等においてエネルギーを使用して事業を行う者の判断の基準となるべき事項を定め，これを公表するものとする．

一　略

二　略

2　略

3　経済産業大臣，工場等において電気を使用して事業を行う者による電気の需要の［ 2 ］

に資する措置の適切かつ有効な実施を図るため，次に掲げる事項その他当該者が取り組むべき措置に関する指針を定め，これを公表するものとする．

一　略

二　略

4　第 1 項及び第 2 項に規定する判断の基準となるべき事項並びに前項に規定する指針は，エネルギー需給の長期見通し，電気その他のエネルギーの需給を取り巻く環境，エネルギーの使用の合理化及び非化石エネルギーへの転換に関する技術水準，業種別のエネルギーの使用の合理化及び非化石エネルギーへの転換の状況その他の事情を勘案して定めるものとし，これらの事情の変動に応じて必要な改定をするものとする．

2）「法」第 11 条の条文

第一種特定事業者は，経済産業省令で定めるところにより，その設置している第一種エネルギー管理指定工場等ごとに，政令で定める基準に従って，エネルギー管理士免状の交付を受けている者のうちから，第一種エネルギー管理指定工場等におけるエネルギーの使用の合理化に関し，エネルギーを消費する設備の維持，エネルギーの使用の方法の［3］その他経済産業省令で定める業務を管理する者（次項において「エネルギー管理者」という．）を選任しなければならない．ただし，第一種エネルギー管理指定工場等のうち次に掲げるものについては，この限りでない．

3）「法」第 17 条の条文の一部

主務大臣は，特定事業者が設置している工場等におけるエネルギーの使用の合理化の状況が第 5 条第 1 項に規定する判断の基準となるべき事項に照らして［4］であると認めるときは，当該特定事業者に対し，当該特定事業者のエネルギーを使用して行う事業に係る技術水準，同条第 3 項に規定する指針に従って講じた措置の状況その他の事情を勘案し，その判断の根拠を示して，エネルギーの使用の合理化に関する計画（以下「合理化計画」という．）を作成し，これを提出すべき旨の指示をすることができる．

2　主務大臣は，合理化計画が当該特定事業者が設置している工場等に係るエネルギーの使用の合理化の的確な実施を図る上で適切でないと認めるときは，当該特定事業者に対し，合理化計画を変更すべき旨の指示をすることができる．

〈［1］～［4］の解答群〉

ア　改善及び監視	**イ**　制御	**ウ**　正常化	**エ**　低減
オ　最適化	**カ**　報告	**キ**　予測	**ク**　著しく不十分
ケ　不合格	**コ**　設備改造が必要	**サ**　把握できない状況	

シ 標準の設定　**ス** 計画的に　**セ** 将来的に
ソ 投資を行って　**タ** 法令を遵守して

(2) 次の文章の[5]～[8]の中に入れるべき最も適切な字句又は数値を〈[5]～[8]の解答群〉から選び，その記号を答えよ．

「法」第2条，「法」第7条，「法」第10条，「法」第11条，「法」第12条，「法」第13条，「法」第14条，「令」第1条，「令」第2条，「令」第3条，「令」第4条，「令」第5条，「令」第6条，「則」第4条関連の文章

ある事業者が保有する圧延工場における前年度の燃料，電気などの使用量は次の**a**～**c**のとおりであった．この事業者には，圧延工場のほかに，別の事業所として精整加工工場があり，そこでの前年度の燃料，電気などの使用量は次の**d**及び**e**であった．また，この事業者には，圧延工場及び精整加工工場のほかに，別の事業所として本社事務所があり，そこでの前年度の電気使用量は，次の**f**であった．これらが，この事業者の設置している事業所のすべてであり，この事業者は，**a**～**f**以外のエネルギーは使用していなかった．

a：圧延工場で，小売電気事業者から購入して使用した電気の量を熱量に換算した量が5万ギガジュール

b：圧延工場の加熱炉で使用した都市ガスの量を発熱量に換算した量が6万ギガジュール

c：圧延工場のボイラで使用した燃料の量を発熱量に換算した量が2万ギガジュールで，そのうち木材チップの量を発熱量に換算した量が9千ギガジュール，A重油の量を発熱量に換算した量が1万1千ギガジュール

d：精整加工工場で，一般電気事業者から購入して使用した電気の量を熱量に換算した量が4万ギガジュール

e：精整加工工場のコージェネレーション装置で使用した都市ガスの量を発熱量に換算した量が2万ギガジュールで，コージェネレーション装置で発生した熱及び電気はすべて工場内で使用した．

f：本社事務所で，小売電気事業者から購入して使用した電気の量を熱量に換算した量が8千ギガジュール

この事業者全体での，前年度に使用したエネルギー使用量を「法」で定めるところにより原油の数量に換算した量は，[5]キロリットルとなり，この事業者は，そのエネルギー使用量から判断して特定事業者に該当する．また，同じく前年度に使用した「法」で定めるエネルギー使用量から，この圧延工場及び精整加工工場は，[6]のエネルギー管理指定工場等に該当し，当該の指定を受けた後，この圧延工場について[7]，この精整加工

工場について 8 を選任しなければならない.

〈 5 ～ 8 の解答群〉

ア 4 005　**イ** 4 154　**ウ** 4 360　**エ** 4 479
オ 4 692　**カ** 4 749　**キ** 4 876　**ク** 5 108
ケ 5 311　**コ** 5 564　**サ** エネルギー管理員
シ エネルギー管理者 1 名　**ス** エネルギー管理者 2 名
セ エネルギー管理者 1 名又はエネルギー管理員 1 名
ソ エネルギー管理者 1 名とエネルギー管理員 1 名
タ 圧延工場が第一種で精整加工工場が第二種
チ あわせて第一種　**ツ** いずれも第一種　**テ** いずれも第二種

(3) 次の各文章の 9 ～ 12 の中に入れるべき最も適切な字句を〈 9 ～ 12 の解答群〉から選び，その記号を答えよ.

1) 「法」第 16 条，「則」第 37 条関連の文章

特定事業者は，毎年度，経済産業省令で定めるところにより，その設置している工場等におけるエネルギーの使用量その他エネルギーの使用の状況（エネルギーの使用の効率及びエネルギーの使用に伴って発生する二酸化炭素の排出量に係る事項を含む.）並びにエネルギーを消費する設備及びエネルギーの使用の合理化に関する設備の設置及び改廃の状況に関し，経済産業省令で定める事項を主務大臣に報告しなければならないとされている.

「則」第 37 条は，主務大臣に報告すべき事項を規定しているが，そこに規定されていないものは，次のうち 9 である.

a：エネルギーの種類別の価格

b：判断基準の遵守状況

c：生産数量（これに相当する金額を含む.）又は建築延床面積その他のエネルギーの使用量と密接な関係を持つ値

d：判断基準に定めるベンチマーク指標に基づき算出される値

2) 「法」第 148 条，「法」第 149 条，「令」第 18 条関連の文章

エネルギー消費機器等（エネルギー消費機器又は関係機器）のうち，特定エネルギー消費機器及び特定関係機器については，経済産業大臣（自動車及びこれに係る特定関係機器にあっては経済産業大臣及び国土交通大臣.）は，特定エネルギー消費機器及び特定関係機器ごとに，その 10 又はエネルギー消費関係性能の向上に関しエネルギー消費機器等製造事業者等の判断の基準となるべき事項を定め，これを公表するものとされている.

この特定エネルギー消費機器には，[11]が含まれている．

3) 「法」第 **166** 条関連の文章

経済産業大臣は，特定事業者又は特定連鎖化事業者の指定等の施行に必要な限度において，政令で定めるところにより，工場等においてエネルギーを使用して事業を行う者に対して，その設置している工場等における[12]に関し報告させ，又はその職員に，工場等に立ち入り，エネルギーを消費する設備，帳簿，書類その他の物件を検査させることができる．

〈[9]～[12]の解答群〉

ア aのみ　**イ** bのみ　**ウ** cのみ　**エ** dのみ

オ aとc　**カ** bとd　**キ** クレーン　**ク** ドア自動開閉装置

ケ 携帯電話器　**コ** 変圧器　**サ** エネルギー供給効率

シ エネルギー消費性能　**ス** エネルギー蓄積性能

セ エネルギー補充効率　**ソ** エネルギー使用量の増加の理由

タ エネルギーの管理方針　**チ** 業務の状況　**ツ** 使用エネルギーの種類

問題 2（エネルギー情勢・政策，エネルギー概論）

次の各文章の[1]～[10]の中に入れるべき最も適切な字句をそれぞれの解答群から選び，その記号を答えよ．なお，[5]及び[8]は 2 箇所あるが，それぞれ同じ記号が入る．

また，[A｜$a.b \times 10^{c}$]～[B｜$a.b \times 10^{c}$]に当てはまる数値を計算し，その結果を答えよ．ただし，解答は解答すべき数値の最小位の一つ下の位で四捨五入すること．（配点計 **50** 点）

(1) 一次エネルギーの中で主要なものとして，石炭，石油，天然ガスなどのいわゆる化石燃料がある．

これらの化石燃料を用いて火力発電を行う場合の発電単価は，発熱量当たりの燃料購入価格に比例するものとして比較すると，少なからぬ変動があるものの，エネルギー・経済統計要覧（日本エネルギー経済研究所編）によると，最近では平均的には安い順に[1]である．化石燃料の一つとして，ごく最近とりわけ米国での生産急増で注目集めているものに[2]があり，新たな燃料資源として期待されている．

〈[1]及び[2]の解答群〉

ア オイルサンド　**イ** シェールガス　**ウ** メタンハイドレート

エ 原油→石炭→天然ガス　**オ** 石炭→天然ガス→原油　**カ** 天然ガス→石炭→原油

(2) 国際単位系（SI）では，長さ（メートル〔m〕），質量（キログラム〔kg〕），時間（秒〔s〕），電流（アンペア〔A〕），熱力学温度（ケルビン〔K〕），光度（カンデラ〔cd〕）及び［3］の7個の量を基本単位としている．力やエネルギーなどの単位は，前述の7個の基本単位を組み合わせて表され，組立単位と呼ばれる．たとえば，力（ニュートン〔N〕）は，基本単位を用いると $kg \cdot m/s^2$ で表すことができる．さらに，圧力（パスカル〔Pa〕）は単位面積当たりの力であるので，N/m^2 で表され，これを用いると，大気圧は，変動するものの平均的にはおよそ［A｜$a.b \times 10^c$］〔Pa〕である．

〈［3］の解答群〉

ア 磁束（ウェーバ〔Wb〕）　**イ** 電荷（クーロン〔C〕）　**ウ** 物質量（モル〔mol〕）

(3) 電圧1.5 Vの単3アルカリ乾電池の容量が1 000 mA・hであるとする．この電池における電気エネルギーは，質量1 kgの物体が基準面に対して高さ［B｜$a.b \times 10^c$］〔m〕にあるときの位置エネルギーに相当する．ただし，重力の加速度を $9.8\ m/s^2$ とする．

(4) 従来の我が国の電力供給は，主として［4］発電を定常的なベースとして，［5］発電や［6］発電が需要変動にも対応する役割を受け持ってきたが，東日本大震災以後ではこの枠組みが大きく変わり，［5］発電の急増によるコストアップと共に，電力供給力に余裕がなくなった結果，電気需要の総量抑制及び電気需要の最適化の推進が以前にも増して重要な課題となっている．このため，工場のような大口の電気需要家は，まず，電気の使用を燃料又は［7］の使用へ転換することや，双方を併用することなどが強く求められている．また，電気需要の最適化の面からは，電気を消費する機器の稼働時間帯の変更や［8］の導入などのピークシフト対策も強く求められている．一方，家庭のような小口の電気需要家にとっては，従来からの深夜電力を有効利用する機器の導入に加えて，太陽熱温水器などの再生可能エネルギーの導入実績もある．さらに，電気と熱を利用できる［9］なども近年普及しつつあり，また将来的には［10］にも，本来の利用目的に加えて［8］同様に深夜電力を有効利用する役割を受け持たせることなどが期待される．

〈［4］～［10］の解答群〉

ア 火力	**イ** 原子力	**ウ** 水力	**エ** バイオマス
オ 水素	**カ** 熱	**キ** LED	**ク** インバータ
ケ サイリスタ	**コ** 常用発電機	**サ** 太陽光発電	**シ** 蓄電池
ス 電気自動車	**セ** 燃料電池		

問題3（エネルギー管理技術の基礎）

次の各文章は「工場等におけるエネルギーの使用の合理化に関する事業者の判断の基準」

（以下，「工場等判断基準」と略記）の内容に関連したもので，令和5年9月1日時点で施行されているものである．これらの文章において「工場等（専ら事務所その他これに類する用途に供する工場等を除く）に関する事項」について，

「I　エネルギーの使用の合理化の基準」の部分は「基準部分（工場）」

「II　エネルギーの使用の合理化の目標及び計画的に取り組むべき措置」の部分は「目標及び措置部分（工場）」

と略記する．

[1]〜[13]の中に入れるべき最も適切な字句，数値又は式をそれぞれの解答群から選び，その記号を答えよ．なお，[2]は2箇所あるが，同じ記号が入る．

また，[[A | ab.c]]〜[[G | a.bc×10^d]]に当てはまる数値を計算し，その結果を答えよ．ただし，解答は解答すべき数値の最小位の一つ下の位で四捨五入すること．（配点計100点）

(1) 「工場等判断基準」の「基準部分（工場）」は，事業者が遵守すべき基準を示したものであり，次の6つの分野ごとにその基準が示されている．

① 燃料の燃焼の合理化

② 加熱及び冷却並びに伝熱の合理化

③ [1]利用

④ 熱の動力等への変換の合理化

⑤ 放射，伝導，抵抗等によるエネルギーの損失の防止

⑥ 電気の動力，熱等への変換の合理化

また，「エネルギーの使用の合理化の目標及び計画的に取り組むべき措置」は，その設置している全ての工場等におけるエネルギー消費原単位及び[2]を管理し，その設置している全ての工場等全体として又は工場等ごとにエネルギー消費原単位又は[2]を中長期的にみて年平均1パーセント以上低減させることを目標として，技術的かつ経済的に可能な範囲内で，1エネルギー消費設備等に関する事項及び2その他エネルギーの使用の合理化に関する事項に掲げる諸目標及び措置の実現に努めるものとしている．

(2) バーナなどの燃焼機器において，効率の良い燃焼を行うには，負荷及び燃焼状態の変動に応じ燃料の供給量や空気比を適正に調整でき，かつ，排ガス損失の少ないものにすることが重要である．

例えば排ガス損失に関して，「工場等判断基準」の「目標及び措置部分（工場）」は，バーナの更新・新設に当たり，[3]バーナなどの熱交換器と一体となったバーナを採用することにより熱効率の向上が可能な場合には，これらの採用を検討することを求めている．

〈1 ～ 3 の解答群〉

ア　リジェネレイティブ　**イ**　拡散燃焼　**ウ**　予混合燃焼

エ　廃棄物の再生　**オ**　廃熱の回収　**カ**　蓄熱の有効

キ　夏期の買電量　**ク**　最大需要電力　**ケ**　電気需要最適化評価原単位

(3)　質量が **250 kg** で温度が **20 °C** の水が入っている水槽がある．この水に，蒸気を混入して温度が **50 °C** の温水にするためには，圧力 **0.2 MPa** の乾き飽和蒸気を用いた場合 **A ab.c**〔kg〕混入する必要がある．ただし，この混入の際，蒸気の持つ熱エネルギーは水の加熱のみに用いられるものとし，**20 °C** の水の比エンタルピーを **83.9 kJ/kg**，**50 °C** の温水の比エンタルピーを **209.3 kJ/kg**，圧力 **0.2 MPa** の乾き飽和蒸気の比エンタルピーを **2 706.2 kJ/kg** とする．

(4)　質量が **50 kg** で温度が **70 °C** の水を標準大気圧のもとで加熱して，すべて乾き飽和蒸気にするために必要な熱量は **B** $\mathbf{a.bc \times 10^{d}}$〔MJ〕である．ただし，**70 °C** の水が **100 °C** の飽和水になるまでの比熱は **4.18 kJ/(kg・K)** で一定とし，水の蒸発潜熱は **2 257 kJ/kg** とする．

(5)　厚さ **30 cm** の平板の片側の表面温度が **60 °C** で，反対側の表面温度が **30 °C** であった．この平板の厚さ方向に伝わる単位面積当たりの熱流量は **C ab**〔$\mathbf{W/m^2}$〕である．ただし，この平板の熱伝導率を **0.25 W/(m・K)** とする．

(6)　廃熱の回収に当たっては，廃熱の熱量や温度などの実態を把握し，回収熱の利用先の調査，量的バランスの調整対策を行うとともに，回収，熱輸送，蓄熱の方法についての選定や容量の決定など，設備面での検討を行うことが省エネルギー対策のポイントである．

「工場等判断基準」の「基準部分（工場）」は，廃熱回収設備に廃熱を輸送する煙道，管などを新設・更新する場合には，4 の防止，断熱の強化，その他の廃熱の温度を高く維持するための措置を講じることを求めている．

(7)　工業炉では，炉内圧が外気より低いときには冷たい外気を吸い込み炉内が冷却されるため，炉内を所定の温度に保つには余分な燃料が必要になる．また，外気が侵入することにより，炉内の燃焼ガスの流動状態が変わり温度分布も不均一になるため，燃焼ガスから被加熱物への伝熱量も減少することになる．

「工場等判断基準」の「基準部分（工場）」は，熱利用設備を新設・更新する場合には，熱利用設備の開口部については，開口部の 5 ，二重扉の取付け，内部からの空気流などによる遮断などにより，放散及び空気の流出入による熱の損失を防止することを求めている．

〈[4]及び[5]の解答群〉

ア 煙道ダンパ開度の調整　**イ** 空気の侵入　**ウ** 混合損失

エ 縮小又は密閉　**オ** 発生ドレンの排出　**カ** 放射率の向上

(8) 蒸気輸送配管は，蒸気の品質を保つとともに，エネルギー経済面で優れたものでなければならない．

理想的な蒸気輸送配管の条件は，①短距離，適正口径で無用な曲がりを持たないこと，②放熱損失・圧力損失を最小にすること，である．

「工場等判断基準」の「基準部分（工場）」は，熱利用設備を新設・更新する場合には，熱媒体を輸送する配管の[6]，熱源設備の分散化などにより放熱面積を低減することを求めている．

(9) ボイラ給水の中には種々の不純物が含まれており，管理を怠ると，ボイラの運転経過とともにボイラ水中の不純物の濃度が高くなり，例えば，蒸発管内側にスケールが付着するようになる．

スケールの[7]は蒸発管材料に比べてかなり小さいため，付着量が少なくても所定の蒸気量を確保しようとすると，燃料使用量は増加することになる．

「工場等判断基準」の「基準部分（工場）」は，ボイラへの給水は，伝熱管へのスケールの付着及びスラッジなどの沈澱を防止するよう，水質に関する管理標準を設定して行うことを求めている．

〈[6]及び[7]の解答群〉

ア 熱伝導率　**イ** 比熱　**ウ** 密度　**エ** 軽量化　**オ** 経路の合理化

カ 点検補修

(10) 燃料として重油を使用している火力発電所の年間燃料消費量が 90 000 kL であった．この発電所の年間平均発電端熱効率（高発熱量基準）を 39.5 %，燃料の高発熱量を 39.1 MJ/L としたとき，年間発電端発生電力量は[D | $a.bc \times 10^{d}$]〔MW・h〕である．

(11) 「エアコンディショナーのエネルギー消費性能の向上に関するエネルギー消費機器等製造事業者等の判断の基準等」（平成 25 年 12 月 27 日告示）において，製造事業者が製造する機器の効率は，定められた基準エネルギー消費効率の値を下回らないこととされている．平成 27 年度以降の国内向けに出荷する業務用のエアコンデイショナでは，エネルギー消費効率として[8]を用いることが定められている．このエアコンディショナの基準エネルギー消費効率の値は，エアコンディショナの形態や冷房能力などにより異なるが，[9]の範囲にある．

〈 8 及び 9 の解答群〉

ア 0.71 ～ 0.95　**イ** 2.3 ～ 3.5　**ウ** 3.9 ～ 6.0　**エ** 成績係数

オ 通年エネルギー消費効率　**カ** 冷房エネルギー消費効率

(12) 三相誘導電動機の使用電力を測定したところ，有効電力が 40 kW，無効電力が 30 kvar であった．このときの三相誘導電動機の力率は [E ab]〔%〕である．

(13) 三相誘導電動機が，軸トルク $T = 1$ kN・m，回転速度 $n = 720$ min^{-1} で運転されている．

電動機の所要動力は，軸トルクと回転角速度 ω に比例し，また $\omega = \dfrac{2\pi n}{60}$〔rad/s〕で表されることから，この電動機の効率が 90% であるとき，所要電力は [F ab]〔kW〕である．ここで，$\pi = 3.14$ として計算すること．

(14) 節電のために，ある日の 14 時から 15 時までの時間帯の平均電力を 1 200 kW に抑えることにした．

14 時から 14 時 40 分までの 40 分間の使用電力量が 820 kW・h であったとすると，14 時 40 分から 15 時までの 20 分間の平均電力を [G a.bc×10^{d}]〔kW〕に抑える必要がある．

(15) 三相交流は，一般に単相交流に比べ送配電損失が少なく，また，回転磁界が作りやすいなど優れた特徴を持っており，発電，送配電，需要設備のいずれにおいても広く採用されている．

三相交流（3 線式）及び単相交流（2 線式）において，線間電圧，線電流及び力率が等しい場合に，三相交流で供給できる電力は単相交流の場合の 10 倍である．

(16) ポンプ又はファンを三相誘導電動機で駆動する場合，その回転速度は，電源の周波数 f〔Hz〕，極数 p 及びすべり s を用いて表すと， 11 〔min^{-1}〕となる．

〈 10 及び 11 の解答群〉

ア $\sqrt{2}$　**イ** $\sqrt{3}$　**ウ** 3　**エ** $\dfrac{120fs}{p}$　**オ** $\dfrac{120f(1-s)}{p}$

カ $\dfrac{120fp}{s}$　**キ** $\dfrac{120fp}{1-s}$

(17) 電気加熱設備や電解設備では大電流を必要とする負荷が多く，省エネルギー対策としてこれに関する措置が必要である．

「工場等判断基準」の「基準部分（工場）」は，電気加熱設備及び電解設備は，配線の接続部分，開閉器の接触部分などにおける 12 を低減するように保守及び点検に関する管理標準を設定し，これに基づき定期的に保守及び点検を行うことを求めている．

⒅ 照明設備について，「工場等判断基準」の「基準部分（工場）」は，日本産業規格の照度基準等に規定するところにより管理標準を設定して使用すること，また，調光による減光又は消灯についての管理標準を設定し，過剰又は不要な照明をなくすことを求めている．**JIS Z 9110:2011**「照明基準総則」では，事務所ビルにおける事務室の推奨照度範囲は［13］〔**lx**〕としている．

〈［12］及び［13］の解答群〉

ア 150 ～ 300　**イ** 500 ～ 1 000　**ウ** 1 000 ～ 2 000　**エ** 抵抗損失
オ 誘電損失　**カ** 誘導損失

電気の基礎（80分）

問題4（電気及び電子理論）

次の各文章の［1］～［12］の中に入れるべき最も適切な数値又は式をそれぞれの解答群から選び，その記号を答えよ．（配点計50点）

(1)　図1に示すように，電圧が $\dot{E}$〔V〕，角周波数が ω〔rad/s〕の正弦波交流の定電圧源に，$2R$〔Ω〕の抵抗 R_1，R〔Ω〕の抵抗 R_2，C〔F〕のコンデンサ C_1，スイッチA及びスイッチBが接続されている．

この回路において，スイッチA及びスイッチBを開閉したときの，定常状態における電圧，電流などの値を計算する．ここで，$\dot{E}$ の大きさを E〔V〕とし，図に示すインピーダンス以外のインピーダンスは無視する．

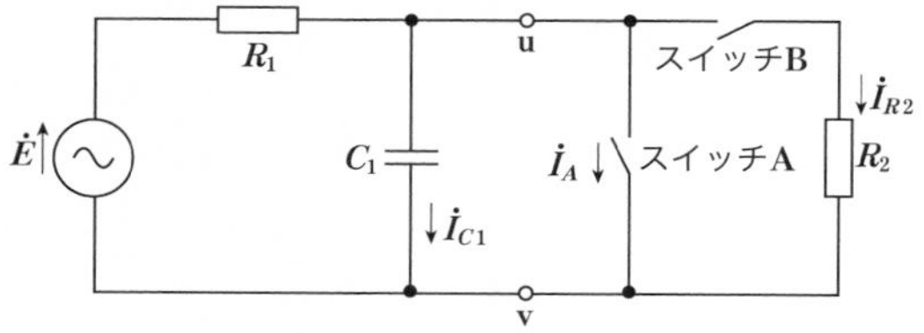

図1

1)　スイッチAとスイッチBが共に開の状態のとき，端子u−v間の電圧 $\dot{V}_{uv}$ は次のように表される．

$\dot{V}_{uv}$＝［1］〔V〕

また，このとき，端子u−v間から電源側を見たインピーダンス $\dot{Z}$ は次のように表される．

$\dot{Z}$＝［2］〔Ω〕

〈 1 及び 2 の解答群〉

ア $\dfrac{\dot{E}}{j\omega C}$　イ $\dfrac{\dot{E}}{2R+j\omega C}$　ウ $\dfrac{\dot{E}}{1+j2\omega CR}$　エ $\dfrac{j\omega C\dot{E}}{1+j2\omega CR}$

オ $\dfrac{j\omega C\dot{E}}{2R+j\omega C}$　カ $2R+\dfrac{1}{j\omega C}$　キ $\dfrac{1}{2R}+j\omega C$　ク $\dfrac{2R}{1+j2\omega CR}$

ケ $\dfrac{j2\omega CR}{2R+j\omega C}$　コ $\dfrac{j2\omega CR}{1+j2\omega CR}$

2) スイッチ A が開，スイッチ B が閉の状態のとき，抵抗 R_2 に流れる電流 $\dot{I}_{R2}$ は次のようになる．

$$\dot{I}_{R2}=\frac{\dot{E}}{\boxed{\ 3\ }+j\boxed{\ 4\ }}\text{〔A〕}$$

このとき，抵抗 R_2 で消費される電力 P は次のようになる．

$$P=\boxed{\ 5\ }\text{〔W〕}$$

〈 3 〜 5 の解答群〉

ア R　イ $2R$　ウ $3R$　エ ωC　オ $2\omega C$　カ $2\omega CR$

キ $2\omega CR^2$　ク $\dfrac{E^2}{9+4(\omega CR)^2}$　ケ $\dfrac{E^2}{9R^2+4(\omega C)^2}$

コ $\dfrac{E^2}{R\{9+(\omega CR)^2\}}$　サ $\dfrac{E^2}{R\{9+4(\omega CR)^2\}}$　シ $\dfrac{E^2}{R\{R^2+4(\omega C)^2\}}$

3) スイッチ A が閉，スイッチ B が開の状態のとき， コンデンサ C_1 に流れる電流 $\dot{I}_{C1}$ 及びスイッチ A に流れる電流 $\dot{I}_A$ は，それぞれ

$$\dot{I}_{C1}=\boxed{\ 6\ }\text{〔A〕}$$

$$\dot{I}_A=\boxed{\ 7\ }\text{〔A〕}$$

となる．

〈 6 及び 7 の解答群〉

ア 0　イ $\dfrac{\dot{E}}{R}$　ウ $\dfrac{\dot{E}}{2R}$　エ $\dfrac{\dot{E}}{3R}$　オ $\dfrac{\dot{E}}{j\omega C}$

カ $\dfrac{\dot{E}}{2R+j\omega C}$　キ $\dfrac{j\omega C\dot{E}}{1+j2\omega CR}$

(2) 図 2 に示すように，相電圧が $\dot{E}_a$〔V〕，$\dot{E}_b$〔V〕，$\dot{E}_c$〔V〕の対称三相交流電源に，1 相当たり $\sqrt{3}+j3$ Ω のインピーダンスを △ 結線した平衡三相負荷が接続されている．ここで，

相回転は a−b−c の順であり，図に示されているインピーダンス以外のインピーダンスは無視する.

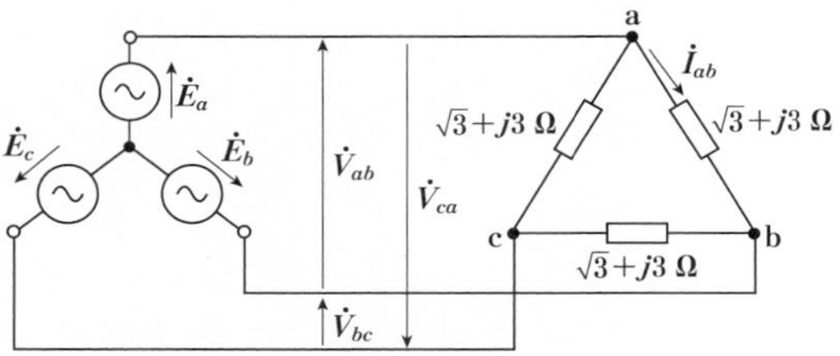

図 2

1)　相電圧の大きさが 100 V であるとき，線間電圧 $\dot{V}_{ab}$ の位相を位相の基準とすると，各線間電圧 $\dot{V}_{ab}$，$\dot{V}_{bc}$ 及び $\dot{V}_{ca}$ は次のようになる.

$\dot{V}_{ab}=100\sqrt{3}+j0$〔V〕

$\dot{V}_{bc}=$ 8 〔V〕

$\dot{V}_{ca}=$ 9 〔V〕

〈 8 及び 9 の解答群〉

ア　$-50(1+j\sqrt{3})$　イ　$-50(1-j\sqrt{3})$　ウ　$50\sqrt{3}(1+j\sqrt{3})$

エ　$-50\sqrt{3}(1+j\sqrt{3})$　オ　$-50\sqrt{3}(1-j\sqrt{3})$　カ　$-100\sqrt{3}(1+j\sqrt{3})$

キ　$-100\sqrt{3}(1-j\sqrt{3})$

2)　負荷インピーダンスが $\sqrt{3}+j3$〔Ω〕であるので，力率 $\cos\theta$ は，

$\cos\theta=$ 10

であり，電流 $\dot{I}_{ab}$〔A〕は次のようになる.

$\dot{I}_{ab}=$ 11 〔A〕

また，三相負荷全体の消費電力 P は次のようになる.

$P=$ 12 〔A〕

〈 10 ～ 12 の解答群〉

ア　0　イ　0.5　ウ　$\dfrac{1}{\sqrt{3}}$　エ　1　オ　$\sqrt{3}$　カ　25

キ　$\dfrac{50}{\sqrt{3}}$　ク　2 500　ケ　$2\,500\sqrt{3}$　コ　7 500　サ　$7\,500\sqrt{3}$

シ　$15\,000\sqrt{3}$　ス　$25(1-j\sqrt{3})$　セ　$-\dfrac{50}{\sqrt{3}}(1+j\sqrt{3})$

ソ　$25\sqrt{3}(1+j\sqrt{3})$

問題 5（自動制御及び情報処理）

次の各問に答えよ．（配点計 50 点）

(1)　次の各文章の [1] ～ [5] の中に入れるべき最も適切な字句，式又は記述をそれぞれの解答群から選び，その記号を答えよ．

1)　図 1 に示すように電圧 $e(t)$〔V〕の電源に，R〔Ω〕の抵抗と L〔H〕のインダクタンスを直列に接続した回路を考える．この回路の電圧 $e(t)$ と電流 $i(t)$〔A〕との関係は次のような微分方程式で表される．

$$Ri(t)+L\frac{\mathrm{d}i(t)}{\mathrm{d}t}=e(t) \quad \cdots\cdots①$$

この微分方程式について，ラプラス変換を用いて考える．

式①の両辺をラプラス変換し，$e(t)$ のラプラス変換を $E(s)$，$i(t)$ のラプラス変換を $I(s)$ で表すとき，すべての初期値を 0 とみなすと，

$$RI(s)+\boxed{\ 1\ }=E(s) \quad \cdots\cdots②$$

を得る．

②式において，$E(s)$ を入力，$I(s)$ を出力としたときの伝達関数を $G(s)$ とすると，$G(s)$ は [2] で表され，これは [3] 要素と呼ばれる形をしている．この $G(s)$ のゲイン定数は $\frac{1}{R}$ であり，時定数は [4] である．

〈 [1] ～ [4] の解答群〉

ア $\frac{1}{L}$	**イ** R	**ウ** $\frac{1}{R}$	**エ** $\frac{R}{L}$	**オ** $\frac{L}{R}$
カ $\frac{1}{R+L}$	**キ** $\frac{1}{L+sR}$	**ク** $\frac{1}{R+sL}$	**ケ** $\frac{s}{L+sR}$	**コ** $\frac{s}{R+sL}$
サ $LI(s)$	**シ** $sLI(s)$	**ス** $s^2LI(s)$	**セ** $\frac{LI(s)}{s}$	**ソ** $\frac{sL}{I(s)}$
タ 一次遅れ	**チ** 積分	**ツ** 二次遅れ	**テ** 微分	**ト** 比例

2)　図 2 に示すように，電圧 $e(t)$ のラプラス変換を $E(s)$，電流 $i(t)$ のラプラス変換を $I(s)$ で表すとき，$E(s)$ から $I(s)$ までの伝達関数が，$\frac{3s}{s+2}$ で表せたとする．この系において，

$e(t)$ に入力電圧として 1 V のステップ入力を加えると，電流 $i(t)$ は，ある値にステップ的に変化したあと［ 5 ］.

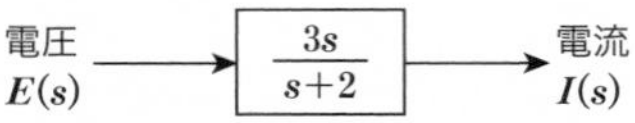

図 2

〈［ 5 ］の解答群〉

ア　持続的に振動する　　**イ**　その値を維持する

ウ　単調に減少して，ある一定値になる　　**エ**　単調に増加して，ある一定値になる

オ　単調に増加して ∞ に発散する

(2)　次の文章の［ 6 ］及び［ 7 ］の中に入れるべき最も適切な字句を〈［ 6 ］及び［ 7 ］の解答群〉から選び，その記号を答えよ.

図 3 にフィードバック制御を行う代表的なシステムのブロック線図を示す．ここで，$R(s)$ は目標値，$Y(s)$ は制御量，$P(s)$ は制御対象，$C(s)$ は制御器の伝達関数を表している.

一般に，プロセス制御系の場合，システムは非常に複雑でその動特性を厳密に知ることは困難である．しかし，制御対象を次のような伝達関数を持つシステムとして近似し動特性を解析することができる.

$$P(s)=\frac{K_P e^{-sL}}{(1+T_1 s)(1+T_2 s)} \quad \cdots\cdots③$$

ここで，K_P，L，T_1，T_2 はある定数である．また，e^{-sL} は［ 6 ］要素を表している．このようなシステムを制御するために，次のような伝達関数 $C(s)$ を持つ制御器が用いられる.

$$C(s)=K_C\left(1+\frac{1}{T_3 s}+T_4 s\right) \quad \cdots\cdots④$$

ここで，K_C，T_3，T_4 はある定数である．④式において，$K_C \neq 0$，$\dfrac{K_C}{T_3} \neq 0$，$T_4=0$ の場合を［ 7 ］制御と称している.

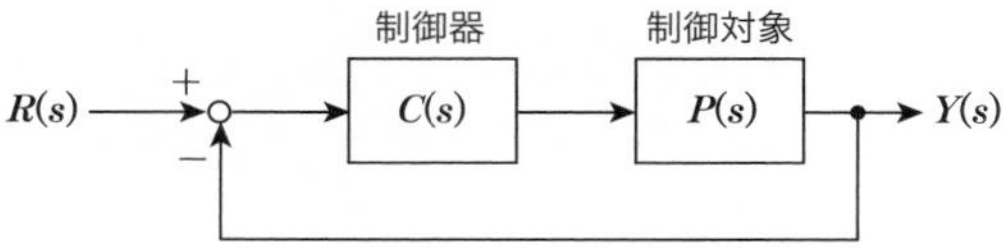

図 3

〈 6 及び 7 の解答群〉

ア D　**イ** I　**ウ** P　**エ** PD　**オ** PI　**カ** 近似微分
キ 積分　**ク** 微分　**ケ** 比例　**コ** むだ時間

⑶ 次の文章の 8 ～ 10 の中に入れるべき最も適切な数値を〈 8 ～ 10 の解答群〉から選び，その記号を答えよ．なお， 10 は 2 箇所あるが，同じ記号が入る．

また， **A a.bc** に当てはまる数値を計算し，その結果を答えよ．ただし，解答は解答すべき数値の最小位の一つ下の位で四捨五入すること．

コンピュータなどの情報処理装置では，一般に，情報は 2 進数に基づいて処理される．1 バイトは 8 ビットであり，1 バイトで表現できる 2 進数を 10 進数で表すと，非負整数としては，0 から 8 までとなる．

ある加熱炉の省エネルギー並びに製品品質の向上を図るために，温度のばらつきを抑えて精度良く温度制御をしたい．そのための方策の一つとして，計測範囲が，10 °C から 650 °C までのアナログ温度データ（連続量）について，従来は 1 °C 刻みで量子化していたのを，0.01 °C 刻みで量子化し，ディジタル量に変換する．そのためには 1 データ当たり， 9 ビットが必要で，バイト単位では 10 バイトとなる．計測箇所が 10 点で，1 点当たり 10 バイトの温度データを 1 秒周期で収集すると，1 日のデータ量は **A a.bc** $\times 10^6$ バイトとなる．

〈 8 ～ 10 の解答群〉

ア 2　**イ** 3　**ウ** 4　**エ** 15　**オ** 16　**カ** 17　**キ** 18
ク 127　**ケ** 128　**コ** 255　**サ** 256

⑷ 次の文章の 11 ～ 14 の中に入れるべき最も適切な字句を〈 11 ～ 14 の解答群〉から選び，その記号を答えよ．なお， 11 は 3 箇所， 12 及び 14 は 2 箇所あるが，それぞれ同じ記号が入る．

企業などの内部ネットワークをインターネットに接続する場合は，不正アクセス対策として内部ネットワークとインターネットの間に 11 と呼ばれるシステムを置き， 11 を通してのみインターネットとの通信を許可する場合が多い．インターネットに公開する

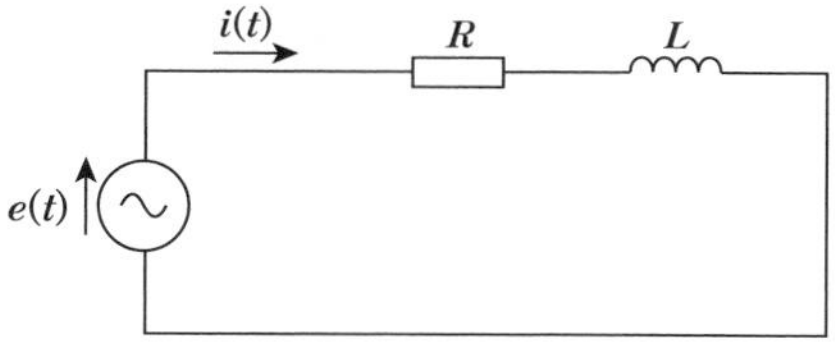

図 1

サーバを設置する場合は，内部ネットワークとインターネットの両方からアクセスできる［12］と呼ばれるセグメントを設け，公開用サーバは［12］に設置する方法が採用されることが多い．

また，ネットワークを通じて不正なデータ，大量なデータを送信してサーバやネットワークを正常に利用できないようにする攻撃を受けることがあり，これは［13］攻撃と呼ばれる．この攻撃への対応としてはデータ送信元を特定し，［11］などでその送信元からのアクセスを禁止するなどの対策を行う．

コンピュータウィルスは，コンピュータの正常な動作を妨げる悪質なプログラムであり，OS（Operating System）やソフトウェアの［14］から侵入し感染するものが多い．このため，ウィルスチェック用ソフトを利用するだけでなく，［14］に対する修正プログラム（パッチ）により，システムを常に最新の状態にしておく必要がある．ウィルスチェック用ソフトを用いる場合は，ウィルス定義ファイルを常に最新のものに更新しておく必要がある．

〈［11］～［14］の解答群〉

ア Cookie　**イ** DCE　**ウ** DMZ　**エ** DoS　**オ** DSU
カ P2P　**キ** VPN　**ク** アップデート　**ケ** スイッチングハブ
コ スパイウェア　**サ** セキュリティホール　**シ** パスワード
ス ハッキング　**セ** ファイアウォール　**ソ** モデム
タ リピータ

問題6（電気計測）

次の各問に答えよ．（配点計50点）

(1)　次の各文章の［1］の中に入れるべき最も適切な字句を〈［1］の解答群〉から選び，その記号を答えよ．

また，［A abc］～［E a.bc］に当てはまる数値を計算し，その結果を答えよ．ただし，解答は解答すべき数値の最小位の一つ下の位で四捨五入すること．

1)　交流回路に使用する誘導形電力量計の回転子（円板）の回転速度は負荷電力に比例し，回転数を積算することにより電力量が測定できる．電力量計の1 kW・h当たりの回転子の回転数を［1］定数といい，単位を〔rev/(kW・h)〕で表す．

1 000 rev/(kW・h)の電力量計で低圧回路の負荷の測定を行ったところ，30分間の回転数が400回転であった．このとき，負荷の30分間の平均電力は［A abc］〔W〕である．

〈 1 の解答群〉

ア パルス　**イ** 回転　**ウ** 計器

2)　平衡三相負荷回路に，図に示すように計器用変圧器（**VT**）及び変流器（**CT**）を介して，電流計，電圧計，力率計及び三相電力量計が接続されている．この計器用変圧器の定格一次電圧は **6 600 V**，定格二次電圧は **110 V** であり，変流器の定格一次電流は **200 A**，定格二次電流は **5 A** である．なお，電圧は線間電圧を表す．

ここで，計器用変圧器及び変流器の二次側において，電圧 v_2 が **112 V**，電流 i_2 が **3 A**，力率が **98%**（遅れ），計測開始からの電力量が **120 kW・h** であった．

これらの値を一次側に換算すると，次のようになる．

①　電流（I_1）：**B abc**〔A〕

②　電圧（V_1）：**C abcd**〔V〕

③　力率：**98%**（遅れ）

④　電力量：**D abc**〔MW・h〕

また，これらの一次側の換算値から，このとき負荷に供給されている電力は **E a.bc** $\times 10^3$ **kW** と算出される．ここで，$\sqrt{3}=1.73$ とする．

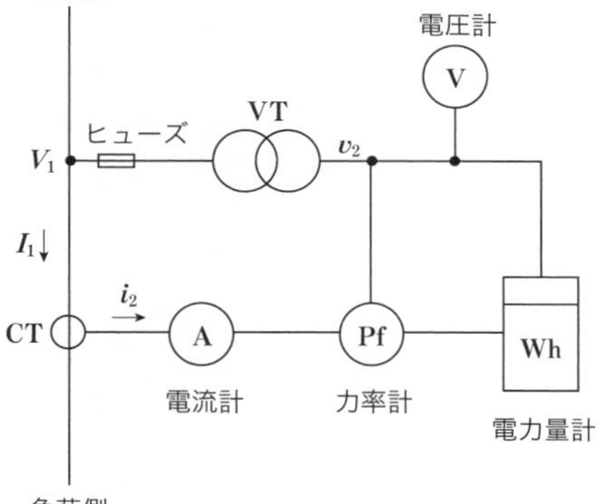

図

(2)　次の文章の 2 ～ 8 の中に入れるべき最も適切な字句又は数値を〈 2 ～ 8 の解答群〉から選び，その記号を答えよ．

ポンプ，ファンなどの電動力応用設備において，気体や液体の流量測定を行う場合，測定器は測定対象に応じていろいろな方式のものが用いられる．

①　差圧式は， 2 などの絞り機構を設置してその前後の差圧を検出することで，流量

がこの差圧の［ 3 ］乗に比例するという原理を利用して流量を求める．特に，気体の流量測定では，圧力や温度により流体の［ 4 ］が大きく変動するので，圧力や温度を測定して流量の補正を行うことが多い．

② 渦式は，流体中に［ 5 ］を設置して，その下流に流速に比例して発生する渦の周波数を測定して流量を求める．この渦は［ 6 ］渦と呼ばれる．

③ 超音波式は，管内の流れに対して斜めに超音波を発射すると，その［ 7 ］が，超音波の発射方向と流体の流速により変化する性質を利用したものが多く用いられる．超音波式では，測定器を管の外側に設置して，内部の流量を測定することが可能で，これは一般に［ 8 ］形超音波流量計と呼ばれる．

〈［ 2 ］～［ 8 ］の解答群〉

ア $\frac{1}{2}$	イ 2	ウ 3	エ オリフィス板
オ カルマン	カ クランプオン	キ コリオリ	ク ダイヤフラム
ケ ベルヌーイ	コ 間接	サ 吸収率	シ 球体
ス 格子状の物体	セ 柱状の物体	ソ 導電率	タ 伝播速度
チ 伝播方向	ツ 粘度	テ 密度	

III

電気設備及び機器（110分）

問題7，8　工場配電

問題9，10　電気機器

問題7（工場配電）

次の各問に答えよ．（配点計50点）

(1) 次の各文章の［1］～［3］の中に入れるべき最も適切な字句又は数値を〈［1］～［3］の解答群〉から選び，その記号を答えよ．

工場における自家用発電設備などの分散型電源を，電力会社の配電系統に連系する場合に留意すべき主な事項として，保安に関する要件が「電気設備の技術基準とその解釈」に，また，電力品質に関する要件が「電力品質確保に係る系統連系技術要件ガイドライン（平成16年資源エネルギー庁）」に定められている．これらの中で，高圧配電線への連系を例にとると，次のようなことが定められている．

① 配電系統又は分散型電源が異常となったときは，［1］しなければならない．

② 受電点における力率は原則として［2］〔%〕以上とし，かつ，進み力率とならないようにする．

③ 分散型電源の並解列時の瞬時電圧降下は，常時電圧の［3］〔%〕以内とする．

④ 自家用発電設備を設置する需要家は，緊急時に備えて，常時，電力会社との連絡体制及び速やかな復旧体制を確保する．

〈［1］～［3］の解答群〉

ア 3　**イ** 5　**ウ** 10　**エ** 80　**オ** 85　**カ** 90　**キ** 95

ク 分散型電源の負荷を遮断　**ケ** 分散型電源を自動的に解列

コ 分散型電源を非常停止

(2) 次の各文章の［4］～［10］の中に入れるべき最も適切な字句又は数値をそれぞれの解答群から選び，その記号を答えよ．

工場あるいは事業所の配電設備における電力損失は，変圧器の損失と，配電線路の抵抗損失が支配的となるので，省エネルギーの観点からは，これらの損失をできるだけ低減させることが必要である．

1)　変圧器による省エネルギー対策としては，次のようなものがある．

①　「エネルギーの使用の合理化等に関する法律」に規定する［4］を満足する変圧器の採用

②　適正な容量の変圧器の選定

③　無負荷時の変圧器停止や軽負荷時の変圧器負荷の切り替え

④　負荷機器で適正な電圧が得られるための変圧器の［5］の選定

〈［4］及び［5］の解答群〉

ア　タップ　**イ**　位相　**ウ**　基準エネルギー消費効率　**エ**　規約効率

オ　結線　**カ**　定格容量

2)　配電線路の設備面の省エネルギー対策としては，次のようなものがある．

①　配電電圧の昇圧による線路電流の低減

我が国の配電線路の公称電圧は，高圧回路では 3 300 V 及び［6］〔V〕であり，低圧回路では 100 V，200 V，［7］〔V〕などがある．例えば，低圧の 100 V と 200 V の電圧で比較すると，接続される負荷機器の出力，効率及び力率が等しく，また，回路方式及び線路インピーダンスが等しいとき，定格 200 V の機器を 200 V 回路で使用すると，定格 100 V の機器を 100 V 回路で使用するのに対して，線路損失は［8］に低減できる．

②　変圧器を負荷近くに設置することによる負荷側線路こう長の短縮

変圧器を負荷の近くに設置することにより，低圧側の負荷の線路こう長を短くすることができ，配電損失を低減できる．

③　適正な電線サイズの選定

電線サイズは，配電線路における電圧降下を許容値以下に抑えるよう，経済性も考慮して決められる．定格負荷電流が流れたときの電圧降下が，特殊な場合を除き，一般には，定格電圧の［9］〔%〕程度以下になるように選定される．また，これにより配電線路における電力損失も抑えられる．

〈［6］～［9］の解答群〉

ア　$\frac{1}{4}$　**イ**　$\frac{1}{2}$　**ウ**　$\frac{1}{\sqrt{3}}$　**エ**　$\frac{1}{\sqrt{2}}$　**オ**　1　**カ**　2　**キ**　5

ク　300　**ケ**　400　**コ**　500　**サ**　4 400　**シ**　5 500　**ス**　6 600

3)　配電線路の運用面の省エネルギー対策としては，次のようなものがある．

①　三相が平衡となる負荷配分

単相負荷も接続される三相配電線路においては，供給回線の電圧及び電流ができるだけ平衡するように単相負荷を配分する.

② 高い力率の維持

力率改善用コンデンサなどを使用して負荷側の [10] を低減することにより，配電線路の抵抗損失を低減させる.

〈[10]の解答群〉

ア 周波数変動　**イ** 静電容量　**ウ** 無効電力

(3) 次の文章の [A abc] ～ [C ab] に当てはまる数値を計算し，その結果を答えよ．ただし，解答は解答すべき数値の最小位の一つ下の位で四捨五入すること.

図のように受電用変電所から A，B，C の 3 工場に供給する三相 3 線式の高圧配電線路がある.

受電用変電所から A 工場までの 1 相当たりのインピーダンスは $0.07+j0.1\ \Omega$，A 工場から B 工場までの 1 相当たりのインピーダンスは $0.2+j0.1\ \Omega$，B 工場から C 工場までの 1 相当たりのインピーダンスは $0.2+j0.15\ \Omega$ であり，配電線路から各工場への引込線のインピーダンスは無視できるものとする．また，すべての電流は，A 工場の受電電圧の位相を基準として表すものとする.

A 工場の負荷電流 $\dot{I}_A$，B 工場の負荷電流 $\dot{I}_B$ 及び C 工場の負荷電流 $\dot{I}_C$ は，

$\dot{I}_A=200-j60$〔A〕（遅れ）

$\dot{I}_B=100-j100$〔A〕（遅れ）

$\dot{I}_C=150$〔A〕

である．なお，各負荷電流は三相平衡で，電圧のいかんにかかわらず一定であるものとし，各工場の受電電圧間の位相差は無視できるものとする.

このとき，受電用変電所から A 工場への分岐点までの高圧配電線路に流れる電流 $\dot{I}_1$〔A〕の大きさは，[A abc]〔A〕であり，受電用変電所から C 工場までの高圧配電線路の全損失は，[B abc]〔kW〕となる.

ここで，高圧配電線路の電力損失を低減する目的で，B 工場に 1 相当たりの進み無効電

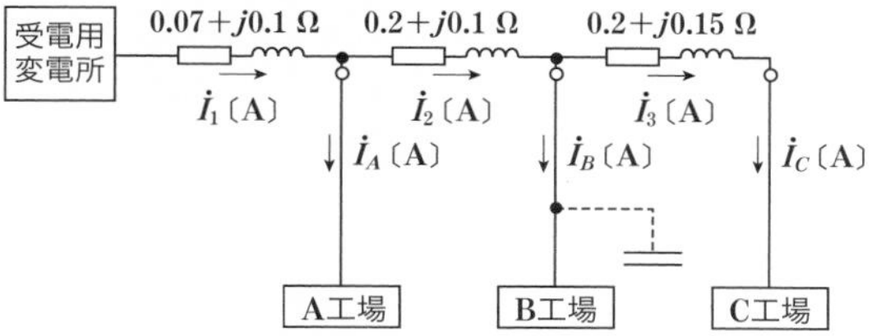

図 工場配電系統

流が **100 A** の力率改善用コンデンサを設置した．このとき，受電用変電所から **C** 工場までの高圧配電線路の全損失は，力率改善用コンデンサを設置する前の **C ab** 〔%〕となる．

問題8（工場配電）

次の各問に答えよ．（配点計 **50** 点）

(1) 次の各文章の 1 ～ 5 の中に入れるべき最も適切な字句又は数値を〈 1 ～ 5 の解答群〉から選び，その記号を答えよ．

1) 配電線にアーク炉のような変動負荷が接続されると，その負荷電流変動による電圧変動のため，線路の電圧が変動する．この電圧変動が頻繁に繰り返されると，白熱灯や蛍光灯などの明るさにちらつきが生じる．この現象を 1 といい，これが著しい場合は，人に不快感を与えることになる．

2) 負荷のインピーダンスが一定の場合，電圧が下がると負荷電流が小さくなり，配電線路の電力損失は小さくなる．しかし，近年電圧が下がると電流が増加し，電圧が上がると電流が減少する定電力特性を持った機器が増加している．このような機器の代表的なものに， 2 がある．

3) 工場配電における力率の向上は，線路における電力損失の低減のほかに，電圧低下の抑制，電気料金の低減などに効果がある．「エネルギーの使用の合理化等に関する法律」の判断基準の基準部分は，受電端における力率を 3 〔%〕以上にすることを求めている．

4) 工場の三相配電線路では，三相電圧が不平衡になると 4 電圧が生じ，電動機の回転子の過熱を引き起こしたり，電力損失を増大させたりする．このために，線路の電圧の不平衡を低減することが求められる．

5) 保全とは，生産効率の維持，向上を目的として設備の保守，点検及び改良を行うことをいい，その方法によっていくつかに分けられる．そのうち，一般に，保全に要する費用よりも故障や劣化による損失が大きい場合などに計画的に行うものを 5 という．

故障や劣化に起因した事故停電は，生産の停止，仕掛品の不良発生など電力原単位に影響を与え，工場全体に損害を与えることにつながる．さらに，事故が工場の外部に波及した場合は電力会社系統の停電を招くこともあるので，社会的責任からも十分な保全管理が必要である．

〈 1 ～ 5 の解答群〉

ア 85　**イ** 90　**ウ** 95　**エ** インバータ応用機器

オ 高効率三相誘導電動機　**カ** 高効率変圧器　**キ** フリッカ

ク 高調波　**ケ** 瞬時停電　**コ** 改良保全　**サ** 事後保全

シ 予防保全　**ス** 正相　**セ** 逆相　**ソ** 単相

⑵ 次の各文章の A abc ～ F a に当てはまる数値を計算し，その結果を答えよ．ただし，解答は解答すべき数値の最小位の一つ下の位で四捨五入すること．

図は，高圧配電線に連系する，ある工場の配電設備を示す．この工場の配電設備は，500 kW で力率 90%（遅れ）の負荷 A，200 kW で力率 85%（遅れ）の負荷 B，及び力率改善用コンデンサから構成されている．コンデンサ容量は，定格容量 50 kvar/台 × 5 台の構成で合計 250 kvar であり，力率調整装置によりそれぞれ独立して投入あるいは遮断が可能となっている．力率調整装置の設定値は，受電点において力率 98%（遅れ）に設定されており，力率がこの設定値より遅れとなる場合はコンデンサを投入し，進みとなる場合はコンデンサを遮断するものとする．ここで，配電線路のインピーダンスは無視するものとし，簡単のために，力率調整装置の設定値のヒステリシスは考えない．

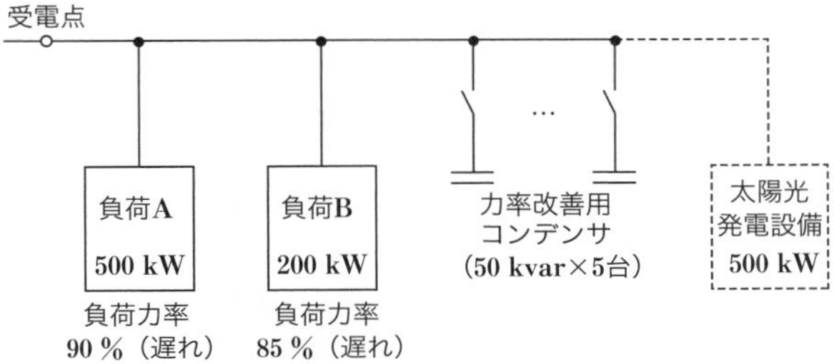

図 配電系統

1) 負荷 A と負荷 B の合計電力は A abc 〔kW〕+ j B abc 〔kvar〕であり，力率調整装置の動作によりコンデンサ 5 台が投入されることで，受電点における力率は C ab.c 〔%〕（遅れ）まで改善される．ここで，無効電力の符号は，遅れを「+」とする．

2) 太陽光発電設備をこの工場に導入した場合における，コンデンサの投入台数について検討する．

出力 500 kW，力率 100% の太陽光発電設備を連系した場合，負荷 A，負荷 B 及び太陽光発電設備による受電点の力率は D ab.c 〔%〕（遅れ）となる．ここで，受電点の力率を 98%（遅れ）まで改善させるには，定格容量 50 kvar のコンデンサが最低でも

[E a]〔台〕必要であり，現状設備では不足が生じる．

3）　次に，太陽光発電設備の力率を変更した場合について検討する．

出力 **500 kW**，力率 **90%**（系統から見て進み）の太陽光発電設備を連系した場合，負荷 **A**, 負荷 **B** 及び太陽光発電設備による受電点の力率を **98%**（遅れ）まで改善させるには，定格容量 **50 kvar** のコンデンサの最少必要台数が [F a]〔台〕となるので，現状設備で力率の改善が可能となる．

問題 9（電気機器）

次の各問に答えよ．（配点計 **50** 点）

(1)　次の各文章の [1] ～ [11] の中に入れるべき最も適切な字句又は式をそれぞれの解答群から選び，その記号を答えよ．

1）　変圧器の効率は，負荷損が無負荷損と等しくなる負荷点において最大となる．鉄心材料の進歩により，最近の変圧器は無負荷損が減少し，最大効率の負荷点が [1] 側に移行する傾向にある．これは，変圧器のように常時使用状態に置かれている機器の省エネルギーには効果的である．

変圧器の鉄心材料の一つとして用いられるアモルファス磁性材料は，鉄，ニッケル，コバルトなどの [2] 元素と，ほう素やけい素などの半金属元素とで作られた [3] 状態の合金である．方向性けい素鋼帯に比べてヒステリシス損が少なく，抵抗率が高く，板厚を $\frac{1}{10}$ 程度にできるので，[4] 損も低減できる．一方，方向性けい素鋼帯に比べて占積率が小さく，[5] 磁束密度も低いので，変圧器の鉄心断面積は大きくなる傾向にある．

〈[1] ～ [5] の解答群〉

ア 渦電流	**イ** 強磁性	**ウ** 反磁性	**エ** 非磁性	**オ** 軽負荷
カ 重負荷	**キ** 定格負荷	**ク** 漂遊負荷	**ケ** 残留	**コ** 単結品
サ 多結晶	**シ** 非晶質	**ス** 飽和	**セ** 漏れ	**ソ** 誘電体

2）　パワー半導体デバイスを用いて，直流電流を高頻度でオン・オフすることによって，交流を介することなく直流電圧を直接制御する回路は，直接直流変換装置あるいは直流チョッパと称される．

直流チョッパは，バルブデバイス **S**，ダイオード D_F，リアクトル L 及びコンデンサ C などで構成され，それらの接続位置の相違により，基本的な **3** 種類のチョッパ回路がある．

バルブデバイスがオン状態にある期間を t_{on}，バルブデバイスがオフ状態にある期間を t_{off}，1 周期を $T=t_{on}+t_{off}$ で表したとき，$\alpha=\dfrac{t_{on}}{T}$ は 1 周期中でのオン時間比率であり，[6] 率と呼ばれる．ここで，電源電圧を E_s，負荷電圧を v_d とし，その平均値を V_d とすると，3 種類のチョッパ回路での出力電圧と電源電圧との関係を表す式は次のようになる．ただし，バルブデバイス S には損失がないものとする．

降圧チョッパ $V_d=$ [7] $\times E_s$

昇圧チョッパ $V_d=$ [8] $\times E_s$

昇降圧チョッパ $V_d=\dfrac{\alpha}{1-\alpha}\times E_s$

図はこれらのうちの [9] チョッパ回路である．

図の回路において，電源電流 i_1 の平均値を I_1，負荷電流 i_2 の平均値を I_2 とし，負荷電流のリプルが十分小さければ，i_1 は 1 周期 T で t_{on} の期間だけ流れるので，I_1 と I_2 の関係は，

$I_2=$ [10] $\times I_1$

で求められる．したがって，交流の変圧器と同様に [11] の関係式が成り立つ．

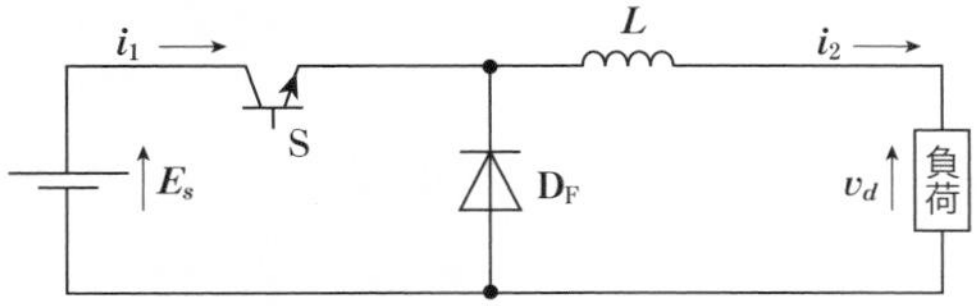

図

〈[6]～[11] の解答群〉

ア α	イ $1+\alpha$	ウ $1-\alpha$	エ $\dfrac{1}{\alpha}$	オ $\dfrac{1}{1+\alpha}$
カ $\dfrac{1}{1-\alpha}$	キ $\dfrac{1+\alpha}{\alpha}$	ク $\dfrac{1}{\alpha^2}$	ケ $\dfrac{1-\alpha^2}{\alpha}$	
コ $V_dE_s=I_1I_2$	サ $V_dI_1=E_sI_2$	シ $V_dI_2=E_sI_1$		ス 降圧
セ 昇圧	ソ 昇降圧	タ 周期	チ 通流	ツ 導電

(2) 次の文章の [A a.b] ～ [E abc] に当てはまる数値を計算し，その結果を答えよ．ただし，解答は解答すべき数値の最小位の一つ下の位で四捨五入すること．

定格容量 300 kV・A，定格一次電圧 6 600 V，定格二次電圧 210 V，定格周波数 60 Hz

の単相変圧器がある．二次端子を開放し，一次端子に定格電圧を印加する無負荷試験，及び二次端子を短絡し，二次回路に定格電流を流すように一次端子に電圧を印加する短絡試験を行って，次の結果が得られた．ただし，諸量は 75°C に換算された値である．

試験名	一次電圧〔V〕	一次電流〔A〕	電力〔W〕
無負荷試験	6 600	0.2	275
短絡試験	277.2	45.45	2 600

短絡試験の結果より，短絡インピーダンスは [A | a.b]〔Ω〕と計算されるので，この値を，定格容量 300 kV・A の変圧器の 6 600 V 基準での基準インピーダンス [B | abc.d]〔Ω〕で除すと，この変圧器の短絡インピーダンスは [C | a.bc]〔%〕となる．さらに，この短絡インピーダンスを抵抗分とリアクタンス分に分けると，抵抗分は 0.867%，リアクタンス分は [D | a.bc]〔%〕となる．

この変圧器の定格容量は 300 kV・A なので，JIS C 4304−2013 規格に基づく基準負荷率は 40% である．したがって，この変圧器のエネルギー消費効率は [E | abc]〔W〕となる．

問題 10（電気機器）

次の各問に答えよ．（配点計 50 点）

(1) 次の各文章の [1] ～ [11] の中に入れるべき最も適切な字句又は数値をそれぞれの解答群から選び，その記号を答えよ．

1) 現在，平均的な工場で使用されている年間消費電力量の [1] 割強が電動機応用設備によって使用され，多量のエネルギーを消費する機器となっている．この傾向は諸外国においても同様であり，汎用的な三相誘導電動機を対象に，高効率化への対応が急がれる課題となっている．

一方，同期電動機では，高性能磁石を用いた永久磁石形同期電動機（PMSM）が高効率電動機として注目されている．永久磁石形同期電動機は三相誘導電動機に比較しても，高効率，高 [2]，低騒音，省スペース，保守の容易さなどの特徴があり，適用分野が広がってきている．永久磁石形同期電動機の回転子構造には，[3] 磁石式と埋込磁石式とがあるが，産業用には主に後者が用いられており，発生トルクは，永久磁石の磁束と，これと直交する q 軸電流との積によって発生する [4] トルクと，磁気的な [5] 性によるリラクタンストルクの両者を用いる．

埋込磁石式構造では，電流位相を適切な [6] に制御することにより，リラクタンストルクを有効利用することができ，特性が改善される．さらに，低速領域では，単位電流当たりのトルクを最大とする制御を行い，高速領域では[7]制御を行うことによって，運転領域を拡大できる．

〈[1]～[7]の解答群〉

ア 5　**イ** 7　**ウ** 9　**エ** V/f　**オ** インダクタンス
カ マグネット　**キ** 遠心　**ク** 円筒　**ケ** 遅れ角
コ 進み角　**サ** 回転軸　**シ** 重なり角　**ス** 起磁力
セ 機能　**ソ** 対称　**タ** 電流一定　**チ** 突極
ツ 能率　**テ** 表面　**ト** 弱め磁束　**ナ** 力率

2) 半導体バルブデバイスは，オン状態では通電に伴う電圧降下があり，オフ状態ではわずかながら漏れ電流が発生するために電力損失が生じる．オン状態からオフ状態への切り換え，あるいはその逆の動作には有限な時間が必要で，スイッチング動作に伴う損失が発生する．この損失はスイッチング[8]を上げると増加する．

電力用半導体素子のうち，サイリスタとは一般に[9]三端子サイリスタを指す．これは pnpn の 4 層から構成されており，陽極と陰極，他に制御電流を加えるゲートを有している．

サイリスタの陰極と陽極間に[10]を印加した状態で制御電流を与えると，オフ状態からオン状態に移行する．一度オン状態になると，制御電流を取り去っても導通状態が維持される．

ターンオフさせるには，外部回路により陽極電流を保持電流以下とするか，又は陽極と陰極間に一定時間以上[11]を加える必要がある．

〈[8]～[11]の解答群〉

ア 2 方向性　**イ** 電圧　**ウ** パルス電圧　**エ** 逆電圧　**オ** 順電圧
カ 電流　**キ** 交流　**ク** 直流　**ケ** 逆阻止　**コ** 逆導通
サ 高周波パルス　**シ** 周波数

(2) 次の文章の[A a.b]～[D abc]に当てはまる数値を計算し，その結果を答えよ．ただし，解答は解答すべき数値の最小位の一つ下の位で四捨五入すること．

定格出力 15 kW，定格周波数 50 Hz で，4 極の三相かご形誘導電動機があり，定格回転速度が 1 440 min^{-1}，定格運転時の効率が 88.5% である．この電動機の定格運転時の滑り s は[A a.b]〔%〕であり，定格出力時のトルクは[B ab.c]〔N·m〕となる．このとき，電動機の定格出力時の二次銅損は，滑り s と定格出力値から[C abc]〔W〕と計算される．また，この電動機の負荷損が銅損で代表され，銅損以外の負荷損が無視できるものとし，一次銅損と二次銅損は常に等しいものとすると，この電動機の固定損は **D abc**〔W〕と計算される．ここで，$\pi = 3.14$ として計算すること．

電力応用（110分）

必須	問題11，12	電動力応用	
選択	問題13	電気加熱	2問題を選択
選択	問題14	電気化学	
選択	問題15	照　明	
選択	問題16	空気調和	

問題11（電動力応用）

次の各問に答えよ．（配点計50点）

(1) 次の文章の［1］～［5］の中に入れるべき最も適切な字句を〈［1］～［5］の解答群〉から選び，その記号を答えよ．なお，［1］及び［2］は2箇所あるが，それぞれ同じ記号が入る．

インバータによる誘導電動機の可変速制御方式には［1］と［2］があり，性能，製品価格，調整の容易さなどにそれぞれ特徴がある．

1) ［1］は，誘導電動機に供給する一次電流が，設定した励磁電流とトルク電流に分配されるように，一次電流の大きさ，周波数及び位相を制御する方式である．

2) ［2］はインバータの出力電圧を周波数に対応して設定する方式で，電動機の回転速度を検出する必要がなく，簡便な制御方式である．この方式は，初期のサイリスタインバータから現在の汎用的なインバータに至るまで広く採用されており，一般に次の機能が付加されている．

① 負荷機械の特性に応じて，インバータの出力電圧をパターン化し，電動機一次巻線電圧降下の補償量を設定し，所定のトルクを確保する．この機能を，［3］機能という．ただし，電圧の補償量が大きすぎると軽負荷時に電動機が過励磁になる．

② 電動機の速度は開ループ制御であるため，電動機を加速する場合，周波数の立ち上げをあまり急激に行うと，電動機の回転速度と同期速度の差が大きくなりすぎ，回転を続けることができなくなる場合がある．このような状態に陥る可能性があるときは，加速率を下げることにより電流を下げ，運転を続ける．この機能を［4］機能という．

③ 減速時には負荷の慣性エネルギーが直流リンク側に回生される．このため，急激な

減速はインバータの破損を招くことになる．したがって，減速率を低減するか，外部回路にエネルギーを放出してインバータの破損を防止する．この機能を [5] 機能という．最近では，直流リンクに回生されたエネルギーを電源側に戻すことにより省エネルギーを図る回生方式も普及している．

〈 [1] ～ [5] の解答群〉

ア　V/f 制御　　**イ**　ベクトル制御　　**ウ**　最適制御　　**エ**　ストール防止
オ　過電圧防止　　**カ**　過電流防止　　**キ**　セルビウス方式　　**ク**　トルクブースト
ケ　静止レオナード

⑵　次の各文章の [6] ～ [11] の中に入れるべき最も適切な式又は記述をそれぞれの解答群から選び，その記号を答えよ．

図はロープトラクション式エレベータの模式図を表している．綱車に渡されたロープの両端には質量 M〔kg〕のかごと，質量 m〔kg〕の釣合いおもりが吊るされている．半径 r〔m〕の綱車には，減速比 k の歯車を介して電動機が接続されている．ここで，かごに乗せる荷重を L〔kg〕，綱車の慣性モーメントを J_1〔kg・m^2〕，電動機の慣性モーメントを J_2〔kg・m^2〕とし，その他の質量，慣性モーメント，摩擦などは無視する．

1)　運転中のエレベータの速度を v〔m/s〕とするとき，上下動するかご，荷重，及び釣合いおもりの運動エネルギーの合計は [6]〔J〕となる．このとき，綱車の回転角速度を ω_1〔rad/s〕，電動機の回転角速度を ω_2〔rad/s〕とすると，両者の回転における運動エネ

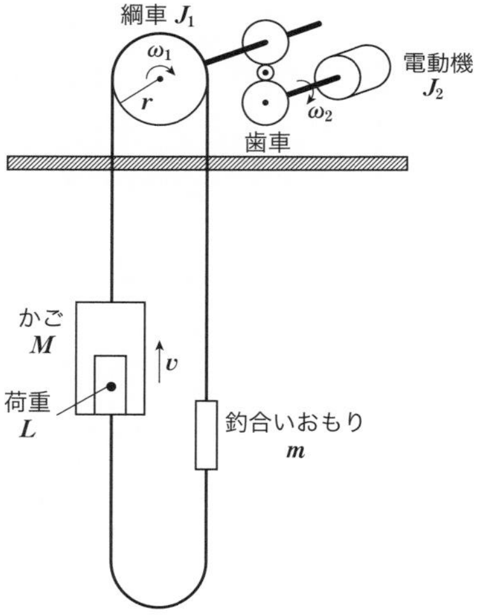

図　ロープトラクション式エレベータ

ルギーの合計は，[7]〔J〕となる．

〈[6]及び[7]の解答群〉

ア $(M+L+m)v$　　イ $(M+L-m)v$　　ウ $\frac{1}{2}(M+L+m)v^2$

エ $\frac{1}{2}(M+L-m)v^2$　　オ $J_1\omega_1+J_2\omega_2$　　カ $J_1\omega_1{}^2+J_2\omega_2{}^2$

キ $\frac{1}{2}J_1\omega_1{}^2+\frac{1}{2}J_2\omega_2{}^2$　　ク $\frac{1}{2}(J_1+J_2)(\omega_1{}^2+\omega_2{}^2)$

2) エレベータの速度 v と綱車の回転角速度 ω_1 の関係は，$v=r\omega_1$ で表され，一方，綱車の回転角速度 ω_1 と電動機の回転角速度 ω_2 の関係は，$\omega_1=\frac{\omega_2}{k}$ で表される．したがって，このエレベータに関するすべての運動エネルギーの合計 E〔J〕は，$E=\frac{1}{2}J\omega_2{}^2$ として表すことができる．ただし，$J=$[8]〔kg・m²〕である．

〈[8]の解答群〉

ア $\frac{1}{k}J_1+J_2+\frac{r}{k}(M+L-m)$　　イ $\frac{1}{k}J_1+J_2+\frac{r}{k}(M+L+m)$

ウ $\frac{1}{k^2}J_1+J_2+(M+L+m)\left(\frac{r}{k}\right)^2$　　エ $\frac{1}{k^2}J_1+J_2+(M+L-m)\left(\frac{r}{k}\right)^2$

3) かごを吊り上げる方向を正として電動機の発生トルク T_m〔N・m〕を考えるとき，電動機軸に換算したエレベータの運動方程式は，次式で表される．

$$J\frac{\mathrm{d}\omega_2}{\mathrm{d}t}=T_m-\frac{r}{k}(M+L-m)g$$

ただし，g〔m/s²〕は重力の加速度とする．

このとき，電動機の回転角速度 ω_2 とエレベータの速度 v との関係から，エレベータの加速度 ω は，$\omega=$[9]〔m/s²〕として求めることができる．

〈[9]の解答群〉

ア $\frac{1}{J}\{T_m-(M+L+m)g\}$　　イ $\frac{1}{J}\left\{T_m-\frac{r}{k}(M+L-m)g\right\}$

ウ $\frac{1}{J}\left\{\frac{r}{k}T_m-\left(\frac{r}{k}\right)^2(M+L+m)g\right\}$　　エ $\frac{1}{J}\left\{\frac{r}{k}T_m-\left(\frac{r}{k}\right)^2(M+L-m)g\right\}$

4) かごと荷重の質量合計と，釣合いおもりの質量が等しく釣り合っているとき，すなわち，$M+L=m$ のとき，電動機のトルク T_m とエレベータの加速度 α の関係は，$T_m=$ [10] 〔N・m〕で表される．

〈[10] の解答群〉

ア 0　**イ** $\left\{\frac{1}{k}J_1+kJ_2\right\}\frac{\alpha}{r}$　**ウ** $\left(\frac{1}{rk}J_1+\frac{k}{r}J_2+\frac{2r}{k}m\right)\alpha$

エ $\left\{\frac{1}{rk}J_1+J_2+2m\left(\frac{r}{k}\right)^2\right\}\alpha$

5) エレベータの上昇時に加速や減速させるとき，あるいは，エレベータの下降時に加速や減速させるときに，綱車には大きなトルクを必要とする．かごと荷重の質量合計と，釣合いおもりの質量が等しく釣り合っている（$M+L=m$）とき，必要トルクの絶対値が最大となるのは [11] するときである．

〈[11] の解答群〉

ア 上昇中に最大加速　**イ** 上昇中に最大減速　**ウ** 下降中に最大加速

エ 下降中に最大減速　**オ** 上昇・下降に関係なく最大加速もしくは最大減速

問題12（電動力応用）

次の各文章の [A | ab] ～ [L | a.bc] に当てはまる数値を計算し，その結果を答えよ．ただし，解答は解答すべき数値の最小位の一つ下の位で四捨五入すること．（配点計50点）

車輪駆動で水平な軌道を走行する製品搬送装置において，荷重を含めて全質量が100 kgの搬送機が，200 mの距離を，停止状態から等加速度で加速し，一定速度走行をした後，等加速度で減速し停止することを考える．ここで，減速時は，駆動に用いる電動機において，加速時の駆動力と同じ大きさの回生制動力が働き，全てが回生されることとし，走行抵抗力は速度によらず10 Nで一定とする．なお，車輪などの回転体の慣性モーメント，及び搬送機の長さは無視する．また，駆動用電動機から駆動系への駆動力の伝達効率は100 %とする．

(1) まず，図1に示すような時間と速度特性で運転される場合について考える．このとき，減速時には，回生制動力に機械制動力を加えた制動力を働かせる．

1) 搬送装置の始点から終点までの運転時間を求める．ここで，加速時間を t_1〔s〕，定速走行時間を t_2〔s〕，減速時間を t_3〔s〕とする．

まず，加速時間 t_1 は，加速度 $\alpha_1=1$ m/s^2 と，定速に達したときの速度 $v_c=10$ m/s から，10 sと求められ，α_1 と t_1 から，加速中に走行した距離50 mが求められる．

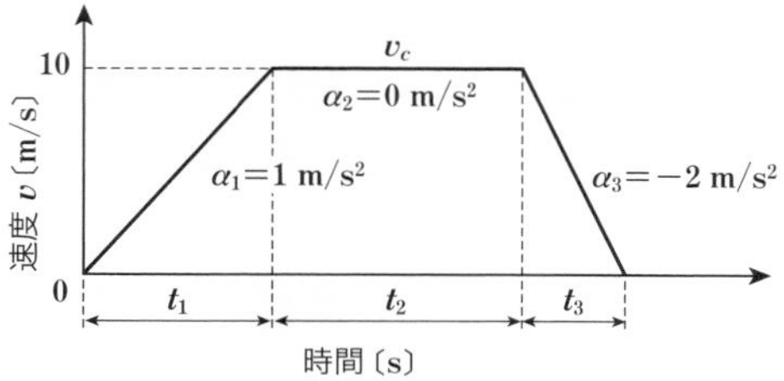

図 1　回生制動力と機械制動力で減速する場合の時間と速度特性の概念図

同様に，減速時間 t_3 は，加速度 $\alpha_3=-2$ m/s^2（減速）と v_c から求められ，α_3 と t_3 から減速中に走行した距離 [**A** ab]〔m〕が求められ0る．

また，定速走行時間 t_2 は，v_c と，全体走行距離 **200 m** から加減速区間の走行距離を減じた距離から求められる．

これらより，求める運転時間は，$t_1+t_2+t_3=$ [**B** ab.c]〔s〕である．

2）加速時の電動機の駆動力は [**C** abc]〔N〕，定速走行時の電動機の駆動力は [**D** ab]〔N〕，回生制動力に機械制動力を加えた減速時の制動力の大きさは，[**E** abc]〔N〕である．

3）加速中に電動機が供給したエネルギーは [**F** a.bc]〔kJ〕，一定速度で走行している間に電動機が供給したエネルギーは [**G** a.bc]〔kJ〕となる．一方，減速時の電動機の回生制動力が加速時の電動機の駆動力と大きさが同じことから，減速時に電動機が回収した回生エネルギーは [**H** a.bc]〔kJ〕となる．したがって，始点から終点までの移動中に電動機が供給したエネルギー収支の合計は最終的に **4 kJ** となる．

(2) 次に，図 2 に示すような時間と速度特性のように，減速時に機械制動力を加えずに減速するよう搬送機の運転方法を改めた場合の省エネルギー効果について考える．

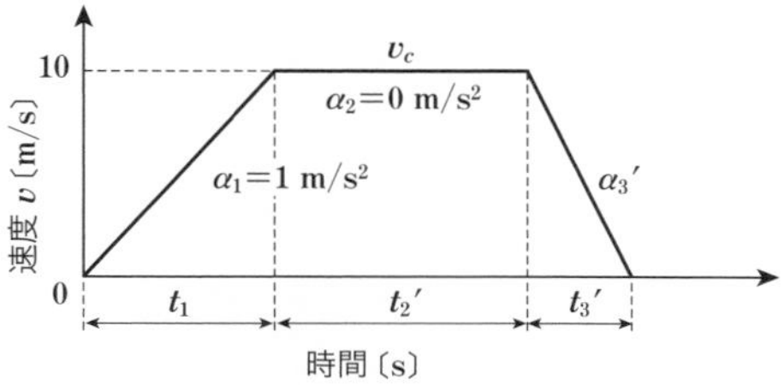

図 2　機械制動力を加えずに減速する場合の時間と速度特性の概念図

1）搬送装置の始点から終点までの運転時間を求める．ここで，加速時間は t_1〔s〕で(1)と変わらず，定速走行時間を t_2'〔s〕，減速時間を t_3'〔s〕とする．

制動力は，(1) 2) で求めた加速時の電動機の駆動力に等しい回生制動力に走行抵抗力を加えた力となることから，減速時の加速度は $\alpha_3{}'=-$ [I a.b]〔m/s^2〕となる．したがって，(1)と同様の手順で減速時間 $t_3{}'$ が求められ，減速中に走行した距離が求められる．

加速時の走行距離 50 m と，減速時の走行距離から，定速走行距離は [J abc]〔m〕となり，速度 v_c から $t_2{}'$ が求められる．

これらより，求める運転時間は，$t_1+t_2{}'+t_3{}'=$ [K ab.c]〔s〕である．

2) 以上から，機械制動力を加えずに減速することにより，始点から終点までの移動中に電動機が供給したエネルギー収支の合計は，(1)と同様な手順で計算すると [L a.bc]〔kJ〕となり，大幅な省エネルギーが可能となることが分かる．

問題 13（電気加熱 － 選択問題）

次の各問に答えよ．（配点計 50 点）

(1) 次の各文章の [1] ～ [5] の中に入れるべき最も適切な字句を〈[1] ～ [5] の解答群〉から選び，その記号を答えよ．

1) 電気加熱は，燃焼加熱では必要となる [1] を用いない加熱方法である．また，排ガスを伴わないクリーンな加熱ができること，燃焼加熱ではできない [2] が可能であり，周囲温度が燃焼炉ほど高くならないことなどから，一般には環境性に優れている．

2) [3] 溶接は，スポット溶接機などに用いられ，一般的にアーク溶接よりも温度が低く，かつ [4] で行われるため，加熱の影響を接合部の近傍に限ることができ，変形や残留応力が少ない利点をもっている．

3) 低周波誘導加熱では，商用周波数の単相コイルが用いられる．この場合，電源側に対する逆相成分の低減対策として，コンデンサとリアクトルから成る [5] を用いることがある．

〈[1] ～ [5] の解答群〉

ア MIG	**イ** ジュール熱	**ウ** 外部加熱	**エ** 内部加熱
オ 酸素	**カ** 小容量	**キ** 自動電圧調整装置	**ク** 相平衡装置
ケ 耐火物	**コ** 短時間	**サ** 低温加熱	**シ** 抵抗
ス 突合せ	**セ** 力率改善装置	**ソ** 連続通電	

(2) 次の各文章の [6] ～ [10] の中に入れるべき最も適切な字句を〈[6] ～ [10] の解答群〉から選び，その記号を答えよ．

1)　赤外加熱を用いた誘電体の加熱では，[6] よりも波長が長い赤外放射が用いられる．被加熱材は照射された赤外の電磁波エネルギーを [7] するが，そのエネルギーのほとんどは熱に変換される．

2)　電気加熱設備上の省エネルギー対策としては，設備の [8] 化が挙げられる．これにより，急速加熱や，加熱時間の短縮などが可能となり，相対的に熱損失が減少し効率が向上する．

3)　加熱炉においては，炉壁面からの放熱損失をできるだけ小さくする炉壁の構成材料の選定が重要であるが，間欠操業の加熱炉では，さらに炉の熱容量を小さくするために，比熱や [9] の小さい材料が使用される．このような材料として [10] などが適している．

〈[6] ～ [10] の解答群〉

ア	グラスウール	**イ**	セラミックファイバ	**ウ**	れんが	**エ**	マイクロ波
オ	ミリ波	**カ**	可視光	**キ**	吸収	**ク**	透過
ケ	反射	**コ**	高電力	**サ**	高力率	**シ**	小容量
ス	絶縁抵抗	**セ**	熱抵抗	**ソ**	密度		

(3)　次の各文章の [11] ～ [14] の中に入れるべき最も適切な数値を〈[11] ～ [14] の解答群〉から選び，その記号を答えよ．

質量 650 kg の金属を 45 分間で 20 °C から 1 200 °C まで加熱する抵抗炉がある．この抵抗炉は熱的に安定した状態であり，炉からの熱損失は 35 kW である．このときの加熱用電源は，抵抗炉の入力端での電力が 300 kW，電気効率が 90% でそれぞれ一定とする．

この抵抗炉について，熱損失を改善する場合について考える．

1)　抵抗炉の入力端における原単位は [11]〔kW·h/kg〕である．

2)　熱損失が 35 kW のときの被加熱物である金属の加熱正味熱量は [12]〔kW·h〕であり，その比熱は [13]〔kJ/(kg·K)〕である．なお，比熱は温度に関わらず一定とする．

3)　省エネルギー対策を施した結果，炉からの熱損失を 22 kW に低減することができた．このとき，同じ昇温条件での加熱時間は [14] 分に短縮される．

〈[11] ～ [14] の解答群〉

ア	0.306	**イ**	0.346	**ウ**	0.408	**エ**	0.827	**オ**	1.122	**カ**	1.244
キ	42.6	**ク**	42.9	**ケ**	43.1	**コ**	176	**サ**	239	**シ**	265

問題14（電気化学 － 選択問題）

次の各問に答えよ．（配点計50点）

⑴ 次の文章の［1］～［5］の中に入れるべき最も適切な字句又は記述を〈［1］～［5］の解答群〉から選び，その記号を答えよ．

燃料電池は，水素，アルコールなどの燃料を，電極触媒を用いて［1］で電気化学的に酸化させ，もう一方の電極で［2］を酸化剤として還元させることにより，［3］へ直接変換して取り出す装置である．

燃料電池は動作温度により，低・中温形，高温形，超高温形に分けられる．650 °C付近で液体電解質を用いて作動させるものとして［4］燃料電池があり，それ以上で1 000 °C程度までの温度で作動させるものとして，酸化ジルコニウム系の電解質を用いた［5］燃料電池がある．

〈［1］～［5］の解答群〉

ア アノード　**イ** カソード　**ウ** ヒドラジン　**エ** 酸素
オ 直接形メタノール　**カ** 電解液　**キ** 二酸化炭素　**ク** 水
ケ 固体酸化物形　**コ** 溶融炭酸塩形　**サ** リン酸形
シ 化学エネルギーを電気エネルギー　**ス** 電気エネルギーを化学エネルギー
セ 電気エネルギーを熱エネルギー

⑵ 次の文章の［6］～［10］の中に入れるべき最も適切な字句又は数値を〈［6］～［10］の解答群〉から選び，その記号を答えよ．

また，［A｜a.bc×10^{d}］～［C｜a.bc×10^{d}］に当てはまる数値を計算し，その結果を答えよ．ただし，解答は解答すべき数値の最小位の一つ下の位で四捨五入すること．ここで，水素の原子量は1，酸素の原子量は16，ファラデー定数は26.8 A·h/molとする．

水を電気分解すると水素と酸素が得られる．ここで得られた水素は化学原料として古くから用いられているが，近年は，再生可能エネルギーである太陽エネルギー，風力エネルギーなどの，変動するエネルギーを水素に変換して利用することも注目されている．

この水の電気分解では，電極としては鉄あるいはニッケル金属が，電解質としてはアルカリ電解質を用いるものが多く利用され，［6］あるいは水酸化ナトリウムの水溶液が用いられる．ここでは，水を電気エネルギーにより［7］して水素を得ている．

電気分解に用いる電気エネルギーを考えるとき，電極反応に直接関与する電子数が重要な要素であり，水素1分子生成に関与する電子は［8］個である．また，得られる水素の物質量は，供給した電気量に比例し，電気分解の際の［9］の法則が成り立つ．水の電気分解で水素と同時に得られる酸素は物質量（モル数）にして水素の［10］倍となる．

いま，水の電気分解で水素 1 t を製造することを考える．水素 1 t は 500 kmol であり，水素 1 t を製造するのに必要な理論電気量は［A a.bc×10^d］〔kA・h〕である．この電解条件での理論電圧が 1.20 V であるとき，水素 1 t を製造するのに必要な理論電気エネルギーは［B a.bc×10^d］〔kW・h〕である．また，この電解槽の運転電圧が 1.84 V であるとき，この電解槽の電圧効率は［C a.bc×10^d］〔%〕となる．

〈［6］～［10］の解答群〉

ア 0.5　**イ** 1　**ウ** 2　**エ** 4　**オ** 8　**カ** 16
キ アンペール　**ク** キルヒホッフ　**ケ** ネルンスト　**コ** ファラデー
サ 塩化ナトリウム　**シ** 水酸化カリウム　**ス** 還元　**セ** 酸化　**ソ** 中和

問題 15（照明 ― 選択問題）

次の各問に答えよ．（配点計 50 点）

(1) 次の各文章の［1］～［3］の中に入れるべき最も適切な数値を〈［1］～［3］の解答群〉から選び，その記号を答えよ．

また，［A abc］及び［B a.b］に当てはまる数値を計算し，その結果を答えよ．ただし，解答は解答すべき数値の最小位の一つ下の位で四捨五入すること．

1) あらゆる方向への光度が等しい同じ特性の 2 つの光源 L_1 及び L_2 が，共に床面からの高さ 5 m，間隔 20 m で設置されている．光源 L_1 の直下の床面の位置 A と光源 L_2 の直下の床面の位置 B の中点 P で，A 方向に向けて鉛直面照度を測定したところ 500 lx であった．このとき，P 点での水平面照度は［A abc］〔lx〕である．

2) 直管形蛍光ランプのランプ効率が 84 lm/W，全光束が 3 100 lm，総合効率が 70 lm/W であるときの，安定器の損失電力は［B a.b］〔W〕となる．

3) 半径 2 m の円形テーブルがあり，その中心直上 1.5 m の位置に，あらゆる方向に同じ光度を有する光源が設置されている．テーブル上の平均照度を 350 lx にしたい．このとき，光源の光度は［1］〔cd〕である．なお，光源を頂点とし半頂角を θ とする円錐の立体角は $2\pi(1-\cos\theta)$〔sr〕で表される．

4) 間口 10 m，奥行き 15 m，高さ 3.85 m の作業部屋の天井面に，埋込形ルーバ蛍光ランプ 40 W 2 灯用（1 灯のランプ光束 4 000 lm）の器具を設置して，床面からの高さ 0.85 m の作業面での平均照度を 500 lx にしたい．光束法による照度計算を用いると，このとき

照明率表

反射率	天井	70 %		
	壁	70 %	50 %	30 %
	床	30 %		
室指数		照明率		
0.6		0.32	0.28	0.24
0.8		0.40	0.36	0.36
1.0		0.45	0.41	0.37
1.25		0.49	0.45	0.41
1.5		0.53	0.49	0.45
2.0		0.56	0.53	0.50
2.5		0.59	0.56	0.53
3.0		0.60	0.57	0.56
4.0		0.63	0.60	0.57
5.0		0.64	0.62	0.60

の室指数は［2］であり，照明器具の必要台数は［3］台となる．ただし，この部屋の反射率は天井 70 %，壁 50 %，床 30 % として，照明率は照明率表より求めること．また，照明器具の保守率は 0.66 とする．

〈［1］～［3］の解答群〉

ア 0.6　**イ** 1.5　**ウ** 2.0　**エ** 27　**オ** 29　**カ** 51

キ 1 167　**ク** 1 750　**ケ** 2 800

⑵ 次の各文章の［4］～［8］の中に入れるべき最も適切な字句又は数値を〈［4］～［8］の解答群〉から選び，その記号を答えよ．

1）光源の寿命は，光源が点灯しなくなるか，又は光源の［4］が規定された値に減少するまでの時間である．

2）配光特性は，ランプや照明器具から発散する光の，角度の変化に対する［5］の変化状態を示したものである．

3）光束は，放射束（放射パワー）を，標準分光視感効率と［6］に基づいて評価した量である．

4）色温度は，光源の光色を表す数値であり，昼白色の電球形 LED ランプでは［7］〔K〕程度である．

5）LED 照明器具では，光源である LED モジュールを点灯するために，制御装置（電源回路）が必要である．また，光源部を交換できないタイプが主流であることから，照明器具から発する全光束を照明器具の定格消費電力で除した値である，「LED 照明器具の［8］

効率」を用いて評価することが一般的である.

〈 4 ～ 8 の解答群〉

ア 4 200	イ 5 000	ウ 6 700	エ 輝度
オ 光束維持率	カ 光束発散度	キ 光束密度	ク 光度
ケ 最大視感効果度	コ 照度	サ 絶対応答度	シ 分光応答度
ス 外部量子	セ 固有エネルギー消費		ソ 絶対

IV

問題 16（空気調和 － 選択問題）

次の各問に答えよ.（配点計 50 点）

(1) 次の各文章の 1 ～ 10 の中に入れるべき最も適切な字句又は記述をそれぞれの解答群から選び，その記号を答えよ．なお， 3 は 3 箇所あるが，同じ記号が入る.

1) 冷凍機の成績係数は，冷媒の 1 温度が高いほど大きくなり，一方， 2 温度が低いほど大きくなる．したがって，冷凍機の冷水出口温度を 3 れば省エネルギーになるので，例えば， 4 期間にそれを実施すれば，冷房環境に支障を与えることなく省エネルギーが可能となる.

2) 冷凍機の冷水出口温度を 3 ると，配管や，蓄熱槽がある場合は蓄熱槽からの 5 することにより，更に省エネルギー上は優位に働く.

3) 冷凍機の二次側システムを併せて考えると，二次側が 6 方式の場合は，冷水温度を 3 ることによって，システム全体としても省エネルギーになるが，一方， 7 方式の場合は， 8 するためにポンプ用エネルギーが増大し，システム全体としてのエネルギー消費量が大きくなる場合がある.

このように，省エネルギーを考えるときは，単に熱源の効率化だけではなく，空調システム全体としての総合的なエネルギー効率の向上を図ることが必要である.

〈 1 ～ 8 の解答群〉

ア ピーク負荷	イ 凝縮	ウ 蒸発	エ 飽和
オ 軽負荷	カ 蓄熱運転	キ 出口圧制御	ク 末端圧制御
ケ 定流量	コ 変流量	サ 上げ	シ 下げ
ス 圧力が増大	セ 圧力が低下	ソ 送水量が増大	タ 送水量が減少
チ 熱取得が増加	ツ 熱取得が減少		

4) 冷凍機の熱交換器部分の管の汚れは， 9 の低下や 10 が起こる原因になるので，管の汚れが考えられるときには，冷凍機の凝縮器，蒸発器その他の熱交換器の清掃を行

うと良い．

〈 9 及び 10 の解答群〉

ア サージング　**イ** ドラフト　**ウ** ハンチング　**エ** 消費電力

オ 成績係数　**カ** 配管抵抗

(2) 次の各文章の 11 ～ 25 の中に入れるべき最も適切な字句，数値又は式をそれぞれの解答群から選び，その記号を答えよ．なお， 25 は 2 箇所あるが，同じ記号が入る．

1) 事務所ビルなどの室内環境基準としては，「建築基準法」や「建築物における衛生的環境の確保に関する法律」（略称：建築物衛生法）において，気温 11 〔°C〕，相対湿度 12 〔%〕，CO 濃度 13 〔ppm〕以下，CO_2 濃度 14 〔ppm〕以下，などと定められている．

2) 実際の空調設計用室内温湿度としては，一般に，夏期は気温 15 〔°C〕前後，相対湿度 16 〔%〕前後，冬期は気温 17 〔°C〕前後，相対湿度 18 〔%〕前後が用いられる．

〈 11 ～ 18 の解答群〉

ア 0.1　**イ** 1　**ウ** 10　**エ** 100　**オ** 1 000

カ 10 000　**キ** 15 ～ 30　**ク** 17 ～ 28　**ケ** 20 ～ 22　**コ** 25 ～ 27

サ 40 ～ 50　**シ** 40 ～ 70　**ス** 50 ～ 60　**セ** 60 ～ 80

3) 夏期の冷房運用時，政府が提唱するクールビズでは，室温 19 〔°C〕が推奨値となっている．

高い気温で快適性を維持するには，ある程度湿度を低く保つことが求められ，特に放射冷房を行う場合は， 20 を生じさせないという観点からも，低湿に保つ必要があるが，過度な除湿はエネルギー消費量を増大させる．

除湿方法のうち，除湿剤を用いた 21 方式は，除湿剤の 22 に廃熱が利用できるという省エネルギー上の利点を持つことで近年注目されている．

〈 19 ～ 22 の解答群〉

ア 28　**イ** 29　**ウ** 30　**エ** デシカント　**オ** ヒートショック

カ 外気冷房　**キ** 加湿　**ク** 結露　**ケ** 再生　**コ** 上下温度分布

サ 排出　**シ** 冷却再熱

4) 冬期の暖房運用時，全空気式の空調方式に放射暖房を併用すれば，室温は少し低めでも放射効果により快適な温熱感を得ることができる．放射効果に相当する分の循環風量を減らせば 23 も低減されることで快適性はより向上することが期待できる．

一方，室内の相対湿度は，主に外気の導入により低くなるため加湿が必要となる．全空気式の空調方式の場合，より効果的な加湿場所は，一般に 24 である．

5） 近年，大気中の 25 濃度が高まっているため，室内 25 濃度の基準達成のために外気を導入する場合には，従来に増してきめ細かな配慮が必要である．

〈 23 ～ 25 の解答群〉

ア O_2　**イ** CO　**ウ** CO_2　**エ** ドラフト感　**オ** 外気導入量

カ 浮遊粉じん量　**キ** 外気と還気の混合部以降　**ク** 取り入れた外気部

ケ 排気部

解答・指導

問題1

(1)　1―ス，2―オ，3―ア，4―ク

(2)　5―キ，6―タ，7―シ，8―サ

(3)　9―ア，10―シ，11―コ，12―チ

【指導】

(1)　1)　法第5条第1項では，「…当該目標を達成するために計画的に取り組むべき措置に関し，…」と規定されている．

また，同条第3項では，「…電気の需要の最適化に資する措置の適切かつ…」と規定されている．

2)　法第11条では，「…エネルギーの使用の方法の改善及び監視その他…」と規定されている．

3)　法第17条第1項では，「…判断の基準となるべき事項に照らして著しく不十分であると認めるときは，…」と規定されている．

(2)　法第2条，令第1条，則第4条において，エネルギーの使用量は，使用した燃料の量，他人から供給された熱・電気の量が対象とされる．この事業所全体でのエネルギーの使用量は，cの木材チップが燃料から除外（法第2条参照）されるので，原油換算量は，0.0258〔kL/GJ〕を考慮して，

$$(50\,000+60\,000+11\,000+40\,000+20\,000+8\,000)\times 0.0258=4\,876.2\fallingdotseq 4\,876\,〔\mathrm{kL}〕$$

①　圧延工場の原油換算量は，

$$(50\,000+60\,000+11\,000)\times 0.0258=3\,121.8\,〔\mathrm{kL}〕$$

であるので，第1種エネルギー管理指定工場となる(法第10条第1項，令第3条参照).

②　精整加工工場の原油換算量は，

$$(40\,000+20\,000)\times 0.0258=1\,548\,〔\mathrm{kL}〕$$

であるので，第2種エネルギー管理指定工場となる（法第13条第1項，令第6条参照).

また，この圧延工場については，エネルギー管理者1名（令第4条参照），精整加工工場については，エネルギー管理員（法第14条第2項参照）の選任が義務付けられている．

(3)　1)　則第37条では，aのエネルギーの種類別の価格は，規定されていない．

2)　法第 149 条第 1 項では，「…そのエネルギー消費性能又はエネルギー消費関係性能の向上に関し…」と規定されている．

また，特定エネルギー消費機器は令第 18 条で定められ，「変圧器」が含まれている．

3)　法第 166 条第 1 項では，「…その設置している工場等における業務の状況に関し報告させ…」と規定されている．

問題2　(1)　1 — オ，2 — イ

(2)　3 — ウ，A — 1.0×10^5

(3)　B — 5.5×10^2，(4)　4 — イ，5 — ア，6 — ウ，7 — カ，8 — シ，9 — セ，10 — ス

【指導】

(1)　最近の化石燃料を用いたエネルギー価格は，安い順に石炭→天然ガス→原油となっている．

ごく最近，米国で生産されるようになったシェールガスは，シェール（頁岩）と呼ばれる地層から取り出された天然ガスのことである．

(2)　SI 単位系は長さ（m），質量（kg），時間（s），電流（A），熱力学温度（K），光度（cd）および物質量（mol）の 7 個の量を基本単位としている．また，平面角（rad）および立体角（sr）の二つを補助単位としている．

上記の九つの単位によりすべての物理量を表すことができる．

大気圧の平均は，おおよそ 1 000〔hPa〕と表される．

h（ヘクト）は，数の大きさを表す接頭語で，10^2 を表す．よって，

$$1\,000\,[\mathrm{hPa}] = 1\,000 \times 10^2\,[\mathrm{Pa}] = 1.0 \times 10^5\,[\mathrm{Pa}]$$

となる．

(3)　電圧 1.5〔V〕，容量 1 000〔mA・h〕の乾電池の電気エネルギーを W_1〔J〕とすると，1〔h〕= 3 600〔s〕，〔mA〕= 10^{-3}〔A〕より，

$$W_1 = 1.5 \times 1\,000 \times 10^{-3} \times 3\,600 = 5\,400\,[\mathrm{W \cdot s}] = 5\,400\,[\mathrm{J}]$$

となる．

1〔kg〕の物体が h〔m〕の高さにあるときの位置エネルギーを W_2〔J〕とすると，

$$W_2 = mgh$$

m〔kg〕，$g = 9.8$〔m/s²〕，h〔m〕より，

$$W_2 = 1 \times 9.8 \times h = W_1 = 5\,400\,[\mathrm{J}]$$

となる．よって，高さh〔m〕は，

$$h=\frac{5\,400}{9.8}\fallingdotseq 551〔\mathrm{m}〕\fallingdotseq 5.5\times10^2〔\mathrm{m}〕$$

⑷　従来，わが国の電力供給は，原子力発電をベースに火力発電や水力発電が負荷変動にも対応する役割を担っていた．

電気需要の平準化のため，工場のような大口需要家では電気の使用を熱の使用へ転換することが求められている．蓄電池の導入や，熱と電気を利用できる燃料電池，電気自動車にも蓄電池と同様に深夜電力を蓄電して昼間放電（使用）させることができる．

問題3　1―オ，2―ケ，3―ア，A―12.6，B―1.19×10^2，C―25，4―イ，5―エ，6―オ，7―ア，D―3.86×10^5，8―オ，9―ウ，E―80，F―84，G―1.14×10^3，10―イ，11―オ，12―エ，13―イ

【指導】

⑴「工場等判断基準」の「基準部分（工場）」は，事業者が遵守すべき基準を示したもので，以下の6分野からなる．

①　燃料の燃焼の合理化

②　加熱及び冷却並びに伝熱の合理化

③　廃熱の回収利用

④　熱の動力等への変換の合理化

⑤　放射，伝導，抵抗等によるエネルギーの損失の防止

⑥　電気の動力，熱等への変換の合理化

また，「エネルギーの使用の合理化の目標及び計画的に取り組むべき措置」では，その設置している全ての工場等におけるエネルギー消費原単位及び電気需要最適化評価原単位を管理することと，それらを中長期的に見て年平均1〔%〕以上低減させることを目標として，技術的かつ経済的に可能な範囲内でその目標の実現に努めることを求めている．

ここで，エネルギー消費原単位とは，単位量の製品を生産するのに必要な電気･熱（燃料）などエネルギー消費量のことをいう．

⑵「工場等判断基準」の「目標及び措置部分（工場）」では，バーナの更新･新設に当たっては，リジェネレイティブバーナなどの熱交換器と一体となったバーナを採用することの検討（熱効率向上が可能なとき）が求められている．リジェネレイティブバーナは，蓄熱体を組み込んだ2台の小形化されたバーナを交互に運転させて，燃焼排ガスで燃焼用空気を予熱

するシステムである．

⑶　求める乾き飽和蒸気の質量を m〔kg〕とすると，次式が成立する．

$$(209.3-83.9)\times 250=(2\,706.2-209.3)\times m$$

$$\therefore \quad m=12.56\fallingdotseq 12.6\text{〔kg〕}$$

⑷　必要な熱量 Q〔kJ〕は，

$$Q=4.18\times 50\times(100-70)+2\,257\times 50=119\,120\text{〔kJ〕}\fallingdotseq 119\text{〔MJ〕}\rightarrow 1.19\times 10^2\text{〔MJ〕}$$

となる．

⑸　**第1図**に示す平板物体において，単位面積当たりの熱流 Q〔W/m^2〕は，平板の温度差 $\theta_1-\theta_2$〔°C〕に比例し，厚さ d〔m〕に反比例する．

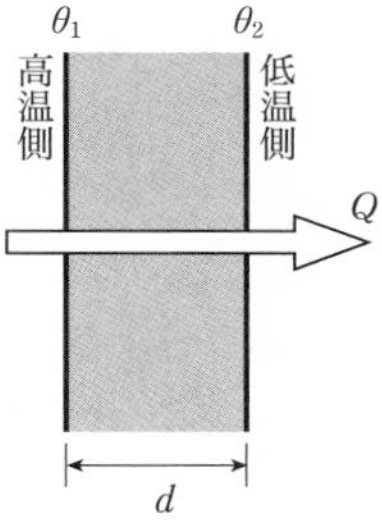

第1図

$$Q=\lambda\frac{\theta_1-\theta_2}{d}\text{〔W/m}^2\text{〕}$$

ここで，λ は物体で決まる熱伝導率である．この式に題意の数値を代入すると，

$$Q=0.25\times\frac{60-30}{0.3}=25\text{〔W/m}^2\text{〕}$$

となる．

⑹　「工場等判断基準」の「基準部分(工場)」では，廃熱回収に廃熱を輸送する煙道，管などを新設・更新する場合には，空気の侵入の防止，断熱の強化などを講じることを求めている．

⑺　「工場等判断基準」の「基準部分（工場)」では，熱利用設備を新設・更新する場合には，開口部については，開口部の縮小又は密閉，二重扉の取付けなど，放散及び空気の流出入による熱の損失を防止することを求めている．

⑻　「工場等判断基準」の「基準部分（工場)」では，熱利用設備を新設・更新する場合には，熱媒体を輸送する配管の径路の合理化，熱源設備の分散化などにより放熱する面積を低減することを求めている．

⑼　「工場等判断基準」の「基準部分（工場)」では，ボイラへの給水は，伝熱管へのスケールの付着及びスラッジなどの沈殿を防止するよう，水質に関する管理標準を設定して行うことを求めている．

ここで，スケールとは，ボイラ給水中に含まれているカルシウムやマグネシウム等の不純物が配管内に付着したものをいう．スケールの熱伝導率は，鋼管に比べて非常に小さい値であるため，断熱材として作用し，ボイラ給水への熱伝達が不十分となるので，ボイラ効率は低下することになる．

⑽　求める年間発電端発生電力量を P〔GW・h〕とすると，次式が成立する．

$$90\,000\times 39.1\times 0.395 = P\times 3\,600$$

$$\therefore\quad P\fallingdotseq 386\,〔\mathrm{GW\cdot h}〕\to 3.86\times 10^{5}\,〔\mathrm{MW\cdot h}〕$$

⑾　平成 27 年度以降の国内向けに出荷する業務用のエアコンディショナでは，エネルギー消費効率として APF と呼ばれる通年エネルギー消費効率を用いることが定められている．

APF とは，「年間の冷暖房に使用した入力エネルギー量に対する年間の発揮した能力のエネルギー量」で定義され，無名数である．

このエアコンディショナの基準エネルギー消費効率の値は，冷房能力などにより異なるが，3.9 〜 6.0 の範囲としている．

⑿　有効電力を P〔kW〕，無効電力を Q〔kvar〕，力率を $\cos\theta$ とすると次式となる．

$$\cos\theta=\frac{P}{\sqrt{P^2+Q^2}}=\frac{40}{\sqrt{40^2+30^2}}=0.8\to 80\,〔\%〕$$

⒀　所要動力 P〔kW〕は，

$$P=\omega T=\frac{2\pi n}{60}T=\frac{2\times 3.14\times 720}{60}\times 1=75.36\,〔\mathrm{kW}〕$$

所要電力 P_0〔kW〕は，電動機効率を η とすると次のように求まる．

$$P_0=\frac{P}{\eta}=\frac{75.36}{0.9}\fallingdotseq 83.7\fallingdotseq 84\,〔\mathrm{kW}〕$$

⒁　求める平均電力を P〔kW〕とすると，$20\,〔\mathrm{min}〕=\frac{1}{3}\,〔\mathrm{h}〕$ であるから，

$$1\,200\,〔\mathrm{kW}〕\times 1\,〔\mathrm{h}〕=820\,〔\mathrm{kW\cdot h}〕+P\,〔\mathrm{kW}〕\times\frac{1}{3}\,〔\mathrm{h}〕$$

$$\therefore\quad P=380\times 3=1\,140\,〔\mathrm{kW}〕\to 1.14\times 10^{3}\,〔\mathrm{kW}〕$$

となる．

⒂　線間電圧を V〔V〕，線電流を I〔A〕，力率を $\cos\theta$ とすると，三相電力 P_3〔W〕と，単相電力 P_1〔W〕は，それぞれ，次のようになる．

$$P_3=\sqrt{3}\,VI\cos\theta\,〔\mathrm{W}〕$$

$$P_1=VI\cos\theta\,〔\mathrm{W}〕$$

$$\therefore\quad \frac{P_3}{P_1}=\frac{\sqrt{3}VI\cos\theta}{VI\cos\theta}=\sqrt{3}$$

⒃　同期速度 N_s〔min^{-1}〕は

$$N_s=\frac{120f}{p}\text{〔min}^{-1}\text{〕}$$

よって，回転速度 N〔min^{-1}〕は

$$N=(1-s)N_s=\frac{120f(1-s)}{p}\text{〔min}^{-1}\text{〕}$$

となる．

⒄　「工場等判断基準」の「基準部分（工場）」では，電気加熱設備及び電解設備は，配線の接続部分，開閉器の接触部分などにおける抵抗損失を低減するように保守及び点検に関する管理標準を設定し，これに基づき定期的に保守及び点検を行うことを求めている．

⒅　JIS Z 9110：2011「照明基準総則」では，事務所ビルにおける事務室の推奨照度範囲は，500 ～ 1 000〔lx〕としている．

問題4　(1)　1 ―ウ，2 ―ク，3 ―ウ，4 ―キ，5 ―サ，6 ―ア，7 ―ウ
(2)　8 ―エ，9 ―オ，10 ―イ，11 ―ス，12 ―サ

【指導】

(1)　1)　スイッチ A とスイッチ B がともに開いているので，R_1 と C_1 の直列回路である．また，$R_1=2R$〔Ω〕，$C_1=C$〔F〕より，

$$\dot{V}_{uv}=\frac{\dfrac{1}{j\omega C_1}}{R_1+\dfrac{1}{j\omega C_1}}\dot{E}=\frac{j\omega C_1\dfrac{1}{j\omega C_1}}{j\omega C_1\left(R_1+\dfrac{1}{j\omega C_1}\right)}\dot{E}=\frac{1}{1+j\omega C_1R_1}\dot{E}=\frac{1}{1+j\omega C(2R)}\dot{E}$$

$$=\frac{\dot{E}}{1+j2\omega CR}\text{〔V〕}$$

となる．

端子 u−v 間から電源側を見たインピーダンス $\dot{Z}$ は，電源 $\dot{E}$ を短絡除去した回路で R_1 と C_1 の並列回路のインピーダンスである．

$$\dot{Z}=\frac{R_1\dfrac{1}{j\omega C_1}}{R_1+\dfrac{1}{j\omega C_1}}=\frac{j\omega C_1R_1\dfrac{1}{j\omega C_1}}{j\omega C_1\left(R_1+\dfrac{1}{j\omega C_1}\right)}=\frac{R_1}{1+j\omega C_1R_1}=\frac{2R}{1+j2\omega CR}\text{〔Ω〕}$$

2)　スイッチ A が開，スイッチ B が閉のとき，抵抗 R_2 に流れる電流 $\dot{I}_{R2}$ は鳳・テブナンの定理から，

$$\dot{I}_{R2}=\frac{\dot{V}_{uv}}{\dot{Z}+R_2}=\frac{\dfrac{\dot{E}}{1+j2\omega CR}}{\dfrac{2R}{1+j2\omega CR}+R}=\frac{\dot{E}}{(1+j2\omega CR)\left(\dfrac{2R}{1+j2\omega CR}+R\right)}$$

$$=\frac{\dot{E}}{2R+R+j2\omega CR^2}=\frac{\dot{E}}{3R+j2\omega CR^2}\text{〔A〕}$$

となる．ただし，$R_2=R$ である．

抵抗 R_2 で消費される電力 P は，

$$P=\left|\dot{I}_{R2}\right|^2R_2=\left|\frac{\dot{E}}{3R+j2\omega CR^2}\right|^2R=\frac{E^2}{(3R)^2+(2\omega CR^2)^2}R=\frac{E^2}{9R^2+4(\omega C)^2R^4}R$$

$$=\frac{E^2}{9R+4(\omega C)^2R^3}=\frac{E^2}{R\{9+4(\omega C)^2R^2\}}=\frac{E^2}{R\{9+4(\omega CR)^2\}}\text{〔W〕}$$

3) スイッチAが閉，スイッチBが開のとき，u−v間すなわちコンデンサ C_1 間がスイッチAにより短絡される．

電流は，コンデンサ C_1 へは流れず，すべてスイッチAに流れる．よって，

$$\dot{I}_{C1}=0\text{〔A〕}$$

$$\dot{I}_A=\frac{\dot{E}}{R_1}=\frac{\dot{E}}{2R}\text{〔A〕}$$

となる．

(2) 1) $\dot{V}_{ab}$ を基準とすると，各線間電圧の大きさと位相は**第1図**のように表すことができる．

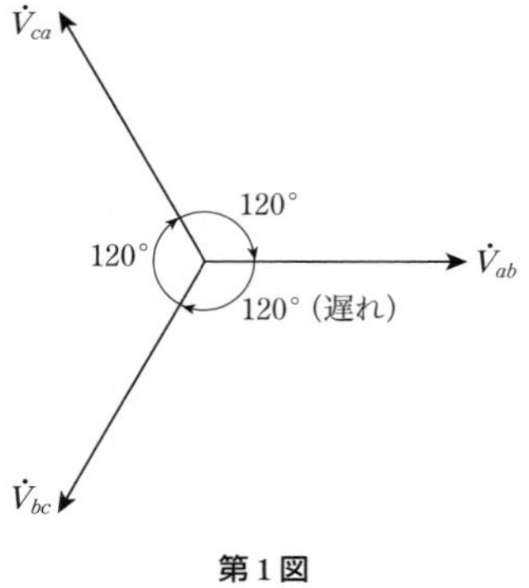

第1図

題意および第1図から，$\dot{V}_{bc}$ は $\dot{V}_{ab}$ と大きさは同じで，位相が120°遅れている．

$$\dot{V}_{bc}=\left|\dot{V}_{ab}\right|\varepsilon^{-j120°}=100\sqrt{3}\{\cos(-120°)+j\sin(-120°)\}$$

$$=100\sqrt{3}\left(-\frac{1}{2}-j\frac{\sqrt{3}}{2}\right)=-50\sqrt{3}-j50\sqrt{3}\sqrt{3}=50\sqrt{3}(-1-j\sqrt{3})$$

$$=-50\sqrt{3}(1+j\sqrt{3})\text{〔V〕}$$

$\dot{V}_{ca}$ は $\dot{V}_{ab}$ と大きさは同じで，位相が 240° 遅れている．

$$\dot{V}_{ca}=\left|\dot{V}_{ab}\right|\varepsilon^{-j240^\circ}=100\sqrt{3}\{\cos(-240^\circ)+j\sin(-240^\circ)\}$$

$$=100\sqrt{3}\left(-\frac{1}{2}+j\frac{\sqrt{3}}{2}\right)=-50\sqrt{3}+j50\sqrt{3}\sqrt{3}=-50\sqrt{3}(1-j\sqrt{3})\text{〔V〕}$$

2) 力率 $\cos\theta$ は負荷インピーダンスから，

$$\cos\theta=\frac{R}{\left|\dot{Z}\right|}=\frac{\sqrt{3}}{\sqrt{(\sqrt{3})^2+(3)^2}}=0.5$$

となる．

$$\dot{I}_{ab}=\frac{\dot{V}_{ab}}{\dot{Z}}=\frac{100\sqrt{3}}{\sqrt{3}+j3}=\frac{100\sqrt{3}(\sqrt{3}-j3)}{(\sqrt{3}+j3)(\sqrt{3}-j3)}=\frac{300(1-j\sqrt{3})}{3+9}=25(1-j\sqrt{3})\text{〔A〕}$$

$$P=3\left|\dot{V}_{ab}\right|\left|\dot{I}_{ab}\right|\cos\theta=3\times100\sqrt{3}\times25\sqrt{1+(\sqrt{3})^2}\times0.5=7\,500\sqrt{3}\text{〔W〕}$$

問題5

(1) 1 — シ，2 — ク，3 — タ，4 — オ，5 — ウ

(2) 6 — コ，7 — オ

(3) 8 — コ，9 — オ，10 — ア，A — 1.73

(4) 11 — セ，12 — ウ，13 — エ，14 — サ

【指導】

(1) 1) 微分方程式

$$Ri(t)+L\frac{\mathrm{d}i(t)}{\mathrm{d}t}=e(t) \quad (1)$$

を初期値 0 でラプラス変換する．

$$RI(s)+sLI(s)=E(s) \quad (2)$$

(2)式において，$E(s)$ を入力，$I(s)$ を出力としたときの伝達関数 $G(s)$ は，

$$I(s)=\frac{E(s)}{R+sL}$$

$$G(s)=\frac{I(s)}{E(s)}=\frac{1}{R+sL} \quad (3)$$

となる．この(3)式は一次遅れ要素と呼ばれる形をしている．

一次遅れ要素の一般形は，

$$G(s)=\frac{1}{Ts+1} \tag{4}$$

で，T を時定数と呼ぶ．(3)式を変形すると，

$$\frac{1}{R+sL}=\frac{1}{R\left(1+\dfrac{L}{R}s\right)}=\frac{\dfrac{1}{R}}{\dfrac{L}{R}s+1} \tag{5}$$

(4)式の分母と比較すると，

$$T=\frac{L}{R}$$

である．

(5)式の分子の $1/R$ はゲイン定数と呼ばれている．

2)　図2の入力 $E(s)$ にステップ入力（$e(t)=1$〔V〕）を加えると，$e(t)$ のラプラス変換 $E(s)=1/s$ のため

$$I(s)=E(s)\frac{3s}{s+2}=\frac{1}{s}\frac{3s}{s+2}=\frac{3}{s+2}$$

$$i(t)=\mathscr{L}^{-1}[I(s)]=3\varepsilon^{-2t}\text{〔A〕}$$

よって，$i(t)$ は初期値0としてステップ入力を加えた後，3〔A〕にステップ的に変化したあと，単調に減少して，ある一定値になる．ある一定値とはこの場合0〔A〕である．

(2)　③式で e^{-sL} はむだ時間要素を表している．

伝達関数の要素は，

比例要素（P），比例定数 K

積分要素（I），$\dfrac{1}{T_I s}$

微分要素（D），$T_D s$

の三つの形に分けることができる．題意から微分要素 $T_4=0$ となり，比例（P），積分（I）要素が存在するためPI制御と称している．

(3)　1ビットは1桁で0，1を表す．1バイトは8ビットであり，表すことのできる数を**第1図**に示す．

非負整数とは，最上位の桁に正，負の情報を入れずに表示するもので，8桁であれば，8桁分の数を表すことができる．

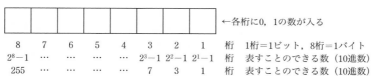

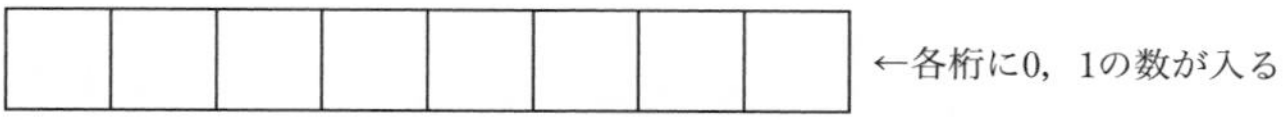

8	7	6	5	4	3	2	1	桁	1桁＝1ビット，8桁＝1バイト
2^8-1	…	…	…	…	2^3-1	2^2-1	2^1-1	桁	表すことのできる数（10進数）
255	…	…	…	…	7	3	1	桁	表すことのできる数（10進数）

第1図

1バイトは8桁なので，

$$2^8-1=256-1=255$$

となる．

650〔°C〕から10〔°C〕までのアナログデータを0.01〔°C〕刻みで量子化し，ディジタル量にする．データの最大数は，

$$(650-10)\times\frac{1}{0.01}=64\,000$$

必要な桁数は，

$$2^{16}-1=(2^8)^2-1=256^2-1=65\,535>64\,000$$

なので，

16桁＝16ビット＝2バイト

あればよい．

計測点数10点，2バイトの温度データを1秒周期で収集すると，

$$10\times2\times24\times3\,600=1.728\times10^6\fallingdotseq1.73\times10^6\ \text{バイト}$$

となる．

⑷　内部ネットワークとインターネットの間にファイアウォールと呼ばれるシステムを置く．

インターネットに公開するサーバを設置する場合は，DMZと呼ばれるセグメントを設ける．

ネットワークを通じて大量なデータを送信して，サーバやネットワークを正常に使えなくすることをDoS攻撃と呼ぶ．

コンピュータウィルスは，OSやソフトウェアのセキュリティホールから侵入し感染することが多い．

問題6　⑴　1―ウ，A―800，B―120，C―6 720，D―288，E―1.37

⑵　2―エ，3―ア，4―テ，5―セ，6―オ，7―タ，8―カ

【指導】

(1)　1)　誘導形電力量計の1〔kW・h〕当たりの回転子の回転数は，計器定数と呼ばれている．

題意より，

$$1〔kW・h〕：1\,000〔rev〕= W〔kW・h〕：400〔rev〕$$

$$\therefore \quad W=\frac{1\times 400}{1\,000}=0.4〔kW・h〕$$

一方，$W=P$〔kW〕$\times T$〔h〕より，

$$P=\frac{W}{T}=\frac{0.4}{0.5}=0.8〔kW〕=800〔W〕$$

2)　電流 I_1，電圧 V_1 および電力量 W_1 を一次側に換算すると次のようになる．

①　電流 I_1

$200：5=I_1：i_2$ より，

$$I_1=\frac{200\times i_2}{5}=\frac{200\times 3}{5}=120〔A〕$$

②　電圧 V_1

$6\,600：110=V_1：v_2$ より，

$$V_1=\frac{6\,600\times v_2}{110}=\frac{6\,600\times 112}{110}=6\,720〔V〕$$

④　電力量

一次側の電力量を W_1，二次側の電力量を W_2 とすると，

$$W_1=\sqrt{3}V_1I_1\cos\theta T$$

$$W_2=\sqrt{3}v_2i_2\cos\theta T$$

$$\frac{W_1}{W_2}=\frac{\sqrt{3}V_1I_1\cos\theta T}{\sqrt{3}v_2i_2\cos\theta T}=\frac{V_1I_1}{v_2i_2}$$

ここで，題意より W_2 は120〔kW・h〕であるから，

$$W_1=\frac{V_1I_1}{v_2i_2}W_2=\frac{6\,720\times 120}{112\times 3}\times 120=288\,000〔kW・h〕=288〔MW・h〕$$

また，このとき負荷に供給されている電力 P_1 は，

$$P_1=\sqrt{3}V_1I_1\cos\theta=1.73\times 6\,720\times 120\times 0.98=1.367\times 10^6〔W〕\fallingdotseq 1.37\times 10^3〔kW〕$$

(2)　気体や液体の流量測定においては，差圧式，渦式，超音波式などの測定方式がある．

① 差圧式は，オリフィス板などの絞り機構を利用し，流量が前後の差圧の1/2乗に比例する原理を応用している．特に気体の流量測定では，圧力や温度により，流体の密度が大きく変動するので，圧力・温度補正を行うことが重要である．

② 渦式は，流体中に柱状の物体を設置して，その下流に発生するカルマン渦の周波数を測定して，流量を求める．

③ 超音波式は，超音波の伝播速度が遅く短いという特性を利用して流速を求め，流量測定に応用している．配管の外側にセンサを取り付ける方式をクランプオン方式という．

問題7
(1) 1—ケ，2—オ，3—ウ
(2) 4—ウ，5—ア，6—ス，7—ケ，8—ア，9—キ，10—ウ
(3) A—478，B—105，C—90

【指導】

(1) 「電気設備の技術基準とその解釈」の第229条に配電系統又は分散型電源が異常となったときは，分散型電源を自動的に解列することと規定されている．

「電力品質確保に係る系統連系技術要件ガイドライン」の第3節高圧配電線との連系に，力率は85〔%〕以上かつ，系統側からみて進み力率とならないことと規定されている．

また，並解列時の瞬時電圧降下は常時電圧の10〔%〕以内と規定されている．

(2) 1) 変圧器による省エネルギー対策として，エネルギーの使用の合理化等に関する法律に規定する基準エネルギー消費効率を満足する変圧器を採用する．

負荷機器で適正な電圧が得られるための変圧器のタップを選定する．

2) わが国の配電線路の公称電圧は，高圧で3 300〔V〕および6 600〔V〕である．低圧では100〔V〕，200〔V〕，400〔V〕などがある．

例として，200〔V〕単相2線式と100〔V〕単相2線式を同じ負荷容量，ケーブルを使用した場合，負荷電流が200〔V〕の場合1/2（100〔V〕に対して）となる．ジュール熱もケーブルの抵抗が同じなため，負荷電流の2乗

$$\left(\frac{1}{2}\right)^2=\frac{1}{4}$$

となる．

電線のサイズは，定格電流が流れたとき，定格電圧に対し，一般に5〔%〕以下となるよう選定される．

3) 力率改善用コンデンサは，負荷側の無効電力を低減させることによって，負荷電流を

少なくして，配電線路の抵抗損失（ジュール熱）を低減させる．

⑶　題意から，$\dot{I}_1$，$\dot{I}_2$ および $\dot{I}_3$〔A〕を求める．

$$\dot{I}_1=\dot{I}_A+\dot{I}_B+\dot{I}_C=200-j60+100-j100+150=450-j160\,〔\mathrm{A}〕$$

$$\therefore\quad I_1=|\dot{I}_1|=\sqrt{450^2+160^2}\fallingdotseq 477.60\fallingdotseq 478\,〔\mathrm{A}〕$$

$$\dot{I}_2=\dot{I}_B+\dot{I}_C=100-j100+150=250-j100\,〔\mathrm{A}〕$$

$$\therefore\quad I_2=|\dot{I}_2|=\sqrt{250^2+100^2}\fallingdotseq 269.26\,〔\mathrm{A}〕$$

$$\dot{I}_3=\dot{I}_C=150\,〔\mathrm{A}〕$$

$$\therefore\quad I_3=|\dot{I}_3|=150\,〔\mathrm{A}〕$$

線路損失 P_l を求める．

$$P_l=3\times0.07\times477.60^2+3\times0.2\times269.26^2+3\times0.2\times150^2\fallingdotseq 104.90\times10^3\fallingdotseq 105\,〔\mathrm{kW}〕$$

題意より，B 工場の電流 $\dot{I}_B{}'$ が，

$$\dot{I}_B{}'=100-j100+j100=100\,〔\mathrm{A}〕$$

となったとき，$\dot{I}_1{}'$，$\dot{I}_2{}'$ を求める（$\dot{I}_3$ は変化なし）．

$$\dot{I}_1{}'=\dot{I}_A+\dot{I}_B{}'+\dot{I}_C=200-j60+100+150=450-j60\,〔\mathrm{A}〕$$

$$\therefore\quad \dot{I}_1{}'=|\dot{I}_1{}'|=\sqrt{450^2+60^2}\fallingdotseq 453.98\,〔\mathrm{A}〕$$

$$\dot{I}_2{}'=\dot{I}_B{}'+\dot{I}_C=100+150=250\,〔\mathrm{A}〕$$

$$\therefore\quad \dot{I}_2{}'=|\dot{I}_2|=250\,〔\mathrm{A}〕$$

I_B 変化後の線路損失 $P_l{}'$ を求める．

$$P_l{}'=3\times0.07\times453.98^2+3\times0.2\times250^2+3\times0.2\times150^2\fallingdotseq 94.28\times10^3\,〔\mathrm{W}〕$$

よって，

$$\frac{P_l{}'}{P_l}\times100=\frac{94.28\times10^3}{104.90\times10^3}\times100\fallingdotseq 89.9\fallingdotseq 90\,〔\%〕$$

問題8　⑴　1 ― キ，2 ― エ，3 ― ウ，4 ― セ，5 ― シ

⑵　A ― 700，B ― 366，C ― 98.7，D ― 48.0，E ― 7，F ― 2

【指導】

⑴　1)　電圧変動による白熱灯や蛍光灯などの明るさにちらつきが生じる現象は，フリッカと呼ばれている．これが著しいと，人体に心理的不快感を与える．

2)　一般に，抵抗負荷は，温度上昇に伴い電気抵抗が大きくなり，電流が減少して電力消費は小さくなる．インバータ応用機器を利用して電熱負荷を定電力化し，精度の高い温度制御を必要とする機器類や設備に応用例がある．

3)　工場等におけるエネルギーの使用の合理化に関する事業者の判断の基準の基準部分では，受電端における力率を 95〔%〕以上とすることを求めている．

4)　三相電圧が不平衡になると逆相電圧が生じ，電動機の回転子の過熱などの要因となるので，不平衡低減化が重要である．

5)　生産効率の維持，向上を目的としてさまざまな保守点検などを行っているが，計画的に機器のオーバホールなどの予防保全を行い，事後保全での高費用負担を避けることと同時に，省エネルギー効果も期待できる．

(2)　1)　負荷 A と負荷 B の電力を合計すると，**第 1 図**の電力図となる．

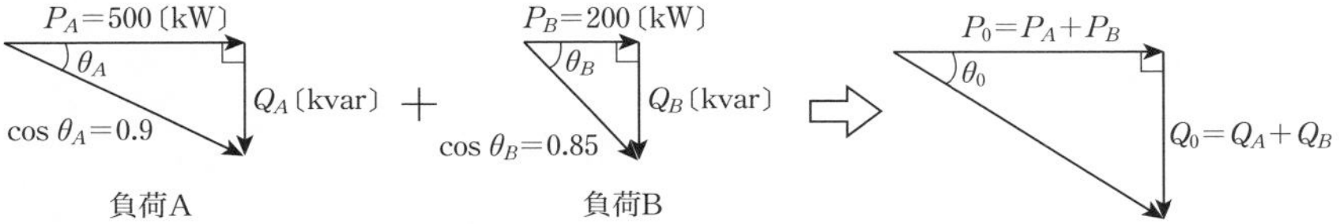

第 1 図　電力図

第 1 図より，

$$P_0=P_A+P_B=500+200=700\text{〔kW〕}$$

$$Q_0=Q_A+Q_B=P_A\tan\theta_A+P_B\tan\theta_B=P_A\frac{\sin\theta_A}{\cos\theta_A}+P_B\frac{\sin\theta_B}{\cos\theta_B}$$

$$=P_A\frac{\sqrt{1-\cos^2\theta_A}}{\cos\theta_A}+P_B\frac{\sqrt{1-\cos^2\theta_B}}{\cos\theta_A}=500\times\frac{\sqrt{1-0.9^2}}{0.9}+200\times\frac{\sqrt{1-0.85^2}}{0.85}$$

$$\fallingdotseq 242.16+123.95=366.11\fallingdotseq 366\text{〔kvar〕}$$

コンデンサ 5 台投入時の無効電力 Q_0'〔kvar〕は，**第 2 図**より，

$$Q_0'=Q_0-Q_C=366-250=116\text{〔kvar〕}$$

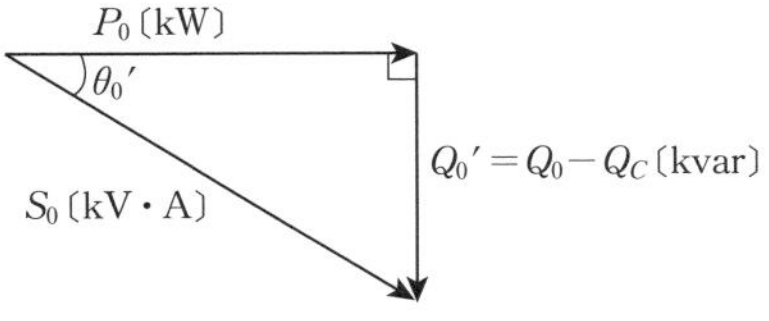

第 2 図　電力図

よって，力率 $\cos\theta_0'$ は，

$$\cos\theta_0'=\frac{P_0}{S_0}=\frac{P_0}{\sqrt{P_0{}^2+Q_0{}^{2'}}}=\frac{700}{\sqrt{700^2+116^2}}\fallingdotseq 0.9865\rightarrow 98.7\text{〔%〕}$$

2)　太陽光発電設備連系時の有効電力 P_0'〔kW〕は**第 3 図**より，

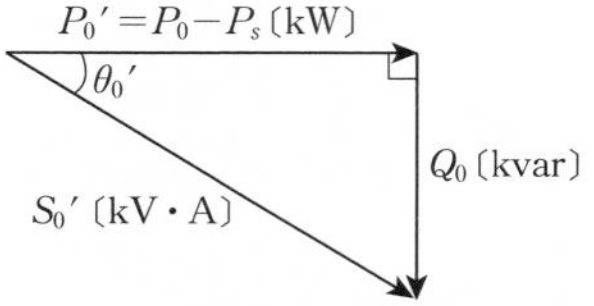

第 3 図　電力図

$$P_0{}' = 700 - 500 = 200\ \text{〔kW〕}$$

よって，力率 $\cos\theta_0{}''$ は，

$$\cos\theta_0{}'' = \frac{P_0{}'}{S_0{}'} = \frac{P_0{}'}{\sqrt{P_0{}'^2 + Q_0{}^2}} = \frac{200}{\sqrt{200^2 + 366^2}} = 0.4795 \fallingdotseq 48.0\ \text{〔\%〕}$$

また，受電点の力率を 98〔%〕まで改善させるための 50〔kvar〕のコンデンサの所要台数を n として，**第 4 図**を考える．

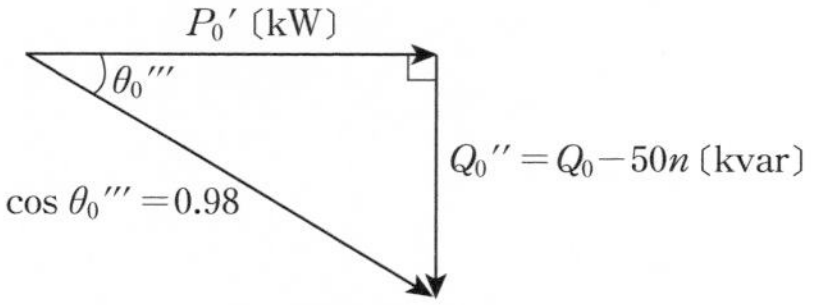

第 4 図　電力図

第 4 図より，

$$Q_0{}'' = P_0{}' \tan\theta_0{}''' = Q_0 - 50n$$

$$P_0{}' \tan\theta_0{}''' = P_0{}' \frac{\sin\theta_0{}'''}{\cos\theta_0{}'''} = 200 \times \frac{\sqrt{1 - 0.98^2}}{0.98} = 40.61$$

$$Q_0 - 50n = 40.61$$

$$\therefore\quad n = \frac{366 - 40.61}{50} = 6.5 \to 7\ \text{台}$$

3)　**第 5 図**において，

$$P = P_0 - P_s = 700 - 500 = 200\ \text{〔kW〕}$$

$$Q = P\tan\theta = P\frac{\sqrt{1 - \cos^2\theta}}{\cos\theta} = 200 \times \frac{\sqrt{1 - 0.98^2}}{0.98} = 40.61\ \text{〔kvar〕}$$

$$Q_s = P_s \tan\theta_s = P_s \times \frac{\sqrt{1 - \cos^2\theta_s}}{\cos\theta_s} = 500 \times \frac{\sqrt{1 - 0.9^2}}{0.9} \fallingdotseq 242.16\ \text{〔kvar〕}$$

$Q = Q_0 - Q_s - 50n'$ より，

$$50n' = Q_0 - Q_s - Q = 366 - 242.16 - 40.61 = 83.23$$

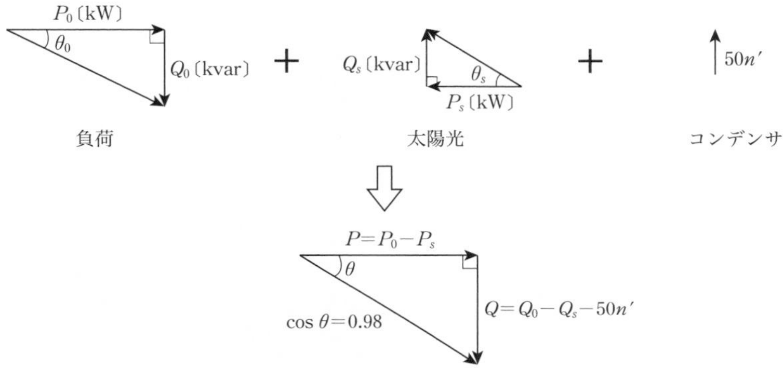

第5図　電力図

$$\therefore\ \ n'=\frac{83.23}{50}=1.66\rightarrow 2\text{台}$$

問題9　(1)　1—オ，2—イ，3—シ，4—ア，5—ス，6—チ，7—ア，8—カ，9—ス，10—エ，11—シ

(2)　A—6.1，B—145.2，C—4.20，D—4.11，E—691

【指導】　変圧器の定格負荷損を P_{cn}〔W〕，無負荷損を P_i〔W〕とする．負荷率 α $(0<\alpha<1)$ のときの負荷損は $P_c=\alpha^2 P_{cn}$〔W〕で表され，$P_c=P_i$ が成り立つ場合，変圧器は最大効率となる．最大効率となる負荷率 α を求める．

P_i は一定値であるので，

$$P_c=\alpha^2 P_{cn}=P_i$$

ここで，P_{cn} を 4〔kW〕，P_i を 1〔kW〕と仮定すると，

$$\alpha^2\times 4=1$$

$$\therefore\ \ \alpha=\sqrt{\frac{1}{4}}=0.5$$

となる．無負荷損が 1 → 0.5〔kW〕となり，定格の負荷損を一定とすると，

$$\alpha^2\times 4=0.5$$

$$\therefore\ \ \alpha=\sqrt{\frac{0.5}{4}}\fallingdotseq 0.354$$

となり，無負荷損の減少により，最大効率の負荷点が軽負荷側へ移行することがわかる．

アモルファス磁性材料は，鉄，ニッケル，コバルトなどの強磁性元素と，ほう素やけい素

などとの非晶質状態の合金である．抵抗率が高く，板厚も薄くできるので，渦電流損は低減する．しかし，飽和磁束密度が低いので，鉄心断面積は大きくなる．

2)　$\alpha = t_{on}/T$ は1周期中でのオン時間比率で，通流率と呼ばれる．

降圧チョッパは**第1図**より，

$$V_d = \alpha \times E_s$$

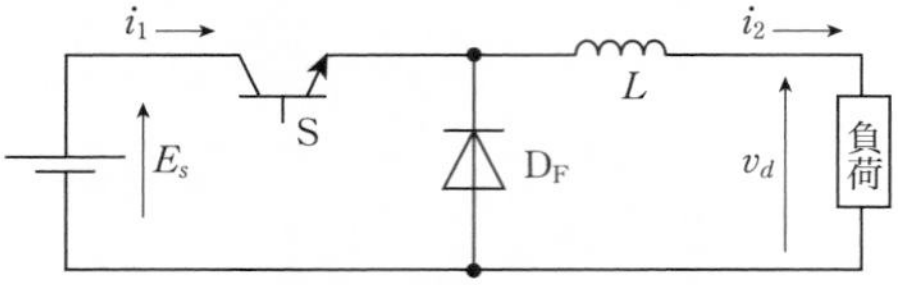

第1図

昇圧チョッパは**第2図**より，

$$V_d = \frac{1}{1-\alpha} \times E_s$$

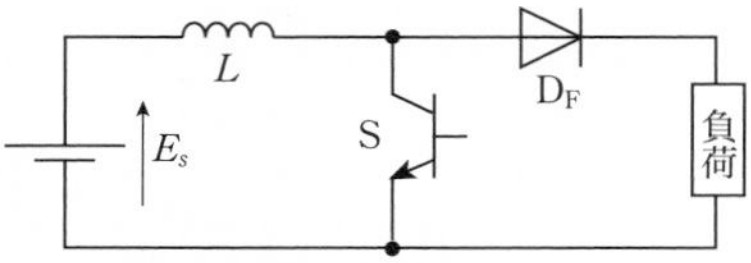

第2図

問題の図は，降圧チョッパである．

第1図において，i_1 は，1周期 T で t_{on} の期間だけ流れるので，I_1 と I_2 の関係は，

$$I_2 = \frac{1}{\alpha} \times I_1$$

となる．したがって，E_s，I_1，V_d，I_2 の関係は変圧器の一次，二次と同様に，

$$V_d I_2 = E_s I_1$$

となる．

(2)　短絡インピーダンス Z_s は，短絡試験により求めることができる．

$$Z_s = \frac{277.2}{45.45} \fallingdotseq 6.099 \fallingdotseq 6.1\,〔\Omega〕$$

定格容量300〔kV・A〕，6 600〔V〕での基準インピーダンスを Z_n〔Ω〕とすると，

$$\text{定格電流}\ I_n = \frac{300 \times 10^3}{6\,600}\,〔\mathrm{A}〕$$

$$Z_n = \frac{V_n}{I_n} = \frac{6\,600}{\dfrac{300\times10^3}{6\,600}} = \frac{6\,600^2}{300\times10^3} \fallingdotseq 145.2\,〔\Omega〕$$

この変圧器の短絡インピーダンス $\%Z_s$〔%〕は

$$\%Z_s = \frac{Z_s}{Z_n}\times100 = \frac{6.099}{145.2}\times100 \fallingdotseq 4.200 \fallingdotseq 4.20\,〔\%〕$$

$\%Z_s = \sqrt{\%R^2 + \%X^2}$ より，

$$\%X = \sqrt{4.200^2 - 0.867^2} \fallingdotseq 4.1095 \fallingdotseq 4.11\,〔\%〕$$

エネルギー消費効率 E は，無負荷損（無負荷試験の値）と負荷率 40〔%〕の 2 乗（$0.4^2 = 0.16$）を短絡試験の値に掛けた値の和である．

$$E = 275 + 0.16\times2\,600 = 691\,〔\mathrm{W}〕$$

問題10 (1) 1 ― イ，2 ― ナ，3 ― テ，4 ― カ，5 ― チ，6 ― コ，7 ― ト，8 ― シ，9 ― ケ，10 ― オ，11 ― エ

(2) A ― 4.0，B ― 99.5，C ― 625，D ― 699

【指導】

(1) 1) 平均的な工場の年間消費電力量の 7 割強を電動機応用設備が占めている．

永久磁石形同期電動機（PMSM）は従来の三相誘導電動機に比較して，高効率，高力率，などの特徴があり，適用範囲が広がっている．

PMSM の回転子の構造は，表面磁石式（SPMSM）と埋込磁石式（IPMSM）とがある．

発生トルクは，回転子の永久磁石の磁束と固定子巻線による回転磁界によるもの（マグネットトルク）と突極構造により突極部が回転磁界に吸引されるもの（リラクタンストルク）の 2 種類がある．

埋込磁石式では，電流位相を適切な進み角に制御することにより，リラクタンストルクの有効利用を図る．

低速領域では最大トルク電流制御により，同じ電流に対して発生トルクを最大とする制御を行う．

高速回転領域では，誘導起電力が大きくなるため，弱め磁束制御を行うことで，電源（インバータ）の電圧上限を下げて運転領域を拡大する．

2) 半導体バルブデバイスの損失は，スイッチング動作に伴い発生するため，スイッチング周波数を上げると増加する．

サイリスタは，逆阻止三端子サイリスタと呼ばれている．サイリスタの陰極（カソード）と陽極（アノード）に順電圧を加えて，ゲートに制御電圧を加えると，オフからオン状態になる．一度オンしたサイリスタをオフさせるには，陽極電流を保持電流以下とするか，または，陽極 − 陰極間に一定時間以上の逆電圧を加える必要がある．

(2)　題意より，同期速度 N_s および定格運転時の滑り s を求める．

$$N_s=\frac{120f}{p}=\frac{120\times50}{4}=1\,500\,[\mathrm{min}^{-1}]$$

$$s=\frac{N_s-N}{N_s}\times100=\frac{1\,500-1\,440}{1\,500}\times100=4.0\,[\%]$$

定格出力時のトルク T_n は，

$$T_n=\frac{P_n}{\omega_n}=\frac{15\times10^3}{2\pi\times\dfrac{1\,440}{60}}\fallingdotseq99.52\fallingdotseq99.5\,[\mathrm{N\cdot m}]$$

となる．

定格出力時の二次銅損 P_{c2} は，

$$P_{c2}:P=s:(1-s)$$

より，

$$P_{c2}(1-s)=sP$$

$$P_{c2}=\frac{sP}{1-s}=\frac{0.04\times15\times10^3}{1-0.04}=625\,[\mathrm{W}]$$

となる．

電動機の固定損 P_i は，題意から，

$$\eta=\frac{P_n}{P_n+2\times P_{c2}+P_i}\times100=88.5\,[\%]=\frac{15\times10^3}{15\times10^3+2\times625+P_i}=0.885$$

$$0.885P_i=15\times10^3-0.885\times(15\times10^3+2\times625)=618.75$$

$$P_i=\frac{618.75}{0.885}\fallingdotseq699.15\fallingdotseq699\,[\mathrm{W}]$$

問題11

(1)　1 ─ イ，2 ─ ア，3 ─ ク，4 ─ エ，5 ─ オ

(2)　6 ─ ウ，7 ─ キ，8 ─ ウ，9 ─ エ，10 ─ ウ，11 ─ オ

【指導】

(1) インバータによる誘導電動機の可変速制御方式にはベクトル制御と V/f 制御とがある．

ベクトル制御は誘導電動機の一次電流を励磁電流とトルク電流に分けて，別々に制御する方法である．回転部に回転子位置センサを取り付け，その計測結果により制御を行うセンサ付ベクトル制御と，センサの不要なセンサレスベクトル制御の 2 種類がある．

V/f 制御は，インバータの出力電圧と周波数の比を一定にして制御する方式で，ベクトル制御と比較すると簡便な方式で広く普及している．

第 1 図は三相誘導電動機の等価回路である．誘導起電力 E は，

$$E = k\phi f \tag{1}$$

k：比例定数，ϕ：ギャップ磁束〔Wb〕，f：電源周波数〔Hz〕

と表すことができる．

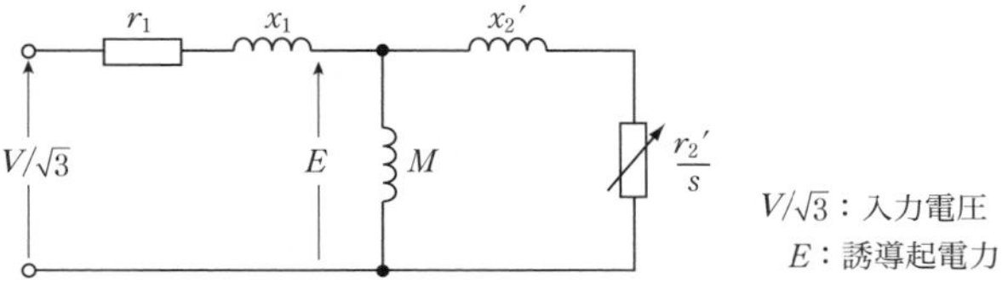

第 1 図　三相誘導電動機の等価回路

ここで周波数のみを下げた場合，E を一定とするには(1)式から磁束 ϕ を増加させる必要がある．しかし，磁気飽和をしないよう磁束 ϕ を一定のまま制御するため，供給電圧 $V/\sqrt{3}$ も周波数 f と同調して変化させる．

すなわち，V/f 一定制御は一次巻線の電圧降下を無視すれば，周波数を変えても同じトルク曲線（特性）で使用が可能である．

低い周波数領域では，入力電圧が低くなり，一次巻線の電圧降下が無視できなくなり，($V/\sqrt{3} > E$) となってしまう．その一次巻線の電圧降下分を補償することで必要なトルクを確保することをトルクブースト機能という．

V/f 一定制御は開ループ制御のため，加速時の周波数を早く上げすぎると電動機が加速できない(ストール)場合がある．この現象を防止するため加速率を下げ，ストール防止を行う．

減速時は，負荷の慣性エネルギーを直流側に設けた電気抵抗により熱として放出する．急激な減速により過電圧が直流側に加わることでインバータの破損を防止するため，過電圧防止の機能をインバータは備えている．

(2) 1) 題意から，速度 v〔m/s〕のかご，荷重および釣合いおもりの運動エネルギーの合

計は，

$$\frac{1}{2}M_0v^2=\frac{1}{2}(M+L+m)v^2\text{〔J〕}$$

綱車と電動機の回転における運動エネルギーの合計は，

$$\frac{1}{2}J_1\omega_1{}^2+\frac{1}{2}J_2\omega_2{}^2\text{〔J〕}$$

である．

2)　エレベータの速度 v〔m/s〕，綱車の回転角速度 ω_1〔rad/s〕は，電動機の回転角速度 ω_2〔rad/s〕に変換可能である．

$$v=r\omega_1=r\frac{\omega_2}{k},\quad \omega_1=\frac{\omega_2}{k}$$

$$\frac{1}{2}J\omega_2{}^2=\frac{1}{2}J_1\left(\frac{\omega_2}{k}\right)^2+\frac{1}{2}J_2\omega_2{}^2+\frac{1}{2}(M+L+m)\left(r\frac{\omega_2}{k}\right)^2$$

$$=\frac{1}{2}\left\{\frac{1}{k^2}J_1+J_2+(M+L+m)\left(\frac{r}{k}\right)^2\right\}\omega_2{}^2\text{〔J〕}$$

3)　電動機軸に換算したエレベータの運動方程式を変形してエレベータの加速度 α を求める．

$$\omega_2=\frac{k}{r}v$$

より，

$$J\frac{\mathrm{d}\omega_2}{\mathrm{d}t}=J\frac{\mathrm{d}\left(\frac{k}{r}v\right)}{\mathrm{d}t}=\frac{Jk}{r}\frac{\mathrm{d}v}{\mathrm{d}t}=T_m-\frac{r}{k}(M+L-m)g$$

$$\frac{\mathrm{d}v}{\mathrm{d}t}=\alpha=\frac{1}{J}\left\{\frac{r}{k}T_m-\left(\frac{r}{k}\right)^2(M+L-m)g\right\}\text{〔m/s}^2\text{〕}$$

となる．

4)　$M+L=m$ のとき，電動機のトルク T_m とエレベータ加速度の関係は，

$$\alpha=\frac{1}{J}\left\{\frac{r}{k}T_m-\left(\frac{r}{k}\right)^2(M+L-M-L)g\right\}=\frac{1}{J}\frac{r}{k}T_m$$

また，

$$J=\frac{1}{k^2}J_1+J_2+(m+m)\left(\frac{r}{k}\right)^2=\frac{1}{k^2}J_1+J_2+2m\left(\frac{r}{k}\right)^2$$

より，

$$T_m=J\frac{k}{r}\alpha=\left\{\frac{1}{k^2}J_1+J_2+2m\left(\frac{r}{k}\right)^2\right\}\frac{k}{r}\alpha=\left(\frac{1}{rk}J_1+\frac{k}{r}J_2+\frac{2r}{k}m\right)\alpha\,〔\mathrm{N\cdot m}〕$$

5)　本問のロープトラクション式エレベータにおいて，$M+L=m$ のとき必要トルクの絶対値が最大となるのは，上記より，上昇・下降に関係なく最大加速もしくは最大減速するときである．

問題12　(1)　A — 25，B — 27.5，C — 110，D — 10，E — 190，F — 5.50，G — 1.25，H — 2.75

(2)　I — 1.2，J — 108，K — 29.2，L — 2.00

【解き方】

(1)　1)　$v_c=|\alpha_3|t_3$ より，

$$t_3=\frac{v_c}{|\alpha_3|}=\frac{10}{2}=5\,〔\mathrm{s}〕$$

減速中に走行した距離 L_3〔m〕は，

$$L_3=\frac{1}{2}|\alpha_3|t_3^2=\frac{1}{2}\times2\times5^2=25\,〔\mathrm{m}〕$$

定速走行時間 t_2〔s〕は，全体走行距離を L_0〔m〕，加速中の走行距離を L_1〔m〕，定速走行距離を L_2〔m〕として，

$$t_2=\frac{L_2}{v_c}=\frac{L_0-L_1-L_3}{10}=\frac{200-50-25}{10}=\frac{125}{10}=12.5\,〔\mathrm{s}〕$$

$$\therefore\quad t_1+t_2+t_3=10+12.5+5=27.5\,〔\mathrm{s}〕$$

2)　加速時の電動機の駆動力 F_1〔N〕は，搬送機の全質量を m〔kg〕，走行抵抗力を f_r〔N〕として，

$$F_1=m\alpha_1+f_r=100\times1+10=110\,〔\mathrm{N}〕$$

定速走行時の電動機の駆動力 F_2〔N〕は，

$$F_2=m\alpha_2+f_r=100\times0+10=10\,〔\mathrm{N}〕$$

減速時の制動力の大きさ F_3〔N〕は，

$$F_3=m|\alpha_3|-f_r=100\times2-10=190\,〔\mathrm{N}〕$$

3)　加速中に電動機が供給したエネルギー W_1〔J〕は，

$$W_1 = F_1 L_1 = 110 \times 50 = 5\,500〔J〕= 5.50〔kJ〕$$

定速走行中に電動機が供給したエネルギー W_2〔J〕は，

$$W_2 = F_2 L_2 = 10 \times 125 = 1\,250〔J〕= 1.25〔kJ〕$$

減速時に電動機が回収した回生エネルギー W_3〔J〕は，

$$W_3 = F_1 L_3 = 110 \times 25 = 2\,750〔J〕= 2.75〔kJ〕$$

(2)　1)　減速時の加速度 α_3'〔m/s²〕は，$F_3' = m|\alpha_3'| = F_1 + f_r$ より，

$$|\alpha_3'| = \frac{F_1 + f_r}{m} = \frac{110 + 10}{100} = \frac{120}{100} = 1.2〔m/s^2〕$$

減速時間 t_3'〔s〕は，

$$t_3' = \frac{v_c}{|\alpha_3'|} = \frac{10}{1.2} \fallingdotseq 8.33〔s〕$$

減速中の走行距離 L_3'〔m〕は，

$$L_3' = \frac{1}{2}|\alpha_3'|t_3'^2 = \frac{1}{2} \times 1.2 \times \left(\frac{10}{1.2}\right)^2 \fallingdotseq 41.67〔m〕$$

よって，定速走行距離 L_2'〔m〕は，

$$L_2' = L_0 - L_1 - L_3' = 200 - 50 - 41.67 = 108.33 \fallingdotseq 108〔m〕$$

一方，定速走行時間 t_2'〔s〕は，

$$t_2' = \frac{L_2'}{v_c} = \frac{108.33}{10} \doteq 10.83〔s〕$$

$$\therefore\quad t_1 + t_2' + t_3' = 10 + 10.83 + 8.33 = 29.16 \fallingdotseq 29.2〔s〕$$

2)　電動機が供給したエネルギー収支 W'〔J〕は，

$$W' = W_1 + W_2' - W_3' = F_1 L_1 + F_2 L_2' - F_1 L_3'$$
$$= 110 \times 50 + 10 \times 108.33 - 110 \times 41.67 = 1\,999.6 \fallingdotseq 2\,000〔J〕= 2.00〔kJ〕$$

〔別解〕

(1)　3)　減速時に電動機が回収した回生エネルギー W_3 は次のようにも求められる．

$W_1 = 5.5$〔kJ〕，$W_2 = 1.25$〔kJ〕は，「解き方」で示したとおりである．ここで，題意より，始点から終点までの電動機が供給したエネルギー収支の合計 W_0 は，4〔kJ〕であるから，

$$W_3 = W_1 + W_2 - W_0 = 5.5 + 1.25 - 4 = 2.75〔kJ〕$$

と算出してもよい．

問題13

(1)　1―オ，2―エ，3―シ，4―コ，5―ク

(2)　6―カ，7―キ，8―コ，9―ソ，10―イ

(3)　11―イ，12―コ，13―エ，14―キ

【指導】

(1)　1)　電気加熱は，燃焼加熱で必要とする酸素を用いない加熱方法である．

また，燃焼加熱では内部加熱はできないが，電気加熱では可能となる．

2)　抵抗溶接は，スポット溶接機やシーム溶接機などに応用例があるが，溶接時間が短時間での処理のため，加熱の影響は，接合部の近傍に限られる．

3)　低周波誘導加熱では，電熱負荷に対しては，単相回路となるが，電源回路は三相で構成される．このため，電源回路に不平衡を生じ，逆相成分が発生する．この低減対策として，コンデンサとリアクトルから成る相平衡装置を設置する．

(2)　1)　赤外加熱では，可視光よりも波長が長い赤外放射を利用する．被加熱材は，照射された電磁波エネルギーを吸収して，ほぼ熱に変換される．

2)　電気加熱設備上の省エネルギー対策としては，設備の高電力化が重要となる．これにより，急速加熱や加熱時間の短縮化などが可能となり，相対的に熱損失の低減が図られ，省エネルギー効果が期待できる．

3)　炉の熱容量を小さくするためには，比熱や密度の小さな材料を選定することが求められる．このような材料の代表格として，セラミックファイバが挙げられる．

(3)　1)　入力端における原単位M〔kW・h/kg〕は，入力電力をP〔kW〕，加熱時間をT〔h〕，加熱金属の質量をm〔kg〕として，

$$T = 45〔\mathrm{min}〕= \frac{3}{4}〔\mathrm{h}〕$$

であるから，

$$M = \frac{PT}{m} = \frac{300 \times \frac{3}{4}}{650} \fallingdotseq 0.346〔\mathrm{kW \cdot h/kg}〕$$

2)　金属の加熱正味熱量Q〔kW・h〕は，電気効率をη，熱損失をL〔kW〕として，

$$Q = (P\eta - L)T = (300 \times 0.9 - 35) \times \frac{3}{4} = 176.25 \fallingdotseq 176〔\mathrm{kW \cdot h}〕$$

一方，金属の比熱をρ〔kJ/(kg・K)〕，加熱初期温度をt_1〔°C〕，加熱最終温度をt_2〔°C〕として，

$$Q = \rho m (t_2 - t_1)$$

$$\rho = \frac{Q}{m(t_2 - t_1)} = \frac{176.25 \times 3\,600}{650 \times (1\,200 - 20)} \fallingdotseq 0.827\,〔\mathrm{kJ/(kg \cdot K)}〕$$

3)　省エネルギー対策後の炉からの熱損失を L'〔kW〕，加熱時間を T'〔h〕として，

$$Q = (P\eta - L')T'$$

$$T' = \frac{Q}{P\eta - L'} = \frac{176.25}{300 \times 0.9 - 22} \fallingdotseq 0.7107\,〔\mathrm{h}〕 \rightarrow 42.6\,〔\mathrm{min}〕$$

問題14

(1)　1―ア，2―エ，3―シ，4―コ，5―ケ

(2)　6―シ，7―ス，8―ウ，9―コ，10―ア，A―2.68×10^4，B―3.22×10^4，C―6.52×10^1

【指導】

(1)　燃料電池の原理図を**第1図**に示す．

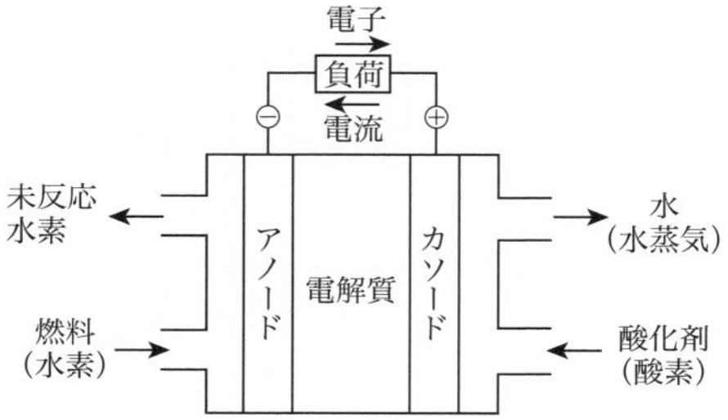

第1図　燃料電池の原理図

アノード反応とカソード反応は，次のとおりである．

アノード反応：$H_2 \rightarrow 2H^+ + 2e^-$

カソード反応：$2H^+ + \frac{1}{2}O_2 + 2e^- \rightarrow H_2O$

アノードの反応では，水素が脱電子反応（電子を失っている反応）となっているから，酸化反応である．

カソードの反応では，酸化剤である酸素が受電子反応（電子を得ている反応）となっているから，還元反応である．

燃料電池は，化学エネルギーを電気エネルギーに直接変換する．作動温度は，溶融炭酸塩形が650〔°C〕程度，固体酸化物形が1 000〔°C〕程度である．

(2)　水の電気分解の原理図を**第2図**に示す．

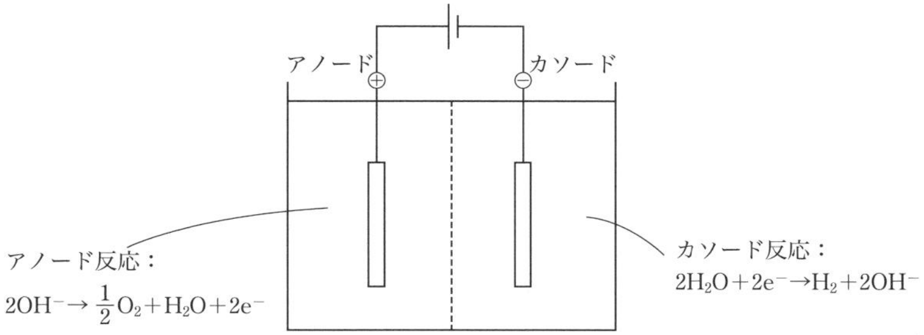

第 2 図　水の電気分解の原理図

水の電気分解での電解質は，水酸化カリウムや水酸化ナトリウム水溶液が用いられる．

カソード反応に注目すると，水が電子を得て，水素が発生するので，水が還元されている．

水素 1 分子の生成に関与する電子数は 2 個である．また，得られる水素の物質量は，供給した電気量に比例し，ファラデーの法則が成り立つ．

アノード反応とカソード反応に注目すると，発生する酸素のモル数は，水素の $\dfrac{1}{2}=0.5$ 倍である．

水素 1〔t〕を製造するのに必要な理論電気量 Q〔kA・h〕は，ファラデーの法則より，

$$1\,〔\mathrm{g}〕:26.8\,〔\mathrm{A\cdot h}〕=1\,000\,〔\mathrm{kg}〕:Q\,〔\mathrm{kA\cdot h}〕$$

$$\therefore\quad Q=26.8\times1\,000=2.68\times10^4\,〔\mathrm{kA\cdot h}〕$$

理論電気エネルギー W_0〔kW・h〕は，理論電圧を V_0〔V〕として，

$$W_0=QV_0=2.68\times10^4\times1.2=3.216\times10^4\fallingdotseq3.22\times10^4\,〔\mathrm{kW\cdot h}〕$$

また，電圧効率 η_v〔%〕は，運転電圧を V〔V〕として，

$$\eta_v=\frac{V_0}{V}\times100=\frac{1.2}{1.84}\times100\fallingdotseq65.2\fallingdotseq6.52\times10^1\,〔\%〕$$

アノードについて補足する．

第 1 図ではアノードは負極であり，第 2 図では正極である．これは，アノードとは「正電荷を電解質側へ送り出す電極」と定義されているためである（アノードの対極はカソードである）．

例えば，二次電池の放電時においては，負極がアノードとなるが，充電時においては正極がアノードとなる．電気化学の重要な事項なので，強調しておきたい．

問題15 (1) A — 500, B — 7.4, 1 —ク, 2 —ウ, 3 —エ

(2) 4 —オ, 5 —ク, 6 —ケ, 7 —イ, 8 —セ

【指導】

(1) 1) 題意を図示すると，**第1図**のようになる．

$$E_{v1}=\frac{I}{l^2}\sin\theta=500\,[\mathrm{lx}]$$

$$\sin\theta=\frac{10}{l}=\frac{10}{\sqrt{10^2+5^2}}=\frac{10}{\sqrt{125}}$$

$$l=\sqrt{10^2+5^2}=\sqrt{125}$$

$$I=500\frac{l^2}{\sin\theta}=500\times\frac{125}{\frac{10}{\sqrt{125}}}=50\times125\times\sqrt{125}$$

$$E_{h1}=\frac{I}{l^2}\cos\theta=\frac{50\times125\times\sqrt{125}}{125}\times\frac{5}{\sqrt{125}}=250\,[\mathrm{lx}]=E_{h2}$$

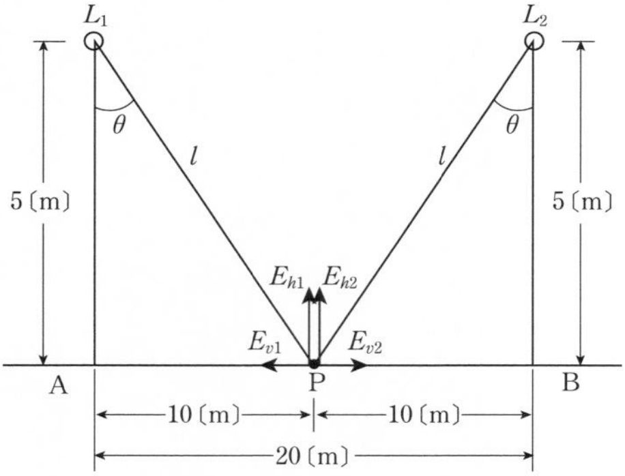

第1図

P点の水平面照度 E_h〔lx〕は，

$$E_h=E_{h1}+E_{h2}=2\times250=500\,[\mathrm{lx}]$$

2) ランプに入るエネルギー P_1〔W〕は，

$$P_1=\frac{3\,100}{84}\,[\mathrm{W}]$$

安定器に入るエネルギー P_2〔W〕は，

$$P_2=\frac{3\,100}{70}〔\mathrm{W}〕$$

よって，安定器損失 P〔W〕は，

$$P=P_2-P_1=\frac{3\,100}{70}-\frac{3\,100}{84}\fallingdotseq 7.381\fallingdotseq 7.4〔\mathrm{W}〕$$

3) 題意を図示すると**第2図**のようになる．

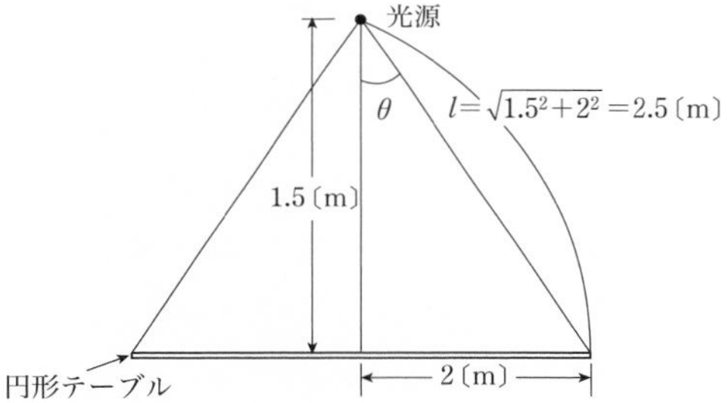

第2図

第2図から，

$$\cos\theta=\frac{1.5}{l}=\frac{1.5}{2.5}=0.6$$

光源が円形テーブルを照らす立体角 ω_1〔sr〕は，

$$\omega_1=2\pi(1-\cos\theta)=2\pi(1-0.6)=0.8\pi〔\mathrm{sr}〕$$

光源光度 I〔cd〕が，立体角 ω_1〔sr〕へ放出する光束 F_1〔lm〕は，

$$F_1=I\omega_1=0.8\pi I〔\mathrm{lm}〕$$

円形テーブルの面積 S〔m^2〕は，

$$S=\pi r^2=\pi\times 2^2=4\pi〔\mathrm{m}^2〕$$

円形テーブルの平均照度から I を計算する．

$$E=\frac{F_1}{S}=\frac{0.8\pi I}{4\pi}=0.2I=350〔\mathrm{lx}〕$$

$$I=\frac{350}{0.2}=1\,750〔\mathrm{cd}〕$$

4) 室指数 K_r は，

$$K_r=\frac{XY}{H(X+Y)}=\frac{10\times 15}{3\times(10+15)}=2.0$$

ただし，X：間口10〔m〕，Y：奥行き15〔m〕，H：被照面から光源までの高さ3.85−0.85＝3〔m〕

問題の照明率表より，照明率は0.53である．また，題意より必要な照明器具の台数Nを次式より計算する．

$$N=\frac{E\cdot A}{F\cdot U\cdot M}=\frac{500\times 10\times 15}{2\times 4\,000\times 0.53\times 0.66}\fallingdotseq 26.80\rightarrow 27\text{台}$$

ただし，E：所要平均照度〔lx〕，A：被照面面積〔m^2〕，F：灯具1器当たりの光束〔lm〕，U：照明率，M：保守率

(2)　1)　光源の寿命は，光源が点灯しなくなるか，または光源の光束維持率が規定された値に減少するまでの時間である．

2)　配光特性は，照明器具の角度の変化に対する光度の変化を示したものである．

3)　光束は放射束を標準分光視感効率と最大視感効果度に基づいて評価した量である．

4)　白昼色の電球形LEDランプの色温度は5 000〔K〕程度である．

5)　LED照明器具は，「LED照明器具の固有エネルギー消費効率」を用いて評価することが一般的である．

問題16

(1)　1—ウ，2—イ，3—サ，4—オ，5—ツ，6—ケ，7—コ，8—ソ，9—オ，10—ア

(2)　11—ク，12—シ，13—ウ，14—オ，15—コ，16—ス，17—ケ，18—サ，19—ア，20—ク，21—エ，22—ケ，23—エ，24—キ，25—ウ

【指導】

(1)　1)　冷媒の蒸発温度を上げると，P−h線図から，冷媒の蒸発器出入口の比エンタルピー差が大きくなるので，冷凍機の成績係数は大きくなる．また，凝縮温度を下げると，同様に冷媒の凝縮器出入口の比エンタルピー差が大きくなるので，冷凍機の成績係数は大きくなる．冷媒の蒸発温度を上げると，冷媒と熱交換される冷水の出口温度も上がるので，このときは成績係数が大きくなり，省エネルギーになる．ピーク冷房負荷時には，冷水出口温度は上げられないが，低負荷時（部分負荷時）には冷水温度を上げて省エネルギーを実現することができる．

2)　冷水温度を上げると，周囲の空気温度との温度差が小さくなるので，配管と蓄熱槽内部の冷水の熱取得が小さくなる．

3)　二次側が定流量方式の場合，冷水温度が上がると，自動弁開度で冷水コイルの通過流量を調整して負荷に対応するが，その分冷水往還ヘッダ間のバイパス流量が増えることから，

二次側の全体流量は変わらないので，ポンプ動力は一定である．一方で，二次側が変流量方式の場合，冷水温度が上がると，自動弁開度で冷水コイルの通過流量を調整して負荷に対応するので，二次側の全体流量が増加する．そのため，冷水温度が上がると，全体流量が増加するので，ポンプ動力が増加する．

4)　冷凍機の蒸発器や凝縮器の熱交換器部分のチューブ内表面にスケールやスライムなどの汚れが付着すると，熱交換器の熱通過率が減少するので，伝熱性能が低下する．そのため，冷凍機の成績係数が低下する．また，熱交換器の内面の汚れがひどくなると，ターボ冷凍機では圧縮機の羽根車の運転状態がサージング領域に入って，不安定運転であるサージングが発生する危険性がある．

(2)　1)　延べ床面積 3 000〔m^2〕以上（学校は 8 000〔m^2〕以上）の特定建築物（事務所ビルなど，多数の者が利用する建築物）に対する建築基準法および建築物における衛生的環境の確保に関する法律（建築物衛生法）の室内環境衛生管理基準の空気環境の調整に関しては**第1表**のようになっている．

第1表

温度	17 〜 28〔°C〕
相対湿度	40 〜 70〔%〕
浮遊粉じん量	0.15〔mg/m^3〕以下
一酸化炭素濃度	10〔ppm〕以下
二酸化炭素濃度	1 000〔ppm〕以下
気流速度	0.5〔m/s〕以下
ホルムアルデヒド濃度	0.1〔mg/m^3〕以下

2)　以上の規定から，実際の空調設計用室内温湿度としては，夏期設計温度は 25 〜 27〔°C〕，設計湿度は 50 〜 60〔%〕，冬期設計温度は 20 〜 22〔°C〕，設計湿度は 40 〜 50〔%〕を採用している．

3)　クールビズでは，上記の室内環境衛生管理基準の上限である 28〔°C〕を推奨している．設定温度を高くした場合，熱的快適性を維持するためには，相対湿度を下げることが求められる．天井放射冷房システムのような放射冷房を行うときは，別系統で換気を行う必要があるが，高温高湿度の外気を直接室内に導入すると，放射冷房用パネルの表面に結露を生じる可能性がある．これを避けるためには，取入れ外気をあらかじめ除湿しておく必要がある．一般的には，除湿は冷却除湿を行うことから，過度に除湿をするとエネルギー消費が増大することになる．

デシカント方式は，シリカゲルなどの除湿剤を用いて高温高湿度の外気を除湿するシステムである．外気から吸湿した水分を除湿剤から放湿させて再生するためには，これを加熱する必要がある．加熱用の熱源には，ほかのプロセスからの廃熱や太陽熱などを利用することが可能である．

4)　冬期の暖房運転時に全空気式の空調方式を採用する場合，強制対流によるドラフトを感じたり，垂直温度分布が大きくなったりする可能性がある．そこで，ラジエータなどの放射暖房を併用すると，その分の強制対流による循環風量を減少することができる．そのため，室内設定温度を低めにしても放射暖房による効果とドラフト感の緩和によって，熱的快適性が向上する．ただし，放射暖房と在室者の間に遮へい物があると，放射暖房の効果は及ばなくなる．相対湿度を保つため加湿が必要となり，外気と還気の混合部以降が効果的な加湿場所となる．

5)　過去50年間で大気中の二酸化炭素濃度は50〔ppm〕程度上昇して，現在では400〔ppm〕程度になっている．取入れ外気量の法的基準20〔m^3/(h・人)〕は，大気中の二酸化炭素濃度300〔ppm〕を前提としている．したがって，実際に室内環境衛生管理基準を満足させるためには，これ以上の外気量が必要になることがある．ちなみに，米国では室内環境基準は外気の二酸化炭素濃度＋700〔ppm〕となっている．

2013 年度（第 35 回）

エネルギー総合管理及び法規（80 分）

問題 1　エネルギーの使用の合理化等に関する法律及び命令
問題 2　エネルギー情勢・政策，エネルギー概論
問題 3　エネルギー管理技術の基礎

問題 1（エネルギーの使用の合理化等に関する法律及び命令）　改

次の各問に答えよ．なお，法令は令和 6 年 9 月 1 日時点で施行されているものである．

以下の問題文では

エネルギーの使用の合理化及び非化石エネルギーへの転換等に関する法律を「法」

エネルギーの使用の合理化及び非化石エネルギーへの転換等に関する法律施行令を「令」

エネルギーの使用の合理化及び非化石エネルギーへの転換等に関する法律施行規則を「則」

エネルギーの使用の合理化等に関する基本方針を「基本方針」

と略記する．（配点計 50 点）

(1)　次の各文章の［1］～［4］の中に入れるべき最も適切な字句又は記述を〈［1］～［4］の解答群〉から選び，その記号を答えよ．

1)「法」第 3 条第 2 項の条文の一部

基本方針は，エネルギーの使用の合理化及び非化石エネルギーへの転換のためにエネルギーを使用する者等が講ずべき措置に関する基本的な事項，電気の需要の最適化を図るために電気を使用する者等が講ずべき措置に関する基本的な事項，エネルギーの使用の合理化及び非化石エネルギーへの転換等の促進のための施策に関する基本的な事項その他エネルギーの使用の合理化及び非化石エネルギーへの転換等に関する事項について，エネルギー需給の長期見通し，電気その他のエネルギーの需給を取り巻く環境，エネルギーの使用の合理化及び非化石エネルギーへの転換及び非化石エネルギーへの転換に関する［1］その他の事情を勘案して定めるものとする．

2）「法」第 9 条の条文の一部

「法」第 9 条の一部

特定事業者は，経済産業省令で定めるところにより，次に掲げる者のうちから，前条第 1 項に規定する業務（第 15 条第 2 項の中長期的な計画の作成事務を除く．）に関し，［ 2 ］する者を選任しなければならない．

一　経済産業大臣又はその指定する者（以下「指定講習機関」という．）が経済産業省令で定めるところにより行うエネルギーの使用の合理化に関し必要な知識及び技能に関する講習の課程を修了した者

二　エネルギー［ 3 ］

3）「法」第 17 条の第 1 項の条文

主務大臣は，特定事業者が設置している工場等におけるエネルギーの使用の合理化の状況が第 5 条第 1 項に規定する［ 4 ］に照らして著しく不十分であると認めるときは，当該特定事業者に対し，当該特定事業者のエネルギーを使用して行う事業に係る技術水準，同条第 3 項に規定する指針に従って講じた措置の状況その他の事情を勘案し，その判断の根拠を示して，エネルギーの使用の合理化に関する計画（以下「合理化計画」という．）を作成し，これを提出すべき旨の指示をすることができる．

〈［ 1 ］～［ 4 ］の解答群〉

ア　技術水準　　**イ**　ベンチマーク値　　**ウ**　エネルギー消費原単位の目標値

エ　事業者の義務　　**オ**　投資の状況　　**カ**　判断の基準となるべき事項

キ　目標の達成状況　　**ク**　性能が優れている機械器具の開発状況

ケ　エネルギー管理統括者を補佐　　**コ**　エネルギー管理者を統括

サ　その管理状況を監督　　**シ**　その実施状況を事業者に報告

ス　管理研修の課程を修了した者

セ　管理研修の課程を修了し，試験に合格した者

ソ　管理士試験に合格した者　　**タ**　管理士免状の交付を受けている者

(2)　次の文章の［ 5 ］～［ 7 ］の中に入れるべき最も適切な字句又は数値を〈［ 5 ］～［ 7 ］の解答群〉から選び，その記号を答えよ．

「法」第 2 条，「法」第 7 条，「法」第 10 条，「法」第 11 条，「令」第 1 条，「令」第 2 条，「令」第 3 条，「令」第 4 条，「令」第 5 条，「則」第 4 条関連の文章

ある事業者が保有する金属製品工場の前年度における燃料などの使用量は，以下の **a** ～ **f** のとおりであった．また，この事業者には，前述の金属製品工場のほかに，別の離れた

場所に本社事務所があり，そこでの前年度の電気の使用量は以下の g であった．なお，本社事務所では，電気以外のエネルギーは使用していなかった．これらがこの事業者の設置している施設のすべてであった．

a：加熱炉で使用した A 重油の量を発熱量に換算した量が 70 万ギガジュール

b：ボイラで消費した廃プラスチックの量を発熱量に換算した量が 2 万 7 千ギガジュール

c：ボイラで消費した A 重油の量を発熱量に換算した量が 5 万ギガジュール

d：隣接する他企業の工場から供給を受けた蒸気の熱量を燃料の発熱量に換算した量が 9 千ギガジュール，そのうち工場内の設備で使用した分が 8 千ギガジュール，放散した分が 1 千ギガジュール

e：小売電気事業者から購入した電気の量を熱量に換算した量が 9 万ギガジュール

f：加熱炉の排熱によって発電する装置を設置しており，そこで発電した電気のすべてを工場内で使用しているが，その電気の量を熱量に換算した量が 3 万ギガジュール

g：本社事務所では，小売電気事業者から購入した電気を使用しており，その電気の量を熱量に換算した量が 2 万 2 千ギガジュール

この事業者の金属製品工場が前年度に使用した「法」で定めるエネルギー使用量を算出するには，前述の a ～ f のうち [5] を合算することになる．その合算量は，原油換算エネルギー使用量で [6] キロリットルとなる．

さらに，g を加えて得られる，事業者全体での前年度に使用した「法」で定めるすべてのエネルギー量から判断して，この事業者は特定事業者であり，同時に第一種特定事業者に該当する．

当該の指定を受けた後，この金属製品工場について「法」に基づき選任しなければならないのは [7] である．

〈 [5] ～ [7] の解答群〉

ア 18 507	イ 19 604	ウ 21 904	エ 22 305
オ 22 601	カ 22 678	キ 22 910	ク 31 091
ケ a と c と e	コ a と c と d と e	サ a と b と c と d と e	
シ a と c と d と e と f		ス a と b と c と d と e と f	
セ 1 名のエネルギー管理員		ソ 1 名のエネルギー管理者	
タ 2 名のエネルギー管理者		チ 3 名のエネルギー管理者	

(3) 次の各文章の [8] ～ [9] の中に入れるべき最も適切な字句又は記述を〈 [8] ～

[10] の解答群〉から選び，その記号を答えよ．

1）「法」第19条，「法」第20条，「法」第21条，「法」第27条，「法」第28条関連の文章

連鎖化事業とは，定型的な約款による契約に基づき，特定の商標，商号その他の表示を使用させ，商品の販売又は役務の提供に関する方法を指定し，かつ，継続的に経営に関する指導を行う事業であって，当該約款に，当該事業に加盟する者が設置している工場等における [8] の条件に関する事項であって経済産業省令で定めるものに係る定めがあるもの，を指している．

連鎖化事業を行う連鎖化事業者の，「法」によるエネルギー使用量が政令で定める数値以上であるときは，特定連鎖化事業者として指定される．特定連鎖化事業者が行わなければならないのは，次の [9] である．

a：エネルギー管理統括者の選任

b：エネルギー管理企画推進者の選任

c：定期の報告

d：中長期的な計画の作成

〈[8] ～ [9] の解答群〉

ア aとd　**イ** aとbとd　**ウ** aとcとd　**エ** aとbとcとd

オ エネルギーの供給契約　**カ** エネルギーの使用

キ 共通して用いる事業方法　**ク** 共通の資材などの購買

問題2（エネルギー情勢・政策，エネルギー概論）

次の各問に答えよ．（配点計50点）

(1) 次の文章の [1] 及び [2] の中に入れるべき最も適切な字句を〈[1] 及び [2] の解答群〉から選び，その記号を答えよ．

また，[[A | a.b×10^c]] ～ [[C | a.b]] に当てはまる数値を計算し，その結果を答えよ．ただし，解答は解答すべき数値の最小位の一つ下の位で四捨五入すること．

熱力学の第一法則はエネルギー保存則とも言われる．この法則を確認した先駆者の一人は [1] であり，その実験方法の一つは，おもりの落下運動により液体容器内の羽根車を回転させることで，おもりの位置エネルギーを液体の [2] を介して液体の熱エネルギー，すなわち温度上昇に変換するものであった．

このような系を実際に計算してみる．まず質量が **20 kg** の物体を考えると，これに作用

する重力は，重力の加速度を 9.8 m/s^2 とすると [A a.b×10^c]〔N〕であり，この物体が基準面より 2 m 高いところにあるとき，基準面に対して [B a.b×10^c]〔J〕の位置エネルギーを持つ．この位置エネルギーが，質量 10 kg の水の温度上昇に相当する熱エネルギーに変換されるとき，温度上昇は [C a.b] ×10^{-3}〔K〕になる．ここで，水の定圧比熱は 4.2 kJ/(kg·K) とし，一定とする．

〈 1 及び 2 の解答群〉

ア カルノー　**イ** ケルビン　**ウ** ジュール　**エ** 圧縮性
オ 弾性　**カ** 粘性

(2) 次の文章の [D a.b×10^c] 及び [E a.b×10^c] に当てはまる数値を計算し，その結果を答えよ．ただし，解答は解答すべき数値の最小位の一つ下の位で四捨五入すること．

電力量を表すのに〔kW·h〕という単位が日常的に使われている．1 kW·h= [D a.b×10^c]〔J〕であり，これは，消費電力が 60 W の電球を [E a.b×10^c]〔s〕点灯したときの電力量に相当する．

(3) 次の各文章の 3 ～ 7 の中に入れるべき最も適切な字句を〈 3 ～ 7 の解答群〉から選び，その記号を答えよ．なお， 4 及び 7 は 2 箇所あるが，それぞれ同じ記号が入る．

1) 大規模な電力の貯蔵システムとして我が国で最も実績のあるのは 3 である．これと比べると小規模ではあるが，電気化学反応により，電気エネルギーの貯蔵と利用が繰り返しできるものを 4 と呼ぶ． 4 の中で，最も長い実績を有するのは 5 であり，自動車の搭載機器用電源などで用いられている．

2) 電力会社の発電所から送電する従来の方式に対して，再生可能エネルギーによる発電，自家用発電所や各種方式のコージェネレーションなど，分散型電源の普及が期待されている．特に，エネルギー需要が増大している民生部門では，近年我が国でも家庭用として，出力 1 kW 程度の定置型燃料電池による，発電と給湯を併せ持つ分散型電源が普及しつつある．このような家庭用に普及しつつある燃料電池には 6 と 7 の 2 種類があり，より高温で作動するのは 7 である．

〈 3 ～ 7 の解答群〉

ア キャパシタ　**イ** フライホイール　**ウ** 一次電池　**エ** 二次電池
オ 超電導コイル　**カ** 揚水発電　**キ** ナトリウム・硫黄電池
ク リチウムイオン蓄電池　**ケ** 鉛蓄電池　**コ** 固体高分子形
サ 固体酸化物形　**シ** 溶融炭酸塩形　**ス** リン酸形

問題3（エネルギー管理技術の基礎）

次の各文章は「工場等におけるエネルギーの使用の合理化に関する事業者の判断の基準」（以下，「工場等判断基準」と略記）の内容に関連したもので，令和5年9月1日時点で施行されているものである．これらの文章において「工場等（専ら事務所その他これに類する用途に供する工場等を除く）に関する事項」について，

「Ⅰ　エネルギーの使用の合理化の基準」の部分は「基準部分（工場）」

「Ⅱ　エネルギーの使用の合理化の目標及び計画的に取り組むべき措置」の部分は「目標及び措置部分（工場）」

と略記する．

［ 1 ］～［ 13 ］の中に入れるべき最も適切な字句又は記述をそれぞれの解答群から選び，その記号を答えよ．

また，［A｜ab.c］～［G｜abc］に当てはまる数値を計算し，その結果を答えよ．ただし，解答は解答すべき数値の最小位の一つ下の位で四捨五入すること．（配点計100点）

(1)「工場等判断基準」の「基準部分（工場）」は，事業者が［ 1 ］を示したもので，

① 燃料の燃焼の合理化

② 加熱及び冷却並びに伝熱の合理化

③ 廃熱の回収利用

④ 熱の動力等への変換の合理化

⑤ 放射，伝導，抵抗等によるエネルギーの損失の防止

⑥ 電気の動力，熱等への変換の合理化

の6分野から成る．

また，「Ⅱ　エネルギーの使用の合理化の目標及び計画的に取り組むべき措置」は，その設置している全ての工場等におけるエネルギー消費原単位及び電気需要最適化評価原単位を管理し，その設置している全ての工場等全体として又は工場等ごとに［ 2 ］又は電気需要最適化評価原単位を中長期的にみて年平均1パーセント以上低減させることを目標として，技術的かつ経済的に可能な範囲内で，1エネルギー消費設備等に関する事項及び2その他エネルギーの使用の合理化に関する事項に掲げる諸目標及び処置の実現に努めるものとしている．

(2) 温度700〔°C〕の物体の表面から放射される単位面積，単位時間当たりの放射エネルギーは［A｜ab.c］〔kW/m^2〕である．ただし，この物体の表面の放射率を0.85，ステファン・ボルツマン定数を5.67×10^{-8} $W/(m^2\cdot K^4)$とする．

⑶ 加熱炉では炉内温度が高いため，炉壁からの放熱の低減が重要な省エネルギー対策となる．

一方，乾燥炉においても炉内温度は低いが表面積が大きいため，炉全体からの放熱量は多くなるので注意を要する．「工場等判断基準」の「基準部分（工場）」では，熱利用設備を新設・更新する場合には，断熱材の厚さの増加，断熱性の高い材料の利用，［ 3 ］など，断熱性を向上させることが求められている．

⑷ 厚さ 40 cm の平板の片側の表面温度が 40 ℃，もう一方の表面温度が 20 ℃ であった．この平板の，厚さ方向に伝わる単位面積当たりの熱流が 55 W/m² であるとき，この平板の熱伝導率は［B a.b］〔W/(m·K)〕である．

⑸ ボイラの蒸発管では，燃焼ガスから水への伝熱が悪くならないよう留意する必要がある．「工場等判断基準」の「基準部分（工場）」では，ボイラ，工業炉，熱交換器などの伝熱面その他の伝熱に係る部分の保守及び点検に関する管理標準を設定し，これに基づき定期的に［ 4 ］を除去し，伝熱性能の低下を防止することが求められている．

〈［ 1 ］～［ 4 ］の解答群〉

ア CO_2 排出量　**イ** エネルギー使用量　**ウ** エネルギー消費原単位

エ スラッジ　**オ** 不純物

カ ばいじん，スケールその他の付着物

キ 定めるべき省エネルギーの取組方針　**ク** 遵守すべき基準

ケ 努力すべき目標　**コ** 断熱の二重化　**サ** ヒートパターンの改善

シ 炉構造の小型化

⑹ ボイラ効率は，投入した燃料の熱量が蒸気の発生にどれだけ有効に利用されたかを示す比率であり，入出熱法では，ボイラ給水が蒸気になるまでに得た熱量を，消費した燃料が完全燃焼する際に発生する熱量で除した値で示される．

蒸発量が 9 t/h で燃料消費量が 550 kg/h のボイラがある．ボイラ入口の給水の比エンタルピーが 430 kJ/kg，ボイラ出口の蒸気の比エンタルピーが 2 770 kJ/kg，燃料の低発熱量が 41.8 MJ/kg であるとすると，このときの低発熱量基準のボイラ効率は［C ab.c］〔%〕である．

⑺ 工業炉のバーナなどの燃焼機器において，燃料の持つエネルギーをすべて取り出すには，適正量の空気を供給し未燃分を発生させないように完全燃焼させることが必要である．「工場等判断基準」の「基準部分（工場）」では，燃焼設備を新設・更新する場合には，バーナなどの燃焼機器は，燃焼設備及び燃料の種類に適合し，かつ，負荷及び燃焼状態の変動に応じ

て燃料の供給量及び［ 5 ］を調整できるものを採用することが求められている．

⑻ 廃熱回収の計画に当たっては，廃熱温度と廃熱を回収する媒体との温度差を小さくすることや，回収熱の温度に近い利用先を探すことなどにより，有効エネルギーを十分に活用する必要がある．

「工場等判断基準」の「基準部分（工場）」では，廃熱回収設備を新設・更新する場合には，廃熱の排出状況等を調査するとともに，廃熱回収率を高めるため，伝熱面の性状及び形状の改善，［ 6 ］などの措置を講じることや，蓄熱設備やヒートポンプ等の採用等により，廃熱利用が可能となる場合にはこれらを採用することが求められている．

⑼ 工業炉では，炉内圧が外気より低いときには冷たい外気を吸い込むため，炉内が冷却される．

また，外気侵入により炉内の燃焼ガスの流動状態が変わり，温度分布も不均一になることがある．

「工場等判断基準」の「基準部分（工場）」では，熱利用設備を新設・更新する場合には，熱利用設備の開口部については，開口部の縮小又は密閉，［ 7 ］，内部からの空気流などによる遮断などにより，放散及び空気の流出入による熱の損失を防止することが求められている．

〈［ 5 ］～［ 7 ］の解答群〉

ア 火炎の角度　**イ** 火炎の長さ　**ウ** 空気比

エ ヒートパイプの圧力損失対策　**オ** ヒートポンプの熱媒体の圧縮

カ 断熱の二重化　**キ** 伝熱面積の増加　**ク** 二重扉の取付け

ケ 炉内外の圧力調整

⑽ 燃料としてガスを使用している自家用火力発電所の年間発電端発生電力量が 15 GW·h，高発熱量ベースの年間平均発電端熱効率が 38% であった．ガスの高発熱量を 45 $\mathrm{MJ/m^3_N}$としたとき，この火力発電所の年間ガス消費量は［D］［$a.bc\times10^d$］〔$\mathrm{m^3_N}$〕．ここで，$\mathrm{m^3_N}$ の添字 N は標準状態での量であることを表している．

⑾ 空気調和機設備を効率良く運転するためには適切な保守及び点検が必要である．「工場等判断基準」の「基準部分（工場）」では，空気調和設備を構成す熱源設備，［ 8 ］，空気調和機設備は，保温材や断熱材の維持，［ 9 ］の除去及び凝縮器に付着したスケールの除去など個別機器の効率及び空気調和設備全体の総合的な効率の改善に必要な事項の保守及び点検に関する管理標準を設定し，これに基づき定期的に保守及び点検を行い，良好な状態に維持することが求められている．

⑿　抵抗 6 Ω，リアクタンス 8 Ω を直列に接続した単相負荷がある．この負荷に交流 200 V の電圧を加えたときに，この負荷で消費される電力は **E a.b** 〔kW〕である．

⒀　変圧器の損失には負荷損と無負荷損があり，このために，変圧器効率は負荷の大きさにより変化する．効率が最大となるのは [10] のときである．

⒁　三相誘導電動機を電圧 400 V で運転したとき，最初の 30 分間は 20 A，次の 30 分間は 40 A の電流が流れた．電動機がこの 60 分間で使用した電力量は **F ab.c** 〔kW･h〕である．ここで，三相誘導電動機の力率は 80% 一定とし，また，$\sqrt{3}=1.73$ として計算すること．

〈 [8] ～ [10] の解答群〉

ア　熱交換器　**イ**　熱搬送設備　**ウ**　ボイラ設備　**エ**　凝縮水

オ　滞留熱　**カ**　フィルタの目づまり　**キ**　定格負荷

ク　負荷損が無負荷損と等しくなる負荷

ケ　負荷損が無負荷損の 2 倍と等しくなる負荷

⒂　定格電圧が 200 V で，定格出力が 30 kW，定格出力時の効率が 90%，力率が 85% の三相誘導電動機がある．この電動機を定格電圧，定格出力で運転しているとき，電流は **G abc** 〔A〕である．ここで，$\sqrt{3}=1.73$ として計算すること．

⒃　ポンプ，ファン，ブロワ，コンプレッサなどの流体機械の省エネルギーの手段として，吐出圧力や吐出流量など負荷の低減を行うことと，それに応じた流体機械の運転を行うことが重要である．

「工場等判断基準」の「基準部分(工場)」では，ポンプ，ファン，ブロワ，コンプレッサなどの流体機械については，使用端圧力及び吐出量の見直しを行い，負荷に応じた運転台数の選択，[11] などに関する管理標準を設定し，電動機の負荷を低減することが求められている．

⒄　電気化学システムは，基本的には，電極，電解質，外部回路で構成されている．「工場等判断基準」の「基準部分（工場)」では，電解設備は，適当な形状及び特性の電極を採用し，電極間距離，[12]，導体の接触抵抗などに関して管理標準を設定し，その電解効率を向上させることが求められている．

⒅　照明計算に使用される代表的な指標の一つとして，次式で表されるものが使用される．

$$U=\frac{\text{被照面に入射する光束}}{\text{光源の全光束}}$$

この U は，部屋の形状や反射率，照明器具の配光などから求められ，[13] と呼ばれる．

〈 11 ～ 13 の解答群〉

ア　照明率　　**イ**　室指数　　**ウ**　ランプ効率

エ　回転数の変更　　**オ**　析出物の排出　　**カ**　電解液の濃度

キ　電解槽の温度　　**ク**　配管抵抗の低減　　**ケ**　流体の漏洩（ろうえい）の防止

II

電気の基礎（80分）

問題4　電気及び電子理論

問題5　自動制御及び情報処理

問題6　電気計測

問題4（電気及び電子理論）

次の各問に答えよ．（配点計50点）

(1)　次の文章の［1］～［3］の中に入れるべき最も適切な数値又は式を〈［1］～［3］の解答群〉から選び，その記号を答えよ．

図1に示すように，電圧100Vの交流電源に，誘導性リアクタンス3Ω，容量性リアクタンス4Ω及び抵抗 R〔Ω〕からなる負荷が接続された回路がある．この回路において，電源電圧と全電流 I〔A〕とが同相となるときに，抵抗 R で消費される電力 P〔kW〕は，次の過程で求められる．

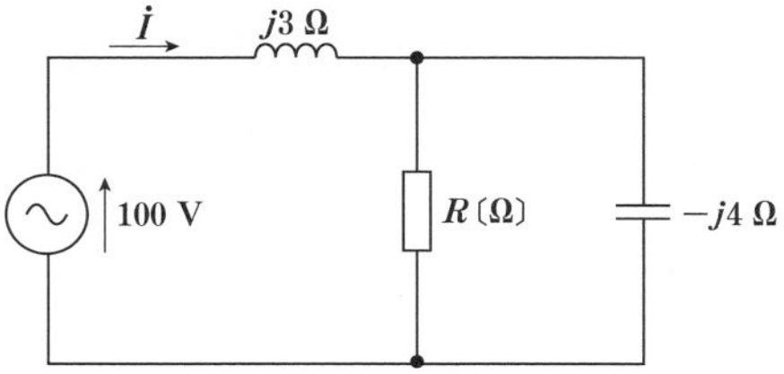

図1

この回路において，電源から負荷を見た合成インピーダンス $\dot{Z}$〔Ω〕は，次のようになる．

$$\dot{Z}=j3+\frac{16R-j\boxed{1}}{16+R^2}\text{〔Ω〕}$$

電源電圧と全電流 $\dot{I}$ を同相とするには，$R=4\sqrt{3}$ Ω とすればよい．

このとき，合成インピーダンス $\dot{Z}$ の大きさ Z〔Ω〕は次のようになる．

$$Z=\boxed{2}\text{〔Ω〕}$$

したがって，このときの抵抗 R で消費される電力 P は次のようになる．

$$P=\frac{\boxed{3}}{\sqrt{3}}\text{〔kW〕}$$

〈 1 〜 3 の解答群〉

ア $\sqrt{3}$ **イ** 2 **ウ** 3 **エ** $2\sqrt{3}$ **オ** $3\sqrt{3}$

カ 5 **キ** 10 **ク** R^2 **ケ** $4R^2$ **コ** $(4+R^2)$

(2) 次の文章の 4 〜 7 の中に入れるべき最も適切な数値を〈 4 〜 7 の解答群〉から選び，その記号を答えよ.

また， A ab.c 〜 C ab.c に当てはまる数値を計算し，その結果を答えよ．ただし，解答は解答すべき数値の最小位の一つ下の位で四捨五入すること.

図2に示すように，相電圧が $\dot{E}_a$〔V〕，$\dot{E}_b$〔V〕，$\dot{E}_c$〔V〕で，線間電圧が 200 V の対称三相交流電源に，負荷として，インピーダンス $4+j3$〔Ω〕を Y 結線した平衡三相負荷1と，インピーダンス $3+j4$〔Ω〕を △ 結線した平衡三相負荷2とが接続されている．ここで，$\dot{E}_a$ の位相を位相の基準とし，相回転は a−b−c の順であり，図2に示されているインピーダンス以外のインピーダンスは無視するものとする.

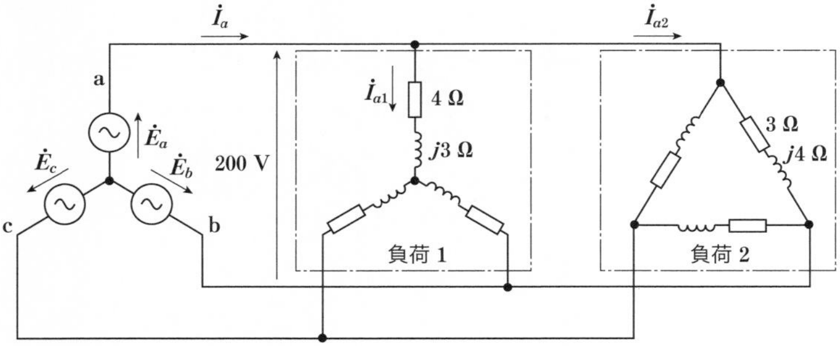

図2

図2に示すように，負荷1に流れる電流を $\dot{I}_{a1}$〔A〕，負荷2に流れる電流を $\dot{I}_{a2}$〔A〕とすると，$\dot{I}_{a1}$ 及び $\dot{I}_{a2}$ は次のようになる.

$\dot{I}_{a1}=$ 4 $\times(4-j3)$〔A〕

$\dot{I}_{a2}=$ 5 $\times(3-j4)$〔A〕

負荷1の三相皮相電力 S_1〔kV·A〕及び負荷2の三相皮相電力 S_2〔kV·A〕は次のようになる.

$S_1=$ 6 〔kV·A〕

$S_2=$ 7 〔kV·A〕

また，負荷1と負荷2とで消費される合計の電力 P〔kW〕は次のようになる.

$P=$ A ab.c 〔kW〕

このとき，負荷 1 と負荷 2 との合計の無効電力 Q〔kvar〕は次のようになる．

$Q=$ [B ab.c]〔kvar〕

したがって，電源として最小限必要な電源容量 S〔kV·A〕は次のようになる．

$S=$ [C ab.c]〔kV·A〕

〈[4]～[7]の解答群〉

ア $\frac{4}{\sqrt{3}}$	イ 4	ウ $\frac{8}{\sqrt{3}}$	エ $3\sqrt{3}$	オ 8	カ 12
キ $8\sqrt{3}$	ク 16	ケ 24	コ 32	サ $\frac{200}{\sqrt{3}}$	シ $200\sqrt{3}$

問題 5（自動制御及び情報処理）

次の各問に答えよ．（配点計 50 点）

(1) 次の各文章の[1]～[6]の中に入れるべき最も適切な字句，式，数値又は記述をそれぞれの解答群から選び，その記号を答えよ．

質量 M〔kg〕の物体が，並列接続されたばねとダンパにより，固定された壁につながれており，外力によって直線運動する機械振動系を考える．このシステムは次のような微分方程式で表される．

$$M\frac{d^2x(t)}{dt^2}+D\frac{dx(t)}{dt}+Kx(t)=f(t) \quad \cdots\cdots ①$$

ここで，時間 t〔s〕の関数 $x(t)$〔m〕は物体の変位，$f(t)$〔N〕は物体にかかる外力を表しており，D〔N·s/m〕はダンパの制動係数，K〔N/m〕はばね定数である．また，$x(t)$ と $f(t)$ のラプラス変換を，それぞれ $X(s)$ と $F(s)$ で表す．

1) 式①の両辺をラプラス変換し，すべての初期値を 0 とみなすと，

$M\times$ [1] $+D\times$ [2] $+KX(s)=F(s)$

を得る．上式より求められる，$F(s)$ から $X(s)$ までの伝達関数は式[3]となり，これは[4]要素と呼ばれる形をしている．

〈[1]～[4]の解答群〉

ア $X(s)$	イ $X^2(s)$	ウ $sX(s)$
エ $sX^2(s)$	オ $s^2X(s)$	カ $\frac{1}{Ks^2+Ds+M}$

キ $\dfrac{1}{Ds^2+Ms+K}$　**ク** $\dfrac{s}{Ds^2+Ms+K}$　**ケ** $\dfrac{1}{Ms^2+Ds+K}$

コ $\dfrac{s}{Ms^2+Ds+K}$　**サ** 一次遅れ　**シ** 二次遅れ

ス 比例　**セ** 積分　**ソ** 微分

2） 伝達関数が $\dfrac{1}{s^2+4s+3}$ の系に，大きさ 1 N のステップ入力を加えると，時間が十分に経ったときの出力値は［ 5 ］〔m〕に収束する．また，$\dfrac{1}{s^2+4}$ の系に，同様に大きさ 1 N のステップ入力を加えると，出力応答は［ 6 ］する．

〈［ 5 ］及び［ 6 ］の解答群〉

ア 0　**イ** $\dfrac{1}{4}$　**ウ** $\dfrac{1}{3}$　**エ** $\dfrac{1}{2}$　**オ** 1　**カ** 無限大に発散

キ 単調増加して，ある一定値に収束　**ク** 単調減少して 0 に収束

ケ 振動しながら，ある一定値に収束　**コ** 持続的に同じ振幅で振動

(2) 次の文章の［ 7 ］～［ 10 ］の中に入れるべき最も適切な字句，数値又は式を〈［ 7 ］～［ 10 ］の解答群〉から選び，その記号を答えよ．

図のように，伝達関数 $G(s)$ の要素を含む制御系がある．ここで，時間 t の関数 $r(t)$ のラプラス変換を $R(s)$ のように表している．この制御系は［ 7 ］接続といわれ，$R(s)$ から $E(s)$ までの伝達関数は［ 8 ］である．$G(s)=\dfrac{3}{s(s+2)}$ のとき，入力として $r(t)=1$ のステップ入力を加えたときの定常偏差の値は［ 9 ］となる．また，入力として $r(t)=t$ のランプ入力を加えたときの定常偏差の値は［ 10 ］となる．

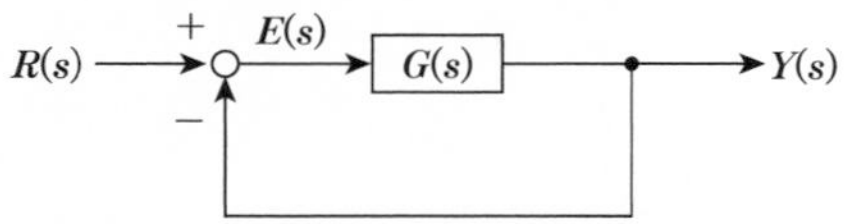

〈［ 7 ］～［ 10 ］の解答群〉

ア 0　**イ** $\dfrac{2}{5}$　**ウ** $\dfrac{1}{3}$　**エ** $\dfrac{2}{3}$

オ 1　**カ** $\dfrac{3}{2}$　**キ** 2　**ク** 3

ケ　$1+G(s)$　**コ**　$\dfrac{1}{1+G(s)}$　**サ**　$\dfrac{1}{1-G(s)}$　**シ**　$\dfrac{G(s)}{1+G(s)}$

ス　$\dfrac{G(s)}{1-G(s)}$　**セ**　フィードバック　**ソ**　直接　**タ**　間接

チ　並列　**ツ**　直列

(3)　次の文章の 11 ～ 13 の中に入れるべき最も適切な字句を〈 11 ～ 13 の解答群〉から選び，その記号を答えよ．

近年，普及が進み，長時間スイッチを入れた状態になりがちなコンピュータ，ディスプレイ，プリンタなどの **OA** 機器のエネルギー消費が問題となっている．これらの **OA** 機器の消費電力を削減するために生まれた制度として 11 があり，**2018** 年 **4** 月 **1** 日現在，**9** 品目が対象となっている．この制度では，製品の各動作モードにおける消費電力などについて，省エネルギー性能の基準が設定されている．

コンピュータを例にとると，コンピュータの動作モードのうち，使用者が実質的作業を実行している状態である稼動状態と，それ以外に次の①～③の動作モードが定められている．

①　オペレーティングシステムやその他のソフトウェアの読込みが終了し，ユーザプロファイルが作成され，初期設定によって開始する基本アプリケーションに動作が限定されている状態を 12 状態という．

②　コンピュータが一定時間使用されないときに，自動的に又は手動選択により入る低電力状態を 13 モードという．この機能を有するコンピュータは，ネットワーク接続又はユーザインターフェース装置に反応して，ウェイクイベントの開始からシステムが完全に使用可能になるまで，**5** 秒以下の待ち時間で素早く復帰できる．

③　コンピュータが主電源に接続され，ネットワーク接続の有無など，指定された使用状態で，コンピュータの電源をオフしたときの，不定時間続く可能性のある最低消費電力状態をオフモードという．

デスクトップ型並びにノートブック型の場合は，稼動状態以外の①～③の各動作モードの時間比率を考慮した概念的標準年間消費電力量を，消費電力基準としている．

〈 11 ～ 13 の解答群〉

ア　トップランナー基準　**イ**　国際エネルギースタープログラム

ウ　省エネラベリング制度　**エ**　アイドル　**オ**　スクリーンセーバ

カ　スリープ　**キ**　テスト　**ク**　バックアップ動作

⑷　次の文章の［14］～［16］の中に入れるべき最も適切な字句又は数値を〈［14］～［16］の解答群〉から選び，その記号を答えよ．なお，［15］は2箇所あるが，同じ記号が入る．

また，［A｜a.bc］に当てはまる数値を計算し，その結果を答えよ．ただし，解答は解答すべき数値の最小位の一つ下の位で四捨五入すること．

コンピュータで用いられる画像データは，画像を細かい領域（画素）に分割し，色や明るさなどの情報を分割された画素単位で，表現したい精度に必要なビット数のデータを割り当てたもので表現される．画像のうち，静止画にはビットマップ形式など各種の画像データの規格やファイル形式がある．

これらのうち，ビットマップ形式は画素の情報を表すデータを画素数分そのまま集めた形式で，一般的には圧縮されずに用いられるので，データ量が多くなる．画素数1 920×1 080のFHD（Full High Definition）画面で1画素当たり32ビットのデータ量の場合，バイトの単位を〔B〕で表すと，総データ量は［A｜a.bc］$\times 10^6$〔B〕となる．

ISOで規格化されたカラー静止画像の圧縮方式の一つとして［14］があり，ビットマップ形式と比較してデータ量が10分の1から100分の1程度に圧線される．

GIFは，モノクロ［15］階調，又はカラー［15］色以下の画像を扱うことができる［16］圧縮形式であり，複数静止画によるアニメーション機能も提供されている．

〈［14］～［16］の解答群〉

ア　8	イ　64	ウ　256	エ　65 536	オ　GIF
カ　JPEG	キ　MPEG	ク　PDF	ケ　PNG	コ　WAVE
サ　暗号化	シ　音声	ス　可逆	セ　非可逆	

問題6（電気計測）

次の各問に答えよ．（配点計50点）

⑴　次の各文章の［1］～［8］の中に入れるべき最も適切な字句又は式をそれぞれの解答群から選び，その記号を答えよ．なお，［6］は2箇所あるが，同じ記号が入る．

1）　ディジタル計器の特徴は，測定結果がディジタルで表示されるため，個人差を含めた読み取り誤差が少ないこと，高度な処理ができること，ディジタル処理装置とのインタフェースが容易であることなどである．さらに，入力部はアナログ信号を取り扱うが，入力インピーダンスの［1］回路が用いられているため，被測定系への影響を少なくすることができ，また，入力部を電源部やインタフェース部などと電気的に［2］することで，耐ノイズ性を高めることができる．

ディジタル計器にアナログ信号を取り込む場合の信号変換には，アナログ / ディジタル変換器が用いられる．アナログ / ディジタル変換器にはいろいろな種類があるが，図1に示す［3］式アナログ / ディジタル変換器はその典型例である．この変換器は，内部に安定性の高い［4］発生器があり，この発生器の信号と，測定したい入力電圧を，適切な回路によって［5］に変換して計数し，その比をとることで，入力電圧の大きさを求める．

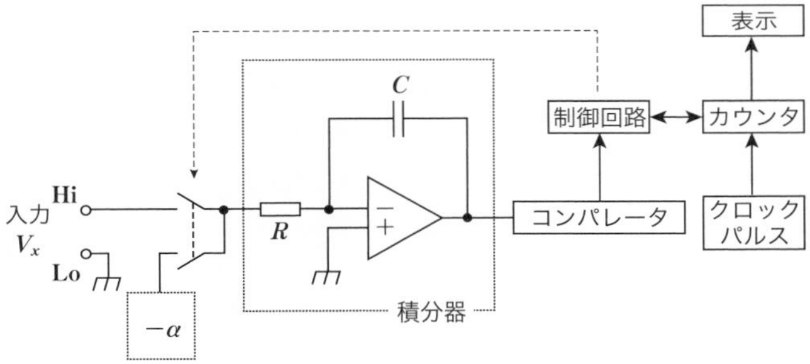

図 1

〈［1］～［5］の解答群〉

ア	シングルスロープ	**イ**	デュアルスロープ	**ウ**	トリプルスロープ
エ	パルス数	**オ**	電流値	**カ**	抵抗値
キ	基準直流抵抗	**ク**	基準直流電圧	**ケ**	基準直流電流
コ	インピーダンス整合	**サ**	絶縁	**シ**	短絡
ス	高い	**セ**	低い		

2)　図1のアナログ / ディジタル変換器の動作原理に対するタイムチャートを図2に示す．

まず，スイッチが時間0から一定時間 t_1〔s〕まで入力側に接続される．この t_1 は，周波数 f〔Hz〕のクロックのパルスを，あらかじめ決められた数 N_1（$=f\cdot t_1$）だけカウンタで計数することで決まる．その間に，積分器の入力抵抗 R〔Ω〕を介して測定したい入力電圧 V_x〔V〕に比例した電流 $\dfrac{V_x}{R}$〔A〕が，キャパシタ（コンデンサ）C〔F〕に流れ込んで積分される結果，時間 t_1 において積分器からコンパレータへ出力さ

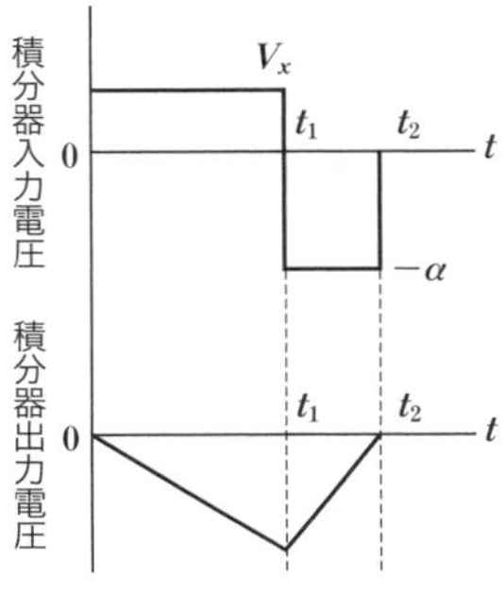

図 2

れる電圧は $\dfrac{-t_1 V_x}{RC}$〔V〕となる.

次に，制御回路からの指令により，スイッチが，$-\alpha$ の値の［ 6 ］発生器側に切替えられるとともに，カウンタが計数を開始する．積分器には一定の電流 $\dfrac{-\alpha}{R}$〔A〕が流れ込み，積分器出力電圧が一定の割合で増加して 0 を通過する．この 0 を通過する時間 t_2〔s〕をコンパレータで検出して，制御回路に信号を送る．それをきっかけに，t_1 から t_2 の間にカウンタが計数したパルス数 $N_2 = f \cdot (t_2 - t_1)$ が記憶される．その結果，測定したい入力電圧 V_x は，次式を用いて算出することができる.

$V_x =$［ 7 ］〔V〕

［ 6 ］発生器には，出力が比較的安定な素子である［ 8 ］を用いることが多い.

〈［ 6 ］～［ 8 ］の解答群〉

ア $\dfrac{N_1 \alpha}{N_2}$　**イ** $\dfrac{2N_1 \alpha}{N_2}$　**ウ** $\dfrac{N_2 \alpha}{N_1}$

エ ジョセフソン素子　**オ** ツェナーダイオード　**カ** 量子ホール素子

キ 基準直流抵抗　**ク** 基準直流電圧　**ケ** 基準直流電流

(2) 次の各文章の［ 9 ］～［ 14 ］の中に入れるべき最も適切な字句又は式をそれぞれの解答群から選び，その記号を答えよ.

1) 多くの計測器には接地端子が付属している．計測器の接地は，回路の電位の基準を設定するためにも重要であり，また，大電力を利用する装置の場合，［ 9 ］の観点からも重要である.

接地電流が大きくなると，接地極と大地の電位差が［ 10 ］なる．この電位差と接地電流の比を，その接地電極の接地抵抗という.

〈［ 9 ］及び［ 10 ］の解答群〉

ア 感電防止　**イ** 省エネルギー　**ウ** 耐震対策　**エ** 大きく　**オ** 小さく

2) 図3に示すように，一直線上にあって十分離れた地面 G_1，G_2，G_3 の3箇所に，接地極が埋設されている．ここで，G_1 と G_2 の距離を L_{12}〔m〕，G_2 と G_3 の距離を L_{23}〔m〕，G_1 と大地との間の抵抗を R_1〔Ω〕，G_2 と大地との間の抵抗を R_2〔Ω〕，G_3 と大地との間の抵抗を R_3〔Ω〕とする.

これらの接地極に対し図3のとおり電源及び計測器を接続し，接地抵抗の測定を行ったところ，電源からの電流 I〔A〕と，G_1 と G_2 の間の電圧 V〔V〕が得られた．この回路

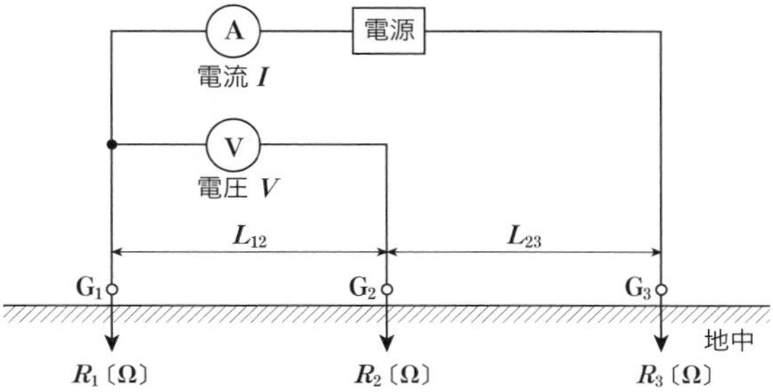

図 3

で測定できるのは R_1，R_2，R_3 のうち [11] であり，その値は，式 [12] で求められる．

接地抵抗計は，原理的にはこのような手法や類似手法で接地抵抗を測定している．ここで，測定には [13] の定電圧電源が用いられる．その理由は，[14] 作用によって生じる電位差による測定誤差を防止するためである．

〈 [11] ～ [14] の解答群〉

ア R_1	**イ** R_2	**ウ** R_3	**エ** $\dfrac{V}{I}$
オ $\dfrac{V}{I}\times\dfrac{L_{12}}{L_{23}}$	**カ** $\dfrac{V}{I}\times\dfrac{L_{23}}{L_{12}}$	**キ** パルス	**ク** 交流
ケ 直流	**コ** 充電	**サ** 放電	**シ** 分極

電気設備及び機器（110分）

問題7，8　工場配電

問題9，10　電気機器

問題7（工場配電）

次の各問に答えよ．（配点計50点）

(1) 次の各文章の [1] ～ [4] の中に入れるべき最も適切な字句を〈[1] ～ [4] の解答群〉から選び，その記号を答えよ．

1) 特別高圧配電線又は高圧配電線に，短絡や地絡などの故障が発生すると，保護動作により停電となるが，落雷などによる故障の場合は，故障点の自然復旧によって一定時限を経て再送電すると，再送電可能となる瞬時故障が極めて多い．

この再送電を可能とするため，架空線系統には [1] 方式が採用されており，その再送電の時限は，供給信頼度の面からみて，故障の消滅する範図でできるだけ短いことが望ましい．この時限は，一般に経験上から [2] 程度の値が用いられているが，特殊な負荷を有する需要家への再送電では，0.5秒程度の時限を採用しているところもある．

2) 記電線路に流入する高調波のうち，負荷機器で発生する代表的な高調波としては，次のようなものがある．

① 変圧器や回転機など鉄心を有する電気機器の [3] 現象による波形ひずみ

② アーク炉におけるアークの非線形特性による負荷電流の波形ひずみ

③ 整流装置やインバータなどとして広く使用される [4] による高調波

〈[1] ～ [4] の解答群〉

ア 1分	**イ** 5分	**ウ** 30分	**エ** 直流電動機
オ 同期調相機	**カ** 半導体電力変換装置	**キ** 架空地線	**ク** 再閉路
ケ 遮断遅延	**コ** 過負荷	**サ** 磁気飽和	**シ** 不足励磁

(2) 次の各文章の [5] ～ [9] の中に入れるべき最も適切な字句を〈[5] ～ [9] の解答群〉から選び，その記号を答えよ．

1) 自家用需要家の受電方式の主なものとしては，1回線受電方式，2回線受電方式，スポットネットワーク受電方式がある．これらの受電方式のうち，スポットネットワーク受電方式は，同一変電所から2回線以上（通常3回線）で並列受電するもので，受電点に設置するネットワーク変圧器一次側の遮断器を省略して，二次側で［5］を介してネットワークを組み，一次側1回線事故に対してその回線を二次側で自動的に切り離し，他の健全回線から無停電で供給を継続することができる供給信頼性の高い受電方式である．このスポットネットワーク受電方式の低圧側に設置されるネットワークリレーには，無電圧投入特性，差電圧（過電圧）投入特性及び［6］特性の三つの基本特性がある．

2）デマンド制御とは，電気使用の便益を損なうことなく最大需要電力を一定の値以下にとどめ，電力設備の効率運転と省エネルギー化を推進する手法である．デマンド制御を行うことにより，［7］は向上し，受電設備や配電設備の効率的運用が可能となり，電気料金の節減にも効果をもたらす．デマンド制御は契約電力の超過を防止するばかりでなく，適切なデマンド制御により契約電力を下げることもできる．

3）保全管理の目的は，事故や故障の未然防止による生産設備の効率的維持管理を図り，生産性の向上を狙うものである．通常，保全管理は二つの意味に用いられ，設備が故障したり壊れたりする前に計画的に機器の手当てをしておく予防保全と，これをさらに発展させて，生産性を向上させることによる利益と，そのために要した費用が経済的に引き合うようにして，良いものを安く生産するための［8］とがある．

保全管理は，省エネルギーの面からは，生産量当たりの電力消費量を表す［9］の低減につながり，電力使用の合理化を推進することにつながる．

〈［5］～［9］の解答群〉

ア ネットワークプロテクタ	**イ** 進相コンデンサ	**ウ** 配線用遮断器
エ 負荷率	**オ** 不等率	**カ** 力率
キ 環境保全	**ク** 事後保全	**ケ** 生産保全
コ 需要電力量	**サ** 受電設備容量	**シ** 電力原単位
ス 回生電力保護	**セ** 逆電力遮断	**ソ** 不平衡電流保護

(3) 次の文章の［10］及び［11］の中に入れるべき最も適切な式を〈［10］及び［11］の解答群〉から選び，その記号を答えよ．

図1に示すように，対称三相電源に，インピーダンス $R+jX$〔Ω〕の線路を介して平衡三相負荷が接続されている．この負荷にコンデンサを接続して，力率を $\cos\varphi_1$ から $\cos\varphi_2$ に改善したときの改善効果の説明図を図2に示す．ここで，R〔Ω〕は線路1相当たりの抵抗，X〔Ω〕は線路1相当たりのリアクタンス，$\dot{V}$〔V〕は負荷端の相電圧，$\dot{I}_1$〔A〕は力率改善前の線路電流，$\dot{I}_2$〔A〕は力率改善後の線路電流，$\dot{I}_c$〔A〕はコンデンサに流れる電

流，$\dot{I}_p$〔A〕は線路電流の有効分，$\dot{I}_{q1}$〔A〕は力率改善前の線路電流の無効分，$\dot{I}_{q2}$〔A〕は力率改善後の線路電流の無効分である．また，$\dot{V}$の大きさを V〔V〕のように表し，I_1〔A〕，I_2〔A〕，I_{q1}〔A〕及び I_{q2}〔A〕も同様とする．

ここで，1 相当たりの線路損失の低減量は，力率改善前の線路損失 P_1〔W〕と，改善後の線路損失 P_2〔W〕の差で表され，次式となる．

$$P_1-P_2=(\boxed{\ 10\ })\times R\ \text{〔W〕}$$

また，図 2 において，力率 $\cos\varphi_1$ の負荷にコンデンサを接続して，力率を $\cos\varphi_2$ にするための 1 相当たりのコンデンサ容量 Q_c〔var〕は次式となる．ここで，簡単のために，力率改善前と改善後で，負荷端の相電圧の大きさ V は変わらないものとする．

$$Q_c=VI_1\cos\varphi_1\times(\boxed{\ 11\ })\ \text{〔var〕}$$

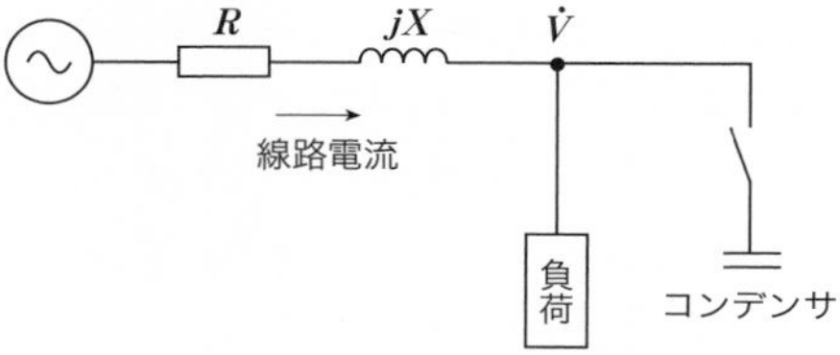

図 1 配電線図

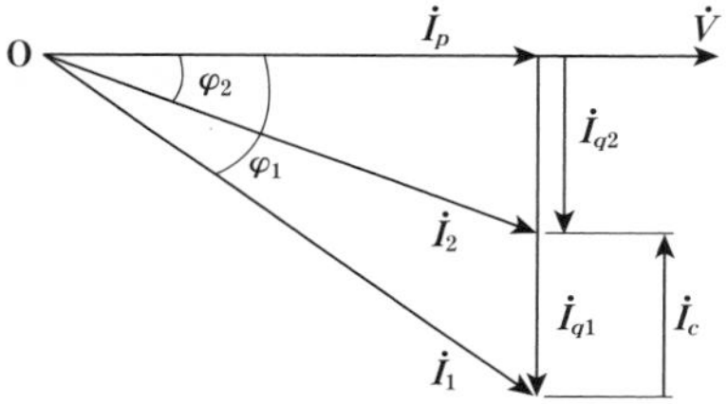

図 2 力率改善効果の説明図（1 相当たり）

〈 10 及び 11 の解答群〉

ア $I_1^2-I_2^2$　　**イ** $I_1^2-I_p^2$　　**ウ** $I_{q1}^2-I_{c1}^2$

エ $\sqrt{\dfrac{1}{\sin^2\varphi_1}-1}-\sqrt{\dfrac{1}{\sin^2\varphi_2}-1}$　　**オ** $\sqrt{\dfrac{1}{\cos^2\varphi_1}-1}-\sqrt{\dfrac{1}{\cos^2\varphi_2}-1}$

カ $\sqrt{\dfrac{1}{\tan^2\varphi_1}-1}-\sqrt{\dfrac{1}{\tan^2\varphi_2}-1}$

問題 8（工場配電）

次の各文章の 1 ～ 10 の中に入れるべき最も適切な数値又は式をそれぞれの解答群から選び，その記号を答えよ．（配点計 50 点）

図は，ある工場の配電系統を示したものである．22 kV 配電系統に，22 kV/6.6 kV の受電用変圧器が接続され，6.6 kV 配電線路を介して平衡三相負荷が接続されている．22 kV 配電系統の三相短絡容量は 800 MV・A であり，受電用変圧器は，定格容量が 4 000 kV・A，定格容量ベースの短絡インピーダンスが 4.6 % である．ここで，6.6 kV 配電線路の 1 相

III

当たりの抵抗 r が 0.014 Ω，1 相当たりのリアクタンス x が 0.018 Ω であり，その他のインピーダンスは無視するものとする．また，6.6 kV 配電線路には，力率 $\cos\varphi$ が 0.8（遅れ）の平衡三相負荷が接続されており，1 相当たりの線路電流 I は 120 A とする．

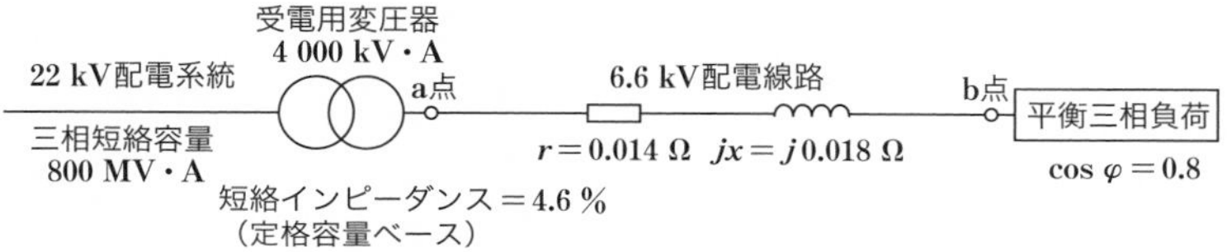

1）　配電線路の a ～ b 点間における電圧降下及び電力損失を求める．

線間電圧の電圧降下 ΔV〔V〕は，a ～ b 点間の抵抗 r 及びリアクタンス x を用いて，次の簡略式から求められる．ここで，簡単のために，受電用変圧器二次側の a 点から負荷側を見た力率は，負荷の力率 $\cos\varphi$ と同じとする．

$$\Delta V=\sqrt{3}\,I(r\cos\varphi+x\sin\varphi)\text{〔V〕}$$

これに数値を代入すると次のようになる．

$$\Delta V=\boxed{\ 1\ }\text{〔V〕}$$

また，三相分の電力損失 P_L〔W〕は，記号を用いて表すと次式となる．

$$P_L=\boxed{\ 2\ }\text{〔W〕}$$

これに数値を代入すると次のようになる．

$$P_L=\boxed{\ 3\ }\text{〔W〕}$$

〈 1 ～ 3 の解答群〉

ア　2.33	イ　4.57	ウ　22.9	エ　461	オ　605
カ　950	キ　$3rI^2$	ク　$\sqrt{3}(r+x)I^2$	ケ　$\sqrt{3}\Delta VI$	

2）　短絡容量や短絡電流を求める際には，機器や線路の短絡容量や百分率インピーダンスを，統一した基準容量に換算して用いると計算が容易になる．

まず，基準容量を P〔kV・A〕とし，短絡インピーダンスを基準容量ベースの百分率インピーダンス $\%Z_S$〔%〕で表すと，短絡容量 P_S〔kV・A〕は次式で示される．

$$P_S=P\times\frac{100}{\%Z_S}\text{〔kV・A〕}\quad\cdots\cdots①$$

次に，22 kV 配電系統，受電用変圧器及び 6.6 kV 配電線路について，基準容量 P を 1 000 kV・A としたときの百分率インピーダンスを求める．

22 kV 配電系統の百分率インピーダンス $\%Z_S$ は，①式より次の値となる．

$$\%Z_S=\boxed{\ 4\ }\text{〔%〕}$$

受電用変圧器の百分率インピーダンス $\%Z_T$〔%〕は，短絡インピーダンスを用いて計算すると次の値となる.

$\%Z_T =$ [5] 〔%〕

6.6 kV 配電線路の百分率抵抗 $\%r$〔%〕は，定格電圧を V_r〔kV〕，抵抗を r〔Ω〕とすると次式で示される.

$$\%r = \frac{r \times P}{\boxed{6} \times 10^3} \times 100 〔\%〕 \cdots\cdots ②$$

また，6.6 kV 配電線路の百分率リアクタンス $\%x$〔%〕は，リアクタンス x〔Ω〕を用いて②式と同様に求められ，次の値となる.

$\%x =$ [7] 〔%〕

〈 [4] ～ [7] 解答群〉

ア 0.0312	イ 0.0413	ウ 0.0544	エ 0.125
オ 0.157	カ 0.250	キ 0.800	ク 1.15
ケ 1.25	コ V_r^2	サ $\sqrt{3}\,V_r$	シ $\sqrt{3}\,V_r^2$

3) 次に，短絡電流を計算する.

基準容量 P を 1 000 kV・A として，6.6 kV 配電線路の a 点から電源側を見た基準容量ベースの百分率インピーダンス $\%Z_a$〔%〕は，$\%Z_S$ 及び $\%Z_T$ を用いて次式で示される. ここで，簡単のために，$\%Z_S$ 及び $\%Z_T$ はすべてリアクタンス分のみであるとし，また，短絡時，負荷側から a 点への電流の供給はないものとする.

$\%Z_a =$ [8] 〔%〕

ここで，$\%Z_a$ の値が 1.28% であるとして，a 点の短絡容量 P_a〔MV・A〕を算出すると，次の値となる.

$P_a =$ [9] 〔MV・A〕

したがって，a 点の三相短絡電流 I_S〔kA〕は次の値となる.

$I_S =$ [10] 〔kA〕

なお，実際の短絡計算では，百分率インピーダンスは，リアクタンス分だけでなく抵抗分も考慮される.

〈 [8] ～ [10] の解答群〉

ア 3.48	イ 6.83	ウ 11.8	エ 78.1	オ 313
カ 625	キ $\%Z_S + \%Z_T$	ク $\sqrt{(\%Z_S)^2 + (\%Z_T)^2}$	ケ $\dfrac{\%Z_S \times \%Z_T}{\%Z_S + \%Z_T}$	

問題 9（電気機器）

次の各問に答えよ．（配点計 50 点）

(1) 次の各文章の 1 ～ 9 の中に入れるべき最も適切な字句，数値又は式をそれぞれの解答群から選び，その記号を答えよ．

図は，二巻線変圧器の一次側から見た簡易等価回路である．$\dot{V}_1$〔V〕は一次側の端子電圧，$\dot{V}_2$〔V〕は二次側の端子電圧，$\dot{E}_1$〔V〕は一次巻線の誘導起電力，$\dot{E}_2$〔V〕は二次巻線の誘導起電力，$\dot{I}_1$〔A〕は一次電流，$\dot{I}_2$〔A〕は二次電流，$\dot{I}_2'$〔A〕は一次側に換算した二次電流，Z〔Ω〕は負荷のインピーダンスであり，r_1〔Ω〕は一次巻線の抵抗，x_1〔Ω〕は一次巻線の漏れリアクタンス，r_2〔Ω〕は二次巻線の抵抗，x_2〔Ω〕は二次巻線の漏れリアクタンスである．また，g_0〔S〕は励磁コンダクタンス，b_0〔S〕は励磁サセプタンス，$\dot{Y}_0$〔S〕は励磁アドミタンスである．

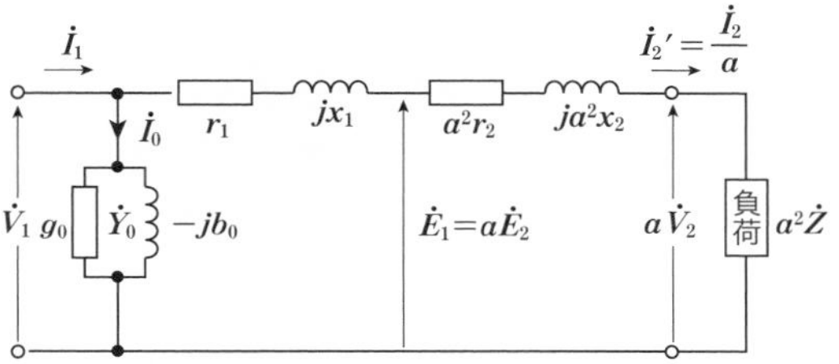

1) 図において，a は巻数比であり，一次巻線 N_1 と二次巻数 N_2 を用いて，$a=$ 1 で表される．

図中の $\dot{I}_0$ は励磁電流であり，印加電圧と同相の鉄損電流と，主磁束を発生させる磁化電流を合成したものである．等価回路において，負荷側端子を開放して，$\dot{V}_1$ として定格周波数の定格電圧 V_{1n}〔V〕を加えたときの 2 電力の値が無負荷損 P_i〔W〕であり，これは，印加電圧 V_{1n} と g_0 を用いて，$P_i=$ 3 〔W〕で表される．この P_i と $\dot{I}_0$ の大きさから，励磁アドミタンス $\dot{Y}_0$（$=g_0-jb_0$）〔S〕を求めることができる．この電力の値には一次側巻線抵抗による損失が含まれるが，$\dot{I}_0$ の大きさは定格電流に比べ非常に小さいので，この損失は無視できる．

〈 1 ～ 3 の解答群〉

ア $N_1 \times N_2$　イ $\frac{N_1}{N_2}$　ウ $\frac{N_2}{N_1}$　エ $g_0 V_{1n}^2$　オ $\frac{V_{1n}}{g_0}$

カ $\frac{V_{1n}^2}{g_0}$　キ 有効　ク 無効　ケ 皮相

2）　図中の r_1 及び r_2 は，それぞれの巻線抵抗測定によって個別に求めることができる．通常，巻線抵抗測定によって得られた値は，使用する絶縁物の耐熱クラスによって，基準巻線温度に補正した値が用いられる．油入変圧器の基準巻線温度は［ 4 ］〔℃〕である．

x_1 及び x_2 の値は，二次巻線を短絡し，この巻線の定格電流を流すように一次巻線に印加した定格周波数の電圧 V_{1s}〔V〕から，インピーダンス $\dot{Z}_{01}$〔Ω〕の大きさ Z_{01}〔Ω〕を求め，これと，抵抗測定によって求めた r_1 及び r_2 を使って，$x_1+a^2x_2$ の値として求めることができる．定格電圧及び定格容量での基準インピーダンスを Z_b〔Ω〕とすると，パーセント値として表される［ 5 ］インピーダンス $\%Z_{01}$〔%〕は，$\%Z_{01}=\dfrac{Z_{01}}{Z_b}\times 100$〔%〕となる．この $\%Z_{01}$ は，印加した電圧 V_{1s} と定格電圧 V_{1n} との比の百分率に等しい．

また，このとき得られる電力計の指示値は，この変圧器の［ 6 ］に相当し，これを基準巻線温度に補正した値が用いられる．

一方，電圧変動率 ε〔%〕は次式で与えられる．ここで，V_{2n}〔V〕は定格二次電圧であり，V_{20}〔V〕は定格二次電圧において定格力率の定格二次電流 I_{2n}〔A〕を流し，そのままの状態で二次側を開放したときに現れる二次側端子電圧である．

$$\varepsilon=\frac{V_{20}-V_{2n}}{V_{2n}}\times 100\,〔\%〕$$

この電圧変動率は，近似的に次式で示される．

$$\varepsilon \fallingdotseq \left(\frac{I_{2n}r}{V_{2n}}\cos\varphi+\frac{I_{2n}x}{V_{2n}}\sin\varphi\right)\times 100=p\cos\varphi+q\sin\varphi\,〔\%〕$$

ここで，φ〔rad〕は力率角を表し，r〔Ω〕，x〔Ω〕，p〔%〕及び q〔%〕を次のように定義する．

$$r=\frac{r_1}{a^2}+r_2,\quad x=\frac{x_1}{a^2}+x_2,\quad p=\frac{I_{2n}r}{V_{2n}}\times 100,\quad q=\frac{I_{2n}x}{V_{2n}}\times 100$$

この式で得られる p を百分率［ 7 ］，q を百分率［ 8 ］と呼び，$\%Z_{01}$ との間で，次式が成り立つ．

$\%Z_{01}=$［ 9 ］〔%〕

〈［ 4 ］～［ 9 ］の解答群〉

ア　75	イ　95	ウ　105	エ　$p+q$
オ　p^2-q^2	カ　$\sqrt{p^2+q^2}$	キ　開放	ク　短絡
ケ　励磁	コ　リアクタンス降下	サ　抵抗降下	シ　損失率
ス　導電率	セ　無効率	ソ　ヒステリシス損	タ　漂遊負荷損

チ 負荷損

(2) 次の文章の A a.bc ～ E ab.cd に当てはまる数値を計算し，その結果を答えよ．ただし，解答は解答すべき数値の最小位の一つ下の位で四捨五入すること．

定格容量 500 kV･A，定格一次電圧 6 600 V，定格二次電圧 210 V の三相変圧器がある．この変圧器の無負荷試験を行ったところ，損失は 850 W であった．また，力率 1.0 で，定格容量の 25% 負荷時の効率 η_{25} と，定格容量の 75% 負荷時の効率 η_{75} が等しくなった．これらの条件から，力率 1.0 で定格容量の 100% 負荷時の負荷損 P_c を算出すると，次のようになる．

$P_c=$ A a.bc〔kW〕

したがって，この変圧器を力率 1.0 で，定格容量の 100% 負荷で運転したときの効率は B ab.cd〔%〕となる．また，この変圧器が最大効率となるのは，定格容量の C ab.c〔%〕で運転したときである．

この変圧器に力率 0.6（遅れ）の負荷を接続すると，最大効率となるのは負荷が D abc〔kW〕のときであり，このとき効率は E ab.cd となる．

問題 10（電気機器）

次の各問に答えよ．（配点計 50 点）

(1) 次の各文章の 1 ～ 8 の中に入れるべき最も適切な字句又は数値をそれぞれの解答群から選び，その記号を答えよ．

回転電気機械の損失は，次に示すように，固定損，直接負荷損，励磁回路損及び漂遊負荷損に分けて考えることができる．

1) 固定損は，無負荷鉄損と機械損とに分けられる．

無負荷鉄損はヒステリシス損と渦電流損とに細分される．ヒステリシス損は鉄心の 1 現象により生じる損失で，交番磁界の下では周波数の 2 乗と，最大磁束密度の 1.6 ～ 2 乗に比例する．渦電流損は，鉄心中の磁束の変化に起因する電磁誘導によって生じる 3 損であり，一様な交番磁界の下では，周波数の 2 乗と最大磁束密度の 2 乗に比例する．

一方，機械損には， 4 摩擦損，ブラシ摩擦損，及び風量と外周速度の 2 乗に比例する 5 がある．

〈 1 ～ 5 の解答群〉

ア 1　**イ** 2　**ウ** 3　**エ** 磁化　**オ** 誘導

カ 誘電　**キ** 誘電体　**ク** リアクタンス　**ケ** 抵抗　**コ** トルク
サ 遠心力　**シ** 軸受　**ス** 潤滑油　**セ** 風損

2）　直接負荷損は，電機子巻線，直巻巻線，補極巻線及び補償巻線の，それぞれの抵抗損など，［ 6 ］電流によって生じる銅損が主なものであるが，この他に，ブラシ電気抵抗損があり，また，直流電動機では，負荷によって誘導起電力が変化することにより増減する［ 7 ］などが含まれる．

励磁回路損は，励磁機を必要とする回転電気機械に限定して発生する損失である．

漂遊負荷損は，負荷に起因して，鉄心及び導体以外の［ 8 ］部分に生じる損失で，直接負荷損に含まれないものをいう．

〈［ 6 ］～［ 8 ］の解答群〉

ア 負荷　**イ** 励磁　**ウ** 鉄損　**エ** 銅損
オ 誘電体損　**カ** 金属　**キ** 磁極　**ク** 絶縁物

(2)　次の文章の［ 9 ］～［ 14 ］の中に入れるべき最も適切な字句又は式を〈［ 9 ］～［ 14 ］の解答群〉から選び，その記号を答えよ．なお，［ 13 ］は 2 箇所あるが，同じ記号が入る．

図はサイリスタを用いた三相ブリッジ整流回路であり，交流電圧 v_u〔V〕，v_v〔V〕，v_w〔V〕の相回転は u－v－w の順である．サイリスタ Th_5 がオン状態であり，v 相及び w 相から負荷に電流が供給されているときには，サイリスタ［ 9 ］がオン状態である．次に，u 相電圧 v_u が w 相電圧 v_w より［ 10 ］なる範囲でサイリスタ Th_1 にゲート信号を与えると，Th_1 がターンオンして［ 11 ］が行われ，Th_5 がターンオフする．三相ブリッジの動作波形において，v_u と v_w の波形が交わる点から Th_1 にゲート信号を与えるまでの角度 α〔rad〕を［ 12 ］と呼ぶ．なお，ここでは時間軸を電気角に換算して考えるものとする．

対称三相正弦波交流電源の線間電圧実効値を V〔V〕とし，サイリスタは順方向の電圧降下のない理想的なスイッチング素子として考えると，直流平均電圧 V_d〔V〕は次式で表される．ただし，重なり角を無視し，さらに，直流電流が完全に平滑化されているものとする．

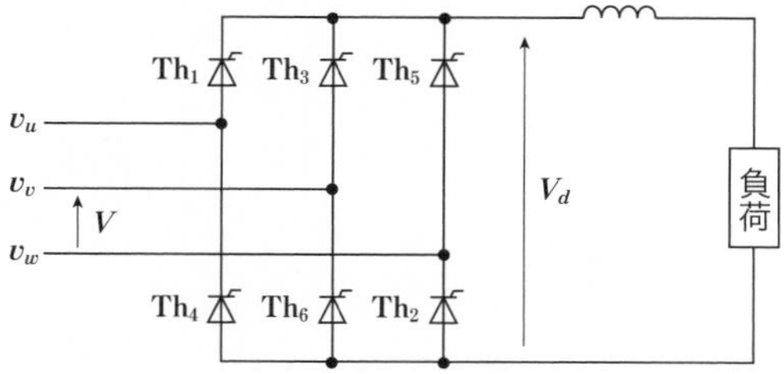

$$V_d = \frac{3\sqrt{2}}{\pi} V \times \boxed{\ 13\ } = 1.35V \times \boxed{\ 13\ } \text{〔V〕}$$

また，このとき，交流側電流は，相ごとに1サイクルの中で，正側，負側それぞれ，通流期間が $\boxed{\ 14\ }$〔rad〕の方形波となる．

〈$\boxed{\ 9\ }$～$\boxed{\ 14\ }$の解答群〉

ア $\frac{\pi}{3}$	イ $\frac{2\pi}{3}$	ウ π	エ $\sin\alpha$	オ $\cos\alpha$
カ $\tan\alpha$	キ Th_2	ク Th_3	ケ Th_6	コ 高く
サ 低く	シ 遅く	ス 還流	セ 続流	ソ 転流
タ 制御角（制御進み角）		チ 制御角（制御遅れ角）		ツ 負荷角

電力応用（110分）

必須	問題11，12	電動力応用	
選択	問題13	電気加熱	2問題を選択
選択	問題14	電気化学	2問題を選択
選択	問題15	照　明	2問題を選択
選択	問題16	空気調和	2問題を選択

問題11（電動力応用）

次の各問に答えよ．（配点計50点）

(1)　次の文章の［ 1 ］～［ 5 ］の中に入れるべき最も適切な字句，数値又は式を〈［ 1 ］～［ 5 ］の解答群〉から選び，その記号を答えよ．なお，［ 3 ］は2箇所あるが，同じ記号が入る．

三相誘導電動機の回転速度 N〔min^{-1}〕は，極数を P，滑りを s，電源周波数を f〔Hz〕とすると，

$$N=\boxed{\ 1\ }$$

となる．この特性を直接又は間接的に速度制御に利用し得る手段として，次の①～④の方法が考えられる．

①　可変周波数制御

同期速度が電源周波数に比例して変わる性質を利用する．

可変周波数制御には，［ 2 ］と［ 3 ］があり，このうち［ 3 ］は，励磁成分電流とトルク成分電流を独立に制御する方式である．

②　極数変換

同期速度が極数に応じて変わる性質を利用する．この方法では，連続的な速度制御はできない．

③　滑り制御

巻線形誘導電動機の滑り s を変える方法であり，具体的には［ 4 ］の性質を利用した二次抵抗制御などがある．

④ 一次電圧制御

トルクの大きさが一次電圧の［5］乗に比例する性質を利用する.

〈［1］～［5］の解答群〉

ア 0.5	**イ** 1	**ウ** 2	**エ** 3
オ $120Pfs$	**カ** $120Pf(1-s)$	**キ** $\dfrac{120fs}{P}$	**ク** $\dfrac{120f(1-s)}{P}$
ケ V/f制御	**コ** レオナード制御	**サ** 適応制御	**シ** ベクトル制御
ス 比例推移	**セ** 飽和特性	**ソ** 電磁継手	

(2) 次の各文章及び表の［6］～［14］の中に入れるべき最も適切な数値を〈［6］～［14］の解答群〉から選び，その記号を答えよ.

定格点での，流量 Q_N が 8 m³/min，全揚程 H_N が 30 m，ポンプ効率 η_N が 65 % のポンプがある.

ただし，流体は水とし，水の密度を 1 000 kg/m³ とする．また，重力の加速度は 9.8 m/s² とする.

1) この定格点での条件でポンプを駆動しているときの電動機の軸動力は［6］〔kW〕である.

2) ポンプの全揚程と流量の関係，ポンプ効率と流量の関係，及び負荷の抵抗特性を，定格点の諸量の値で正規化したところ次式を得た．ただし，h はポンプの全揚程，n は回転速度，q は流量，η^* はポンプ効率，r は実揚程を含めた管路抵抗であり，いずれも正規化した値である.

$$h=1.2n^2-0.2q^2$$

$$\eta^*=2.0\left(\frac{q}{n}\right)-\left(\frac{q}{n}\right)^2$$

$$r=0.5+0.5q^2$$

このポンプで流量を 5 m³/min に調整するときに，弁の開度で調整する場合と，回転

		流量調整の方法	
		弁の開度で調整	回転速度制御
ポンプの流量	q	0.625	0.625
ポンプの全揚程	h	［7］	［10］
ポンプの回転速度	n	1.0	［11］
ポンプ効率	η^*	［8］	［12］
ポンプの軸動力	p	［9］	［13］

速度制御により調整する場合の諸量は，次の表のようになる．

これらの結果から，回転速度制御を行うことにより，軸動力を著しく削減できることが分かる．

3)　このポンプで，回転速度制御により，さらに回転速度 n を徐々に下げたとき，初めて流量が0となる回転速度は $n=$ [14] のときである．

〈 [6] ～ [14] の解答群〉

ア	0.457	イ	0.543	ウ	0.625	エ	0.645	オ	0.695	カ	0.750
キ	0.781	ク	0.803	ケ	0.816	コ	0.836	サ	0.859	シ	0.924
ス	0.951	セ	1.122	ソ	6.15	タ	25.5	チ	60.3		

問題12（電動力応用）

次の各文章及び表の [1] ～ [10] の中に入れるべき最も適切な数値又は式をそれぞれの解答群から選び，その記号を答えよ．（配点計50点）

エレベータの運転では，省エネルギーとともに運転速度の管理も重要である．最近では，乗車人数を考慮して運転速度を変える可変速エレベータシステムも実用化されている．

図1に示すロープトラクション式のエレベータを，図2に示す加速度及び速度のパターンで運転する場合を例にとり，運転速度や所要動力について検討する．なお，時刻 $t=0$ でのかごの停止位置を基準とし，かごの上昇距離を x〔m〕，速度を $v=\dfrac{dx}{dt}$〔m/s〕，加速度を $a=\dfrac{dv}{dt}$〔m/s²〕とする．また，重力の加速度を g〔m/s²〕とする．

1)　まず，エレベータを図2に示す加速度で運転し，上昇したときの速度及び上昇距離の関係について考える．

ここで，乗り心地や安全性の観点から，加速度の最大値（絶対値）を1 m/s²，加速度の最大変化率（絶対値）を1.25 m/s³ に制限するものとし，加速度を最大に維持する時間を t_a〔s〕，加速度を0 m/s² として速度を最大値 v_m〔m/s〕に維持する時間を t_b〔s〕とする．

$0<t<t_3$ の期間で加速度を積分すると，$t=t_3$ での速度が v_m となることから，次式が成り立つ．

$v_m=$ [1]〔m/s〕 ……………………………………………………①

また，停止するまでの上昇距離 x_m〔m〕は，$0<t<t_7$ の期間で速度を積分することに

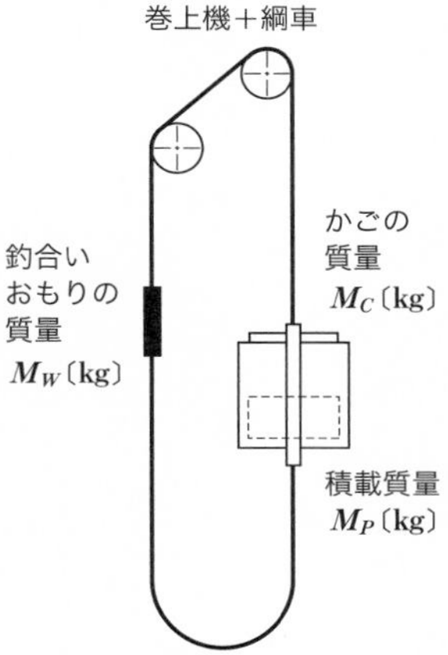

図 1 エレベータ構成概念図

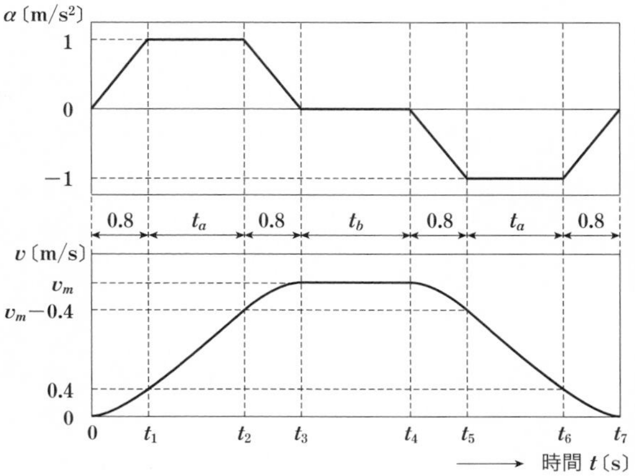

図 2 エレベータの運転パターン

より，次式で求められる．

$$x_m=(t_a+t_b+1.6)\times v_m\text{〔m〕} \quad \cdots\cdots ②$$

例えば $v_m=1.75$ m/s で，$x_m=35$ m となるときの t_a 及び t_b の値は，①及び②式から次のようになる．

$t_a=$ [2]〔s〕

$t_b=$ [3]〔s〕

〈[1]～[3]の解答群〉

ア 0.15　**イ** 0.64　**ウ** 0.95　**エ** 17.05　**オ** 17.45

カ 18.25　**キ** $t_a+0.4$　**ク** $t_a+0.8$　**ケ** $t_a+1.6$

2) 次に，巻上機の瞬時動力及びトルクについて考える．

エレベータの最大積載質量を M_{PM}〔kg〕，実際の積載質量を M_P〔kg〕，かごの質量を M_C〔kg〕，釣合いおもりの質量を M_W〔kg〕とする．また，簡単のため，その他の質量や慣性モーメント，走行に伴う機械的な損失は無視できるものとする．

このとき，巻上機の瞬時動力 P〔W〕は，システムのエネルギー変化に等しい．また，システムのエネルギーは，運動エネルギーと重力による位置エネルギーの和として表されることから，次式が成り立つ．

$$P=\frac{\mathrm{d}}{\mathrm{d}t}\left\{\frac{1}{2}(M_P+M_C+M_W)v^2+(M_P+M_C-M_W)gx\right\} \quad \cdots\cdots ③$$

簡単のため，$M_1=M_P+M_C+M_W$，$M_2=M_P+M_C-M_W$ として③式を変形すると，

次式が得られる．

$$P=\frac{\mathrm{d}}{\mathrm{d}t}\left(\frac{1}{2}M_1v^2+M_2gx\right)=\left(M_1v\frac{\mathrm{d}v}{\mathrm{d}t}+M_2g\frac{\mathrm{d}x}{\mathrm{d}t}\right)=(M_1\alpha+M_2g)v \quad \cdots\cdots④$$

したがって，巻上機が綱車を通して供給する力 F〔N〕は，次式で与えられる．

$$F=\frac{P}{v}=M_1\alpha+M_2g \quad \cdots\cdots⑤$$

また，綱車の半径を r〔m〕とすると，巻上機のトルク t〔N·m〕は，次式で与えられる．

$t=$ [4]

ここで，実際の積載質量 M_P の最大積載質量 M_{PM} に対する比率を乗車率 k と定義すると，$M_P=kM_{PM}$ で表され，$k=0.5$ のときに荷重がバランスするように，釣合いおもりの質量 M_W を決めると，M_W は M_C，M_{PM} を用いて次式で表される．

$M_W=$ [5] ……⑥

したがって，M_1 及び M_2 は⑥式を用いて，M_W を消去すると次のように表される．

$M_1=M_P+M_C+M_W=$ [6] ……⑦

$M_2=M_P+M_C-M_W=(k-0.5)M_{PM}$ ……⑧

〈 [4] ～ [6] の解答群〉

ア $r\times F$	**イ** $\frac{F}{r}$	**ウ** $\frac{r}{F}$
エ $M_C+0.5M_{PM}$	**オ** $M_C-0.5M_{PM}$	**カ** $M_{PM}+0.5M_C$
キ $M_{PM}-0.5M_C$	**ク** $(k+0.5)M_{PM}+M_C$	**ケ** $(k-0.5)M_{PM}+M_C$
コ $(k+0.5)M_{PM}+2M_C$	**サ** $(k-0.5)M_{PM}+2M_C$	

3)　次に，乗車率により，巻上機の供給する力がどのように変化するかを具体例で考える．

ここでは，最大積載質量 M_{PM} が 1 000 kg，かごの質量 M_C が 1 050 kg，釣合いおもりの質量 M_W が 1 550 kg のエレベータについて考えることとする．

このエレベータについて，加速度 $\alpha=+1\ \mathrm{m/s^2}$ のときに，乗車率 k を 0 ～ 1.0 まで変化させた場合の巻上機が供給する力 F を，⑤式，⑦式及び⑧式を用いて計算した結果を表に示す．乗車率 k により，必要な力 F が大きく異なることが分かり，$k=0.5$ のときは，$M_2=0$ となり，M_1 を加減速する力のみとなることも分かる．ここで，重力の加速度 g を $9.8\ \mathrm{m/s^2}$ としている．

4)　可変速システムにおける乗車率，運転速度及び瞬時動力について考える．

可変速エレベータシステムは，不平衡荷量が大きな $k=0$ あるいは 1 の場合は，定格

表 乗車率 k による巻上機が供給する力 F の変化

乗車率 k	M_1〔kg〕	M_2〔kg〕	巻上機が供給する力 F〔kN〕	
			$\alpha=1$ のとき	$\alpha=-1$ のとき
1.0	3 600	500	8.5	1.3
0.75	3 350	250	5.8	7
0.5	3 100	0	3.1	−3.1
0.25	2 850	−250	8	−5.3
0	2 600	−500	−2.3	−7.5

速度で運転するが，荷重が平衡状態（$k=0.5$）に近付くにしたがって運転速度を徐々に上げ，$k=0.5$ では運転速度を定格の 2 倍程度にするものである．

ここで，乗車率 k に応じて最大運転速度 v_m を変化させた場合の巻上機の瞬時動力を計算する．前述のエレベータで，時刻 t_2（$\alpha=1$，$v=v_m-0.4$）における瞬時動力を比較すると，$k=1$ で v_m が 1.0 m/s のときは 9 〔kW〕であり，$k=0.5$ のときは，v_m を 2 倍の 2.0 m/s としても 10 〔kW〕にとどまる．

〈 7 ～ 10 の解答群〉

ア −1.1　**イ** −1.0　**ウ** −0.9　**エ** 0.3　**オ** 0.4　**カ** 0.5

キ 4.96　**ク** 5.00　**ケ** 5.10　**コ** 5.16　**サ** 5.26　**シ** 5.30

問題 13（電気加熱 − 選択問題）

次の各問に答えよ．（配点計 50 点）

(1) 次の各文章の 1 ～ 5 の中に入れるべき最も適切な字句を〈 1 ～ 5 の解答群〉から選び，その記号を答えよ．なお， 3 は 2 箇所あるが，同じ記号が入る．

1) 電気加熱の大きな特徴は， 1 が高く，かつ 2 が速いことである．特に直接加熱方式の場合は，電気エネルギーが瞬時に熱エネルギーに変換されるので，この特徴が顕著である．

2) マイクロ波加熱と 3 の加熱原理は同じである．電界の周波数がマイクロ波の帯域にあるとき，マイクロ波加熱と呼ばれる． 3 が，平行した 4 に被加熱材をはさんで加熱するのに対し，マイクロ波加熱は，アプリケータと呼ばれる加熱室内で，被加熱材に 5 を照射する形をとる．

〈 1 ～ 5 の解答群〉

ア 移動　**イ** 応答　**ウ** 熱伝導率　**エ** 制御精度

オ 充電　**カ** 比熱　**キ** 赤外加熱　**ク** 誘電加熱

ケ　誘導加熱　　**コ**　ギャップ　　**サ**　プラズマ　　**シ**　絶縁物
ス　低周波　　**セ**　電磁波　　**ソ**　平板電極

(2)　次の各文章の［6］～［10］の中に入れるべき最も適切な字句又は数値を〈［6］～［10］の解答群〉から選び，その記号を答えよ．なお，［8］は2箇所あるが，同じ記号が入る．

1)　アーク加熱は，温度が［6］〔K〕程度にもなるアーク柱で高温加熱する方式であり，製鋼用アーク炉などに用いられている．製鋼用アーク炉の操業工程は，主に鉄くずの溶解と精錬とからなり，鉄くずの溶解では，溶解の進行につれて変化するアークの熱効率が最大となるように［7］が行われる．また，生産性向上と省エネルギーのため，溶解後の溶鋼を［8］に移した後精錬を行う［8］精錬炉が普及している．

2)　温度測定の方式には接触式と非接触式があるが，このうち熱電温度計は，抵抗温度計とともに［9］の温度測定方式の代表的なものであり，主に熱電対，［10］，基準接点及び変換部から構成される．

〈［6］～［10］の解答群〉

ア　3 000　　**イ**　5 000　　**ウ**　10 000　　**エ**　るつぼ
オ　取鍋（とりべ）　　**カ**　誘導炉　　**キ**　位置制御　　**ク**　温度制御
ケ　電力制御　　**コ**　接触式　　**サ**　非接触式　　**シ**　アルミ合金線
ス　同軸ケーブル　　**セ**　補償導線

(3)　次の各文章の［11］～［15］の中に入れるべき最も適切な数値を〈［11］～［15］の解答群〉から選び，その記号を答えよ．

2 000 kg の鋳鉄を溶解する誘導炉設備がある．炉は熱的に定常状態にあるものとし，鋳鉄を **1 500 °C** まで溶解する．なお，電源装置と誘導炉（誘導加熱コイル）の間の配線

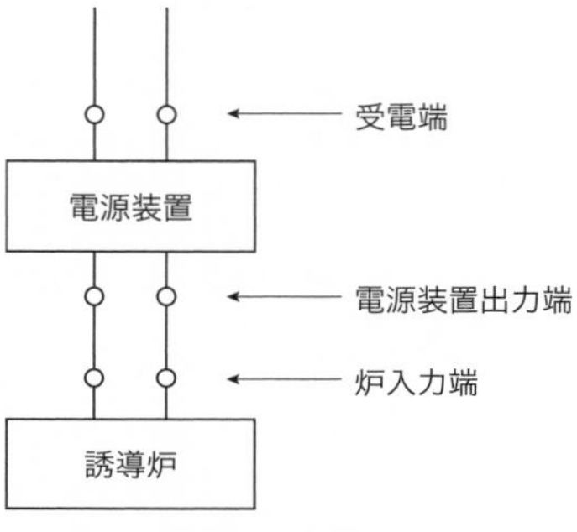

図　誘導炉設備系統図

損失は無視するものとする．また，鋳鉄の溶解潜熱は 210 kJ/kg とし，比熱は 0.79 kJ/(kg･K) で温度に関わらず一定とする．

1) 25 ℃の鋳鉄を 1 500 ℃の溶湯にするために必要な正味熱量は，単位質量当たり [11]〔kW･h/kg〕であるから，電源装置出力端（炉入力端）の平均電力が 1 200 kW のとき，2 000 kg の鋳鉄を溶解するのに要する時間は約 [12] 分である．また，このときの受電端における電力原単位は [13]〔kW･h/kg〕である．

なお，電源装置の変換効率は 95%，誘導加熱コイルの電気効率は 80% で一定とし，炉における溶解過程の平均放熱損失は 60 kW とする．

2) この設備で鋳鉄を 1 500 ℃に保温しているときの受電端電力は 85 kW であり，電源装置出力端（炉入力端）電力は 80 kW であった．また，このとき，炉の誘導加熱コイルの損失電力は 15 kW であった．したがって，このときの誘導加熱コイルの電気効率は [14]〔%〕となり，電源装置の変換効率は [15]〔%〕となる．

〈[11]～[15]の解答群〉

ア	0.324	イ	0.382	ウ	0.388	エ	0.431	オ	0.497
カ	0.536	キ	50.9	ク	53.2	ケ	55.8	コ	76.5
サ	81.3	シ	82.4	ス	87.5	セ	89.5	ソ	94.1

問題 14（電気化学 － 選択問題）

次の各問に答えよ．（配点計 50 点）

(1) 次の文章の [1]～[4] の中に入れるべき最も適切な字句を〈[1]～[4]の解答群〉から選び，その記号を答えよ．なお，[3] は 2 箇所あるが，同じ記号が入る．

電気化学システムを用いると，電気エネルギーと化学エネルギーの相互変換を行うことができる．

また，このシステムを用いると，純度の低い金属を高純度化できる．電気の導体として用いられる銅は，この方法で高純度化され，それが電気抵抗の低減につながっている．

この銅の電解精錬においては，二つの電極で次の反応が起こっている．

電極①：$Cu^{2+} + 2e^{-} \rightarrow Cu$

電極②：$Cu \rightarrow Cu^{2+} + 2e^{-}$

ここで，e^{-} は電子を表す．

純度の低い粗銅中の銅は，②における反応で，電解質である [1] 水溶液に溶け出す．この粗銅は，電気化学システムとしては [2] 極としての役目を担っている．粗銅中の不純物のうち，鉄や亜鉛などの，銅よりも［3］が大きな金属は電極②における反応で溶け出すが，対極で析出することなく電解液中に残る．一方，白金，銀といった［3］が銅より小さい金属は，電解液に溶けずに電極②の近傍に残る．このように電解反応を利用して銅を高純度化できる．ここで，溶解あるいは析出する銅の物質量はファラデーの法則に従い，電気分解において流れた［4］に比例する．

〈［1］～［4］の解答群〉

ア アノード	**イ** カソード	**ウ** 陰極	**エ** アルカリ
オ 塩酸	**カ** 硫酸	**キ** イオン化傾向	**ク** 塩基度
ケ 酸化還元電位	**コ** 極間電位	**サ** 電気二重層容量	**シ** 電気量

(2) 次の文章の［5］～［7］の中に入れるべき最も適切な数値を〈［5］～［7］の解答群〉から選び，その記号を答えよ．

電気分解におけるファラデーの法則の定数はファラデー定数と呼ばれ，クーロン単位で表すと **96 500 C/mol** であるが，電流と時間を使った単位で表すと［5］〔**A·h/mol**〕である．

電気銅を電気分解で作るときに，**2 kA** で **5** 時間電解反応させると，理論的に得られる純銅は［6］〔**kg**〕である．これを電流効率 **90%** で運転したときに得られる純銅は［7］〔**kg**〕となる．ここで，銅の原子量は **64** とする．

〈［5］～［7］の解答群〉

ア 7	**イ** 8	**ウ** 11	**エ** 12	**オ** 21
カ 24	**キ** 26.8	**ク** 268	**ケ** 1 610	

(3) 次の各文章の［8］～［15］の中に入れるべき最も適切な字句又は数値をそれぞれの解答群から選び，その記号を答えよ．

1) リチウムイオン電池は充放電が可能な［8］であり，軽くてエネルギー密度が高いことから携帯電話，パソコンなどに広く用いられている．この電池の公称電圧は，一般におよそ［9］〔**V**〕である．電解液には，［10］が用いられ，イオン伝導性を向上させるためにリチウム塩を添加している．この電池の充放電反応は，正極と負極の間のリチウムイオンの［11］によって行われるが，このとき，電解液中のリチウムイオンの［12］は変化しないので，ロッキングチェア形と呼ばれる．

〈［8］～［12］の解答群〉

ア 1.2	**イ** 2	**ウ** 3.7	**エ** 一次電池
オ 二次電池	**カ** 三次電池	**キ** 移動	**ク** 蒸発

ケ 発生　**コ** 温度　**サ** 電位差　**シ** 濃度
ス 水溶液　**セ** 有機電解質　**ソ** 無機電解質

2) リチウムイオン電池として実用化されている電池の正極には，主に [13] 用いられている．

負極としては [14] を用いるのが主体であるが，より高機能を目指した電池に向けて，両極の新規電極活物質の開発が進められている．この電池の充放電時の反応に関与する電子数はリチウムイオン 1 個当たり [15] である．

〈 [13] ～ [15] の解答群〉

ア 1　**イ** 2　**ウ** 3　**エ** ポリピロール　**オ** コバルト酸リチウム
カ 亜鉛　**キ** 炭素　**ク** 鉛　**ケ** 二酸化鉛

問題 15（照明 ― 選択問題）

次の各問に答えよ．（配点計 50 点）

(1) 次の各文章の [1] ～ [5] の中に入れるべき最も適切な数値を〈 [1] ～ [5] の解答群〉から選び，その記号を答えよ．

1) 図 1 に示すように，すべての方向に均一に放射を発する点光源 **A**，**B** があり，**A** は被照面から高さ **4 m** の位置に置かれている．はじめに **A** のみを点灯させる．**A** の光度 I_{θ_1} が **2 000 cd** であるとき，被照面上で，点光源 **A** 直下の点 **Q** から **3 m** 離れた位置 **P**（$\fallingdotseq$**PAQ**$=\theta_1$）での水平面照度 E_h〔**lx**〕が得られている．次に，**A** に加えて，点 **P** から被照面上で $\sqrt{3}$ **m** 離れた位置 **R** の真上 **1 m** の位置にある点光源 **B**（$\fallingdotseq$**PBR**$=\theta_2$）を点灯した．**B** の光度 I_{θ_2} が **100 cd** であるとき，点 **P** で **B** の点灯前と同じ水平面照度 E_h を得るためには，点光源 **A** を調光して光度 I_{θ_1} を [1]〔**cd**〕にすればよい．

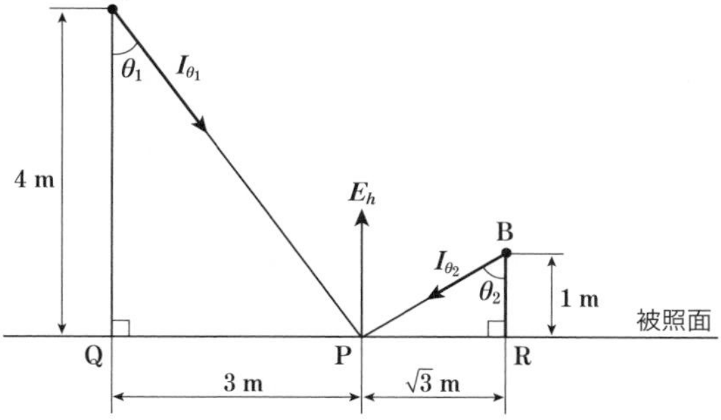

図 1

2)　透過率が 30%，吸収率が 20% で，幅 2.0 m，長さ 3.5 m の大きさの布に，上方から 700 lm の光束が入射している．この布上において，照度は [2]〔lx〕，光束発散度は [3]〔lm/m^2〕となる．

3)　総合効率が 52 lm/W，ランプ効率が 55 lm/W，ランプの全光束が 20 000 lm の HID ランプの安定器の損失電力は [4]〔W〕である．

4)　間口 20 m，奥行き 30 m，作業面から天井までの高さ 3.7 m の作業場で，光源として高圧ナトリウムランプ（全光束 45 000 lm）を使用し，平均照度を 750 lx とする場合を考える．このとき，必要とされる照明器具の台数を，光束法によって求めると [5] 台となる．ただし，照明率を 0.60，保守率を 0.70 とする．

〈[1]～[5] の解答群〉

ア	10	**イ**	21	**ウ**	24	**エ**	40	**オ**	50
カ	60	**キ**	100	**ク**	250	**ケ**	385	**コ**	1 609
サ	2 000	**シ**	2 390	**ス**	2 940	**セ**	4 900	**ソ**	6 666

(2)　次の文章の [6]～[11] の中に入れるべき最も適切な字句を〈[6]～[11] の解答群〉から選び，その記号を答えよ．

図 2 の(a)～(c)は，3 種類のランプについて，可視光領域における，波長と放射の強さの

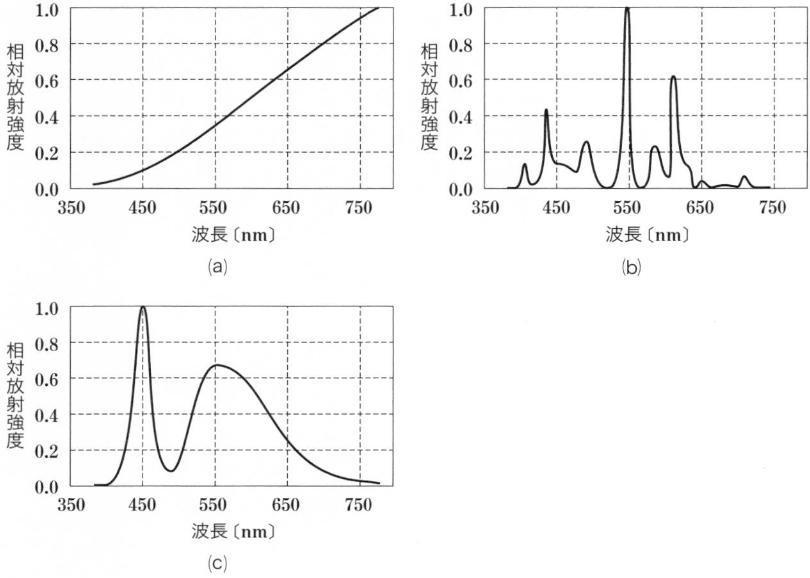

図 2

関係を示したものである．光源のこのような特性を，[6]と呼ぶ．この特性に基づいて，物体の色の見え方を示す[7]，及びランプが発する光の色を表現する尺度である相関色温度などを求めることができる．なお，相関色温度の単位は[8]である．

ここで，図 2 の(a)に相当するランプは[9]，(b)に相当するランプは[10]，(c)に相当するランプは[11]である．

〈[6]～[11]の解答群〉

ア ケルビン　**イ** セルシウス　**ウ** テスラ　**エ** テブナン
オ 拡散特性　**カ** 空間分布　**キ** 配光特性　**ク** 分光分布
ケ ランプ効率　**コ** 演色評価数　**サ** 全光束　**シ** 分光反射率
ス 白熱電球　**セ** 3 波長形蛍光ランプ　**ソ** 低圧ナトリウムランプ
タ 蛍光水銀ランプ　**チ** 白色 LED ランプ

問題 16（空気調和 — 選択問題）

次の各問に答えよ．（配点計 50 点）

(1) 次の表の[1]～[10]の中に入れるべき最も適切な字句又は式をそれぞれの解答群から選び，その記号を答えよ．

表は空気調和や環境に関する略語に対して，該当する名称及び算定式を表したものである．

略語	名称	算定式
COP	[1]	COP＝[8]
MRT	[2]	—
ODP	[3]	—
PAL	[4]	PAL＝[9]
PMV	[5]	—
VAV	[6]	—
VOC	[7]	—
SHF	顕熱比	SHF＝[10]

〈[1]～[7]の解答群（名称）〉

ア オゾン破壊係数　**イ** 地球温暖化係数　**ウ** 平均放射温度　**エ** 成績係数
オ 建築外皮の年間熱負荷係数　**カ** 建築物の環境性能評価指標
キ 温冷感の予想平均申告　**ク** 揮発性有機化合物
ケ 可変風量（方式）　**コ** 定風量（方式）

〈 8 ～ 10 の解答群（算定式）〉

ア $\frac{\text{潜熱負荷}}{\text{顕熱負荷}}$　**イ** $\frac{\text{顕熱負荷}}{\text{潜熱負荷}}$　**ウ** $\frac{\text{顕熱負荷}}{\text{顕熱負荷}+\text{潜熱負荷}}$

エ $\frac{\text{機器からの出力エネルギー}}{\text{機器への入力エネルギー}}$　**オ** $\frac{\text{機器への入力エネルギー}}{\text{機器からの出力エネルギー}}$

カ $\frac{\text{機器の損失エネルギー}}{\text{機器への入力エネルギー}}$　**キ** $\frac{\text{屋内周囲空間の年間冷暖房負荷}}{\text{屋内周囲空間の床面積}}$

ク $\frac{\text{屋内周囲空間の年間冷暖房負荷}}{\text{建物の延床面積}}$　**ケ** $\frac{\text{屋内周囲空間の年間冷暖房負荷}}{\text{建物全体の年間冷暖房負荷}}$

(2) 次の文章の 11 ～ 16 の中に入れるべき最も適切な字句又は式を〈 11 ～ 16 の解答群〉から選び，その記号を答えよ．

また，[A | a.bc] に当てはまる数値を計算し，その結果を答えよ．ただし，解答は解答すべき数値の最小位の一つ下の位で四捨五入すること．

換気方式には強制換気方式と自然換気方式がある．このうち強制換気方式は大きく3種類に分類でき，給気を機械的に行い排気は自然排気によるものを 11 ，排気を機械的に行い給気は自然給気によるものを 12 ，給気と排気ともに機械的に行うものを 13 と呼んでいる．

強制換気に使用されるファンの所要軸動力は，送風量，吐出圧及びファン効率から算出できる．

例えば，ファンの送風量を 7 200 m^3/h，ファンから得た空気の全圧を 500 Pa，ファンの効率を 80% とすると，所要軸動力は [A | a.bc]〔kW〕となる．

一方，自然換気方式は，ファン動力が不要であり，風力や 14 によって生じる室内外の差圧を駆動力として換気を行うもので，換気量は，この差圧 Δp を使って次式で求めることができる．

換気量＝開口部の流量特性に係る係数×開口面積× 15

また，風力によって生じる差圧は 16 に比例する．

〈 11 ～ 16 の解答群〉

ア Δp	**イ** $(\Delta p)^2$	**ウ** $\sqrt{\Delta p}$	**エ** エンタルピー差
オ 温度差	**カ** 湿度差	**キ** 第一種換気	**ク** 第二種換気
ケ 第三種換気	**コ** 風速	**サ** 風速の2乗	**シ** 風速の平方根

解答・指導

問題1

(1)　1―ア，2―ケ，3―タ，4―カ

(2)　5―コ，6―ウ，7―タ

(3)　8―カ，9―エ，10―ケ

【指導】

(1)　1)　法第3条第2項では，「…エネルギーの使用の合理化及び非化石エネルギーへの転換に関する技術水準その他の事情を勘案して…」と規定されている．

2)　法第9条では，「…前条第1項に規定する業務（第15条第2項の中長期的な計画の作成事務を除く．）に関し，エネルギー管理統括者を補佐する者…」と規定されている．

また，第二号でエネルギー管理士免状の交付を受けている者と規定されている．

3)　法第17条第1項では，「…エネルギーの使用の合理化の状況が第5条第1項に規定する判断の基準となるべき事項に照らして…」と規定されている．

(2)　法第2条，令第1条，則第4条において，エネルギーの使用量は，使用した燃料の量，他人から供給された熱・電気の量が対象とされる．

題意を整理すると，a・c・d・eが対象内で，fは除外，bも燃料でないため除外となる．

したがって，合算量は0.0258〔kL/GJ〕を考慮して，

$$(700\,000+50\,000+9\,000+90\,000)\times 0.0258=21\,904.2\,〔\mathrm{kL}〕$$

となる．

さらにgを加えると，

$$(700\,000+50\,000+9\,000+90\,000+22\,000)\times 0.0258=22\,471.8\,〔\mathrm{kL}〕$$

となり，令第4条第1項第二号より，2万〔kL〕以上5万〔kL〕未満なので，2人のエネルギー管理者の選任が義務づけられている．

(3)　1)　法第19条において，連鎖化事業の定義が記載されているが，「…当該約款に，当該事業に加盟する者が設置している工場等におけるエネルギーの使用の条件に関する事項であって経済産業省令で定めるものに係わる定めがあるもの…」と規定されている．

また，特定連鎖化事業者には，「エネルギー管理統括者の選任」，「エネルギー管理企画推進者の選任」，「定期の報告」，「中長期的な計画の作成」が，義務づけられている．

問題2　⑴　1―ウ，2―カ，A―2.0×10^2，B―3.9×10^2，C―9.3

⑵　D―3.6×10^6，E―6.0×10^4

⑶　3―カ，4―エ，5―ケ，6―コ，7―サ

【指導】　19世紀のイギリスの物理学者ジュールはI^2Rで知られるジュールの法則を発見したことで知られている．

また，彼はエネルギー保存則を確認する実験を行った先駆者でもある．

その実験は，おもりの落下により液体容器内の羽根車を回転させることで，おもりの位置エネルギーを液体の粘性を介して熱エネルギーに変換するものであった．

質量20〔kg〕の物体に作用する重力F_g〔N〕は，

$$F_g=9.8\times20=196=2.0\times10^2\text{〔N〕}$$

となる．

この物体が基準面より2〔m〕高いところにあるとき，基準面に対する位置エネルギーW_P〔J〕は，

$$W_P=F_g\times2=196\times2=392=3.9\times10^2\text{〔J〕}$$

となる．

このW_P〔J〕が10〔kg〕，比熱4.2〔kJ/(kg･K)〕の水をθ〔K〕温度上昇させる熱エネルギーに変換されたとき，θ〔K〕は，

$$W_P=0.392\text{〔kJ〕}=10\text{〔kg〕}\times4.2\text{〔kJ/(kg･K)〕}\times\theta\text{〔K〕}$$

$$\theta=\frac{0.392}{10\times4.2}=9.33\times10^{-3}=9.3\times10^{-3}\text{〔K〕}$$

となる．

⑵　電力量の単位1〔kW･h〕を〔J〕に換算する．

1〔J〕=1〔W･s〕から，

$$1\text{〔kW･h〕}=1(1\,000\text{〔W〕}\cdot3\,600\text{〔s〕})=3.6\times10^6\text{〔W･s〕}=3.6\times10^6\text{〔J〕}$$

となる．

これは，消費電力60〔W〕の電球を，

$$\frac{3.6\times10^6\text{〔W･s〕}}{60\text{〔W〕}}=6.0\times10^4\text{〔s〕}$$

点灯したときの電力量である．

⑶　1)　大規模な電力の貯蔵システムとしてわが国で最も実績があるのは揚水発電である．これと比べると小規模であるが，電気化学反応を使用して，電気エネルギーの貯蔵と利

用が繰り返しできるものを二次電池という．

二次電池の中で最も長い実績を有するのは，鉛蓄電池である．

2) 家庭用燃料電池として普及しつつある燃料電池は固体高分子形と固体酸化物形であり，より高温で作動するのは固体酸化物形である．

問題3 1―ク，2―ウ，A―43.2，3―コ，B―1.1，4―カ，C―91.6，5―ウ，6―キ，7―ク，D―3.16×10^6，8―イ，9―カ，E―2.4，10―ク，F―16.6，G―113，11―エ，12―カ，13―ア

【指導】

⑴ 「工場等判断基準」の「基準部分（工場）」は，事業者が遵守すべき基準を示したもので，以下の6分野からなる．

① 燃料の燃焼の合理化

② 加熱及び冷却並びに伝熱の合理化

③ 廃熱の回収利用

④ 熱の動力等への変換の合理化

⑤ 放射，伝導，抵抗等によるエネルギーの損失の防止

⑥ 電気の動力，熱等への変換の合理化

エネルギーの使用の合理化の目標及び計画的に取り組むべき措置として，工場又は，事業者ごとにエネルギー消費原単位を中長期的にみて年平均1%以上低減させることを目標として，技術的かつ経済的に可能な範囲内でその目標の実現に努めることを求めている．

ここで，エネルギー消費原単位とは，単位量の製品を生産するのに必要な電気･熱（燃料）などエネルギー消費量のことをいう．

⑵ 放射率0.85，温度700〔°C〕の物体の表面から放射される単位面積，単位時間当たりの放射エネルギーEは，ステファン・ボルツマンの法則より，

$$E=0.85\times5.67\times10^{-8}\times(273+700)^4=43\,197\,〔\mathrm{W/m^2}〕=43.2\,〔\mathrm{kW/m^2}〕$$

となる．

⑶ 「工場等判断基準」の「基準部分（工場）」では，熱利用設備を新設・更新する場合には，断熱材の厚さの増加，断熱性の高い材料の利用，断熱の二重化など，断熱性を向上させることが求められている．

⑷ **第1図**に示す平板物体において，単位面積当たりの熱流Q〔W/m²〕は，平板の温度差q_1-q_2〔°C〕に比例し，厚さd〔m〕に反比例する．

$$Q=\lambda\frac{\theta_1-\theta_2}{d}\,〔\mathrm{W/m^2}〕$$

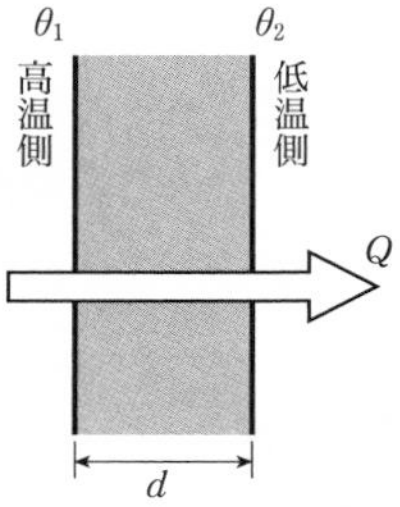

第1図

ここで，lは物体で決まる熱伝導率である．この式に題意の数値を代入すると，

$$\lambda=\frac{Q}{\dfrac{\theta_1-\theta_2}{d}}=\frac{55}{\dfrac{40-20}{0.4}}=1.1\,〔\mathrm{W/m^2}〕$$

となる．

⑸ 「工場等判断基準」の「基準部分（工場）」では，ボイラ，工業炉，熱交換器等の伝熱面その他の伝熱に係る部分の保守及び点検に関する管理標準を設定し，これに基づき定期的にばいじん，スケールその他の付着物を除去し，伝熱性能の低下を防止することが求められている．

スケールとは，ボイラ給水中に含まれているカルシウムやマグネシウム等の不純物が配管内に付着したものをいう．スケールの熱伝導率は，鋼管に比べて非常に小さい値であるため，断熱材として作用し，ボイラ給水への熱伝達が不十分となるので，ボイラ効率は低下することになる．

⑹ ボイラ効率は，ボイラに加えた燃料の熱量に対する蒸気の得た熱量の比をいい，入出熱法は入熱合計と有効出熱の百分率で算出するものである．

$$\text{ボイラ効率}=\frac{\text{有効出熱}}{\text{入熱合計}}$$

題意のボイラ効率η_Bは，次式で求めることができる．

$$\eta_B=\frac{(2\,770-430)\times9\times10^3}{550\times41.8\times10^3}\times100=91.6\,〔\%〕$$

⑺ 「工場等判断基準」の「基準部分（工場）」では，バーナ等の燃焼機器は，燃焼設備及び燃料の種類に適合し，かつ，負荷及び燃焼状態の変動に応じて燃料の供給量及び空気比を調整できるものを採用することが求められている．

⑻ 「工場等判断基準」の「基準部分（工場）」では，廃熱回収設備は，廃熱の排出状況を調査するとともに，廃熱回収率を高めるため，伝熱面の性状及び形状の改善，伝熱面積の増加等の措置を講じること，また，蓄熱設備やヒートポンプ等の採用等により，廃熱利用が可能となる場合にはこれらを採用することが求められている．

⑼ 「工場等判断基準」の「基準部分（工場）」では，熱利用設備の開口部については，開

口部の縮小又は密閉，二重扉の取付け，内部からの空気流等による遮断等により，放散及び空気の流出入による熱の損失を防止することが求められている．

⑽　火力発電所の発電端熱効率 η は，年間発電端発生電力量を P〔MW・h〕，年間ガス消費量を B〔$\mathrm{m^3_N}$〕，ガスの高発熱量を H〔$\mathrm{MJ/m^3_N}$〕とすると，次式で表される．

$$\eta=\frac{3\,600P}{BH}\times100\,〔\%〕$$

これに題意の数値を代入すると，年間ガス消費量 B は，

$$B=\frac{3\,600P}{\eta H}\times100=\frac{3\,600\times15\times10^3}{38\times45}\times100=3.158\times10^6=3.16\times10^6\,〔\mathrm{m^3_N}〕$$

となる．

⑾　「工場等判断基準」の「基準部分（工場）」では，空気調和設備を構成する熱源設備，熱搬送設備，空気調和機設備は，保温材や断熱材の維持，フィルタの目づまり及び凝縮器に付着したスケールの除去等個別機器の効率及び空気調和設備全体の総合的な効率の改善に必要な事項の保守及び点検に関する管理標準を設定し，これに基づき定期的に保守及び点検を行い，良好な状態に維持することが求められている．

⑿　抵抗 6〔Ω〕，リアクタンス 8〔Ω〕を直列に接続した回路の合成インピーダンス Z は，

$$Z=\sqrt{6^2+8^2}=10\,〔\Omega〕$$

であるので，交流 $V=200$〔V〕の電圧を加えたとき，流れる電流 I は，

$$I=\frac{V}{Z}=\frac{200}{10}=20\,〔\mathrm{A}〕$$

となる．したがって，この負荷で消費される電力 P は，

$$P=I^2R=20^2\times6=2\,400\,〔\mathrm{W}〕=2.4\,〔\mathrm{kW}〕$$

となる．

⒀　変圧器の効率 η は，出力 P_o と入力（出力 P_o＋無負荷損 P_i＋負荷損 P_c）の比で定義される．

$$\eta=\frac{kP_o}{kP_o+P_i+k^2P_c}\times100\,〔\%〕$$

ここで，負荷率を k（<1）倍とすると，P_i は変化しないが，P_c は負荷電流の 2 乗に比例するので，全負荷銅損 P_{co} 時の k^2P_{co} となる．効率が最大となるのは，無負荷損と負荷損が等しい $P_i=k^2P_{co}$ のときであり，そのときの負荷率は，$k=\sqrt{\dfrac{P_i}{P_{co}}}$ となる．

すなわち，無負荷損と負荷損が等しくなる負荷において効率は最大となる．

⒁　力率0.8の三相誘導電動機を400〔V〕で運転したとき，最初の30分間は20〔A〕，次の30分間は40〔A〕の電流が流れたとき，電動機がこの60分で使用した電力量Wは，

$$W=\sqrt{3}\times400\times\left(20\times\frac{30}{60}+40\times\frac{30}{60}\right)\times0.8=16\,608〔\mathrm{W\cdot h}〕=16.6〔\mathrm{kW\cdot h}〕$$

⒂　三相誘導電動機の定格電圧をV〔V〕，電流をI〔A〕，力率を$\cos\theta$，効率をηとすると，出力Pは次式で表される．

$$P=\sqrt{3}\,VI\cos\theta\cdot\eta〔\mathrm{W}〕$$

これより，定格電圧$V=200$〔V〕，$\cos\theta=0.85$，$\eta=0.9$，定格出力$P=30$〔kW〕で運転しているとき，電流Ｉは，

$$I=\frac{P}{\sqrt{3}V\cos\theta\cdot\eta}=\frac{30\times10^3}{1.73\times200\times0.85\times0.9}=113.3=113〔\mathrm{A}〕$$

となる．

⒃　「工場等判断基準」の「基準部分（工場）」では，ポンプ，ファン，ブロワ，コンプレッサ等の流体機械については，使用端圧力及び吐出量の見直しを行い，負荷に応じた運転台数の選択，回転数の変更等に関する管理標準を設定し，電動機の負荷を低減すること．なお，負荷変動幅が定常的な場合には，配管やダクトの変更，インペラーカット等の対策を実施することが求められている．

⒄　電気化学システムは，**第2図**に示すように二つの電極（アノードとカソード），電解質および外部回路より構成されている．

「工場等判断基準」の「基準部分（工場）」では，電解設備は，適当な形状及び特性の電極を採用し，管理標準を設定し，電極間距離，電解液の濃度，導体の接触抵抗等を適正に管理することにより，その電解効率を向上させることが求められている．

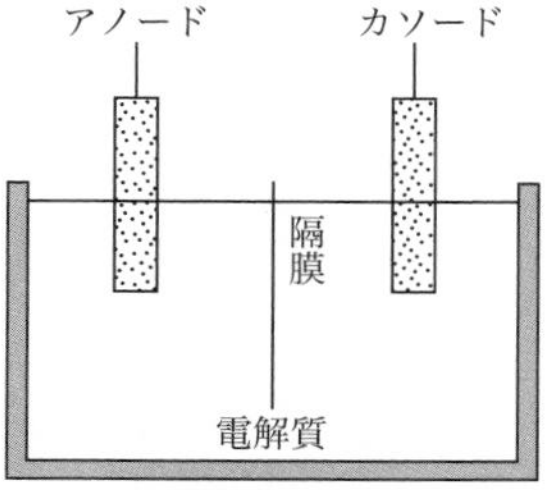

第2図

⒅　光源から発せられた光束は，被照面に入射して被照面を照らす．被照面に入射する光束は，光源から直接入射するもの以外に，壁に反射してから入射するもの，床に反射してから入射するもの，さらにこれらが何度も反射を繰り返した相互反射によるものがある．

照明率Uは，被照面に入射する光束と光源の光束の比で定義され，部屋の形状，器具効率，室内の反射率等で決まる．

$$U=\frac{被照面に入射する光束}{光源の全光束}$$

照明率は1以下の値であり，照明率は大きいほど，光源から出た光束が有効に使用されていることになる.

問題4 (1) 1―ケ，2―ア，3―キ

(2) 4―ウ，5―キ，6―オ，7―ケ，A ― 20.8，B ― 24.0，C ― 31.8

【指導】

(1) 電源から負荷を見た合成インピーダンス $\dot{Z}$ は，抵抗 R〔Ω〕と容量性リアクタンス $-j4$〔Ω〕が並列に接続された回路に誘導性リアクタンス $j3$〔Ω〕が直列に接続されているので，

$$\dot{Z}=j3+\frac{1}{\frac{1}{R}+\frac{1}{-j4}}=j3+\frac{-j4R}{R-j4}=j3+\frac{16R-j4R^2}{16+R^2}〔\Omega〕$$

となる.

電源電圧 $\dot{V}=100$〔V〕と全電流 $\dot{I}$ を同相にするには，合成インピーダンス $\dot{Z}$ の虚数部分を零とすればよいので，

$$\dot{Z}=j3+\frac{16R-j4R^2}{16+R^2}=\frac{16R}{16+R^2}+j\left(3-\frac{4R^2}{16+R^2}\right)〔\Omega〕$$

より，

$$3=\frac{4R^2}{16+R^2}$$

$$\therefore\quad R=4\sqrt{3}〔\Omega〕$$

とすればよい．このとき，合成インピーダンス $\dot{Z}$ の大きさは，

$$Z=\frac{16R}{16+R^2}=\frac{16\times4\sqrt{3}}{16+(4\sqrt{3})^2}=\sqrt{3}〔\Omega〕$$

となる．したがって，抵抗 R で消費される電力 P は，抵抗 R に流れる電流 $\dot{I}_R$ が，

$$\dot{I}_R=\frac{\dot{V}}{\dot{Z}}\times\frac{-j4}{R-j4}=\frac{100}{\sqrt{3}}\times\frac{-j4}{4\sqrt{3}-j4}〔\mathrm{A}〕$$

$$\left|\dot{I}_R\right|=\frac{100}{\sqrt{3}}\times\left|\frac{-j4}{4\sqrt{3}-j4}\right|=\frac{100}{\sqrt{3}}\times\frac{1}{\sqrt{3}+1}=\frac{50}{\sqrt{3}}〔\mathrm{A}〕$$

であるので，

$$P=\left|\dot{I}_R\right|^2 R=\left(\frac{50}{\sqrt{3}}\right)^2\times 4\sqrt{3}=\frac{10\,000}{\sqrt{3}}\,〔\mathrm{W}〕=\frac{10}{\sqrt{3}}\,〔\mathrm{kW}〕$$

となる．

(2)　負荷 1 に流れる電流は，回路の線間電圧が 200〔V〕であるので，その相電圧 $\dot{E}_a$ は $200/\sqrt{3}$ となるので，

$$\dot{I}_{a1}=\frac{\dot{E}_a}{4+j3}=\frac{200/\sqrt{3}}{4+j3}=\frac{8}{\sqrt{3}}\times(4-j3)\,〔\mathrm{A}〕$$

となる．

また，負荷 2 に流れる電流は，負荷 2 を △→Y 変換すると，そのインピーダンスは $\frac{1}{3}(3+j4)$ となるので，

$$\dot{I}_{a2}=\frac{\dot{E}_a}{\frac{1}{3}(3+j4)}=\frac{3\times 200/\sqrt{3}}{3+j4}=8\sqrt{3}\times(3-j4)\,〔\mathrm{A}〕$$

となる．

負荷 1 の三相皮相電力 S_1 は，

$$\dot{S}_1=\sqrt{3}\times 200\times\dot{I}_{a1}=\sqrt{3}\times 200\times\frac{8}{\sqrt{3}}\times(4-j3) \tag{1}$$

$$\therefore\quad S_1=1\,600\times|4-j3|=1\,600\sqrt{4^2+3^2}=8\,000\,〔\mathrm{V\cdot A}〕=8\,〔\mathrm{kV\cdot A}〕$$

であり，負荷 2 の三相皮相電力 S_2 は，

$$\sqrt{3}\times 200\times\dot{I}_{a2}=\sqrt{3}\times 200\times 8\sqrt{3}\times(3-j4) \tag{2}$$

$$\therefore\quad S_2=4\,800\times|3-j4|=4\,800\sqrt{3^2+4^2}=24\,000\,〔\mathrm{V\cdot A}〕=24\,〔\mathrm{kV\cdot A}〕$$

となる．

負荷 1 と負荷 2 とで消費される合計の電力 P は，(1)式および(2)式の実数部分から，

$$P=1\,600\times 4+4\,800\times 3=20\,800\,〔\mathrm{W}〕=20.8\,〔\mathrm{kW}〕$$

となる．

負荷 1 と負荷 2 との合計の無効電力 Q は，(1)式および(2)式の虚数部分から，

$$Q=1\,600\times 3+4\,800\times 4=24\,000\,〔\mathrm{W}〕=24\,〔\mathrm{kvar}〕$$

となる．

したがって，電源として最小限必要な電源容量 S は，

$$S=\sqrt{P^2+Q^2}=\sqrt{20.8^2+24^2}=31.76\fallingdotseq 31.8\text{〔kV·A〕}$$

となる.

問題5

(1) 1—オ，2—ウ，3—ケ，4—シ，5—ウ，6—コ

(2) 7—セ，8—コ，9—ア，10—エ

(3) 11—イ，12—エ，13—カ

(4) A—8.29，14—カ，15—ウ，16—ス

【指導】

(1) 1) **第1図**に示す質量M〔kg〕の物体が並列接続されたばねとダンパにより固定された壁につながれ，外力$f(t)$により直線運動するシステムの微分方程式は題意より，

$$M\frac{\mathrm{d}^2x(t)}{\mathrm{d}t^2}+D\frac{\mathrm{d}x(t)}{\mathrm{d}t}+Kx(t)=f(t) \tag{1}$$

であるので，この式の両辺をすべての初期値を0として，ラプラス変換すると，

$$Ms^2X(s)+DsX(s)+KX(s)=F(s) \tag{2}$$

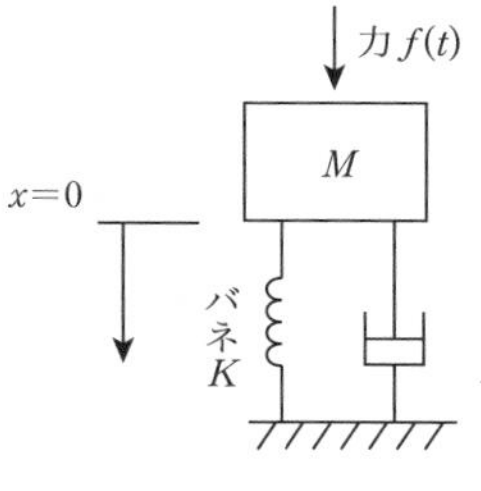

第1図

(2)式から，$X(s)$について解くと，$F(s)$から$X(s)$までの伝達関数は，

$$\frac{X(s)}{F(s)}=\frac{1}{Ms^2+Ds+K}$$

となる.

この伝達関数は，分母がラプラス演算子sの二次式になっていることから，二次遅れ要素と呼ばれている.

2) 伝達関数が$\dfrac{1}{s^2+4s+3}$の系に大きさ1〔N〕のステップ入力を加えると，ステップ入力のラプラス変換は$1/s$であるので，時間が十分に経ったときの出力値$f(\infty)$は最終値の定理から，

$$f(\infty)=\lim_{t\to\infty}f(t)=\lim_{s\to 0}sF(s)=\lim_{s\to 0}s\times\frac{1}{s^2+4s+3}\times\frac{1}{s}=\lim_{s\to 0}\frac{1}{s^2+4s+3}=\frac{1}{3}$$

となる．

また，伝達関数が $\frac{1}{s^2+4}$ の系に大きさ1〔N〕のステップ入力を加えると，出力応答は，

$$F(s)=\frac{1}{s^2+4}\times\frac{1}{s}=\frac{1}{4}\left(\frac{1}{s}-\frac{s}{s^2+4}\right)$$

となって，これを逆ラプラス変換して時間関数に戻すと，

$$f(t)=\frac{1}{4}(1-\cos 2t)$$

となる．したがって，持続的に同じ振幅で振動する．

(2) 題意の制御系は，出力を入力側へ戻しているのでフィードバック接続と呼ばれる．

$R(s)$ から $E(s)$ までの伝達関数は，

$$E(s)=R(s)-Y(s)$$

$$Y(s)=E(s)G(s)$$

より，

$$E(s)=R(s)-E(s)G(s)$$

となり，

$$\frac{E(s)}{R(s)}=\frac{1}{1+G(s)}$$

となる．

伝達関数が $\frac{3}{s(s+2)}$ のとき，入力として $r(t)=1$ のステップ入力を加えたときの定常偏差の値 e_s は，ステップ入力のラプラス変換は $1/s$ であるので，

$$e_s=\lim_{t\to\infty}e(t)=\lim_{s\to 0}s\times\frac{1}{1+G(s)}\times\frac{1}{s}=\lim_{s\to 0}s\times\frac{1}{1+\frac{3}{s(s+2)}}\times\frac{1}{s}=\lim_{s\to 0}\frac{s^2+2s}{s^2+2s+3}=0$$

となる．

また，入力として $r(t)=t$ のランプ入力を加えたときの定常偏差の値 e_R は，ランプ入力のラプラス変換は $1/s^2$ であるので，

$$e_R=\lim_{t\to\infty}e(t)=\lim_{s\to 0}s\times\frac{1}{1+G(s)}\times\frac{1}{s^2}=\lim_{s\to 0}s\times\frac{1}{1+\frac{3}{s(s+2)}}\times\frac{1}{s^2}=\lim_{s\to 0}\frac{s+2}{s^2+2s+3}=\frac{2}{3}$$

となる．

試験でよく使うラプラス変換の公式および定理をまとめると**第1表**のようになる．

第1表 ラプラス変換の公式・定理

$f(t)$	$F(s)$
単位ステップ入力 $u(t)$，1	$\dfrac{1}{s}$
ランプ入力 t	$\dfrac{1}{s^2}$
$\sin \omega t$	$\dfrac{\omega}{s^2+\omega^2}$
$\cos \omega t$	$\dfrac{s}{s^2+\omega^2}$
最終値の定理	$\lim_{t\to\infty} f(t) = \lim_{s\to 0} sF(s)$

(3) 国際エネルギースタープログラムは，地球規模で問題である省エネルギー対策に取り組むべく，エネルギーの消費の低減性に優れ，かつ，効率的な使用を可能とする製品の開発および普及の促進を目的としている．2018年4月1日現在，コンピュータ，ディスプレイ，プリンタ，ファクシミリ，複写機，スキャナ，複合機，ディジタル印刷機，コンピュータサーバの9品目が対象製品となっている．

コンピュータの動作モードのうち，使用者が実質的作業を実行している稼働状態以外に以下のアイドル，スリープ，オフモードがある．

① アイドル状態：オペレーティングシステムやその他のソフトウェアの読込みが完了し，ユーザプロファイルが作成され，そのシステムが初期設定により開始する基本アプリケーションに動作が限定されており，さらにそのコンピュータがスリープモードではないときの電力消費状態をいう．アイドル状態は，短期アイドルと長期アイドルの二つの下位状態で構成されている．

② スリープモード：コンピュータが一定の非稼働時間後に自動的に，あるいは手動選択により移行する低電力モードである．スリープ能力を有するコンピュータは，ネットワーク接続またはユーザインタフェース装置に反応して，ウェイクイベントの開始からディスプレイ表示を含めシステムが完全に使用可能になるまで，5秒以下の待ち時間で素早くすることができるモードをいう．

③ オフモード：製品が主電力源に接続され，製造事業者の指示に従い使用するときに，使用者が解除する（影響を与える）ことができず，不定時間保たれる可能性のある最低電力モードをいう．

(4) 画素数1 920×1 080のFHD画面で1画素当たり32ビットのデータ量をバイト〔B〕

の単位で表すと，

$$\frac{1\,920\times1\,080\times32}{8}=8.2944\times10^6\fallingdotseq8.29\times10^6\,\text{〔B〕}$$

となる．

JPEG（Joint Photographic Experts Group）は，ITU−TS（国際電気通信連合 − 電気通信標準化部門）とISO（国際標準化機構）で定められたカラー静止画像規格であり，色に対する人の目の特性を利用してデータ量を1/10～1/100に圧縮するもので，自然画像の圧縮に適している．

GIF（Graphics Interchange Format）は，米国の通信メーカが開発した画像フォーマットで，モノクロ256階調またはカラー256色まで扱える．アニメーションGIFと呼ばれる複数静止画によるアニメーション機能も提供されている．GIFは圧縮しても圧縮する前の品質に復元できる可逆圧縮形式である．

問題6
(1) 1—ス，2—サ，3—イ，4—ク，5—エ，6—ク，7—ウ，8—オ
(2) 9—ア，10—エ，11—ア，12—エ，13—ク，14—シ

【指導】

(1) 1) 被測定系への影響を少なくするためには，計測回路の入力インピーダンスが高いことが重要である．また，耐ノイズ性を高めるためには，入力部と電源部などを電気的に絶縁した構造とすることが求められる．

アナログ/ディジタル変換器の典型例としては，デュアルスロープ式アナログ/ディジタル変換器が挙げられる．この変換器の内部には，安定性の高い基準直流電圧発生器が内蔵されており，パルス化された測定電圧と基準電圧のパルス数の比で測定電圧を求める方式である．

2) 入力電圧 V_x は，

$$V_x t_1=\alpha(t_2-t_1)$$

$$V_x\frac{N_1}{f}=\alpha\frac{N_2}{f}$$

$$V_x N_1=\alpha N_2$$

よって，

$$V_x=\frac{N_2\alpha}{N_1}$$

となる.

また, 基準直流電圧発生器には, ツェナーダイオードが使用され, ブレークダウン電圧(ツェナー電圧) がほぼ一定となることを利用している.

(2) 1) 接地電流回路の抵抗値を一定とすると, 接地電流が大きくなると, 接地極と大地の電位差 (電圧降下) は大きくなる. したがって, 大地間に大電力 (大電流) が流れた場合, 大地間電位差が上昇して, 感電防止対策も重要な課題となる.

2) **第1図**より, この回路で測定できるのは, R_1 であり, オームの法則より,

$$R_1 = \frac{V}{I}$$

となる.

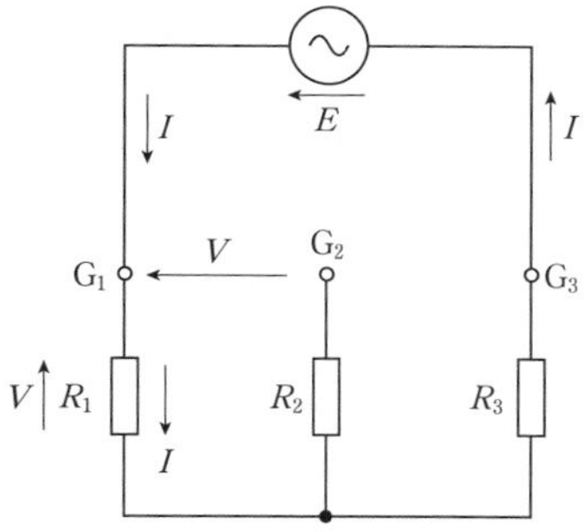

第1図

一般的に接地抵抗測定には, 大地に直流電圧を印加した場合, 大地の分極作用により周囲電位を乱すので, 交流の定電圧電源を使用する.

問題7 (1) 1—ク, 2—ア, 3—サ, 4—カ

(2) 5—ア, 6—セ, 7—エ, 8—ケ, 9—シ

(3) 10—ア, 11—オ

【指導】

(1) 1) 架空線に落雷, 樹木の接触などが起きると, 地絡や短絡が発生する. しかし, 短時間で故障の原因がなくなると, 絶縁の回復により再送電可能となる場合が多い.

架空線系統には再閉路方式が採用されており, 再閉路の時限は, 1分程度の値で再送電を行う.

2) 高調波は何らかの原因で電圧または電流がひずみ波(非正弦波)となるときに発生する.

主な原因として

① 鉄心を有する電気機器の磁気飽和現象（**第1図**参照）

② アーク炉におけるアーク電流のひずみ

③ インバータなどに使用される半導体電力変換装置による高調波

などがある．

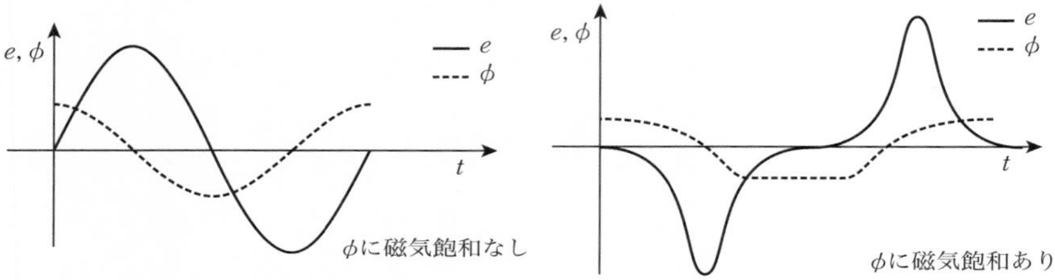

(a) 電圧正弦波例　　(b) 電圧ひずみ波例

第1図

(2) 1) スポットネットワーク受電方式は，3回線の配電線からT分岐で引き込み，充電用断路器を経てネットワーク変圧器に接続される．変圧器の二次側でネットワークプロテクタを介してネットワークを組む．

スポットネットワーク受電方式のネットワークリレーには，無電圧投入特性，差電圧投入特性および逆電力遮断特性の三つの基本特性がある（**第2図**参照）．

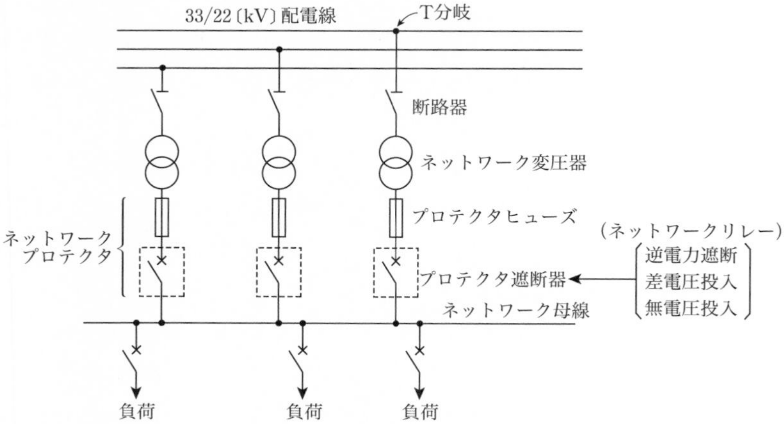

第2図　スポットネットワーク受電方式

2) デマンド制御より最大需要電力を一定の値以下とするため，負荷率は向上する（(1)式参照).

$$負荷率=\frac{平均電力}{最大需要電力}\times 100〔\%〕 \quad (1)$$

3) 保全管理には予防保全と生産保全とがある.

生産量当たりの電力消費量を表す値として電力原単位がある.

(3) 1相当たりの線路損失の低減量〔W〕は, 力率改善前の線路損失P_1〔W〕, 線路電流I_1〔A〕, 力率改善後の線路損失P_2〔W〕, 線路電流I_2〔A〕および線路抵抗R〔Ω〕とすると,

$$P_1-P_2=I_1^2R-I_2^2R=(I_1^2-I_2^2)\times R〔\Omega〕$$

で表される.

また, 1相当たりのコンデンサ容量Q_c〔var〕は問題の図2から,

$$Q_c=VI_c=V(I_{q1}-I_{q2})〔\mathrm{var}〕$$

である. 図2のI_pを用いて, I_{q1}, I_{q2}〔A〕を表す.

$$I_{q1}=\sqrt{I_1^2-I_p^2}=I_p\sqrt{\frac{I_1^2}{I_p^2}-1}=I_p\sqrt{\frac{1}{\cos^2\varphi_1}-1}$$

$$I_{q2}=\sqrt{I_2^2-I_p^2}=I_p\sqrt{\frac{I_2^2}{I_p^2}-1}=I_p\sqrt{\frac{1}{\cos^2\varphi_2}-1}$$

$$\because\quad \cos\varphi_1=\frac{I_p}{I_1},\quad \cos\varphi_2=\frac{I_p}{I_2}$$

また, $I_p=I_1\cos\varphi_1$より,

$$Q_c=VI_1\cos\varphi_1\times\left(\sqrt{\frac{1}{\cos^2\varphi_1}-1}-\sqrt{\frac{1}{\cos^2\varphi_2}-1}\right)〔\mathrm{var}〕$$

となる.

問題8 1—イ, 2—キ, 3—オ, 4—エ, 5—ク, 6—コ, 7—イ, 8—キ, 9—エ, 10—イ

【解き方】

1) $\Delta V=\sqrt{3}I(r\cos\varphi+x\sin\varphi)$〔V〕より,

$$\Delta V=\sqrt{3}\times 120\times(0.014\times 0.8+0.018\times 0.6)=\sqrt{3}\times 120\times 0.022=4.572=4.57〔\mathrm{V}〕$$

$$\because\quad \sin\varphi=\sqrt{1-\cos^2\varphi}=\sqrt{1-0.8^2}\fallingdotseq 0.6$$

また, 電力損失は三相であることに注意して

$$P_L=3rI^2=3\times 0.014\times 120^2=604.8=605〔\mathrm{W}〕$$

2)　$P_S = P \times \dfrac{100}{\%Z_S}$〔kV・A〕より，

$$\%Z_S = \frac{P}{P_S} \times 100 = \frac{1\,000}{800 \times 10^3} \times 100 = \frac{1}{8} = 0.125〔\%〕$$

受電用変圧器の $\%Z_T$ は，

$$4\,000〔\text{kV・A}〕：4.6〔\%〕= 1\,000〔\text{kV・A}〕：\%Z_T〔\%〕$$

$$\%Z_T = \frac{1\,000}{4\,000} \times 4.6 = 1.15〔\%〕$$

百分率抵抗 $\%r$〔%〕は，

$$\%r = \frac{rP〔\text{kV}\cdot\text{A}〕}{(V_r〔\text{kV}〕)^2} \times 100〔\%〕= \frac{rP \times 10^3}{V_r{}^2 \times 10^6} \times 100 = \frac{rP}{V_r{}^2 \times 10^3} \times 100〔\%〕$$

同様に $\%x$〔%〕は，

$$\%x = \frac{xP}{V_r{}^2 \times 10^3} \times 100 = \frac{0.018 \times 1\,000}{6.6^2 \times 10^3} \times 100 = 0.0413〔\%〕$$

3)　a 点より電源側を見た $\%Z_a$ は，$\%Z_S$ と $\%Z_T$ の和であるから，

$$\%Z_a = \%Z_S + \%Z_T〔\%〕$$

a 点の短絡容量 P_a は，$P_a = \dfrac{100}{\%Z_a} P$ より，

$$P_a = \frac{100}{1.28} \times 1\,000 = 78\,125〔\text{kV}\cdot\text{A}〕\fallingdotseq 78.1〔\text{MV}\cdot\text{A}〕$$

a 点の短絡電流 I_S は，$P_a = \sqrt{3}\,V_r I_S$ より，

$$I_S = \frac{P_a}{\sqrt{3}V_r} = \frac{78.1〔\text{MV}\cdot\text{A}〕}{\sqrt{3} \times 6.6〔\text{kV}〕} = 6.83〔\text{kA}〕$$

問題9

(1)　1 ― イ，2 ― キ，3 ― エ，4 ― ア，5 ― ク，6 ― チ，7 ― サ，8 ― コ，9 ― カ

(2)　A ― 4.53，B ― 98.93，C ― 43.3，D ― 130，E ― 98.71

【指導】

(1)　1)　変圧器の巻数比 a は，一次巻線数 N_1 と二次巻線数 N_2 の比で定義され，これは一次巻線の誘導起電力 E_1〔V〕と二次巻線の誘導起電力 E_2〔V〕の比と等しくなる．

$$a=\frac{N_1}{N_2}=\frac{E_1}{E_2}$$

第1図に励磁回路とそのベクトル図を示す．$\dot{I}_0$ は励磁電流であり，印加電圧 $\dot{V}_1$ と同相の鉄損を生じさせる鉄損電流 $\dot{I}_{0w}$ と主磁束を発生させる磁化電流 $\dot{I}_{0m}$ に分けることができる．

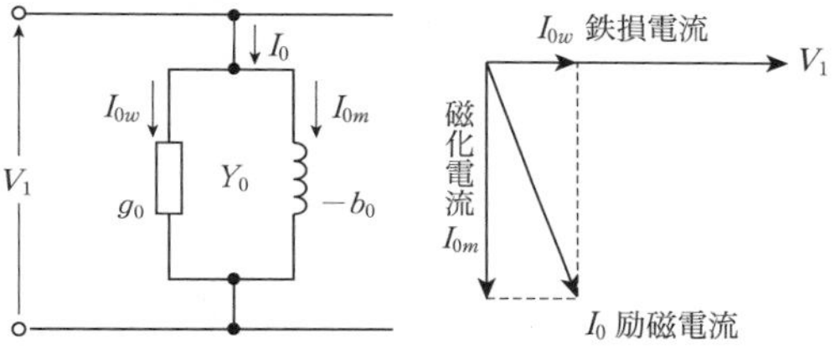

(a)　励磁回路　　(b)　ベクトル図

第1図

この回路において，負荷側端子を開放し，$\dot{V}_1$ として定格周波数の定格電圧 $\dot{V}_{1n}$〔V〕を加えたときの有効電力の値が無負荷損（鉄損）P_i であり，印加電圧 V_{1n} と励磁コンダクタンス g_0 を用いて，

$$P_i=I_{0w}\times V_{1n}=g_0V_{1n}\times V_{1n}=g_0V_{1n}{}^2\text{〔W〕}$$

と表される．この P_i と $\dot{I}_0$ の大きさから励磁アドミタンス $(Y_0=g_0-jb_0)$〔S〕を求めることができる．

2)　巻線抵抗測定によって得られた値は使用する絶縁物の耐熱クラスによって基準巻線温度に補正した値が使用される．油入変圧器の基準巻線温度は75〔℃〕であり，乾式およびガス入変圧器では**第1表**に示した基準巻線温度に換算した値が使用される．

第1表　基準巻線温度

耐熱クラス	基準巻線温度〔℃〕
A	75
E	90
B	95
F	115
H	140

パーセント値として表される短絡インピーダンス％Z_{01}〔%〕は，一方の巻線を短絡し，他方の巻線端子間で測定されたインピーダンスをいう．通常，基準インピーダンス Z_b〔Ω〕に対するパーセントで表現される．パーセントで表した短絡インピーダンス％Z_{01} は，二次巻線を短絡し，定格電流を流すように一次巻線に印加した電圧 V_{1s}〔V〕と定格電圧 V_{1n}〔V〕の比の百分率に等しい．

$$Z_{01}=\frac{V_{1s}}{V_{1n}}\times 100〔\%〕$$

なお，短絡インピーダンスは，従来からインピーダンス電圧とも呼ばれていたものである．

このとき得られる電力計の指示値は，この変圧器の一次，二次巻線中の抵抗損である負荷損に相当し，これを基準温度に補正した値が用いられる．

電圧変動率 ε〔%〕は次式で定義される．

$$\varepsilon=\frac{V_{20}-V_{2n}}{V_{2n}}$$

ここで，V_{2n}：定格二次電圧〔V〕，V_{20}：定格二次電圧において定格力率の定格二次電流 I_{2n}〔A〕を流し，そのままの状態で二次を開放したときに現れる二次端子電圧〔V〕である．

この電圧変動率は，**第2図**に示したベクトル図において，OA≒OB とみなせる場合には，近似的に次式で表すことができる．

$$\varepsilon \fallingdotseq \left(\frac{I_{2n}r}{V_{2n}}\cos\varphi+\frac{I_{2n}x}{V_{2n}}\sin\varphi\right)=p\cos\varphi+q\sin\varphi〔\%〕$$

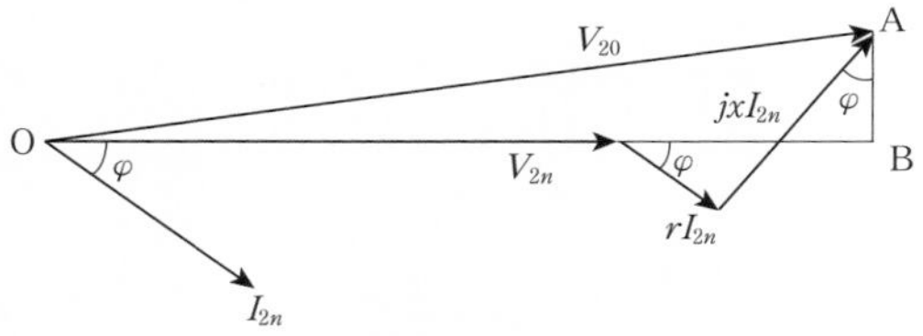

第2図

ここで，$r=\dfrac{r_1}{a^2}+r_2$，$x=\dfrac{x_1}{a^2}+x_2$，φは力率角であり，

百分率抵抗降下 $p=\dfrac{I_{2n}r}{V_{2n}}\times 100$

百分率リアクタンス降下 $q=\dfrac{I_{2n}x}{V_{2n}}\times 100$

である．

短絡インピーダンス%Z_{01}は，百分率抵抗降下 p および百分率リアクタンス降下 q を用いて，

$$Z_{01}=\frac{\sqrt{r^2+x^2}\times I_{2n}}{V_{2n}}\times 100=\sqrt{\left(\frac{rI_{2n}}{V_{2n}}\times 100\right)^2+\left(\frac{xI_{2n}}{V_{2n}}\times 100\right)^2}=\sqrt{p^2+q^2}〔\%〕$$

と表すことができる．

⑵ 定格容量を P_0〔V・A〕，全負荷銅損を P_c〔W〕とすると，25〔%〕（＝1/4）負荷時の効率 η_{25} は，無負荷損が題意より 850〔W〕であるので，

$$\eta_{25}=\frac{\frac{1}{4}P_0}{\frac{1}{4}P_0+0.85+\left(\frac{1}{4}\right)^2P_c}\times100\,〔\%〕$$

となる．同様に 75〔%〕（＝3/4）負荷時の効率 η_{75} は，

$$\eta_{75}=\frac{\frac{3}{4}P_0}{\frac{3}{4}P_0+0.85+\left(\frac{3}{4}\right)^2P_c}\times100\,〔\%〕$$

となる．題意より，$\eta_{25}=\eta_{75}$ であるので，

$$\frac{\frac{1}{4}P_0}{\frac{1}{4}P_0+0.85+\left(\frac{1}{4}\right)^2P_c}\times100=\frac{\frac{3}{4}P_0}{\frac{3}{4}P_0+0.85+\left(\frac{3}{4}\right)^2P_c}\times100$$

が成立する．これより，P_c について解くと，

$$P_c=4.533=4.53\,〔\mathrm{kW}〕$$

となる．

変圧器を力率 1.0 で定格容量の 100〔%〕で運転したときの効率 η_{100} は，

$$\eta_{100}=\frac{500}{500+0.85+4.533}\times100=98.9348\fallingdotseq98.93\,〔\%〕$$

となる．

最大効率となるのは負荷損と無負荷が等しくなるときである．ここで，負荷率を α とすると，$P_c=4.53$〔kW〕であるので，$0.85=4.53\alpha^2$ として，

$$\alpha=\sqrt{\frac{0.85}{4.53}}=0.4331\rightarrow43.3\,〔\%〕$$

で運転したとき変圧器効率は最大となる．

力率 0.6（遅れ）の負荷を接続すると，最大効率となるのは負荷が，

$$P_{0.6}=0.433\times500\times0.6=129.9=130\,〔\mathrm{kW}〕$$

のときであり，このときの効率 η_{60} は，

$$\eta_{60}=\frac{130}{130+0.85+0.85}\times100=98.709\fallingdotseq98.71\,〔\%〕$$

となる．

問題10 (1) 1―エ，2―ア，3―ケ，4―シ，5―セ，6―ア，7―ウ，8―カ

(2) 9―ケ，10―コ，11―ソ，12―チ，13―オ，14―イ

【指導】

(1) 回転電気機器の損失は，固定損，直接負荷損，励磁回路損および漂遊負荷損に分類できる．

1) 固定損は無負荷損と機械損に分類でき，端子電圧と回転速度で決まる．

無負荷鉄損は，ヒステリシス損と渦電流損に細分される．ヒステリシス損は，鉄心の磁化現象により生じる損失で，交番磁界中では周波数の1乗と最大磁束密度の1.6～2乗に比例する．渦電流損は，鉄心中の磁束の変化に起因する電磁誘導によって発生する電流により生じる抵抗損であり，交番磁界中では周波数，最大磁束密度の2乗に比例する．

機械損には，軸受け摩擦損，ブラシ摩擦損，風量と外周速度の2乗に比例する風損がある．

2) 直接負荷損には，電機子巻線，直巻巻線，補極巻線および補償巻線の抵抗損などの負荷電流によって生じる銅損とブラシの電圧降下によるブラシ電気損がある．また，直流電動機では負荷によって誘導起電力が変化することにより増減する鉄損がある．

漂遊負荷損は，負荷電流による漏れ磁束に起因し，鉄心や導体以外のボルト等の金属部分に生じる渦電流による損失で，直接負荷損に含まれない損失をいい，負荷の増減で変化する．

(2) **第1図**に示すように，サイリスタを用いた三相ブリッジ整流回路において，相回転がu−v−wの順であるとき，サイリスタTh_5がオン状態であり，v相およびw相から負荷に電流が供給されているときには，点線で示す電源のw相からTh_5→負荷→Th_6を通ってv相へと電流が流れるため，サイリスタTh_6がオン状態である．

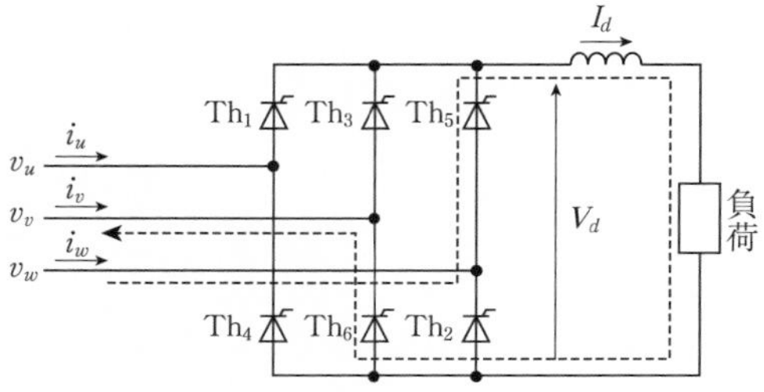

第1図

あるサイリスタから別のサイリスタに電流経路が移り変わることを転流という．u相電圧がw相電圧よりも高くなる範囲でサイリスタTh_1にゲート信号を与えると，Th_1がターンオンして転流が行われ，Th_5がターンオフする．

第2図に示す三相ブリッジの動作波形において，v_uとv_wの波形が交わる点からTh_1にゲー

ト信号を与えるまでの角度 α を制御角または制御遅れ角と呼ぶ．

対称三相正弦波交流電源の線間電圧の実効値を V，制御角を α として，転流リアクタンスによる電圧降下を無視した場合，直流出力電圧 V_d は次式で表される．

$$V_d=\frac{3\sqrt{2}}{\pi}V\cos\alpha=1.35V\cos\alpha\ \text{〔V〕}$$

で表される．また，このとき交流側電流 i_u，i_v および i_w は，重なり角を無視し直流電流が完全に平滑されているならば，相ごとに通流角が $2\pi/3$〔rad〕の方形波となる．

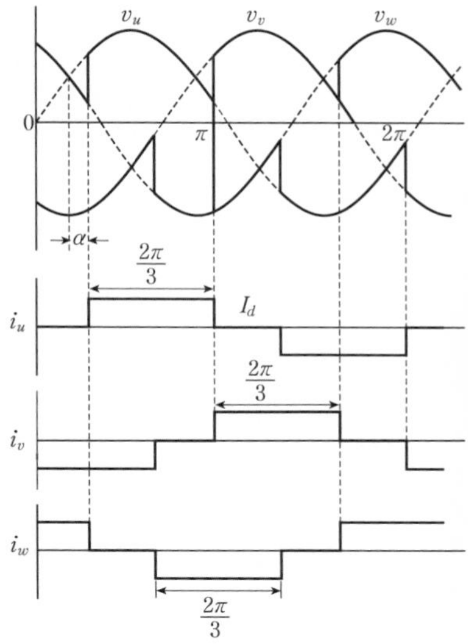

第2図

問題11 (1) 1—ク，2—ケ，3—シ，4—ス，5—ウ

(2) 6—チ，7—セ，8—サ，9—ケ，10—オ，11—ク，12—ス，13—ア，14—エ

【解き方】

(1) 三相誘導電動機の回転速度 N〔min^{-1}〕は，

$$N=\frac{120f(1-s)}{p}\ \text{〔min}^{-1}\text{〕}$$

と表すことができる．ここで極数 p，電源周波数 f〔Hz〕，滑りを s する．

速度制御の方法として，電源周波数を変える可変周波数制御がある．これはインバータを用いるもので，制御には V/f 制御とベクトル制御がある．

滑り s を変える方法として，巻線形誘導電動機で比例推移の性質を利用した二次抵抗制御がある．一次電圧制御は，トルクの大きさが一次電圧の 2 乗に比例する性質を利用する．

第1図の等価回路から，

$$I_2'=\frac{V_1}{\sqrt{\left(r_1+\dfrac{r_2'}{s}\right)^2+x^2}}\ \text{〔A〕}$$

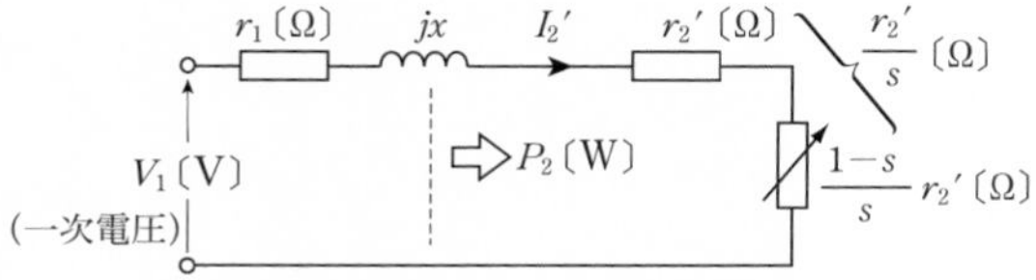

第1図 簡易化した誘導電動機等価回路

$$P_2=I_2'^2\frac{r_2'}{s}=\frac{V_1^2}{\left(r_1+\frac{r_2'}{s}\right)^2+sx^2}\cdot\frac{r_2'}{s}\text{〔W〕（1相分）}$$

ここで，機械出力 $P_0=P_2(1-s)$〔W〕，回転角速度 $\omega=\omega_s(1-s)$〔rad/s〕

ただし，ω_s は同期角速度

$$\omega_s=2\pi\frac{N_s}{60}=2\pi\frac{120f}{60p}=\frac{4\pi f}{p}\text{〔rad/s〕}$$

より，トルク τ〔N･m〕は，

$$\tau=\frac{P_o}{\omega}=\frac{P_2(1-s)}{\omega_s(1-s)}=\frac{1}{\omega_s}\cdot\frac{V_1^2}{\left(r_1+\frac{r_2'}{s}\right)^2+x^2}\cdot\frac{r_2'}{s}=\frac{r_2'V_1^2}{s\omega_s\left\{\left(r_1+\frac{r_2'}{s}\right)^2+x^2\right\}}\text{〔N･m〕}$$

となって，トルクは，一次電圧の2乗に比例することがわかる．

(2) 1) ポンプ流量 $Q_N=8$〔m^3/min〕，全揚程 $H_N=30$〔m〕，ポンプ効率 $\eta_N=65$〔%〕，水の密度1 000〔kg/m^3〕，重力加速度を9.8〔m/s^2〕とする．

ポンプを駆動する電動機の軸動力 P〔kW〕は，

$$P=\frac{9.8\times\frac{Q_N}{60}\times H_N\times 1\,000}{\eta_N}=\frac{9.8\times\frac{8}{60}\times 30\times 1\,000}{0.65}=60.31\times 10^3\text{〔W〕}=60.3\text{〔kW〕}$$

2) ポンプの流量，全揚程，ポンプ回転速度，ポンプ効率，ポンプ軸動力の関係は問題中の式のとおりである．また，正規化とは1)のときの値を1.0とした単位法で表す方法である．

$$h=1.2n^2-0.2q^2 \quad ①$$

$$\eta^*=2.0\left(\frac{q}{n}\right)-\left(\frac{q}{n}\right)^2 \quad ②$$

$$r=0.5+0.5q^2 \quad ③$$

このポンプで流量を5〔m^3/min〕（8〔m^3/min〕に対して0.625倍）の場合の各数値を①～③式を用いて求める．

第2図でポンプは各管路抵抗（＝揚程）とポンプの流量 − 揚程特性の各交点にて運転する．B点は①，②式を使って[注]各値を計算する．

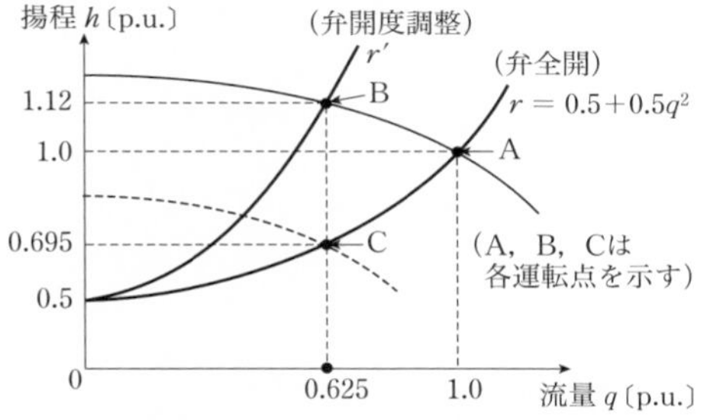

第2図 ポンプの流量 － 揚程特性

$$h=1.2\times1.0^2-0.2\times0.625^2=1.1219=1.122$$

$$\eta^*=2.0\times\left(\frac{0.625}{1.0}\right)-\left(\frac{0.625}{1.0}\right)^2=0.8594\fallingdotseq0.859$$

$$p=\frac{gqh}{\eta^*}=\frac{1.0\times0.625\times1.122}{0.859}=0.8164\fallingdotseq0.816$$

ただし，g：重力加速度 $=1.0$ （単位法）

㈲ 弁開度調整のB点では管路抵抗の特性が異なるため，弁開度全開での管路抵抗を表した③式（$r=0.5+0.5q^2$）が使えないことに注意する．

第2図のC点（弁全開で回転速度制御）における各値を求める．

C点のポンプ揚程は定格と同じ弁全開のため③式を用いて，

$$h=r=0.5+0.5\times0.625^2=0.6953=0.695$$

となる．ポンプの回転速度は①式を用いて，

$$h=0.695=1.2n^2-0.2\times0.625^2$$

$$n=\sqrt{\frac{0.695+0.2\times0.625^2}{1.2}}=0.8027\fallingdotseq0.803$$

$$\eta^*=2.0\times\left(\frac{0.625}{0.803}\right)-\left(\frac{0.625}{0.803}\right)^2=0.9509\fallingdotseq0.951$$

$$p=\frac{gqh}{\eta^*}=\frac{1.0\times0.625\times0.695}{0.951}=0.4568\fallingdotseq0.457$$

3） C点から回転速度 n を下げて，流量 $q=0$ となったときの管路抵抗（＝揚程）は，次式が成り立つ．

$$h=r=0.5+0.5\times0^2=0.5=1.2n^2-0.2\times0^2$$

$$\therefore \quad n=\sqrt{\frac{0.5}{1.2}}=0.6454 \fallingdotseq 0.645$$

問題12 1ー ク，2ー ウ，3ー オ，4ー ア，5ー エ，6ー コ，7ー ウ，8 ーオ，9 ーケ，10 ーキ

【指導】

1) **第1図**は，$0<t<t_3$ の各期間の加速度の状況を示す．

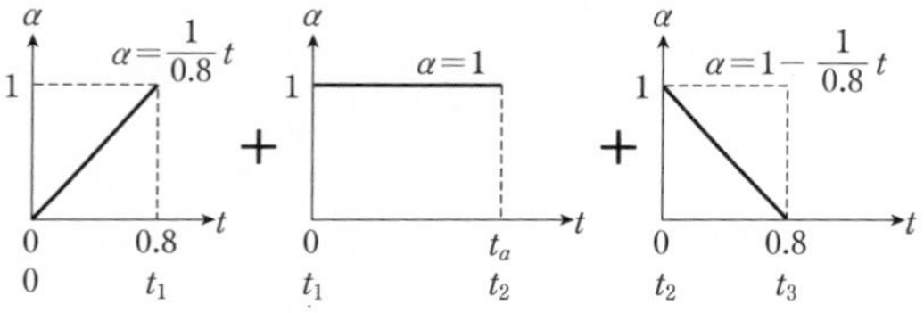

第1図

第1図より v_m は，

$$v=\int \alpha\,\mathrm{d}t$$

$$v_m=\int_0^{0.8}\frac{1}{0.8}t\,\mathrm{d}t+\int_0^{t_a}1\mathrm{d}t+\int_0^{0.8}\left(1-\frac{1}{0.8}t\right)\mathrm{d}t$$

$$=\frac{1}{0.8}\times\frac{1}{2}\left[t^2\right]_0^{0.8}+[t]_0^{t_a}+\left[t-\frac{1}{0.8}\times\frac{1}{2}t^2\right]_0^{0.8}$$

$$=\frac{1}{0.8}\times\frac{1}{2}\times0.8^2+t_a+0.8-\frac{1}{0.8}\times\frac{1}{2}\times0.8^2=t_a+0.8\,\text{〔m/s〕} \quad ①$$

①式に，$v_m=1.75$ を代入し，

$$t_a=v_m-0.8=1.75-0.8=0.95\,\text{〔s〕}$$

②式より，

$$35=(0.95+t_b+1.6)\times1.75$$

$$\therefore \quad t_b=\frac{35}{1.75}-0.95-1.6=17.45\,\text{〔s〕}$$

2)

$$t=Fr=r\times F\,\text{〔N·m〕}$$

また，M_W は M_C と M_P の和であるから，

$$M_W = M_C + M_P = M_C + 0.5M_{PM}$$

$$\therefore \quad M_W = M_C + 0.5M_{PM} \text{〔kg〕} \qquad ⑥$$

したがって，

$$M_1 = M_P + M_C + M_W = kM_{PM} + M_C + M_C + 0.5M_{PM} = (k+0.5)M_{PM} + 2M_C \text{〔kg〕}$$

3)　⑤式より，

$$F = M_1 a + M_2 g = 3\,350 \times (-1) + 250 \times 9.8 = -900 \text{〔N〕} = -0.9 \text{〔kN〕}$$

同様に，

$$F' = 2\,850 \times 1 + (-250) \times 9.8 = 400 \text{〔N〕} = 0.4 \text{〔kN〕}$$

4)　一方⑤式より，

$$F = \frac{P}{v}$$

$$P = Fv = 8.5 \text{〔kN〕} \times (1-0.4) \text{〔m/s〕} = 5.10 \text{〔kW〕}$$

$$P' = F'v' = 3.1 \text{〔kN〕} \times (2-0.4) \text{〔m/s〕} = 4.96 \text{〔kW〕}$$

問題13　(1)　1―エ，2―イ，3―ク，4―ソ，5―セ

(2)　6―イ，7―ケ，8―オ，9―コ，10―セ

(3)　11―イ，12―キ，13―カ，14―サ，15―ソ

【指導】

(1)　1)　電機加熱の特徴としては，熱応答が速く，加熱温度の制御精度が高いことが挙げられる．

2)　マイクロ波加熱と誘電加熱の加熱原理は，同一である．

マイクロ波加熱の代表的な応用例は，家庭用の電子レンジであるが，アプリケータと呼ばれる加熱室内で，被加熱材に300〔MHz〕～300〔GHz〕のマイクロ波（電磁波）を照射すると，被加熱材が発熱する．

(2)　1)　アーク加熱は，温度が5 000〔K〕程度で高温加熱する方式である．熱効率が最大となるように電力制御が重要であるが，溶解後の溶鋼を取鍋に移して，アーク加熱しながら精錬を行う取鍋精錬炉が普及している．

2)　熱電温度計は，接触式の温度計であるが，熱電対，補償導線などから構成される．

(3)　1)　$t_1 = 25$〔°C〕の鋳鉄を$t_2 = 1\,500$〔°C〕の溶湯にするために必要な正味熱量q〔kW・h/kg〕は，鋳鉄の溶解潜熱c〔kJ/kg〕，比熱ρ〔kJ/(kg・K)〕として，

$$q=\frac{c+\rho(t_2-t_1)}{3\,600}=\frac{210+0.79(1\,500-25)}{3\,600}=0.382\,〔\mathrm{kW \cdot h/kg}〕$$

$m=2\,000$〔kg〕の鋳鉄を溶解するために要求される熱量 Q〔kW・h〕は，

$$Q=mq=2\,000\times0.382=764\,〔\mathrm{kW \cdot h}〕$$

一方，炉入力端の入力電力量 W_i〔kW・h〕は，溶解に要する時間を T〔h〕とし，

$$W_i=1\,200\,T\,〔\mathrm{kW \cdot h}〕$$

誘導加熱コイルの電気効率 $\eta_c=0.8$ および炉の熱損失 $W_L=60\,T$〔kW・h〕を考慮し，次式を得る．

$$Q+W_L=\eta_c W_i$$

$$764+60\,T=0.8\times1\,200\,T$$

$$764+60\,T=960\,T$$

$$764=960\,T-60\,T$$

$$764=900\,T$$

$$\therefore\quad T=0.8489\,〔\mathrm{h}〕=50.9\,〔\mathrm{min}〕$$

また，受電端における入力電力量 W_s〔kW・h〕は，電源装置の変換効率 η_e として，

$$W_s=\frac{W_i}{\eta_e}=\frac{1\,200\times0.8489}{0.95}\fallingdotseq1\,072.3\,〔\mathrm{kW \cdot h}〕$$

よって，電力原単位 M〔kW・h/kg〕は，

$$M=\frac{W_s}{m}=\frac{1\,072.3}{2\,000}\fallingdotseq0.536\,〔\mathrm{kW \cdot h/kg}〕$$

2)　誘導加熱コイルの電気効率 η_c' は，炉入力端電力 $P_i=80$〔kW〕，コイルの損失電力 $P_L=15$〔kW〕より，

$$\eta_c'=\frac{P_i-P_L}{P_i}\times100=\frac{80-15}{80}\times100=81.25=81.3\,〔\%〕$$

一方，電源装置の変換効率 η_e' は，受電端電力 $P_s=85$〔kW〕であるから，

$$\eta_e'=\frac{P_i}{P_s}\times100=\frac{80}{85}\times100=94.1\,〔\%〕$$

問題14

(1)　1―カ，2―ア，3―キ，4―シ

(2)　5―キ　6―エ，7―ウ

(3)　8―オ，9―ウ，10―セ，11―キ，12―シ，13―オ，14―キ，15―ア

【指導】

(1)　銅の電解精錬における電解液は，硫酸が使用される．電極②の反応は，銅が銅イオンとなり電子を失っている反応（脱電子反応）となっているので,電極②は,アノード極である．また，銅よりもイオン化傾向の大きい金属は電解質側へ溶解するが，対極（カソード極）で析出することはない．一方，銅よりもイオン化傾向の小さい金属は電解質側へ溶解せず，アノード極近傍に残る．溶解や析出する銅の物質量は，ファラデーの法則により，流れた電気量に比例する．

(2)　ファラデー定数を電流と時間を使った単位で表すと，次式となる．

$$F=96\,500\left[\frac{\mathrm{C}}{\mathrm{mol}}\right]=96\,500\left[\frac{\mathrm{A\cdot s}}{\mathrm{mol}}\right]=96\,500\left[\frac{\mathrm{A}\cdot\frac{1}{3\,600}\mathrm{h}}{\mathrm{mol}}\right]$$

$$=96\,500\times\frac{1}{3\,600}\left[\frac{\mathrm{A\cdot h}}{\mathrm{mol}}\right]=26.8\left[\frac{\mathrm{A\cdot h}}{\mathrm{mol}}\right]$$

銅は2電子反応であるから，

$$\frac{64}{2}\,[\mathrm{g}]:26.8\,[\mathrm{A\cdot h}]=\mathrm{m}\,[\mathrm{kg}]:2\,[\mathrm{kA}]\times 5\,[\mathrm{h}]$$

$$\therefore\quad m=\frac{\frac{64}{2}\times 2\times 5}{26.8}=11.9\fallingdotseq 12\,[\mathrm{kg}]$$

電流効率を考慮して，

$$m'=0.9\times m=0.9\times 11.9=10.71=11\,[\mathrm{kg}]$$

(3)　1)　リチウムイオン電池は，二次電池であり，公称電圧は，約3.7〔V〕である．電解液には，炭酸エステル系の有機電解質が使用される．電池の充放電反応は，正極と負極間のリチウムイオンの移動によって行われる．ロッキングチェア形であるため電解液中のリチウムイオンの濃度変化は起こらない．

2)　リチウムイオン電池の正極には，コバルト酸リチウム，負極には炭素を用いる．この電池の充放電時の反応に関与する電子数は，リチウムイオン1個当たり1である．
参考として正負極の電池の反応式を下記に示す．

負極：$C_6Li_x \rightarrow 6C+xLi^{+}+xe^{-}$

正極：$Li_yCoO_2+xLi^{+}+xe^{-} \rightarrow Li_{x+y}CoO_2$

問題15 (1) 1—コ，2—キ，3—オ，4—イ，5—ウ

(2) 6—ク，7—コ，8—ア，9—ス，10—セ，11—チ

【指導】

(1) 1) 点光源Aのみによる点Pの水平面照度 E_h は，

$$E_h=\frac{I_{\theta_1}}{4^2+3^2}\times\cos\theta_1=\frac{2\,000}{4^2+3^2}\times\frac{4}{\sqrt{4^2+3^2}}=64\,〔\mathrm{lx}〕$$

となる．次に調光して光度を I_{θ_1}〔cd〕にした点光源Aに加えて点光源Bを点灯した場合には次式が成立する．

$$E_h=\frac{I_{\theta_1}}{4^2+3^2}\times\frac{4}{\sqrt{4^2+3^2}}+\frac{100}{1+(\sqrt{3})^2}\times\frac{1}{\sqrt{1+(\sqrt{3})^2}}=64\,〔\mathrm{lx}〕$$

これより，I_{θ_1} について解くと，

$I_{\theta_1}=1\,609.38=1\,609$〔cd〕

2) この布上の照度 E は，入射する光束を面積で除して，

$$E=\frac{700}{2\times3.5}=100\,〔\mathrm{lx}〕$$

布の反射率 τ は，題意より，透過率が30〔%〕，吸収率が20〔%〕であるので，

$\tau=1-0.3-0.2=0.5$

となる．したがって，光束発散度 M は，

$M=\tau E=0.5\times100=50$〔$\mathrm{lm/m^2}$〕

3) 総合効率 η_t は安定器の損失を考慮した効率で，ランプの全光束を Φ_L〔lm〕，ランプの消費電力を P_L〔W〕，安定器の損失電力を P_B〔W〕とすると，次式で表される．

$$\eta_t=\frac{\Phi_L}{P_L+P_B}$$

また，ランプ効率 η_L は，次式で表される．

$$\eta_L=\frac{\Phi_L}{P_L}$$

題意より，$\eta_L=55$〔lm/W〕，$F_L=20\,000$〔lm〕，$\eta_t=52$〔lm/W〕を代入すると，ランプの消費電力 P_L は，

$$P_L=\frac{20\,000}{55}=363.6\,〔\mathrm{W}〕$$

となるので，

$$52=\frac{20\,000}{363.6+P_B}$$

が成立する．これより，安定器の損失電力 P_B は，

$$P_B=21.0\,〔\mathrm{W}〕$$

4) 照明器具の台数を N，光源の光束を F〔lm〕，照明率を U，保守率を M，作業面の面積を A〔m^2〕とすると，光束法による平均照度 E は次式で表される．

$$E=\frac{\Phi UNM}{A}\,〔\mathrm{lx}〕$$

これより，必要とされる照明器具の台数 N は，

$$N=\frac{EA}{\Phi UM}=\frac{750\times20\times30}{45\,000\times0.60\times0.70}=23.8\rightarrow24\,〔台〕$$

(2) 光源の可視領域（380 ～ 780〔nm〕）における波長と放射強度の関係を示したものを分光分布と呼ぶ．

演色評価数は，対象とするランプの基準光源に対する色の見え方の忠実度を数量的に表したものであり，平均演色評価数 Ra と特殊演色評価数 R_9 ～ R_{15} によって表される．演色評価数は，物体の色の見えの方好ましさの程度を表すものではない．

相関色温度とは，光源色と最も近い色に見える黒体放射の色（温度）で表したもので，単位にはケルビン〔K〕が使用されている．

白熱電球はフィラメントを流れる電流のジュール熱で白熱させ，そこから温度放射される光を利用している．このため波長 400〔nm〕付近から連続的に単調増加する特性を持っている．

三波長域発光形蛍光ランプは，青色（450〔nm〕），緑色（540〔nm〕），赤色（610〔nm〕）の三つの波長の付近に強い発光ピークをもつランプで，一般型の蛍光ランプよりも演色性とランプ効率を改善したものである．

発光ダイオード（LED）は，半導体の pn 接合部に電流を流して，電子と正孔が再結合する過程で光エネルギーを放出して発光するものである．白色 LED には青色または紫外 LED で蛍光体を励起して白色を得るタイプと，青，緑，赤の LED を組み合わせて白色を得るタイプがある．白色 LED は，青色（450〔nm〕）に強いピークと黄色（550〔nm〕）にピークを有した滑らかな分光分布となる．

問題16 (1) 1—エ，2—ウ，3—ア，4—オ，5—キ，6—ケ，7—ク，8—エ，9—キ，10—ウ

(2) 11—ク，12—ケ，13—キ，A—1.25，14—オ，15—ウ，16—サ

【指導】 COPは，Coefficient of Performanceの略語で，成績係数と呼ばれ，熱源機器の総合的な熱効率を示す．COPは，

$$\mathrm{COP}=\frac{\text{機器からの出力エネルギー}}{\text{機器への入力エネルギー}}$$

で算出される．

例えば，蒸気圧縮式冷凍機の冷凍サイクルでは，COPは，

$$\mathrm{COP}=\frac{\text{蒸発器の冷却能力}}{\text{圧縮機の消費電力}}$$

で表される．

MRTは，Mean Radiant Temperatureの略語で，平均放射温度である．これは，グローブ温度計で測定したグローブ温度と気流速度から算出される．平均放射温度は，各壁面から受ける放射の影響の平均値とみなすことができる．

ODPは，Ozone Depletion Potentialの略語で，オゾン（層）破壊係数のことである．特定フロンのCFC−11を基準として，単位質量のフロンがオゾン層を破壊する比率を相対的に示した数値である．

PALは，Perimeter Annual Loadの略語で，建築外皮の年間熱負荷係数を示す．これは，屋内周囲空間（ペリメータ部分）の年間冷暖房負荷/屋内周囲空間の床面積で算出される．PALが小さい方が，建物外皮の断熱性能が優れていることになる．

PMVは，Predicted Mean Voteの略語で，温冷感の予想平均申告であり，ISO 7730−2005に規定されている．PMVは，空気温度，相対湿度，平均放射温度，気流速度，活動量，着衣量の温熱環境の6要素から計算される熱的中立の度合を示す指標であり，0に近い方が熱的快適（熱的に不快でない）とされる．

VAVは，Variable Air Volumeの略語で，可変風量方式の空調方式を意味する．これは，空調機で室温を制御するときに，室温を検出して送風量を変化させることによって，空調負荷の変化に対応する空調方式である．ゾーンごとの負荷変動に対応できることと，給気ダクトの圧力を検出して送風機の回転数を制御することで送風機動力の省エネルギーが可能なことが特徴である．

VOCは，Volatile Organic Compoundsの略語で，揮発性有機化合物のことである．建築

の内装材料に使用されているホルムアルデヒドなどのVOCが室内に放散されて高濃度になることで，シックハウス症候群の原因となる．現在では，これを防止するために，内装材料の規制および機械換気の規定が設けられている．

SHFは，Sensible Heat Factorの略語で，顕熱比を示す．これは，冷房負荷の全熱負荷に占める顕熱負荷の割合であり，

$$\frac{\text{顕熱負荷}}{\text{全熱負荷}}=\frac{\text{顕熱負荷}}{\text{顕熱負荷}+\text{潜熱負荷}}$$

で算出される．この値が小さい場合，冷房負荷に占める潜熱負荷の比率が高いことになり，除湿負荷が大きいことを示す．

換気方式には，送風機を用いる強制換気（機械換気）方式と，建物内外の圧力差を利用する自然換気方式がある．強制換気（機械換気）方式は，給気と排気のどちらを強制換気にするかで3種類に分類される．給気を強制換気，排気を自然換気で行う方式を第二種換気といい，室内圧力は正圧になる．これは，ボイラ室など，燃焼空気量を確保しなくてはならない室で採用される．給気を自然換気，排気を強制換気で行う方式を第三種換気といい，室内圧力は負圧になる．これは，浴室，トイレなど，汚染物質をなるべく室外へ漏えいしたくない室で採用される．給気と排気を強制換気による換気方式を第一種換気といい，室内圧力は，一般的には ±0 になるが，給排気量を変えることによって，正圧にも負圧にもできる．

送風機の軸動力 W_s〔kW〕は，次式で表される．

$$W_s=\frac{Q\cdot P_T}{60\times 1\,000}\times\frac{100}{\eta}\text{〔kW〕}$$

ここで，Q は送風量〔m^3/min〕，P_T は送風機の全圧〔Pa〕，η は送風機効率〔%〕である．したがって，

$$W_s=\frac{\frac{7\,200}{60}\times 500}{60\times 1\,000}\times\frac{100}{80}=1.25\text{〔kW〕}$$

自然換気方式は，送風機を使用せず，風力や温度差によって生じる建物内外の圧力差を駆動力として換気を行う方式である．このときの換気量 Q〔m^3/s〕は，

$$Q=\alpha A\sqrt{\frac{2\Delta p}{\rho}}\text{〔}m^3/s\text{〕}$$

で表される．ここで，α は開口部の流量係数〔−〕，A は開口面積〔m^2〕，Δp は室内外の圧力差〔Pa〕，ρ は空気の密度〔kg/m^3〕である．したがって，

$$換気量＝開口部の流量特性に係る係数×開口面積×\sqrt{\Delta p}$$

また，建物が風力を受けるとき，風によって生じる差圧は風の動圧$\left(=\frac{1}{2}\rho v^2\right)$に比例するので，風速の 2 乗に比例することになる．ただし，v は風速〔m/s〕である．

エネルギー管理士 電気分野 模範解答集　2025年版

2024年10月28日　第1版第1刷発行

編　者　電　気　書　院
発行者　田　中　　聡

発 行 所
株式会社 電 気 書 院
ホームページ　www.denkishoin.co.jp
（振替口座　00190-5-18837）
〒101-0051　東京都千代田区神田神保町1-3ミヤタビル2F
電話(03)5259-9160／FAX(03)5259-9162

印刷　中央精版印刷株式会社
Printed in Japan／ISBN978-4-485-21233-2

- 落丁・乱丁の際は，送料弊社負担にてお取り替えいたします．
- 正誤のお問合せにつきましては，書名・版刷を明記の上，編集部宛に郵送・FAX（03-5259-9162）いただくか，当社ホームページの「お問い合わせ」をご利用ください．電話での質問はお受けできません．また，正誤以外の詳細な解説・受験指導は行っておりません．

［本書の正誤に関するお問い合せ方法は，最終ページをご覧ください］

書籍の正誤について

万一，内容に誤りと思われる箇所がございましたら，以下の方法でご確認いただきますようお願いいたします．

なお，正誤のお問合せ以外の書籍の内容に関する解説や受験指導などは**行っておりません**．このようなお問合せにつきましては，お答えいたしかねますので，予めご了承ください．

正誤表の確認方法

最新の正誤表は，弊社Webページに掲載しております．書籍検索で「正誤表あり」や「キーワード検索」などを用いて，書籍詳細ページをご覧ください．
正誤表があるものに関しましては，書影の下の方に正誤表をダウンロードできるリンクが表示されます．表示されないものに関しましては，正誤表がございません．

弊社Webページアドレス
https://www.denkishoin.co.jp/

正誤のお問合せ方法

正誤表がない場合，あるいは当該箇所が掲載されていない場合は，書名，版刷，発行年月日，お客様のお名前，ご連絡先を明記の上，具体的な記載場所とお問合せの内容を添えて，下記のいずれかの方法でお問合せください．
回答まで，時間がかかる場合もございますので，予めご了承ください．

郵便で問い合わせる　郵送先
〒101-0051
東京都千代田区神田神保町1-3
ミヤタビル2F
㈱電気書院　編集部　正誤問合せ係

FAXで問い合わせる　ファクス番号　**03-5259-9162**

ネットで問い合わせる
弊社Webページ右上の「**お問い合わせ**」から
https://www.denkishoin.co.jp/

お電話でのお問合せは，承れません

(2022年5月現在)